A ARTE DA SEDUÇÃO

ROBERT GREENE

Projeto de
JOOST ELFFERS

A ARTE DA SEDUÇÃO

Tradução de
Talita M. Rodrigues

Rocco

Título original
THE ART OF SEDUCTION

Copyright © Robert Greene e Joost Elffers, 2001
Todos os direitos reservados

Design de capa: Bruno Moura

Direitos para a língua portuguesa reservados
com exclusividade para o Brasil à
EDITORA ROCCO LTDA.
Rua Evaristo da Veiga, 65 – 11º andar
Passeio Corporate – Torre 1
20031-040 – Rio de Janeiro – RJ
Tel.: (21) 2507-2000 – Fax: (21) 2507-2244
rocco@rocco.com.br
www.rocco.com.br

Printed in Brazil/Impresso no Brasil

Tradução de
TALITA M. RODRIGUES

Preparação de originais
JOSÉ GRILLO

CIP-Brasil. Catalogação na publicação.
Sindicato Nacional dos Editores de Livros, RJ.

G831a	Greene, Robert
	A arte da sedução / Robert Greene ; projeto de Joost Elffers; tradução de Talita M. Rodrigues. – 1ª ed. – Rio de Janeiro: Rocco, 2022.
	Tradução de: The art of seduction
	ISBN 978-65-5532-204-0
	1. Excitação sexual. 2. Educação sexual. 3. Sedução. I. Elffers, Joost. II. Rodrigues, Talita M. III. Título.
21-74597	CDD-306.7
	CDU- 612.6.062

Meri Gleice Rodrigues de Souza – Bibliotecária – CRB-7/6439
O texto deste livro obedece às normas do Acordo Ortográfico da Língua Portuguesa

Impressão e Acabamento:
GEOGRÁFICA EDITORA LTDA.

À memória de meu pai.

AGRADECIMENTOS

Primeiro, gostaria de agradecer a Anna Biller por suas inúmeras contribuições para este livro: a pesquisa, as muitas discussões, sua inestimável ajuda com o texto em si, e por último, mas não menos importante, o seu conhecimento da arte de seduzir, da qual tenho sido uma feliz vítima em várias ocasiões.

Devo agradecer à minha mãe, Laurette, por seu apoio constante ao longo deste projeto e por ser a minha fã mais fervorosa.

Quero agradecer a Catherine Léouzon, que anos atrás me apresentou a *Les Liaisons Dangereuses* e ao mundo de Valmont.

E quero agradecer a David Frankel, por sua hábil editoração e seus conselhos tão apreciados; a Molly Stern, da Viking Penguin, por supervisionar o projeto e ajudar a lhe dar forma; a Radha Pancham, por mantê-lo organizado e ser tão paciente; e a Brett Kelly, por colocar as coisas em andamento.

Com o coração pesado, gostaria de prestar um tributo ao meu gato Boris, que durante 13 anos velou por mim enquanto eu escrevia e cuja presença faz uma enorme falta. Seu sucessor, Brutus, tem se mostrado uma valiosa fonte de inspiração.

Finalmente, gostaria de homenagear meu pai. É impossível expressar com palavras a falta que sinto dele e o quanto inspirou o meu trabalho.

SUMÁRIO

AGRADECIMENTOS   página 7

PREFÁCIO   página 19

PARTE UM
A PERSONALIDADE SEDUTORA   página 27

SEREIA   página 31

Em geral, o homem se sente secretamente oprimido pelo papel que é obrigado a representar – tendo sempre de ser responsável, estar no controle e manter a racionalidade. A Sereia é a figura máxima da fantasia masculina porque ela representa o alívio total de todos os limites impostos à sua vida. Na presença dela, sempre exaltada e cheia de energia sexual, o homem se sente transportado a um reino de puro prazer. Num mundo em que as mulheres são quase sempre tímidas demais para projetar essa imagem, aprenda a controlar a libido masculina encarnando a fantasia dele.

LIBERTINO   página 45

A mulher nunca se sente desejada e valorizada o bastante. Ela quer atenção, mas o homem em geral se mostra distraído e insensível. O Libertino é a grande figura da fantasia feminina – quando deseja uma mulher, por mais breve que seja esse momento, o homem vai até o fim do mundo atrás dela. Ele pode ser desleal, desonesto e amoral, mas tudo isso só o torna ainda mais atraente. Desperte os desejos reprimidos de uma mulher adaptando o misto de risco e prazer do Libertino.

AMANTE IDEAL   página 59

A maioria das pessoas tem sonhos na juventude que o tempo se encarrega de ir frustrando e desgastando. Elas se decepcionam com os outros, com os acontecimentos, com a realidade, que não combinam com seus ideais de jovem. Os Amantes Ideais se alimentam de sonhos frustrados que as pessoas acalentam como fantasias pelo resto da vida. Você deseja ardentemente um romance? Uma aventura? Uma comunhão espiritual sublime? O Amante Ideal reflete a sua fantasia. Ele, ou ela, é um artista ao criar a ilusão de que você precisa. Num mundo de desencantos e mesquinharias, existe uma energia sedutora sem limites no caminho do Amante Ideal.

DÂNDI   página 73

Na grande maioria, nos sentimos presos aos papéis limitados que o mundo espera que representemos. Somos instintivamente atraídos por quem tem mais fluidez do que nós – aquelas pessoas que criam a sua própria persona. Os dândis nos excitam porque não podem ser categorizados e falam indiretamente de uma liberdade que desejamos para nós mesmos. Eles jogam com a masculinidade e a feminilidade; eles moldam a sua própria imagem física, que é sempre surpreendente. Use o poder do Dândi para criar uma presença ambígua, fascinante, que excita desejos reprimidos.

NATURAL   página 89

A infância é um paraíso dourado que estamos sempre, consciente ou inconscientemente, tentando recriar. O Natural incorpora as qualidades tão desejadas da infância – espontaneidade, sinceridade, despretensão. Na presença dos Naturais, nos sentimos à vontade, capturados pelo seu espírito brincalhão, transportados de volta àquela era de ouro. Adote a atitude do Natural para neutralizar a resistência defensiva das pessoas e infectá-las com uma irresistível sensação de prazer.

COQUETE   página 107

A capacidade de retardar a satisfação é a arte insuperável da sedução – enquanto espera, a vítima se mantém escravizada. As pessoas coquetes são as grandes mestras do jogo, orquestrando um movimento de ir e vir entre a esperança e a frustração. Elas atraem com a promessa de recompensa – a esperança de prazer físico, felicidade, fama por associação, poder –, mas tudo isso é ilusório; não obstante, só fazem com que seus alvos as procurem cada vez mais. Imite a alternância de calor e frieza do Coquete e você manterá o seduzido aos seus pés.

ENCANTADOR   página 121

O charme é a sedução sem sexo. Os encantadores são consumados manipuladores que mascaram a esperteza criando um clima de prazer e conforto. O método é simples: eles desviam as atenções de si mesmos para focalizá-las no seu alvo. Eles compreendem o seu espírito, sentem a sua dor, adaptam-se ao seu humor. Na presença de um Encantador, você gosta mais de si mesmo. Aprenda a usar o feitiço da pessoa encantadora mirando os pontos fracos básicos dos outros: vaidade e autoestima.

CARISMÁTICO   página 139

Carisma é a presença que nos excita. Ele surge de uma qualidade interior – autoconfiança, energia sexual, sentido de propósito, contentamento – que falta à maioria das pessoas. Esta qualidade irradia de dentro para fora, impregnando os gestos dos Carismáticos, fazendo com que eles pareçam extraordinários e superiores. Eles aprendem a realçar o seu carisma com um olhar penetrante, uma oratória inflamada, um ar de mistério. Crie a ilusão carismática irradiando intensidade enquanto se mantém distante.

ESTRELA   página 169

O dia a dia é duro, e a maioria de nós procura escapar dele com fantasias e sonhos. As Estrelas se alimentam dessa fraqueza; destacando-se dos outros com um estilo distinto e atraente, elas nos fazem querer observá-las. Ao mesmo tempo, são vagas e etéreas, mantendo-se distantes e nos permitindo imaginar mais do que existe. A sua característica sonhadora influencia o nosso inconsciente. Aprenda a se tornar um objeto de fascínio projetando a presença cintilante, mas difícil de alcançar, da Estrela.

ANTISSEDUTOR   página 183

Os Sedutores o atraem pela atenção focada, individualizada, que dão a você. Os Antissedutores são o oposto: inseguros, absortos em seus próprios problemas e incapazes de compreender a psicologia do outro, eles literalmente repelem. Os Antissedutores não têm consciência do que fazem, e não percebem que estão incomodando, tomando liberdades, falando demais. Descubra em você mesmo as qualidades antissedutoras, e reconheça-as nos outros – lidar com o Antissedutor não é nada agradável nem lucrativo.

AS VÍTIMAS DO SEDUTOR – OS 18 TIPOS   página 201

PARTE DOIS
O PROCESSO SEDUTOR   página 217

FASE UM:
SEPARAÇÃO – DESPERTANDO INTERESSE E DESEJO   página 221

1 ESCOLHA A VÍTIMA CERTA   página 223

Tudo depende do alvo da sua sedução. Estude bem a sua presa e escolha apenas as que se mostrarem suscetíveis aos seus encantos. As vítimas certas são aquelas para quem você vai preencher um vazio, que veem em você algo exótico. São em geral solitárias e infelizes, ou podem facilmente ficar assim – pois é quase impossível seduzir uma pessoa plenamente satisfeita. A vítima perfeita tem uma certa qualidade que inspira em você fortes emoções, fazendo com que suas manobras sedutoras pareçam mais naturais e dinâmicas. A vítima perfeita permite a caçada perfeita.

2 CRIE UMA FALSA NOÇÃO DE SEGURANÇA – ABORDE INDIRETAMENTE   página 233

Se você for direto demais logo de início, arrisca-se a provocar uma resistência que não baixará nunca. No princípio não deve haver nada de sedutor nos seus modos. A sedução deve começar de uma forma oblíqua, indireta, para que o alvo só comece a perceber você aos poucos. Ronde a periferia da vida do seu alvo – aproxime-se por intermédio de uma terceira pessoa, ou pareça cultivar um relacionamento mais ou menos neutro, passando aos poucos de amigo a amante. Tranquilize o alvo até ele se sentir seguro, e aí ataque.

3 ENVIE SINAIS AMBÍGUOS   página 243

Quando as pessoas perceberem a sua presença, e estiverem talvez vagamente intrigadas, é preciso despertar o interesse delas antes que ele se desvie. Nós somos, na grande maioria, óbvios demais – em vez disso, seja alguém difícil de compreender. Envie sinais ambíguos: ao mesmo tempo duros e gentis, espirituais e materiais, inocentes e dissimulados. A mistura de características sugere profundidade, que fascina mesmo confundindo. Uma aura indefinível, enigmática, faz as pessoas desejarem saber mais, atraindo-as para o seu círculo. Crie esse poder insinuando que existe em você algo contraditório.

4 APARENTE SER UM OBJETO DE DESEJO – CRIE TRIÂNGULOS   página 255

É raro as pessoas se sentirem atraídas por alguém que os outros evitam ou desprezam; elas se reúnem em torno de quem já despertou interesse. Para atrair suas vítimas mais para perto e fazê-las desejar ardentemente possuir você, é preciso criar uma aura de objeto de desejo – de ser querido e cortejado por muitos. Para elas será uma questão de vaidade ser o objeto preferido das suas atenções, fazê-lo afastar-se de uma multidão de admiradores. Construa uma reputação que possa precedê-lo: se tantos sucumbiram aos seus encantos, deve haver um motivo.

5 CRIE UMA NECESSIDADE – DESPERTE ANSIEDADE E DESCONTENTAMENTO   página 265

Alguém plenamente satisfeito não pode ser seduzido. É preciso instilar na mente de seus alvos a tensão e a desarmonia. Desperte neles o descontentamento, a sensação de estarem infelizes com a vida e consigo mesmos. Os sentimentos de inadequação que você vai criar lhe darão espaço para se insinuar, para fazê-los ver em você a resposta para os problemas deles. A dor e a ansiedade são os precursores adequados para o prazer. Aprenda a criar a necessidade que será capaz de satisfazer.

6 DOMINE A ARTE DA INSINUAÇÃO   página 275

Fazer seus alvos se sentirem insatisfeitos e precisando da sua atenção é essencial; mas, se você for óbvio demais, eles vão perceber e ficar na defensiva. Não se conhecem defesas, entretanto, para as insinuações – a arte de plantar ideias na mente dos outros deixando cair sugestões vagas que mais tarde criam raízes, fazendo-os achar até que a ideia é deles. Crie uma sublinguagem – frases ousadas seguidas de retração e um pedido de desculpas, comentários ambíguos, conversas banais combinadas com olhares tentadores – que penetre no inconsciente do alvo para transmitir o que você realmente quer dizer. Torne tudo sugestivo.

7 ENTRE NO ESPÍRITO DELES   página 285

As pessoas, em geral, se trancam dentro de seus próprios mundos, o que as torna teimosas e difíceis de convencer. Para fazê-las sair da concha e iniciar a sua sedução, você precisa entrar no espírito delas. Jogue segundo as regras delas, aprecie o que elas apreciam, adapte-se aos humores delas. Com isso, você afaga um profundo narcisismo e derruba as defesas que as protegem. Seja tolerante com os humores e caprichos de seus alvos, não lhes dando motivos para reagir ou resistir.

8 CRIE TENTAÇÃO   página 297

Deixe o seu alvo fascinado criando a tentação adequada; um vislumbre de prazeres futuros. Como a serpente que tentou Eva com a promessa do conhecimento proibido, você deve despertar nos seus alvos um desejo incontrolável. Descubra aquele ponto fraco, aquela fantasia que ainda está por realizar, e faça com que eles pensem que você é capaz de levá-los até lá. A chave é manter tudo vago. Estimule uma curiosidade maior do que as dúvidas e ansiedades que a acompanham, e eles o seguirão.

FASE DOIS:
DESENCAMINHE – CRIANDO PRAZER E CONFUSÃO   página 309

9 MANTENHA-OS EM SUSPENSE – O QUE VIRÁ EM SEGUIDA?   página 311

No momento em que as pessoas acham que sabem o que esperar de você, o seu encanto sobre elas está quebrado. Mais: Você lhes terá cedido o poder. A única maneira de conduzir o seduzido e manter o controle é criando suspense, uma surpresa calculada. Fazer alguma coisa que elas não esperam de você lhes dará uma deliciosa sensação de espontaneidade – elas não conseguirão prever o que virá em seguida. Você está sempre um passo à frente e no controle. Deixe a vítima excitada com uma mudança súbita de direção.

10 USE O PODER DEMONÍACO DAS PALAVRAS PARA SEMEAR CONFUSÃO   página 321

É difícil fazer as pessoas escutarem; elas estão absortas em seus próprios pensamentos e desejos, e não têm tempo para os seus. O truque para fazê-las ouvir é dizer o que elas querem escutar, encher os ouvidos delas com o que for que lhes seja agradável. Esta é a essência da linguagem sedutora. Inflame as emoções das pessoas com frases carregadas de energia, distribua elogios, conforte suas inseguranças, envolva-as em palavras doces e promessas, e não só elas escutarão o que você quer lhes dizer como perderão a vontade de resistir.

11 PRESTE ATENÇÃO AOS DETALHES   página 337

Frases de amor grandiloquentes e gestos grandiosos podem ser suspeitos: Por que você se esforça tanto para agradar? Os detalhes da sedução – os gestos sutis, as coisas que você faz de improviso – são quase sempre mais charmosos e reveladores. Você precisa aprender a distrair suas vítimas com milhares de pequenos rituais agradáveis – presentes atenciosos feitos sob medida para elas, roupas e adornos desenhados para agradá-las, gestos que mostram o tempo e a atenção que você está lhes dedicando. Hipnotizadas pelo que estão vendo, não perceberão as suas reais intenções.

12 POETIZE A SUA PRESENÇA   página 351

Coisas importantes acontecem quando seus alvos ficam sozinhos: a mais leve sensação de alívio com a sua ausência, e está tudo acabado. Isso é consequência da familiaridade e da superexposição. Mantenha-se arredio, portanto. Deixe seus alvos intrigados alternando uma presença excitante com um frio distanciamento, momentos exuberantes seguidos de ausências calculadas. Associe-se a imagens e objetos poéticos para que, ao pensarem em você, eles o vejam por intermédio de uma aura idealizada. Quanto mais você figurar em sua mente, mais eles o envolverão em fantasias sedutoras.

13 DESARME USANDO A FRAQUEZA E A VULNERABILIDADE ESTRATÉGICAS   página 361

Excesso de manobras da sua parte pode levantar suspeitas. A melhor maneira de encobrir os seus rastros é fazer a outra pessoa se sentir superior e mais forte. Se você parece fraco, vulnerável, cativado pela outra pessoa e incapaz de se controlar, suas ações terão uma aparência mais natural, menos calculada. A fraqueza física – lágrimas, acanhamento, palidez – ajudam a criar este efeito. Finja-se de vítima, depois transforme a solidariedade do seu alvo em amor.

14 CONFUNDA DESEJO E REALIDADE – CRIE A ILUSÃO PERFEITA   página 371

Para compensar as suas dificuldades na vida, as pessoas gastam uma boa parte do seu tempo sonhando acordadas, imaginando um futuro cheio de aventuras, sucesso e romance. Se conseguir criar a ilusão de que por seu intermédio elas poderão realizar o que sonham, elas ficarão à sua mercê. Mire nos desejos secretos que têm sido frustrados ou reprimidos, despertando emoções incontroláveis, obscurecendo a capacidade de raciocinar. Conduza os seduzidos a um ponto de confusão em que eles não percebam mais a diferença entre ilusão e realidade.

15 ISOLE A VÍTIMA   página 387

A pessoa isolada é fraca. Ao isolar lentamente as suas vítimas, você as torna mais vulneráveis à sua influência. Afaste-as do seu meio ambiente natural, dos seus amigos, da família, do seu lar. Faça com que se sintam marginalizadas, no limbo – elas estão deixando para trás um mundo e entrando em outro. Uma vez isoladas, elas não têm nenhum apoio externo e, confusas, são facilmente desviadas do seu caminho. Atraia os seduzidos para o seu covil, onde nada lhes é familiar.

FASE TRÊS:
O PRECIPÍCIO – APROFUNDANDO O EFEITO COM MEDIDAS RADICAIS   página 399

16 PROVE QUEM VOCÊ É   página 401

A maioria das pessoas quer ser seduzida. Se resistem, na certa é porque você não se esforçou o bastante para dissipar as suas dúvidas – sobre os seus motivos, sobre a sinceridade dos seus sentimentos e outras coisas mais. Uma ação no momento oportuno, que mostre até onde você está disposto a ir para conquistá-las, acabará com as dúvidas. Não se preocupe por parecer tolo ou estar cometendo um erro – qualquer tipo de atitude de sacrifício pessoal e em benefício dos seus alvos os deixará tão emocionados que não perceberão mais nada.

17 FAÇA UMA REGRESSÃO   página 415

Quem já experimentou certo tipo de prazer no passado vai tentar repeti-lo ou revivê-lo. As lembranças mais arraigadas e agradáveis são em geral aquelas da primeira infância, e quase sempre inconscientemente associadas à figura paterna ou materna. Leve seus alvos de volta àquele ponto colocando-se no triângulo edipiano e posicionando-os como a criança necessitada. Sem perceberem a causa de suas reações emocionais, eles se apaixonarão por você.

18 PROVOQUE O QUE É TRANSGRESSÃO E TABU   página 435

Há sempre limites sociais para o que se pode fazer. Alguns deles, os tabus mais elementares, datam de séculos; outros são mais superficiais, definindo simplesmente comportamentos polidos e aceitáveis. Fazer com que seus alvos sintam que você os está levando a transgredir um ou outro tipo de limite é imensamente sedutor. As pessoas anseiam por explorar os seus lados obscuros. Depois que o desejo de transgredir tiver atraído os seus alvos até você, será difícil fazê-los parar. Leve-os até mais longe do que eles imaginaram – o sentimento em comum de culpa e a cumplicidade criarão um poderoso vínculo.

19 USE ISCAS ESPIRITUAIS   página 447

Todo mundo tem dúvidas e inseguranças – sobre o próprio corpo, o seu valor pessoal, a sua sexualidade. Se a sua sedução apelar exclusivamente para o que é físico, você despertará estas dúvidas e vai deixar seus alvos constrangidos. Em vez disso, seduza-os de forma a fazê-los esquecer as inseguranças e se concentrar em algo mais sublime e espiritual; uma experiência mística, uma obra de arte grandiosa, o oculto. Perdido na névoa espiritual, o alvo se sentirá leve e desinibido. Aumente o efeito da sua sedução fazendo com que o seu clímax sexual pareça a união espiritual de duas almas.

20 MISTURE PRAZER COM SOFRIMENTO   página 457

O maior erro na sedução é ser bonzinho demais. No início, talvez, a sua gentileza seja encantadora, mas logo ela se torna monótona; você está se esforçando muito para agradar e parece inseguro. Em vez de afogar os seus alvos em gentilezas, tente infligir-lhes algum sofrimento. Faça-os se sentirem culpados e inseguros. Force um rompimento – depois uma reaproximação, um retorno à gentileza anterior os deixará de joelhos bambos. Quanto mais humilhação você criar, maior será o entusiasmo. Para aumentar a energia erótica, crie a excitação que o medo provoca.

FASE QUATRO:
CAMINHANDO PARA O GOLPE FINAL   página 471

21 DÊ A ELES ESPAÇO PARA A QUEDA – O PERSEGUIDOR É PERSEGUIDO   página 473

Se os seus alvos se acostumarem demais a vê-lo como o agressor, passarão a opor menos resistência, e a tensão afrouxará. Você precisa acordá-los, virar a mesa. Quando eles estiverem sob o seu fascínio, dê um passo atrás e eles começarão a procurá-lo. Sugira que está ficando entediado. Demonstre interesse por outra pessoa. Em breve eles irão querer possuí-lo fisicamente, e a prudência fugirá pela janela. Crie a ilusão de que o sedutor está sendo seduzido.

22 USE ISCAS FÍSICAS   página 485

Alvos com mente ativa são perigosos. Quando percebem as suas manipulações, começam a desconfiar. Coloque a mente deles em repouso e desperte seus sentidos adormecidos, combinando uma atitude não defensiva com uma presença sexualmente energizada. Enquanto o seu ar frio e indiferente acalma as inibições, o seu olhar, a sua voz e porte – transpirando sexo e desejo – penetram sob a pele deles, elevando-lhes a temperatura. Jamais force o que é físico; pelo contrário, contagie seus alvos com o calor, atraindo-os para a luxúria. Moral, prudência e preocupação com o futuro, tudo isso desaparecerá.

23 DOMINE A ARTE DO MOVIMENTO OUSADO   página 501

Chegou a hora: sua vítima nitidamente deseja você, mas não está pronta para admitir isso às claras, muito menos tomar alguma atitude a respeito. É o momento de deixar de lado o cavalheirismo, a gentileza e o coquetismo e conquistar com um movimento ousado. Não dê à vítima tempo para pensar nas consequências. Mostrar hesitação ou embaraço significa que você está pensando em si mesmo, ao contrário de estar dominado pelos encantos da vítima. Alguém tem de continuar na ofensiva, e este alguém é você.

24 ATENÇÃO AOS EFEITOS POSTERIORES   página 511

Depois de uma sedução bem-sucedida, vem o perigo. Quando as emoções chegam ao auge, em geral elas oscilam na direção oposta – para a lassidão, a desconfiança, o desapontamento. Se vocês vão se separar, que o sacrifício seja rápido e repentino. Se vocês vão continuar se relacionando, cuidado com a queda de energia, com a familiaridade que vem se insinuando e acaba com a fantasia. É preciso seduzir uma segunda vez. Não se deixe passar despercebido pela outra pessoa – use a ausência, crie sofrimento e conflito, para manter o seduzido caminhando sobre brasas.

APÊNDICE A: AMBIENTE SEDUTOR/TEMPO SEDUTOR   página 529

APÊNDICE B: SEDUÇÃO SUTIL E INDIRETA:
COMO VENDER QUALQUER COISA ÀS MASSAS   página 539

BIBLIOGRAFIA   página 555

CRÉDITOS   página 557

PREFÁCIO

Milhares de anos atrás, o poder era conquistado principalmente pela violência física e mantido pela força bruta. Quase não havia necessidade de sutilezas – o rei ou imperador tinha de ser impiedoso. Só uns poucos escolhidos tinham poder, porém ninguém sofria mais com este esquema do que as mulheres. Elas não tinham como competir, não tinham armas para forçar os homens a fazerem o que elas queriam – politicamente, socialmente e nem mesmo em casa.

Claro que os homens tinham um ponto fraco: o seu insaciável desejo de sexo. A mulher sempre podia jogar com esse desejo, mas, no momento em que ela cedia ao sexo, o homem assumia de novo o controle: e, se ela negasse sexo, ele simplesmente ia procurar em outro lugar – ou o tomava à força. De que adiantava um poder tão temporário e frágil? Mas as mulheres não tinham outra escolha a não ser submeterem-se a esta situação. Existiram algumas, entretanto, com uma fome de poder muito grande, e que, com o passar dos anos, usando de muita esperteza e criatividade, inventaram um meio de inverter a dinâmica, criando uma forma mais permanente e eficaz de poder.

Estas mulheres – entre elas, Betsabá, do Velho Testamento; Helena de Troia; a sereia chinesa Hsi Shi; e a maior de todas, Cleópatra – inventaram a sedução. Primeiro, elas atraíam o homem com uma aparência fascinante, pintando o rosto e se enfeitando de modo a parecerem verdadeiras deusas. Ao deixarem entrever apenas um pedacinho de carne, elas excitavam a imaginação do homem, estimulando o desejo não só de sexo, mas de algo muito maior: a possibilidade de possuir uma figura da fantasia. Depois de despertarem o interesse das vítimas, estas mulheres as faziam esquecer o mundo masculino de guerras e política, e passar com elas algumas horas no mundo feminino – um mundo de luxúria, espetáculos e prazer. Conseguiam até desviá-los de seus caminhos, literalmente, levando-os para viajar, como Cleópatra atraiu Júlio César para um passeio pelo Nilo. Os homens eram fisgados por estes prazeres refinados, sensuais – eles se apaixonavam. Mas aí, invariavelmente, as

Opressão e desprezo, portanto, foram e devem ter sido em geral a parte que coube às mulheres nas sociedades emergentes; este estado perdurou em todo o seu vigor até que séculos de experiência as ensinaram a substituir força por habilidade. As mulheres finalmente perceberam que, sendo as mais fracas, o seu único recurso era seduzir; elas compreenderam que, se dependiam dos homens através da força, os homens podiam depender delas através do prazer. Mais infelizes do que os homens, elas devem ter começado a pensar e refletir antes deles; foram as primeiras a saber que o prazer ficava sempre abaixo da ideia que se fazia dele, e que a imaginação ia muito além da realidade. Uma vez conhecendo estas verdades básicas, elas aprenderam, primeiro, a encobrir

mulheres se mostravam frias, indiferentes, confundindo suas vítimas. Logo quando os homens mais queriam, esses prazeres lhes eram negados. Eles eram obrigados a perseguir, a tentar qualquer coisa para reconquistar os favores dos quais já haviam provado e, nesse processo, iam ficando mais fracos e emotivos. Homens que tiveram força física e todo o poder social – como o rei Davi, o troiano Páris, Júlio César, Marco Antônio, o rei Fu Chai – se viram escravos de uma mulher.

Diante da violência e da brutalidade, estas mulheres fizeram da sedução uma arte sofisticada, a forma mais perfeita de poder e persuasão. Elas aprenderam a trabalhar primeiro a mente, estimulando fantasias, mantendo o homem sempre querendo mais, criando padrões de esperança e desespero – a essência da sedução. O seu poder não era físico, e sim psicológico; não era imposto à força, mas indireto e sagaz. Estas primeiras grandes sedutoras foram como generais militares planejando a destruição de um inimigo. E, na verdade, os relatos mais antigos sobre a sedução quase sempre a comparam a uma batalha, a versão feminina da arte da guerra. Para Cleópatra, foi a forma de consolidar um império. Seduzindo, a mulher não era mais um objeto sexual passivo; ela havia se tornado um agente ativo, uma figura de poder.

Com raras exceções – o poeta latino Ovídio, os trovadores medievais –, os homens não se preocupavam muito com uma arte tão frívola como a sedução. Mas então, no século XVII, aconteceu uma grande mudança: os homens começaram a se interessar pela sedução como um meio de vencer a resistência de uma jovem ao sexo. Os primeiros grandes sedutores da história – o duque de Lauzun, os diferentes espanhóis que inspiraram a lenda de Dom Juan – passaram a adotar os métodos tradicionalmente utilizados pelas mulheres. Eles aprenderam a deslumbrar com sua aparência (em geral de natureza andrógina) para estimular a imaginação, a se fazerem de coquetes. Adicionaram ao jogo, também, um novo elemento masculino: a linguagem sedutora, pois descobriram a fragilidade das mulheres pelas palavras doces. Estas duas formas de sedução – o uso feminino da aparência e o masculino da linguagem – cruzavam em geral as fronteiras do gênero: Casanova fascinava as mulheres com suas roupas; Ninon de l'Enclos encantava os homens com suas palavras.

Ao mesmo tempo que os homens desenvolviam a sua versão da sedução, outros começaram a adaptar a arte com fins sociais. Como o sistema feudal de governo na Europa já era coisa do passado, os cortesãos precisavam abrir caminho na corte sem usar a força. Eles aprenderam que era possível conquistar o poder seduzindo seus superiores e concorrentes por meio de jogos psicológicos, a fala mansa, um leve co-

> *os seus encantos para despertar curiosidade; praticaram a difícil arte de recusar mesmo quando o desejo era de consentir; e então, souberam como inflamar a imaginação dos homens, como excitar e direcionar os desejos como bem quisessem: assim nasceram a beleza e o amor; agora o destino das mulheres se tornou menos sombrio, não que elas tivessem conseguido se libertar totalmente do estado de opressão a que sua fraqueza as condenara; mas, no estado de guerra constante que continua existindo entre mulheres e homens, vê-se que elas, com a ajuda das carícias que foram capazes de inventar, combatem sem cessar, às vezes vencem e, com frequência, mais habilmente tiram vantagem das forças direcionadas contra elas; às vezes, também, os homens usam contra as mulheres aquelas mesmas armas que elas forjaram para combatê-los, e a escravidão delas se tornou ainda mais dura por causa disso.*
> – CHODERLOS DE LACLOS, A EDUCAÇÃO DAS MULHERES

quetismo. Com a democratização da cultura, atores, dândis e artistas começaram a usar as táticas de sedução como uma forma de encantar e conquistar sua plateia e ambiente social. No século XIX, houve uma outra grande mudança; políticos como Napoleão se viam conscientemente como sedutores em grande escala. Estes homens dependiam da arte da oratória sedutora, mas também dominavam o que antes tinham sido estratégias femininas: encenando amplos espetáculos, usando artifícios teatrais, criando uma presença física carregada de energia. Tudo isso, eles aprenderam, era a essência do carisma – e, até hoje, continua assim. Seduzindo as massas, eles conseguiam acumular um poder imenso sem usar a força.

Hoje, chegamos ao ponto máximo na evolução da sedução. Agora, mais do que nunca, a força ou a brutalidade de qualquer tipo é desencorajada. Em todos os setores da vida social, é preciso habilidade para convencer as pessoas de um modo que não seja ofensivo nem prepotente. Formas de sedução podem ser encontradas por toda parte, misturando estratégias masculinas e femininas. Os anúncios insinuam, as técnicas de venda não agressivas predominam. Para fazer as pessoas mudarem de opinião – e influenciar opiniões é básico para a sedução –, devemos agir de forma sutil, subliminar. Hoje, nenhuma campanha política funciona sem sedução. Desde a era de John F. Kennedy, exige-se das figuras políticas um certo grau de carisma, uma presença fascinante para prender a atenção da plateia, que é metade da batalha. O mundo do cinema e a mídia criam uma galáxia de estrelas e imagens sedutoras. Estamos impregnados de coisas sedutoras. Mas, ainda que tenham ocorrido muitas mudanças em grau e perspectiva, a essência da sedução se mantém constante: jamais ser impositivo ou direto, pelo contrário, usar o prazer como isca, jogando com a imaginação das pessoas, excitando o desejo e a confusão, induzindo à entrega psicológica. Na sedução, conforme praticada atualmente, os métodos de Cleópatra ainda são válidos.

As pessoas estão sempre tentando nos influenciar, nos dizer o que fazer, e com a mesma frequência não lhes damos ouvidos, resistindo às suas tentativas de persuasão. Mas há um momento na vida em que ninguém age assim – quando nos apaixonamos. Caímos numa espécie de encantamento. Nossa mente, em geral preocupadas com nossos próprios problemas, agora só pensam no ser amado. Ficamos emotivos, perdemos a capacidade de raciocinar objetivamente, fazemos tolices como jamais faríamos em outra situação. Se ela durar muito tempo, algo dentro de nós se rompe: nós nos rendemos à vontade do ser amado, e ao nosso desejo de possuí-lo.

> *Muito mais talento é necessário para fazer amor do que para comandar exércitos.*
> – NINON DE L'ENCLOS

> *Menelau, se vai realmente matá-la, Então eu o abençoo, mas deve fazê-lo agora, Antes que a sua aparência lhe torça as fibras do coração, Confunda-lhe a mente; pois seus olhos são como exércitos, E para onde se volte o seu olhar, as cidades se incendeiam, Até a poeira de suas cinzas se espalharem Com seus suspiros. Eu a conheço, Menelau, E você também. E todos que a conhecem sofrem.*
> – HÉCUBA FALANDO SOBRE HELENA DE TROIA EM *AS TROIANAS*, DE EURÍPIDES

> *Não está em poder de nenhum homem controlar os artifícios de uma mulher.*
> – MARGARIDA DE NAVARRA

Este importante desvio, pelo qual a mulher conseguiu escapar da força masculina e se estabelecer no poder não tem recebido a devida atenção dos historiadores. No momento em que a mulher se destacou da massa, um produto individual perfeito, oferecendo delícias impossíveis de obter pela força, mas somente pela adulação (...), inaugurava-se o reinado das sacerdotisas do amor. Foi um progresso importante na história da civilização. (...) Apenas pelos caminhos tortuosos da arte do amor a mulher poderia de novo assegurar a autoridade, e isto ela fez afirmando-se naquela mesma situação em que normalmente seria uma escrava à mercê do homem. Ela havia descoberto o poder da luxúria, a secreta arte de amar, o poder demoníaco de uma paixão artificialmente despertada e jamais satisfeita. A força assim desencadeada estaria a partir de então entre as mais tremendas do mundo e, em certos momentos, com poder até sobre a vida e a morte. (...) O deslumbramento intencional dos sentidos masculinos teria no homem

Os sedutores são pessoas que sabem o tremendo poder contido nesses momentos de rendição. Eles analisam o que acontece quando as pessoas se apaixonam, estudam os componentes psicológicos do processo – o que atiça a imaginação, o que encanta. Por instinto e prática, eles dominam a arte de fazer as pessoas se apaixonarem. Como sabiam as primeiras sedutoras, é muito mais eficaz despertar amor do que luxúria. A pessoa apaixonada é emotiva, dócil e facilmente enganada. (A palavra sedução vem do latim e significa "desviar".) A pessoa com tesão é mais difícil de controlar e, uma vez satisfeita, pode facilmente deixar você. Os sedutores não se apressam, criam o encantamento e os vínculos do amor para que o sexo, que virá em seguida, escravize ainda mais a vítima. Despertar amor e encantamento é o modelo para todas as seduções – sexuais, sociais, políticas. A pessoa apaixonada se rende.

É inútil tentar argumentar contra esse poder, imaginar que você não está interessado nele, ou que é nocivo e feio. Quanto mais você resistir ao fascínio da sedução – como uma ideia, como uma forma de poder –, mais se sentirá atraído. O motivo é simples: quase todos já sentimos o poder que é ter alguém apaixonado por nós. Nossas ações, gestos, o que dizemos, tudo tem efeitos positivos sobre aquela pessoa; talvez não saibamos exatamente onde foi que acertamos, mas a sensação de poder é inebriante. Ela nos dá confiança, o que nos torna mais sedutores. Podemos também experimentar isto num ambiente social ou de trabalho – um dia estamos mais inspirados, e as pessoas parecem reagir melhor, mais encantadas conosco. São momentos fugazes de poder, mas vibram intensamente na nossa memória. Nós queremos revivê-los. Ninguém gosta de se sentir acanhado, tímido ou incapaz de tocar as pessoas. O canto de sereia da sedução é irresistível porque o poder é uma coisa irresistível, e nada lhe dará mais poder no mundo moderno do que a habilidade para seduzir. Reprimir o desejo de seduzir é uma espécie de reação histérica, reveladora do seu profundo fascínio pelo processo; você só está fortalecendo ainda mais os seus desejos. Um dia eles virão à tona.

Para ter este poder, você não precisa mudar totalmente a sua personalidade, nem melhorar de alguma forma a sua aparência física. Sedução é um jogo de psicologia, não de beleza, e qualquer um pode ser mestre nisso. Basta ver o mundo de uma outra forma, com os olhos de um sedutor.

O sedutor não se liga e desliga da tomada – todas as interações sociais e pessoais são vistas como uma sedução em potencial. Não há um instante a perder. E por vários motivos. O poder que os sedutores têm sobre um homem ou uma mulher funciona em ambientes sociais porque eles aprenderam a abafar o elemento sexual sem se livrarem dele. Às vezes a gente até acha que está percebendo o que eles fazem, mas é tão agradável estar ao lado deles que isso não tem a menor importância. Tentar dividir a sua vida em momentos em que seduz e outros em que se retrai só vai confundir você e deixá-lo constrangido. O desejo erótico e o amor estão ocultos superficialmente em quase todos os encontros humanos; melhor dar livres rédeas às suas habilidades do que tentar usá-las apenas no quarto de dormir. (De fato, o sedutor e a sedutora veem o mundo como se fosse o seu próprio quarto.) Esta atitude cria um grande ímpeto sedutor, e a cada sedução você ganha prática e experiência. Uma sedução social ou sexual torna a seguinte mais fácil, a sua confiança aumenta e você fica mais fascinante. O número de pessoas atraídas cresce à medida que a aura do sedutor cai sobre você.

Os sedutores veem a vida com a perspectiva do guerreiro. Cada pessoa é como um castelo murado ao qual estão fazendo o cerco. Seduzir é um processo de penetração: inicialmente, penetrando na mente do alvo, o seu primeiro ponto de defesa. Depois que os sedutores penetram na mente, fazendo o alvo criar fantasias a respeito deles, é fácil baixar a resistência e obter a rendição física. Os sedutores não improvisam; não deixam este processo ao acaso. Como um bom general, eles planejam e montam estratégias mirando os pontos fracos do alvo.

O principal obstáculo para se tornar um sedutor é o preconceito idiota de ver amor e romance como uma espécie de reino sagrado, mágico, onde as coisas simplesmente acontecem, se tiverem de acontecer. Pode parecer romântico e original, mas na verdade não passa de um disfarce para a nossa preguiça. O que vai seduzir uma pessoa é o esforço que despendemos em seu benefício, mostrando o quanto nos preocupamos com ela, o valor que ela tem para nós. Deixar as coisas ao acaso é a receita do fracasso, e revela que não levamos amor e romance muito a sério. Era o esforço que Casanova fazia, a engenhosidade aplicada a cada caso, que o tornava tão diabolicamente sedutor. Apaixonar-se não é mágica, mas psicologia. Se você compreende a psicologia do seu alvo e monta a estratégia adequada a ela, estará mais capacitado para lançar um encanto "mágico". O sedutor vê o amor não como algo sagrado, mas como uma guerra, onde vale tudo.

Os sedutores não são pessoas que só se preocupam com os próprios problemas. Eles olham para fora, não para dentro. A primeira coisa que fazem, quando conhecem alguém, é entrar na pele dessa pessoa, ver o mundo com os olhos dela. E por várias razões. Primeiro, estar sempre preocupado consigo mesmo é sinal de insegurança, é antissedutor. Todos temos inseguranças, mas os sedutores dão um jeito de ignorá-las, voltando-se para o mundo exterior como uma forma de terapia para os

um efeito mágico, abrindo um leque infinitamente mais amplo de sensações e estimulando-o como se impelido por um sonho inspirador.
– ALEXANDER VON GLEICHEN-RUSSWURM, THE WORLD'S LURE

A primeira coisa a colocar na cabeça é que todas As meninas podem ser conquistadas – e que você as conquista se Trabalhar direito. É mais fácil as aves emudecerem Na primavera, As cigarras no verão, ou o cão de caça Dar as costas a uma lebre do que os doces incentivos de um amante Falharem com uma mulher. Até a que você supõe Relutante irá desejar isso.
– OVÍDIO, A ARTE DE AMAR

A combinação destes dois elementos, fascínio e rendição, é, portanto, essencial ao amor de que estamos falando. (...) O que existe no amor é a rendição devido ao fascínio.
– JOSÉ ORTEGA Y GASSET, ON LOVE

> *O que é bom? – Tudo que aumente a sensação de poder, a vontade de poder, o próprio poder no homem. O que é mau? – Tudo que se origine da fraqueza. O que é felicidade? A sensação de que o poder cresce – de que uma resistência foi superada.*
> *– FRIEDRICH NIETZSCHE, O ANTICRISTO*

momentos de dúvida pessoal. Isto lhes dá um ar mais esperançoso – queremos ficar perto deles. Segundo, entrar na pele de outra pessoa, imaginar como é ser igual a ela, facilita aos sedutores reunir informações valiosas, ficar sabendo o que faz essa pessoa se emocionar, o que a fará perder a capacidade de pensar objetivamente e cair na armadilha. Armados com essas informações, eles podem dar uma atenção focalizada e individualizada – artigo raro num mundo em que a maioria das pessoas nos olha apenas por trás da cortina de seus próprios preconceitos. Entrar na pele dos alvos é o primeiro movimento tático na guerra da penetração.

Os sedutores se veem como proporcionadores de prazer, como abelhas que colhem o pólen de algumas flores para depositar em outras. Quando crianças, vivemos principalmente para brincar e fazer coisas agradáveis. Os adultos em geral se sentem expulsos deste paraíso, sobrecarregados com tantas responsabilidades. Os sedutores sabem que as pessoas estão esperando o prazer – não o conseguem de forma satisfatória de amigos ou amantes, e não o obtêm sozinhas. Quem entra em suas vidas oferecendo aventura e prazer é irresistível. Prazer é a sensação de estar sendo levado além dos próprios limites, de estar sendo arrebatado – por uma outra pessoa, por uma experiência. As pessoas estão morrendo de vontade de ser conquistadas, de abandonar a sua costumeira teimosia. Às vezes a sua resistência a nós é uma forma de dizer: "Por favor, me seduza." Os sedutores sabem que a possibilidade de prazer fará uma pessoa segui-los, e que a experiência desse prazer fará com que ela se abra, suscetível ao toque. Eles também treinam para serem sensíveis ao prazer sabendo que, possuindo eles mesmos essa sensibilidade, será fácil contaminar as pessoas à sua volta.

> *A falta de afeto, a neurose, a angústia e a frustração tratadas pela psicanálise surgem sem dúvida da incapacidade de amar ou de ser amado, da incapacidade de dar e aceitar o prazer, mas o desencanto radical tem origem na sedução e no seu fracasso. Só aqueles que se mantêm totalmente externos à sedução adoecem, ainda que permaneçam com plena capacidade de amar e fazer amor. A psicanálise acredita tratar do distúrbio de sexo e desejo, mas na realidade está lidando com distúrbios de sedução. (...) As deficiências mais graves sempre estão relacionadas com o encanto e não com o prazer, com o encantamento e não com uma satisfação vital ou sexual.*
> *– JEAN BAUDRILLARD, SEDUÇÃO*

O sedutor vê a vida em geral como um teatro, todos são atores. As pessoas costumam achar que têm um papel limitado na vida, o que as deixa infelizes. Os sedutores, por outro lado, podem ser qualquer pessoa e representar muitos papéis. (O arquétipo aqui é o do deus Zeus, sedutor insaciável de jovens virgens, cuja principal arma era a capacidade de assumir a forma da pessoa ou do animal que mais agradasse a sua vítima.) Os sedutores sentem prazer na representação e não se dobram ao peso da própria identidade, ou de uma necessidade de serem eles mesmos, ou de serem naturais. Esta sua liberdade, esta fluidez de corpo e espírito, é que os torna atraentes. O que falta na vida das pessoas não é mais realidade, e sim ilusão, fantasias, brincadeiras. As roupas que os sedutores vestem, os lugares aonde eles levam você, suas palavras e ações, têm um ligeiro realce – não declaradamente teatrais, mas com um delicioso toque de irrealidade, como se vocês dois estivessem representando uma peça de ficção ou fossem personagens de um filme. A sedução é uma espécie de teatro da vida real, o encontro de ilusão e realidade.

Por fim, os sedutores têm uma forma totalmente amoral de abordar a vida. É tudo um jogo, uma arena para brincadeiras. Sabendo que os moralistas, aqueles rabugentos reprimidos que ficam resmungando sobre os males do sedutor, no íntimo invejam o poder que eles têm, os sedutores não se preocupam com o que as pessoas pensam. Não lidam com julgamentos morais – nada pode ser menos sedutor. Tudo é maleável, fluido, como a própria vida. A sedução é uma forma de blefe, mas as pessoas querem ser enganadas, elas anseiam por serem seduzidas. Não fosse assim, os sedutores não encontrariam tantas vítimas dispostas a isso. Livre-se das tendências moralizantes, adote a filosofia brincalhona do sedutor, e verá que o resto do processo é fácil e natural.

A arte da sedução foi concebido para armá-lo com as ferramentas da persuasão e do charme, para as pessoas ao seu redor irem pouco a pouco perdendo a capacidade de resistência sem saber como nem por que isso aconteceu.

É a arte da guerra para épocas delicadas.

Em qualquer sedução, existem dois aspectos que você precisa analisar e compreender: primeiro, você mesmo e suas características sedutoras; segundo, o seu alvo e as ações que penetram em suas defesas e provocam a rendição. Os dois são igualmente importantes. Se planejar a sua estratégia sem prestar atenção aos traços da sua personalidade que fazem as pessoas se sentirem atraídas por você, será visto como um sedutor mecânico, vigarista e manipulador. Se confiar na sua personalidade sedutora sem prestar atenção no outro, cometerá erros terríveis e limitará o seu potencial.

Por conseguinte, *A arte da sedução* está dividido em duas partes. A primeira, "A Personalidade Sedutora", descreve os nove tipos de sedutor, e mais o Antissedutor. Ao estudar estes tipos, você vai perceber o que é inerentemente sedutor na sua personalidade, os blocos básicos para a construção de qualquer sedução. A segunda metade, "O Processo Sedutor", inclui as 24 manobras e estratégias que ensinam a criar um encanto, quebrar a resistência das pessoas, dar movimento e força à sua sedução e induzir o seu alvo à rendição. Fazendo uma espécie de ponte entre as duas partes, um capítulo descreve os 18 tipos de vítimas da sedução – todos sentindo que falta alguma coisa em suas vidas, todos aninhando um vazio que você é capaz de preencher. Conhecer o tipo com quem você está lidando vai ajudá-lo a colocar em prática as ideias presentes em ambas as seções. Ignore uma parte que seja deste livro e você deixará de ser um completo sedutor.

O que é feito por amor está sempre além do bem e do mal.
– FRIEDRICH NIETZSCHE, *ALÉM DO BEM E DO MAL*

Se falta a alguém, aqui em Roma, finura na arte de amar, Prove o que digo – leia o meu livro, e os resultados são garantidos! Técnica é o segredo. Auriga, marinheiro, remador. Todos precisam disso. A técnica pode controlar O próprio amor.
– OVÍDIO, *A ARTE DE AMAR*

As ideias e estratégias em *A arte da sedução* baseiam-se em escritos e relatos históricos dos maiores sedutores de que o mundo já ouviu falar. As fontes incluem memórias dos próprios sedutores (de Casanova, Errol Flynn, Natalie Barney, Marilyn Monroe); biografias (de Cleópatra, Josefina Bonaparte, John F. Kennedy, Duke Ellington); manuais sobre o assunto (o mais famoso, *A arte de amar*, de Ovídio); e relatos fictícios de seduções *(As ligações perigosas*, de Choderlos de Laclos, *Diário de um sedutor*, de Sören Kierkegaard, *A história de Genji*, de Murasaki Shikibu). Os heróis e heroínas destas obras literárias, em geral, tiveram como inspiração sedutores da vida real. As suas estratégias revelam a íntima conexão entre artifício e sedução, criando ilusões e atraindo as pessoas. Ao colocar em prática o que este livro ensina, você estará seguindo o mesmo caminho dos maiores mestres da arte.

Finalmente, o espírito que fará de você um consumado sedutor é o mesmo com o qual você deve ler este livro. O escritor francês Denis Diderot escreveu certa vez: "Deixo a minha mente livre para seguir a primeira ideia sensata ou tola que aparecer, assim como na avenue de Foy nossos jovens libertinos acompanham de perto uma prostituta, depois a abandonam para ir atrás de outra, atacando a todas e não se prendendo a nenhuma. Minhas ideias são as minhas prostitutas." Ele quis dizer que se deixava seduzir pelas ideias, seguindo a que lhe agradasse, até aparecer outra melhor, os pensamentos impregnados de uma espécie de excitação sexual. Ao entrar nestas páginas, faça como Diderot: deixe-se fascinar pelas histórias e ideias com a mente aberta e os pensamentos fluidos. Lentamente, você se perceberá absorvendo o veneno pela pele e começará a ver tudo como uma sedução, inclusive a sua maneira de pensar e ver o mundo.

A virtude em geral é a falta de uma sedução mais forte.
– Natalie Barney

PARTE UM

A PERSONALIDADE SEDUTORA

Todos nós temos o poder de atração – a capacidade de atrair as pessoas e mantê-las escravizadas. Poucos, entretanto, têm consciência deste potencial interior, e imaginamos a atratividade como um traço quase místico com o qual uns poucos escolhidos já nascem e o resto dos mortais jamais comandará. No entanto, para concretizarmos o nosso potencial, basta compreendermos o que existe na personalidade de uma pessoa que excita naturalmente os outros e desenvolvermos estas mesmas características latentes dentro de nós.

As seduções bem-sucedidas raramente começam com uma manobra óbvia ou artifício estratégico. Isso certamente gera desconfiança. As seduções bem-sucedidas começam pela sua personalidade, pela sua capacidade de irradiar uma característica que atrai as pessoas e mexe com suas emoções de um jeito que elas não consigam controlar. Hipnotizadas pela sua personalidade sedutora, as vítimas não perceberão as suas subsequentes manipulações. Depois, vai ser muito fácil deixá-las desorientadas e seduzidas.

Há nove tipos de sedutores no mundo. Cada um tem um traço específico de personalidade que vem lá do fundo e gera uma atração sedutora. Sereias possuem um excesso de energia sexual e sabem como usá-lo. *Libertinos* são insaciáveis na sua adoração pelo sexo oposto, e seu desejo é contagiante. *Amantes Ideais* são donos de uma sensibilidade estética que aplicam ao romance. *Dândis* gostam de brincar com a própria imagem, criando um estilo surpreendente e andrógino. *Naturais* são francos e espontâneos. *Coquetes* são autossuficientes, com uma frieza fascinante na essência. *Encantadores* querem e sabem agradar – são criaturas sociais. *Carismáticos* têm uma confiança extraordinária em si mesmos. *Estrelas* são etéreas e se cobrem de mistério.

Os capítulos desta seção o farão entender cada um dos nove tipos. Pelo menos um deve tocar num ponto sensível – e você vai se reconhecer em parte. Este capítulo será a chave para o desenvolvimento dos seus próprios poderes de atração. Digamos que você tenha tendências coquetes. O capítulo lhe mostrará como aumentar a sua própria autossuficiência alternando calor e frieza para atrair suas vítimas. Ele vai lhe mostrar como aprimorar ainda mais as suas qualidades inatas, tornando-se um grande Coquete, o tipo pelo qual brigamos. Não adianta ser tímido com uma qualidade sedutora. O Libertino desavergonhado nos encanta e desculpamos os seus excessos, mas o Libertino sem ousadia não merece respeito. Depois de cultivar o seu traço de personalidade dominante, somando arte ao que a natureza lhe deu, você pode desenvolver um segundo ou terceiro traço acrescentando profundidade e mistério à sua persona. Finalmente, o décimo capítulo da seção, sobre o *Antissedutor*, o deixará ciente do potencial oposto que existe dentro de você – o poder de repulsão. Custe o que custar, você precisa descobrir todas as suas possíveis tendências antissedutoras.

Pense nos nove tipos como sombras, silhuetas. Somente entrando em uma delas e deixando-a crescer dentro de você, é que será possível começar a desenvolver a personalidade sedutora que lhe dará poderes ilimitados.

SEREIA

*Em
geral o
homem se sente
secretamente oprimido
pelo papel que é obrigado a
representar – tendo sempre de
ser responsável, estar no controle
e manter a racionalidade. A Sereia
é a figura máxima da fantasia masculina porque ela representa o alívio
total de todos os limites impostos à sua
vida. Na presença dela, sempre exaltada
e cheia de energia sexual, o homem se
sente transportado a um reino de puro
prazer. Ela é perigosa e, ao persegui-la
energicamente, o homem pode perder
o controle de si mesmo, algo que ele
deseja muito. Num mundo em que
as mulheres são quase sempre tímidas demais para projetar essa
imagem, aprenda a controlar
a libido masculina en-
carnando a fantasia
dele.*

SEREIA ESPETACULAR

No ano 48 a.C., Ptolomeu XIV do Egito conseguiu depor e exilar sua irmã e esposa, a rainha Cleópatra. Reforçando as fronteiras do país para que ela não pudesse voltar, ele passou a governar sozinho. Naquele mesmo ano, Júlio César chegou a Alexandria para garantir que, apesar das lutas de poder locais, o Egito continuasse fiel a Roma.

Numa noite, César estava em reunião com seus generais no palácio egípcio discutindo estratégias, quando um guarda entrou dizendo que havia um mercador grego esperando lá fora com um presente grande e valioso para o líder romano. César, disposto a se divertir um pouco, deu permissão para o mercador entrar. O homem chegou carregando sobre os ombros um grande tapete enrolado. Ele desfez o nó da corda que amarrava o pacote e com um movimento rápido dos punhos o desenrolou – revelando a jovem Cleópatra, escondida lá dentro, e que se levantou semidespida diante de César e seus convidados como Vênus surgindo das ondas.

Todos ficaram deslumbrados com a visão da bela e jovem rainha (na época, com 21 anos apenas) aparecendo diante deles, de repente, como um sonho. Ficaram atônitos com a sua ousadia e teatralidade – entrando clandestinamente no porto, com um só homem para protegê-la, arriscando tudo numa atitude corajosa. Ninguém ficou mais encantado do que César. Segundo o escritor romano Dio Cassius: "Cleópatra estava na flor da idade. Tinha uma voz deliciosa que não podia deixar de fascinar a todos que a ouvissem. Tal era o encanto da sua pessoa e da sua fala que atraía para si até o mais frio e determinado misógino. César ficou enfeitiçado assim que a viu e ela abriu a boca para falar." Naquela mesma noite, Cleópatra tornou-se amante de César.

Antes dela, César já tivera várias amantes para distraí-lo dos rigores das suas campanhas. Mas sempre se livrava logo das mulheres para voltar ao que realmente o emocionava – a intriga política, os desafios da guerra, o teatro romano. César tinha visto as mulheres tentarem de

Nesse meio-tempo, o nosso bom navio, com aquele vento favorável a conduzi-lo, rápido se aproximou da ilha das Sereias. Mas agora a brisa começava a soprar mais devagar, um poder adormecia as ondas, e instalou-se a calmaria. Levantando-se, meus homens recolheram as velas e as lançaram no porão; em seguida, sentando-se de novo, agitaram as águas em branca espuma com as lâminas de pinho polido. Enquanto isso, eu peguei uma grande rodela de cera, cortei-a em pedacinhos com minha espada e amassei os pedaços com toda a força de meus dedos. A cera logo amoleceu com o meu vigoroso tratamento e ficou quente, pois eu tinha os raios de meu Senhor, o Sol, para me ajudar. Com ela tampei os ouvidos de cada um de meus homens, sucessivamente.

E eles me fizeram prisioneiro em meu navio atando-me os pés e as mãos, colocando-me de pé junto ao mastro e nele amarrando as pontas da corda. Feito isso, eles se sentaram de novo e golpearam as águas com seus remos. Fizemos um bom progresso e chegamos à distância de se ouvir alguém gritando da praia quando as Sereias perceberam que um navio estava lentamente se aproximando e começaram a entoar o seu canto cristalino. "Aproxima-te", elas cantavam, "ilustre Ulisses, glória dos aqueus, e descansa a tua nau para ouvir nossas vozes. Nenhum marinheiro jamais conduziu a sua nave escura por aqui sem ouvir os sons maviosos que saem de nossos lábios. (...)" As adoráveis vozes chegaram até mim por sobre as águas, e meu coração se encheu de um tal desejo de as ouvir que, com um aceno de cabeça e franzindo as sobrancelhas, sinalizei para meus homens me libertarem.
— HOMERO, ODISSEIA, LIVRO XII

tudo para mantê-lo enfeitiçado. Mas nada o preparara para Cleópatra. Numa noite, ela lhe dizia como poderiam reviver juntos a glória de Alexandre, o Grande, e governar o mundo como deuses. Na noite seguinte, ela o divertia vestida de deusa Ísis, rodeada pela opulência da sua corte. Cleópatra iniciou César nas orgias mais decadentes apresentando-se como a encarnação do exotismo egípcio. Sua vida com ela era um jogo constante, tão desafiador quanto a guerra, pois, tão logo ele se sentisse seguro ao seu lado, ela esfriava de repente ou se zangava, e ele tinha de achar um jeito de reconquistar as suas graças.

As semanas se passaram. César livrou-se de todos os rivais de Cleópatra e encontrou pretextos para continuar no Egito. Num determinado momento, ela o levou a uma luxuosa e histórica expedição pelo Nilo. Num barco de inimaginável esplendor – elevando-se 16,5 metros acima do nível da água, com terraços em vários patamares e um templo em colunatas ao deus Dioniso –, César foi um dos poucos romanos que viram as pirâmides. E enquanto ele estava no Egito, longe do seu trono em Roma, explodiam tumultos dos mais variados tipos por todo o Império Romano.

Assassinado em 44 a.C., César foi sucedido por um triunvirato de governantes do qual fazia parte Marco Antônio, um bravo soldado que gostava de prazeres e espetáculos e se vestia como uma espécie de Dioniso romano. Poucos anos depois, enquanto Antônio estava na Síria, Cleópatra o convidou para conhecê-la na cidade egípcia de Tarso. Lá – depois de se fazer esperar – sua aparição foi tão surpreendente quanto a primeira diante de César. Uma magnífica barcaça de ouro com velas cor de púrpura surgiu no rio Cidno. Os remadores remavam ao som de uma música etérea; espalhadas por todo o barco, havia belas jovens vestidas como ninfas e figuras mitológicas. Cleópatra vinha sentada no convés, rodeada e abanada por cupidos e posando de deusa Afrodite, cujo nome a multidão gritava com entusiasmo.

Como todas as vítimas de Cleópatra, Antônio foi tomado de emoções conflitantes. Era difícil resistir aos prazeres que ela oferecia. Mas ele também queria domá-la – derrotar aquela mulher orgulhosa e ilustre era provar a própria grandiosidade. E assim ele ficou e, como César, foi sendo lentamente enfeitiçado. Ela cedeu a todas as suas fraquezas – jogos, festas ruidosas, rituais complicados, espetáculos luxuosos. Para persuadi-lo a voltar para Roma, Otávio, outro membro do triunvirato romano, ofereceu-lhe uma esposa: a sua própria irmã, Otávia, uma das mulheres mais belas de Roma. Conhecida por sua virtude e bondade, ela certamente manteria Antônio longe da "prostituta egípcia". A manobra funcionou por uns tempos, mas Antônio não conseguia esquecer Cleópatra e, passados três anos, voltou para ela. Desta vez, para sempre: ele havia se tornado essencialmente um escravo de Cleópatra, concedendo-lhe imensos poderes, adotando costumes e roupas egípcios, e renunciando aos hábitos romanos.

Uma imagem apenas restou de Cleópatra – um perfil quase imperceptível numa moeda –, mas temos inúmeras descrições por escrito. O rosto era longo e fino, o nariz um tanto pontudo; seus traços dominantes eram os olhos maravilhosamente enormes. Seu poder de sedução, entretanto, não estava na aparência – na verdade, muitas mulheres de Alexandria eram consideradas mais bonitas do que ela. O que ela possuía além das outras era a habilidade para desviar um homem do caminho. Na realidade, Cleópatra não era nada de excepcional fisicamente e não tinha nenhum poder político; no entanto, César e Antônio, homens corajosos e inteligentes, não viram isso. O que eles viram foi uma mulher que estava sempre se transformando diante de seus olhos, uma mulher que sozinha era um espetáculo. Suas roupas e maquiagem variavam todos os dias; mas sempre exaltando a sua aparência, como uma deusa. A voz dela, de que falam todos os escritores, era melodiosa e inebriante. Suas palavras podiam ser banais, mas eram pronunciadas de uma forma tão doce que os ouvintes percebiam depois que não se lembravam do que ela havia dito, mas de como ela o havia dito.

Cleópatra proporcionava uma constante variedade – tributos, batalhas fictícias, expedições, orgias à fantasia. Tudo tinha um toque teatral e era feito com grande energia. Ao encostar a cabeça no travesseiro ao lado dela, a mente dos homens girava tonta com imagens e sonhos. E assim que você achasse que possuía esta mulher fluida, irreal, ela se mostrava distante e zangada, deixando claro que tudo tinha que ser segundo os seus próprios termos. Você jamais possuía Cleópatra, você a adorava. Assim, a mulher que fora mandada para o exílio e destinada a uma morte prematura, conseguiu virar o jogo e governar o Egito por quase vinte anos.

Com Cleópatra aprendemos que não é a beleza que faz a Sereia, mas um toque teatral que permite a uma mulher personificar as fantasias de um homem. Ele se cansa das mulheres, por mais belas que elas sejam; ele quer prazeres diferentes e aventura. Tudo que a mulher precisa fazer para inverter isso é criar a ilusão de oferecer essa variedade e aventura. O homem se engana facilmente com as aparências; ele tem uma fraqueza pelo visual. Crie a presença física da Sereia (um exaltado fascínio sexual combinado com modos suntuosos e teatrais), e ele está fisgado. Ele não se cansa de você e não consegue se livrar de você. Mantenha as

O encanto da presença [de Cleópatra] era irresistível, e havia um fascínio na sua pessoa e na sua conversa, junto com uma força peculiar de caráter, que impregnava cada uma de suas palavras e ações, e seduzia todos que a ela se associavam. Era delicioso simplesmente ouvir o som de sua voz, com a qual, como um instrumento de múltiplas cordas, ela passava de um idioma a outro.
– PLUTARCO, CONSTRUTORES DE ROMA

A imediata atração de um canto, uma voz ou uma fragrância. A atração da pantera com seu rastro perfumado. (...) Segundo os antigos, a pantera é o único animal que exala um odor perfumado. Ela o usa para atrair e capturar suas vítimas. (...) Mas o que seduz num perfume? (...) O que há no canto das Sereias que nos seduz, ou na beleza de um rosto, na profundidade de um abismo? (...) A sedução está no cancelamento de sinais e seus significados, na pura aparência. Os olhos que seduzem não têm sentido, terminam no olhar, como o rosto com maquiagem termina na simples

aparência. (...) O odor da pantera é também uma mensagem sem sentido – e por trás da mensagem a pantera é invisível, como é a mulher por trás da maquiagem. As Sereias também permaneciam invisíveis. O encantamento reside no que se esconde.
– JEAN BAUDELAIRE, *DE LA SÉDUCTION*

Ficamos deslumbrados com o adorno feminino, com a superfície. Tudo ouro e joias: tão pouco do que observamos É a menina. E onde (podes perguntar) entre tanta abundância Se encontra o nosso objeto de paixão? O olhar iludido Pela esperta camuflagem do Amor.
– OVÍDIO, *OS REMÉDIOS DO AMOR*

Ele pastoreava seu gado na montanha Gargarus, o pico mais alto do Ida, quando Hermes, acompanhado de Hera, Atena e Afrodite, trouxe o pomo de ouro e a mensagem de Zeus: "Páris, por ser tão belo quanto conhecedor de assuntos do coração, Zeus ordena que julgue qual destas deusas é a mais

distrações e não permita que ele veja quem você realmente é. Ele a seguirá até se afogar.

SEREIA SEXUAL

Norma Jean Mortensen, a futura Marilyn Monroe, passou parte da sua infância em orfanatos de Los Angeles. Seus dias eram só tarefas e nada de brincadeiras. Na escola, ela se mantinha reservada, sorrindo raramente e sonhando muito. Um dia, com 13 anos, ao se vestir para o colégio, percebeu que a blusa branca que o orfanato lhe dera estava rasgada; então pegou emprestada a suéter de uma outra menina mais nova. A suéter era vários números menor do que o seu. Naquele dia, de repente, aonde quer que fosse parecia estar sempre rodeada de garotos (ela era extremamente bem desenvolvida para a sua idade). Ela escreveu no seu diário: "Eles olhavam para a minha suéter como se fosse uma mina de ouro."

A revelação foi simples, mas surpreendente. Antes ignorada e até ridicularizada pelos outros alunos da escola, Norma Jean agora percebia um jeito de conquistar as atenções, até quem sabe o poder, pois era excessivamente ambiciosa. Ela começou a sorrir mais, a usar maquiagem, a se vestir diferente. E logo descobriu algo que também a deixou surpresa: sem precisar dizer nem fazer nada, os garotos se apaixonavam perdidamente por ela. "Meus admiradores diziam todos a mesma coisa de diferentes maneiras", ela escreveu. "A culpa era minha, se eles queriam me beijar e abraçar. Uns diziam que era o modo como eu os olhava – com olhos cheios de paixão. Outros, que a minha voz é que os fascinava. Outros ainda diziam que eu emitia vibrações que os derrubavam."

Poucos anos depois, Marilyn estava tentando fazer sucesso na indústria do cinema. Os produtores lhe diziam a mesma coisa: ela era muito atraente pessoalmente, mas o rosto não era bonito o bastante para o cinema. Ela fazia pontas e, quando aparecia na tela – mesmo que por alguns segundos –, os homens na plateia deliravam, e os cinemas explodiam em gritos e assovios. Mas ninguém via nisto nenhuma qualidade de estrela. Um dia, em 1949, com apenas 23 anos e a carreira estagnada, Marilyn Monroe conheceu alguém num jantar que lhe disse que um produtor de elenco para um novo filme de Groucho Marx, Loucos de amor, procurava uma loura estonteante capaz de passar por Groucho com um andar que, segundo as suas palavras, "excitasse a minha libido senil e fizesse sair fumaça de minhas orelhas". Ao convencê-lo a lhe dar um teste, ela improvisou este modo de andar. "É Mae West, Theda Bara e Bo Peep numa pessoa só", disse Groucho ao vê-la dar uma volta. "Filmamos a cena amanhã de manhã."

E assim Marilyn criou o seu famoso modo de andar, um andar nada natural, mas que era uma estranha combinação de inocência e sexo.

Nos anos seguintes, Marilyn aprendeu sozinha, por tentativa e erro, a realçar o seu efeito sobre os homens. Sua voz sempre fora atraente – era a voz de uma menininha. Mas no cinema ela tinha limitações até que alguém finalmente a ensinou a torná-la mais grave, dando-lhe tonalidades profundas e ofegantes que se tornaram a sua sedutora marca registrada, um misto de menina e megera. Antes de aparecer no set de filmagem, ou até numa festa, Marilyn passava horas diante do espelho. As pessoas achavam que era por vaidade – que ela estava apaixonada pela própria imagem.

A verdade é que essa imagem levava horas para ser criada. Marilyn passou anos estudando e praticando a arte de se maquiar. A voz, o andar, o rosto e a aparência, era tudo inventado, uma representação. No auge da fama, ela se divertia entrando nos bares de Nova York sem maquiagem e sem as roupas glamourosas, e sem ser reconhecida.

O sucesso finalmente chegou, mas com ele veio algo que a incomodava profundamente: os estúdios a queriam no elenco apenas como a loura estonteante. Ela queria papéis sérios, mas ninguém a levava a sério para esses papéis por mais que ela abafasse as qualidades de sereia que havia inventado. Um dia, enquanto ensaiava uma cena para O jardim das cerejeiras, seu professor de teatro, Michael Chekhov, lhe perguntou: "Estava pensando em sexo enquanto fazíamos a cena?" Quando ela respondeu que não, ele continuou: "O tempo todo enquanto representávamos eu estava sempre recebendo vibrações de sexo vindo de você. Como se fosse uma mulher dominada pela paixão. (...) Estou entendendo agora o problema que está tendo no estúdio, Marilyn. Você é uma mulher que emite vibrações de sexo – não importa o que esteja fazendo ou pensando. O mundo inteiro já reagiu a essas vibrações. Elas saem da tela quando você aparece."

Marilyn Monroe gostava do efeito que seu corpo era capaz de causar na libido masculina. Ela afinava a sua presença física como um instrumento, fazendo-o exalar sexo e adquirindo uma aparência glamourosa, irreal. Outras mulheres conheciam esses mesmos truques para se tornarem mais atraentes sexualmente, mas o que diferenciava Marilyn Monroe era o elemento inconsciente. Sua educação a havia privado de algo importantíssimo: o afeto. Aquilo de que ela mais precisava era se sentir amada e desejada, o que a fazia parecer constantemente vulnerável, como uma menina pedindo proteção. Ela emanava esta necessidade de amor diante das câmeras: isso não lhe exigia nenhum esforço, vinha

bonita." "Que assim seja", suspirou Páris. "Mas antes imploro às perdedoras que não se irritem comigo. Sou apenas um ser humano, sujeito a cometer os erros mais idiotas."
As deusas concordaram em aceitar a sua decisão. "Será suficiente julgá-las como estão", perguntou Páris a Hermes, "ou deveriam estar nuas?"
"Você é quem define as regras do concurso", respondeu Hermes com um sorriso discreto.
"Neste caso, elas poderiam fazer o favor de tirar as roupas?"
Hermes comunicou o pedido às deusas e polidamente virou as costas.
Afrodite estava logo pronta, mas Atena insistiu em que ela deveria retirar o famoso cinturão mágico, que lhe dava a injusta vantagem de fazer todos se apaixonarem por quem o usasse. "Tudo bem", falou Afrodite contrariada, "eu tiro, desde que você tire o seu capacete – você fica horrível sem ele."
"Agora, por favor, devo julgá-las uma de cada vez", anunciou Páris. (...) "Venha até aqui, divina Hera! As outras duas deusas, por gentileza, podem nos deixar a sós um instante?"
"Examine-me com

cuidado", disse Hera, virando-se lentamente, exibindo o seu corpo magnífico, "e lembre-se que se me julgar a mais bonita eu o farei senhor da Ásia, e o homem mais rico do mundo."
"Não cederei a subornos, minha senhora (...) Muito bem, obrigado. Agora, já vi tudo que precisava ver. Venha, divina Atenas."
"Aqui estou", disse Atenas adiantando-se cheia de intenções. "Ouça, Páris, se tiver o bom senso de me conceder o prêmio, eu o farei vitorioso em todas as suas batalhas, assim como o homem mais belo e sábio do mundo."
"Eu sou um humilde pastor, não um soldado", disse Páris. (...) "Mas prometo considerar com justiça o seu direito ao pomo. Agora está livre para colocar de novo as suas roupas e o capacete. Afrodite, está pronta?"
Afrodite colocou-se ao seu lado, e Páris corou porque ela estava tão perto que os dois quase se tocavam.
"Olhe bem, por favor, não deixe escapar nada. (...) E por falar nisso, assim que o vi, disse a mim mesma: 'Ora vejam, lá vai o rapaz mais bonito da Frígia! Por que ele está perdendo tempo aqui no meio do mato,

de algum lugar verdadeiro e profundo do seu íntimo. Um olhar ou gesto com que ela não pretendesse despertar desejo era duplamente poderoso ao despertá-lo só por não ser intencional – sua inocência era exatamente o que deixava um homem excitado.

A Sereia Sexual tem um efeito mais urgente e imediato do que a Sereia Espetacular. Encarnação de sexo e desejo, ela não se preocupa em atrair sentidos não pertinentes, ou criar uma montagem teatral. Seu tempo nunca parece estar sendo ocupado com trabalho; ela dá a impressão de viver para o prazer e estar sempre disponível. O que diferencia a Sereia Sexual da cortesã ou prostituta é o seu toque de inocência e vulnerabilidade. A mistura é perversamente satisfatória: dá ao homem a ilusão crucial de que é um protetor, a figura paterna, embora seja a Sereia Sexual quem na verdade controla a dinâmica.

A mulher não precisa nascer com os atributos de uma Marilyn Monroe para preencher o papel de Sereia Sexual. A maioria dos elementos físicos é uma construção: a chave é o ar de inocência de uma colegial. Enquanto uma parte de você parece gritar sexo, a outra é tímida e ingênua, como se você fosse incapaz de compreender o efeito que está causando. O seu modo de andar, a sua voz, o seu porte são deliciosamente ambíguos – você é ao mesmo tempo a mulher experiente, cheia de desejos, e a garota inocente.

O seu próximo encontro será com as Sereias, que enfeitiçam os homens que delas se aproximam. (...) Pois com sua voz as Sereias os encantam, sentadas num prado onde se amontoam ossadas putrefatasde homens, de onde ainda pendem as peles ressequidas.
– Circe a Ulisses, *Odisseia, Livro XII*

CHAVES PARA O PERSONAGEM

A Sereia é o personagem sedutor mais antigo de todos. Seu protótipo é a deusa Afrodite – é da sua natureza estar envolta numa característica mítica –, mas não pense que ela é uma coisa do passado, ou personagem lendário ou da história; ela representa uma intensa fantasia masculina da mulher extremamente sexual, confiante e atraente oferecendo prazeres infinitos e uma pitada de risco. Hoje, esta fantasia só pode ser ainda mais tentadora para a psique masculina, pois agora, mais do que nunca, ele vive num mundo que circunscreve seus instintos agressivos tornando tudo seguro e protegido, um mundo que oferece menos chances de aventuras e riscos como nunca aconteceu antes. No passado, o homem tinha como extravasar estes impulsos – as guerras, o mar alto, as intrigas políticas. No âmbito sexual, cortesãs e amantes eram praticamente uma instituição social e lhe proporcionavam a variedade e a caça que ele desejava. Sem esses escoadouros, os impulsos se voltam para dentro e o devoram, ficando ainda mais voláteis por serem reprimidos. Às vezes o homem poderoso faz coisas irracionais, como ter um caso amoroso na ocasião menos adequada só pela emoção, pelo risco. O que é irracional pode se mostrar extremamente sedutor, mais ainda para os homens, que precisam parecer sempre sensatos.

Se é o poder sedutor que você está querendo, a Sereia é o mais potente. Ela opera sobre as emoções mais básicas de um homem e, se ela representar o seu papel corretamente, pode transformar um homem normalmente forte e responsável num escravo infantilizado. A Sereia atua bem sobre o tipo masculino rígido – o soldado ou herói –, assim como Cleópatra derrubou Marco Antônio, e Marilyn Monroe, Joe DiMaggio. Mas não pense que estes são os únicos tipos sobre os quais a Sereia é capaz de exercer o seu fascínio. Júlio César era um escritor e pensador que tinha transferido suas habilidades intelectuais para o campo de batalha e a arena política; o dramaturgo Arthur Miller ficou tão fascinado por Marilyn Monroe quanto DiMaggio. O intelectual é com frequência o mais suscetível à invocação de puro prazer físico da Sereia porque isso é quase inexistente na sua vida. A Sereia não precisa se preocupar em encontrar a vítima certa. A sua magia afeta a todos.

O mais importante, a Sereia deve se distinguir das outras mulheres. Ela é por natureza uma coisa rara, mítica, única num grupo; ela é também um prêmio valioso a ser arrebatado dos outros homens. Cleópatra se fez diferente com seu senso dramático; o artifício da imperatriz Josefina Bonaparte era a sua extrema languidez; o de Marilyn Monroe era a sua característica infantil. Aqui as características físicas oferecem mais vantagens, visto que a Sereia é preeminentemente uma visão para ser contemplada. Uma presença extremamente feminina e sexual, chegando a ponto mesmo da caricatura, logo a diferenciará, visto que as mulheres, na sua maioria, não se sentem seguras para projetar uma imagem assim.

Depois de se fazer destacar das outras, a Sereia deve possuir mais duas qualidades importantes: habilidade para fazer o homem correr atrás dela com tanto entusiasmo a ponto de perder o controle; e um toque de periculosidade. O perigo é surpreendentemente sedutor. Conseguir que um homem a persiga não é tão difícil: uma presença altamente sexual se encarregará disso. Mas você não deve parecer uma cortesã ou prostituta, a quem o homem procura e logo depois se desinteressa. Pelo contrário, você é um tanto arisca e distante, uma fantasia que se realiza. Durante o Renascimento, as grandes Sereias, como Tullia d'Aragona, tinham o porte e as atitudes de deusas gregas – a fantasia da

pastoreando esse gado idiota?' Ora, por que, Páris? Por que não se muda para a cidade e leva uma vida mais civilizada? O que tem a perder casando-se com alguém como Helena de Esparta, que é tão bela quanto eu, e não menos ardente? (...) Sugiro um passeio pela Grécia tendo o meu filho Eros como guia. Quando chegarem a Esparta, ele e eu faremos com que Helena se apaixone perdidamente por você."
"Jura?", perguntou Páris excitado. Afrodite jurou solenemente, e Páris, sem pensar duas vezes, lhe concedeu o pomo de ouro.
– ROBERT GRAVES, *THE GREEK MYTHS, VOLUME I*

A quem posso comparar a linda jovem, tão abençoada pelo destino, senão às Sereias, que com seu magnetismo atraem para si os navios? Assim, eu imagino, Isolda fascinou muitos pensamentos e corações que se consideraram a salvo das inquietudes do amor. E, na verdade, estes dois – navios sem âncora e pensamentos desgarrados – são uma boa comparação. É tão raro ambos seguirem uma linha reta, com tanta frequência

descansam em portos inseguros, oscilando de um lado para outro, avançando e recuando. Igualmente, o desejo sem objetivo e a vontade de amar ao acaso andam à deriva como um barco sem âncora. Essa encantadora e jovem princesa, a discreta e cortês Isolda, atraía os pensamentos de dentro dos corações que os guardavam, como um ímã atrai os barcos ao som do canto das Sereias. Seu canto entrava aberta e intimamente por ouvidos e olhos até onde muitos corações eram despertados. A canção que ela cantava abertamente neste e em outros lugares era o seu próprio doce canto e o tom suave de cordas que ecoavam para todos ouvirem através do reino dos ouvidos até o coração lá no fundo. Mas sua canção secreta era a fabulosa beleza que entra furtivamente com sua música extasiante, oculta e invisível pelas janelas dos olhos de muitos corações nobres e suavizava a magia que capturava de súbito os pensamentos do prisioneiro, e, apossando-se deles, lhes colocava os grilhões do desejo.
— GOTTFRIED VON STRASSBURG, *TRISTÃO E ISOLDA*

época. Hoje, você pode se inspirar numa deusa do cinema – qualquer coisa que pareça irreal, até espantoso. Estas qualidades farão um homem persegui-la com veemência e, quanto mais ele for atrás de você, mais achará que está agindo por iniciativa própria. Esta é uma excelente maneira de disfarçar o quanto você o está manipulando.

A noção de risco, desafio, às vezes morte, pode parecer fora de moda, mas o risco é crucial para a sedução. Acrescenta tempero emocional e é muito atraente para o homem moderno, em geral excessivamente racional e reprimido. O perigo está presente no mito original da Sereia. Na *Odisseia* de Homero, o herói Ulisses precisa passar de barco pelas rochas onde as Sereias, estranhas criaturas femininas, cantam e acenam para os marinheiros, levando-os à destruição. Elas cantam as glórias do passado, de um mundo como a infância, sem responsabilidades, um mundo de puro prazer. Suas vozes são como a água, cristalinas e convidativas. Os marinheiros mergulhavam no mar para se juntar a elas e se afogavam; ou, distraídos e extasiados, jogavam o barco contra as rochas. Para proteger seus marinheiros das Sereias, Ulisses tapou-lhes os ouvidos com cera; ele mesmo se amarrou ao mastro para poder escutar as Sereias e continuar vivo para contar a história – um estranho desejo, visto que o emocionante é ceder à tentação de seguir as Sereias.

Assim como os antigos marinheiros tinham de remar e manter o barco no rumo ignorando todas as distrações, o homem de hoje precisa trabalhar e seguir um caminho honesto na sua vida. O chamado de algo perigoso, carregado de emoções, desconhecido, é ainda mais poderoso por ser tão proibido. Pense nas vítimas das grandes Sereias da história; Páris provoca uma guerra por Helena de Troia, César coloca em risco um império e Antônio perde o seu poder e a sua vida por Cleópatra, Napoleão tornou-se motivo de risos por Josefina. DiMaggio nunca esqueceu Marilyn, e Arthur Miller ficou anos sem conseguir escrever. Com frequência, o homem se arruína por causa de uma Sereia, mas não consegue se afastar dela. (Muitos homens poderosos possuem um traço masoquista.) Um certo componente de risco é fácil de sugerir a fim de fortalecer as suas outras características de Sereia – o toque de loucura em Marilyn, por exemplo, que atraía os homens. As Sereias costumam ser fantasticamente irracionais, o que exerce uma atração imensa nos homens oprimidos pela própria sensatez. Um componente de medo também é crucial: manter o homem a uma devida distância gera respeito para que ele não se aproxime demais e descubra quem você é, ou perceba os seus pontos fracos. Crie esse medo mudando de humor de repente, mantendo o homem inseguro, vez por outra intimi-dando-o com comportamentos caprichosos.

O elemento mais importante para uma aspirante a Sereia é sempre o físico, o principal instrumento de poder da Sereia. Qualidades físicas – um perfume, uma feminilidade maior evocada pela maquiagem ou roupas enfeitadas ou sedutoras – funcionam ainda mais com os homens porque não fazem sentido. No seu imediatismo, elas contornam processos racionais, causando o mesmo efeito da isca para um animal, ou o movimento de uma capa para o touro. A aparência apropriada de uma Sereia é muitas vezes confundida com beleza física, particularmente o rosto. Mas um rosto bonito não faz o estilo Sereia: pelo contrário, cria uma distância e uma frieza muito grandes. (Nem Cleópatra nem Marilyn, as duas maiores sereias da história, foram famosas por terem rostos bonitos.) Embora um sorriso e um olhar convidativo sejam infinitamente sedutores, eles não devem jamais dominar a sua aparência. São por demais óbvios e diretos. A Sereia deve estimular um desejo generalizado, e a melhor maneira de fazer isso é criar uma impressão global que seja ao mesmo tempo perturbadora e fascinante. Não é um traço em particular, mas uma combinação de qualidades:

A voz. Nitidamente uma qualidade importante, como indica a lenda, a voz da Sereia tem uma presença animal imediata com incrível poder sugestivo. Talvez esse poder seja regressivo, recordando a habilidade da voz materna de acalmar ou excitar o filho mesmo antes que ele compreenda o que ela diz. A Sereia deve ter uma voz insinuante com alusões eróticas, com mais frequência de forma subliminar e não declarada. Quase todos os que conheceram Cleópatra comentaram sobre a sua voz deliciosa e doce que tinha uma qualidade hipnotizante. A imperatriz Josefina, uma das grandes sedutoras do final do século XVIII, tinha uma voz langorosa que os homens achavam exótica, e que sugeria suas origens crioulas. Marilyn Monroe nasceu com sua voz sussurrante, infantil, mas aprendeu a baixar o tom para torná-la realmente sedutora. A voz de Lauren Bacall é naturalmente grave; seu poder sedutor vem da sua fala lenta, sugestiva. A Sereia não fala depressa, de forma agressiva ou estridente. Sua voz é calma e descansada, como se ainda não estivesse bem desperta – ou levantado da cama.

Corpo e adornos. Se a voz deve embalar, o corpo e os adornos devem deslumbrar; é com suas roupas que a Sereia visa criar o efeito de deusa que Baudelaire descreveu no seu ensaio "Em louvor à maquiagem": "A mulher está nos seus direitos, e na verdade ela está cumprindo uma espécie de dever ao se esforçar por parecer mágica e sobrenatural. Ela deve causar admiração e enfeitiçar; um ídolo, ela deve se adornar com ouro para ser adorada. Ela deve se apropriar de todas as artes para se elevar acima da natureza, para melhor subjugar corações e agitar almas."

Apaixonar-se por estátuas e pinturas, até fazer amor com elas, é uma antiga fantasia, de que o Renascimento tinha plena consciência. Giorgio Vasari, ao escrever na introdução a Vidas sobre a arte na Antiguidade, conta como os homens, desrespeitando a lei, invadiam os templos à noite e faziam amor com estátuas de Vênus. De manhã, os sacerdotes, ao entrarem nos santuários, encontravam as marcas nas figuras de mármore.
– LYNNE LAWNER, *LIVES OF THE COURTESANS*

A Sereia que se revelou um gênio na arte do vestuário e dos adornos foi Maria Paulina Bonaparte, irmã de Napoleão. Maria Paulina empenhou-se conscientemente para alcançar o efeito de deusa ajustando o penteado, a maquiagem e as roupas para evocar a aparência e o ar de Vênus, a deusa do amor. Ninguém na história pôde se vangloriar de possuir um guarda-roupa mais amplo e elaborado. A entrada de Maria Paulina num baile, em 1798, deixou a todos pasmos. Ela pediu licença à anfitriã, Madame Permon, para se arrumar na sua casa para ninguém ver como estava vestida antes de entrar. Quando desceu as escadas, todos pararam mudos e estupefatos. Ela usava o adorno de cabeça de uma bacante – cachos de uvas douradas entrelaçados em seus cabelos, penteados no estilo grego. A túnica grega, com a bainha bordada a ouro, ressaltava os contornos divinos de seu corpo. Sob os seios, uma faixa de ouro velho, sustentada por uma joia magnífica. "Não há palavras que traduzam a graça da sua aparição", escreveu a duquesa d'Abrantes. "Até a sala ficou mais clara quando ela entrou. O conjunto era tão harmonioso que sua aparição foi saudada com um burburinho de admiração que continuou num total desrespeito por todas as outras mulheres presentes."

A chave: tudo deve ser deslumbrante, mas também hamonioso, de tal forma que um só adorno não se destaque chamando atenção. Sua presença deve estar carregada de energia, irreal, a realização de uma fantasia. O ornamento é usado para enfeitiçar e distrair. A Sereia pode também usar as roupas para sugerir sexo, às vezes abertamente, porém, com mais frequência, com sutileza e não de uma forma estridente – isso a faria parecer uma pessoa manipuladora. Relacionada com isto, existe a ideia de exibição seletiva, a revelação de apenas uma parte do corpo – mas uma parte que vai excitar a imaginação. No final do século XVI, Margarida de Valois, a famigerada filha da rainha Catarina de Medici, da França, foi uma das primeiras mulheres a agregar o *décolletage* ao seu guarda-roupa simplesmente por ter os seios mais belos do reino. Para Josefina Bonaparte, eram os braços, que ela cuidava de deixar sempre nus.

Movimento e atitude. No século V a.C., o rei Kou Chien escolheu a Sereia chinesa Hsi Shih entre todas as mulheres do seu reino para seduzir e destruir o seu rival Fu Chai, rei de Wu; com esse objetivo, ele mandou que instruíssem a jovem mulher nas artes da sedução. A mais importante era o movimento – como se mover com graça e sugestivamente. Hsi Shih aprendeu a caminhar dando a impressão de estar flutuando vestida com seus quimonos da corte. Quando ela finalmente foi liberada para atacar Fu Chai, ele caiu de imediato sob os seus encantos.

Ele nunca havia visto ninguém caminhar e se mover como ela antes. Ficou obcecado com a trêmula presença da jovem, com seus modos e o ar descontraído. Fu Chai ficou tão apaixonado que não conseguiu mais manter unido o seu reino, permitindo que Kou Chien marchasse sobre ele e o conquistasse sem lutas.

A Sereia se move graciosamente e sem pressa. Os gestos apropriados, o movimento e a atitude de uma Sereia são como a voz apropriada: eles sugerem algo excitante, despertando o desejo sem serem óbvios demais. Você deve ter um jeito lânguido, como se tivesse todo o tempo do mundo para o amor e o prazer. Seus gestos devem possuir uma certa ambiguidade, sugerindo alguma coisa ao mesmo tempo inocente e erótica. Qualquer coisa que não seja imediatamente compreendida é extremamente sedutora, ainda mais se isso estiver impregnado em todas as suas atitudes.

Símbolo: Água.
*O canto da Sereia é cristalino
e excitante, e a própria Sereia é fluida e
inalcançável. Como o mar, a Sereia atrai com
a promessa de aventura e prazer infinitos. Esquecendo
passado e futuro, os homens a seguem até mar alto, onde se afogam.*

RISCOS

Por mais esclarecida que seja a época, nenhuma mulher consegue manter a imagem de pessoa dedicada ao prazer de uma forma totalmente confortável. E não importa o quanto ela se esforce para evitar isso, o estigma de ser fácil sempre acompanhará a Sereia. Cleópatra era odiada em Roma como a prostituta egípcia. Esse ódio acabou resultando na sua derrocada, quando Otávio e o exército romano procuraram extirpar a nódoa na masculinidade romana que ela representava. Mesmo assim, os homens quase sempre são magnânimos quando se trata da reputação da Sereia. Mas o perigo costuma estar na inveja que ela desperta nas outras mulheres; grande parte do ódio de Roma por Cleópatra originava-se do ressentimento que ela provocou entre as rígidas matronas da cidade. Fingindo-se de inocente, fazendo-se de vítima do desejo masculino, a Sereia consegue de certa forma neutralizar os efeitos da inveja feminina. Mas no todo não lhe resta muita coisa a fazer – seu poder vem do poder que tem sobre os homens, e ela deve aprender a aceitar, ou ignorar, a inveja das outras mulheres.

Finalmente, a forte atenção que a Sereia atrai pode se mostrar mais do que irritante. Às vezes, ela vai querer se livrar disso; em outras, também desejará atrair uma atenção que não seja sexual. E não só isso. Infelizmente a beleza física acaba; embora o efeito Sereia dependa não de um rosto bonito, mas de uma impressão geral, depois de uma certa idade fica mais difícil projetar essa impressão. Esses dois fatores contribuíram para o suicídio de Marilyn Monroe. É preciso um talento do quilate de uma Madame de Pompadour, a amante Sereia de Luís XV, para fazer a transição para o papel da mulher mais velha cheia de vigor que continua seduzindo com seus encantos espirituais. Cleópatra tinha uma inteligência semelhante e, se tivesse vivido tempo suficiente, teria permanecido uma poderosa sedutora por muitos anos. A Sereia deve se preparar para a velhice prestando atenção logo de início nas formas mais psicológicas, menos físicas, de coquetismo que podem continuar a lhe dar poder depois que sua beleza começar a perder o brilho.

LIBERTINO

*A mulher nunca
se sente desejada e valorizada o bastante. Ela
quer atenção, mas o homem em geral se mostra distraído
e insensível. O Libertino é a grande figura da fantasia feminina
– quando deseja uma mulher, por mais breve que seja esse momento, o
homem vai até o fim do mundo atrás dela. Ele pode ser desleal, desonesto e
amoral, mas tudo isso só o torna ainda mais atraente. Ao contrário do homem
normal, cauteloso, o Libertino é deliciosamente incontido, um escravo do seu
amor pelas mulheres. Existe ainda o fascínio da sua reputação: tantas mulheres sucumbiram a ele, deve haver um motivo. As palavras são o fraco das
mulheres, e o Libertino é mestre na linguagem sedutora. Desperte
os desejos reprimidos de uma mulher adaptando o misto de
risco e prazer do Libertino.*

LIBERTINO ARDENTE

Para a corte de Luís XIV, os últimos anos de vida do rei foram sombrios – ele estava velho e tinha se tornado insuportavelmente religioso e desagradável como pessoa. A corte estava entediada e louca por novidades. Portanto, em 1710, a chegada de um rapaz de 15 anos, que era ao mesmo tempo diabolicamente bonito e charmoso, causou um efeito muito forte nas damas. Seu nome era Fronsac, o futuro duque de Richelieu (seu tio-avô era o famigerado cardeal de Richelieu). Ele era insolente e espirituoso. As damas o tratavam como se fosse um brinquedo, mas ele retribuía beijando-as nos lábios, as mãos indo longe demais para um garoto inexperiente. Quando estas mãos subiram por baixo das saias de uma duquesa que não era tão indulgente, o rei ficou furioso, e mandou o jovem para a Bastilha a fim de lhe dar um lição. Mas as damas que o achavam tão interessante não conseguiram suportar a sua ausência. Comparado com os empertigados da corte, ali estava alguém incrivelmente ousado, com um olhar penetrante, as mãos mais rápidas do que seria seguro. Nada o fazia parar, a sua novidade era irresistível. As damas da corte imploraram, e a sua estada na Bastilha foi interrompida.

Muitos anos depois, a jovem mademoiselle de Valois caminhava num parque de Paris com sua acompanhante, uma mulher mais velha que estava sempre do seu lado. O pai de de Valois, o duque d'Orléans, estava decidido a protegê-la, sua filha mais nova, de todos os sedutores da corte até o casamento; portanto, a havia grudado a uma acompanhante, mulher de virtude e azedume impecáveis. No parque, entretanto, de Valois viu um rapaz cujo olhar fez o seu coração disparar. Ele seguiu em frente, mas o olhar que lhe deu foi intenso e claro. Foi a acompanhante quem lhe disse o nome dele: o agora infame duque de Richelieu, blasfemador, sedutor, conquistador de corações. Alguém que deveria ser evitado a todo custo.

Dias depois, a acompanhante levou de Valois a um outro parque e, vejam só, lá estava Richelieu outra vez cruzando com elas. Agora dis-

---

[Depois de um acidente no mar, Dom Juan se viu jogado na praia, onde é descoberto por uma jovem mulher.]
TISBEA: Acorde, de todos os homens o mais belo, e seja você outra vez.
DOM JUAN: Se o mar me dá a morte, você me dá a vida. Mas o mar na verdade me salvou só para ser morto por você. Oh, o mar me lança de um tormento a outro, pois assim que me vejo fora da água e encontro esta sereia – você. Por que encher os ouvidos de cera, se você me mata com o olhar? Eu estava morrendo no mar, mas de hoje em diante, morrerei de amor.
TISBEA: Você tem fôlego demais para um homem que quase se afogou. Você sofreu muito, mas quem sabe que sofrimentos está preparando para mim? (...) Eu o encontrei aos meus

farçado, vestido de mendigo, mas a expressão nos seus olhos foi inesquecível. Mademoiselle de Valois retribuiu o olhar: finalmente algo de excitante na sua vida insípida. Por causa da rigidez do pai, nenhum homem ousava se aproximar dela. E agora esse notório cortejador a perseguia, e não a nenhuma das damas da corte – que emoção!!! Não demorou muito e ele lhe mandava bilhetes clandestinos muito bem escritos expressando o incontrolável desejo que ela lhe despertava. Ela respondia com timidez, mas logo sua vida se resumia aos bilhetes que recebia. Em um deles, ele se comprometia a arranjar tudo se ela concordasse em passar uma noite com ele; imaginando que isso seria impossível, ela fingiu aceitar a ousada proposta.

Mademoiselle de Valois tinha uma criada, chamada Angélica, que a ajudava a trocar de roupa antes de ir para a cama e que dormia no quarto ao lado. Numa noite, enquanto a acompanhante tricotava, de Valois ergueu os olhos do livro que estava lendo para ver Angélica que levava as roupas da sua senhora para o quarto, mas por alguma estranha razão a moça olhou para trás e sorriu – era Richelieu espertamente vestido de criada! De Valois quase deu um grito assustada, mas se recompôs, percebendo o perigo que estava correndo: se dissesse alguma coisa, a família descobriria tudo sobre os bilhetes e a sua participação na história. O que ela podia fazer? Resolveu ir até o quarto e convencer o rapaz a desistir da sua manobra absurda e arriscada. Deu boa-noite à acompanhante, mas, uma vez no quarto, as palavras que planejara dizer foram inúteis. Quando tentou argumentar com Richelieu, ele respondeu com aquela expressão no olhar e depois tomou-a nos braços. Ela não podia gritar, mas agora não sabia o que fazer. As palavras impetuosas dele, suas carícias, o perigo da situação – a cabeça da moça girava, ela estava perdida. O que eram a virtude e o seu tédio anterior comparados a uma noite com o mais notório libertino da corte? Por conseguinte, enquanto a acompanhante tricotava, o duque a iniciou nos rituais da libertinagem.

Meses depois, o pai de de Valois teve motivos para desconfiar de que Richelieu havia invadido as suas linhas de defesa. A acompanhante foi despedida, as precauções dobraram. D'Orléans não percebeu que para Richelieu essas medidas eram um desafio, e ele vivia de desafios. Ele comprou a casa vizinha com um nome falso e secretamente abriu uma porta na parede que dava para o armário de louças da cozinha do duque. Nesse armário, durante os meses seguintes – até esgotar a novidade – de Valois e Richelieu gozaram de intermináveis encontros.

Todos em Paris sabiam das aventuras de Richelieu, pois ele fazia questão de divulgá-las o mais ruidosamente possível. A cada semana uma nova história circulava pela corte. Um marido tinha trancado a mulher num quarto do andar superior à noite achando que o duque

---

pés, e era só água, e agora está todo em fogo. Se queima quando está todo molhado, o que fará quando estiver seco de novo? Você promete uma chama ardente; tenho fé em Deus que você não esteja mentindo.
DOM JUAN: Cara menina, Deus deveria ter me afogado antes de poder ser queimado por você. Talvez o amor tenha sido sábio ao me encharcar antes de sentir o seu toque escaldante. Mas seu fogo é tamanho que até na água eu queimo.
TISBEA: Tão frio e no entanto queima?
DOM JUAN: Tanto fogo há em você.
TISBEA: Como fala bem!
DOM JUAN: Como compreende bem!
TISBEA: Queira Deus que não esteja mentindo.
– TIRSO DE MOLINA, O SEDUTOR DE SEVILHA

Satisfeito com meu primeiro sucesso, decidi tirar proveito desta ditosa reconciliação. Chamei-as de minhas caras esposas, minhas fiéis companheiras, as duas tendo sido escolhidas para me fazerem feliz. Procurei deixá-las tontas e excitar nelas

estava interessado nela; para alcançá-la, o duque engatinhou no escuro por uma fina tábua suspensa entre duas janelas. Duas mulheres que moravam na mesma casa, uma viúva e a outra casada e muito religiosa, haviam descoberto para seu mútuo horror que o duque estava tendo um caso com ambas ao mesmo tempo, deixando uma no meio da noite para estar com a outra. Quando elas o enfrentaram, o duque, sempre à espreita de uma novidade, e possuidor de uma lábia diabólica, não se desculpou nem voltou atrás, mas tentou convencê-las a um *ménage à trois*, jogando com a vaidade ferida de cada uma das mulheres, que não suportavam a ideia de que ele preferisse a outra. Ano após ano, as histórias de suas notáveis seduções se espalhavam. Uma mulher admirava a sua audácia e bravura; outra, a sua galanteria ao enganar um marido. As mulheres competiam por suas atenções: se ele não estava interessado em seduzi-las, havia algo de errado com elas. Ser o alvo de suas atenções tornou-se uma grande fantasia. Em determinado momento, duas damas disputaram o duque num duelo à pistola, e uma delas saiu gravemente ferida. A duquesa d'Orléans, a mais ferrenha inimiga de Richelieu, certa vez escreveu: "Se eu acreditasse em bruxarias, chegaria a pensar que o duque possui algum segredo sobrenatural, pois jamais vi uma mulher lhe opor a mínima resistência."

Na sedução existe quase sempre um dilema: para seduzir é necessário cálculo e planejamento, mas, se a vítima desconfiar de que você tem segundas intenções, ela ficará na defensiva. Além do mais, se parecer que você é quem está no controle, vai inspirar medo, em vez de desejo. O Libertino Ardente resolve esse dilema do modo mais ardiloso. É claro que ele deve calcular e planejar – ele precisa encontrar um jeito de driblar o marido ciumento, ou seja lá que obstáculo houver no seu caminho. É um trabalho exaustivo. Mas, por natureza, o Libertino Ardente também tem a vantagem de uma libido incontrolável. Quando persegue uma mulher, ele está realmente vibrando de desejo; a vítima percebe isso e fica excitada, mesmo não querendo. Como imaginar que ele é um sedutor impiedoso que a abandonará no final, se ele enfrenta ardorosamente todos os riscos e obstáculos para consegui-la? E, mesmo que ela conheça o seu passado devasso, a sua incorrigível amoralidade, não importa, porque ela também vê a fraqueza dele. Ela não consegue se controlar: ele, na verdade, é escravo de todas as mulheres. Como tal, não inspira temor.

O Libertino Ardente nos ensina uma lição: o desejo intenso exerce um poder desencaminhador sobre as mulheres, como a presença física da Sereia faz com os homens. A mulher em geral é defensiva e capaz

desejos cuja força eu conhecia e que afastariam qualquer reflexão contrária aos meus planos. O homem hábil, que sabe comunicar gradualmente o calor do amor aos sentidos da mulher mais virtuosa, tem certeza de que em breve será dono absoluto da sua mente e da sua pessoa; não se pode refletir quando se perdeu a cabeça; e, além do mais, princípios de sabedoria, por mais fundo que estejam gravados na mente, apagam-se naquele momento em que o coração anseia apenas por mais prazer: prazer somente, então, comanda e é obedecido. O homem que experimentou conquistas quase sempre tem êxito onde aquele que é apenas tímido e apaixonado fracassa. (...) Depois de haver levado as minhas duas belas ao estado de abandono no qual as queria, expressei um desejo ainda mais ávido; seus lábios se incendiaram; minhas carícias foram retribuídas; e ficou claro que a resistência delas não retardaria por mais do que alguns segundos a cena seguinte que eu as queria ver representando.

de perceber a falta de sinceridade ou os cálculos. Mas, quando se sente consumida por suas atenções, e está confiante de que você fará tudo por ela, não notará mais nada em você, ou encontrará um jeito de perdoar as suas indiscrições. Este é o disfarce perfeito para um sedutor. A chave é não revelar nenhuma hesitação, abandonar todas as restrições, entregar-se, mostrar que não é capaz de se controlar e que é fundamentalmente fraco. Não se preocupe em inspirar desconfiança; desde que você seja escravo dos seus encantos, ela não pensará nas consequências.

LIBERTINO DEMONÍACO

No início da década de 1880, membros da alta sociedade romana começaram a falar de um jovem jornalista que acabara de entrar em cena, um certo Gabriele D'Annunzio. Isto era muito estranho, pois a realeza italiana tinha um profundo desprezo por quem não pertencesse ao seu círculo, e um cronista social que escrevia nos jornais estava quase no posto mais baixo que se podia ocupar. Na verdade, os homens bem-nascidos não prestavam muita atenção a D'Annunzio. Ele não tinha dinheiro nem muitas relações, e provinha de um ambiente estritamente de classe média. Além do mais, eles o consideravam feiíssimo – baixo e troncudo, com a pele escura e manchada, os olhos esbugalhados. Os homens o achavam tão pouco atraente que de bom grado o deixavam conviver com as esposas e filhas, certos de que suas mulheres estariam seguras com aquele gárgula e felizes por se livrarem daquele caçador de fofocas. Não, não eram os homens que falavam de D'Annunzio; eram suas esposas.

Apresentadas a D'Annunzio pelos maridos, as duquesas e marquesas começaram a receber em seus salões aquele homem de aparência estranha e, quando ele se via sozinho com elas, o seu comportamento mudava de repente. Em poucos minutos, as damas estavam fascinadas. Primeiro, ele era dono da voz mais magnífica que já haviam escutado – doce e grave, cada sílaba articulada com um ritmo harmonioso e uma inflexão quase musical. Uma mulher a comparou ao repicar dos sinos de uma igreja ao longe. Outras diziam que sua voz tinha um efeito "hipnótico". O que essa voz dizia também era interessante – frases aliterativas, locuções graciosas, imagens poéticas e um modo de tecer elogios que derretia o coração das mulheres. D'Annunzio havia dominado a arte da adulação. Ele parecia conhecer o ponto fraco de cada mulher: a uma ele chamava de deusa da natureza, a outra, de incomparável artista em formação, outra, de personagem de um romance. O coração de uma mulher palpitava quando ele descrevia o efeito que ela lhe causava. Tudo

Propus que cada uma delas me acompanhasse alternadamente a um encantador armário, ao lado do quarto onde estávamos, que eu queria que elas admirassem. Ambas se calaram. "Hesitam?", disse-lhes eu. "Verei qual das duas me é mais apegada. A que me amar será a primeira a seguir o amante que ela deseja convencer do seu afeto. (...) Eu conhecia a minha puritana, e sabia muito bem que, depois de alguma relutância, ela se entregava totalmente ao momento presente. Este lhe pareceu tão agradável quanto os outros que já tínhamos passado juntos; ela se esqueceu de que estava me dividindo [com madame Renaud]. (...) [Quando chegou a sua vez] Madame Renaud reagiu com um êxtase que provou o seu contentamento, e ela deixou a reunião só depois de ter repetido continuamente: "Que homem! Que homem! Ele é surpreendente! Quantas vezes seria possível ser feliz com ele se apenas fosse fiel!"
— THE PRIVATE LIFE OF THE MARSHAL DUKE OF RICHELIEU

era sugestivo, insinuando sexo ou romance. Naquela noite, ela ficava pensando nas suas palavras, relembrando pouca coisa do que ele havia dito porque ele não dizia nada de concreto, mas sim o sentimento que despertara nela. No dia seguinte, ele lhe mandava um poema que parecia ter sido escrito especialmente para ela. (Na verdade, ele escreveu dezenas de poemas muito parecidos, com pequenos ajustes de acordo com a vítima.)

Poucos anos depois de começar a trabalhar como cronista social, D'Annunzio casou-se com a filha do duque e da duquesa de Gallese. Logo em seguida, com o inabalável apoio de damas da sociedade, ele começou a publicar romances e livros de poesia. A quantidade de conquistas era notável, e também a qualidade – não só marquesas caíam aos seus pés, mas grandes artistas, como a atriz Eleanor Duse, que o ajudou a se transformar num dramaturgo respeitável e celebridade literária. A dançarina Isadora Duncan, outra que acabou fascinada por ele, explicou a sua magia: "Talvez o amante mais notável de nossa época seja Gabriele D'Annunzio. E isso não obstante ser baixo, careca e, exceto quando sua face se ilumina de entusiasmo, feio. Mas, ao falar de uma mulher que lhe agrada, seu rosto se transfigura de tal forma que, de repente, ele é um Apolo. (...) Seu efeito sobre as mulheres é extraordinário. A dama com quem ele estiver falando de súbito se sente elevada de corpo e alma."

Quando estourou a Primeira Guerra Mundial, D'Annunzio, com 52 anos, alistou-se no exército. Embora sem experiência militar, ele possuía um talento para o drama e um intenso desejo de pôr à prova a sua bravura. Ele aprendeu a voar e liderou missões arriscadas, mas altamente eficazes. Quando a guerra terminou, ele era o herói mais condecorado da Itália. Suas proezas fizeram dele um personagem nacional muito querido, e depois da guerra as multidões se reuniam onde quer que ele estivesse na Itália. Ele falava para elas de uma sacada de hotel, discutindo política, criticando o governo italiano da época. Testemunha de um desses discursos, o escritor americano Walter Starkie ficou de início desapontado ao ver o famoso D'Annunzio numa sacada em Veneza; era baixo e de aparência grotesca. "Pouco a pouco, entretanto, comecei a ceder ao fascínio da sua voz, que penetrava na minha consciência. (...) Jamais um gesto apressado, abrupto.

(...) Ele fazia com as emoções da multidão o mesmo que um virtuoso violinista ao tocar um Stradivarius. Milhares de olhos fixavam-se nele como hipnotizados pelo seu poder." Mais uma vez, era o som da voz e as conotações poéticas de suas palavras que seduziam as massas. Defendendo a tese de que a Itália moderna deveria reivindicar a grandiosidade do Império Romano, D'Annunzio criava slogans para a plateia repetir, ou fazia perguntas carregadas de emoção para ela responder. Ele lison-

Seus sucessos no amor, ainda mais do que a voz maravilhosa deste pequeno e careca sedutor, com o nariz como o de um fantoche, arrastavam atrás de si toda uma procissão de mulheres apaixonadas, ao mesmo tempo opulentas e atormentadas. D'Annunzio tinha revivido com êxito a lenda de Byron: ao passar por mulheres peitudas, de pé no caminho como Boldoni as teria pintado, colares de pérolas ancorando-as à vida – princesas e atrizes, grandes damas russas e até donas de casa de meia-idade de Bordeaux –, elas se ofereciam a ele.
– PHILIPPE JULLIAN, *PRINCE OF AESTHETES: COUNT ROBERT DE MONTESQUIEU*

Em resumo, nada é mais doce do que o triunfo sobre a Resistência de uma bela Pessoa; e nisso eu tenho a Ambição dos Conquistadores, que voam

eternamente de Vitória em Vitória e nunca se convencem de colocar um freio nos seus Desejos. Nada pode conter a Impetuosidade dos meus Desejos; eu tenho um Coração em que cabe a Terra inteira; e, como Alexandre, eu poderia desejar Novos Mundos onde ampliar minhas Conquistas Amorosas.
– MOLIÈRE, DOM JUAN OU O LIBERTINO

Entre as muitas formas de se lidar com o efeito de Dom Juan sobre as mulheres, vale a pena destacar o motivo do herói irresistível, pois ele ilustra uma curiosa mudança na nossa sensibilidade. Dom Juan só se tornou irresistível para as mulheres na era romântica, e inclino-me a pensar ser um traço da imaginação feminina fazê-lo assim. Quando a voz das mulheres começou a se afirmar e até, quem sabe, dominar na literatura, Dom Juan evoluiu tornando-se o ideal das mulheres e não dos homens. (...) Dom Juan é hoje o sonho feminino do amante perfeito, fugitivo, apaixonado, ousado. Ele dá às mulheres o momento

jeava as multidões, fazendo-as se sentirem participantes de um drama. Tudo era vago e sugestivo.

O tema do dia era a posse da cidade de Fiume, do outro lado da fronteira com a vizinha Iugoslávia. Muitos italianos acreditavam que a recompensa por tomarem o partido dos Aliados na recente guerra deveria ser a anexação de Fiume. D'Annunzio defendia esta causa e, devido ao seu status de herói de guerra, o exército estava disposto a ficar do seu lado, embora o governo fosse contrário a qualquer ação. Em setembro de 1919, com soldados cerrando fileiras à sua volta, D'Annunzio liderou a sua famigerada marcha sobre Fiume. Quando um general italiano o interceptou, ameaçando atirar nele, D'Annunzio abriu o casaco para mostrar suas medalhas e disse com sua voz magnética: "Se quer me matar, atire primeiro nisto!" O general ficou paralisado, depois caiu em prantos. E juntou-se a D'Annunzio.

Ao entrar em Fiume, D'Annunzio foi saudado como um libertador. No dia seguinte, foi declarado líder do Estado Livre de Fiume. Pouco depois, ele estava discursando de uma sacada que dava para a praça principal da cidade, mantendo dezenas de milhares de pessoas fascinadas sem precisar de alto-falantes. Ele iniciava todos os tipos de comemorações e rituais voltando a falar do Império Romano. Os cidadãos de Fiume começaram a imitá-lo, particularmente nas suas façanhas sexuais; a cidade ficou parecendo um grande bordel. Sua popularidade era tanta que o governo italiano temeu uma marcha sobre Roma, o que naquele momento poderia realmente acontecer se D'Annunzio tivesse se decidido por isso, já que ele tinha o apoio de grande parte das forças armadas; D'Annunzio poderia ter nocauteado Mussolini e mudado o curso da história. (Ele não era um fascista, mas uma espécie de socialista estético.) Mas ele resolveu ficar em Fiume, e governou ali durante 16 meses, até que o governo italiano o expulsou da cidade à força de bombas.

A sedução é um processo psicológico que transcende o conceito de sexo, exceto em uma outra área-chave em que cada um dos sexos tem os seus próprios pontos fracos. O homem é tradicionalmente vulnerável ao visual. A Sereia capaz de criar a aparência física correta será uma grande sedutora. No caso das mulheres, a linguagem e as palavras são a fraqueza: como escreveu uma das vítimas de D'Annunzio, a atriz francesa Simone: "Como explicar suas conquistas a não ser pelo seu extraordinário poder verbal e o timbre musical de sua voz colocados a serviço de uma eloquência excepcional? Pois o meu sexo é suscetível às palavras, enfeitiçado por elas, desejando ardentemente ser dominado por elas."

O Libertino é tão promíscuo com as palavras quanto o é com as mulheres. Ele escolhe as palavras por sua capacidade de sugerir, insinuar, hipnotizar, elevar, contaminar. As palavras do Libertino são o equivalente dos adornos físicos da Sereia: uma distração fortemente sensual. O uso que o Libertino faz das palavras é demoníaco porque a intenção não é comunicar ou transmitir informações, mas persuadir, adular, provocar um tumulto emocional, da mesma forma como a serpente no jardim do Éden usou as palavras para tentar Eva.

O exemplo de D'Annunzio revela um elo entre o Libertino Erótico, que seduz mulheres, e o Libertino Político, que seduz as massas. Ambos dependem das palavras. Adapte a personalidade do Libertino e você descobrirá que o uso das palavras como um veneno sutil tem infinitas aplicações. Lembre-se: o importante é a forma, não o conteúdo. Quanto menos os seus alvos se concentrarem no que você diz, e mais no que você os faz sentir, mais sedutor será o seu efeito. Dê às suas palavras um toque sublime, espiritual, literário, para insinuar melhor o desejo em suas vítimas sem que elas percebam.

> *inesquecível, a magnífica exaltação da carne que com tanta frequência lhes é negada pelo verdadeiro marido, que pensa que os homens são rudes e as mulheres, espirituais. Ser o Dom Juan fatal pode ser o sonho de um punhado de homens; mas encontrá-lo é o sonho de muitas mulheres.*
> – OSCAR MANDEL, "THE LEGEND OF DON JUAN", *THE THEATRE OF DON JUAN*

> *Mas que força é esta, afinal, que Dom Juan usa para seduzir? É desejo, a energia do desejo sensual. Ele deseja em cada mulher todas as mulheres. A reação a esta gigantesca paixão embeleza e revela a pessoa desejada, que cora ainda mais bela com seu reflexo. Como o fogo do entusiasta ilumina com esplendor sedutor até aqueles que com ele mantêm uma relação casual, assim Dom Juan transfigura num sentido muito mais intenso todas as moças.*
> – Sören Kierkegaard, *Ou isto ou aquilo*

CHAVES PARA A PERSONALIDADE

De início, pode parecer estranho que um homem nitidamente desonesto, desleal e nem um pouco interessado no casamento possa ter algum encanto para as mulheres. Mas ao longo de toda a história, em todas as culturas, este tipo tem causado um efeito fatal. O que o Libertino oferece é o que a sociedade normalmente proíbe às mulheres: um caso de amor só pelo prazer, um esbarrão excitante com o perigo. A mulher em geral se sente profundamente oprimida pelo papel que esperam que ela represente. Ela deve ser a força suave, civilizadora, da sociedade, e desejar compromissos e fidelidade pelo resto da vida. Mas quase sempre o casamento e o relacionamento não lhe proporcionam romance e dedicação, mas rotina e um companheiro sempre distraído. É uma eterna fantasia feminina encontrar um homem que se entregue totalmente, que viva para ela, mesmo que seja por pouco tempo.

Este lado obscuro, reprimido, do desejo feminino encontrou expressão na lenda de Dom Juan. A princípio era uma fantasia masculina: o cavaleiro intrépido que podia ter a mulher que desejasse. Mas, nos séculos XVII e XVIII, Dom Juan foi aos poucos evoluindo do aventureiro masculino para uma versão mais feminilizada: um homem que vivia só para as mulheres. Esta evolução surgiu do interesse delas pela história e resultou de seus desejos frustrados. O casamento para elas era uma forma de servidão oficializada; mas Dom Juan oferecia o prazer pelo prazer, o desejo sem vínculos. Enquanto ele estivesse cruzando o seu caminho, você era a única coisa a ocupar os pensamentos dele. O seu desejo por você era tão forte que ele não lhe dava tempo para pensar ou se preocupar com as consequências. Ele aparecia de noite, lhe proporcionava um momento inesquecível e depois desaparecia. Talvez ele tivesse conquistado milhares de mulheres antes de você, mas isso só o tornava mais interessante; melhor ser abandonada do que não ser desejada por um homem assim.

Os grandes sedutores não oferecem os prazeres amenos que a sociedade tolera. Eles tocam no inconsciente das pessoas, naqueles desejos reprimidos que gritam por liberdade. Não pense que as mulheres são as criaturas doces que algumas pessoas gostariam que elas fossem. Como os homens, elas se sentem muito atraídas pelo que é proibido, pelo que é perigoso, até pelo que tem um leve toque de perversidade. (Dom Juan acaba indo para o inferno; o componente infernal é, nitidamente, uma parte importante da fantasia.) Não se esqueça: se vai representar o Libertino, deve transmitir uma sensação de risco e trevas, sugerindo à sua vítima que ela participa de algo raro e excitante – uma chance de representar seus próprios desejos libertinos.

Para representar o Libertino, o requisito mais óbvio é a capacidade de soltar, de atrair uma mulher para o tipo de momento puramente sensual em que passado e futuro não significam mais nada. Você deve ser capaz de se entregar ao momento. (Quando o libertino Valmont – um personagem inspirado no duque de Richelieu –, no romance do século XVII de Laclos, *As ligações perigosas*, escreve cartas que são obviamente calculadas para ter um certo efeito sobre a vítima escolhida, madame de Tourvel, ela percebe tudo; mas, quando as cartas dele realmente queimam de paixão, ela começa a ceder.) A grande vantagem desta qualidade é que ela o faz parecer incapaz de se controlar, uma exibição de fraqueza de que a mulher gosta. Ao se entregar à pessoa seduzida, você a faz sentir que existe só para ela – um sentimento que reflete uma verdade, embora temporária. Das centenas de mulheres que Pablo Picasso, consumado libertino, seduziu ao longo dos anos, quase todas pensavam ser o seu único amor verdadeiro.

O Libertino jamais se preocupa com a resistência que uma mulher possa lhe fazer, ou com qualquer outro obstáculo no seu caminho – um marido, uma barreira física. A resistência é só um incentivo ao seu desejo, deixando-o ainda mais excitado. Quando Picasso estava seduzindo Françoise Gilot, ele de fato implorou que ela resistisse; ele precisava da resistência para aumentar a emoção. De qualquer maneira, um obstáculo no seu caminho lhe dá a oportunidade de se pôr à prova, e testar a sua criatividade em questões de amor. No romance japonês do século XI *A história de Genji*, da dama da corte Murasaki Shikibu, o príncipe libertino Niou não se perturba com o súbito desaparecimento de Ukifune, a mulher amada. Ela fugira porque, apesar de interessada no príncipe, estava apaixonada por outro homem; mas a sua ausência permite ao príncipe percorrer distâncias enormes até encontrá-la. O seu repentino aparecimento, fugindo com ela até uma casa no meio do bosque, e a sua galanteria ao fazer isso a conquistam. Lembre-se: não havendo resistência ou obstáculos no seu caminho, você deve criá-los. Sem eles a sedução não acontece.

O Libertino é uma personalidade extraordinária. Impudente, sarcástico e de humor cáustico, ele não dá a mínima para o que os outros pensam. Paradoxalmente, isso o torna mais sedutor. No clima de corte da Hollywood da era dos estúdios, quando os atores na sua maioria se comportavam como cordeirinhos obedientes, o grande libertino Errol Flynn se destacava pela insolência. Ele desafiava os chefes do estúdio, se envolvia nas brincadeiras mais extravagantes, divertia-se com a sua fama de supremo sedutor de Hollywood – tudo isso aumentava a sua popularidade. O Libertino precisa de um cenário de convenções – uma corte idiotizada, um casamento enfadonho, uma cultura conservadora – para brilhar, para ser apreciado pelo sopro de ar puro que ele proporciona. Não se preocupe em estar indo longe demais: a essência do Libertino é que ele vai mais longe do que todos os outros.

Quando o conde de Rochester, o mais notório libertino e poeta da Inglaterra do século XVII, raptou Elizabeth Malet, uma das jovens mais requisitadas da corte, ele foi devidamente punido. Mas, vejam só, poucos anos depois a jovem Elizabeth, apesar de cortejada pelos melhores partidos do país, escolheu Rochester para seu marido. Ao demonstrar o seu audacioso desejo, ele se destacou da multidão.

No extremismo do Libertino existe uma noção de perigo, de tabu, talvez até um toque de crueldade. Este era o encanto de outro poeta libertino, um dos maiores da história: Lord Byron. Esse não gostava de nenhum tipo de convenção e alegremente demonstrava isso. Quando teve um caso com sua meia-irmã, que lhe deu um filho, fez questão de que toda a Inglaterra soubesse disso. Ele podia ser extraordinariamente cruel, como o foi com sua mulher. Mas tudo isso só o tornava ainda mais desejável. Perigo e tabu atraem um lado reprimido das mulheres, de quem se espera que representem uma força civilizadora, moralizante, na cultura. Assim como um homem pode cair vítima da Sereia pelo desejo de se libertar da sua noção de responsabilidade masculina, a mulher pode sucumbir ao Libertino pelo desejo de se livrar das repressões da virtude e da decência. Na verdade, é quase sempre a mulher mais virtuosa que se apaixona mais intensamente pelo Libertino.

Entre as qualidades mais sedutoras do Libertino, está a sua capacidade de despertar nas mulheres o desejo de regenerá-lo. Quantas pensaram que seriam aquela que domaria Lord Byron; quantas das mulheres de Picasso acharam que seriam finalmente aquela com quem ele passaria o resto da vida. Você deve explorar esta tendência a fundo. Quando apanhado em flagrante praticando a libertinagem, recorra à sua fraqueza – o seu desejo de mudar e a sua incapacidade de fazer isso. Com tantas mulheres aos seus pés, o que você pode fazer? A vítima é você. Você precisa de ajuda. As mulheres saltarão para agarrar a oportunidade; elas são extraordinariamente indulgentes com o Libertino porque ele é uma pessoa muito agradável, muito arrojada. A vontade de reabilitá-lo disfarça a verdadeira natureza do desejo, a emoção secreta que elas obtêm dele. Quando o presidente Bill Clinton foi nitidamente flagrado como um libertino, as mulheres é que correram para defendê-lo, encontrando todas as justificativas possíveis para o que ele tinha feito. É porque o Libertino se dedica tanto às mulheres do seu estranho jeito que elas o acham adorável e sedutor.

Finalmente, o maior bem de um Libertino é a sua reputação. Nunca subestime a sua má fama, nem pareça estar se desculpando por ela. Pelo contrário, aceite-a, fortaleça-a ainda mais. É isso que atrai as mulheres até você. Há várias coisas pelas quais você deve ser conhecido: a atração irresistível que as mulheres sentem por você; a sua incontrolável dedicação ao prazer (isto fará você parecer fraco, mas também uma companhia excitante); o seu desprezo pelas convenções; aquele toque de rebeldia que o faz parecer perigoso. Este último elemento pode se manter levemente oculto; nas aparências, seja polido e educado, enquanto revela que por trás dos bastidores é um incorrigível. O duque de Richelieu divulgava ao máximo as suas conquistas, excitando a competitividade das mulheres na ânsia de se juntarem ao clube das seduzidas. Era com sua fama que Lord Byron atraía suas vítimas voluntárias. Uma mulher pode ter opiniões conflitantes sobre a reputação do presidente Clinton, mas oculto sob essa ambivalência existe um interesse. Não deixe a sua reputação ao sabor do acaso ou das fofocas; ela é a sua obra-prima, e você deve criá-la, aprimorá-la e exibi-la com o cuidado de um artista.

Símbolo: Fogo.
*O Libertino queima com um desejo
que inflama a mulher que ele está seduzindo.
É exagerado, incontrolável e perigoso. O Libertino
pode acabar no inferno, mas as chamas que o cercam
quase sempre o tornam ainda mais desejável para as mulheres.*

RISCOS

Como a Sereia, o maior perigo para o Libertino são os indivíduos do seu próprio sexo, muito menos indulgentes do que as mulheres com relação às suas constantes perseguições aos rabos de saia. Antigamente, o Libertino era quase sempre um aristocrata, e não importava quantas pessoas ele ofendesse ou até matasse; no final era perdoado. Hoje, só os astros e os muito ricos podem se passar por Libertinos impunemente; o resto precisa ter cuidado.

Elvis Presley era um rapaz tímido. Ao conquistar precocemente o estrelato, e vendo o poder que isso lhe dava sobre as mulheres, ele enlouqueceu, tornando-se um Libertino quase que da noite para o dia. Como muitos Libertinos, Elvis preferia mulheres que já tivessem dono. Várias vezes ele se viu encurralado por maridos ou namorados enfurecidos, e saiu com alguns cortes e arranhões. Pode ser uma sugestão para se ir de manso quando maridos e namorados estiverem por perto, especialmente no início da carreira. Mas o charme do Libertino é que ele não se preocupa com isso. Você não pode ser um Libertino sendo temeroso e prudente; uns socos de vez em quando fazem parte do jogo. De qualquer forma, mais tarde, no auge da fama, nenhum marido ousava tocar em Elvis.

O maior perigo para o Libertino não é o marido violento ofendido, mas aqueles homens inseguros que se sentem ameaçados pelo personagem do Dom Juan. Mesmo não admitindo isso, eles invejam a vida de prazeres do Libertino e, como qualquer pessoa invejosa, atacam às escondidas, quase sempre disfarçando suas perseguições como lições de moral. O Libertino pode ter a sua carreira ameaçada por esses homens (ou por uma mulher que seja igualmente insegura e que se sinta magoada porque o Libertino não quer nada com ela). Não há muita coisa que o Libertino possa fazer para evitar a inveja; se todos tivessem tanto êxito na sedução, a sociedade não funcionaria.

Aceite, portanto, a inveja como uma insígnia de honra. Não seja ingênuo, preste atenção. Quando atacado por um perseguidor moralista, não se deixe convencer pela sua cruzada, o motivo é a inveja, pura e simples. Você pode neutralizá-la sendo menos libertino, pedindo perdão, dizendo que se corrigiu, mas isto vai arruinar a sua reputação, fazendo-o parecer menos adoravelmente libertino. No final, é melhor suportar os ataques e continuar seduzindo. A sedução é a fonte do seu poder; e você pode contar com a infinita indulgência das mulheres.

AMANTE IDEAL

*A maioria das
pessoas tem sonhos na juventude que
o tempo se encarrega de ir frustrando e desgastando. Elas se decepcionamcom os outros, com os acontecimentos, com a realidade que não combinam com seus
ideais de jovem. Os Amantes Ideais se alimentam de sonhos
frustrados que as pessoas acalentam como fantasias pelo resto
da vida. Você deseja ardentemente um romance? Uma aventura?
Uma comunhão espiritual sublime? O Amante Ideal reflete a sua
fantasia. Ele, ou ela, é um artista ao criar a ilusão de que você
precisa, idealizando o seu retrato. Num mundo de desencantos e mesquinharias, existe uma energia sedutora
sem limites no caminho do Amante Ideal no
caminho do Amante Ideal.*

O IDEAL ROMÂNTICO

Numa noite, por volta de 1760, na Ópera da cidade de Colônia, uma bela e jovem mulher observava a plateia sentada no seu camarote. Ao lado estava o marido, o burgomestre da cidade – um homem de meia-idade e bastante amável, mas enfadonho. Através do seu binóculo de teatro, a mulher viu um homem muito atraente e com uma roupa belíssima. Pelo visto, o olhar dela foi notado, pois depois da ópera o homem se apresentou: chamava-se Giovanni Giacomo Casanova.

O estranho beijou a mão da mulher. Ia a um baile na noite seguinte, disse-lhe ela; ele gostaria de ir? "Se posso ter a ousadia de esperar", respondeu ele, "que a senhora dançará apenas comigo."

Na noite seguinte, depois do baile, a mulher só pensava em Casanova. Ele parecia prever o que lhe passava pela cabeça – fora tão agradável, e no entanto tão ousado. Dias depois, ele foi convidado para jantar e, quando o marido se retirou para dormir, ela lhe mostrou a casa. No seu *boudoir* ela apontou para uma outra ala, uma capela, em frente à sua janela. Inevitavelmente, como se tivesse lido os seus pensamentos, Casanova foi assistir à missa na capela no dia seguinte e, encontrando-a no teatro de noite, mencionou ter observado a existência de uma porta no local, que deveria dar para o quarto dela. Ela riu e fingiu estar surpresa. Com a maior inocência, ele disse que encontraria um jeito de se esconder na capela no outro dia – e, quase sem pensar, ela sussurrou que se encontraria com ele ali depois que todos estivessem dormindo.

Assim, Casanova se escondeu no minúsculo confessionário da capela, esperando o dia inteiro até de noite. Havia muitos ratos e ele não dispunha de nenhum lugar para se deitar; mas quando a mulher do burgomestre finalmente apareceu, tarde da noite, ele não reclamou e seguiu-a tranquilamente até o quarto. Eles continuaram se encontrando. Ela passava o dia ansiosa para que a noite chegasse; finalmente, alguma coisa para dar sentido à sua vida, uma aventura. Ela lhe deixava comida, livros e velas para tornar mais agradáveis as longas e entediantes estadas

---

Se à primeira vista a menina não causa uma forte impressão em quem ela desperta o ideal, então em geral a realidade não é especialmente desejável; mas, se ela causar, então, por mais experiente que seja, ele ficará fascinado.
– SÖREN KIERKEGAARD, *DIÁRIO DE UM SEDUTOR*

Um bom amante se comportará ao amanhecer com a mesma elegância de qualquer outra hora do dia. Ele se ergue relutante da cama com uma expressão de desânimo no rosto. A dama insiste: "Vamos, meu amigo, está clareando. Não vai querer que o encontrem aqui." Ele suspira fundo, como se dissesse que a noite não foi suficientemente longa e que é uma agonia partir. Uma vez de pé, ele não veste logo as calças. Pelo contrário, aproxima-se da dama

e sussurra o que não chegou a ser dito durante a noite. Mesmo depois de vestido, ele ainda se demora, vagamente fingindo estar apertando o cinturão. Dali a pouco, ele ergue a gelosia e os dois amantes param juntos na porta lateral, enquanto ele lhe diz o quanto teme o dia que virá em seguida, que os manterá separados; então ele escapole.
A dama o observa ir, e este momento de separação permanecerá entre as suas lembranças mais encantadoras. Na verdade, o apego a um homem depende em grande parte da sua elegância na despedida. Quando ele pula da cama, sai correndo pelo quarto, amarra depressa os cordões das calças, arregaça as mangas do seu casaco elegante, manto ou roupa de caça, enfia seus pertences no peito da túnica e depois, rapidamente, firma o cinturão externo – começa-se realmente a odiá-lo.
– THE PILLOW BOOK OF SEI SHONAGON

No início dos anos 1970, num cenário político turbulento que incluía o fiasco da participação dos Estados Unidos na Guerra do Vietnã e a queda

na capela – não achava certo usar um santuário com aquela finalidade, mas isso só tornava o caso mais excitante. Dias depois, entretanto, ela precisou viajar com o marido. Ao voltar, Casanova tinha desaparecido, tão rápida e elegantemente quanto surgira.

Anos mais tarde, em Londres, uma jovem mulher chamada miss Pauline viu um anúncio num jornal local. Um cavalheiro procurava uma inquilina para alugar uma parte da sua casa. Miss Pauline viera de Portugal e era de família nobre; fugira com um amante para Londres, mas ele tinha sido obrigado a voltar para casa e ela teve de ficar sozinha até poder se juntar a ele de novo. Agora estava solitária, com pouco dinheiro e deprimida com a sua mísera situação – afinal de contas, fora criada para ser uma dama. Ela respondeu ao anúncio.

O cavalheiro era Casanova, e que cavalheiro! O quarto que ele estava oferecendo era agradável, o aluguel, barato; ele só pedia que ela lhe fizesse companhia de vez em quando. Miss Pauline foi morar com ele. Os dois jogavam xadrez, cavalgavam, discutiam literatura. Ele era muito educado, polido e generoso. Moça séria e de bons princípios, ela acabou confiando na sua amizade; ali estava um homem com quem podia ficar horas conversando. Então, um dia, Casanova pareceu diferente, preocupado, excitado: confessou-se apaixonado por ela. Em breve ela ia voltar para Portugal, para encontrar-se com o amante, não era isso que desejava escutar. Ela lhe disse que ele devia dar um passeio a cavalo para se acalmar.

De noite ela recebeu a notícia: ele tinha caído do cavalo. Sentindo-se responsável pelo acidente, correu até ele, encontrou-o na cama, e caiu em seus braços incapaz de se controlar. Os dois se tornaram amantes naquela noite e assim permaneceram pelo resto da estada de miss Pauline em Londres. Mas, quando chegou a hora em que ela deveria voltar para Portugal, Casanova não tentou impedi-la; pelo contrário, consolou-a argumentando que os dois haviam sido, um para o outro, o antídoto perfeito, temporário, para a solidão que sentiam e que seriam amigos pelo resto da vida.

Anos depois, numa pequena cidade espanhola, uma jovem e bela moça chamada Ignazia estava saindo da igreja depois de se confessar. Foi abordada por Casanova. Acompanhando-a até em casa, ele disse que adorava dançar fandango e a convidou para um baile na noite seguinte. Ele era muito diferente das outras pessoas da cidade, que a deixavam tão entediada – ela ficou louca de vontade de ir. Os pais não concordaram com a combinação, mas ela convenceu a mãe a acompanhá-la. Depois de uma noite inesquecível dançando (e ele dançava o fandango extraordinariamente bem para um estrangeiro), Casanova confessou estar apaixonadíssimo pela moça. Ela respondeu (muito triste, porém) que já tinha um noivo. Casanova não insistiu, mas nos dias seguintes levou Ignazia a outros bailes e touradas. Em uma dessas ocasiões, ele a apresentou a uma amiga sua, uma duquesa, que flertou com ele descaradamente; Ignazia ficou cheia de ciúmes. A essa altura, ela já estava apaixonadíssima por Casanova, mas o seu senso de dever e religião a proibia de pensar nessas coisas.

Finalmente, depois de muito tormento, Ignazia procurou Casanova. "Meu confessor tentou me fazer prometer que nunca mais ficaria sozinha com você", disse ela, "e como eu não pude fazer isso, ele me recusou a absolvição. É a primeira vez na vida que isso me acontece. Eu me coloquei nas mãos de Deus. Enquanto você estiver aqui, estou decidida a fazer todas as suas vontades. Quando, para a minha tristeza, você tiver deixado a Espanha, procurarei outro confessor. Meu interesse por você, afinal de contas, é apenas uma loucura passageira."

Casanova foi talvez o maior sedutor da história; poucas foram as mulheres que lhe conseguiram resistir. Seu método era simples: ao conhecer uma mulher, ele a estudava, concordava com seus caprichos, descobria o que faltava na sua vida e lhe proporcionava isso. Ele se fazia de Amante Ideal. A entediada mulher do burgomestre precisava de aventura e romance; ela queria alguém que sacrificasse o seu tempo e o seu conforto para tê-la. Para miss Pauline, o que faltava era a amizade, ideais elevados, conversa séria; ela queria um homem bem-educado e generoso, que a tratasse como uma dama. Para Ignazia, faltava sofrimento e angústia. Sua vida fácil era muito tranquila; para se sentir viva, e ter algo real para confessar, ela precisava pecar. Em cada caso, Casanova se adaptava aos ideais da mulher, realizava fantasias. Depois que a vítima caía no feitiço, um pequeno ardil ou cálculo selava o romance (um dia entre os ratos, uma queda do cavalo simulada, um encontro com outra mulher para despertar os ciúmes de Ignazia).

O Amante Ideal é raro no mundo moderno, pois o papel exige esforço. Você precisa se concentrar intensamente na outra pessoa, imaginar o que lhe falta, o que a está decepcionando. As pessoas em geral revelam isso de uma forma sutil: com gestos, tom de voz, uma expressão no olhar. Ao dar a impressão de ser o que lhes falta, você se encaixa no seu ideal.

Criar este efeito requer paciência e atenção aos detalhes. Em geral as pessoas estão envoltas de tal forma em seus próprios desejos, são tão impacientes, que não conseguem desempenhar o papel de Amante Ideal. Deixe que isto seja uma fonte de infinitas oportunidades. Um oásis no deserto dos que só pensam em si mesmos; poucos conseguem resistir à tentação de seguir quem parece tão afinado com seus desejos, tão interessado em realizar suas fantasias. E, como acontece com Casa-

do presidente Nixon após o escândalo de Watergate, uma geração "eu" começou a se fazer notar – e [Andy] Warhol estava lá para erguer o seu espelho. Ao contrário dos manifestantes radicais do anos 1960, que queriam consertar todos os males da sociedade, o pessoal do "eu", preocupado consigo mesmo, procurava melhorar o corpo e "entrar em contato" com seus próprios sentimentos. Eles cuidavam intensamente da própria aparência, saúde, estilo de vida e contas bancárias. Andy procurava satisfazer o egocentrismo e o orgulho inflado dessas pessoas oferecendo seus serviços de retratista. No final da década, ele seria reconhecido internacionalmente como um dos mais importantes retratistas da sua era. (...) Warhol oferecia aos seus clientes um produto irresistível: um elegante e lisonjeiro retrato por um artista famoso que era, ele mesmo, uma reconhecida celebridade. Conferindo uma presença de estrela fascinante até aos rostos mais famosos, ele transformava seus temas em aparições

AMANTE IDEAL | 63

glamourosas, apresentando seus rostos como achava que eles queriam ser vistos e lembrados. Ao filtrar os belos traços de seus modelos nas telas de serigrafia e exagerando a sua vivacidade, ele lhes permitiu o ingresso num nível mais mítico e rarefeito de existência. A posse de grandes riquezas e poder podia servir para o dia a dia, mas a encomenda de um retrato a Warhol era indício certo de que o modelo pretendia garantir também a fama póstuma. Os retratos de Warhol não eram tanto documentos realistas de rostos contemporâneos quanto ícones de design aguardando consagrações futuras.
– DAVID BOURDON, *WARHOL*

As mulheres têm servido, durante todos esses séculos, de espelhos com o poder mágico e delicioso de refletir a figura de um homem com o dobro do seu tamanho natural.
– VIRGINIA WOOLF, *UM TETO TODO SEU*

nova, a sua fama de pessoa que dá prazer o precederá e as suas seduções serão ainda mais fáceis.

> *O cultivo dos prazeres dos sentidos sempre foi o principal objetivo da minha vida. Sabendo que eu era pessoalmente calculado para agradar o sexo frágil, sempre procurei me fazer agradável a ele.*
> – Casanova

O IDEAL DE BELEZA

Em 1730, quando Jeanne Poisson tinha apenas 9 anos de idade, uma vidente previu que ela seria amante do rei Luís XV. A previsão era absurda porque Jeanne era de classe média, e era uma tradição de séculos a amante do rei ser escolhida entre a nobreza. Para piorar as coisas, o pai de Jeanne era um notório libertino, e a mãe tinha sido uma cortesã.

Felizmente para Jeanne, um dos amantes da mãe era um homem de posses que gostou da menina bonitinha e financiou a sua educação. Jeanne aprendeu a cantar, a tocar o clavicórdio, a cavalgar com extraordinária perícia, a representar e dançar; ela estudou literatura e história como se fosse um menino. O autor de teatro Crébillon instruiu-a na arte da conversação. Para culminar, Jeanne era linda e tinha um charme e uma graça que a distinguiram desde cedo. Em 1741, ela se casou com um homem possuidor de um título de nobreza sem muita importância. Agora conhecida como madame d'Etioles, ela pôde realizar uma grande ambição: abriu um salão literário. Todos os grandes escritores e filósofos da época frequentavam o salão, muitos porque estavam apaixonados pela anfitriã. Um destes era Voltaire, que se tornou um amigo pelo resto da vida.

Com todo o seu sucesso, ela jamais esqueceu a previsão da vidente e ainda acreditava que um dia ia conquistar o coração do rei. Por acaso, uma das propriedades rurais do seu marido fazia limite com os campos de caça preferidos do rei Luís. Ela o espiava pela cerca, ou encontrava um jeito de cruzar o seu caminho, sempre quando estava trajando uma roupa elegante, mas atraente. Não demorou muito e o rei lhe presenteava com partes da caçada. Quando a amante oficial morreu, em 1744, todas as beldades da corte passaram a competir entre si para ocupar o seu posto; mas o rei começou a passar cada vez mais tempo com madame d'Etioles, deslumbrado com seu charme e beleza. Para espanto da corte, naquele mesmo ano ele fez daquela mulher da classe média a sua amante oficial, alçando-a à nobreza com o título de marquesa de Pompadour.

A necessidade de novidade que o rei sentia era notória: uma amante podia fasciná-lo com sua aparência, mas ele logo se cansava e procurava outra. Quando se dissipou o choque da sua escolha por Jeanne Poisson, os cortesãos se tranquilizaram pensando que o caso não iria durar muito – que ele só a havia escolhido pela novidade de ter uma amante da classe média. Mal sabiam eles que essa primeira sedução não seria a última que ela tinha em mente para o rei.

Com o tempo, as suas visitas à amante eram cada vez mais frequentes. Ao subir a escada camuflada que ia dos seus aposentos até os dela, no palácio de Versalhes, ficava tonto só de pensar nas delícias que o aguardavam lá em cima. Primeiro, o quarto estava sempre aquecido e perfumado com essências deliciosas. E havia as delícias visuais: madame de Pompadour usava sempre uma roupa diferente, elegante e surpreendente. Ela gostava de belos objetos – porcelanas finas, leques chineses, vasos de flores dourados –, e sempre que o rei a visitava havia alguma coisa nova e encantadora para ver. Seus modos eram sempre descontraídos; jamais na defensiva ou ressentidos. Tudo era prazer. E havia também as conversas: antes ele não era capaz de conversar realmente com uma mulher, ou rir, mas a marquesa sabia falar muito bem sobre qualquer assunto, e ouvir sua voz era um prazer. E, se não havia o que conversar, ela ia para o piano tocar uma música e cantar maravilhosamente bem.

Se o rei parecia entediado ou triste, madame de Pompadour sugeria algum projeto – talvez a construção de uma nova casa de campo. Ele teria de ajudá-la no desenho, no traçado dos jardins, na decoração. De volta a Versalhes, madame de Pompadour passou a encarregar-se das distrações no palácio e mandou construir um teatro particular para representações semanais sob a sua direção. Os atores eram escolhidos entre os cortesãos, mas o personagem feminino era sempre representado por madame de Pompadour, uma das melhores atrizes amadoras da França. O rei ficou obcecado pelo teatro; mal conseguia esperar pelos espetáculos. Junto com este interesse, vinha um gasto cada vez maior com as artes, e um envolvimento em assuntos filosóficos e literários. Um homem que antes só queria saber de caçar e jogar estava passando cada vez menos tempo com companheiros do sexo masculino e se tornando um grande patrono das artes. Na verdade, ele marcou toda uma era com um estilo estético, que ficou conhecido como "Luís XV", rivalizando com aquele associado ao seu ilustre antecessor, Luís XIV.

Vejam só, passaram-se anos e anos, e Luís não se cansara da amante. De fato, ele a fez duquesa, e o seu poder e influência estenderam-se da cultura para a política. Durante vinte anos, madame de Pompadour governou tanto a corte quanto o coração do rei até a sua morte em 1764, com 43 anos.

Luís XV sofria de um forte complexo de inferioridade. Sucessor de Luís XIV, o mais poderoso rei da história da França, ele tinha sido educado e treinado para ocupar o trono – mas quem conseguiria seguir os passos do seu antecessor? No final ele desistiu de tentar, dedicando-se em vez disso aos prazeres físicos, que acabaram por definir a maneira pela qual ele era visto; as pessoas ao seu redor sabiam que era possível fazê-lo mudar de ideia apelando para os aspectos mais desprezíveis da sua personalidade.

Madame de Pompadour, gênio da sedução, percebeu que dentro de Luís XV havia um grande homem desejando ardentemente se revelar, e que a sua obsessão por mulheres bonitas e jovens indicava a falta de um tipo de beleza mais permanente. O primeiro passo foi curar os seus constantes ataques de tédio. É fácil os reis se sentirem entediados – tudo que querem lhes é dado, e raramente aprendem a se satisfazer com o que têm. A marquesa de Pompadour cuidou disso acrescentando à vida do rei todos os tipos de fantasia e criando um clima de constante suspense. Ela possuía muitos talentos e habilidades, e, tão importante quanto isto, ela os empregava com tamanha arte que o rei nunca descobria até onde eles poderiam chegar. Depois de acostumá-lo a prazeres mais refinados, ela apelou para os seus ideais frustrados; no espelho que Pompadour colocou à sua frente, ele viu a ânsia de ser grande, um desejo que, na França, inevitavelmente incluía a liderança da cultura. A sua série anterior de amantes excitara apenas os desejos sensuais. Em madame de Pompadour ele encontrou uma mulher que o fez sentir a grandeza dentro de si mesmo. As outras amantes podiam ser facilmente substituídas, mas ele jamais encontraria outra madame de Pompadour.

As pessoas em geral se acreditam mais geniais interiormente do que o exterior que mostram ao mundo. Estão cheias de ideais não realizados: podiam ser artistas, pensadores, líderes, figuras espirituais, mas o mundo as oprime, negando-lhes a chance de desenvolver os talentos. Esta é a chave para a sedução – e para manter as pessoas seduzidas o tempo todo. O Amante Ideal sabe como realizar esta mágica. Apele apenas para o aspecto físico das pessoas, como fazem muitos sedutores inexperientes, e elas ficarão ressentidas com você por brincar com seus instintos mais básicos. Invoque o que há de melhor nelas, um padrão mais alto de beleza, e elas nem perceberão que foram seduzidas. Faça-as se sentirem elevadas, espirituais, e o seu poder sobre elas será ilimitado.

O amor traz à luz as qualidades mais nobres e ocultas de um amante – seus traços raros e excepcionais: assim é provável se enganar quanto à sua personalidade normal.
– Friedrich Nietzsche

CHAVES PARA A PERSONALIDADE

Todos temos dentro de nós um ideal, seja do que gostaríamos de ser, seja do que queremos que outra pessoa seja para nós. Este ideal vem da mais tenra idade – desde quando sentimos que faltava alguma coisa em nossa vida que os outros não nos davam, que não podíamos dar a nós mesmos. Talvez nos tenham dado conforto demais, e queiramos perigo e rebeldia. Se queremos o perigo, mas ele nos assusta, talvez procuremos alguém que pareça estar à vontade com ele. Ou quem sabe o nosso ideal seja mais elevado – desejamos ser mais criativos, nobres e gentis do que conseguimos ser. Nosso ideal é algo que sentimos que está faltando dentro de nós.

Nosso ideal pode estar enterrado em frustrações, mas está lá, escondido, aguardando a centelha que o vai inflamar. Se outra pessoa parece ter essa qualidade ideal, ou a habilidade para despertá-la em nós, ficamos apaixonados. Essa é a reação aos Amantes Ideais. Sintonizados com o que está faltando dentro de você, com a fantasia que vai deixar você excitado, eles refletem o seu ideal – e você faz o resto, projetando neles os seus desejos e anseios mais profundos. Casanova e madame de Pompadour não atraíam seus alvos apenas para ter um caso, eles os deixavam apaixonados.

A chave para seguir o caminho do Amante Ideal é a capacidade de observar. Ignore as palavras e o comportamento consciente de seus alvos; concentre-se no tom de voz deles, num rubor aqui, um olhar ali – esses sinais que traem o que as palavras não dizem. Muitas vezes o ideal se expressa na contradição. O rei Luís XV dava a impressão de só estar interessado em caçar gamos e moças, mas isso na verdade disfarçava uma decepção consigo mesmo; ele desejava muito ver enaltecidas as suas características mais nobres.

Nunca houve melhor momento do que agora para representar o papel de Amante Ideal. Vivemos num mundo em que tudo deve parecer elevado e bem-intencionado. O poder é o assunto mais tabu de todos: embora seja a realidade com que lidamos diariamente nas nossas lutas com as pessoas, não há nada de nobre, altruísta ou espiritual nisso. Amantes Ideais fazem você se sentir mais nobre, tornam o que é sensual e sexual em algo que é espiritual e estético. Como todos os sedutores, eles brincam com o poder, mas disfarçam suas manipulações com a fachada de um ideal. Pouca gente percebe isso, e suas seduções duram mais.

Alguns ideais assemelham-se a arquétipos junguianos – são antiquíssimos na nossa cultura, e o seu fascínio é quase inconsciente. Um desses sonhos é o do cavaleiro. Na tradição do amor cortês da Idade Média, o cavaleiro/trovador encontrava uma dama, quase sempre casada, e a servia como um vassalo. Ele passava por provações terríveis e empreendia peregrinações arriscadas, tudo em nome da mulher amada, e sofria torturas medonhas para provar o seu amor. (Essas podiam incluir mutilações físicas, como ter as unhas arrancadas, uma orelha cortada etc.) Ele também escrevia poemas e cantava belas canções, pois nenhum trovador fazia sucesso sem alguma qualidade estética ou espiritual para impressionar a sua dama. A chave para o arquétipo é o senso de absoluta devoção. O homem que não mistura questões relacionadas com guerra, glória ou dinheiro com a fantasia da corte possui poderes ilimitados. O papel do trovador é um ideal porque é difícil encontrar alguém que não coloque a si mesmo e aos seus próprios interesses em primeiro lugar. É fascinante para a vaidade de uma mulher conseguir atrair a atenção de um homem assim.

Em Osaka, no século XVIII, um homem chamado Nisan levou a cortesã Dewa para dar um passeio a pé, cuidando primeiro de pulverizar com a água as moitas de trevo ao longo do caminho, dando a impressão de gotas de orvalho. Dewa ficou muito comovida com o que viu. "Soube", disse ela, "que casais de cervos costumam se deitar por trás das moitas de trevo. Como eu gostaria de ver isso ao vivo!" Para Nisan, foi o bastante. Naquele mesmo dia, ele mandou derrubar uma parte da casa dela e plantar dezenas de moitas de trevo onde antes ficava o seu quarto. De noite, ele combinou com camponeses para cercarem cervos selvagens e trazê-los até a casa. No dia seguinte, Dewa acordou e assistiu exatamente à cena que havia descrito. Ao perceber que ela já estava conquistada, Nisan mandou retirar os trevos e os cervos e reconstruir a casa.

Um dos amantes mais galantes da história, Sergei Saltykov, teve o azar de se apaixonar por uma das mulheres menos disponíveis da história, a grã-duquesa Catarina, futura imperatriz da Rússia. Cada movimento de Catarina era observado pelo marido, Pedro, que desconfiava de que ela o traía e havia designado criados para vigiá-la. Ela vivia isolada, sem amor, e não podia fazer nada. Saltykov, um belo e jovem oficial do exército, estava determinado a ser o seu salvador. Em 1752, ele fez amizade com Pedro e também com o casal encarregado de vigiar Catarina. Assim, podia vê-la e ocasionalmente trocar com ela uma ou duas palavras que revelassem as suas intenções. Ele realizava as manobras mais arriscadas e imprudentes para conseguir vê-la a sós, inclusive desviando o seu cavalo durante uma caçada real e cavalgando pela floresta com ela. Ele lhe disse que compreendia o quanto ela sofria com aquela situação, e que faria tudo para ajudá-la.

Ser apanhado cortejando Catarina significaria a morte, e Pedro acabou desconfiando de que havia alguma coisa entre a sua mulher e Saltykov, embora não tivesse certeza. Sua animosidade não desencorajou o ousado oficial, que se esforçou ainda mais para encontrar um jeito de combinar as entrevistas secretas. Os dois foram amantes durante dois anos, e sem dúvida alguma Saltykov foi o pai do filho de Catarina, Paulo, mais tarde imperador da Rússia. Quando Pedro finalmente se livrou dele mandando-o para a Suécia, as notícias sobre a sua coragem e bravura chegaram na sua frente, e as mulheres desmaiavam de desejo de serem a sua próxima conquista. Não é preciso ter tanto trabalho nem se arriscar dessa maneira, mas você será sempre recompensado por ações que revelem um senso de sacrifício pessoal ou devoção.

Rodolfo Valentino foi a personificação do Amante Ideal na década de 1920, ou pelo menos a sua imagem criada pelo cinema. Tudo que ele fazia – os presentes, as flores, o modo de dançar, de pegar na mão de uma mulher – demonstrava uma escrupulosa atenção aos detalhes que mostrava o quanto ele estava pensando nela. A imagem era a de um homem que se demorava ao fazer a corte, transformando-a numa experiência estética. Os homens odiavam Valentino porque as mulheres agora esperavam que eles estivessem à altura do ideal de paciência e atenção que ele representava. No entanto, nada é mais sedutor do que a atenção paciente. Faz o caso parecer elevado, estético, e não apenas sexo. O poder de um Valentino, hoje em dia especialmente, provém da dificuldade de encontrar gente assim. A arte de representar o ideal de uma mulher está quase extinta – o que a torna ainda mais fascinante.

Se o amante cavalheiresco continua sendo o ideal para as mulheres, os homens com frequência idealizam a madona/prostituta, a mulher que combina sensualidade com um ar de espiritualidade ou inocência. Pense nas grandes cortesãs do Renascimento italiano, como Tullia d'Aragona – essencialmente uma prostituta, como todas as cortesãs, mas capaz de disfarçar o seu papel social firmando a sua reputação como poeta e filósofa. Tullia era o que na época se conhecia como uma "cortesã honesta". Cortesãs honestas iam à igreja, mas por um outro motivo: para os homens, a presença delas na missa era excitante. Suas casas eram palácios do prazer, mas o que fazia essas casas serem visualmente tão agradáveis eram suas obras de arte e prateleiras cheias de livros, volumes de Petrarca e Dante. Para os homens, a emoção, a fantasia, era dormir com uma mulher sensual mas que tivesse as qualidades ideais de uma mãe e o espírito e a inteligência de uma artista. Enquanto a que era simplesmente prostituta excitava o desejo e também o desprezo, a cortesã honesta fazia o sexo parecer elevado e inocente, como se estivesse acontecendo no jardim do Éden. Essas mulheres exerciam um imenso poder sobre os homens. Até hoje elas permanecem um ideal por nenhum outro motivo além de proporcionarem uma variedade de prazeres. A chave é a ambiguidade – parecer sensível aos prazeres da carne tendo ao mesmo tempo um ar inocente, espiritual, uma sensibilidade poética. Este misto de celestial e terreno é imensamente sedutor.

A dinâmica do Amante Ideal tem possibilidades ilimitadas, nem todas eróticas. Na política, Talleyrand representava essencialmente o papel do Amante Ideal com Napoleão, cujo ideal de ministro e amigo era o de um homem que fosse aristocrata, gentil com as damas – tudo que Napoleão não era. Em 1798, quando ministro das Relações Exteriores da França, Talleyrand foi anfitrião de uma festa em homenagem a Napoleão depois das deslumbrantes vitórias militares do grande general, na Itália. Até o dia da sua morte, Napoleão lembrou desta festa como a melhor de todas. Foi um pródigo acontecimento, e Talleyrand acrescentou a ele uma sutil mensagem espalhando bustos romanos pela casa, e falando com Napoleão a respeito de reviver as glórias imperiais da antiga Roma. Os olhos do líder brilharam e, na verdade, poucos anos depois Napoleão se conferia o título de imperador – medida que só tornou Talleyrand ainda mais poderoso. A chave do poder de Talleyrand foi a sua habilidade para compreender o ideal secreto de Napoleão: o seu desejo de ser um imperador, um ditador. Ele simplesmente colocou um espelho na frente de Napoleão e o deixou vislumbrar essa possibilidade. As pessoas são sempre vulneráveis a esse tipo de insinuação, que alimenta a vaidade, o ponto fraco de quase todo mundo. Sugira alguma coisa que elas possam almejar, revele a sua fé em algum potencial inexplorado que você está vendo nelas, e em pouco tempo estarão comendo na sua mão.

Se Amantes Ideais são mestres em seduzir as pessoas apelando para os seus melhores sentimentos, algo que ficou perdido na infância, os políticos podem se beneficiar aplicando esta habilidade numa escala de massa a todo um eleitorado. Foi isso que John F. Kennedy fez intencionalmente com o povo americano de forma mais óbvia ao criar a aura de "Camelot" em torno de si mesmo. Somente depois da sua morte é que a palavra "Camelot" foi usada para designar o período em que esteve na presidência, mas a atmosfera romântica que ele conscientemente projetou com sua juventude e boa aparência manteve-se em pleno funcionamento enquanto ele viveu. Mais sutilmente, ele também jogou com as imagens da América sobre a sua própria grandeza e ideais perdidos. Muitos americanos sentiam que, com a riqueza e o conforto do final da década de 1950, tinham ocorrido também grandes perdas: o bem-estar e a harmonia haviam enterrado o espírito pioneiro do país. Kennedy apelou para esses ideais perdidos com a fantasia da Nova Fronteira, cujo exemplo foi a corrida espacial. O instinto americano de aventura podia encontrar ali suas válvulas de escape, ainda que algumas delas fossem simbólicas. E houve outras convocações para o serviço público, como a criação do Peace Corps. Com tais atrativos, Kennedy reacendeu o senso unificador de missão que estava faltando na América desde a Segunda Guerra Mundial. Ele também atraiu para si uma reação mais emocional do que a maioria dos presidentes. As pessoas literalmente se apaixonaram por ele e por sua imagem.

Os políticos podem ganhar poder sedutor cavando o passado de um país, trazendo à tona imagens e ideais que foram abandonados ou reprimidos. Eles só precisam do símbolo: não têm realmente que se preocupar em recriar a realidade por trás de si. Os bons sentimentos que despertam bastam para garantir uma reação positiva.

Símbolo: O Retratista.
*Diante do olhar dela, todas as suas
imperfeições desaparecem. Ele revela as nobres
qualidades que existem em você, o enquadra num mito,
o faz divino, o imortaliza. Pela habilidade que tem de criar
essas fantasias, ele é recompensado com um grande poder.*

RISCOS

O maior perigo do papel do Amante Ideal é deixar a realidade se infiltrar. Você está criando uma fantasia que implica uma idealização da sua própria personalidade. E esta é uma tarefa arriscada, pois você é humano e imperfeito. Se suas falhas forem muito grandes ou intrusivas demais, elas explodirão a bolha que você encheu, e seu alvo o insultará. Sempre que apanhavam Tullia d'Aragona agindo como uma prostituta comum (quando, por exemplo, era flagrada tendo um caso só por dinheiro), ela era obrigada a sair da cidade e se estabelecer em outro lugar. A fantasia dela como uma figura espiritual se quebrara. Casanova também enfrentava este risco, mas em geral conseguia vencê-lo encontrando um jeito esperto de romper o relacionamento antes que a mulher percebesse que ele não era o que ela estava imaginando: ele achava uma desculpa para sair da cidade ou, melhor ainda, escolhia uma vítima que estava para partir em breve, e cuja consciência de que o caso teria vida curta aumentava ainda mais a sua idealização. Realidade e uma longa exposição íntima têm a característica de neutralizar a perfeição das pessoas. O poeta do século XIX Alfred de Musset foi seduzido pela escritora George Sand, cuja personalidade irreal atraiu a sua natureza romântica. Mas quando o casal visitou Veneza, e Sand caiu doente com disenteria, ela deixou de ser uma figura idealizada para se transformar numa mulher com um desagradável problema físico. Nessa viagem, o próprio de Musset relevou um lado lamuriento, infantil, e os amantes se separaram. Um de cada lado, entretanto, eles conseguiram refazer a idealização e, meses depois, estavam juntos novamente. Quando a realidade se intromete, a distância é quase sempre a solução.

Na política, os riscos são semelhantes. Anos depois da morte de Kennedy, uma série de revelações (seus constantes casos sexuais, seu excessivamente perigoso estilo malabarístico de diplomacia etc.) desmentiu o mito que ele havia criado. Sua imagem sobreviveu a essa mancha: as pesquisas de opinião mostram que ele continua sendo reverenciado. Kennedy é um caso especial, talvez porque seu assassinato fez dele um mártir, reforçando o processo de idealização que ele já havia acionado. Mas ele não é o único exemplo de Amante Ideal cuja atração sobrevive a revelações desagradáveis: esses personagens liberam fantasias tão fortes, e existe uma fome tão grande de mitos e ideais que eles têm para vender, que costumam ser rapidamente perdoados. Mas é bom ser prudente e não deixar que as pessoas vislumbrem aspectos não tão ideais da sua personalidade.

DÂNDI

*Na grande
maioria, sentimo-nos presos aos papéis limitados que o mundo espera que representemos. Somos instantaneamente atraídos por quem tem mais fluidez,
é mais ambíguo, do que nós – aquelas pessoas que criam a sua
própria persona. Os dândis nos excitam porque não podem ser categorizados e falam indiretamente de uma liberdade que desejamos para nós
mesmos. Eles jogam com a masculinidade e a feminilidade; eles moldam
a sua própria imagem física, que é sempre surpreendente; eles são misteriosos e ariscos. Eles também apelam para o narcisismo de ambos
os sexos: com uma mulher, são psicologicamente femininos; com
um homem, são masculinos. Use o poder do Dândi para
criar uma presença ambígua, fascinante, que excita
desejos reprimidos.*

DÂNDI FEMININO

Ao emigrar da Itália para os Estados Unidos em 1913, com 18 anos de idade, Rodolfo Guglielmi chegou sem outra qualificação especial exceto a de ter uma boa aparência e saber dançar. Para tirar proveito desses atributos, ele foi trabalhar nos *thés dansants*, nos salões de dança de Manhattan onde as moças podiam ir sozinhas, ou com amigas, e pagar um dançarino por um breve momento de emoção. Ele as fazia girar com perícia pela pista de dança, flertando e conversando, tudo por uma pequena gratificação. Guglielmi logo fez fama como um dos melhores – muito gracioso, com um belo porte e bonito.

Trabalhando como dançarino de aluguel, ou *taxi dancer*, Guglielmi passava muito tempo com as mulheres. Logo aprendeu o que agradava a elas – espelhá-las de uma forma sutil, colocá-las à vontade (mas não muito). Ele começou a prestar atenção nas próprias roupas, criando o seu próprio estilo esguio e alinhado: dançava com uma cinta por baixo da camisa para ficar elegante, usava relógio de pulso (considerado coisa de efeminado naquela época) e se dizia marquês. Em 1915, arrumou trabalho em restaurantes chiques fazendo demonstrações de tango, e mudou o nome para o mais evocativo Rodolfo di Valentina. Um ano depois, foi morar em Los Angeles: queria tentar o sucesso em Hollywood.

Hoje conhecido como Rodolfo Valentino, Guglielmi apareceu como extra em vários filmes baratos. Acabou conseguindo um papel um pouco maior no filme *Eyes of Youth*, de 1919, no qual fazia um sedutor, e chamou a atenção das mulheres por ser um sedutor muito diferente dos outros: seus movimentos eram graciosos e delicados, sua pele, muito macia, e o rosto, tão bonito que, ao atacar a sua vítima e afogar seus protestos com um beijo, ele parecia mais excitante do que sinistro. Em seguida veio o filme *Os quatro cavaleiros do apocalipse*, em que Valentino fez o principal papel masculino, Julio, o playboy, e se tornou símbolo sexual da noite para o dia com uma cena em que seduzia uma jovem mulher dançando um tango.

*Um dia nasceu o filho de Mercúrio e da deusa Vênus, e ele foi criado pelas náiades nas grutas do monte Ida. Nos seus traços, era fácil ver a semelhança com o pai e a mãe. Ele tinha o nome dos dois também, pois chamava-se Hermafrodite. Ao completar 15 anos de idade, ele deixou as montanhas onde nascera e o monte Ida onde se criara e, pelo simples prazer de viajar, foi percorrer lugares distantes. (...) Chegou às cidades da Lícia, e à Cária, que ficava ali por perto. Naquela região ele viu um lago de águas tão claras que dava para enxergar o fundo. (...)
A água era cristalina e as margens do lago, cobertas de turfa fresca e grama sempre verde. Ali morava a ninfa [Sálmacis]. (...) Ela costumava colher flores e estava distraída nesse passatempo quando viu Hermafrodite. Na mesma hora quis possuí-lo. (...) E o*

cumprimentou: "Belo rapaz, certamente pareces um deus. Se és, serás Cupido? (...) Se já tens noiva, permita-me gozar do seu amor em segredo: mas se não tens, então imploro que seja eu, e que possamos nos casar." Só isso a náiade falou; mas as faces do rapaz ficaram rubras, pois ele não sabia o que era o amor. Ele ficou todo corado; seu rosto tinha a cor de maçãs maduras penduradas num pomar ensolarado, como marfim pintado ou como a lua quando, em eclipse, mostra um azul avermelhado sob a sua claridade. (...) Incessantemente a ninfa pedia beijos pelo menos fraternais, e tentava envolver com os braços o jovem pescoço de marfim. "Pare!", gritou ele, "ou sairei correndo e deixarei este lugar e você!" Sálmacis teve medo: "Cedo o lugar para ti, estranho, não vou me intrometer", disse ela; e virou as costas, fingindo que ia embora. (...) O rapaz, pensando que estava sozinho e que ninguém o observava, deu uns passos pela grama, molhou os dedos dos pés na água – depois os pés, mergulhando-os até o tornozelo. Em

A cena resumia a essência da sua atração: os pés leves e fluidos, a postura quase feminina, combinados com um ar de quem estava no controle.

A plateia feminina literalmente desmaiava quando ele erguia as mãos de uma mulher casada até os lábios, ou dividia com a amante o perfume de uma rosa. Ele parecia muito mais atencioso com as mulheres do que os outros homens; mas misturado a essa delicadeza havia um toque de crueldade e ameaça que as deixava enlouquecidas.

No seu filme mais famoso, *Paixão de bárbaro*, Valentino fazia o papel de um príncipe árabe (que depois ficávamos sabendo ser um lorde escocês abandonado no Saara quando bebê) que salva uma orgulhosa dama inglesa no deserto e em seguida a conquista de um modo que beira o estupro. Quando ela pergunta: "Por que me trouxe aqui?", ele responde: "Não é mulher o suficiente para saber?" Mas ela acaba se apaixonando por ele, como acontecia com as mulheres nas plateias do mundo inteiro, excitadas com a sua estranha mistura de feminino e masculino. Em uma cena de *Paixão de bárbaro*, a dama inglesa aponta uma arma para Valentino; a reação dele é apontar para ela uma delicada cigarreira. Ela veste calças; ele usa longas túnicas flutuantes e forte maquiagem nos olhos. Filmes posteriores incluiriam cenas de Valentino tirando e colocando a roupa, um tipo de striptease que deixava ver de relance o seu corpo esguio. Em quase todos os seus papéis ele era um exótico personagem de época – um toureiro espanhol, um rajá indiano, um xeque árabe, um nobre francês – e parecia encantar vestido de joias e uniformes apertados.

Na década de 1920, as mulheres estavam começando a brincar com uma nova liberdade sexual. Em vez de esperar que o homem se interessasse por elas, queriam poder iniciar a aventura, mas continuavam querendo que os homens no final as deixassem enlouquecidas. Valentino entendeu isso muito bem. Sua vida fora da tela correspondia à sua imagem no cinema: ele usava braceletes, vestia-se de forma impecável e dizem que tratava a própria mulher com crueldade e que batia nela. (O público que o adorava cautelosamente ignorou os seus dois casamentos fracassados e a sua vida sexual que, pelo visto, não existia.) Quando ele morreu de repente – em Nova York, em agosto de 1926, aos 31 anos, de complicações decorrentes de uma operação de úlcera –, a reação foi sem precedentes: mais de 100 mil pessoas desfilaram diante do seu caixão, as mulheres enlutadas tinham crises histéricas e a nação inteira ficou fascinada. Isso nunca tinha acontecido antes por causa de um simples ator.

Há um filme de Valentino, *Monsieur Beaucaire*, em que ele representa o perfeito janota, um papel muito mais efeminado do que ele fazia normalmente, e sem o costumeiro toque de periculosidade. Foi um fracasso. As mulheres não gostaram de Valentino como um homossexual. Ficavam excitadas com a ambiguidade de um homem que demonstrava ter muitas de suas próprias características femininas, mas continuava sendo homem. Valentino se vestia e jogava com seus atributos físicos como uma mulher, mas a sua imagem era masculina. Ele cortejava como uma mulher cortejaria se fosse homem – devagar, com gentileza, atento aos detalhes, estabelecendo um ritmo em vez de correr para chegar a uma conclusão. Mas, na hora de ser ousado e conquistar, o seu timing era impecável, vencendo a vítima sem lhe dar chance de reagir. Nos seus filmes, Valentino usava para conduzir a mulher a mesma arte do gigolô que ele havia aprendido a dominar quando adolescente nas pistas de dança – conversando, flertando, agradando, mas sempre no controle.

Até hoje, Valentino é um enigma. Sua vida particular e sua personalidade permanecem envoltas em mistério; sua imagem continua seduzindo como quando era vivo. Ele serviu de modelo para Elvis Presley, que era obcecado por este astro do cinema mudo, e também para o dândi masculino moderno que brinca com o gênero, mas retém uma margem de perigo e crueldade.

A sedução era e continuará sendo sempre a forma feminina de poder e de guerra. Era originalmente o antídoto para o estupro e a violência. O homem que usa esta forma de poder com uma mulher está em essência virando o jogo, utilizando contra ela as armas femininas; sem perder a identidade masculina, quanto mais sutilmente feminino ele for, mais eficaz a sedução. Não seja como aqueles que acreditam que a coisa mais sedutora é ser arrasadoramente masculino. O Dândi Feminino causa um efeito muito mais sinistro. Ele fascina a mulher exatamente com aquilo que ela quer – uma presença familiar, agradável, graciosa. Espelhando a psicologia feminina, ele demonstra cuidado com a própria aparência, sensibilidade aos detalhes, um leve coquetismo – mas também um toque de crueldade masculina. As mulheres são narcisistas, apaixonadas pelos encantos do próprio sexo. Ao lhes mostrar o charme feminino, o homem consegue hipnotizá-las e desarmá-las, deixando-as vulneráveis a um movimento masculino ousado.

O Dândi Feminino seduz em larga escala. Nenhuma mulher sozinha o possui – ele é escorregadio –, mas todas podem ter essa fantasia. A chave é a ambiguidade: a sua sexualidade é, sem dúvida alguma, heterossexual, mas o seu corpo e a sua psicologia flutuam deliciosamente entre os dois polos.

seguida, tentado pela convidativa frescura da água, ele rapidamente arrancou do seu jovem corpo as roupas delicadas. Ao vê-lo, Sálmacis ficou fascinada. Ela se inflamou com o fogo da paixão de possuir a sua beleza nua, e seus olhos faiscavam com o brilho do sol ofuscante quando o seu disco luminoso se reflete num espelho. (...) Ela desejou abraçá-lo, e com dificuldade continha o seu frenesi. Hermafrodite, dando palmadinhas no corpo com as mãos, mergulhou rapidamente no lago. Ao erguer primeiro um braço e depois o outro, seu corpo brilhava nas águas claras, como se alguém houvesse encerrado em vidro transparente uma estátua de marfim ou lírios brancos. "Venci! Ele é meu!", gritou a ninfa e, atirando longe as suas roupas, mergulhou no lago. O rapaz lutou para se livrar dela, mas ela o segurou, e o beijava enquanto ele se debatia, passando as mãos por baixo dele, acariciando seus peitos arredios, e abraçando-se a ele, ora de um lado, ora de outro. Finalmente, apesar de todos os esforços de Hermafrodite para se livrar dela, ela se

> *Eu sou uma mulher. Todo artista é uma mulher e deveria ter uma queda por outras mulheres. Os artistas homossexuais não podem ser verdadeiros artistas porque gostam de homens e, visto serem eles mesmos mulheres, revertem à normalidade.*
>
> – Pablo Picasso

DÂNDI MASCULINO

Na década de 1870, o pastor Henrik Gillot era o queridinho da *intelligentsia* de São Petersburgo. Era jovem, simpático, versado em filosofia e literatura, e pregava um tipo de cristianismo esclarecido. Dezenas de moças se apaixonaram por ele e iam em bando aos seus sermões só para vê-lo. Em 1878, entretanto, ele conheceu uma garota que mudou sua vida. Chamava-se Lou von Salomé (mais conhecida como Lou Andreas-Salomé), e tinha 17 anos; ele estava com 42.

Salomé era bonita, com olhos azuis radiantes. Ela havia lido muito, particularmente para uma menina da sua idade, e estava interessada em questões filosóficas e religiosas mais sérias. Sua veemência e sua sensibilidade às ideias fascinaram Gillot. Quando ela entrava no gabinete para as discussões cada vez mais frequentes com ele, a sala parecia mais clara e cheia de vida. Talvez ela estivesse flertando com ele, como fazem as moças inconscientemente – mas quando Gillet reconheceu que estava apaixonado e a pediu em casamento, Salomé ficou horrorizada. O confuso pastor jamais conseguiu esquecer totalmente Lou von Salomé, tornando-se o primeiro de uma longa série de homens famosos a caírem vítimas, pelo resto da vida, de uma paixão frustrada pela jovem.

Em 1882, o filósofo alemão Friedrich Nietzsche passeava pela Itália sozinho. Estava em Gênova quando recebeu uma carta do amigo Paul Rée, um filósofo prussiano a quem admirava, relatando suas discussões com uma notável jovem russa, Lou von Salomé, em Roma. Salomé estava lá passando as férias com a mãe; Rée tinha dado um jeito de acompanhá-la em longas caminhadas pela cidade, só os dois, e tinham conversado muito. Suas ideias sobre Deus e o cristianismo eram muito parecidas com as de Nietzsche e, quando Rée lhe contou que era amigo do famoso filósofo, ela insistiu que ele o convidasse para se juntar a eles. Em cartas subsequentes, Rée descrevia como Salomé era misteriosamente cativante e desejava muito conhecer Nietzsche. O filósofo foi logo para Roma.

Quando Nietzsche finalmente conheceu Salomé, ficou deslumbrado. Nunca tinha visto olhos tão belos, e naquela primeira e longa conversa que tiveram eles brilhavam tanto que ele só pôde achar que

---

enroscou nele, como uma serpente quando está sendo alçada aos ares pelo rei das aves: pois, pendurada no bico da águia, a serpente se contorce em volta da sua cabeça e garras e com sua cauda impede o movimento de suas asas. (...) "Podes lutar, seu tratante, mas não me escapas. Que os deuses me concedam isto, que não chegue nunca a hora de separá-lo de mim, ou eu dele!" Suas preces foram ouvidas: pois, ao se deitarem juntos, seus corpos se uniram e os dois passaram a ser um só. Como quando o jardineiro enxerta um galho numa árvore, e os vê crescer unidos, e juntos atingir a maturidade; assim, ao se encontrarem naquele forte abraço, a ninfa e o rapaz não eram mais dois, mas um só corpo, de dupla natureza, que não se podia dizer masculino ou feminino, mas que parecia ser ao mesmo tempo ambas as coisas e nenhuma delas.
– OVÍDIO, METAMORFOSES

O dandismo nem mesmo é, como muita gente levianamente parece supor, um interesse excessivo pela aparência

havia algo de erótico no entusiasmo dela. Mas também estava confuso: Salomé mantinha-se distante e não reagia aos seus elogios. Que jovem diabólica! Dias depois, ela leu para Nietzsche um poema que havia escrito, e ele chorou; as ideias de Salomé sobre a vida eram muito parecidas com as dele. Decidindo aproveitar a ocasião, Nietzsche lhe propôs casamento. (Ele não sabia que Rée também fizera isso.) Salomé recusou. Estava interessada em filosofia, vida, aventura, não em casamento. Sem se intimidar, Nietzsche continuou a cortejá-la. Numa excursão ao lago Orta com Rée, Salomé e a mãe dela, ele conseguiu ficar a sós com a moça, acompanhando-a numa subida a pé ao monte Sacro enquanto os outros ficaram para trás. Pelo jeito, a paisagem e as palavras de Nietzsche provocaram a emoção adequada; numa carta que lhe escreveu mais tarde, ele descreveu o passeio como "o sonho mais belo da minha vida". Agora ele era um homem obcecado: só pensava em se casar com Salomé e tê-la somente para si.

Meses depois, Salomé visitou Nietzsche na Alemanha. Os dois faziam longas caminhadas juntos e ficavam até tarde da noite discutindo filosofia. Ela espelhava os pensamentos mais íntimos dele, adiantava-se às suas ideias sobre religião antes mesmo que ele as expressasse. Mas, quando ele lhe propôs casamento mais uma vez, ela o censurou chamando-o de convencional: afinal de contas, Nietzsche é quem tinha desenvolvido a defesa filosófica do super-homem, do homem acima da moral cotidiana; no entanto, Salomé era por natureza muito menos convencional do que ele. Os seus modos firmes, intransigentes, só acentuavam o fascínio que ela exercia sobre ele, da mesma forma que o seu toque de crueldade. Quando ela finalmente foi embora, deixando claro que não tinha nenhuma intenção de se casar, Nietzsche ficou arrasado. Como antídoto para a sua dor, ele escreveu *Assim falou Zaratustra*, um livro repleto de erotismo sublimado e profundamente inspirado nas conversas que teve com Salomé. Desde então, Salomé ficou conhecida por toda a Europa como a mulher que partiu o coração de Nietzsche.

Salomé mudou-se para Berlim. Não demorou muito e os maiores intelectuais da cidade estavam fascinados com a sua independência e a sua liberdade de espírito. Os dramaturgos Gerhart Hauptmann e Franz Wedekind a adoravam; em 1897, o grande poeta austríaco Rainer Maria Rilke se apaixonou por ela. A essa altura, a sua fama já havia se espalhado, e ela era uma romancista com obras publicadas. Sem dúvida, isso teve o seu papel na sedução de Rilke, mas ele também foi atraído por uma espécie de energia masculina que encontrou nela e que jamais havia visto numa mulher. Na época, Rilke tinha 22 anos, e Salomé estava com 36. Ele lhe escrevia cartas e poemas, acompanhava-a por toda

pessoal e a elegância material. Para o verdadeiro dândi, estas coisas não passam de um símbolo da superioridade aristocrática da sua personalidade. (...) O que, então, é esta paixão dominadora que se transformou num credo e criou os seus próprios e hábeis tiranos? Que constituição é esta que criou uma casta tão arrogante? É, acima de tudo, uma necessidade intensa de adquirir originalidade dentro dos limites aparentes das convenções. É uma espécie de culto de si mesmo capaz de prescindir até do que em geral se chama de ilusões. É o prazer de causar admiração e a orgulhosa satisfação de nunca se admirar...
– CHARLES BAUDELAIRE, *THE DANDY*, CITADO EM *VICE: AN ANTHOLOGY*, EDITADO POR RICHARD DAVENPORT-HINES

No meio desta exibição da arte de governar, de eloquência, inteligência e exaltada ambição, Alcebíades levava uma vida de prodigiosa luxúria, embriaguez, deboche e insolência. Era efeminado no seu modo de vestir e caminhava pelo mercado arrastando seus longos mantos cor de púrpura, e gastava com extravagância. Mandou arrancar as cobertas de seus trirremes para poder dormir com mais conforto, e suas roupas de cama eram penduradas sobre cordas, e não estendidas sobre tábuas duras. Tinha um escudo dourado feito só para ele, cujo brasão não era um emblema ancestral, mas a figura de Eros armado com um trovão. Os dirigentes de Atenas assistiam a tudo isto com desagrado e indignação e ficavam profundamente aborrecidos com este comportamento insolente e indisciplinado, que aos seus olhos era monstruoso e sugeria os hábitos de um tirano. O que as pessoas sentiam por ele foi muito bem expresso por Aristófanes na frase: "Eles o desejam, o odeiam, não passam sem ele." O fato é que suas doações voluntárias, os espetáculos públicos que sustentava, sua munificência sem rival no estado, a fama da sua ancestralidade, o poder da sua oratória e sua força física e beleza (...) tudo combinava para fazer com que os atenienses lhe perdoassem qualquer coisa, e estavam sempre encontrando eufemismos para suas faltas e atribuindo-as

parte, e durante muitos anos os dois tiveram um caso. Ela corrigia as poesias dele, impunha uma disciplina aos seus versos declaradamente românticos, dava-lhe ideias para novos poemas. Mas ficava desconcertada com a forma infantil como ele dependia dela, com a fraqueza dele. Incapaz de suportar fraquezas de qualquer tipo, ela acabou abandonando-o. Sem conseguir esquecê-la, Rilke continuou perseguindo-a durante muito tempo. Em 1926, no seu leito de morte, ele implorava aos médicos: "Perguntem a Lou o que há de errado comigo. Só ela sabe."

Um homem escreveu sobre Salomé: "Havia algo de aterrorizante no seu abraço. Olhando para você com seus olhos azuis radiantes, ela dizia: 'Receber o sêmen é para mim o auge do êxtase.' E o seu apetite era insaciável. Ela era totalmente amoral. (...) uma vampira." O psicoterapeuta sueco Poul Bjerre, uma das suas últimas conquistas, escreveu: "Acho que Nietzsche estava certo ao dizer que Lou era uma mulher totalmente má. Má, no entanto, no sentido de Goethe: o mal que produz o bem. (...) Ela pode ter destruído vidas e casamentos, mas sua presença era excitante."

As duas emoções que quase todos os homens sentiam na presença de Lou Andreas-Salomé eram confusão e excitação – os dois pré-requisitos para qualquer sedução bem-sucedida. As pessoas ficavam inebriadas com a sua estranha mistura de masculino e feminino; ela era bela, com um sorriso radiante e gracioso, dada a flertes, mas sua independência e sua natureza intensamente analítica lhe davam um ar masculino peculiar. Esta ambiguidade se expressava no olhar, ao mesmo tempo coquete e penetrante. Era a confusão que mantinha os homens interessados e curiosos: nenhuma outra mulher era assim. Eles queriam saber mais. A excitação vinha da sua habilidade para despertar desejos reprimidos. Ela era uma perfeita não conformista, e envolver-se com ela era quebrar todos os tabus. Sua masculinidade fazia o relacionamento parecer vagamente homossexual; seu traço ligeiramente cruel, ligeiramente dominador, despertava desejos masoquistas, como aconteceu com Nietzsche. Salomé irradiava uma sexualidade proibida. Seu poderoso efeito sobre os homens – as paixões eternas, os suicídios (houve vários), os períodos de intensa criatividade, as descrições que se faziam dela como sendo um vampiro ou diabo – atesta as profundezas obscuras da psique que ela era capaz de alcançar e perturbar.

O sucesso do Dândi Masculino está na inversão do modelo normal de superioridade masculina quando se trata de amor e sedução. A aparente independência do homem, a sua capacidade de desapego, parece colocá-lo em posição mais vantajosa na dinâmica entre homem e mulher. A mulher puramente feminina desperta desejo, mas é sempre vulnerável ao caprichoso desinteresse do homem; a mulher puramente masculina, por outro lado, não desperta nenhum interesse. Siga os passos do Dândi Masculino, e você neutralizará todos os poderes de um homem. Jamais se entregue totalmente; embora apaixonada e sensual, mantenha sempre um ar de independência e autodomínio. Você pode se interessar por outro homem, ou assim ele pensa. Você pode ter outras coisas mais importantes com que se preocupar, como o seu trabalho. Os homens não sabem lutar com mulheres que usam contra eles as suas próprias armas; ficam intrigados, excitados e desarmados. Raros são os que resistem aos prazeres proibidos que o Dândi Masculino lhes oferece.

à sua alegria jovial e honorável ambição.
– PLUTARCO, "THE LIFE OF ALCEBIADES", THE RISE AND FALL OF ATHENS: NINE GREEK LIVES

> *A sedução que a pessoa de sexo duvidoso ou dissimulado exerce é muito forte.*
> – Colette

CHAVES PARA A PERSONALIDADE

Hoje costumamos achar que a liberdade sexual progrediu nesses últimos anos – que tudo mudou, para pior ou melhor. Isto é uma grande ilusão; uma leitura da história revela períodos em que as pessoas tinham comportamentos sexuais muito mais desregrados (a Roma imperial, a Inglaterra do final do século XVII, o "mundo flutuante" do Japão do século XVIII) do que atualmente. Sem dúvida, os papéis de gênero estão mudando, mas eles já mudaram antes. A sociedade está em constante mudança, mas uma coisa continua sempre igual: a grande maioria das pessoas se conforma com o que é normal para a época. Elas representam o papel que lhes coube. A conformidade é uma constante porque os seres humanos são criaturas sociais que estão sempre se imitando umas às outras. Em certos momentos da história, ser diferente e rebelde pode estar na moda; mas se muita gente representa esse mesmo papel ele não tem nada de diferente ou de rebelde.

Mas não devemos lamentar a servil conformidade da maioria das pessoas porque ela oferece inúmeras possibilidades de poder e sedução a quem está disposto a correr alguns riscos. Dândis existiram em todas as épocas e culturas (Alcebíades, na Grécia antiga; Korechika, no Japão do final do século X), e para onde quer que tenham ido lucraram com o papel conformista representado pelos outros. O Dândi exibe uma verdadeira e radical diferença com relação às outras pessoas na aparência e nos modos. Como, na grande maioria, nós nos sentimos no íntimo oprimidos pela falta de liberdade, quem é mais fluido e ostenta a sua diferença nos atrai.

Mais luzes – toda uma inundação – são lançadas sobre este fascínio das mulheres pelos homens de saias, no diário do abade de Choisy, um dos mais brilhantes homens-mulheres da história, de quem mais tarde ouviremos falar muito. O abade, um clérigo de Paris, estava sempre fantasiado com roupas femininas. Ele viveu na época de Luís XIV e foi um grande amigo do irmão de Luís, que também gostava de se vestir de mulher. Uma jovem, mademoiselle Charlotte, que andava muito em sua companhia, apaixonou-se desesperadamente pelo abade e, quando o caso chegou ao ponto de uma ligação amorosa, este lhe perguntou o que a havia conquistado. (...) "Não precisei ter cautela como teria com um homem. Não vi nada além de uma bela mulher, e o que me proibiria de amá-lo? Que vantagens as roupas femininas lhe dão! O coração de

um homem está ali, isso nos impressiona muito e, por outro lado, todos os encantos do sexo frágil nos fascinam, e nos impedem de tomar precauções."
– C. J. BULLIET, *VENUS CASTINA*

Beau Brummell era considerado um desequilibrado na sua paixão pelas abluções diárias. O ritual da sua toalete matinal chegava a durar cinco horas, uma para se enfiar nos calções de pele de veado colados ao corpo, outra com o cabeleireiro e mais duas atando e alisando uma série de gravatas engomadas até ficarem perfeitas. Mas, primeiro, ele passava duas horas esfregando-se com zelo fetichista da cabeça aos pés com leite e água-de-colônia. (...) Beau Brummell dizia que usava apenas a espuma do champanhe para polir suas botas enfeitadas com borlas. Possuía 365 caixas de rapé, as apropriadas para roupas de verão sendo impensáveis no inverno, e o ajuste perfeito das luvas era conseguido confiando o seu corte a duas oficinas – uma para os dedos e a outra para os polegares. Às vezes, entretanto, a tirania da elegância se tornava insuportável. Um certo Mr.

Dândis seduzem social e sexualmente; grupos se formam ao seu redor, o seu estilo é imitado com delírio, toda uma corte ou multidão se apaixona por eles. Ao adaptar a personalidade do Dândi aos seus próprios objetivos, lembre-se de que ele é por natureza uma flor rara e bela. Seja diferente de uma forma que seja ao mesmo tempo surpreendente e estética, jamais vulgar; zombe de tendências e estilo atuais, siga numa nova direção e não demonstre nenhum interesse pelo que os outros estão fazendo. As pessoas, na sua grande maioria, são inseguras; elas ficarão imaginando o que você vai fazer e, aos poucos, começarão a admirá-lo e imitá-lo porque você se expressa com total confiança.

A tradição tem definido o Dândi pelas roupas, e sem dúvida a maioria deles cria um estilo visual único. Beau Brummell, o mais famoso de todos os dândis, passava horas cuidando da toalete, em particular do inimitável e elegante nó da gravata, pelo qual era famoso em toda a Inglaterra no início do século XIX. Mas o estilo de um Dândi não pode ser óbvio, porque eles são sutis e não se esforçam para chamar a atenção – as atenções chegam até eles. A pessoa cujas roupas são flagrantemente diferentes não têm imaginação ou bom gosto. Os Dândis mostram a sua diferença nos pequenos toques que marcam o seu desdém pelas conveniências: o colete vermelho de Théophile Gautier, o terno de veludo verde de Oscar Wilde, as perucas prateadas de Andy Warhol. O grande primeiro-ministro inglês Benjamin Disraeli tinha duas bengalas magníficas, uma para usar de manhã, outra para de noite; ao meio-dia, trocava de bengala não importava onde estivesse. No Dândi feminino funciona da mesma maneira. Ele pode adotar um vestuário masculino, digamos, mas, se o fizer, um toque aqui e outro ali o diferenciará: nenhum homem jamais se vestiu como George Sand. O chapéu excessivamente alto, as botas de montaria usadas pelas ruas de Paris, faziam as pessoas pararem para olhar.

Lembre-se, é preciso haver um ponto de referência. Se o seu estilo visual é totalmente incomum, as pessoas pensarão, na melhor das hipóteses, que é óbvio que você está querendo chamar atenção; e, na pior, que é louco. Em vez disso, crie a sua própria moda adaptando e alterando os estilos predominantes para se tornar objeto de fascínio. Faça isso de forma correta e as pessoas não pensarão duas vezes antes de imitá-lo. O conde d'Orsay, um grande dândi londrino das décadas de 1830 e 1840, era observado de perto pelas pessoas elegantes; um dia, flagrado numa súbita tempestade em Londres, ele comprou um *paltrok*, uma espécie de japona de pano grosseiro e com um capuz, de um marinheiro holandês que passava. O *paltrok* imediatamente se tornou o casaco que todos deveriam usar. Quando as pessoas imitam você, claro, isso é sinal do seu poder de sedução.

A não conformidade dos Dândis, entretanto, vai além das aparências.

É uma atitude com relação à vida que os distingue; adote essa atitude e um círculo de seguidores se formará ao seu redor.

Os Dândis são extremamente impudentes. Não dão a mínima para os outros, e jamais procuram agradar. Na corte do rei Luís XIV, o escritor La Bruyère observou que os cortesãos que se esforçavam muito para agradar eram sempre aqueles que estavam perdendo prestígio; nada era mais antis-sedutor. Como Barbey d'Aurevilly escreveu: "Os Dândis agradam às pessoas desagradando-as."

A impudência era fundamental para o encanto de Oscar Wilde. Num teatro londrino, certa noite, depois da estreia de uma de suas peças, a plateia em êxtase gritava chamando o autor. Wilde os fez esperar e esperar, depois finalmente apareceu fumando um cigarro e exibindo uma expressão de total desdém. "Pode ser falta de educação aparecer fumando, mas é muito pior me perturbar quando estou fumando", ele repreendeu seus fãs. O conde d'Orsay era igualmente impudente. Numa noite, em um clube de Londres, um Rothschild famoso pela mesquinhez se abaixou para procurar uma moeda de ouro que tinha deixado cair. O conde sacou imediatamente do bolso uma nota de mil francos (que valia muito mais do que a moeda), fez um rolinho, acendeu como se fosse uma vela e ficou de quatro como se quisesse iluminar o caminho para a busca. Só um Dândi seria capaz de tamanha audácia. A insolência do Libertino está atada ao seu desejo de conquistar uma mulher; nada mais lhe importa. A insolência do Dândi, por outro lado, tem como alvo a sociedade e suas convenções. Não é numa mulher que ele está interessado, mas num grupo todo, num mundo social inteiro. E como as pessoas se sentem em geral oprimidas pela obrigação de serem sempre bem-educadas e altruístas, elas adoram estar ao lado de alguém que despreza essas sutilezas.

Os Dândis são mestres na arte de viver. Vivem para o prazer, não para o trabalho; cercam-se de objetos bonitos, comem e bebem com a mesma satisfação que demonstram por suas roupas. Foi assim que o grande escritor romano Petrônio, autor de *Satiricon*, seduziu Nero. Ao contrário do entediante Sêneca, o grande pensador estóico e tutor de Nero, Petrônio sabia transformar cada detalhe da vida numa grande aventura estética, desde um banquete até uma simples conversa. Esta não é uma atitude que você deva impor a quem está ao seu lado – você não pode se tornar um incômodo –, mas se aparentar apenas ter segurança no trato social e confiança no próprio gosto, as pessoas se sentirão atraídas por você. A chave é fazer de tudo uma opção estética. A sua

Boothby suicidou-se deixando um bilhete no qual dizia não aguentar mais a rotina do abotoar e desabotoar.
– THE GAME OF HEARTS: HARRIETTE WILSON'S MEMOIRS, EDITADO POR LESLEY BLANCH

Estes modos reais que [o dândi] elevou ao auge da verdadeira realeza, ele os copiou das mulheres, para cujo papel elas parecem feitas naturalmente. É mais ou menos usando os modos e os métodos femininos que o dândi domina. E esta usurpação da feminilidade, ele faz com que elas mesmas a aprovem. (...) O dândi tem algo de antinatural e andrógino, que é exatamente como ele consegue seduzir sempre.
– JULES LEMAÎTRE, LES CONTEMPORAINS

habilidade para aliviar o tédio transformando o viver numa arte fará de você uma companhia muito apreciada.

O sexo oposto é um território estranho incompreensível para nós, e isto nos excita, cria a peculiar tensão sexual. Mas é também fonte de aborrecimentos e frustrações. Os homens não entendem o modo de pensar das mulheres, e vice-versa; cada um tenta fazer o outro agir mais parecido com alguém do seu próprio sexo. Os Dândis podem não tentar agradar nunca, mas nesta área eles causam um efeito agradável; adotando traços psicológicos do sexo oposto, eles cativam o nosso narcisismo inerente. As mulheres se identificavam com a delicadeza e a atenção aos detalhes da corte de Rodolfo Valentino; os homens se identificavam com a falta de interesse de Lou Andreas-Salomé pelo compromisso. Na corte [Heian] do Japão do século XI, Sei Shonagon, que escreveu *The Pillow Book*, era muito sedutora para os homens, especialmente os tipos literários. Ela era muito independente, uma das melhores poetas, e mantinha um certo distanciamento emocional. Os homens a queriam mais do que apenas como amiga ou colega, como se ela também fosse homem; fascinados com a sua empatia pela psicologia masculina, eles se apaixonavam por ela. Este tipo de travestismo mental – a habilidade para entrar no espírito do sexo oposto, para se adaptar ao modo como eles pensam, espelhando seus gostos e atitudes – pode ser um elemento-chave para a sedução. É uma forma de deixar a vítima hipnotizada.

Segundo Freud, a libido humana é essencialmente bissexual; a maioria das pessoas se sente de certa maneira atraída por pessoas do seu mesmo sexo, mas as restrições sociais (variando com a cultura e o período histórico) reprimem esses impulsos. O Dândi representa a liberação dessas restrições. Em várias peças de Shakespeare, uma jovem (naquela época, os papéis femininos no teatro eram representados por atores homens) precisa se disfarçar e se vestir de rapaz, despertando os mais variados desejos sexuais nos homens, que depois se deliciam ao descobrirem que o menino é na verdade uma garota. (Pense, por exemplo, em Rosalind de *As You Like It*.) Atrizes de teatro de variedades como Josephine Baker (conhecida como a Chocolate Dandy) e Marlene Dietrich se apresentavam vestidas de homem, tornando-se popularíssimas – entre os homens. Enquanto isso, o homem ligeiramente afeminado, o garoto bonito, sempre foi sedutor para as mulheres. Valentino personificava esta qualidade. Elvis Presley tinha traços femininos (o rosto, os quadris), usava camisas cor-de-rosa com babados e maquiagem nos olhos, e desde o início chamou a atenção das mulheres. O produtor de cinema Kenneth Anger disse, a respeito de Mick Jagger, que "um charme bissexual era um elemento importante da atração que ele exercia sobre as moças (...) e que atuava no inconsciente delas". De fato, há séculos que na cultura ocidental a beleza feminina tem sido muito mais um objeto de fetiche do que a masculina, por isso é compreensível que um rosto de aparência feminina como o de Montgomery Clift exerça um poder sedutor maior do que o de John Wayne.

A figura do Dândi também tem o seu lugar na política. John F. Kennedy era uma estranha mistura do masculino e do feminino, viril na sua firmeza com os russos, e nas suas partidas de futebol na Casa Branca, mas feminino na sua aparência elegante e graciosa. Nesta ambiguidade é que estava grande parte do seu encanto. Disraeli foi um incorrigível Dândi no modo de se vestir e se portar; havia quem desconfiasse dele por causa disso, mas a sua coragem em não se importar com o que as pessoas pensassem dele também o fazia ser respeitado. E as mulheres, é claro, o adoravam, pois elas sempre adoraram um Dândi. Elas apreciavam a gentileza dos seus modos, o seu senso estético, o seu gosto pelas roupas – em outras palavras, as suas qualidades femininas. O esteio do poder de Disraeli foi de fato uma fã do sexo feminino: a rainha Vitória.

Não se deixe enganar pela superficial desaprovação que a sua atitude de Dândi possa provocar. A sociedade pode tornar públicas as suas dúvidas quanto à androginia (na teologia cristã, Satã é com frequência representado como uma figura andrógina), mas isto oculta o seu fascínio; o que é mais sedutor é quase sempre o que está mais reprimido. Aprenda a praticar um dandismo brincalhão e você será o ímã para os desejos ocultos e irrealizados mais intensos das pessoas.

A chave para esse poder é a ambiguidade. Numa sociedade em que todos representam papéis óbvios, a recusa em se conformar com um padrão qualquer excita o interesse. Seja ao mesmo tempo masculino e feminino, impudente e charmoso, sutil e ofensivo. Deixe que os outros se preocupem em ser socialmente aceitáveis; esses tipos existem à farta, e você está atrás de um poder maior do que eles possam imaginar.

Símbolo:
A Orquídea. Sua forma
e cor sugerem curiosamente
ambos os sexos, seu perfume é doce e
decadente – é uma flor tropical do mal.
Delicada e muito cultivada, seu valor está
na raridade; é diferente de qualquer outra flor.

RISCOS

A força do Dândi, mas também o problema do Dândi, é que ele quase sempre lida com sentimentos transgressores relacionados a papéis sexuais. Embora esta atividade seja altamente carregada de energia e sedução, é também perigosa, visto que toca numa fonte de muita ansiedade e insegurança. O maior perigo quase sempre são as pessoas do próprio sexo. Valentino exercia um fascínio enorme sobre as mulheres, mas os homens o odiavam. Era sempre atormentado com acusações de ser perversamente pouco masculino, e isto o fazia sofrer muito. Salomé também era odiada pelas mulheres. A irmã de Nietzsche, e talvez a sua melhor amiga, a considerava uma bruxa maligna e liderou uma campanha virulenta contra ela pela imprensa muito depois da morte do filósofo. Não há muito o que fazer diante de ressentimentos como estes. Alguns Dândis tentam lutar com a imagem que eles mesmos criaram, mas isso é bobagem: para provar a sua masculinidade, Valentino se metia em lutas de boxe, qualquer coisa para provar que era viril. E acabou mostrando apenas o desespero. Melhor aceitar o escárnio ocasional da sociedade com graça e insolência. Afinal de contas, o charme dos Dândis é que eles realmente não se importam com o que as pessoas pensam a seu respeito. Era esse o jogo de Andy Warhol: quando as pessoas se cansavam de suas momices ou explodia algum escândalo, em vez de tentar se defender, ele simplesmente mudava de imagem – boêmio decadente, retratista da alta sociedade etc. – como se dissesse, com um leve desdém, que o problema não estava nele, mas no tempo de concentração dos outros.

Outro risco para o Dândi é que a insolência tem limites. Beau Brummell se orgulhava de duas coisas: a sua figura esguia e o seu humor acre. Seu principal patrono social era o príncipe de Gales, que, ultimamente, havia engordado. Certa vez, num jantar, o príncipe tocou a sineta para chamar o mordomo e Brummell fez um trocadilho, observando: "Toque o sino, Big Ben." O príncipe não gostou da brincadeira, mandou Brummell sair e nunca mais falou com ele. Sem o patrocínio real, Brummell mergulhou na pobreza e na loucura.

Até um Dândi, portanto, precisa medir a sua impudência. Um verdadeiro Dândi sabe a diferença entre implicar com os poderosos de uma forma teatral e fazer uma observação que realmente magoe, ofenda ou insulte. É muito importante não insultar quem está em posição de prejudicar você. De fato, a pose funciona melhor naqueles que podem se dar ao luxo de ofender – artistas, boêmios etc. No mundo do trabalho, você provavelmente terá de modificar e suavizar um pouco a sua imagem de Dândi. Seja diferente de uma forma agradável, como uma diversão, e não como alguém que desafia as convenções do grupo e faz os outros se sentirem inseguros.

NATURAL

*A infância
é um paraíso dourado que estamos sempre,
consciente ou inconscientemente, tentando recriar.
O Natural incorpora as qualidades tão desejadas da infância – espontaneidade, sinceridade, despretensão. Na presença da pessoa Natural, nos sentimos à vontade, capturados pelo seu espírito brincalhão, transportados de volta àquela era de ouro. Os Naturais também fazem de suas fraquezas uma virtude, despertando a nossa solidariedade com seus sofrimentos, fazendo com que queiramos protegê-los e ajudá-los. Como no caso da criança, grande parte disso é natural, mas o resto é exagero, uma manobra sedutora consciente. Adote a atitude do Natural para neutralizar a resistência defensiva das pessoas e infectá-las com uma irresistível sensação de prazer.*

TRAÇOS PSICOLÓGICOS DA PESSOA NATURAL

As crianças não são tão ingênuas quanto imaginamos. Elas sofrem com sentimentos de impotência e percebem desde cedo o poder do seu encanto natural para compensar suas fraquezas no mundo dos adultos. Elas aprendem a jogar: se a sua natural inocência pode convencer os pais a ceder aos seus desejos numa ocasião, podem usá-la como estratégia em outra, desferindo o golpe no momento certo para conseguirem o que querem. Se a sua vulnerabilidade e fraqueza são tão atraentes, então podem ser usadas para produzir o efeito desejado.

Por que somos seduzidos pela espontaneidade das crianças? Primeiro, porque tudo que é natural e espontâneo exerce sobre nós um estranho efeito. Desde o início dos tempos, os fenômenos da natureza – como tempestades de raios ou eclipses – têm inspirado nos seres humanos um misto de admiração e medo. Quanto mais civilizados nos tornamos, maior o efeito que estes acontecimentos naturais têm sobre nós: o mundo moderno nos cerca de tantas coisas manufaturadas e artificiais, que algo súbito e inexplicável nos fascina. As crianças também têm este poder natural, mas, como não representam ameaça e são humanas, não nos causam tanto espanto quanto nos encantam. A maioria das pessoas tenta agradar, mas a criança é agradável sem se esforçar para isso, e esta característica desafia explicações lógicas – e o que é irracional costuma ser perigosamente sedutor.

E o que é muito importante, a criança representa um mundo do qual fomos exilados para sempre. Como a vida adulta é cheia de tédio e concessões, temos que alimentar a ilusão da infância como uma espécie de era dourada, mesmo que na maioria das vezes seja um período de muita confusão e dor. Impossível negar, entretanto, que a infância teve certos privilégios, e quando crianças tínhamos uma atitude agradável com relação à vida. Diante de uma criança particularmente encantadora, nos sentimos melancólicos: nos lembramos do nosso próprio passado dourado, as características que perdemos e gostaríamos de voltar a

Eras passadas exercem um enorme e, com frequência, intrigante fascínio sobre a imaginação humana.
O homem insatisfeito com as suas circunstâncias presentes – e isto é muito comum acontecer – volta-se para o passado e espera poder provar a verdade do indestrutível sonho dos anos dourados. É possível que ele ainda esteja sob o encantamento da infância, que sua memória não imparcial lhe apresenta como uma época de ininterrupta felicidade.
– SIGMUND FREUD, THE STANDARD EDITION OF THE COMPLETE PSYCHOLOGICAL WORKS OF SIGMUND FREUD, VOLUME 23

Quando Hermes nasceu no monte Cilene, sua mãe, Maia, o colocou enfaixado sobre as pás de uma máquina de joeirar, mas ele crescia rápido demais para um menino e, assim que ela deu as costas, escapuliu e foi atrás de aventuras. Chegando a Pieria, onde Apolo cuidava de um belo rebanho de vacas, ele decidiu roubá-las. Mas, temendo ser traído pelas pegadas dos animais, ele fez rapidamente várias ferraduras com a casca de um carvalho caído e as amarrou com capim às patas das vacas, que ele então conduziu pela estrada durante a noite. Apolo sentiu falta dos animais, mas o truque de Hermes o enganou e, apesar de ir até Pilos, no sentido oeste, e até Onchestus, para o leste, acabou tendo de oferecer uma recompensa pela captura do ladrão. Sileno e seus sátiros, cobiçando o prêmio, espalharam-se em várias direções para encontrá-lo, mas, por muito tempo, sem sucesso. Finalmente, quando um grupo deles passava pela Arcádia, ouviram o som abafado de uma música como nunca tinham escutado antes, e a ninfa Cilene, na entrada da gruta, lhes disse que uma criança muito talentosa tinha acabado de nascer ali, e que ela estava cuidando do bebê: ele havia construído um engenhoso brinquedo musical com o casco

ter. E, na presença da criança, recuperamos um pouco dessa qualidade áurea.

Sedutores naturais são pessoas que de algum modo evitaram que a experiência da vida adulta lhes tirasse certos traços infantis. Essas pessoas podem ser tão sedutoras quanto uma criança porque terem preservado essas características parece uma coisa fantástica e maravilhosa. Elas não são literalmente crianças, é claro; elas seriam irritantes e dignas de pena. É mais o espírito que conservaram. Não pense que esta infantilidade é algo sobre o qual elas não têm controle. Sedutores naturais aprendem desde cedo o valor de conservar uma determinada característica, e o poder sedutor que ela encerra; eles adaptam e aumentam esses traços infantis que conseguiram preservar exatamente como a criança aprende a jogar com seu encanto natural. Esta é a chave. Está em seu poder fazer o mesmo, porque existe escondida dentro de todos nós uma criança diabólica lutando para se libertar. Para fazer isso bem, você precisa ser capaz de se soltar um pouco, porque não há nada menos natural do que parecer hesitante. Lembre-se do espírito que teve um dia; permita que ele retorne, sem inibições. As pessoas estão muito mais dispostas a perdoar quem vai até o fim, quem parece incontrolavelmente tolo, do que o adulto sem entusiasmo com um traço infantil. Lembre-se de como você era antes de se tornar uma pessoa tão educada e discreta. Para assumir o papel do Natural, coloque-se mentalmente em qualquer relacionamento como se fosse a criança, a pessoa mais jovem.

Os tipos a seguir são os principais adultos naturais. Tenha em mente que os melhores sedutores naturais são quase sempre uma mistura de algumas dessas características.

O inocente. As características básicas da inocência são a fraqueza e a incompreensão do mundo. A inocência é fraca porque está fadada a desaparecer num mundo duro e cruel; a criança não pode proteger ou manter a sua inocência. As incompreensões se originam na criança que não sabe o que é bom e o que é ruim, e vê tudo através de olhos não corrompidos. A fraqueza das crianças inspira solidariedade, seus equívocos nos fazem rir, e nada é mais sedutor do que um misto de riso e compreensão.

O adulto natural não é realmente inocente – é impossível crescer neste mundo e manter uma total inocência. No entanto, os Naturais desejam tanto manter a sua própria visão inocente que conseguem preservar a ilusão de inocência. Eles exageram as suas fraquezas para inspirar a solidariedade adequada. Agem como se ainda vissem o mundo através de olhos inocentes, o que num adulto é duplamente engraçado. Em grande parte, isto é consciente, mas, para funcionar, os adultos naturais devem fazer com que pareça sutil e fácil – se forem apanhados *tentando* fingir inocência, serão vistos como pessoas patéticas. É melhor para eles passar a ideia de fraqueza indiretamente, com expressões e olhares, ou por meio de situações em que eles mesmos se metem, em vez de algo que seja óbvio. Como este tipo de inocência é na maioria das vezes uma representação, é fácil adaptá-lo aos seus propósitos. Aprenda a ressaltar fraquezas ou falhas que sejam naturais.

O endiabrado. Crianças endiabradas possuem uma coragem que nós adultos já perdemos. Isto porque não veem as possíveis consequências de seus atos – que podem magoar certas pessoas, e que elas mesmas podem se machucar fisicamente. Os endiabrados são ousados, alegres e descuidados. Eles contagiam as pessoas com seu humor leve. Essas crianças ainda não tiveram a energia e humor naturais expulsos de dentro delas pela necessidade de serem polidas e civilizadas. No íntimo nós as invejamos; também queremos fazer travessuras.

Adultos endiabrados são sedutores porque são diferentes de nós. Sopros de ar puro num mundo cauteloso, eles seguem a pleno vapor como se as suas diabruras fossem incontroláveis, e portanto naturais. Se você faz esse papel, não se preocupe em ofender as pessoas de vez em quando – você é adorável demais e, inevitavelmente, será perdoado. Só não se desculpe ou pareça arrependido, pois isso quebra o encanto. Não importa o que você diga ou faça, mantenha aquele brilho no olhar que mostra que você não leva nada a sério.

O prodígio. A criança prodígio tem um talento especial inexplicável: um dom para a música, para a matemática, para o xadrez, para o esporte. Em atividade no campo em que possuem essa habilidade prodigiosa, estas crianças parecem possuídas, e suas ações são executadas sem nenhum esforço. Se são artistas ou músicos, tipos como Mozart, suas obras parecem brotar de um impulso inato com uma facilidade extraordinária que não requer muito trabalho mental. Se é um talento físico, elas são abençoadas com uma excepcional energia, destreza e espontaneidade. Em ambos os casos, parecem ter um talento acima da sua idade. Isto nos fascina.

Adultos prodígios costumam ser aquelas crianças prodígios que conseguiram, de uma forma notável, conservar a impulsividade e a capacidade de improvisação da juventude. A verdadeira espontaneidade é uma coisa rara, pois tudo na vida conspira para roubá-la de nós – temos de aprender a agir com cuidado e intencionalmente, e imaginar como

de uma tartaruga e tripas de vaca, com o qual fizera adormecer a mãe. "E com quem ele conseguiu as tripas de vaca?", quiseram saber os espertos sátiros, notando duas peles estendidas do lado de fora da gruta. "Estão acusando uma criança de roubo?", perguntou Cilene. E trocaram palavras ásperas. Naquele momento, Apolo apareceu, tendo descoberto a identidade do ladrão ao observar o comportamento suspeito de uma ave de asas longas. Entrando na gruta, ele acordou Maia e lhe disse severamente que Hermes tinha de devolver as vacas roubadas. Maia apontou para a criança, ainda envolta em cueiros e fingindo dormir. "Que acusação absurda!", ela gritou. Mas Apolo já havia reconhecido as peles. Ele pegou Hermes, carregou-o até o Olimpo e lá o acusou formalmente de roubo, mostrando as peles como prova. Zeus, sem querer acreditar que seu próprio filho recém-nascido era um ladrão, incentivou-o a alegar inocência, mas Apolo não se deixou convencer e Hermes acabou cedendo e confessando. "Muito bem, venha comigo", disse ele, "e você terá o seu rebanho. Eu matei só duas, e essas cortei em partes iguais para oferecer em sacrifício aos doze deuses." "Doze deuses?", perguntou Apolo. "Quem é o décimo segundo?" "Seu servo, senhor", respondeu Hermes, modestamente. "Não comi mais do que a minha parte, embora estivesse com muita fome, e queimei devidamente o resto." Os dois deuses [Hermes e Apolo] voltaram para o monte Cilene, onde Hermes saudou sua mãe e retirou algo que havia escondido sob uma pele de cabra. "O que tem aí?", perguntou Apolo. Em resposta, Hermes mostrou a lira de casco de tartaruga que acabara de inventar, e tocou uma melodia tão encantadora com a palheta que também tinha inventado, cantando ao mesmo tempo em louvor à nobreza, inteligência e generosidade de Apolo, que foi na mesma hora perdoado. Ele conduziu o surpreso e encantado Apolo até Pilos, tocando o tempo todo, e lá lhe deu o resto do rebanho, que havia escondido na gruta. "Uma barganha!", gritou Apolo. "Você fica com as vacas, eu fico com a lira." "Negócio feito", disse Hermes, e deram-se as mãos. (...)

os outros estão nos vendo. Para representar o prodígio, você precisa ter uma habilidade que pareça fácil e natural, além de saber improvisar. Se de fato a sua habilidade exige uma certa prática, você precisa esconder isto e aprender a fazer com que o seu trabalho pareça fácil. Quanto mais você oculta o suor que existe por trás do que você faz, mais natural e sedutor isso vai parecer.

O amante desprotegido. Com a idade, as pessoas começam a se proteger de experiências dolorosas fechando-se em si mesmas. O preço disto é que elas ficam rígidas, física e mentalmente. Mas as crianças são por natureza desprotegidas e abertas a experiências, e esta receptibilidade é extremamente atraente. Na presença de crianças, ficamos menos rígidos, contagiados pela franqueza delas. É por isso que queremos ficar perto delas.

Amantes desprotegidos contornaram de certa forma o processo autodefensivo, mantendo o espírito alegre, receptivo, da criança. Muitas vezes eles manifestam este espírito fisicamente: são graciosos e parecem envelhecer mais devagar do que os outros. De todas as características da personalidade natural, esta é a mais útil. Ficar na defensiva é mortal para a sedução: fique na defensiva e você despertará a mesma atitude de defesa na outra pessoa. O amante indefeso, por outro lado, reduz as inibições do seu alvo, uma parte crítica da sedução. É importante aprender a não reagir defensivamente; dobre-se em vez de resistir, esteja aberto à influência dos outros, e eles cairão no seu feitiço mais facilmente.

EXEMPLOS DE SEDUTORES NATURAIS

1. Charles Chaplin viveu anos de extrema pobreza durante a infância na Inglaterra, principalmente depois que a mãe foi internada num hospício. Ainda adolescente, obrigado a trabalhar para viver, arrumou um emprego no *vaudeville*, acabando por conquistar algum sucesso como comediante. Mas Chaplin era extremamente ambicioso e, assim, em 1910, com apenas 19 anos, ele emigrou para os Estados Unidos esperando ingressar na indústria cinematográfica. Progredindo em Hollywood, ele conseguia pequenos papéis ocasionais, mas o sucesso parecia difícil de alcançar: a competição era intensa, e embora Chaplin tivesse um repertório de cacos que aprendera no vaudeville, ele não se destacava particularmente no humor físico, uma parte crítica da comédia muda. Ele não era um ginasta como Buster Keaton.

Em 1914, Chaplin conseguiu o papel principal num curta chamado *Making a Living*. Seu papel era o de um trapaceiro. Divertindo-se com o traje para o personagem, ele vestiu um par de calças vários tamanhos maior do que o seu, acrescentou um chapéu-coco, botas enormes calçadas com os pés trocados, uma bengala e um bigode postiço. Com as roupas, um novo personagem parecia adquirir vida – primeiro o andar de bobo, depois o girar da bengala, em seguida cacos de todos os tipos. Mack Sennet, diretor do estúdio, não achou *Making a Living* muito engraçado, e tinha suas dúvidas quanto ao futuro de Chaplin no cinema, mas havia alguns críticos que não pensavam assim. Uma resenha publicada numa revista especializada dizia: "O esperto ator que faz o papel de um nervoso e muito elegante vigarista neste filme é um comediante de primeira linha, que representa como alguém que nasceu para isso." E as plateias também reagiram – o filme deu lucro.

O que pareceu tocar um nervo em *Making a Living*, distinguindo Chaplin de uma horda de outros comediantes do cinema mudo, era a ingenuidade quase patética do seu personagem. Percebendo que estava agradando, Chaplin aperfeiçoou ainda mais o personagem nos filmes seguintes, tornando-o cada vez mais ingênuo. A chave era fazer o personagem ver o mundo pelos olhos de uma criança. Em *The Bank*, ele é o vigia de um banco que sonha acordado com grandes feitos enquanto ladrões assaltam o prédio; em *The Pawnbroker*, ele é um auxiliar de oficina despreparado que destrói um relógio de pêndulo; em *Ombro armas!*, é um soldado nas trincheiras sangrentas da Primeira Guerra Mundial reagindo aos horrores da guerra como uma criança inocente. Chaplin fez questão de que os atores nesse filme fossem fisicamente maiores do que ele, posicionando-os subliminarmente como adultos valentões e ele mesmo como um bebê impotente. E, mergulhando fundo no seu personagem, algo estranho aconteceu: o personagem e o homem na vida real começaram a se fundir. Embora a sua infância tivesse sido difícil, ele era obcecado por ela. (Para o seu filme *Rua da paz*, ele construiu um set em Hollywood reproduzindo exatamente as ruas de Londres que conhecera quando menino.) Chaplin desconfiava do mundo adulto, preferindo a companhia de jovens, ou dos jovens de coração: três das suas quatro esposas eram adolescentes quando se casou com elas.

Mais do que qualquer outro comediante, Chaplin provocava um misto de riso e sentimento. Ele despertava a sua empatia como vítima, fazia com que você sentisse pena dele como sentiria por um cachorro perdido. Vocês dois riam e choravam. E as plateias percebiam que o papel que Chaplin representava vinha de algum lugar bem lá no fundo – que ele era sincero, que estava realmente representando a si mesmo. Poucos anos depois de Making a Living, Chaplin era o ator mais famoso do mundo. Havia bonecos, histórias em quadrinhos e brinquedos, tudo com a imagem de Chaplin; a seu respeito foram compostas canções e

---

Apolo, levando a criança de volta ao Olimpo, contou a Zeus tudo que tinha acontecido. Zeus alertou Hermes de que dali para a frente deveria respeitar os direitos de propriedade e não contar mais mentiras; mas não pôde deixar de achar a história divertida. "Você parece um deusinho muito engenhoso, eloquente e persuasivo." "Então me faça seu arauto, Pai", respondeu Hermes, "e serei responsável pela segurança de todas as propriedades divinas e jamais direi mentiras, embora não possa prometer que direi sempre toda a verdade." "Isso não será esperado de você", disse Zeus com um sorriso. (...) Zeus lhe deu um cajado de arauto com fitas brancas a que todos tinham ordem de respeitar; um chapéu redondo para protegê-lo da chuva e sandálias douradas com asas que o levavam de um lado para outro com a rapidez do vento.
– ROBERT GRAVES, *THE GREEK MYTHS*, VOLUME I

contos; ele se tornou um ícone universal. Em 1921, ao voltar a Londres pela primeira vez desde que tinha saído de lá, foi recebido por enormes multidões como se fosse o retorno triunfante de um grande general.

Os maiores sedutores, aqueles que seduzem plateias em massa, nações, o mundo inteiro, têm um jeito de tocar o inconsciente das pessoas, fazendo-as reagir de uma forma que não conseguem compreender ou controlar. Chaplin, sem querer, percebeu esse seu poder ao ver o efeito que poderia causar nas plateias tocando em seus pontos fracos, sugerindo que ele tinha uma mente infantil num corpo adulto. No início do século XX, o mundo estava mudando rápida e radicalmente. As pessoas trabalhavam mais horas em empregos cada vez mais mecânicos; a vida estava se tornando cada vez mais desumana e cruel, como os estragos da Primeira Guerra Mundial deixavam claro. Apanhadas no meio da mudança revolucionária, as pessoas suspiravam por uma infância perdida que imaginavam como um paraíso dourado.

Uma criança adulta como Chaplin tem um imenso poder sedutor por ela oferecer a ilusão de que a vida foi um dia mais simples e fácil, e que por um momento, ou enquanto durasse o filme, você poderia conquistar essa vida de volta. Num mundo cruel, amoral, a ingenuidade exerce uma atração enorme. A chave é resgatá-la com um ar de total seriedade, como faz o homem que não ri numa *stand-up comedy*. O mais importante, entretanto, é a criação de solidariedade. A força e o poder declarado raramente são sedutores – nos assustam ou causam inveja. O caminho real para a sedução é chamar a atenção para a sua vulnerabilidade e impotência. Você não pode ser óbvio nisso; parecer que está implorando por solidariedade é dar a impressão de ser carente, o que é totalmente antissedutor. Não se autoproclame uma vítima ou um pobre-diabo, mas revele isso nos seus modos, na sua confusão. Uma demonstração de fraqueza "natural" fará você adorável no mesmo instante, ao mesmo tempo baixando as defesas das pessoas e fazendo-as se sentir deliciosamente superiores a você. Coloque-se em situações que o farão parecer fraco, em que os outros é que estão em posição vantajosa; eles são os valentões, você é o cordeirinho inocente. Sem nenhum esforço da sua parte, eles se sentirão solidários com você. Quando o sentimentalismo cega o olhar das pessoas, elas não veem que você as está manipulando.

2. Emma Crouch, nascida em 1842, em Plymouth, na Inglaterra, vinha de uma família respeitável de classe média. O pai era um compositor e professor de música que sonhava com o sucesso no mundo da opereta ligeira. Entre seus muitos filhos, Emma era a preferida; ela era uma

> *Um homem pode encontrar uma mulher e ficar chocado com a sua feiura. Em breve, se ela for simples e natural, sua expressão o fará perdoar o erro de seus traços. Ele começa a achá-la encantadora, e pensar que ela poderia ser amada, uma semana se passa e ele está cheio de esperanças. Mais uma semana, ele cai em desespero, mais outra semana, ele enlouqueceu.*
> – STENDHAL, SOBRE O AMOR

> *O escapismo "geográfico" se tornou ineficaz pela divulgação das rotas aéreas. O que resta é o escapismo "evolutivo" – um curso descendente no desenvolvimento de uma pessoa, de volta*

criança encantadora, cheia de vida e coquete, de cabelos ruivos e rosto sardento. O pai a adorava e lhe prometeu um futuro brilhante no teatro. Infelizmente o senhor Crouch tinha um lado negativo: era um aventureiro, um jogador e libertino, e em 1849 abandonou a família e foi para a América. Os Crouch ficaram em grandes dificuldades. Disseram a Emma que o pai morrera num acidente e a mandaram para um convento. A perda do pai a afetou profundamente, e no decorrer dos anos ela parecia perdida no passado, agindo como se o pai ainda a adorasse.

Um dia, em 1856, quando Emma voltava a pé da igreja, um senhor bem vestido a convidou para ir até a casa dele comer doces. Ela foi e ele abusou dela. Na manhã seguinte, esse homem, mercador de diamantes, prometeu que a instalaria numa casa própria, que a trataria bem e lhe daria muito dinheiro. Ela pegou o dinheiro, mas largou o homem, determinada a fazer o que sempre tinha desejado: nunca mais ver a sua família, não depender mais de ninguém e levar a vida de fausto que o pai lhe prometera.

Com o dinheiro que o mercador de diamantes lhe dera, Emma comprou roupas bonitas e alugou um apartamento simples. Adotando o nome vistoso de Cora Pearl, ela começou a frequentar o Argyll Rooms de Londres, um palácio do gim sofisticado onde prostitutas e cavalheiros se acotovelavam. O proprietário do Argyll, um Mr. Bignell, prestou atenção naquela nova frequentadora do seu estabelecimento – era muito ousada para uma jovem. Com 45 anos, ele era muito mais velho do que ela, mas resolveu que seria seu amante e protetor, cobrindo-a de dinheiro e atenções. No ano seguinte, ele a levou a Paris, que estava no auge da prosperidade no Segundo Império. Cora ficou fascinada com Paris e com tudo que viu, mas o que mais a impressionou foi o desfile de ricos coches pelo Bois de Boulogne. Ali os elegantes iam tomar ar – a imperatriz, as princesas e, não menos importantes, as grandes cortesãs que tinham as carruagens mais luxuosas de todas. Este era o jeito de levar o tipo de vida que o pai de Cora tinha desejado para ela. Ela comunicou logo a Bignell que continuaria em Paris, sozinha, quando ele voltasse para Londres.

Frequentando todos os lugares certos, Cora logo chamou a atenção de cavalheiros franceses ricos. Eles a viam caminhando pelas ruas vestida de cor-de-rosa, para combinar com a cabeleira ruiva chamejante, o rosto pálido e as sardas. Eles a vislumbravam cavalgando velozmente pelo Bois de Boulogne, estalando o chicote à direita e à esquerda. Eles a viam nos cafés rodeada de homens, fazendo-os rir com seus insultos espirituosos. Também escutavam falar de suas proezas – do seu prazer em mostrar o corpo para todos. A elite da sociedade parisiense começou

---

às ideias e emoções da "infância dourada" que pode muito bem ser definido como "regresso ao infantilismo", fuga para um mundo pessoal de ideias infantis. Numa sociedade de normas rígidas, em que a vida segue cânones rigidamente definidos, a necessidade de escapar da cadeia de coisas "estabelecidas uma vez por todas" deve ser um sentimento muito forte. (...)
E o melhor deles [dos comediantes] faz isto com a suprema perfeição, pois ele [Chaplin] atende a este princípio (...) com a sutileza do seu método que, oferecendo ao espectador um modelo infantil para imitar, psicologicamente o contagia com o infantilismo e o atrai para a "era de ouro" do paraíso infantil da infância.
– SERGEI EISENSTEIN, "CHARLIE, THE KID", NOTES OF A FILM DIRECTOR

O príncipe Gortschuoff costumava dizer que ela [Cora Pearl] era a última palavra em luxúria, e que ele tentaria roubar o sol para satisfazer um de seus caprichos.
– GUSTAVE CLAUDIN, CORA PEARL CONTEMPORARY

Aparentemente, ter humor implica ter vários sistemas de hábitos típicos. O primeiro é emocional: o hábito da brincadeira. Por que alguém deveria orgulhar-se de ser brincalhão? Por dois motivos. Primeiro, a brincadeira conota infância e juventude. Se alguém é capaz de brincar, é porque ainda possui um pouco do vigor e da alegria dos jovens. Mas existe uma implicação ainda mais profunda. Ser brincalhão, em certo sentido, é ser livre. Quando alguém brinca, está por alguns instantes desconsiderando as suas obrigações com os negócios e os códigos morais, com a vida doméstica e a comunidade. (...) O que nos deixa exasperados é que as obrigações não nos permitem moldar o mundo como gostaríamos. (...) O que mais desejamos, entretanto, é criar o nosso mundo para nós mesmos. Sempre que podemos fazer isso, o mínimo que seja, ficamos felizes. Agora, brincando, criamos o nosso próprio mundo. (...)
– PROFESSOR H. A. OVERSTREET, INFLUENCING HUMAN BEHAVIOR

a cortejá-la, particularmente os homens mais velhos, já cansados das frias e calculistas cortesãs, e que admiravam o seu humor de menina. Conforme o dinheiro jorrava de suas diversas conquistas (o duque de Mornay, herdeiro do trono holandês; o príncipe Napoleão, primo do imperador), Cora o gastava nas coisas mais escandalosas – uma carruagem multicolorida puxada por uma parelha de cavalos de cor creme, uma banheira de mármore rosa com suas iniciais gravadas em ouro. Os homens competiam para ser aquele que a mimava mais. Mas o dinheiro não podia comprar a fidelidade de Cora; ao mais leve capricho, ela abandonava um homem.

O comportamento desregrado de Cora e o seu desprezo pela etiqueta deixavam toda Paris ouriçada. Em 1864, ela ia aparecer como Cupido na opereta de Offenbach, *Orfeu no inferno*. A sociedade estava ansiosa para ver o que ela faria para causar sensação, e logo descobriu: ela entrou no palco praticamente nua, exceto por diamantes caros salpicados aqui e ali, que mal a cobriam. Enquanto ela saltitava pelo palco, os diamantes caíam, cada um valendo uma fortuna; ela não parava para apanhá-los, mas deixava que eles rolassem para a ribalta. Os homens na plateia, alguns dos quais lhe haviam dado aqueles diamantes, a aplaudiam enlouquecidos. Extravagâncias como essa fizeram de Cora a figura mais disputada de Paris, e ela reinou como a suprema cortesã da cidade por mais de uma década, até que a Guerra Franco-Prussiana de 1870 deu um fim ao Segundo Império.

As pessoas muitas vezes se enganam achando que é a beleza física, a elegância ou a sexualidade explícita que torna alguém desejável. No entanto, Cora Pearl não era exageradamente bela; tinha um físico de menino e seu estilo era espalhafatoso e de mau gosto. Mesmo assim, os homens mais sofisticados da Europa disputavam os seus favores, chegando muitas vezes à ruína nesse processo. Era o espírito e a atitude de Cora que os fascinavam. Mimada pelo pai, ela imaginava que mimá-la era uma coisa natural – que todos os homens deveriam fazer o mesmo. Por conseguinte, como acontece com a criança, ela nunca se sentia na obrigação de tentar agradar. Era o intenso ar de independência de Cora que fazia os homens quererem possuí-la, domá-la. Ela jamais fingiu ser mais do que uma cortesã. Portanto, a ousadia que numa dama teria sido falta de educação, nela parecia espontânea e divertida. E, como no caso da criança mimada, ela era quem ditava os termos do seu relacionamento com um homem. No momento em que ele procurasse inverter isso, ela se desinteressava. Este era o segredo do seu surpreendente sucesso.

A má fama das crianças mimadas é injusta: embora aquelas que são estragadas com coisas materiais costumem ser mesmo insuportáveis, a pessoa mimada pelo afeto se sabe profundamente sedutora. Esta se torna uma vantagem distinta quando ela cresce. Segundo Freud (que falava por experiência própria, visto que foi o queridinho da mamãe), crianças mimadas têm uma confiança que as acompanha pelo resto de suas vidas. Esta característica irradia para fora, atraindo as outras pessoas e, num processo circular, fazendo com que elas as mimem ainda mais. Como o seu espírito e a sua energia naturais nunca foram domados por um pai ou mãe disciplinador, quando adultas elas são aventureiras e corajosas, e muitas vezes endiabradas ou impudentes.

A lição é simples: pode ser tarde demais para ser mimado por um pai ou mãe, mas nunca é tarde demais para fazer com que os outros mimem você. Depende da sua atitude. As pessoas se sentem atraídas por quem espera muito da vida, enquanto tendem a desrespeitar quem é medroso e acomodado. A independência indomável tem um efeito provocante sobre nós: ela nos atrai, embora também represente um desafio – queremos ser aquele que a domesticará, fazer a pessoa cheia de vigor depender de nós. Na sedução, despertar esses desejos competitivos já é meio caminho andado.

3. Em outubro de 1925, a sociedade parisiense estava excitadíssima com a estreia da *Revue Nègre*. O jazz, ou de fato qualquer coisa que viesse da África negra, era a última moda, e os dançarinos e atores da Broadway que compunham a *Revue Nègre* eram afro-americanos. Na noite de estreia, artistas e a alta sociedade apinhavam-se no saguão. O show foi espetacular, como eles esperavam, mas nada os havia preparado para o último número, executado por uma mulher pernalta e um tanto desajeitada com um rosto lindíssimo: Josephine Baker, a corista de 20 anos do leste de St. Louis. Ela entrou no palco com os seios nus, vestida com uma saia de penas sobre um biquíni de cetim, com penas ao redor do pescoço e dos tornozelos. Embora ela fizesse o seu número, chamado "Danse Sauvage", com outra dançarina, também vestida de penas, todos os olhares grudaram-se nela: o seu corpo inteiro parecia tomado de uma energia nunca vista, as pernas movendo-se com a flexibilidade de um gato, a sua extremidade traseira girando em desenhos que um crítico comparou com os de um beija-flor. Conforme seguia a dança, ela parecia possessa, alimentando-se do êxtase da plateia. E havia a expressão no seu rosto: ela estava se divertindo muito. Ela irradiava uma alegria que tornava a sua dança erótica de uma inocência peculiar, até um pouco engraçada.

Estava tudo novamente em silêncio. Genji abriu o ferrolho e testou as portas. Não estavam trancadas. Havia uma cortina estendida do lado de dentro e, na penumbra, ele podia ver os tabuleiros de xadrez chinês e outros móveis espalhados em desordem. Ele foi se aproximando. Ela estava sozinha, uma sutil figurinha. Embora ligeiramente irritada por a terem perturbado, ela evidentemente o tomou pela mulher Chujo até que ele puxou as cobertas. (...) Seus modos eram tão delicadamente persuasivos, que nem todos os demônios o teriam contrariado. (...) Ela era tão pequena que ele a levantou com facilidade. Ao atravessar as portas até o seu quarto, ele esbarrou em Chujo, que tinha sido chamada mais cedo. Ele gritou surpreso. Assustada, por sua vez, Chujo espiou na escuridão. O perfume que saía de seu quimono como uma nuvem de fumaça lhe revelou quem ele era. (...) [Chujo] foi atrás, mas Genji não deu ouvidos aos seus rogos. "Venha buscá-la de manhã", disse ele, fechando as portas. A dama ficou coberta de suor e atordoada pensando no que Chujo e as outras

NATURAL | 99

estariam pensando. Genji não pôde deixar de sentir pena dela. Mas as palavras doces brotavam, toda a gama de delicados artifícios para fazer uma mulher se entregar. (...) Pode-se imaginar que ele encontrou muitas promessas com as quais confortá-la. (...)
– MURASAKI SHIKIBU, A HISTÓRIA DE GENJI

No dia seguinte, espalhou-se a notícia: uma estrela havia surgido. Josephine Baker era o centro da *Revue Nègre*, e Paris estava aos seus pés. Em um ano, seu rosto estava nos cartazes por toda parte; havia perfumes, bonecas e roupas Josephine Baker; as francesas elegantes estavam alisando os cabelos para trás à la Baker com um produto chamado Bakerfix. Estavam até tentando escurecer a pele.

Essa fama repentina representou uma grande mudança porque poucos anos atrás Josephine ainda era uma jovem que morava no leste de St. Louis, um dos bairros mais miseráveis da América. Ela começou a trabalhar aos 8 anos de idade fazendo faxina em casas para uma mulher branca que batia nela. Muitas vezes teve de dormir em porões infestados de ratos; nunca havia aquecimento no inverno. (Ela aprendeu a dançar sozinha no seu estilo selvagem para se manter aquecida.) Em 1919, Josephine tinha fugido e se tornado uma atriz de *vaudeville* em regime de meio expediente, aterrissando em Nova York dois anos depois sem dinheiro ou conhecimentos. Ela havia feito algum sucesso como uma corista apalhaçada, desafogando as tensões com a comicidade do seu olhar estrábico e o rosto contorcido em caretas, mas não se destacou. Depois ela foi convidada para ir a Paris. Outros atores negros haviam recusado, temendo que as coisas pudessem ser piores para eles na França do que na América, mas Josephine agarrou a oportunidade.

Apesar do seu sucesso com a *Revue Nègre*, Josephine não se iludia: os parisienses eram notoriamente volúveis. Ela decidiu inverter o relacionamento. Primeiro, recusou-se a se alinhar com qualquer clube, e criou a fama de quebrar contratos à vontade, deixando claro que estava pronta para sair de um momento para outro. Desde a infância ela temia depender de quem quer que fosse; agora admitiria isso. Essa postura. Isto só fez com que os empresários a perseguissem ainda mais e o seu sucesso com o público fosse ainda maior. Segundo, ela sabia muito bem que, apesar de a cultura negra estar na moda, os franceses tinham se apaixonado era por uma espécie de caricatura. Se esse era o preço do sucesso, então que fosse, mas Josephine deixou claro que não levava a caricatura a sério. Pelo contrário, ela a inverteu, tornando-se a última palavra em matéria de francesa elegante, uma caricatura não de negrura, mas de brancura. Tudo era um papel a representar – a comediante, a dançarina primitiva, a parisiense elegantíssima. E tudo que Josephine fazia era com um espírito muito leve, com tamanha despretensão, que ela continuou seduzindo os entediados franceses durante anos. Seu funeral, em 1975, foi transmitido pela televisão em cadeia nacional, um enorme evento cultural. Ela foi enterrada com a pompa geralmente reservada aos chefes de Estado.

Desde o início, Josephine Baker não suportava a sensação de não ter controle sobre o mundo. Mas o que podia fazer diante da sua situação tão pouco promissora? Havia moças que depositavam todas as esperanças num marido, mas o pai de Josephine tinha abandonado a mãe logo depois que ela nasceu, e ela via o casamento como algo que só a faria ainda mais miserável. A solução que encontrou foi o que as crianças fazem com frequência: tendo de enfrentar um ambiente inóspito, ela se fechou num mundo de fantasia, esquecida da feiura ao seu redor. Esse mundo era repleto de danças, palhaçadas, sonhos de grandeza. Que as outras pessoas fiquem chorando e se lamentando; Josephine ia sorrir, permanecer confiante em si mesma e segura. Quase todos que a conheceram desde a infância até o final da vida comentaram como era sedutora essa sua característica. A sua recusa em fazer concessões, ou ser o que esperavam dela, fazia com que todos os seus atos parecessem autênticos e naturais.

Crianças gostam de brincar, e de criar um mundinho autossuficiente. Absortas naquilo em que acreditam, são irremediavelmente encantadoras. Elas impregnam as suas imaginações de muita seriedade e sentimento. Adultos naturais fazem coisa semelhante, principalmente se forem artistas: eles criam o seu próprio mundo de fantasia, e vivem nele como se fosse real. A fantasia é muito mais agradável do que a realidade, e como as pessoas não têm o poder ou a coragem de criar um mundo assim, elas gostam da companhia de quem tem. Lembre-se: o papel que lhe foi destinado na vida não é o que você tem de aceitar. Você pode sempre representar um papel que você mesmo cria, aquele que estiver de acordo com a sua fantasia. Aprenda a brincar com a sua imagem, jamais a levando muito a sério. A chave é infundir na sua brincadeira a convicção e os sentimentos de uma criança, fazendo com que ela pareça natural. Quanto mais você parecer absorto no seu próprio mundo cheio de alegria, mais sedutor será. Não faça as coisas pela metade: torne a fantasia que você habita a mais radical e exótica possível, e você atrairá as atenções como um ímã.

4. Foi na Festa das Cerejeiras Floridas, na corte de Hei, no Japão do final do século X. No palácio do imperador, muitos cortesãos estavam bêbados e outros ferrados no sono, mas a jovem princesa Oborozukiyo, cunhada do imperador, estava acordada e recitando um poema: "O que se compara à lua enevoada da primavera?" Sua voz era suave e delicada. Ela se aproximou da porta do seu apartamento e olhou para a lua. E aí, de repente, ela sentiu um perfume doce, e a mão que agarrava a manga

do seu quimono. "Quem é você?", disse ela, assustada. "Não precisa ter medo", ouviu-se a voz de um homem, que continuou recitando o seu próprio poema: "Tarde da noite apreciamos uma lua enevoada. Não há névoa naquilo que nos une." Sem dizer mais nada, o homem abraçou a moça e a ergueu, carregando-a para uma galeria externa ao seu quarto e fechando a porta atrás de si. Ela ficou aterrorizada e tentou gritar por socorro. Na escuridão ela o ouviu dizer um pouco mais alto: "Não adianta. Sempre consigo o que quero. Fique quieta, por favor."

Agora a princesa reconheceu a voz, e o perfume: era Genji, o jovem filho da concubina do falecido imperador, cujo quimono tinha um perfume característico. Isto a acalmou um pouco porque era uma pessoa conhecida, mas, por outro lado, ela também conhecia a sua fama: Genji era o maior sedutor da corte, um homem que não se continha diante de nada. Ele estava bêbado, o sol ia nascer e os vigias em breve estariam fazendo a ronda; ela não queria ser vista com ele. Mas aí ela começou a perceber os contornos do seu rosto – tão bonito, um olhar tão sincero, sem nenhum traço de maldade. Em seguida, vieram mais poemas, recitados com aquela voz encantadora, as palavras tão insinuantes. As imagens que ele evocava ocupavam a sua mente e a distraíam das suas mãos. Ela não resistiu.

Quando começou a clarear, Genji se ergueu. Disse algumas palavras meigas, trocaram leques e ele foi logo embora. As criadas entravam naquela hora nos aposentos do imperador e, ao verem Genji passar rápido por elas, deixando um rastro de perfume do seu quimono, elas sorriram sabendo que ele ia fazer alguma das suas; mas não podiam imaginar que ele ousaria se aproximar da irmã da mulher do imperador.

Nos dias seguintes, Oborozukiyo só pensava em Genji. Ela sabia que ele tinha outras amantes, mas, quando tentava tirá-lo da cabeça, recebia uma carta sua, e tudo voltava ao ponto de partida. Na verdade, ela é que iniciara a correspondência, obcecada pela sua visita da meia-noite. Tinha de vê-lo outra vez. Apesar do risco de ser descoberta, e de a irmã Kokiden, a esposa do imperador, odiar Genji, ela planejou novos encontros no seu apartamento. Mas, uma noite, um cortesão invejoso os viu juntos. Kokiden ficou sabendo, naturalmente ficou furiosa e exigiu que Genji fosse banido da corte. O imperador não pôde fazer outra coisa senão concordar.

Genji foi para muito longe, e as coisas se acalmaram. Mas então o imperador morreu e seu filho assumiu o poder. Uma espécie de vazio tinha tomado conta da corte: as dezenas de mulheres a quem Genji havia seduzido não suportavam mais a sua ausência e o enchiam de cartas. Mesmo as que nunca o tinham conhecido na intimidade choravam sobre qualquer relíquia que ele tivesse deixado para trás – um quimono, por exemplo, que ainda guardasse o seu perfume. E o jovem imperador sentia falta da sua presença alegre. E as princesas sentiam falta da música que ele tocava no coto. E Oborozukiyo ansiava por suas visitas da meia-noite. Finalmente, até Kokiden cedeu, percebendo que não conseguia resistir a ele. Genji, portanto, foi chamado de volta para a corte. E não só foi perdoado, mas teve uma recepção de herói; o próprio imperador saudou o patife com lágrimas nos olhos.

A história da vida de Genji é contada no romance do século XI *A história de Genji*, escrito por Murasaki Shikibu, uma mulher da corte de Hei. É bem provável que o personagem seja baseado num homem da vida real, Fujiwara no Korechika. Mas um outro livro do período, *The Pillow Book*, de Sei Shonagon, descreve um encontro entre a autora e Korechika, e revela o seu incrível charme e quase hipnótico efeito sobre as mulheres. Genji é um sedutor nato, um amante não defensivo, um homem eternamente obcecado pelas mulheres, mas cujo apreço e afeto por elas o tornam irresistível. Conforme ele diz a Oborozukiyo no romance: "Sempre consigo o que quero." Essa fé em si mesmo já é responsável por metade do encanto de Genji. A resistência não o coloca na defensiva; ele recua graciosamente recitando uma pequena poesia e, ao sair, com o perfume de seu quimono deixando um rastro atrás dele, a vítima se pergunta por que teve tanto medo, e o que foi que perdeu ao rejeitá-lo, e arranja um jeito de fazer com que ele saiba que, na próxima vez, as coisas vão ser diferentes. Genji não leva nada a sério ou pelo lado pessoal e, aos 40 anos, idade em que os homens no século XI já aparentavam estar velhos e cansados, ele continuava parecendo um menino. Seus poderes sedutores não o abandonavam jamais.

Seres humanos são muito sugestionáveis; seus humores facilmente se espalham pelas pessoas ao redor. De fato, a sedução depende de mimese, da criação consciente de um estado de espírito ou sentimento que é então reproduzido pela outra pessoa. Mas a hesitação e a falta de jeito também são contagiantes e fatais para a sedução. Se num momento-chave você parece indeciso ou constrangido, a outra pessoa perceberá que você está pensando em si mesmo, em vez de estar totalmente dominado pelos encantos dela. O feitiço se desfaz. Como um amante não defensivo, entretanto, você provoca o efeito contrário: sua vítima pode estar hesitante ou preocupada, mas diante de alguém tão confiante e natural, ela entra no estado de espírito. Como dançar com alguém que você conduz tranquilamente pela pista é uma habilidade que se aprende. É uma questão de eliminar o medo e a falta de jeito que se acumularam dentro de você ao longo dos anos, de ser mais gracioso na sua abordagem, menos defensivo quando os outros parecerem resistir. Muitas vezes a resistência das pessoas é uma forma de testar você: se mostrar hesitação ou constrangimento, não só fracassará no teste, mas se arriscará a contagiar os outros com suas dúvidas.

Símbolo:
O Cordeiro. Tão macio e afetuoso.
Com dois dias, ele dá suas cabriolas gracioso;
em uma semana, está brincando de "Siga o Mestre".
Sua fraqueza faz parte do seu encanto. O Cordeiro é pura
inocência, tão inocente que desejamos possuí-lo,
até mesmo devorá-lo.

RISCOS

Uma qualidade infantil pode ser encantadora, mas também irritante: o inocente não tem experiência do mundo, e a sua doçura pode se revelar enjoativa. No romance de Milan Kundera *The Book of Laughter and Forgetting*, o herói sonha que está preso numa ilha com um grupo de crianças. Não demora muito e ele começa a achar extremamente irritantes as suas maravilhosas qualidades; mais alguns dias exposto a elas, ele não consegue mais se relacionar com as crianças. O sonho virou pesadelo, e ele não vê a hora de voltar para o meio dos adultos, com coisas de verdade para fazer e conversar. Como a total infantilidade pode rapidamente irritar, os melhores sedutores natos são aqueles que, como Josephine Baker, combinam a experiência e a sabedoria adulta com uma atitude infantil. É esta mistura que fascina tanto.

A sociedade não suporta um excesso de gente natural. Com uma multidão de Coras Pearl e Charlies Chaplin, o encanto deles estaria logo desgastado. De qualquer modo, em geral só os artistas, ou pessoas com muito tempo disponível, é que têm condições para exagerar. O melhor é usar a personalidade natural nas situações em que um toque de inocência ou diabrura ajudará a baixar as defesas do seu alvo. Um farsante se faz de bobo para a outra pessoa confiar nele e se sentir superior. Este tipo de naturalidade artificial tem inúmeras aplicações na vida diária quando nada é mais arriscado do que parecer mais esperto do que o outro; a pose do Natural é um disfarce perfeito para a sua esperteza. Mas, se você for descontroladamente infantil e não conseguir desligar essa sua característica, corre o risco de parecer patético, não conquistar simpatia mas, sim, pena e desprezo.

Similarmente, os traços sedutores do Natural funcionam melhor em alguém ainda jovem o suficiente para que eles pareçam naturais. Para uma pessoa mais velha, isso é mais difícil de conseguir. Cora Pearl não parecia tão encantadora aos 50 anos de idade, quando ainda usava seus vestidos cor-de-rosa cheios de babados. O duque de Buckingham, que seduzia todo o mundo na corte inglesa da década de 1620 (inclusive o próprio rei Jaime I, que era homossexual), era maravilhosamente infantil nos modos e na aparência, mas com a idade essa característica se tornou tão antipática e detestável, e lhe conquistou tantos inimigos, que ele acabou assassinado. Quando você estiver mais velho, portanto, suas qualidades naturais devem sugerir mais o espírito aberto de uma criança, e menos uma inocência que não convence mais ninguém.

COQUETE

*A
capacidade de retardar a satisfa-
ção é a arte insuperável da sedução – enquanto espera,
a vítima se mantém escravizada. As pessoas coquetes são os grandes
mestres deste jogo, orquestrando um movimento de ir e vir entre a esperança
e a frustração. Elas atraem com a promessa de recompensa – a esperança de prazer
físico, felicidade, fama por associação, poder –, mas tudo isso é ilusório; não obstante,
só faz com que seus alvos as procurem cada vez mais. Coquetes parecem plenamente
autossuficientes: não precisam de você, parecem dizer, e seu narcisismo tem um ar diabolicamente sedutor. Você pode querer conquistá-las, mas são elas que dão as cartas. A
estratégia da Coquete é jamais oferecer a satisfação total. Imite a alternância de
calor e frieza da Coquete e você manterá o seduzido nos seus calcanhares.*

COQUETE FRIA E QUENTE

No outono de 1795, Paris foi tomada de uma estranha vertigem. O Reino do Terror que seguira à Revolução Francesa tinha acabado; não se ouvia mais o som da guilhotina. A cidade deu um suspiro coletivo de alívio e se entregou a festas extravagantes e intermináveis festivais.

O jovem Napoleão Bonaparte, com 26 anos na época, não se interessava por essas farras. Conquistara para si mesmo a fama de general inteligente e audaz que havia ajudado a sufocar rebeliões nas províncias, mas sua ambição era ilimitada e ele ardia de desejo por novas conquistas. Assim, quando em outubro daquele mesmo ano a infame viúva de 34 anos Josefina de Beauharnais foi visitá-lo em seu gabinete, ele não pôde fazer nada senão ficar confuso. Josefina era exótica, e tudo nela era lânguido e sensual. (Ela investia na sua procedência estrangeira – tinha vindo da ilha da Martinica.) Por outro lado, a sua reputação era de mulher livre, e o tímido Napoleão acreditava em casamento. Mesmo assim, quando Josefina o convidou para um de seus saraus semanais, ele aceitou.

No sarau ele se sentiu totalmente fora do seu elemento. Estavam ali todos os grandes escritores e intelectuais da cidade, assim como um ou outro nobre que havia sobrevivido – a própria Josefina era viscondessa e escapara por pouco da guilhotina. As mulheres eram estonteantes, algumas mais belas do que a anfitriã, mas todos os homens se reuniam em torno de Josefina, atraídos por sua graciosa presença e modos de rainha. Várias vezes ela deixou os homens para trás e foi ficar ao lado de Napoleão; nada poderia ter enaltecido mais o seu ego inseguro do que tamanha atenção.

Ele passou a visitá-la. Às vezes ela o ignorava, e ele ia embora num acesso de raiva. Mas, no dia seguinte, chegava uma carta apaixonada de Josefina, e ele corria para vê-la. Não demorou muito e ele estava quase o tempo todo com ela. As ocasionais demonstrações de tristeza de Josefina, seus acessos de raiva ou de lágrimas, só o deixavam mais apegado a ela. Em março de 1796, Napoleão casou-se com Josefina.

Há homens que se prendem mais pela resistência do que pela submissão e que, inconscientemente, preferem um céu variável, ora esplêndido, ora negro e trovejante, ao azul límpido do amor. Não nos esqueçamos de que Josefina tinha de lidar com um conquistador e que o amor é semelhante à guerra. Ela não se rendeu, deixou-se ser conquistada. Tivesse sido mais meiga, mais atenta, mais amorosa, talvez Napoleão a tivesse amado menos.
– IMBERT DE SAINT-AMAND, CITADO EM *THE EMPRESS JOSEPHINE: NAPOLEON'S ENCHANTRESS*, PHILIP W. SERGEANT

As Coquetes sabem como agradar, não amar, por isso os homens as amam tanto.
– PIERRE MARIVAUX

Uma ausência, a recusa a um convite para o jantar, uma aspereza inconsciente, não intencional, funcionam melhor do que todos os cosméticos e roupas elegantes do mundo.
– MARCEL PROUST

Há também todas as noites, para os não iniciados, Um risco – não como o amor ou casamento Mas que, nem por isso, perde o valor: É – não pretendi nem pretendo desmerecer A demonstração de virtude até nos viciados – Ela acrescenta uma graça aparente à sua conduta – Mas denunciar a espécie anfíbia de meretriz, Couleur de rose, que não é branca nem escarlate. Assim é a sua coquete fria, que não pode dizer "não" E não dirá "sim" e o mantém intermitente, Numa costa de sotavento, até que ele começa a soprar – E então vê o seu coração naufragado com um escárnio interior. Isso vale um mundo de pesar sentimental, E manda novos Werthers precocemente para o caixão; Mas no entanto não passa de flerte inocente, Não exatamente

Dois dias depois do casamento, Napoleão partiu para liderar uma campanha no Norte da Itália contra os austríacos. "Você é o objeto constante de meus pensamentos", escreveu ele do estrangeiro para a mulher. "Minha imaginação se exaure pensando no que você está fazendo." Os seus generais o viam distraído: ele saía das reuniões mais cedo, passava horas escrevendo cartas, ou com os olhos pregados numa miniatura de Josefina que usava pendurada no pescoço. A insuportável distância que os separava e uma ligeira frieza que agora percebia nela o tinham levado a esse estado – ela não escrevia com frequência, e em suas cartas faltava paixão; e também não fora se encontrar com ele na Itália. Ele precisava acabar logo com a sua guerra para poder voltar para o lado dela. Combatendo o inimigo com inusitado zelo, ele começou a cometer erros. "Viver por Josefina!", ele lhe escreveu. "Trabalho para chegar perto de você; eu me mato para alcançar você." As cartas dele eram cada vez mais apaixonadas e eróticas; uma amiga de Josefina que as viu escreveu: "A letra [era] quase ilegível, a ortografia vacilante, o estilo bizarro e confuso. (...) Que situação para uma mulher – ser a força motriz por trás da marcha triunfante de um exército inteiro."

Meses se passaram com Napoleão implorando para que Josefina fosse para a Itália, e ela sempre encontrava desculpas. Mas, finalmente, ela concordou e partiu de Paris para Brescia, onde ele estava aquartelado. Um quase encontro com o inimigo no caminho, entretanto, a forçou a retornar até Milão. Napoleão estava longe de Brescia, em batalha; ao voltar e descobrir que ela ainda não tinha chegado, ele culpou o inimigo general Wurmser e jurou vingança. Nos meses seguintes, ele parecia perseguir dois alvos com igual energia: Wurmser e Josefina. Sua esposa nunca estava onde deveria estar: "Chego a Milão, corro para a sua casa, tendo deixado tudo de lado para agarrá-la em meus braços. Você não está lá!" Napoleão ficava zangado e cheio de ciúmes, mas, quando finalmente alcançava Josefina, a mínima coisa que ela lhe concedesse derretia o seu coração. Ele dava longos passeios com ela numa carruagem escura, enquanto seus generais se enfureciam – reuniões deixavam de ser feitas, improvisavam-se ordens e estratégias. "Jamais", escreveu ele mais tarde, "uma mulher teve um tão completo domínio do coração alheio." Mas o tempo que estiveram juntos foi muito curto. Durante uma campanha que durou quase um ano, Napoleão passou apenas 15 noites com sua nova noiva.

Napoleão depois ouviu boatos de que Josefina tinha um amante enquanto ele estava na Itália. Seus sentimentos por ela esfriaram, ele mesmo teve inúmeras amantes. Mas Josefina nunca se preocupou realmente com esta ameaça ao seu poder sobre o marido; algumas lágrimas, um pouco de teatro, uma leve frieza da sua parte, e ele continuava seu escravo. Em 1804, ele a coroou imperatriz, e se ela lhe tivesse dado um filho teria sido imperatriz até o fim. Quando Napoleão jazia no seu leito de morte, sua última palavra foi "Josefina".

Durante a Revolução Francesa, por pouco Josefina não perdeu a cabeça na guilhotina. A experiência a deixou sem ilusões e com dois objetivos em mente: viver uma vida de prazeres e encontrar o homem que melhor pudesse lhe proporcionar isso. Ela colocou os olhos em Napoleão desde o início. Ele era jovem, e tinha um futuro brilhante. Sob a sua calma exterior, Josefina sentiu, ele era muito emotivo e agressivo, mas isso não a intimidou – só revelava que ele era fraco e inseguro. Ia ser fácil escravizá-lo. Primeiro, Josefina se adaptou aos seus humores, encantou-o com sua graça feminina, excitou-o com sua aparência e modos. Ele quis possuí-la. E, uma vez despertado o desejo dele, estava nas mãos dela adiar a sua satisfação recuando diante dele, frustrando-o. De fato, a tortura da caça deu a Napoleão um prazer masoquista. Ele desejava ardentemente subjugar o seu espírito independente, como se ela fosse um inimigo no campo de batalha.

As pessoas são inerentemente perversas. A conquista fácil vale menos do que a difícil; só nos excita realmente o que nos é negado, o que não podemos possuir por completo. O seu maior poder na sedução é a sua habilidade para virar as costas, fazer os outros virem atrás de você, retardando a satisfação deles. A maioria das pessoas calcula mal e se entrega rápido demais por medo de que a outra perca o interesse ou por achar que, cedendo ao que o outro quer, a pessoa que dá fica com um certo poder. A verdade é o contrário: depois de satisfazer alguém, você não tem mais a iniciativa, e se expõe à possibilidade de que ela ou ele perca o interesse quando lhe der na veneta. Lembre-se: a vaidade é importantíssima no amor. Deixe os seus alvos com medo de que você possa se afastar, que talvez não esteja realmente interessado, e você despertará neles a sua insegurança inata, o medo de que, por conhecê-los melhor, eles se tornem menos excitantes para você. Estas inseguranças são devastadoras. Em seguida, depois de tê-los deixado inseguros a respeito de você e de si mesmos, reacenda as suas esperanças fazendo-os se sentirem desejados de novo. Frio e quente, frio e quente – esse coquetismo é perversamente agradável, aumentando o interesse e mantendo a iniciativa do seu lado. Não se desconcerte jamais com a raiva do seu alvo; é um indício certo de escravidão.

adultério, mas adulteração.
– LORD BYRON, THE COLD COQUETTE

Há um modo de se representar a própria causa e, ao mesmo tempo, tratar a audiência com tamanha frieza e condescendência que ela inevitavelmente percebe que isso não é para agradá-la. O princípio deve ser sempre o de não fazer concessões a quem não tem nada para dar, mas tudo para ganhar de nós. Devemos esperar que nos implorem de joelhos, ainda que demore muito tempo para isso acontecer.
– SIGMUND FREUD, NUMA CARTA A UM ALUNO, CITADO EM PAUL ROAZEN, FREUD AND HIS FOLLOWERS

Quando chegou a sua hora, a ninfa mais bela trouxe uma criança pela qual podia apaixonar-se ainda no berço, e lhe chamou Narciso. (...) O filho de Cefiso estava com 16 anos e naquela fase entre homem e menino. Muitos rapazes e moças se apaixonavam por ele, mas o seu corpo macio e jovem abrigava um orgulho tão inflexível que nenhum desses meninos ou meninas ousavam tocá-lo. Um dia, ao conduzir um cervo tímido para as suas redes, ele foi avistado por aquela ninfa tagarela que não consegue se calar enquanto o outro fala, mas que ainda não aprendera a falar em primeiro lugar. Seu nome é Eco, e ela sempre replica. (...) Assim, ao ver Narciso vagando pelos campos solitários, Eco se apaixonou por ele e, às escondidas, o seguiu. Quanto mais ela se aproxima, mais perto estava o fogo que a queimava; assim como o enxofre jogado sobre as tochas, rapidamente se incendeia com a proximidade da chama. Quantas vezes ela desejou lhe fazer propostas elogiosas, abordá-lo com doces pedidos! Acontece que o rapaz havia se afastado de seus fiéis camaradas e gritou: "Alguém está aqui?" Eco respondeu: "Aqui!" Narciso parou atônito, olhando ao redor. (...) Olhou para trás e, como ninguém apareceu, gritou novamente: "Por que me evitas?" Mas só ouvia as próprias palavras. Mesmo assim insistiu, iludido pelo que achava ser a voz de outra pessoa, e disse: "Vem aqui, vamos nos conhecer!" Eco respondeu: "Vamos nos conhecer!" Nunca mais ela responderia com mais vontade

A mulher, para conservar por mais tempo o seu poder, deve tratar mal o seu amante.

– Ovídio

COQUETE FRIA

Em 1952, o escritor Truman Capote, recente sucesso nos círculos sociais e literários, começou a receber uma enxurrada quase diária de cartas de um jovem fã chamado Andy Warhol. Ilustrador de estilistas de sapatos, revistas de moda e coisas do tipo, Warhol fazia desenhos bonitos, estilizados, alguns dos quais mandou para Capote esperando que o autor os incluísse em um de seus livros. Capote não respondeu. Um dia ele chegou em casa e encontrou Warhol conversando com sua mãe, com quem o escritor morava. E Warhol passou a telefonar quase todos os dias. Finalmente, Capote não aguentou mais: "Ele parecia dessas pessoas desesperadas com quem você tem certeza de que nada vai acontecer. Um caso perdido, um perdedor nato", disse o escritor mais tarde.

Dez anos depois, Andy Warhol, aspirante a artista, fez a sua primeira exposição solo na Stable Gallery, em Manhattan. Sobre as paredes havia uma série de serigrafias inspiradas nas latas de sopa Campbell e na garrafa de Coca-Cola. Na inauguração e na festa que se seguiu, Warhol ficou de lado, com o olhar parado, e falando muito pouco. Que contraste ele fazia com a geração mais velha de artistas, os expressionistas abstratos – na maioria beberrões mulherengos falando alto e agressivos, fanfarrões que tinham dominado o cenário nos últimos 15 anos. E que mudança do Warhol que tinha importunado Capote, *marchands* e patrocinadores também. Os críticos ficaram desconcertados e intrigados com a frieza do trabalho de Warhol; não podiam imaginar o que o artista sentia a respeito dos seus temas. Qual era a sua posição? O que estava tentando dizer? Quando perguntavam, ele respondia apenas: "Faço isso porque gosto disso", ou "Adoro sopa". Os críticos enlouqueceram com suas interpretações: "Uma arte como a de Warhol é necessariamente parasita dos mitos da sua época", escreveu um; outro: "A decisão de não decidir é um paradoxo que se iguala a uma ideia que nada expressa, mas depois lhe dá dimensão." A exposição foi um enorme sucesso, definindo Warhol como uma das figuras importantes de um novo movimento, *a pop art*.

Em 1963, Warhol alugou um grande espaço no alto de um prédio em Manhattan a que chamou de Factory, e que logo se tornou o centro de um grande séquito – parasitas, atores, aspirantes a artistas. Ali, de noite especialmente, Warhol ficava andando de um lado para outro ou se encostava num canto. As pessoas se reuniam à sua volta, brigavam por sua atenção, faziam-lhe perguntas, e ele respondia no seu jeito descomprometido. Mas ninguém conseguia se aproximar dele, física ou mentalmente; ele não permitia. Ao mesmo tempo, se ele passasse por você sem lhe dar o costumeiro: "Ah, oi", você ficava arrasado. Ele não tinha notado você; talvez você estivesse de saída.

Cada vez mais interessado na indústria cinematográfica, Warhol colocava seus amigos no elenco de seus filmes. Na verdade, ele lhes oferecia uma espécie de celebridade momentânea (os seus "15 minutos de fama" – era a frase de Warhol). Em breve, as pessoas estavam competindo pelos papéis. Ele treinava as mulheres em particular para o estrelato: Edie Sedgwick, Viva, Nico. Só estar ao lado dele já conferia uma certa celebridade por associação. A Factory passou a ser o lugar para ser visto, e estrelas como Judy Garland e Tennessee Williams frequentavam as suas festas, acotovelando-se com Sedgwick, Viva e a boemia de segundo escalão de quem Warhol era amigo. As pessoas mandavam limusines para conduzi-lo às festas que davam; só a presença dele já era o bastante para transformar uma noitada social num cenário – mesmo que ele ficasse quase o tempo todo em silêncio, calado, e saísse cedo.

Em 1967, Warhol foi convidado a dar palestras em várias faculdades. Ele detestava falar, principalmente sobre a sua própria arte: "Quanto menos uma coisa tem a dizer", achava ele, "mais perfeita ela é." Mas pagavam bem, e Warhol nunca soube dizer não. Sua solução foi simples: chamou um ator, Allen Midgette, para personificá-lo. Midgette tinha cabelos escuros, pele bronzeada, parte índio cherokee. Não se parecia nem um pouco com Warhol. Mas Warhol e os amigos cobriram o seu rosto com pó de arroz, passaram um spray prateado nos seus cabelos castanhos, lhe deram um par de óculos escuros e o vestiram com as roupas do artista. Como Midgette não entendia nada de arte, suas respostas às perguntas dos estudantes tendiam a ser curtas e enigmáticas como as de Warhol. A personificação funcionou. Warhol pode ter sido um ícone, mas ninguém o conhecia realmente e, como ele estava quase sempre de óculos escuros, até o seu rosto era meio desconhecido. As plateias das palestras ficavam distantes o bastante para se sentirem excitadas com a ideia da sua presença, e ninguém se aproximava o suficiente para perceber a fraude. Ele continuou misterioso.

Desde jovem, Andy Warhol vivia atormentado por emoções conflitantes; ele queria desesperadamente a fama, mas era por natureza passivo e tímido. "Sempre vivi em conflito", disse ele mais tarde, "porque sou tímido, mas gosto de ocupar um bocado de espaço pessoal. Mamãe sempre disse: 'Não seja insistente, mas deixe que todos saibam que você está

a um som. Para fazer valer as suas palavras, ela saiu do bosque e tentou abraçar o amado, mas ele fugiu dela gritando: "Não me abraces! Prefiro morrer a deixar que me abraces!" (...) Assim desprezada, ela se escondeu no bosque, ocultando em meio às folhas o rosto envergonhado, e desde então mora em grutas solitárias. Mas seu amor continuava firme no seu coração, e crescia com a dor de ter sido rejeitada. (...) Narciso brincara com o seu afeto, tratando-a como havia tratado antes outros espíritos das águas e dos bosques, e seus admiradores do sexo masculino também. Então um desses que ele havia desprezado ergueu as mãos aos céus e pediu: "Que ele se apaixone por outro, como nós nos apaixonamos por ele! Que ele também seja incapaz de conquistar a pessoa amada!" Nêmesis ouviu e lhe concedeu o pedido. (...)Narciso, cansado de caçar no calor do dia, deitou-se aqui [à beira de um lago de águas límpidas]: pois se sentiu atraído pela beleza do lugar, e pela primavera. Enquanto tentava aplacar a sede, outra sede surgiu dentro dele e, ao beber, encantou-se com a bela imagem

por perto.'" No início, Warhol tentou ser mais agressivo, esforçando-se para agradar e cortejar. Não funcionou. Depois de dez anos em vão, ele parou de tentar e cedeu à sua própria passividade – e aí então descobriu o poder que tem o retraimento.

Warhol iniciou este processo na sua arte, que mudou drasticamente no início da década de 1960. Suas novas pinturas de latas de sopa, selos verdes e outras imagens bastante conhecidas não agrediam com significados: de fato, era impossível captar o que elas queriam dizer, o que só aumentava o seu fascínio. Elas atraíam pelo imediatismo, pelo poder visual, a frieza. Tendo transformado a sua arte, Warhol também transformou a si próprio; como suas pinturas, ele se tornou mera superfície. Ele treinou para se conter, para não falar.

O mundo está cheio de gente que tenta, gente que se impõe agressivamente. Elas podem obter vitórias temporárias, mas, quanto mais elas ficarem por perto, mais as pessoas desejarão confundi-las. Elas não deixam espaço ao seu redor, e sem espaço não pode haver sedução. Coquetes Frios criam espaço permanecendo ariscos e fazendo os outros correrem atrás deles. A frieza sugere uma autoconfiança confortável cuja proximidade é excitante, mesmo que não exista realmente; o silêncio dessas pessoas faz você querer falar. A autossuficiência delas, a sua impressão de não precisarem de ninguém, só nos faz ter vontade de fazer coisas para elas, ansiosos pelo mais leve sinal de reconhecimento e preferência. Coquetes Frios deixam qualquer um doido – não dizem sim nem não, não permitem aproximações –, mas quase sempre voltamos a procurá-los, viciados na frieza que projetam. Lembre-se: seduzir é atrair as pessoas, fazê-las desejar perseguir você e possuí-lo. Pareça distante e elas ficarão loucas para conquistar a sua preferência. Seres humanos, como a natureza, odeiam o vácuo, e a distância emocional e o silêncio fazem com que eles se esforcem para preencher o espaço vazio com suas próprias palavras e calor. Como Warhol, recue e deixe que eles briguem por você.

> *Mulheres [narcisistas] são extremamente fascinantes para os homens. (...) O encanto de uma criança está em grande parte no seu narcisismo, na sua autossuficiência e inacessibilidade, assim como o encanto de certos animais que parecem não se importar conosco, como os gatos... É como se lhes invejássemos o poder de conservar um estado mental de felicidade – uma posição de libido incontestável que nós mesmos já abandonamos faz muito tempo.*
>
> – Sigmund Freud

---

refletida nas águas. Ele se apaixonou com uma insubstancial esperança, confundindo uma simples imagem com um corpo real. Fascinado por si mesmo, ali ficou imóvel, com o olhar fixo, como uma estátua esculpida em mármore de Paros... Inconscientemente, ele se desejava, e ele mesmo era o objeto da sua própria aprovação, ao mesmo tempo desejando e desejado, ele mesmo alimentando a chama em que se queimava. Quantas vezes inutilmente beijou o traiçoeiro lago, quantas vezes mergulhou os braços nas águas ao tentar segurar o pescoço que via! Mas ele não podia segurar a si mesmo. Ele não sabia o que procurava, mas estava inflamado pela visão, e excitado pela ilusão que enganava seus olhos. Pobre rapaz tolo, por que agarrar inutilmente a imagem fugaz que o ilude? O que você busca não existe: vire-se e perderá o que ama. O que você vê não passa de uma sombra do seu próprio reflexo; em si não é nada. Ela vem com você e dura enquanto você estiver ali; desaparece quando você se vai, se conseguir ir. (...)

CHAVES PARA O PERSONAGEM

Segundo o conceito popular, Coquetes são consumados implicantes, especialistas em despertar desejo com uma aparência provocante ou uma atitude atraente. Mas a verdadeira essência dos Coquetes está na sua habilidade para prender as pessoas emocionalmente, e conservar as vítimas em suas garras até muito tempo depois das primeiras cócegas de desejo. Esta é a habilidade que os coloca nas fileiras dos sedutores mais eficazes. O seu sucesso pode parecer um tanto estranho, visto serem criaturas essencialmente frias e distantes; se um dia você conhecer bem uma dessas pessoas, vai sentir um núcleo interior de desapego e narcisismo. Parece lógico que ao tomar consciência desta característica você perceba as manipulações do Coquete e perca o interesse, mas o que vemos quase sempre é o oposto. Depois de anos convivendo com a coqueteria de Josefina, Napoleão sabia muito bem o quanto ela era manipuladora. No entanto, este conquistador de reinados, este homem cético e cínico, não conseguia abandoná-la.

Para compreender o poder peculiar do Coquete, é preciso primeiro compreender uma propriedade importantíssima do amor e do desejo: quanto mais óbvia for a sua perseguição, maior a probabilidade de você estar afugentando a sua presa. Excesso de atenção pode ser interessante por uns tempos, mas logo começa a ficar enjoativo e finalmente se torna claustrofóbico e assustador. É sinal de fraqueza e carência, uma combinação nada sedutora. Quantas vezes cometemos este engano achando que a nossa presença persistente garante alguma coisa. Mas os Coquetes têm uma compreensão inerente desta dinâmica. Mestres do retraimento seletivo, eles sugerem frieza, ausentando-se às vezes para deixar a vítima vacilante, surpresa, intrigada. O retraimento os torna misteriosos, e eles crescem na nossa imaginação. (A familiaridade, por outro lado, mina a imagem que construímos.) Um surto de distanciamento compromete ainda mais as emoções; em vez de zangados, ficamos inseguros. Quem sabe, eles não gostam realmente de nós, talvez tenham perdido o interesse. Com a nossa vaidade em jogo, sucumbimos ao Coquete só para provar que ainda somos desejáveis. Lembre-se: a essência do Coquete não está na implicância ou na tentação, mas no passo atrás subsequente, no retraimento emocional. Esta é a chave do desejo que escraviza.

Para adotar o poder de um Coquete, é preciso compreender mais uma qualidade: o narcisismo. Sigmund Freud caracterizou a "mulher narcisista" (quase sempre obcecada com a sua aparência) como o tipo que mais afeta os homens. Na infância, ele explica, passamos por uma fase narcisista que é imensamente agradável. Felizes na nossa autossufi-

---

Ele deitou a cabeça cansada na grama verde, e a morte cerrou-lhe os olhos que tanto admiraram a beleza de seu dono. Mesmo assim, enquanto era recebido na casa dos mortos, continuava se olhando nas águas do Estige. Suas irmãs, as ninfas da primavera, choraram por ele, e cortaram os cabelos em homenagem ao irmão. As ninfas da floresta também choraram por ele, e Eco cantou o seu refrão ao lamento delas. A pira, o lançamento das tochas e a cerveja, tudo estava sendo preparado, mas seu corpo não se encontrava em lugar algum. Em vez dele, acharam uma flor com pétalas brancas rodeando um centro amarelo.
– OVÍDIO, *METAMORFOSES*

O egoísmo é uma das qualidades capazes de inspirar amor.
– NATHANIEL HAWTHORNE

O Sócrates que veem tem uma tendência a se apaixonar por rapazes bonitos e está sempre em companhia deles e em êxtase por eles (...) mas, olhando sob a superfície, descobrirão um grau de autocontrole do qual não podem ter ideia, senhores. (...) Ele passou a vida inteira fingindo e brincando com as pessoas, e eu duvido de que alguém tenha visto os tesouros que se revelam quando ele fica sério e expõe o que guarda dentro de si.(...) Acreditando que ele estava sendo sincero na sua admiração de meus encantos, supus ter tido uma sorte maravilhosa; devo ser capaz agora, em retribuição aos meus privilégios, de descobrir tudo que Sócrates sabia; pois devem saber que não havia limites para o orgulho que eu sentia da minha boa aparência. Com este objetivo, dispensei meu criado, que sempre me acompanhava em meus encontros com Sócrates, e me permiti ficar a sós com ele. Devo lhes dizer toda a verdade; prestem bem atenção, e vós, Sócrates, me interrompa se alguma coisa que eu disser não for verdadeira. Eu me permiti ficar a sós com ele, digo, senhores, e naturalmente supus que ele começaria a falar o que um amante em geral fala com a pessoa amada quando estão face a face, e estava contente. Nada disso; ele passou o dia comigo conversando como lhe é de hábito, e depois foi embora deixando-me

ciência e concentração, quase não precisamos de ninguém para satisfazer nossas necessidades psíquicas. Depois, aos poucos, somos socializados e aprendemos a prestar atenção nos outros – mas, no íntimo, temos saudades daquela infância feliz. A mulher narcisista faz o homem lembrar desse período da sua vida, e o deixa com inveja. Talvez, em contato com ela, ele recupere esse sentimento de autossuficiência.

O homem também se sente desafiado pela independência da mulher coquete – ele quer ser aquele que a tornará dependente, que vai estourar a sua bolha. É bem mais provável, entretanto, que ele acabe escravo dela, dando-lhe incessantes atenções para conquistar o seu amor e fracassando. Porque a mulher narcisista não é emocionalmente carente; ela é autos-suficiente. E isto é surpreendentemente sedutor. A autoestima é decisiva na sedução. (A sua atitude para com você mesmo é interpretada de forma sutil e inconsciente pelas outras pessoas.) A baixa autoestima repele, a segurança e a autossuficiência atraem. Quanto menos você parece precisar dos outros, maior a probabilidade de que eles se sintam atraídos por você. Compreenda como isso é importante em todos os relacionamentos e verá que é mais fácil ocultar a sua carência. Mas não confunda autoabsorção com narcisismo sedutor. Falar sem parar de si mesmo é eminentemente antissedutor, revelando não autossuficiência, mas insegurança.

O Coquete é tradicionalmente considerado como sendo uma mulher, e sem dúvida a estratégia foi durante séculos uma das poucas armas que as mulheres tinham para atrair e escravizar o desejo de um homem. Uma manobra para frustrar os planos do adversário usada pela Coquete é a retirada dos favores sexuais, e vemos as mulheres usando este artifício ao longo da história: a grande cortesã do século XVII Ninon de l'Enclos era desejada por todos os homens importantes da França, mas só conquistou o seu verdadeiro poder quando deixou claro que não fazia mais parte dos seus deveres dormir com um homem. Isso levou seus admiradores ao desespero, que ela sabia como aumentar ainda mais favorecendo temporariamente um homem, dando-lhe acesso ao seu corpo por alguns meses, depois devolvendo-o à matilha dos insatisfeitos. A rainha Elizabeth I da Inglaterra levou o coquetismo ao extremo fazendo-se intencionalmente desejada por seus cortesãos, mas sem ir para a cama com nenhum deles.

Por muito tempo, uma ferramenta de poder social das mulheres, o coquetismo foi aos poucos sendo adaptado pelos homens, particularmente os grandes sedutores dos séculos XVII e XVIII que invejavam o poder dessas mulheres. Um sedutor do século XVII, o duque de Lauzun, era mestre em deixar uma mulher excitada, e depois se mostrar indiferente. As mulheres enlouqueciam por ele. Hoje, o coquetismo não tem gênero. Num mundo que desencoraja a confrontação direta, a implicância, a frieza e a indiferença seletiva são formas de poder indireto que disfarça com brilhantismo a sua própria agressão.

O Coquete deve antes de tudo ser capaz de excitar o alvo das suas atenções. A atração pode ser sexual, o fascínio da celebridade, o que for necessário. Ao mesmo tempo, o Coquete envia sinais contrários que estimulam reações contrárias, mergulhando a vítima na confusão. Mariana, a heroína epônima do romance francês do século XVIII, de Marivaux, é a consumada coquete. Quando vai à igreja, ela se veste com elegância, mas deixa os cabelos ligeiramente despenteados. No meio da missa, ela parece notar esta falha e começa a ajeitá-los, nisto deixando à mostra o braço nu; estas coisas não eram para serem vistas numa igreja do século XVIII, e todos os olhares masculinos fixavam-se nela naquele momento. A tensão é muito mais forte do que se ela estivesse lá fora, ou vestida como uma prostituta. Lembre-se: o flerte óbvio revelará com excesso de clareza as suas intenções. Melhor ser ambíguo, ou até contraditório, frustrando ao mesmo tempo que estimula.

O grande líder espiritual Jiddu Krishnamurti era um coquete inconsciente. Reverenciado pelos teosofistas como o seu "Professor do Mundo", Krishnamurti era também um dândi. Ele gostava muito de roupas elegantes e era diabolicamente bonito. Ao mesmo tempo, praticava o celibato, e tinha horror de ser tocado. Em 1929, ele deixou os teosofistas do mundo inteiro chocados ao proclamar que não era um deus nem um guru, e que não queria ter seguidores. Isto só aumentou a sua atração: as mulheres se apaixonavam por ele aos montes, e seus conselheiros ficaram ainda mais dedicados. Física e psicologicamente, Krishnamurti estava enviando sinais contrários. Apesar de pregar um amor e uma aceitação generalizados, na sua vida pessoal ele afastava as pessoas. O fato de ser atraente e obcecado com sua aparência pode ter chamado a atenção, mas por si só não teria feito as mulheres se apaixonarem por ele; suas lições de celibato e virtude espiritual teriam criado discípulos, mas não amor físico. A combinação destes traços, entretanto, ao mesmo tempo atraía as pessoas e as frustrava, uma dinâmica coquete que criava um apego físico e emocional com um homem que desprezava estas coisas. Seu retraimento do mundo só fez aumentar a devoção de seus seguidores.

A coqueteria depende de se criar um padrão para manter a outra pessoa insegura. A estratégia é extremamente eficaz. Tendo experimentado um prazer, queremos repeti-lo; assim o Coquete nos dá prazer, depois o retira. A alternância de frio e calor é o padrão mais comum, e

sozinho. Em seguida, eu o convidei para treinar no ginásio, e o acompanhei até lá acreditando que teria sucesso com ele então. Ele se exercitou e lutou comigo com frequência, sem ninguém mais presente, mas nem é preciso dizer que não cheguei mais perto do meu objetivo. Vendo que isto também não adiantava, resolvi partir para o ataque direto, e não desistir do que já havia começado; senti que deveria ir até o fim. Portanto, convidei-o para jantar comigo, comportando-me como um amante que tem projetos para o seu preferido. Ele não se apressou em aceitar o convite, mas finalmente concordou em vir. Na primeira vez, ele se ergueu para ir embora imediatamente depois do jantar, e nessa ocasião fiquei envergonhado e o deixei ir. Mas voltei ao ataque e, desta vez, mantive-o conversando comigo depois do jantar até altas horas da noite e, então, quando ele quis ir embora, eu o forcei a ficar alegando que já estava muito tarde. Assim, ele foi descansar, usando como cama um divã onde havia se reclinado durante o jantar ao meu lado, e não havia ninguém dormindo no aposento além de nós.

> *(...) Juro por todos os deuses celestiais que, em vista de tudo que aconteceu entre nós, ao me levantar, depois de dormir com Sócrates, eu poderia ter dormido com meu pai ou irmão mais velho. Como acham que me senti depois disso? Por um lado, percebi que tinha sido desprezado, mas, por outro, senti respeito pelo caráter de Sócrates, pelo seu autocontrole e coragem. (...) O resultado foi que não pude ficar zangado com ele e me afastar da sua convivência, nem encontrar um modo de subjugá-lo à minha vontade (...) Eu estava totalmente desconcertado, e andava de um lado para o outro num estado de escravidão a um homem que não se conhece quem é.*
> – ALCEBÍADES, CITADO EM PLATÃO, O BANQUETE

tem diversas variações. A Coquete chinesa do século VIII Yang Kuei-Fei escravizou totalmente o imperador Ming Huang com um padrão repetitivo de bondade e rancor; depois de encantá-lo com a bondade, ela de repente se mostrava enraivecida, acusando-o duramente pelo mais leve erro. Incapaz de viver sem o prazer que ela lhe dava, o imperador virava a corte de cabeça para baixo tentando satisfazê-la quando ela estava zangada ou aborrecida. As lágrimas dela tinham um efeito semelhante: o que ele tinha feito para deixá-la tão triste? Ele acabou se arruinando e arruinando o seu reino para tentar agradá-la. Lágrimas, raiva e a geração de culpa são ferramentas do Coquete. Uma dinâmica semelhante aparece numa discussão de amantes: quando um casal briga, depois se reconcilia, a alegria da reconciliação só torna o apego maior. A tristeza em geral também é sedutora, particularmente se parecer profunda, até espiritual, em vez de carente ou patética – faz as pessoas se aproximarem de você.

Os Coquetes não são ciumentos – isso enfraqueceria a sua imagem de fundamental autossuficiência. Mas são mestres em despertar ciúme: prestando atenção a uma terceira pessoa, criando um triângulo de desejo, eles sinalizam às suas vítimas que talvez não estejam interessados. Esta triangulação é extremamente sedutora em contextos sociais assim como nos eróticos. Interessado em mulheres narcisistas, Freud era ele mesmo um narcisista, e a sua indiferença deixava os discípulos loucos. (Eles tinham até um nome para isso – o seu "complexo de deus".) Comportando-se como uma espécie de messias, por demais altivo para emoções mesquinhas, Freud sempre manteve uma distância de seus alunos, raramente convidando-os para jantar, digamos, e preservando a sua vida particular envolta em mistério. Mas de vez em quando escolhia um acólito para suas confidências – Carl Jung, Otto Rank, Lou Andreas-Salomé. O resultado era que seus discípulos ficavam frenéticos tentando conquistar seus favores, ser o seu preferido. O ciúme gerado quando ele, de repente, favorecia um deles só aumentava o seu poder sobre os discípulos. A natural insegurança das pessoas cresce em ambientes de grupo; mantendo a indiferença, os Coquetes iniciam uma competição para conquistar seus favores. Se a habilidade de usar terceiros para despertar o ciúme dos alvos é crucial para a sedução, Sigmund Freud era um excelente Coquete.

Todas as táticas do Coquete foram adaptadas pelos líderes políticos para deixar o povo apaixonado. Ao mesmo tempo que excitam as massas, estes líderes permanecem no íntimo indiferentes, o que os mantém no controle. O cientista político Robert Michels até se referiu a estes políticos como Coquetes Frios. Napoleão representou o Coquete com os franceses: depois que os enormes sucessos da campanha na Itália o transformaram no herói amado, ele partiu para conquistar o Egito sabendo que na sua ausência o governo na França se desestabilizaria, o povo desejaria ansioso a sua volta, e esse amor serviria de base para ampliar o seu poder. Depois de excitar as massas com um discurso inflamado, Mao Tsé-tung desaparecia de vista dias seguidos, fazendo-se objeto de culto e adoração. E ninguém foi mais Coquete do que Tito, o líder iugoslavo que alternava o distanciamento e a identificação emocional com seu povo. Todos estes líderes políticos eram narcisistas inveterados. Em épocas de dificuldade, quando o povo se sente inseguro, o efeito desse coquetismo político é ainda mais forte. É importante perceber que a coqueteria é extremamente eficaz num grupo, estimulando ciúme, amor e intensa devoção. Se você representa este papel com um grupo, lembre-se de manter uma distância emocional e física. Isto lhe permitirá rir e chorar no comando, projetar autossuficiência, e com esse distanciamento você poderá tocar nas emoções das pessoas como se fossem teclas de um piano.

Símbolo:

A Sombra. É impossível agarrá-la. Corra atrás da sombra e ela foge; vire as costas e ela segue você. É também o lado oculto das pessoas, o que as faz misteriosas. Depois que elas nos deram prazer, a sombra do retraimento nos faz desejar que voltem, como as nuvens nos fazem desejar o sol.

RISCOS

Os Coquetes enfrentam um risco óbvio: eles brincam com emoções voláteis. Sempre que o pêndulo oscila, amor vira ódio. Portanto, eles devem orquestrar tudo com muito cuidado. Suas ausências não devem ser muito prolongadas, seus acessos de raiva devem logo ser acompanhados de sorrisos. Os Coquetes conseguem manter suas vítimas emocionalmente presas por muito tempo, mas, com o passar de meses ou anos, a dinâmica começa a ficar cansativa. Jiang Qing, mais tarde conhecida como madame Mao, usou o coquetismo para conquistar o coração de Mao Tsé-tung, mas depois de dez anos de discussões, as lágrimas e a frieza começaram a se tornar muito mais irritantes e, uma vez que a irritação se mostrou mais forte do que o amor, Mao conseguiu se desapegar. Josefina, uma coquete mais brilhante, foi capaz de se adaptar, passando um ano inteiro sem afetar timidez ou se afastar de Napoleão. Senso de oportunidade é tudo. Por outro lado, entretanto, o coquete desperta emoções fortes, e os rompimentos quase sempre são temporários. O Coquete vicia: depois do fracasso do plano social que Mao chamou de Grande Salto para a Frente, madame Mao conseguiu recuperar o seu poder sobre o marido arrasado.

O Coquete Frio é capaz de incitar um ódio profundo. Valerie Solanas foi uma jovem enfeitiçada por Andy Warhol. Ela havia escrito uma peça que ele achou divertida, e tinha ficado com a impressão de que ele talvez a transformasse num filme. Ela achou que ia virar uma celebridade. Mas também estava envolvida com o movimento feminista e, quando percebeu que Warhol estava brincando com ela, direcionou para ele toda a sua crescente raiva dos homens e lhe deu três tiros de revólver, quase o matando. Coquetes Frios podem despertar sentimentos não tanto eróticos como intelectuais, menos de paixão e mais de fascínio. O ódio que eles geram é ainda mais traiçoeiro e perigoso por não estar contrabalançado por um amor profundo. Eles precisam compreender os limites do jogo, e os efeitos perturbadores que podem ter sobre pessoas menos equilibradas.

ENCANTADOR

O encanto é a sedução sem sexo. Os Encantadores são consumados manipuladores que mascaram a espertaza criando um clima de prazer e conforto. O método é simples: eles desviam as atenções de si mesmos para focalizá-las no seu alvo. Eles compreendem o seu espírito, sentem a sua dor, adaptam-se ao seu humor. Na presença de um Encantador, você gosta mais de si mesmo. Encantadores jamais discutem ou brigam, queixam-se ou implicam – o que poderia ser mais sedutor? Ao atraí-lo, com sua indulgência eles o fazem dependentes deles, e o poder que exercem aumenta. Aprenda a usar o feitiço da pessoa encantadora mirando os pontos fracos básicos dos outros: vaidade e autoestima.

A ARTE DO ENCANTO

A sexualidade é extremamente destruidora. As inseguranças e emoções que ela desperta muitas vezes abreviam um relacionamento que poderia ter sido mais profundo e duradouro. A solução do Encantador, ou da Encantadora, é satisfazer os aspectos da sexualidade que são tão fascinantes e viciam tanto: a atenção focalizada, o reforço da autoestima, a corte agradável, a compreensão (real ou ilusória) – mas subtrair o sexo em si. Não é que o Encantador reprima ou desencoraje a sexualidade; oculta sob qualquer tentativa de encantamento, existe uma provocação sexual, uma possibilidade. Encanto não existe sem um toque de tensão sexual. Ele não se sustenta, porém, se o sexo for mantido a distância ou em segundo plano.

A palavra "encanto" vem do latim *incantare* e está associada a algo mágico que fascina. O Encantador implicitamente capta esta história, lançando o seu feitiço ao dar às pessoas algo que prende a atenção delas, que as fascina. E o segredo para capturar a atenção das pessoas, enquanto se reduz a sua capacidade de raciocínio, é atingir aquilo sobre o qual elas têm menos controle: o seu ego, a sua vaidade e a sua autoestima. Como disse Benjamin Disraeli: "Fale com um homem sobre ele mesmo e durante horas ele o ouvirá." A estratégia não pode ser óbvia; a sutileza é a grande habilidade do Encantador. Para que o alvo não veja o esforço do Encantador e comece a desconfiar, chegando mesmo a ficar cansado de tanta atenção, um toque ligeiro é essencial. O Encantador é como um feixe de luz que atinge diretamente um alvo, mas lança sobre ele um brilho agradavelmente difuso.

O encanto pode ser aplicado a um grupo ou individualmente: um líder pode encantar o público. A dinâmica é a mesma. Estas são as leis do encanto, extraídas das histórias dos maiores encantadores da história.

Faça do seu alvo o centro das atenções. Encantadores ficam em segundo plano; seus alvos são o assunto de seu interesse. Para ser um En-

---

Aves são atraídas com apitos que imitam seus cantos, e homens com as frases mais de acordo com suas próprias opiniões.
– SAMUEL BUTLER

Acompanhe o ramo, você o dobrará; Use a força bruta, ele se partirá. Acompanhe a corrente; é assim que se cruza um rio a nado – Lutar contra a corrente não é bom. Vá com calma com leões e tigres se quer domá-los; O touro se habitua ao arado aos poucos. (...) Portanto, ceda se ela mostrar resistência: Assim você vencerá no final. É só ter certeza de representar o papel que ela lhe atribuiu. Censure as coisas que ela censurar, Aprove tudo que ela aprovar, faça eco a tudo que ela disser, A favor ou contra, e ria sempre que ela rir; lembre-se,

Se ela chorar, chore também; tome como exemplo
A expressão dela. Suponhamos que ela esteja jogando um jogo de tabuleiro, Então lance os dados displicentemente, mova
Suas peças da maneira errada. (...)
Não relute diante de uma tarefa servil como segurar
O espelho para ela: servil ou não, essas atenções agradam.
(...)
— OVÍDIO, A ARTE DE AMAR

Disraeli foi convidado para jantar e chegou vestindo calças de veludo verde, colete amarelo-canário, sapatos de fivela e punhos de renda. Sua aparência no início foi inquietante, mas, ao deixarem a mesa, os convidados comentavam entre si que a conversa mais inteligente da festa tinha sido a do homem de colete amarelo. Benjamin tinha feito grandes progressos nas conversas sociais desde a época dos jantares de Murray. Fiel ao seu método, ele observou os estágios: "Não fale demais agora; não tente falar. Mas sempre que falar, faça isso com serenidade. Fale baixo e sempre olhando para a pessoa a quem você está se dirigindo. Antes de

cantador, é preciso aprender a ouvir e observar. Deixe que seus alvos falem, revelando-se no processo. Conforme você vai sabendo mais coisas sobre eles – seus pontos fortes e, o que é mais importante, as suas fraquezas –, você pode individualizar a sua atenção apelando para o que eles desejam e necessitam, fazendo os seus elogios sob medida para as inseguranças deles. Ao se adaptar ao seu espírito e se identificar com seus infortúnios, você consegue fazer com que eles se sintam maiores e melhores, validando o seu senso de valor pessoal. Faça com que eles sejam a estrela do espetáculo, e ficarão viciados em você e cada vez mais dependentes. Coletivamente, faça gestos de autossacrifício (mesmo que sejam falsos) para mostrar ao público que você compartilha a dor que eles sentem e está trabalhando em prol do interesse deles, sendo o interesse pessoal a forma pública de egoísmo.

Seja uma fonte de prazer. Ninguém quer saber dos seus problemas e dificuldades. Ouça as queixas dos seus alvos e, o que é mais importante, distraia-os de seus problemas dando-lhes prazer. (Faça isso com frequência e eles ficarão enfeitiçados.) A pessoa despreocupada e divertida é sempre mais encantadora do que outra que é séria e crítica. Uma presença energética é da mesma forma mais encantadora do que a letárgica, que sugere tédio, um enorme tabu social; e elegância e estilo em geral vencem qualquer vulgaridade, visto que a maioria das pessoas se associa com o que pensa ser elevado e culto. Na política, ofereça ilusão e mito, em vez de realidade. Em vez de pedir às pessoas que se sacrifiquem em benefício de um bem maior, fale de nobres questões morais. Um apelo que faça as pessoas se sentirem bem se traduzirá em votos e poder.

Transforme antagonismo em harmonia. A corte é um caldeirão de ressentimentos e inveja, onde o azedume de um único Cássio resmungando pode rapidamente virar uma conspiração. O Encantador sabe acalmar conflitos. Não fomente antagonismos que possam se provar imunes ao seu encanto; diante de pessoas agressivas, recue, deixe que elas tenham suas pequenas vitórias. Submissão e indulgência seduzem qualquer inimigo em potencial a desistir de brigar. Jamais critique as pessoas abertamente – isso as deixará inseguras e resistentes às mudanças. Plante ideias, insinue sugestões. Encantados com suas habilidades diplomáticas, eles não perceberão o seu crescente poder.

Leve suas vítimas à tranquilidade e ao conforto. O encanto é como o truque do hipnotizador com o relógio oscilante: quanto mais relaxado o alvo, mais fácil dobrá-lo à sua vontade. A chave para fazer suas vítimas se sentirem confortáveis é espelhá-las, adaptar-se aos seus humores. As pessoas são narcisistas – sentem-se atraídas por quem mais se parece com elas. Dê a impressão de compartilhar seus valores e gostos, de compreender o seu espírito, e elas ficarão fascinadas. Isto funciona particularmente bem se você for alguém de fora: mostrar que você compartilha os valores do grupo ou país que adotou (você aprendeu a língua deles, você prefere os costumes deles etc.) é extremamente encantador, visto que para você esta preferência é uma escolha, não uma questão de genética. Jamais importune ou seja abertamente persistente – estas qualidades nada encantadoras destroem o relaxamento necessário para você lançar o seu feitiço.

Demonstre calma e autocontrole diante da adversidade. Adversidades e contratempos são o ambiente perfeito para o encanto. Aparentar calma e serenidade diante de coisas desagradáveis deixa as pessoas tranquilas. Você parece paciente, como se aguardando que o destino lhe dê uma carta melhor – ou confiante de que poderá enfeitiçar as próprias Parcas. Jamais demonstre raiva, mau humor ou sentimento de vingança: todas emoções violentas que deixarão as pessoas na defensiva. Na política de grandes grupos, receba a adversidade como um desafio para mostrar as qualidades encantadoras da magnanimidade e do equilíbrio. Deixe o alvoroço e a preocupação para os outros – o contraste reverterá a seu favor. Não choramingue, não se queixe, jamais tente se justificar.

Faça-se útil. Se usada com sutileza, a sua habilidade para melhorar a vida dos outros será diabolicamente sedutora. As suas habilidades sociais vão ser importantes aqui: a criação de uma ampla rede de aliados lhe dará o poder de associar as pessoas umas às outras, o que fará com que elas sintam que, por conhecerem você, a vida ficou mais fácil. Ninguém resiste a isso. Cumprir é a chave: muita gente encanta prometendo grandes coisas – um emprego melhor, um novo contato, um enorme favor –, mas se não cumprem o que prometem criam inimigos em vez de amigos. Qualquer um promete, mas o que distingue você, o que o faz ser uma pessoa fascinante, é a sua habilidade de ir até o fim, cumprindo a sua promessa com uma ação definitiva. Inversamente, se lhe prestarem um favor, demonstre a sua gratidão de forma concreta. Num mundo de blefes e cortinas de fumaça, uma ação real e uma solicitude sincera talvez sejam o maior de todos os encantos.

se poder travar uma conversa geral com algum efeito, é preciso tomar um certo conhecimento de assuntos triviais e divertidos. Logo você terá o suficiente ouvindo e observando. Não discuta. Em sociedade nada deve ser discutido; dê apenas resultados. Se alguém discordar de você, incline-se e mude de conversa. Em sociedade, não pense; fique sempre vigilante, ou vai perder muitas oportunidades e dizer muitas coisas desagradáveis. Fale com as mulheres, fale com as mulheres o máximo que puder. É a melhor escola. É assim que você ganha fluência porque não precisa se preocupar com o que vai dizer, e é preferível não ser sensato. Elas também zombarão de você em muitos pontos, e como todas mulheres você não se ofenderá. Nada é tão importante e tão útil para um jovem no início da vida do que ser bem criticado pelas mulheres."
– ANDRÉ MAUROIS, *DISRAELI*

Você sabe o que é o encanto: é ouvir um sim como resposta sem ter perguntado nada.
– ALBERT CAMUS

> *O discurso que empolga a plateia e é aplaudido muitas vezes é menos sugestivo só porque está evidente que ele se propõe a persuadir. As pessoas, ao conversar, influenciam-se umas às outras intimamente com o tom de voz e o modo como se olham, e não apenas com o tipo de linguagem que usam. Acertamos ao chamar a pessoa que sabe conversar bem de encantadora, no sentido mágico da palavra.*
> *— GUSTAVE TARDE, L'OPINION ET LA FOULE, CITADO EM SERGE MOSCOVICI, THE AGE OF THE CROWD*

EXEMPLOS DE PESSOAS ENCANTADORAS

1. No início da década de 1870, a rainha Vitória da Inglaterra estava num momento crítico da sua vida. Seu amado marido, o príncipe Alberto, tinha morrido em 1861, deixando-a com mais do que uma enorme tristeza. Em todas as suas decisões, era no conselho dele que ela confiava; ela era por demais inexperiente e sem instrução para fazer outra coisa, ou assim todos a faziam se sentir. De fato, com a morte de Alberto, discussões políticas e questões relacionadas com programas de governo a faziam chorar de tédio. Agora Vitória aos poucos se retraía do olhar público. Consequentemente, a monarquia ia perdendo a popularidade e, portanto, o poder.

Em 1874, o Partido Conservador subiu ao poder, e seu líder, o septuagenário Benjamin Disraeli, foi nomeado primeiro-ministro. O protocolo para a sua investidura exigia que ele fosse ao palácio para um encontro particular com a rainha, que na época estava com 55 anos. Impossível imaginar dois parceiros mais improváveis: Disraeli, judeu de nascimento, tinha a tez escura e feições exóticas para os padrões ingleses; quando jovem, fora um dândi, suas roupas beiravam o exagero e ele havia escrito novelas populares de estilo romântico ou até mesmo gótico. A rainha, por outro lado, era austera e teimosa, formal nos modos e simples no gosto. Para agradá-la, aconselharam a Disraeli que ele deveria refrear sua natural elegância; mas ele não deu ouvidos ao que todos lhe diziam e apareceu diante dela como um príncipe galante, dobrando-se sobre um dos joelhos, tomando-lhe a mão para beijá-la e dizendo: "Empenho minha palavra à mais bondosa das senhoras." Disraeli prometeu que seu trabalho agora era realizar os sonhos de Vitória. Foram tantos os louvores às suas qualidades que ela corou, mas, curiosamente, não o achou cômico ou ofensivo, e saiu do encontro sorrindo. Talvez devesse dar a este estranho homem uma oportunidade, ela pensou, e ficou esperando para ver o que ele faria em seguida.

> *A cera, uma substância naturalmente dura e quebradiça, pode ser amolecida com um pouco de calor para que tome a forma que se quer. Da mesma maneira, sendo polido e gentil, você torna as pessoas dóceis e amáveis, mesmo que elas tendam a ser rabugentas e*

Vitória começou logo a receber relatórios de Disraeli — sobre debates parlamentares, questões políticas e daí por diante — que eram diferentes de tudo que os outros ministros tinham escrito. Dirigindo-se a ela como a "rainha do Reino Encantado" e dando aos vários inimigos da monarquia todos os tipos de codinomes canalhas, ele enchia suas notas com fofocas. Em uma delas, sobre um novo membro do ministério, Disraeli escreveu: "Ele tem mais de um metro e noventa de altura; como são Pedro, em Roma, ninguém se dá conta de imediato das suas dimensões. Mas ele tem a sagacidade do elefante, assim como a sua forma." O espírito alegre e informal do ministro beirava o desrespeito, mas a rainha

126 | A ARTE DA SEDUÇÃO

estava encantada. Ela devorava os seus relatórios e, quase sem perceber, voltou a se interessar pela política.

No início do relacionamento dos dois, Disraeli enviou de presente para a rainha todos os seus romances. Ela em troca o presenteou com um livro de sua própria autoria, *Journal of Our Life in the Highlands*. A partir daí, nas suas cartas e conversas com ela, ele jogava a expressão "nós, autores". A rainha ficava radiante de orgulho. Ela o escutava elogiá-la para os outros – suas ideias, seu bom senso, seus instintos femininos, ele dizia, a igualavam a Elizabeth I. Raramente ele discordava das opiniões dela. Nas reuniões com os outros ministros, ele se virava de repente para lhe pedir conselho. Em 1875, quando arrumou um jeito de comprar o canal de Suez do endividado quediva do Egito, Disraeli cumprimentou a rainha como se isso fosse a realização das ideias dela sobre a expansão do Império Britânico. Ela não percebia o motivo, mas sua confiança crescia a passos largos.

Vitória certa vez mandou flores para o seu primeiro-ministro. Ele depois retribuiu o agrado enviando prímulas, flores tão comuns que algumas pessoas talvez se sentissem insultadas ao recebê-las; mas o seu presente chegou com um bilhete: "De todas as flores, a que conserva por mais tempo a sua beleza é a doce prímula." Disraeli estava envolvendo Vitória numa atmosfera de fantasia em que tudo era uma metáfora, e é claro que a simplicidade da flor simbolizava a rainha – e também o relacionamento entre os dois líderes. Vitória mordeu a isca; as prímulas passaram logo a ser as suas flores preferidas. De fato, ela agora aprovava tudo que Disraeli fizesse. Ela lhe permitia sentar-se na sua presença, um privilégio inusitado. Os dois começaram a trocar cartões e presentes em fevereiro, no dia de são Valentim, o dia dos namorados. A rainha queria saber das pessoas o que Disraeli tinha dito numa festa; quando ele deu um pouco mais de atenção à imperatriz Augusta da Alemanha, ela ficou com ciúmes. Os cortesãos se perguntavam o que teria acontecido com a mulher teimosa e formal que conheciam – ela agia como uma menina apaixonada.

Em 1876, Disraeli fez passar no Parlamento um projeto de lei declarando a rainha Vitória uma "rainha-imperatriz". Ela ficou exultante. Por gratidão e, sem dúvida, por amor, ela elevou este dândi e romancista judeu à nobreza dando-lhe o título de conde de Beaconsfield, com que ele sonhara a vida inteira.

Disraeli sabia até que ponto as aparências enganam: ele estava sempre sendo julgado pelo seu rosto e por suas roupas, e tinha aprendido a não fazer o mesmo com as pessoas. Portanto, não se deixou enganar pelo

malevolentes. Portanto, a polidez é para a natureza humana o que o calor é para a cera.
– ARTHUR SCHOPENHAUER, COUNSELS AND MAXIMS

Nunca se explique. Nunca se queixe.
– BENJAMIN DISRAELI

exterior triste e sombrio da rainha Vitória. Por baixo, ele percebeu, havia uma mulher desejando ardentemente um homem que atraísse o seu lado feminino, uma mulher que era cordial, carinhosa e até sensual. O quanto esta faceta de Vitória se encontrava reprimida não fazia mais do que revelar a força dos sentimentos que ele despertaria assim que conseguisse derrubar as suas reservas.

A técnica usada por Disraeli foi apelar para dois aspectos da personalidade de Vitória que os outros haviam esmagado: sua confiança e sua sexualidade. Ele era um mestre em afagar o ego das pessoas. Como uma princesa inglesa observou: "Depois de jantar ao lado de Mr. Gladstone, achei que ele era o homem mais inteligente da Inglaterra. Mas, depois de jantar ao lado de Mr. Disraeli, eu me achei a mulher mais inteligente da Inglaterra." Disraeli fazia esta mágica com um toque delicado, insinuando um clima de diversão e relaxamento, em particular quando se tratava de política. Assim que a rainha baixou a guarda, ele tornou este clima mais afetuoso, um pouco mais sugestivo, sutilmente sexual – sem ser, é claro, declaradamente um flerte. Disraeli fazia Vitória se sentir desejada como mulher e talentosa como monarca. Como resistir a isso? Como negar a ele alguma coisa?

Nossas personalidades são com frequência moldadas pela forma como nos tratam: se nossos pais ou cônjuges têm conosco atitudes defensivas ou querem sempre discutir, tendemos a reagir do mesmo modo. Não confunda as características exteriores das pessoas com a realidade, pois o que elas mostram superficialmente pode não passar de um reflexo da pessoa com quem estão mais em contato, ou uma fachada disfarçando exatamente o seu oposto. Um exterior ríspido pode esconder uma pessoa louca por afeto: um tipo reprimido, de aparência austera, pode na verdade estar lutando para ocultar emoções incontroláveis. Esta é a chave do encanto – alimentar o que foi reprimido ou negado.

Ao satisfazer os desejos da rainha, ao se tornar uma fonte de prazer, Disraeli conseguiu amolecer uma mulher que tinha ficado dura e rabugenta. A indulgência é a ferramenta poderosa para a sedução: é difícil ficar zangado ou na defensiva com alguém que parece concordar com nossas opiniões e gostos. Os Encantadores podem parecer mais fracos do que suas vítimas, mas no final são a parte mais forte porque roubaram a capacidade de resistência.

2. Em 1971, Averell Harriman, financista e manipulador de influências do Partido Democrático, via sua vida chegar ao fim. Estava com 79 anos, a mulher com quem estivera casado tanto tempo acabara de falecer e, com os democratas fora do governo, pelo visto a sua carrei-

ra política tinha terminado. Sentindo-se velho e deprimido, ele estava resignado a viver uma aposentadoria tranquila junto com os netos pelo resto de seus dias.

Meses depois da morte de Marie, convenceram Harriman a ir a uma festa em Washington. Lá ele encontrou uma velha amiga, Pamela Churchill, que conhecera durante a Segunda Guerra Mundial, em Londres, onde estava como enviado pessoal do presidente Franklin D. Roosevelt. Na época, com 21 anos, ela estava casada com o filho de Winston Churchill, Randolph. Certamente havia mulheres mais bonitas na cidade, mas nenhuma cuja companhia fosse mais agradável: ela foi muito atenciosa escutando seus problemas, fazendo amizade com a filha dele (eram da mesma idade) e acalmando-o quando ele a via. Marie tinha ficado nos Estados Unidos e Randolph estava no exército; portanto, enquanto choviam bombas sobre Londres, Averell e Pamela tiveram um caso. E durante todos aqueles anos depois da guerra, ela se manteve em contato: ele soube do fracasso do seu casamento e da sua interminável série de casos com playboys ricos da Europa. Mas ele nunca mais a tinha visto desde que voltara para a América e para a mulher. Que estranha coincidência esbarrar com ela neste momento especial da sua vida.

Na festa, Pamela tirou Harriman da sua concha rindo das piadas que ele contava e fazendo-o falar de Londres e dos dias gloriosos da guerra. Ele sentiu retornar o antigo poder – era como se *ela* estivesse fascinada por *ele*. Dias depois, ela foi visitá-lo em uma das suas casas de final de semana. Harriman era um dos homens mais ricos do mundo, mas não esbanjava dinheiro; ele e Marie tinham levado uma vida espartana. Pamela não disse nada, mas, quando o convidou para ir à sua casa, ele não pôde deixar de perceber como era luminoso e vibrante o seu estilo de vida – flores por toda parte, a roupa de cama bonita, refeições maravilhosas (ela parecia saber tudo que ele gostava de comer). Ele conhecia a sua fama de cortesã e entendeu o fascínio que o seu dinheiro estava exercendo, mas a companhia dela era revigorante e, oito semanas depois daquela festa, ele se casou com ela.

Pamela não parou por aí. Ela convenceu o marido a doar as peças de arte colecionadas por Marie à National Gallery. Fez com que ele gastasse uma parte do seu dinheiro – um fundo de curadoria para o filho dela, Winston, novas casas, constantes redecorações. Sua abordagem foi sutil e paciente; de certo modo ela o fazia se sentir bem ao lhe dar o que queria. Dentro de poucos anos, quase não restavam vestígios de Marie na vida dos dois. Harriman passava menos tempo com os filhos e netos. Parecia estar vivendo uma segunda juventude.

Em Washington, os políticos e suas esposas olhavam Pamela com desconfiança. Viam o que ela estava fazendo, e estavam imunes ao seu encanto, ou assim pensavam. Mas estavam sempre nas festas que ela dava com frequência, justificando-se com a ideia de que lá estariam pessoas poderosas. Tudo nestas festas era calibrado para criar uma atmosfera íntima e relaxada. Ninguém se sentia ignorado: quem não era tão importante se pegava conversando com Pamela, abrindo-se àquele seu olhar atento. Ela fazia todos se sentirem poderosos e respeitados. Depois mandava um bilhete pessoal ou um presente, quase sempre com referência a algo que tinham mencionado na conversa. As esposas que a tinham chamado de cortesã, ou coisa pior, iam aos poucos mudando a sua maneira de pensar. Os homens a achavam não só divertida mas útil – seus conhecimentos no mundo inteiro tinham um valor inestimável. Nem era preciso pedir, e ela os colocava em contato exatamente com a pessoa certa. As festas dos Harriman em breve evoluíram para eventos para levantamento de fundos para o Partido Democrático. Colocados à vontade, sentindo-se elevados pela atmosfera aristocrática que Pamela criava e com a sensação de serem importantes que ela lhes dava, os visitantes esvaziavam as carteiras sem perceber muito bem por quê. Isto, claro, era exatamente o que todos os homens da sua vida tinham feito.

Em 1986, Averell Harriman morreu. Nessa época Pamela já era rica e poderosa o suficiente para não precisar mais de um homem. Em 1993, foi nomeada embaixadora dos Estados Unidos na França, e transferiu facilmente o seu charme pessoal e social para o mundo da diplomacia política. Ela ainda trabalhava quando morreu, em 1997.

Quase sempre reconhecemos os Encantadores pelo que são; percebemos a esperteza deles. (Certamente Harriman deve ter visto que o seu encontro com Pamela Churchill, em 1971, não foi uma coincidência.) Não obstante, eles nos fascinam. A razão é simples: o que os Encantadores nos fazem sentir é tão raro que vale a pena pagar o preço.

O mundo está repleto de gente que só pensa em si mesma. Na presença dessas pessoas, sabemos que tudo no nosso relacionamento com elas está direcionado para elas mesmas – suas inseguranças, suas carências, sua fome de atenção. Isso reforça nossas próprias tendências egocêntricas; para nos proteger, nós nos fechamos. É uma síndrome que só nos torna mais impotentes com os Encantadores. Primeiro, eles não falam muito de si próprios, o que aumenta o seu mistério e disfarça as suas limitações. Segundo, parecem interessados em nós, e esse interesse é tão deliciosamente focalizado que relaxamos e nos abrimos para eles.

Finalmente, os Encantadores são uma companhia agradável. Eles não têm nenhuma das qualidades negativas da maioria das pessoas – não resmungam, não se queixam, não ficam se autoafirmando. Parecem saber o que agrada. O seu calor é difuso; união sem sexo. (Você pode achar que uma gueixa é tão sensual quanto encantadora, no entanto o seu poder não está nos agrados sexuais que proporciona mas, sim, na sua incomum e recatada atenção.) Inevitavelmente, ficamos viciados e dependentes. E dependência é a fonte do poder do Encantador.

Quem é fisicamente bonito, e joga com sua beleza para criar uma presença sexualmente carregada, tem pouco poder no final; o frescor da juventude desaparece, há sempre alguém mais jovem e mais bonito, e as pessoas se cansam da beleza sem o refinamento social. Mas elas não se cansam de sentir confirmado o seu valor próprio. Conheça o poder que você pode exercer fazendo a outra pessoa se sentir uma estrela. A chave é difundir a sua presença sexual: criar uma excitação mais vaga, mais divertida, com um flerte mais generalizado, uma sexualidade socializada que é constante, que vicia e jamais é totalmente satisfeita.

3. Em dezembro de 1936, Chiang Kai-shek, líder dos nacionalistas chineses, foi capturado por um grupo de soldados do seu próprio exército zangados com a sua política: em vez de combater os japoneses, que tinham acabado de invadir a China, ele continuava na sua guerra civil contra os exércitos comunistas de Mao Tsé-tung. Os soldados não viam nenhuma ameaça em Mao – Chiang tinha quase eliminado os comunistas. De fato, eles achavam que ele deveria juntar forças com Mao contra o inimigo em comum – era a única coisa patriótica a fazer. Os soldados pensavam que capturando-o poderiam forçar Chiang a mudar de ideia, mas ele era um homem teimoso. Visto que Chiang era o principal obstáculo para uma guerra unificada contra os japoneses, os soldados estavam pensando se deveriam executá-lo ou entregá-lo aos comunistas.

Na prisão, Chiang só conseguia imaginar o pior. Vários dias depois, ele recebeu a visita de Zhou Enlai – ex-amigo e agora líder comunista. Com toda a educação e respeito, Zhou defendeu uma frente unificada: comunistas e nacionalistas contra os japoneses. Chiang nem quis ouvir falar nisso: odiava os comunistas e ficou irritadíssimo. Assinar um acordo com os comunistas nestas circunstâncias, gritou ele, seria humilhante e o faria perder a dignidade dentro do seu próprio exército. "Está fora de questão. Matem-me, se for preciso."

Zhou ouviu, sorriu, mal disse uma palavra. Quando Chiang terminou o seu discurso irado, Zhou disse ao general nacionalista que compreendia a preocupação com a dignidade, mas que a coisa mais digna para eles agora era esquecerem as diferenças e combater o invasor. Chiang poderia liderar os dois exércitos. Finalmente, Zhou disse que em nenhuma circunstância permitiria que seus camaradas comunistas, ou qualquer outra pessoa, executassem um grande homem como Chiang Kai-shek. O líder nacionalista ficou surpreso e comovido.

No dia seguinte, Chiang saiu da prisão escoltado por guardas comunistas, transferido para um dos aviões do seu próprio exército e mandado de volta para o seu próprio quartel-general. Pelo visto, Zhou tinha executado esta política por conta própria, pois, quando a notícia chegou aos ouvidos dos outros líderes comunistas, eles ficaram furiosos: Zhou devia ter forçado Chiang a combater os japoneses, ou então ordenado a sua execução – libertá-lo sem concessões era o máximo da pusilanimidade, e Zhou pagaria por isso. Zhou não disse nada e aguardou. Meses depois, Chiang assinou um acordo para interromper a guerra civil e se juntar aos comunistas contra os japoneses. Ele parecia ter chegado a esta decisão sozinho, e seu exército a respeitou – não podiam duvidar de seus motivos.

Trabalhando juntos, nacionalistas e comunistas expulsaram os japoneses da China. Mas os comunistas, a quem Chiang anteriormente havia quase destruído, aproveitaram este período de colaboração para recuperarem as forças. Depois que os japoneses se foram, eles se viraram contra os nacionalistas, que, em 1949, foram forçados a sair da China continental, indo para a ilha de Formosa, hoje Taiwan.

Agora Mao foi visitar a União Soviética. A China estava numa situação terrível e precisando desesperadamente de ajuda, mas Stalin desconfiava dos chineses e passou um sermão em Mao sobre os muitos erros que ele havia cometido. Mao se defendeu. Stalin decidiu dar uma lição no jovem arrogante; não daria nada para a China. Os ânimos se exaltaram. Mao chamou com urgência Zhou Enlai, que chegou no dia seguinte e foi direto ao trabalho.

Nas longas sessões de negociação, Zhou demonstrou apreciar muito a vodca de seus anfitriões. Não discutiu, e de fato concordou em que os chineses tinham cometido muitos enganos, que tinham muito a aprender com os experientes soviéticos: "Camarada Stalin", disse ele, "somos o primeiro grande país asiático a colocar o exército de campanha socialista sob a *sua* orientação." Zhou tinha vindo preparado com todos os tipos de diagramas e mapas muito bem traçados, sabendo que os russos adoravam essas coisas. Stalin se interessou. As negociações continuaram e, dias depois da chegada de Zhou, os dois partidos assinaram um tratado de ajuda mútua – um tratado muito mais útil para os chineses do que para os soviéticos.

Em 1959, a China estava de novo metida em confusão. O Grande Salto para a Frente de Mao, a tentativa de detonar uma revolução industrial da noite para o dia na China, tinha sido um enorme fracasso. O povo estava zangado: morriam de fome enquanto os burocratas de Beijing passavam bem. Muitos oficiais de Beijing, entre eles Zhou, retornaram às suas cidades natais para restabelecer a ordem. A maioria o conseguiu com suborno – prometendo todos os tipos de privilégio –, mas Zhou procedeu diferente: ele visitou o cemitério de seus ancestrais, onde gerações de pessoas da sua família estavam enterradas, e mandou retirar as lápides e enterrar os caixões mais no fundo. Agora a terra podia ser arada para produzir alimento. Em termos confucianos (e Zhou era um discípulo obediente de Confúcio), isto era um sacrilégio, mas todos sabiam o que significava: Zhou estava disposto a sofrer pessoalmente. Todos tinham de se sacrificar, até os líderes. Seu gesto teve um imenso impacto simbólico.

Quando Zhou morreu, em 1976, uma efusão pública não organizada e não oficial de pesar apanhou o governo de surpresa. Não conseguia entender como um homem que trabalhara nos bastidores, e tinha desprezado a adoração das massas, podia ter conquistado tanta afeição.

A captura de Chiang Kai-shek foi um momento decisivo na guerra civil. Executá-lo teria sido desastroso: Chiang é que tinha mantido unido o exército nacionalista, e sem ele este se teria partido em várias facções, permitindo que os japoneses se alastrassem pelo país. Forçá-lo a assinar um acordo tampouco teria ajudado: ele se teria sentido envergonhado diante do seu exército, jamais teria honrado o acordo e teria feito o possível para vingar a sua humilhação. Zhou sabia que executar ou forçar um cativo só encoraja o seu exército, e tem repercussões que fogem a qualquer controle. O encanto, por outro lado, é uma ferramenta de manipulação que disfarça a própria característica manipuladora, permitindo alcançar a vitória sem despertar desejos de vingança.

Zhou trabalhou muito bem com Chiang prestando-lhe homenagem, fingindo ser inferior, deixando que ele passasse do temor da execução para o alívio da soltura inesperada. O general pôde sair com a sua honra intacta. Zhou sabia que tudo isso o comoveria, plantando a semente da ideia de que, afinal de contas, talvez os comunistas não fossem assim tão ruins, que ele poderia mudar o seu conceito sem parecer fraco, principalmente se fizesse isso de um modo independente, e não enquanto estava preso. Zhou aplicava a mesma filosofia em todas as situações: fingir que é inferior, não ameaçar e mostrar humildade. Que importância tem isso se no fim você consegue o que deseja: tempo para se recuperar de uma guerra civil, um tratado, a boa vontade das massas.

Tempo é a sua melhor arma. Com paciência, tenha em mente um objetivo a longo prazo e nenhuma pessoa ou exército resistirá a você. E o encanto é a melhor maneira de ganhar tempo, de ampliar suas opções em qualquer situação. Com encanto seduz-se o inimigo para que ele recue, sobrando espaço psicológico para armar uma contraestratégia eficaz.

A chave é emocionar as pessoas enquanto você permanece neutro. Elas podem se sentir gratas, felizes, comovidas, arrogantes – não importa, desde que sintam. Uma pessoa emocionada é uma pessoa distraída. Dê a elas o que elas querem, apele para o interesse delas, faça-as se sentirem superiores a você. Quando um bebê agarra uma faca afiada, você não tenta arrancá-la de volta; pelo contrário, você mantém a calma, oferece um doce e o bebê deixa cair a faca para pegar o petisco que você tem para lhe dar.

4. Em 1761, a imperatriz Elizabeth da Rússia morreu, e o sobrinho ascendeu ao trono como czar Pedro III. Pedro sempre foi, no íntimo, uma criança – brincava com soldadinhos de chumbo muito tempo depois da idade adequada para isso – e agora, czar, podia finalmente fazer o que bem entendesse e o mundo podia ir para o inferno. Pedro concluiu um tratado com Frederico, o Grande que foi altamente favorável ao governante estrangeiro (Pedro adorava Frederico, e particularmente o modo de marchar dos soldados prussianos). Isto foi um desastre, mas, em questões de emoção e etiqueta, Pedro era ainda mais ofensivo: ele se recusou a cumprir o luto pela tia imperatriz conforme mandava o protocolo, retornando às caçadas e festas poucos dias depois do funeral. Que contraste com a sua mulher, Catarina. Ela manteve a atitude de respeito durante o funeral e meses depois ainda se vestia de preto, e podia ser vista a todas as horas ao lado do túmulo de Elizabeth, rezando e chorando. Ela nem era russa, mas uma princesa alemã que tinha vindo para o leste para se casar com Pedro, em 1745, sem saber falar uma palavra do idioma. Até o camponês mais simples sabia que Catarina havia se convertido à Igreja Ortodoxa Russa e aprendera a falar russo com incrível rapidez, e muito bem. No coração, eles pensavam, ela era mais russa do que todos os almofadinhas da corte.

Durante aqueles meses difíceis, enquanto Pedro ofendia quase todos no país, Catarina discretamente mantinha um amante, Gregory Orlov, tenente da guarda. Foi por intermédio de Orlov que se espalhou a fama da sua piedade, do seu patriotismo, do seu valor para governar;

era muito melhor obedecer a uma mulher assim do que a Pedro. Tarde da noite, Catarina e Orlov conversavam, ele lhe contava que o exército a apoiava e insistia para que armasse um golpe. Ela ouvia atenta; mas sempre respondia que não era hora para essas coisas. Orlov ficava se perguntando se ela não seria gentil e passiva demais para um passo tão grande.

O regime de Pedro era repressor, e as prisões e execuções se acumulavam. Ele também foi ficando cada vez mais agressivo com a mulher, ameaçando divorciar-se dela e se casar com a amante. Numa noite de bebedeira, enlouquecido pelo silêncio de Catarina e a sua falta de habilidade para provocá-la, ele mandou prendê-la. A notícia se espalhou rápido, e Orlov correu para avisar Catarina de que ela seria presa ou executada se não agisse rápido. Desta vez Catarina não discutiu; vestiu a sua roupa de luto mais simples, deixou os cabelos meio despenteados, acompanhou Orlov até a carruagem que a estava esperando e correu para o quartel do exército. Ali os soldados se prostraram no chão beijando a fímbria do seu vestido – tinham escutado falar tanto a seu respeito, mas nunca a tinham visto pessoalmente, e pareciam estar diante da estátua da Madona viva. Eles lhe deram um uniforme do exército, maravilhando-se com a sua bela aparência vestida de homem, e partiram sob o comando de Orlov para o Palácio de Inverno. Ao passar pelas ruas de São Petersburgo, a procissão ia crescendo. Todos aplaudiam Catarina, todos achavam que Pedro deveria ser destronado. Logo chegaram os padres para abençoar Catarina, deixando o povo ainda mais excitado. E o tempo todo ela se mantinha em silêncio e digna, como se tudo estivesse nas mãos do destino.

Quando a notícia dessa rebelião pacífica chegou aos ouvidos de Pedro, ele ficou histérico e concordou em abdicar naquela mesma noite. Catarina se tornou imperatriz sem uma única batalha ou tiro.

Quando criança, Catarina era inteligente e espirituosa. Visto que a mãe queria uma filha obediente e não fascinante, e que por conseguinte fizesse um casamento melhor, a criança era submetida a uma sucessão constante de críticas, contra as quais ela desenvolveu uma defesa: aprendeu a aparentar estar aceitando plenamente a opinião dos outros como uma forma de neutralizar as agressões. Se fosse paciente e não forçasse a questão, em vez de atacá-la, eles ficavam fascinados com ela.

Ao chegar à Rússia – com 16 anos, sem nenhum amigo ou aliado no país –, Catarina aplicou as técnicas que tinha aprendido ao lidar com sua difícil mãe. Diante de todos os monstros da corte – a imponente imperatriz Elizabeth, o seu próprio marido infantil, os infinitos intrigantes e traidores –, ela fazia reverências, acatava, aguardava e encantava. Havia muito que desejava governar como imperatriz e sabia que o marido era um caso perdido. Mas de que adiantava tomar o poder com violência, reivindicando um direito que sem dúvida alguns considerariam ilegítimo, para depois passar o resto da vida se preocupando com a possibilidade de, por sua vez, também ser destronada? Não, teria de ser no momento certo, e ela precisava fazer com que o povo a carregasse até o poder. Era um estilo feminino de revolução: sendo passiva e paciente, Catarina dava a ideia de não estar interessada no poder. O efeito foi tranquilizador – encantador.

Sempre teremos que enfrentar gente difícil – os inseguros crônicos, os teimosos incuráveis, os histéricos que não param de se queixar. Sua capacidade de desarmar estas pessoas vai se revelar uma habilidade inestimável. Mas você precisa ter cuidado: se for passivo, eles passam por cima de você; se for assertivo, tornará ainda piores as qualidades monstruosas deles. Sedução e charme são as melhores armas para o contra-ataque. Aparentemente, seja gentil. Adapte-se aos humores deles. Entre no espírito deles. Por dentro, calcule e espere: sua rendição é uma estratégia, não um estilo de vida. Quando chegar a hora, e ela chega inevitavelmente, a mesa vira.

A agressividade deles vai lhes causar problemas, e isso colocará você em posição de salvá-los, recuperando a superioridade. (Você também pode decidir que já se cansou disso e se esquecer deles.) O seu encanto os impediu de prever isto ou desconfiar. Uma revolução inteira pode ser encenada sem um único ato de violência, simplesmente esperando a maçã madura cair do pé.

Símbolo:
*O Espelho. Seu espírito
ergue um espelho para os outros.
Ao verem você, estão se vendo: seus valores,
seus gostos, até suas falhas. O eterno caso de amor
deles com a própria imagem é confortável e hipnótico:
então, alimente-o. Ninguém vê o que acontece por trás do espelho.*

RISCOS

Existem aqueles que são imunes a encantos; em particular, os cínicos e confiantes que não precisam de confirmação. Estes tendem a ver a pessoa encantadora como alguém traiçoeiro e mentiroso, e podem lhe causar problemas. A solução é fazer o que a maioria dos Encantadores fazem naturalmente: seja gentil e encante o maior número possível de pessoas. Garanta o seu poder com números e não terá de se preocupar com os poucos que não conseguir seduzir. A gentileza de Catarina, a Grande, com todas as pessoas que encontrava gerou uma quantidade enorme de boa vontade que lhe rendeu lucros depois. Às vezes, revelar uma falha estratégica também encanta. Existe alguém de quem você não goste? Confesse isso abertamente, não procure encantar tamanho inimigo, e as pessoas acharão você mais humano, menos traiçoeiro. Disraeli teve um desses bodes expiatórios com sua grande nêmesis, William Gladstone.

É mais difícil lidar com os riscos do encanto político: a sua abordagem conciliatória, inconstante, flexível com relação à política transformará em inimigos todos aqueles seguidores rígidos de uma causa. Sedutores sociais como Bill Clinton e Henry Kissinger conseguiram muitas vezes conquistar o adversário mais firme com seu charme pessoal, mas não podiam estar em toda parte ao mesmo tempo. Muitos membros do Parlamento inglês achavam Disraeli um astucioso conivente; pessoalmente, seus modos insinuantes desfaziam esses sentimentos, mas ele não podia se dirigir a cada um dos parlamentares em particular. Em épocas difíceis, quando as pessoas anseiam por algo que seja substancial e firme, o encantador político pode estar correndo risco.

Como Catarina, a Grande, demonstrou, a noção de oportunidade é tudo. Encantadores devem saber quando é hora de hibernar e quando é o momento certo de usar seus poderes persuasivos. Conhecidos por sua flexibilidade, eles devem às vezes ser suficientemente flexíveis para agir inflexivelmente. Zhou Enlai, o consumado camaleão, conseguia se fazer de comunista irredutível quando lhe convinha. Não seja um escravo do seu próprio poder de fascinação; mantenha-o sob controle, algo que você pode ligar e desligar à vontade.

CARISMÁTICO

*Carisma
é a presença que nos excita.
Ela surge de uma qualidade interior
– autoconfiança, energia sexual, sentido
de propósito, contentamento – que falta à
maioria das pessoas. Esta qualidade irradia de
dentro para fora impregnando os gestos dos carismáticos, fazendo com que eles pareçam extraordinários e superiores, e imaginamos que há neles algo
mais do que se vê: são deuses, santos, astros. Eles
aprendem a realçar o seu carisma com um olhar
penetrante, uma oratória inflamada, um ar de
mistério. Eles são capazes de seduzir em larga
escala. Aprenda a criar a ilusão carismática irradiando intensidade enquanto se mantém distante.*

CARISMA E SEDUÇÃO

Carisma é sedução em massa. Os Carismáticos fazem multidões se apaixonarem por eles, depois as arrastam consigo. O processo para despertar esse amor é simples e segue um caminho semelhante ao da sedução individual. Os Carismáticos possuem certas qualidades que são extremamente atraentes e que os fazem se destacar dos outros. Estas podem ser a sua crença em si próprios, a sua coragem, a sua serenidade. Eles mantêm misteriosas as fontes destas qualidades. Não explicam de onde vem a sua confiança ou contentamento, mas isso pode ser sentido por todos; irradia sem dar aparência de um esforço consciente. O rosto do carismático em geral é animado, cheio de energia, desejo, prontidão – o olhar de um amante, de encanto instantâneo, até vagamente sexual. Nós seguimos felizes os carismáticos porque gostamos de ser liderados, particularmente por pessoas que prometem aventura ou prosperidade. Nós nos perdemos em suas causas, ficamos emocionalmente apegados a eles, nos sentimos mais vivos acreditando neles – nós nos apaixonamos. O carisma joga com a sexualidade reprimida, cria uma carga erótica. Mas as origens da palavra não estão na sexualidade, mas na religião, e religião continua profundamente enraizada no carisma moderno.

Há milhares de anos, as pessoas acreditavam em deuses e espíritos, mas poucas poderiam dizer ter testemunhado um milagre, uma demonstração física de poder divino. Um homem, portanto, que parecesse possuído por espírito divino – falando em línguas, êxtases, a expressão de visões intensas – se destacaria como um escolhido dos deuses. E este homem, sacerdote ou profeta, adquiria um poder muito grande sobre os outros. O que fez os hebreus acreditarem em Moisés, saírem com ele do Egito e permanecerem fiéis a ele a despeito de suas interminíveis andanças pelo deserto? A expressão no seu olhar, as suas palavras inspiradas e inspiradoras, o rosto que literalmente brilhava quando ele desceu do monte Sinai – tudo isso lhe dava a aparência de ter uma comunicação direta com Deus, e daí vinha a sua autoridade. E isso era o que se pre-

Deve-se compreender "carisma" como uma qualidade extraordinária de uma pessoa independentemente de ser esta qualidade verdadeira, alegada ou presumida. "Autoridade carismática", por conseguinte, deve se referir a um domínio sobre os homens, seja predominantemente externo ou predominantemente interno, ao qual o dominado se submete porque tem fé na qualidade extraordinária daquela pessoa específica.
– MAX WEBER, EXTRAÍDO DE *MAX WEBER: ESSAYS IN SOCIOLOGY,* EDITADO POR HANS GERTH E C. WRIGHT MILLS

Disse mais o Senhor a Moisés: Escreve estas palavras porque, segundo o teor destas palavras, fiz aliança contigo e com Israel. E ali esteve com o Senhor quarenta dias e quarenta noites; não comeu pão nem bebeu água; e escreveu nas tábuas as palavras da aliança, as dez palavras. Quando desceu Moisés do monte Sinai, tendo nas mãos as duas tábuas do testemunho, sim, quando desceu do monte, não sabia Moisés que a pele do seu rosto resplandecia depois de haver Deus falado com ele. Olhando Aarão e todos os filhos de Israel para Moisés, eis que resplandecia a pele do seu rosto; e temeram chegar-se a ele. Então Moisés os chamou; Aarão e todos os príncipes da congregação tornaram a ele, e Moisés lhes falou. Depois vieram também todos os filhos de Israel, aos quais ordenou ele tudo o que o Senhor lhe falara no monte Sinai. Tendo Moisés acabado de falar com eles, pôs um véu sobre o rosto. Porém, vindo Moisés perante o Senhor para falar- -lhe, removia o véu até sair; e, saindo, dizia aos filhos de Israel tudo o que lhe tinha sido ordenado. Assim, pois, viam os filhos de Israel o rosto de Moisés, viam que

tendia dizer com "carisma", palavra grega com referência aos profetas e ao próprio Cristo. No início do cristianismo, carisma era um dom ou talento concedido pela graça de Deus e revelador da Sua presença. A maioria das grandes religiões foi fundada por uma pessoa carismática, que exibia fisicamente os sinais da estima de Deus.

Ao longo do tempo, o mundo ficou mais racional. As pessoas passaram a deter o poder não por direito divino, mas porque ganhavam votos ou provavam a sua competência. O grande sociólogo alemão do início do século XX Max Weber, entretanto, notou que, apesar do nosso suposto progresso, havia mais Carismáticos do que nunca. O que caracterizava um carismático moderno, segundo Weber, era a aparência de uma qualidade extraordinária no seu caráter, o equivalente a um sinal da preferência de Deus. De que outra maneira explicar o poder de um Robespierre ou de um Lenin? Mais do que qualquer outra coisa, era a força de suas personalidades magnéticas que fazia estes homens se destacarem e dela é que vinha o seu poder. Eles não falavam de Deus, mas de uma grande causa, de visões de uma sociedade futura. O seu encanto era emocional; eles pareciam possuídos. E suas plateias reagiam com a mesma euforia que as plateias primitivas aos profetas. Quando Lenin morreu, em 1924, criou-se um culto em torno da sua memória, transformando o líder comunista numa divindade.

Hoje, de quem quer que tenha presença, que chame atenção ao entrar numa sala, dizem que possui carisma. Mas até estes tipos menos exaltados revelam um traço da qualidade sugerida pelo significado original da palavra. O carisma dessas pessoas é misterioso e inexplicável, jamais óbvio. Elas têm uma segurança incomum. Possuem um dom – muitas vezes uma facilidade com a linguagem – que as faz se destacar na multidão. Elas expressam uma visão. Podemos não perceber, mas na presença delas temos uma espécie de experiência religiosa: acreditamos nestas pessoas sem ter nenhuma evidência racional para fazer isso. Ao tentar criar um efeito de carisma, não se esqueça da sua fonte de poder religioso. Você deve irradiar uma qualidade interior que tenha uma vantagem santificada ou espiritual. Seus olhos devem brilhar com o fogo de um profeta. Seu carisma deve parecer natural, como se viesse de algo misteriosamente fora do seu controle, um dom divino. No nosso mundo racional, desencantado, as pessoas anseiam por experiências místicas, particularmente em grupo. Qualquer sinal de carisma joga com este desejo de acreditar em alguma coisa. E nada é mais sedutor do que dar às pessoas algo para acreditar e seguir.

O carisma deve parecer místico, mas isto não significa que você não possa aprender certos truques que aumentarão o carisma que você já tem, ou lhe darão a aparência externa disso. Estas são as qualidades básicas que ajudam a criar a ilusão de carisma:

Propósito. Se as pessoas acreditam que você tem um plano, que você sabe o que está fazendo, o seguirão instintivamente. A direção não importa: pegue uma causa, um ideal, uma visão e mostre que não vai se desviar da sua meta. As pessoas vão imaginar que a sua confiança vem de algo real – assim como os antigos hebreus acreditaram que Moisés estava em comunhão com Deus só porque ele mostrava sinais externos.

A determinação é duplamente carismática em épocas de dificuldade. Como a maioria das pessoas hesita antes de uma ação corajosa (mesmo quando é preciso agir), a autoconfiança sincera fará de você o foco das atenções. As pessoas acreditarão em você pela simples força do seu caráter. Quando Franklin Delano Roosevelt subiu ao poder, em plena Depressão, uma grande parte da população não acreditava muito que ele pudesse mudar o rumo das coisas. Mas, nos seus primeiros meses de mandato, ele demonstrou tamanha segurança, tamanha capacidade de decisão e clareza ao lidar com os muitos problemas que o país estava enfrentando, que o povo começou a vê-lo como seu salvador, alguém com intenso carisma.

Mistério. O mistério está na essência do carisma, mas é um tipo particular de mistério – aquele expresso pela contradição. O Carismático pode ser ao mesmo tempo proletário e aristocrático (Mao Tsé-tung), cruel e bondoso (Pedro, o Grande), excitável e friamente desapegado (Charles de Gaulle), íntimo e distante (Sigmund Freud). Visto que as pessoas em geral são previsíveis, o efeito destas contradições é devastadoramente carismático. Elas o tornam difícil de compreender, acrescentam riqueza ao seu caráter, fazem as pessoas falarem de você. É melhor revelar as suas contradições lenta e sutilmente – se você jogá-las uma por cima da outra, as pessoas podem pensar que você tem uma personalidade errática. Mostre o seu mistério aos poucos e a fama se espalhará. É preciso manter as pessoas a distância para que elas não descubram quem você é.

Outro aspecto do mistério é um toque de sobrenatural. A aparência de dons proféticos ou mediúnicos contribui para a sua aura. Faça previsões com autoridade e as pessoas vão achar que o que você disse se tornou realidade.

Santidade. A maioria de nós está sempre tendo de fazer concessões para sobreviver: os santos não. Eles realizam seus ideais sem se importar com as consequências. O efeito santificado dá carisma.

> a pele do seu rosto resplandecia; porém Moisés cobria de novo o rosto com o véu até entrar a falar com Ele.
> – ÊXODO 34:27-35, ANTIGO TESTAMENTO

> Esse homem diabólico exerce sobre mim um fascínio que não posso explicar nem para mim mesmo, e em tal grau que, embora não temendo a Deus nem ao Diabo, na sua presença tremo como uma criança, e conseguiria me fazer passar pelo buraco de uma agulha para me lançar na fogueira.
> – GENERAL VAN-DAMME, SOBRE NAPOLEÃO BONAPARTE

> [As massas] nunca tiveram sede de verdade. Elas querem ilusões e não vivem sem elas. Constantemente, elas dão ao irreal a precedência sobre o que é real; são quase tão intensamente influenciadas pela mentira como pelo que é verdade. Têm uma evidente tendência a não distinguir entre as duas.
> – SIGMUND FREUD, THE STANDARD EDITION OF THE COMPLETE PSYCHOLOGICAL WORKS OF SIGMUND FREUD, VOLUME 18

A santidade vai além da religião: políticos tão disparatados quanto George Washington e Lenin ganharam fama de santos vivendo com simplicidade, apesar do poder que tinham – ao combinar seus valores políticos com suas vidas pessoais. Os dois foram virtualmente deificados depois de mortos. Albert Einstein também teve uma aura santificada – infantil, sem compromissos, perdido no seu próprio mundo. A chave é você já ter alguns valores guardados bem lá no fundo; isso é impossível fingir, pelo menos não sem se arriscar a sofrer acusações de charlatanismo, que destruirão o seu carisma a longo prazo. O próximo passo é mostrar, do modo mais simples e sutil possível, que você vive de acordo com o que acredita. Finalmente, a aparência de ser dócil e despretensioso pode acabar se transformando em carisma desde que você se mostre totalmente à vontade com ela. O carisma de Harry Truman, e até o de Abraham Lincoln, estava em parecer um Homem Comum.

Eloquência. Um carismático confia no poder das palavras. A razão é simples: palavras são o meio mais rápido de criar perturbação emocional. Elas estimulam, elevam, despertam raiva, sem se referirem a nada real. Durante a Guerra Civil espanhola, Dolores Gómez Ibárruri, conhecida como La Pasionaria, fazia discursos a favor dos comunistas que eram tão emocionalmente fortes a ponto de determinar vários momentos-chave da guerra. Para provocar esta eloquência, ajuda muito se a pessoa que está discursando estiver tão exaltada, tão envolvida nas palavras, quanto a audiência. Mas a eloquência pode ser aprendida: os artifícios usados por La Pasionaria – lemas, slogans, repetições ritmadas, frases para as audiências repetirem – podem ser facilmente adquiridos. Roosevelt, um tipo calmo, patriótico, conseguia se transformar num falante dinâmico tanto com o seu estilo de discursar lento e hipnótico quanto com o seu uso brilhante de imagens, aliterações e retórica bíblica. As multidões nos seus comícios comoviam-se às lágrimas. O estilo lento e autoritário, a longo prazo, costuma ser mais eficaz do que a paixão porque exerce um fascínio mais sutil, menos cansativo.

Teatralidade. Um Carismático é irreal, tem uma presença a mais. Os atores estudam este tipo de presença há séculos; eles sabem como se apresentar num palco cheio de gente e comandar as atenções. O interessante é que não é o ator que grita mais alto ou gesticula mais quem executa melhor esta mágica, mas aquele que permanece calmo, irradiando autoconfiança. O esforço excessivo estraga o efeito. É essencial ter consciência de si mesmo, ter capacidade para se ver como os outros veem você. De Gaulle compreendeu que a consciência de si mesmo era a chave do seu carisma; nas circunstâncias de maior turbulência – a ocupação da França pelos nazistas, a reconstrução nacional depois da Segunda Guerra Mundial, uma rebelião armada na Argélia –, ele manteve uma compostura olímpica que contrastava magnificamente com a histeria de seus colegas. Quando falava, ninguém conseguia tirar os olhos de cima dele. Depois de aprender a comandar as atenções assim, aumente o efeito aparecendo em cerimônias e rituais repletos de imagens excitantes, fazendo você parecer rei e divino. Atitudes bombásticas não têm nada a ver com carisma – elas atraem o tipo errado de atenção.

Desinibição. As pessoas em geral são reprimidas, e têm pouco acesso ao seu inconsciente – um problema que gera oportunidades para o Carismático, que pode se tornar o tipo de tela onde os outros projetam suas fantasias e desejos secretos. Você precisa primeiro mostrar que é menos inibido do que a sua plateia – que você irradia uma perigosa sexualidade, que não teme a morte, que é deliciosamente espontâneo. Até mesmo uma leve sugestão destas qualidades farão as pessoas pensarem que você é mais poderoso do que é. Na década de 1850, uma atriz boêmia americana, Adah Isaacs Menken, tomou o mundo de assalto com sua energia sexual desenfreada e o seu destemor. Ela aparece no palco seminua em cenas que desafiavam a morte; poucas mulheres ousavam fazer essas coisas na época vitoriana, e uma atriz razoavelmente medíocre se tornou uma figura adorada.

Uma extensão do seu ser desinibido é uma qualidade sonhadora, naquilo que você faz e na sua personalidade, que revela o livre acesso ao seu inconsciente. Foi a posse dessa qualidade que transformou artistas como Wagner e Picasso em ídolos carismáticos. Além disso, é preciso possuir uma fluidez de corpo e espírito; enquanto os reprimidos são rígidos, os Carismáticos têm uma desenvoltura e uma capacidade de adaptação que revelam a sua disposição a novas experiências.

Ardor. Você precisa acreditar em alguma coisa, e acreditar com intensidade suficiente para que isso anime todos os seus gestos e dê brilho ao seu olhar. Fingir isso é impossível. Políticos inevitavelmente mentem para o povo; o que distingue os Carismáticos é que eles acreditam nas próprias mentiras, o que os faz ainda mais acreditáveis. Um pré-requisito para a fé ardorosa é uma grande causa em torno da qual cerrar fileira – uma cruzada. Seja o ponto de reunião do descontentamento das pessoas, e mostre que você não tem em comum com elas nenhuma das dúvidas que atormentam os humanos normais. Em 1490, o florentino Girolamo Savonarola deblaterava contra a imoralidade do papa e da Igreja Católica. Alegando inspiração divina, ele ficava tão animado durante os seus sermões que a histeria tomava conta da multidão. Savonarola ganhou tantos seguidores que em pouco tempo conquistou a cidade, até que o papa mandou capturá-lo e queimá-lo na fogueira. O povo acreditou nele por causa da profundidade das suas convicções. O seu exemplo tem mais relevância hoje do que nunca; as pessoas estão cada vez mais isoladas, e desejando experiências em comum. Deixe que a sua fé ardorosa e contagiante em virtualmente tudo lhes dê algo em que acreditar.

Vulnerabilidade. Os Carismáticos exibem uma necessidade de amor e afeto. Estão abertos para a sua plateia, e de fato alimentam-se da energia dela. A plateia, por sua vez, fica eletrizada com o Carismático, a corrente aumentando conforme ela vai e vem. Este lado vulnerável do carisma suaviza o aspecto autoconfiante, que pode parecer fanático e assustador.

Visto que o carisma implica sentimentos aparentados com amor, você, por sua vez, deve revelar o seu amor por seus seguidores. Este foi um elemento-chave do carisma que Marilyn Monroe irradiava nas câmeras. "Eu sabia que pertencia ao público", escreveu ela no seu diário, "e ao mundo, não porque fosse talentosa ou até bonita, mas porque nunca tinha pertencido a nada ou a ninguém. O público era a minha única família, o único Príncipe Encantado e o único lar com o qual eu jamais sonhei." Diante de uma câmera, Monroe de repente se animava, flertando com o seu público invisível e excitando-o. Se a plateia não percebe em você esta qualidade, ela vira as costas. Por outro lado, você não deve nunca parecer uma pessoa manipuladora ou carente. Imagine o seu público como uma única pessoa a quem você está tentando seduzir – nada seduz mais uma pessoa do que se sentir desejada.

Ousadia. Os Carismáticos são pouco convencionais. Eles têm um ar de aventura e risco que atrai os entediados. Seja ousado e corajoso em suas ações – deixe que o vejam assumindo riscos em prol de outras pessoas. Napoleão fazia questão de que seus soldados o vissem junto dos canhões em batalha. Lenin caminhava abertamente pelas ruas, apesar das ameaças de morte que recebia. Os Carismáticos prosperam em águas turbulentas; uma situação de crise lhes permite ostentar a sua ousadia, o que intensifica a sua aura. John F. Kennedy criou vida ao lidar com a crise dos mísseis cubanos e Charles de Gaulle, quando enfrentou a rebelião na Argélia. Eles precisavam destes problemas para parecerem carismáticos, e de fato houve quem os acusasse de piorar ainda mais a situação

Em tal situação, quando metade da batalha era travada corpo a corpo, concentrada num pequeno espaço, o espírito e o exemplo do líder contavam muito. Quando nos lembramos disto, fica

(Kennedy com seu estilo malabarístico de fazer diplomacia, por exemplo) que jogava com o seu gosto pela aventura. Demonstre heroísmo e terá carisma pelo resto da sua vida. Inversamente, o mais leve sinal de covardia ou timidez arruinará qualquer carisma que você tiver.

Magnetismo. Se existe um atributo físico crucial na sedução, este é o olhar. Ele revela excitamento, tensão, desapego, sem que seja necessária uma só palavra. A comunicação indireta é crítica na sedução, e também no carisma. A pose dos Carismáticos pode ser estável e calma, mas seus olhos são magnéticos; eles têm o olhar penetrante que perturba as emoções de seus alvos, exercendo a força sem palavras ou ação. O olhar agressivo de Fidel Castro era capaz de fazer calar seus adversários. Ao ser desafiado, Benito Mussolini revirava os olhos, mostrando o branco do olho de um modo que deixava a todos assustados. O presidente Kusnasosro Sukarno, da Indonésia, olhava para as pessoas como se pudesse ler seus pensamentos. Roosevelt dilatava as pupilas à vontade, tornando o seu olhar ao mesmo tempo hipnotizante e intimidante. Os olhos do Carismático jamais revelam medo ou nervosismo.

Todas estas habilidades podem ser adquiridas. Napoleão passava horas na frente de um espelho imitando o olhar do grande ator contemporâneo Talma. A chave é o autocontrole. O olhar não precisa ser necessariamente agressivo, ele pode também mostrar contentamento. Lembre-se: seus olhos podem emanar carisma, mas também o revelam como um falsário. Não deixe ao acaso um atributo tão importante. Pratique o efeito que você deseja.

> *O autêntico carisma, portanto, significa a habilidade para gerar internamente e expressar externamente extrema excitação, uma habilidade que faz de uma pessoa objeto de profunda atenção e irrefletida imitação por parte dos outros.*
> *– Liah Greenfield*

TIPOS CARISMÁTICOS – EXEMPLOS HISTÓRICOS

O profeta milagroso. No ano de 1425, Joana d'Arc, uma camponesa da aldeia francesa de Domrémy, teve a sua primeira visão: "Estava com 13 anos quando Deus enviou uma voz para me guiar." A voz era de são Miguel, e ele trazia uma mensagem de Deus: Joana fora escolhida para livrar a França dos invasores ingleses que agora governavam a maior parte do país, e do caos e da guerra resultantes. Ela deveria também

---

mais fácil compreender o surpreendente efeito da presença de Joana sobre as tropas francesas. Sua posição como líder era extraordinária. Ela não era um soldado profissional; nem era realmente um soldado; não era nem mesmo um homem. Era ignorante nas artes da guerra. Era uma moça fantasiada. Mas ela acreditava, e tinha deixado os outros dipostos a acreditar, que era a porta-voz de Deus.
Na quinta-feira, 29 de abril de 1429, espalhou-se a notícia em Orléans de que uma força, liderada pela Pucelle de Domrémy, estava a caminho para libertar a cidade, uma notícia que, segundo observa o cronista, os confortou enormemente.
– VITA SACKVILLE-WEST, SAINT JOAN OF ARC

Em meio à população excedente, vivendo às margens da sociedade [na Idade Média], havia sempre uma forte tendência a tomar como líder um homem leigo, ou talvez um frade ou monge apóstata, que se

impunha não apenas como um homem santo mas como um profeta, ou até mesmo como um deus vivo. À força de inspirações e revelações que ele afirmava serem de origem divina, este líder decretava para seus seguidores uma missão comunal de vastas dimensões e cuja importância abalaria o mundo. A convicção de ter essa missão, de ser divinamente indicado para realizar uma tarefa prodigiosa, dava aos desorientados e aos frustrados uma nova postura e uma nova esperança. Dava-lhes não apenas um lugar no mundo, mas um lugar que era único e esplendoroso. Uma fraternidade deste tipo se sentia como se fosse uma elite, colocada infinitamente distante e acima dos mortais comuns, compartilhando também dos seus poderes milagrosos.
— NORMAN COHN, THE PURSUIT OF THE MILLENIUM

devolver a coroa francesa ao príncipe – o Delfim, mais tarde Carlos VII –, que era o herdeiro por direito. Santa Catarina e santa Margarida também falaram com Joana. Suas visões eram extraordinariamente vívidas: ela via são Miguel, ela o tocava, sentia o seu cheiro.

No início, Joana não contou a ninguém o que tinha visto; pelo que todos sabiam, ela era uma menina tranquila que morava numa fazenda. Mas as visões se tornaram mais intensas e, assim, em 1429, ela deixou Domrémy decidida a realizar a missão para a qual Deus a havia escolhido. Seu objetivo era encontrar Carlos na cidade de Chinon, onde ele estabelecera a sua corte no exílio. Os obstáculos eram enormes: Chinon era longe, a viagem era perigosa e Carlos, mesmo que ela o alcançasse, era um jovem preguiçoso e covarde que provavelmente não estaria disposto a empreender uma cruzada contra os ingleses. Sem se deixar abater, ela foi de aldeia em aldeia explicando a sua missão aos soldados e pedindo que eles a escoltassem até Chinon. Moças com visões religiosas havia muitas naquela época, e nada na aparência de Joana inspirava confiança; um soldado, entretanto, Jean de Metz, ficou intrigado com ela. O que o fascinou foram os detalhes das suas visões: ela ia libertar a cidade sitiada de Orléans, coroar o rei na catedral em Reims, liderar o exército até Paris; sabia que ia ser ferida, e onde; as palavras que ela atribuía a são Miguel eram bem diferentes da linguagem de uma menina do campo; e ela era calmamente segura, brilhava de convicção. De Metz se encantou com ela. Jurou fidelidade e partiu com ela para Chinon. Em breve, outros ofereceram ajuda também, e Carlos ouviu falar de uma estranha jovem que estava a caminho para se encontrar com ele.

Nos 560 quilômetros de estrada até Chinon, acompanhada apenas por um punhado de soldados, atravessando uma terra infestada de bandos em guerra, Joana não demonstrou medo nem hesitação. A viagem levou vários meses. Quando ela finalmente chegou, o Delfim decidiu conhecer a menina que tinha prometido lhe devolver o trono, a despeito dos avisos de seus conselheiros; mas ele estava entediado, queria se distrair e resolveu lhe pregar uma peça. Ela iria encontrá-lo num salão repleto de cortesãos; para testar os seus poderes proféticos, ele se disfarçou de um desses homens e vestiu um outro de príncipe. Mas, ao chegar, para espanto da multidão, Joana foi direto para Carlos e fez uma reverência: "O Rei dos Céus envia-me até o senhor com uma mensagem de que vós sereis o tenente do Rei dos Céus, que é o rei da França." Na conversa que se seguiu, Joana parecia fazer eco aos pensamentos mais íntimos de Carlos, enquanto mais uma vez relatava com extraordinária minúcia os feitos que ela realizaria. Dias depois, este homem indeciso, frívolo, declarou-se convencido e lhe deu a sua bênção para que ela liderasse um exército francês contra os ingleses.

Milagres e santidade à parte, Joana d'Arc tinha certas qualidades básicas que a faziam excepcional. Suas visões eram intensas; ela era capaz de descrevê-las com tantos detalhes que tinham de ser reais. Os detalhes causam este efeito: eles emprestam uma noção de realidade até as declarações mais despropositadas. Além disso, numa época de grande desordem, ela era extremamente focalizada, como se a sua força viesse de algum lugar fora desse mundo. Ela falava com autoridade, e previa aquilo que as pessoas desejavam: os ingleses seriam derrotados, a prosperidade retornaria. Ela possuía também o bom senso terreno de uma camponesa. Sem dúvida havia escutado descrições de Carlos no caminho para Chinon; uma vez na corte, ela deve ter percebido que ele estava lhe pregando uma peça e foi capaz de distinguir o seu rosto mimado no meio da multidão. No ano seguinte, suas visões a abandonaram, a sua confiança também – ela cometeu muitos erros, resultando na sua captura pelos ingleses. Ela era humana.

Podemos não acreditar mais em milagres, mas qualquer coisa que sugira poderes estranhos, espirituais, até sobrenaturais, criará carisma. A psicologia é a mesma: você tem visões do futuro, e de coisas maravilhosas que poderá realizar. Descreva estas coisas em minúcias com um ar de autoridade e, de repente, você se destaca. E se a sua profecia – de prosperidade, digamos – for exatamente o que as pessoas querem ouvir, é bem provável que elas fiquem fascinadas por você e vejam os acontecimentos posteriores como uma confirmação de suas previsões. Exiba uma notável confiança e as pessoas acharão que ela vem de um conhecimento real. Você criará uma profecia que se autorrealiza: a crença das pessoas em você se traduzirá em ações que ajudam a concretizar as suas visões. Qualquer sugestão de sucesso fará com que elas vejam milagres, poderes misteriosos, o brilho do carisma.

O animal autêntico. Um dia, em 1905, o salão da condessa Ignatiev, em São Petersburgo, estava inusitadamente cheio. Políticos, damas da sociedade e cortesãos tinham chegado mais cedo para aguardar o notável convidado de honra: Grigori Efimovich Rasputin, um monge siberiano de 40 anos que tinha feito a própria fama por toda a Rússia como um curandeiro, talvez um santo. Quando Rasputin chegou, poucos conseguiram disfarçar o desapontamento: o rosto feio, os cabelos escorridos, ele era grandalhão e desajeitado. Ficaram pensando o que estariam

*"Como seus olhos [de Rasputin] são peculiares", confessa uma mulher que se esforçara para resistir à sua influência. E prossegue dizendo que todas as vezes que o via, ela sempre se espantava de novo com o poder do seu olhar, que era impossível sustentar por muito tempo. Havia algo de opressor neste bondoso e gentil, mas ao mesmo tempo dissimulado e astuto olhar, as pessoas ficavam impotentes diante do fascínio da poderosa vontade que se podia sentir em todo o seu ser. Mesmo cansada deste encanto, por mais que quisesse fugir dele, de um modo ou de outro, sempre se via atraída de volta e presa.
Uma jovem que ouvira falar do estranho novo santo veio da sua província para a capital, e o visitou em busca de edificação e instrução espiritual. Ela nunca o tinha visto antes, pessoalmente ou em retrato, e o conheceu na casa dele. Quando ele se aproximou dela e lhe falou, ela o achou*

parecido com os pregadores camponeses que havia visto muitas vezes na sua própria terra. Seu olhar gentil, monástico, e os cabelos castanho-claros emoldurando com simplicidade o seu rosto modesto e digno inspiraram-lhe logo a confiança. Mas, quando ele chegou mais perto, ela sentiu imediatamente que um outro homem bem diferente, misterioso, ardiloso e corrompedor, olhava por trás dos olhos que irradiavam bondade e gentileza. Ele se sentou na sua frente, inclinou-se para chegar bem perto dela, e seus olhos azul-claros mudaram de cor e se tornaram profundos e escuros. Um olhar incisivo a alcançou do canto dos seus olhos, a penetrou e a manteve fascinada. Um peso de chumbo tomou conta de seus membros quando o grande rosto enrugado dele, distorcido pelo desejo, se aproximou dela. Ela sentiu o hálito quente dele sobre as suas faces, viu como os olhos dele, queimando nas profundezas das órbitas, furtivamente perambularam pelo seu corpo impotente, até que ele baixou as pálpebras com uma expressão sensual.

fazendo ali. Mas então Rasputin se aproximou deles, um por um, envolvendo seus dedos em suas mãos grandes e olhando bem no fundo de seus olhos. No início, o seu olhar perturbava: ele olhava as pessoas de cima a baixo, parecia estar sondando e julgando. Mas, de repente, a sua expressão mudava, e a bondade, a alegria e a compreensão irradiavam de seu rosto. Várias damas ele realmente abraçou, e de um modo bastante efusivo. Este surpreendente contraste teve efeitos profundos.

O estado de espírito no salão passou de desapontamento para excitação. A voz de Rasputin era muito calma e profunda; sua linguagem era rude, mas as ideias que expressava eram deliciosamente simples, e vibravam como uma grande verdade espiritual. Então, exatamente quando os convidados estavam começando a se sentir mais à vontade com este camponês de aparência suja, o humor dele mudou para raiva: "Eu conheço vocês. Posso ler suas almas. Vocês são mimados demais. (...) Estas suas roupas bonitas e esses artifícios são inúteis e perniciosos. Os homens devem aprender a se humilhar! Vocês devem ser mais simples, muito, muito mais simples. Só então Deus se aproximará de vocês." O rosto do monge se animou, suas pupilas se dilataram, ele parecia totalmente diferente. Que impressionante era aquele olhar irado, que lembrava Jesus expulsando os vendilhões do templo. Então Rasputin se acalmou, voltando a ser gracioso, mas os convidados já o tinham visto como alguém que era estranho e notável. Em seguida, numa performance que ele repetiria em breve por todos os salões da cidade, ele liderou os convidados numa canção folclórica e, enquanto cantavam, ele começou a dançar uma estranha dança desinibida de sua própria criação, e dançando ele rodeava as mulheres mais atraentes ali e com os olhos as convidava a se juntarem a ele. A dança se tornou levemente sexual; conforme suas parceiras iam ficando fascinadas, ele sussurrava comentários sugestivos em seus ouvidos. Mas nenhuma delas parecia se ofender.

Nos meses seguintes, mulheres de todos os níveis da sociedade de São Petersburgo visitaram Rasputin no seu apartamento. Ele lhes falava de questões espirituais, mas aí, de repente, ficava sensual, murmurando os convites mais grosseiros. Ele se justificava apelando para o dogma espiritual: como se arrepender sem ter pecado? A salvação só acontece com quem se desviou. Uma das poucas a rejeitar as suas propostas ouviu uma amiga lhe perguntar: "Como recusar alguma coisa a um santo?" "Um santo precisa de amor pecaminoso?", respondeu ela. A amiga continuou: "Ele torna tudo que se aproxima dele sagrado. Eu já fui dele, e me sinto orgulhosa e feliz por isso." "Mas você é casada! O que diz o seu marido?" "Ele considera isso uma grande honra. Se Rasputin deseja uma mulher, todos nós consideramos isso uma bênção e uma distinção, nossos maridos assim como nós mesmas."

O fascínio de Rasputin não demorou a se expandir até o czar Nicolau e, em especial, a sua mulher, a czarina Alexandra, depois que ele aparentemente curou seu filho de um ferimento fatal. Em poucos anos, ele tinha se tornado o homem mais poderoso da Rússia, com total domínio sobre o casal real.

As pessoas são mais complicadas do que as máscaras que vestem em sociedade. O homem que parece tão nobre e gentil está provavelmente disfarçando um lado obscuro, que vem à tona quase sempre de formas estranhas; se a sua nobreza e refinamento são na realidade uma encenação, a verdade acabará aparecendo e a sua hipocrisia desapontará e afastará as pessoas. Por outro lado, somos atraídos por quem parece mais confortavelmente humano, quem não se preocupa em disfarçar suas contradições. Esta era a fonte do carisma de Rasputin. Um homem tão autenticamente ele mesmo, tão privado de constrangimentos e hipocrisia, que exercia um encanto enorme. Sua maldade e sua santidade eram tão extremas que o faziam parecer uma figura sobrenatural. O resultado era uma aura carismática que era imediata e pré-verbal; ela irradiava de seus olhos e do toque de suas mãos.

Somos, na grande maioria, um misto de diabo e santo, de nobre e ignóbil, passamos a vida tentando reprimir este lado obscuro. Raros são aqueles que dão livres rédeas a ambos os lados, como fazia Rasputin, mas podemos criar carisma num grau menor livrando-nos de inibições e do desconforto que costumamos sentir com relação às nossas naturezas complicadas. Você não pode deixar de ser quem você é; portanto, seja autêntico. É isso que nos atrai nos animais: belos e cruéis, eles não duvidam de si mesmos. Essa qualidade é duplamente fascinante nos humanos. Pessoas extrovertidas podem condenar o seu lado obscuro, mas não é apenas virtude que cria carisma; qualquer coisa extraordinária fará isso. Não se desculpe nem hesite. Quanto mais desenfreado você for, mais magnetizante é o efeito.

O artista demoníaco. Durante toda a sua infância, Elvis Presley foi considerado um menino estranho, muito reservado. No ensino médio, em Memphis, Tennessee, ele chamava atenção com seus penteados à Pompadour e costeletas, suas roupas cor-de-rosa e pretas, mas as pessoas que tentavam falar com ele não encontravam nada ali – ele era ter-

Sua voz tinha se tornado um sussurro apaixonado, e ele murmurava estranhas e voluptuosas palavras no ouvido dela. No exato momento em que ela estava prestes a se abandonar ao seu sedutor, uma lembrança acordou nela vagamente, como que vinda de muito longe; ela lembrou que tinha vindo lhe perguntar sobre Deus.
– RENÉ FÜLÖP-MILLER, *RASPUTIN: THE HOLY DEVIL*

Por sua própria natureza, a existência da autoridade carismática é especificamente instável. O possuidor pode se privar do seu carisma; pode se sentir "abandonado pelo seu Deus", como aconteceu com Jesus na cruz; ele pode provar aos seus seguidores que a "virtude o desertou". É aí que a sua missão se extinguiu, e a esperança aguarda e busca um novo possuidor de carisma.
– MAX WEBER, EXTRAÍDO DE *MAX WEBER: ESSAYS IN SOCIOLOGY*, EDITADO POR HANS GERTH E C. WRIGHT MILLS

rivelmente meigo ou irremediavelmente tímido. Na festa de formatura, ele foi o único garoto que não dançou. Parecia perdido num mundo todo seu, apaixonado pela guitarra que levava por toda parte. No Ellis Auditorium, no final de uma noite de música gospel ou de luta, o gerente de concessões costumava encontrar Elvis no palco fingindo uma performance ou inclinando-se diante de uma plateia imaginária. Quando lhe pediam para ir embora, ele se afastava tranquilamente. Era um rapaz muito educado.

Em 1953, recém-saído do ensino médio, Elvis gravou a sua primeira canção num estúdio local. A gravação foi um teste, uma chance para ele escutar a própria voz. Um ano depois, o dono do estúdio, Sam Phillips, o chamou para gravar dois blues com dois músicos profissionais. Eles trabalharam durante horas, mas nada parecia dar certo; Elvis estava nervoso e inibido. Então, quase no final da noite, tonto de cansaço, ele de repente se soltou e começou a pular de um lado para o outro como uma criança, num momento de total descontração. Os outros músicos aderiram, a canção começou a ficar cada vez mais animada, os olhos de Phillips brilhavam – alguma coisa tinha acontecido.

Um mês depois, Elvis se apresentou pela primeira vez em público, ao ar livre num parque de Memphis. Estava tão nervoso como naquela noite da gravação, e só fazia gaguejar; mas quando começou a cantar as palavras saíram. A multidão reagiu excitada, chegando ao auge em certos momentos. Elvis não conseguia imaginar por quê. "Fui procurar o gerente depois", disse ele, "e perguntar o que estava deixando as pessoas enlouquecidas. Ele me disse: 'Não tenho bem certeza, mas acho que todas as vezes que você sacode a perna esquerda elas começam a gritar. Seja o que for, não pare.'"

Um solo que Elvis gravou em 1954 foi um sucesso. Em pouco tempo, ele era solicitado. Subir ao palco o deixava ansioso e emocionado, tanto que ele virava uma outra pessoa, como se possuído. "Falei com alguns cantores e eles ficam um pouco nervosos, mas dizem que se acalmam depois que entram no palco. Eu não. É uma espécie de energia. (...) alguma coisa como sexo, quem sabe." Nos meses seguintes, ele descobriu mais gestos e sons – movimentos convulsivos, uma voz mais trêmula –, e isso deixava a plateia doida, em particular as adolescentes. Em um ano ele tinha se tornado o músico mais popular da América. Seus concertos eram exercícios de histeria em massa.

Elvis Presley tinha um lado obscuro, uma vida secreta. (Algumas pessoas atribuíam isso à morte, no parto, do seu irmão gêmeo.) Este lado

---

Ele é o deus deles. Ele os lidera como algo Feito por outra divindade que não a natureza, Que torna o homem melhor; e eles o seguem Contra nós pirralhos com não menos confiança Do que meninos perseguindo borboletas Ou açougueiros matando moscas. (...)
– WILLIAM SHAKESPEARE, CORIOLANO

obscuro ele reprimia profundamente quando rapaz; nele se incluíam todos os tipos de fantasias às quais ele se entregava só quando estava sozinho, embora as suas roupas nada convencionais também pudessem ter sido um sintoma disso. Ao se apresentar, entretanto, ele conseguia soltar estes demônios. Eles afloravam como uma perigosa força sexual. Convulsivo, andrógino, desinibido, ele era um homem encenando fantasias estranhas diante do público. A plateia percebia e ficava excitada. Não era o estilo e a aparência vistosa a origem do carisma de Elvis, mas a expressão eletrizante do seu turbilhão interior.

Uma multidão ou um grupo qualquer tem uma energia única. Logo abaixo da superfície, está um desejo, uma constante excitação sexual que tem de ser reprimida por ser socialmente inaceitável. Se você souber despertar estes desejos, a multidão verá você como tendo carisma. A chave é aprender a alcançar o seu próprio inconsciente, como Elvis fazia quando se soltava. Você está repleto de uma excitação que parece vir de uma misteriosa fonte interior. Sua desinibição convidará as outras pessoas a se abrirem, disparando uma reação em cadeia: a excitação delas, por sua vez, deixará você ainda mais animado. As fantasias que você traz à tona não precisam ser sexuais – qualquer tabu social, qualquer coisa reprimida e precisando de uma válvula de escape, será o bastante. Faça sentir isso em suas gravações, suas pinturas, seus livros. A pressão social deixa as pessoas tão reprimidas que elas se sentirão atraídas pelo seu carisma antes mesmo de o conhecerem pessoalmente.

O Salvador. Em março de 1917, o parlamento russo forçou o governante do país, o czar Nicolau, a abdicar e estabeleceu um governo provisório. A Rússia estava em ruínas. Sua participação na Primeira Guerra Mundial tinha sido um desastre; a fome se espalhava violentamente, a vasta região rural estava fendida pela lei da pilhagem e do linchamento, e os soldados desertavam em massa do exército. Politicamente, o país estava amargamente dividido: as principais facções eram as de direita, os democratas sociais e os revolucionários de esquerda, e cada um destes grupos sofria com a dissensão.

Neste caos surgiu Vladimir Ilitch Lenin, de 46 anos de idade. Revolucionário marxista, líder do partido comunista bolchevista, ele tinha sofrido um exílio de 12 anos na Europa até que, reconhecendo o caos que assolava a Rússia como a oportunidade pela qual esperava havia tanto tempo, ele correu de volta para casa. Agora ele convocava o país a encerrar a sua participação na guerra e iniciar de imediato uma revolução socialista. Nas primeiras semanas depois que ele chegou, nada

O teto se ergueu quando Presley subiu ao palco. Ele cantou durante 25 minutos enquanto a plateia explodia como o monte Vesúvio. "Nunca vi tanta excitação e tanta gente gritando em toda a minha vida, nunca antes nem depois", disse [o diretor de cinema Hal] Kanter. Como um observador, ele descreveu o seu pasmo diante de "uma exibição de histeria pública de massa (...) uma maré de adoração erguendo-se de nove mil pessoas sobre a muralha da polícia ladeando o palco, sobre os holofotes, em direção ao artista e além dele, alçando-o ao auge frenético da reação."
– UMA DESCRIÇÃO DO CONCERTO DE ELVIS PRESLEY NO HAYRIDE THEATER, SHREVEPORT, LOUISIANNA, EM 17 DE DEZEMBRO DE 1956, EM PETER WHIMER, *THE INNER ELVIS: A PSYCHOLOGICAL BIOGRAPHY OF ELVIS AARON PRESLEY*

Ninguém era capaz de inflamar tanto os outros com seus planos, ninguém conseguia impor sua vontade com sua personalidade como este aparentemente tão comum e um

tanto rude homem sem fontes óbvias de encanto. (...) Nem Plekhanov nem Martov ou qualquer outro possuíam o secreto efeito positivamente hipnótico que irradiava de Lenin sobre as pessoas – eu até diria, dominador. Plekhanov era tratado com deferência, Martov era amado, mas só Lenin era seguido sem hesitação como o único líder incontestável. Pois só Lenin representava esse raro fenômeno, especialmente raro na Rússia, do homem de vontade de ferro e energia indômita que combina fé fanática no movimento, na causa, com uma fé não menor em si mesmo.
– A. N. POTRESOV, CITADO EM DANKWART A. RUSTOW, ED., PHILOSOPHERS AND KINGS: STUDIES IN LEADERSHIP

poderia ter parecido mais absurdo. Como homem, Lenin não impressionava; era baixo e de traços comuns. Tinha vivido também muitos anos na Europa, isolado do seu povo e imerso em leituras e discussões intelectuais. E o mais importante, seu partido era pequeno, representando apenas um grupo dissidente dentro de uma coalizão de esquerda mal organizada. Poucos o levaram a sério como líder nacional.

Destemido, Lenin pôs mãos à obra. Aonde quer que fosse, repetia a mesma mensagem simples: parar a guerra, estabelecer o governo do proletariado, abolir a propriedade privada, redistribuir a riqueza. Exausto com as intermináveis guerras políticas internas e com a complexidade de seus problemas, o povo começou a escutar. Lenin era muito determinado e confiante. Jamais se exaltava. Em meio a um debate rancoroso, com simplicidade e lógica ele destruía cada um dos argumentos de seus adversários. Trabalhadores e soldados estavam impressionados com a sua firmeza. Certa vez, no meio de uma rebelião que se armava, Lenin intrigou seu motorista ao pular para o estribo do automóvel e abrir passagem pela multidão com um considerável risco pessoal. Quando lhe diziam que suas ideias nada tinham a ver com a realidade, ele respondia: "Tanto pior para a realidade!"

Aliada à confiança messiânica de Lenin na sua causa, estava a sua capacidade de organização. Exilado na Europa, seu partido havia se espalhado e diminuído; para manter todos juntos, ele tinha desenvolvido imensas habilidades práticas. Diante de uma grande multidão, ele era também um orador poderoso. Seu discurso no Primeiro Congresso Panrusso dos Soviets causou sensação: revolução ou um governo burguês, ele gritou, nada entre uma coisa e outra – chega destes acordos de que estava participando a esquerda. Numa época em que outros políticos estavam lutando desesperadamente para se adaptarem à crise nacional, e pareciam fracos no processo, Lenin era uma rocha estável. Seu prestígio foi às alturas, como todos os membros do partido bolchevista.

O mais surpreendente de tudo era o efeito de Lenin sobre os trabalhadores, soldados e camponeses. Ele se dirigia às pessoas comuns onde quer que as encontrasse – na rua, de pé numa cadeira, os polegares enfiados na lapela, o seu discurso era uma estranha mistura de ideologia, aforismos camponeses e slogans revolucionários. Elas escutavam, enlevadas. Quando Lenin morreu, em 1924 – sete anos depois de ter aberto sozinho o caminho para a Revolução de Outubro de 1917, que o tinha colocado com os bolcheviques no poder –, estes mesmos russos comuns ficaram de luto. Eles reverenciavam o seu túmulo, onde seu corpo ficou preservado para visitação; contavam histórias a seu respeito, criando

"Eu tinha esperado ver a águia da montanha do nosso partido, o grande homem, grande tanto física quanto politicamente. Eu tinha imaginado Lenin como um gigante, imponente. Como fiquei desapontado ao ver um homem de aparência tão comum, de estatura abaixo da média, de forma alguma, literalmente de forma alguma, diferente

um folclore de Lenin; milhares de meninas recém-nascidas receberam o nome de "Ninel", Lenin de trás para frente. Este culto a Lenin assumiu proporções religiosas.

Há conceitos errados dos mais variados tipos a respeito de carisma, o que, paradoxalmente, só contribui para a sua mística. Carisma tem muito pouco a ver com uma aparência física excitante ou uma personalidade pitoresca, qualidades que despertam o interesse de curto prazo. Em épocas confusas, particularmente, as pessoas não estão procurando diversão – elas querem segurança, melhor qualidade de vida, coesão social. Acredite ou não, um homem ou uma mulher de aparência comum com uma visão clara, uma certa simplicidade e habilidades práticas pode ser devastadoramente carismático, desde que tudo isso esteja combinado com algum sucesso. Não subestime o poder do sucesso no reforço da aura de uma pessoa. Mas num mundo cheio de gente disposta a fazer concessões e dissimulada, cuja indecisão só gera mais desordem, uma alma de mente clara funciona como um ímã das atenções – terá carisma.

Pessoalmente, ou num café em Zurique antes da revolução, Lenin tinha pouco ou nenhum carisma. (Sua confiança era atraente, porém muitos se irritavam com seus modos estridentes.) Ele ganhou carisma quando foi visto como o homem que poderia salvar o país. Carisma não é uma qualidade que existe dentro de você, fora do seu controle; é uma ilusão nos olhos de quem vê você como tendo o que falta nele. Particularmente em tempos de crise, você pode aumentar essa ilusão por meio da calma, da resolução e da praticidade lúcida. Também ajuda ter uma mensagem sedutoramente simples. Chame isso de síndrome do Salvador: quando as pessoas imaginam que você é capaz de salvá-las do caos, elas se apaixonam por você como alguém que se derrete nos braços de quem o resgata do perigo. E amor em massa é igual a carisma. De que outra maneira explicar o amor que os russos comuns sentiram por um homem tão sem emoções e pouco excitante como Vladimir Lenin?

O guru. Segundo o que acredita a Sociedade Teosófica, a cada dois mil anos mais ou menos o espírito do Mestre do Mundo, Lord Maitreya, habita o corpo de um humano. Primeiro foi Sri Krishna, nascido dois mil anos antes de Cristo; depois foi o próprio Jesus; e, no início do século XX, outra encarnação deveria acontecer. Um dia, em 1909, o teosofista Charles Leadbeater viu um menino numa praia na Índia e teve uma epifania: este rapaz de 14 anos, Jiddu Krishnamurti, seria o próximo veículo do Mestre do Mundo. Leadbeater ficou impressionado com a simplicidade do garoto, que parecia não ter o mais leve traço de

dos outros mortais comuns."
– JOSEPH STALIN, AO SE ENCONTRAR PELA PRIMEIRA VEZ COM LENIN, EM 1905, CITADO EM RONALD W. CLARK, *LENIN: THE MAN BEHIND THE MASK*

Antes de tudo, não pode haver prestígio sem mistério, pois familiaridade gera desprezo. (...) Na intenção, na postura e nas operações mentais de um líder, deve haver sempre um "algo" que os outros não conseguem entender totalmente, que os intriga, excita e atrai a sua atenção (...) manter em reserva algum conhecimento secreto que possa a qualquer momento intervir e com mais eficiência por ter a mesma natureza da surpresa. A fé latente das massas fará o resto. Uma vez tendo o líder sido julgado capaz de agregar o peso da sua personalidade aos fatores conhecidos de qualquer situação, a consequente esperança e confiança aumentarão imensamente a fé depositada nele.
– CHARLES DE GAULLE, *THE EDGE OF THE SWORD*, EM DAVID SCHOENBRUN, *THE THREE LIVES OF CHARLES DE GAULLE*

Um mês apenas após a morte de Evita, um sindicato de jornaleiros apresentou o seu nome para a canonização e, embora este gesto fosse um ato isolado e que nunca foi levado a sério pelo Vaticano, a ideia da santidade de Evita permaneceu em muitas pessoas e foi reforçada pela publicação de literatura devocional subsidiada pelo governo; pela troca dos nomes de cidades, escolas e estações de metrô; pela cunhagem de medalhas, fundição de bustos e emissão de selos cerimoniais. O noticiário da noite foi transferido das 20:30 para as 20:25, a hora em que Evita "tinha passado para a imortalidade", e todo o dia 26 de cada mês, o dia da sua morte, havia procissões à luz de tochas. No primeiro aniversário da sua morte, La Prensa publicou uma história sobre um de seus leitores que tinha visto o rosto de Evita na face da lua, e depois disto houve muitas outras visões relatadas nos jornais. Na sua maioria, as publicações oficiais estiveram perto de reivindicar para ela a santidade, mas o controle delas nem sempre era convincente. (...) No calendário de 1953 dos jornaleiros de Buenos

egoísmo. Os membros da Sociedade Teosófica concordaram com a sua avaliação e adotaram este jovem esquelético subnutrido, cujos professores haviam repetidamente espancado por estupidez. Eles o alimentaram, vestiram e iniciaram sua instrução espiritual. O moleque sujo se transformou num rapaz diabolicamente bonito.

Em 1911, os teosofistas formaram a Ordem da Estrela no Oriente, um grupo com a intenção de preparar o caminho para a vinda do Mestre do Mundo. Krishnamurti foi feito chefe da ordem. Ele foi levado para a Inglaterra, onde continuou a sua educação, e aonde quer que fosse era mimado e reverenciado. Seu ar de simplicidade e contentamento não pôde deixar de impressionar.

Em pouco tempo, Krishnamurti começou a ter visões. Em 1922, ele declarou: "Bebi da fonte da Alegria e da Beleza eterna. Estou embriagado de Deus." Nos anos seguintes, ele teve experiências mediúnicas que os teosofistas interpretaram como visitas do Mestre do Mundo. Mas Krishnamurti teve mesmo foi um tipo diferente de revelação: a verdade do universo vinha de dentro. Nenhum deus, nenhum guru, nenhum dogma faria alguém perceber isso. Ele mesmo não era um deus ou um messias, apenas mais um homem. A reverência com que era tratado o desagradava. Em 1929, para o escândalo de seus seguidores, ele desfez a Ordem da Estrela e renunciou à Sociedade Teosófica.

E assim Krishnamurti se tornou um filósofo determinado a divulgar a verdade que havia descoberto: você deve ser simples removendo a cortina da linguagem e da experiência passada. Por meio disso, qualquer um podia alcançar o mesmo contentamento que irradiava de Krishnamurti. Os teosofistas o abandonaram, mas o número de seus seguidores cresceu ainda mais. Na Califórnia, onde passava a maior parte do seu tempo, o interesse por ele beirava a devoção. O poeta Robinson Jeffers disse que quando Krishnamurti entrava numa sala podia-se sentir uma luminosidade tomando conta de tudo. O escritor Aldous Huxley o conheceu em Los Angeles e ficou fascinado com ele. Ouvindo-o falar, ele escreveu: "Era como escutar o discurso do Buda – tanto poder, tanta autoridade intrínseca." O homem irradiava iluminação. O ator John Barrymore lhe pediu que representasse o papel de Buda num filme. (Krishnamurti polidamente recusou.) Quando ele visitou a Índia, a multidão estendia os braços tentando tocá-lo através da janela aberta do carro. As pessoas se prostravam diante dele.

Enojado com toda esta adoração, Krishnamurti foi se afastando cada vez mais. Ele até falava sobre si mesmo na terceira pessoa. De fato, a habilidade para se desvencilhar do próprio passado e ver o mundo de uma nova maneira era parte da sua filosofia, mas outra vez o efeito foi o oposto do que ele esperava: o afeto e a reverência que as pessoas sentiam por ele só cresceram. Seus seguidores competiam ciumentos por sinais da sua preferência. As mulheres em particular se apaixonavam profundamente, embora ele tivesse passado a vida inteira como celibatário.

Krishnamurti não desejava ser um guru ou um Carismático, mas sem querer descobriu uma lei da psicologia humana que o perturbava. As pessoas não querem ouvir que o seu poder vem de anos de esforço e disciplina. Elas preferem pensar que vem da sua personalidade, do seu caráter, qualquer coisa que nasceu com você. Elas também esperam que a proximidade com o guru ou Carismático passe para elas um pouco desse poder. Não querem ter que ler os livros de Krishnamurti, ou passar anos praticando o que ele ensina – querem simplesmente estar perto dele, absorver a sua aura, ouvi-lo falar, sentir aquela luz que entra na sala junto com ele. Krishnamurti defendia a simplicidade como uma maneira de se abrir para a verdade, mas a sua própria simplicidade permitia apenas que as pessoas vissem o que queriam nele, atribuindo-lhe poderes que ele não só negava como ridicularizava.

Este é o efeito guru, e é surpreendentemente simples de criar. A aura que você busca não é a flamejante da maioria dos Carismáticos, mas uma incandescência, uma iluminação. A pessoa iluminada compreendeu algo que a faz contente, e este contentamento irradia externamente. É essa aparência que você quer: você não precisa de nada nem de ninguém, você está satisfeito. As pessoas são naturalmente atraídas por quem emite felicidade; talvez elas possam pegar isso de você. Quanto menos óbvio você for, melhor; deixe que as pessoas concluam que você é feliz, em vez de escutar isso de você. Que elas vejam isso nos seus modos tranquilos, no seu sorriso gentil, na sua naturalidade e conforto. Diga coisas vagas, deixando que as pessoas imaginem o que quiserem. Lembre-se: ser indiferente e distante só estimula o efeito. As pessoas vão brigar pelo mais leve sinal do seu interesse. Um guru é contente e desligado – uma combinação carismática mortal.

O santo dramático. Começou no rádio. Ao longo de toda a década de 1930 e início dos anos 1940, as mulheres argentinas escutaram a voz chorosa, musical, de Eva Duarte em uma das novelas de produção sofisticada tão populares na época. Ela nunca fazia você rir, mas com frequência o fazia chorar – com as queixas de uma amante traída, ou as últimas palavras de Maria Antonieta. Só de pensar na voz dela você

Aires, como em outras imagens não oficiais, ela foi retratada nos mantos azuis tradicionais da Virgem, as mãos cruzadas, a cabeça de expressão triste inclinada e rodeada por uma auréola.
– NICHOLAS FRASER E MARYSA NAVARRO, EVITA

Quanto a mim, tenho o dom de eletrizar os homens.
– NAPOLEÃO BONAPARTE, EM PIETER GEYL, NAPOLEON: FOR AND AGAINST

Não tenho pretensões a ser um homem divino, mas acredito na orientação divina, no poder divino e na profecia divina. Não sou instruído, nem um especialista em nenhuma área em particular – mas sou sincero e minha sinceridade são as minhas credenciais.
– MALCOLM X, CITADO EM EUGENE VICTOR WOLFENSTEIN, THE VICTIMS OF DEMOCRACY: MALCOLM X AND THE BLACK REVOLUTION

tremia de emoção. E ela era bonita, com seus cabelos louros delicados e seu rosto sério, que estava sempre nas capas das revistas de fofocas.

Em 1943, essas revistas publicaram uma história muito excitante: Eva estava de caso com um dos homens mais elegantes do novo governo militar, o coronel Juan Perón. Agora os argentinos a escutavam fazendo propaganda do governo, louvando a "Nova Argentina" que reluzia no futuro. E, finalmente, esta história de fadas chegou à sua conclusão perfeita: em 1945, Juan e Eva se casaram e, no ano seguinte, o simpático coronel, depois de muitas tentativas e tribulações (inclusive uma temporada na prisão, de onde foi libertado pelos esforços de sua dedicada esposa), foi eleito presidente. Ele era um defensor dos descamisados – os trabalhadores e os pobres, como era a sua mulher. Com apenas 26 anos, ela mesma tinha sido criada na pobreza.

Agora que esta estrela era a primeira-dama da República, ela pareceu mudar. Emagreceu definitivamente; suas roupas ficaram menos chamativas, totalmente austeras; e aqueles belos cabelos soltos agora estavam presos para trás severamente. Que pena – a jovem estrela tinha crescido. Porém, quanto mais os argentinos viam a nova Evita, como agora era conhecida, mais intensamente a sua nova aparência os afetava. Era a aparência de uma mulher séria, santa, alguém que era mesmo o que seu marido chamava de "Ponte de Amor" entre ele mesmo e o seu povo. Agora ela estava no rádio o tempo todo, e ouvi-la continuava despertando emoções, mas ela também falava magnificamente bem em público. Falava mais baixo e mais devagar, golpeava o ar com os dedos, estendendo a mão como se quisesse tocar a plateia. E suas palavras penetravam no fundo da alma: "Deixei os meus sonhos à margem da estrada para cuidar dos sonhos dos outros. (...) Agora coloco minha alma ao lado da alma do meu povo. Eu lhes ofereço todas as minhas energias para que meu corpo possa ser uma ponte erguida para a felicidade de todos. Atravessem-na. (...) em direção ao supremo destino da nova pátria."

Não era mais só por meio de revistas e do rádio que Evita se fazia sentir. Quase todos eram pessoalmente tocados por ela de alguma forma. Todos pareciam conhecer alguém que a vira, ou que a tinha visitado em seu gabinete, onde uma fila de suplicantes dava voltas pelos corredores até a sua porta. Por trás da sua mesa, ela se sentava calma e cheia de amor. Equipes de filmagem registravam seus atos de caridade: para uma mulher que tinha perdido tudo, Evita dava uma casa; para quem tivesse um filho doente, atendimento gratuito no melhor hospital. Ela trabalhava muito, e não era de surpreender que se espalhasse o boato de que estava doente. E todos ouviam falar de suas visitas a cidades miseráveis e a hospitais para os pobres, onde, contra a vontade de seus assessores, ela beijava no rosto gente com todos os tipos de doenças (leprosos, sifilíticos etc.). Uma vez um assessor consternado com esse hábito tentou limpar os lábios de Evita com um algodão embebido em álcool para esterilizá-los. A santa mulher agarrou a garrafa e a espatifou contra a parede.

Sim, Evita era uma santa, uma madona viva. Bastava ela aparecer, e os doentes se curavam. E quando ela morreu de câncer, em 1952, ninguém fora da Argentina conseguia entender o sentimento de luto e de perda que ela deixou para trás. Para alguns, o país nunca se recuperou.

A maioria de nós vive num estado de semissonambulismo: cumprimos nossas tarefas diárias e os dias vão passando. As duas exceções a isto são a infância e aqueles momentos em que estamos apaixonados. Em ambos os casos, nossas emoções estão mais comprometidas, mais abertas e ativas. E equacionamos o sentir emoção com o se sentir mais vivo. Uma figura pública capaz de afetar as emoções do povo, de fazê-lo sentir tristeza, alegria ou esperança em comum, tem um efeito semelhante. Um apelo às emoções é muito mais forte do que um apelo à razão.

Evita Perón conheceu este poder desde cedo como atriz de rádio. Sua voz trêmula fazia as audiências chorarem; por causa disto, as pessoas viram nela um grande carisma. Ela jamais esqueceu a experiência. Todos os seus atos públicos eram enquadrados em motivos dramáticos e religiosos. Drama é emoção condensada, e a religião católica é uma força que toca na sua infância, atinge você onde você não pode fazer nada. Os braços erguidos de Evita, seus atos encenados de caridade, seus sacrifícios pelo povo – tudo ia direto para o coração. Não era a sua bondade apenas que era carismática, embora a aparência de bondade já fascine o suficiente. Era a sua habilidade para dramatizar a sua bondade.

Você precisa aprender a explorar os dois fornecedores de emoção: drama e religião. O drama elimina o que é inútil e banal na vida, focalizando momentos de piedade e terror; a religião lida com questões de vida e morte. Torne dramáticas as suas ações caridosas, dê às suas palavras de amor uma importância religiosa, banhe tudo em rituais e mitos que lembrem a infância. Capturadas pelas emoções que você desperta, as pessoas verão sobre a sua cabeça a auréola do carisma.

O libertador. No Harlem, no início da década de 1950, poucos afro-americanos conheciam bem a Nação do Islã, ou tinham entrado em um de seus templos. A Nação pregava que os brancos descendiam do demônio e que um dia Alá libertaria a raça negra. Esta doutrina não significava muita coisa para os moradores do Harlem, que frequentavam a igreja pelo consolo espiritual e entregavam as questões práticas da vida para seus políticos locais. Mas, em 1954, chegou ao bairro um novo ministro da Nação do Islã.

O nome do ministro era Malcolm X, e ele era instruído e eloquente, mas seus gestos e palavras eram irados. Espalhou-se a notícia: os brancos haviam linchado o pai de Malcolm. Ele tinha crescido num abrigo para menores, depois sobrevivera como um pequeno infrator até ser preso por roubo e passar seis anos na cadeia. Sua vida (tinha apenas 29 anos na época) havia sido uma longa rixa com a lei, mas olhem para ele agora – tão seguro e educado. Ninguém o tinha ajudado; tinha feito tudo sozinho.

O povo do Harlem começou a ver Malcolm X por toda parte entregando folhetos, dirigindo-se aos jovens. Ele ficava do lado das igrejas e, quando a congregação se dispersava, apontava para o pregador e dizia: "Ele representa o deus do homem branco; eu represento o deus do homem negro."

Os curiosos começaram a aparecer para ouvi-lo pregar no templo da Nação do Islã. Ele lhes pedia que examinassem as verdadeiras condições da vida que estavam levando: "Depois de olharem bem onde vocês vivem, então (...) deem um passeio pelo Central Park", dizia. "Vejam os apartamentos do homem branco. Vejam a Wall Street deles!" Suas palavras tinham poder, particularmente vindas de um ministro.

Em 1957, um jovem muçulmano do Harlem testemunhou o espancamento de um negro bêbado por vários policiais. Quando o muçulmano protestou, a polícia socou-o até perder os sentidos e o carregou para a cadeia. Uma multidão enraivecida se juntou do lado de fora da delegacia, pronta para uma rebelião. Informado de que só Malcolm X poderia impedir a violência, o comissário de polícia mandou buscá-lo e lhe disse para dissolver a turba. Malcolm se recusou. Falando com mais moderação, o comissário implorou que ele reconsiderasse. Malcolm calmamente estabeleceu as condições para a sua cooperação: atendimento médico para o muçulmano espancado e a devida punição para os policiais. O comissário concordou relutante. Fora da delegacia, Malcolm explicou o acordo e a multidão se dispersou. No Harlem, e em todo o resto do país, ele virou um herói da noite para o dia – finalmente um homem que agia. O número de membros no seu templo subiu vertiginosamente.

Malcolm começou a falar em todo o território dos Estados Unidos. Não lia nunca um texto; olhando para a plateia, ele fazia contato visual apontando com o dedo. Sua raiva era óbvia, não tanto no seu tom – era sempre controlado e expressava-se bem –, mas na sua feroz energia, as veias saltando do pescoço. Muitos líderes negros antes haviam usado palavras de cautela, e pedido aos seus seguidores que enfrentassem com paciência e educação o seu destino social, por mais injusto que fosse. Que alívio era Malcolm. Ele ridicularizava os racistas, ridicularizava os liberais, ridicularizava o presidente; nenhum branco escapava do seu escárnio. Se os brancos eram violentos, Malcolm dizia, a linguagem da violência deveria ser usada contra eles, pois era a única que eles compreendiam. "Hostilidade é bom!", gritava ele. "Já foi refreada demais!" Em resposta à crescente popularidade do líder não violento Martin Luther King Jr., Malcolm disse: "Qualquer um pode ficar sentado. Uma velha pode ficar sentada. Um covarde pode ficar sentado. (...) É preciso ser um homem para ficar de pé."

Malcolm X teve um efeito de reforço sobre muitos que sentiam a mesma raiva que ele, mas tinham medo de expressá-la. No seu funeral – ele foi assassinado em 1965 durante um de seus discursos –, o ator Ossie Davis fez o seu elogio diante de uma grande e emocionada multidão: "Malcolm", disse ele, "foi o nosso próprio príncipe negro cintilante."

Malcolm X era um Carismático do tipo Moisés: ele foi um libertador. O poder deste tipo de Carismático vem da sua expressão de emoções secretas acumuladas por anos de opressão. Ao fazer isso, o libertador oferece uma oportunidade para liberação de emoções contidas por outras pessoas – da hostilidade mascarada de polidez e sorrisos. Os libertadores precisam pertencer à multidão dos sofredores, só que mais do que eles: a sua dor deve ser um exemplo. A história pessoal de Malcolm era parte integral do seu carisma. O que ele ensinava – que os negros deviam ajudar a si próprios e não esperar que os brancos os erguessem – tinha um significado ainda maior por causa dos anos que ele passara na cadeia, e porque havia seguido a sua própria doutrina se autoeducando, erguendo-se do fundo do poço. O libertador deve ser um exemplo vivo de redenção pessoal.

A essência do carisma é uma emoção irresistível que se comunica nos gestos, no tom de voz, nos sinais sutis que são ainda mais poderosos por não serem falados. Você sente algo mais profundamente do que os outros, e nenhuma emoção é mais forte e mais capaz de gerar uma reação carismática do que o ódio, em especial se vier de sentimentos profundamente arraigados de opressão. Expresse o que os outros temem expressar e eles verão em você um grande poder. Diga o que eles querem dizer, mas não podem. Não tenha medo de ir longe demais. Se você representar uma liberação da opressão, terá a margem de segurança para ir ainda mais longe. Moisés falava de violência, de destruir até o último dos seus inimigos. Uma linguagem assim une os oprimidos e os faz se sentirem mais vivos. Isto, entretanto, não é uma coisa que você não possa controlar. Malcolm X sentiu raiva desde o início, mas só na prisão ele aprendeu sozinho a arte da oratória e a canalizar suas emoções. Nada é mais carismático do que a sensação de que alguém está lutando com grandes emoções em vez de simplesmente ceder a elas.

O ator olímpico. No dia 24 de janeiro de 1960, estourou uma insurreição na Argélia, então colônia francesa. Liderada por soldados franceses de direita, seu propósito era impedir a proposta do presidente Charles de Gaulle de conceder à Argélia o direito de autodeterminação. Se necessário, os insurgentes assumiriam o comando da Argélia em nome da França.

Durante vários dias tensos, o setpuagenário de Gaulle manteve um estranho silêncio. E então, no dia 29 de janeiro, às oito horas da noite, ele apareceu na televisão nacional francesa. Antes que pronunciasse uma palavra, a audiência estava atônita porque ele vestia o seu velho uniforme da Segunda Guerra Mundial, um uniforme que todos reconheceram e que gerou uma forte reação emocional. De Gaulle tinha sido o herói da resistência, o salvador da pátria no seu momento mais sombrio. Mas aquele uniforme não era visto havia um bom tempo. Em seguida de Gaulle falou, lembrando ao seu público, no seu estilo calmo e confiante, tudo que haviam feito juntos para livrar a França das mãos dos alemães. Lentamente, ele passou destas questões carregadas de patriotismo para a rebelião na Argélia, e à afronta que ela significava ao espírito da libertação. Ele encerrou o seu discurso repetindo suas famosas palavras de 18 de junho de 1940: "Mais uma vez, convoco todos os franceses, onde quer que estejam, quem quer que sejam, a se unirem à França. *Vive la République! Vive la France!*"

O discurso teve dois propósitos. Mostrar que de Gaulle estava determinado a não ceder um palmo aos rebeldes, e tocar na alma de todos os franceses patriotas, particularmente o exército. A insurreição morreu na mesma hora, e ninguém duvidou da conexão entre o seu fracasso e a atuação de de Gaulle na televisão.

No ano seguinte, os franceses votaram em peso a favor da autodeterminação argelina. Em 11 de abril de 1961, de Gaulle deu uma entrevista coletiva à imprensa na qual deixava claro que a França em breve concederia ao país total independência. Onze dias depois, os generais franceses na Argélia emitiram um comunicado afirmando que haviam assumido o controle do país e declarado estado de sítio. Este foi o momento mais perigoso de todos: diante da iminente independência da Argélia, estes generais de direita iriam até o fim. Uma guerra civil poderia estourar, derrubando o governo de de Gaulle.

Na noite seguinte, de Gaulle apareceu de novo na televisão, outra vez vestindo o seu antigo uniforme. Zombou dos generais comparando-os a uma junta sul-americana. Ele falava com calma e firmeza. Então, de repente, bem no final do discurso, sua voz se ergueu e até tremeu quando ele convocou os ouvintes: *"Françaises, Français, aidez-moi!"* ("Francesas, franceses, ajudem-me!") Foi o momento mais sensacional de todas as suas aparições na televisão. Soldados franceses na Argélia, escutando nos seus rádios transistores, ficaram eletrizados. No dia seguinte, eles fizeram uma demonstração em massa a favor de de Gaulle. Dois dias depois, os generais se renderam. No dia 1º de julho de 1962, de Gaulle proclamava a independência da Argélia.

Em 1940, após a invasão da França pelos alemães, de Gaulle fugiu para a Inglaterra a fim de recrutar um exército que futuramente retornaria à França para a libertação. No começo, ele estava sozinho, e sua missão parecia inútil. Mas teve o apoio de Winston Churchill e, com a bênção do ministro inglês, deu uma série de palestras pelo rádio que a BBC transmitia para a França. Sua voz estranha e hipnótica, com seus trêmulos dramáticos, entrava pelas salas de estar da França todas as noites. Raros eram os seus ouvintes que soubessem pelo menos como era o seu rosto, mas o seu tom de voz era tão confiante, tão emocionante, que ele recrutou um exército silencioso de fiéis. Pessoalmente, de Gaulle era um homem estranho, ensimesmado, cujos modos confiantes podiam tão facilmente irritar quanto conquistar. Mas, pelo rádio, essa voz tinha um intenso carisma. De Gaulle foi o primeiro grande mestre da mídia moderna porque ele facilmente transferiu a sua habilidade dramática para a televisão, onde a sua firmeza, a sua calma e o seu total autocontrole faziam as audiências se sentirem ao mesmo tempo confortadas e inspiradas.

O mundo está mais fraturado. Uma nação não se reúne mais nas ruas ou nas praças; ela se junta nas salas de estar, onde pessoas assistindo à televisão no país inteiro podem simultaneamente estar sozinhas ou acompanhadas. Carisma agora precisa poder ser comunicado por radiodifusão, ou não terá poder. Mas, de certa forma, é mais fácil projetá-lo pela televisão porque a televisão tem um apelo direto, pessoa a pessoa (o Carismático parece estar se dirigindo a você), e porque o carisma é razoavelmente fácil de simular durante os poucos segundos que você passa diante da câmera. Como de Gaulle compreendeu, ao aparecer na televisão é melhor irradiar calma e controle, usar com parcimônia os efeitos dramáticos. A total frieza de de Gaulle dobrava a eficácia dos breves momentos em que ele erguia a voz, ou deixava escapar uma piada mordaz. Mantendo a calma e baixando o tom, ele hipnotizava sua audiência. (Seu rosto fica muito mais expressivo quando a sua voz é menos estridente.) Ele transmitia emoção visualmente – o uniforme, o cenário – e usando certas palavras fortes: a liberação, Joana d'Arc. Quanto menos ele forçava o efeito, mais sincero parecia.

Tudo isto precisa estar cuidadosamente orquestrado. Pontue a sua calma com surpresas; atinja um clímax; mantenha as coisas curtas e tensas. A única coisa que não pode ser fingida é a autoconfiança, o componente-chave do carisma desde a época de Moisés. Se as luzes da câmera traírem a sua insegurança, nem todos os truques do mundo vão conseguir compor de novo o seu carisma.

Símbolo:
A Lâmpada. Invisível ao olho, uma corrente fluindo por um arame dentro de um recipiente de vidro gera um calor que se transforma em incandescência. Tudo que vemos é o brilho. Na escuridão prevalecente, a Lâmpada ilumina o caminho.

RISCOS

Num dia agradável de maio, em 1794, os cidadãos de Paris se reuniram num parque para o Festival do Ser Supremo. O foco de suas atenções era Maximilien de Robespierre, chefe do Comitê de Segurança Pública e o homem que concebera o festival. A ideia era simples: combater o ateísmo, "reconhecer a existência de um Ser Supremo e a Imortalidade da Alma como as forças orientadoras do universo".

Foi o dia triunfal de Robespierre. De pé, diante das massas, com seu traje completo azul-celeste e meias brancas, ele iniciou as festividades.

A multidão o adorava; afinal de contas, ele havia salvaguardado os propósitos da Revolução Francesa com o intenso jogo político que a ela se seguira. Um ano antes, ele havia iniciado o reinado do Terror, que limpava a revolução de seus inimigos mandando-os para a guilhotina. Ele também havia ajudado a guiar o país numa guerra contra os austríacos e os prussianos. O que fazia as multidões, e as mulheres principalmente, adorarem-no era a sua incorruptível virtude (ele vivia uma vida muito simples); a sua recusa em fazer concessões; a paixão pela revolução, que era evidente em tudo que fazia; e a linguagem romântica de seus discursos, que não podiam deixar de inspirar. Ele era um deus. O dia estava lindo e augurava um grande futuro para a revolução.

Dois meses depois, no dia 26 de julho, Robespierre fez um discurso que ele pensava lhe garantiria um lugar na história, pois pretendia sugerir o fim do Terror e uma nova era para a França. Corria o boato também de que ele iria convocar um último punhado de pessoas para mandar para a guilhotina, um último grupo que ameaçava a segurança da revolução. Subindo à tribuna para se dirigir à convenção governante do país, Robespierre vestia as mesmas roupas que usara no dia do festival. O discurso foi longo, quase três horas, e incluía uma apaixonada descrição dos valores e das virtudes que ele havia ajudado a proteger. Havia também rumores de conspirações, traição, inimigos não declarados.

A reação foi entusiástica, porém não tanto quanto de costume. O discurso tinha deixado muitos delegados cansados. Em seguida, ouviu-se uma voz solitária, a de um homem chamado Bourdon, que falou contra imprimir o discurso de Robespierre, um sinal velado de desaprovação. De repente, outras pessoas se ergueram de todos os cantos e o acusaram de imprecisão: ele tinha falado de conspirações e ameaças sem nomear os culpados. Solicitado a ser mais específico, ele se recusou, preferindo dar os nomes depois. No dia seguinte, Robespierre se apresentou para defender o seu discurso, e os delegados o fizeram calar-se aos gritos. Horas mais tarde, ele era mandado para a guilhotina. No dia 28 de julho, em meio a um grupo de cidadãos demonstrando um estado de espírito que parecia ainda mais festivo do que o do Festival do Ser Supremo, a cabeça de Robespierre rolou para dentro do cesto, com sonoros aplausos. O reinado do Terror terminara.

***

Muitos daqueles que pareciam admirar Robespierre na verdade guardavam um forte ressentimento dele – ele era *tão* virtuoso, *tão* superior, que causava opressão. Alguns destes homens haviam tramado contra ele, e estavam esperando o mais leve sinal de fraqueza – que apareceu naquele dia fatídico do seu último discurso. Recusando-se a dar o nome dos seus inimigos, ele havia demonstrado o desejo de acabar com a carnificina ou o medo de que eles pudessem atacá-lo antes que ele conseguisse matá-los. Alimentada pelos conspiradores, esta única centelha virou uma fogueira. Em dois dias, primeiro um corpo governante e depois uma nação se voltaram contra um Carismático que dois meses antes haviam reverenciado.

O carisma é tão volátil quanto as emoções que desperta. Com mais frequência ele desperta sentimentos de amor. Mas esses são difíceis de manter. Os psicólogos falam de "fadiga erótica" – os momentos depois do amor em que você se sente cansado de tudo aquilo, ressentido. A realidade vem se esgueirando, o amor se transforma em ódio. A fadiga erótica é uma ameaça para todos os Carismáticos. O Carismático muitas vezes conquista o amor representando o salvador, resgatando as pessoas de alguma situação difícil, mas, assim que elas se sentem seguras, o carisma fica menos sedutor. Os Carismáticos precisam de perigo e risco. Eles não são laboriosos burocratas; alguns deles mantêm intencionalmente o perigo em atividade, como de Gaulle e Kennedy tinham o hábito de fazer, ou como Robespierre fez durante o reinado do Terror. Mas as pessoas se cansam disso e, ao seu primeiro sinal de fraqueza, elas se viram contra você. O amor que elas mostraram antes será igual ao ódio que sentem agora.

A única defesa é dominar o seu carisma. A sua paixão, a sua ira, a sua confiança fazem de você uma pessoa carismática, mas carisma demais durante muito tempo cria fadiga e um desejo de calma e ordem. O melhor tipo de carisma é criado conscientemente e é mantido sob controle. Quando precisa, você é capaz de brilhar com segurança e fervor, inspirando as massas. Mas, quando a aventura termina, você volta para a rotina, desliga o gás. (Robespierre talvez estivesse planejando esse passo, mas chegou um dia atrasado.) As pessoas admirarão você pelo seu autocontrole e capacidade de adaptação. O caso de amor delas com você vai se aproximar mais do afeto habitual de marido e mulher. Você terá também espaço para parecer um pouco entediante, um pouco simples – papel que também pode parecer carismático, se representado da forma correta. Lembre-se: carisma depende de sucesso e a melhor maneira de manter o sucesso, depois da agitação provocada pelo carisma, é ser prático e até cauteloso. Mao Tsé-tung era um homem distante, enigmático, que para muitos tinha um carisma que inspirava um temor reverente. Ele sofreu muitos reveses que teriam significado o fim de um homem menos esperto, mas, depois de cada derrota, ele se retraía, tornando-se prático, tolerante, flexível; pelo menos por uns tempos. Esta tática o protegia dos riscos de uma contrarreação.

Existe uma outra alternativa: representar o profeta armado. Segundo Maquiavel, embora um profeta possa adquirir poder com sua personalidade carismática, ele não sobrevive sem a força para sustentá-lo. Ele precisa de um exército. As massas se cansarão dele; terão de ser forçadas. Ser um profeta armado pode não implicar literalmente o uso de armas, mas exige uma faceta enérgica na sua personalidade, que você pode reforçar com a ação. Infelizmente, isto significa ser impiedoso com seus inimigos o tempo todo enquanto você detiver o poder. E ninguém cria mais inimigos do que o Carismático.

Finalmente, não há nada mais perigoso do que suceder a um Carismático. Estes personagens são pouco convencionais, e seu governo tem um estilo pessoal, estampado com a selvageria de suas personalidades. Com frequência deixam no seu rastro o caos. Aquele que vem depois de um Carismático herda uma confusão que as pessoas, entretanto, não enxergam. Elas sentem falta do seu inspirador e culpam o sucessor. Evite esta situação a qualquer custo. Se ela for inevitável, não tente continuar o que o Carismático começou; tome uma nova direção. Sendo prático, confiável e usando uma linguagem simples, quase sempre você consegue criar um estranho tipo de carisma pelo contraste. Foi assim que Harry Truman não só sobreviveu ao legado de Roosevelt, mas também estabeleceu o seu próprio tipo de carisma.

ESTRELA

O dia a dia é duro, e a maioria de nós procura escapar dele com fantasias e sonhos. As estrelas se alimentam desta fraqueza; destacando-se dos outros com um estilo distinto e atraente, elas nos fazem querer observá-las. Ao mesmo tempo, são vagas e etéreas, mantendo-se distantes e nos permitindo imaginar mais do que existe. A sua característica sonhadora influencia o nosso inconsciente; não estamos nem conscientes do quanto as imitamos. Aprenda a se tornar um objeto de fascínio projetando a presença cintilante, mas difícil de alcançar, da Estrela.

ESTRELA FETICHISTA

Um dia, em 1922, em Berlim, na Alemanha, foi convocada uma seleção de elenco para o papel de uma voluptuosa jovem num filme chamado *Tragedy of Love*. Das centenas de jovens e batalhadoras atrizes que apareceram, quase todas fariam de tudo para chamar a atenção do diretor de elenco, inclusive se expor. Havia uma jovem na fila, entretanto, que estava vestida com simplicidade, e que não fazia as caras e bocas desesperadas das outras moças. Mas, de qualquer forma, ela se destacou.

A jovem trazia um cachorrinho numa correia, e tinha colocado no pescoço do bichinho um elegante colar. O diretor a notou de imediato. Ele a ficou observando na fila segurando calmamente o cachorrinho no colo e calada. Ao fumar um cigarro, seus gestos eram lentos e sugestivos. Ele ficou fascinado com suas pernas e seu rosto, a maneira sinuosa como ela se movia, o toque de frieza no olhar. Quando chegou a vez dela, ele já a havia escolhido. Seu nome era Marlene Dietrich.

Em 1929, quando o diretor austro-americano Josef von Sternberg chegou a Berlim para começar a trabalhar no filme *O anjo azul*, a Dietrich de 27 anos de idade já era famosa nos mundos teatral e cinematográfico de Berlim. *O anjo azul* seria um filme sobre uma mulher chamada Lola-Lola que tratava os homens com sadismo, e todas as melhores atrizes de Berlim queriam o papel – exceto, aparentemente, Dietrich, que fez saber que achava a personagem degradante; von Sternberg deveria escolher entre as outras atrizes que tinha em mente. Pouco depois de chegar a Berlim, entretanto, von Sternberg foi assistir a um musical para observar um ator que estava considerando para *O anjo azul*. A estrela do musical era Dietrich e, assim que ela apareceu no palco, von Sternberg percebeu que não conseguia tirar os olhos de cima dela. Ela o olhava diretamente, insolente, como um homem; e havia aquelas pernas, e o modo como ela se encostava provocante na parede. Von Sternberg esqueceu o ator que tinha ido ver. Havia encontrado a sua Lola-Lola.

O rosto frio, iluminado, que não pedia nada, que simplesmente existia, aguardando – era um rosto vazio, ele pensou; um rosto que podia mudar com qualquer sinal de expressão. Podia-se sonhar nele qualquer coisa. Era como uma bela casa vazia esperando pelos tapetes e quadros. Tinha todas as possibilidades — podia se tornar um palácio ou um bordel. Dependia de quem o enchesse. Como era limitado, em comparação, tudo que já estava completo e rotulado!
– ERICH MARIA REMARQUE, SOBRE MARLENE DIETRICH, ARCH OF TRIUMPH

Marlene Dietrich não é uma atriz, como Sarah Bernhardt; ela é um mito, como Frina.
– ANDRÉ MALRAUX, CITADO EM EDGAR MORIN, THE STARS

Quando Pigmalião viu estas mulheres vivendo vidas tão mesquinhas, ficou revoltado com as muitas falhas que a natureza implantou no sexo feminino, e durante muito tempo viveu solteiro, sem dividir o seu lar com uma esposa. Mas nesse meio-tempo, com maravilhosa habilidade artística, ele esculpiu uma estátua branca de marfim. Ele a fez mais encantadora do que qualquer mulher já nascida, e se apaixonou por sua própria criação. A estátua tinha toda a aparência de uma moça de verdade, portanto parecia estar viva, querer se mover, se a modéstia não a proibisse. Tão bem a sua arte ocultava a arte. Pigmalião olhava maravilhado, e no seu peito cresceu uma paixão por esta imagem de uma forma humana. Muitas vezes ele passou as mãos sobre a sua obra, sentindo para ver onde era carne e onde era marfim, e ainda não conseguia admitir que era tudo marfim. Ele beijava a estátua e imaginava que ela o beijava, falava com ela e a abraçava e pensava sentir seus dedos mergulharem nos membros que tocava, de tal maneira que temia que uma mancha roxa aparecesse onde havia pressionado a carne.

Von Sternberg conseguiu convencer Dietrich a aceitar o papel, e imediatamente pôs mãos à obra, moldando-a na Lola da sua imaginação. Ele mudou seu penteado, traçou uma linha prateada descendo pelo seu nariz para fazê-lo parecer mais fino, ensinou-a a olhar para a câmera com a insolência que tinha visto no palco. Quando a filmagem começou, ele criou um sistema de iluminação só para ela – uma luz que a acompanhava aonde quer que fosse, e era estrategicamente acentuada por gaze e fumaça. Obcecado com a sua "criação", ele a seguia por toda parte. Ninguém mais chegava perto dela.

O anjo azul fez um sucesso enorme na Alemanha. As plateias ficaram fascinadas com Dietrich: aquele olhar frio, brutal, quando ela abria as pernas sobre um tamborete, deixando ver as roupas íntimas; seu modo de comandar as atenções na tela sem fazer esforço algum. Outros, além de von Sternberg, ficaram obcecados por ela. Um homem que estava morrendo de câncer, o conde Sascha Kolowrat, tinha um último desejo: ver pessoalmente as pernas de Marlene. Dietrich concordou, visitando-o no hospital e levantando a saia; ele suspirou e disse: "Obrigado. Agora posso morrer feliz." Pouco tempo depois, a Paramount Studios levou Dietrich para Hollywood, onde logo todos estavam falando dela. Nas festas, todos os olhares se viravam em sua direção quando ela entrava na sala. Vinha acompanhada pelos homens mais simpáticos de Hollywood, e vestia roupas que eram ao mesmo tempo bonitas e extravagantes – pijamas de lamê dourado, um conjunto de marinheiro com boné de iate. No dia seguinte, o estilo seria copiado pelas mulheres na cidade inteira; depois ele se espalhava pelas revistas e toda uma nova tendência tinha início.

O verdadeiro objeto de fascínio, entretanto, era inquestionavelmente o rosto de Dietrich. O que havia enfeitiçado von Sternberg tinha sido a sua inexpressão – com um simples truque de iluminação, ele podia fazer o que quisesse com aquele rosto. Dietrich acabou parando de trabalhar com von Sternberg, mas jamais esqueceu o que ele lhe havia ensinado. Uma noite, em 1951, o diretor Fritz Lang, que ia dirigi-la no filme *O diabo feito mulher*, estava passando de carro pelo seu escritório quando viu um flash de luz pela janela. Temendo um assalto, ele saiu do carro, subiu as escadas furtivamente e espiou pela fresta da porta; era Dietrich tirando fotos de si mesma no espelho, estudando o seu rosto de todos os ângulos.

Marlene Dietrich mantinha uma distância de si mesma; era capaz de estudar seu rosto, suas pernas, seu corpo, como se fosse uma outra pessoa. Isto lhe tornava possível moldar a sua expressão, transformar a sua aparência para causar efeitos. Era capaz de posar exatamente da forma que mais excitasse os homens, a inexpressão permitindo que eles a vissem de acordo com a sua própria fantasia, seja de sadismo, voluptuosidade ou perigo. E todos os homens que a conheciam, ou que a viam nas telas dos cinemas, teciam infinitas fantasias a seu respeito. O efeito funcionava nas mulheres também; segundo as palavras de um escritor, ela projetava "sexo sem gênero". Mas este autodistanciamento lhe conferia uma certa frieza, seja nos filmes seja pessoalmente. Ela era como um objeto de beleza, algo para ser transformado em fetiche e admirado como admiramos uma obra de arte.

Fetiche é um objeto que comanda uma reação emocional e que nos faz lhe dar um sopro de vida. Como é um objeto, podemos imaginar o que quisermos a seu respeito. As pessoas em geral são de humor muito inconstante, gente complicada e que reage facilmente, para que possamos transformá-las em objeto de fetiche. O poder da Estrela Fetichista vem da habilidade de se transformar em objeto, e não num objeto qualquer, mas naquele que podemos ver como um fetiche, o que estimula uma variedade de fantasias. Estrelas Fetichistas são perfeitas, como a estátua de um deus ou de uma deusa gregos. O efeito é surpreendente e sedutor. A sua principal exigência é o autodistanciamento. Se você se vir como um objeto, os outros também o farão. Um ar etéreo, sonhador, acentua o efeito.

Você é uma tela em branco. Flutue pela vida sem se envolver e as pessoas vão querer agarrar e consumir você. De todas as partes do seu corpo que chamam esta atenção fetichista, a mais forte é o rosto; portanto, aprenda a sintonizá-lo como um instrumento, fazendo-o irradiar uma fascinante imprecisão para fazer efeito. E como você precisa se destacar das outras Estrelas no céu, vai precisar desenvolver um estilo para chamar atenção. Dietrich foi uma excelente praticante desta arte; seu estilo era chique o bastante para fascinar, estranho o suficiente para enfeitiçar. Lembre-se, a sua própria imagem e presença são um material que você é capaz de controlar. A sensação de que você está empenhado neste tipo de jogo fará as pessoas verem você como alguém que é superior e que vale a pena imitar.

Sua pose era tão natural (...) uma tamanha economia de gestos, que ela se tornava tão cativante quanto um Modigliani. (...) Ela possuía a única qualidade essencial a uma estrela: era capaz de ser magnífica fazendo nada.
– Lili Darvas, atriz de Berlim, a respeito de Marlene Dietrich

Às vezes ele se dirigia a ela com palavras de elogio, às vezes lhe trazia o tipo de presentes que agrada às moças. (...) Ele vestia os membros da sua estátua com roupas femininas e colocava anéis em seus dedos, longos colares envolvendo o seu pescoço. (...) Todo este refinamento combinava com a imagem, mas ela não era menos bela sem os adornos. Pigmalião então colocou a estátua sobre um sofá coberto com tecidos de púrpura de Tiro, pousou sua cabeça sobre travesseiros macios, como se ela pudesse apreciá-los, e a chamou de sua companheira de cama. Era o festival de Vênus, celebrado com a maior pompa por toda a Chipre, e novilhas, com seus chifres retorcidos, dourados para a ocasião, tinham caído no altar quando o machado atingiu seus pescoços níveos. A fumaça se erguia dos incensos, quando Pigmalião, tendo feito a sua oferta, parou diante do altar e, timidamente, fez a sua prece dizendo: "Se vós, deuses, podeis dar tudo, que eu tenha como minha mulher, eu peço", ele não ousava dizer: "a virgem de marfim", mas terminou: "uma igual à virgem de

marfim". Mas, Vênus dourada, presente em pessoa ao festival, compreendeu o que queria dizer a sua prece, e como um sinal de que os deuses têm boa disposição, as chamas queimaram três vezes, lançando uma língua de fogo no ar. Quando Pigmalião voltou para casa, foi direto até a estátua da moça que ele amava, inclinou-se sobre o sofá e a beijou. Ela pareceu quente: ele colocou os lábios sobre ela novamente e tocou-lhe os seios com as mãos – ao seu toque, o marfim perdeu a rigidez e amoleceu.
– OVÍDIO, METAMORFOSES

[John F.] Kennedy trouxe para os noticiários televisivos e a fotojornalismo os elementos mais comuns no mundo do cinema: qualidade de estrela e história mítica. Com sua telegenia, habilidade para se autoapresentar, fantasias heroicas e inteligência criativa, Kennedy estava brilhantemente preparado para projetar uma grande persona na tela. Ele se apropriou dos discursos da cultura de massa, especialmente de Hollywood, e os transferiu para os noticiários. Com

ESTRELA MÍTICA

No dia 2 de julho de 1960, semanas antes da Convenção Democrática Nacional anual, o ex-presidente Harry Truman afirmou publicamente que John F. Kennedy – que havia conquistado delegados em número suficiente para ser escolhido como o candidato do partido para a presidência – era muito jovem e inexperiente para o cargo. A reação de Kennedy foi surpreendente: convocou uma coletiva à imprensa, a ser transmitida ao vivo pela televisão, e em cadeia nacional, no dia 4 de julho. O efeito dramático da coletiva foi acentuado pelo fato de ele estar fora, de férias, de modo que ninguém o viu ou soube dele até o acontecimento. Então, na hora indicada, Kennedy entrou na sala de entrevistas como um xerife entrando em Dodge City. Começou dizendo que tinha concorrido em todas as primárias estaduais a um custo considerável de esforço e dinheiro, e tinha vencido todos os seus adversários de forma justa e honesta. Quem era Truman para contrariar o processo democrático? "Este é um país jovem", prosseguiu Kennedy, elevando a voz, "fundado por homens jovens (...) e de coração ainda jovem. (...) O mundo está mudando, o velho estilo não vai funcionar. (...) É hora de uma nova geração de lideranças enfrentar novos problemas e novas oportunidades." Até os inimigos de Kennedy concordaram em que o seu discurso naquele dia foi estimulante. Ele inverteu o desafio de Truman: a questão não era a sua inexperiência, mas o monopólio do poder nas mãos de uma geração mais velha. Seu estilo foi tão eloquente quanto as suas palavras, pois o seu desempenho evocava os filmes da época – Alan Ladd em *Shane* enfrentando os corruptos rancheiros mais velhos, ou James Dean em *Juventude transviada*. Kennedy até se parecia com Dean, particularmente no seu ar de frio distanciamento.

Meses depois, agora aprovado como o candidato dos democratas para a presidência da república, Kennedy se colocou em posição de lutar contra o adversário republicano, Richard Nixon, no primeiro debate dos dois transmitido em nível nacional pela televisão. Nixon estava afiado; sabia todas as respostas para as perguntas e debateu com garbo citando estatísticas sobre as realizações da administração de Eisenhower, na qual serviu como vice-presidente. Mas, sob o brilho das câmeras, na televisão em preto e branco, ele fazia uma figura horrível – as olheiras cobertas com pó de arroz, riscas de suor na testa e nas bochechas, o rosto despencando de cansaço, os olhos piscando e inquietos, o corpo rígido. Ele estava tão preocupado com quê? O contraste com Kennedy era surpreendente. Se Nixon só olhava para o seu adversário, Kennedy olhava para a plateia fazendo contato visual com seus telespectadores, dirigindo-se a eles em suas salas de estar como nenhum outro político havia feito antes. Se Nixon falava de dados e questões minuciosas de debate, Kennedy falava de liberdade, de construir uma nova sociedade, de reconquistar o espírito pioneiro americano. Seus modos eram sinceros e empáticos. Suas palavras não eram específicas, mas ele fez seus ouvintes imaginarem um futuro maravilhoso.

No dia seguinte, os números de Kennedy nas pesquisas subiram vertiginosamente como por um milagre, e aonde quer que ele fosse era saudado com multidões de moças gritando e pulando. Tendo ao lado a sua bela mulher, Jackie, ele era uma espécie de príncipe democrático. Suas aparições na televisão agora eram um acontecimento. Quando chegou a hora, ele foi eleito presidente e o seu discurso de posse, também transmitido pela televisão, foi excitante. Era um dia frio e de muito vento. No fundo, Eisenhower sentou-se encolhido de capote e cachecol, parecendo velho e derrotado. Mas Kennedy estava de pé, com a cabeça descoberta e sem casaco, para se dirigir à nação: "Não creio que nenhum de nós trocaria de lugar com nenhum outro povo ou qualquer outra geração. A energia, a fé, a devoção que traremos a este empreendimento iluminarão este país e todos os que o servem – e o brilho deste fogo pode realmente iluminar o mundo."

Nos meses que se seguiram, Kennedy deu inúmeras entrevistas coletivas à imprensa diante das câmeras de televisão, algo que nenhum presidente havia ousado antes. Enfrentando o esquadrão de artilharia de lentes e perguntas, ele não tinha medo, falando com frieza e um leve tom irônico.

O que se passava por trás daqueles olhos, daquele sorriso? As pessoas queriam saber mais sobre ele. As revistas excitavam seus leitores com informações – fotografias de Kennedy com a mulher e os filhos, ou jogando futebol no pátio da Casa Branca, entrevistas criando a ideia de que ele era um dedicado homem de família, mas alguém que se misturava de igual para igual com estrelas glamourosas. As imagens todas se fundiam – a corrida espacial, o Peace Corps, Kennedy enfrentando os soviéticos durante a crise dos mísseis em Cuba da mesma forma como havia enfrentado Truman.

Depois que Kennedy foi assassinado, Jackie disse numa entrevista que, antes de dormir, ele costumava tocar as trilhas sonoras de musicais da Broadway, e a sua preferida era de *Camelot*, com os versos: "Não se esqueçam / que um dia houve um lugar / Por um breve e luminoso momento / Conhecido como Camelot." Voltaria a haver grandes presidentes, Jackie disse, mas jamais "outra Camelot". O nome "Camelot" pareceu pegar, fazendo os mil dias de Kennedy no governo ressoar como um mito.

esta estratégia, ele transformou as notícias em sonhos e filmes de cinema – um reino em que as imagens representavam cenários que combinavam com os desejos mais profundos dos telespectadores. (...) Jamais tendo estrelado um filme de verdade, mas, em vez disso, transformando o aparato televisivo na sua tela, ele se tornou o maior artista de cinema do século XX.
– JOHN HELLMAN, THE KENNEDY OBSESSION: THE AMERICAN MYTH OF JFK

Mas vimos que, considerada como um total fenômeno, a história das estrelas repete, nas suas devidas proporções, a história dos deuses. Antes dos deuses (antes das estrelas), o universo mítico (a tela) era povoado por espectros ou fantasmas dotados do glamour e da magia do duplo. Várias destas presenças assumiram corpo e substância,

adquiriram forma, amplificaram-se, floresceram como deuses e deusas. E até como certos deuses importantes dos antigos panteons se metamorfoseiam em deuses-heróis da salvação, as deusas-estrelas se humanizam e se tornam novas mediadoras entre o fantástico mundo de sonhos e a vida diária do homem na terra. (...) Os heróis do cinema (...) são, de um modo obviamente atenuado, heróis mitológicos neste sentido de se tornarem divinos. A estrela é o ator ou atriz que absorve parte da substância heroica – isto é, divinizada e mítica – do herói ou da heroína do cinema e que, por sua vez, enriquece esta substância com a sua própria contribuição. Quando falamos do mito da estrela, queremos dizer, antes de tudo, o processo de divinização por que passa o ator de cinema, um processo que o faz ídolo de multidões.
– EDGARD MORIN, THE STARS

Idade: 22, sexo: feminino, nacionalidade: britânica, profissão: estudante de

***

A sedução do público americano por Kennedy foi consciente e calculada. Foi também mais Hollywood do que Washington, o que não surpreendeu: o pai de Kennedy, Joseph, fora um dia produtor de cinema e o próprio Kennedy tinha passado tempos em Hollywood, convivendo com atores e tentando imaginar o que os fazia astros. Era particularmente fascinado por Gary Cooper, Montgomery Clift e Cary Grant; muitas vezes pediu conselhos a Grant.

Hollywood tinha descoberto como unir o país inteiro em torno de certos temas, ou mitos – quase sempre o grande mito americano do Oeste. As grandes estrelas personificavam tipos míticos: John Wayne, o patriarca; Clift, o rebelde prometeico; Jimmy Stewart, o herói nobre; Marilyn Monroe, a sereia. Estes não eram simples mortais, mas deuses e deusas com os quais se sonhava e fantasiava. Todas as ações de Kennedy eram moldadas segundo as convenções de Hollywood. Ele não discutia com seus adversários, ele os enfrentava dramaticamente. Ele posava, e de formas visualmente fascinantes – seja com a mulher, com seus filhos, ou sozinho no palco. Ele copiava as expressões faciais, a presença, de um Dean ou de um Cooper. Não discutia detalhes políticos, mas era eloquente ao falar de grandes temas míticos, o tipo capaz de unir uma nação dividida. E tudo isso era calculado para a televisão, pois Kennedy existia principalmente como uma imagem televisionada. Essa imagem assombrava nossos sonhos. Muito antes do seu assassinato, Kennedy atraía fantasias sobre a inocência perdida americana com sua convocação para um renascimento do espírito pioneiro, uma Nova Fronteira.

De todos os tipos de personagem, a Estrela Mítica é talvez o mais poderoso. As pessoas se dividem em todos os tipos de categorias conscientemente reconhecidas – raça, gênero, classe, religião, política. É impossível, portanto, conquistar o poder em grande escala, ou ganhar uma eleição, apelando para uma percepção consciente; o apelo a um grupo só alienará o outro. Inconscientemente, entretanto, temos em comum muitas coisas. Todos somos mortais, todos conhecemos o que é ter medo, todos temos a marca de nossas figuras paternas; e nada invoca mais esta experiência compartilhada do que o mito. Os padrões míticos, originados de sentimentos guerreiros de impotência, por um lado, e sede de imortalidade, de outro, estão profundamente gravados em todos nós.

Estrelas Míticas são figuras de mito vivas. Para se apropriar do poder que elas têm, você deve antes estudar a presença física delas – como elas adotam um estilo distinto, como são frias e visualmente atraentes. Em seguida, você deve assumir a pose de uma figura mítica: o rebelde, o sábio patriarca, o aventureiro. (A pose de uma Estrela que conseguiu sucesso com estas poses míticas servirá.) Torne imprecisas essas conexões: elas não devem nunca ser óbvias à mente consciente. Suas palavras e ações devem convidar a interpretações além da sua aparência superficial; você deve parecer que está lidando não com questões práticas, específicas, mas com questões de vida e morte, amor e ódio, autoridade e caos. Seu adversário, da mesma forma, não deve ser enquadrado apenas como um inimigo por razões de ideologia ou competição, mas como um vilão, um demônio. As pessoas são extremamente suscetíveis ao mito; portanto, transforme-se no herói de um grande drama. E mantenha-se distante – deixe que as pessoas identifiquem você sem que possam tocá-lo. Elas só podem observar e sonhar.

A vida de Jack tinha mais a ver com mito, magia, lenda, saga e história do que com teoria ou ciência política.
– Jacqueline Kennedy, uma semana depois da morte de John Kennedy

CHAVES PARA A PERSONALIDADE

Sedução é uma forma de persuasão que busca contornar a consciência, excitando em vez disso a mente inconsciente. A razão é simples: vivemos tão cercados por estímulos que competem pela nossa atenção, nos bombardeando com mensagens óbvias, e por pessoas que são declaradamente políticas e manipuladoras, que raramente somos fascinados ou enganados por eles. Estamos cada vez mais céticos. Tente persuadir alguém apelando para a sua consciência dizendo diretamente o que você quer, mostrando todas as suas cartas, e que esperança você tem? Você é só mais um fator de irritação que precisa ser desligado.

Para evitar este destino, você precisa aprender a arte da insinuação, de atingir o inconsciente. A expressão mais eloquente do inconsciente é o sonho, que está intrincadamente conectado com o mito; ao acordar de um sonho, com frequência somos assombrados com suas imagens e mensagens ambíguas. Os sonhos nos atormentam porque misturam o real com o irreal. Estão cheios de personagens reais, e quase sempre tratam de situação reais, mas são deliciosamente irracionais, forçando realidades a extremos de delírio. Se tudo num sonho fosse realístico, ele não teria nenhum poder sobre nós; se tudo fosse irreal, nós nos sentiríamos menos envolvidos nos seus prazeres e temores. A fusão das duas coisas é que o faz assombroso. É isto que Freud chamou de "estranho": algo que parece simultaneamente curioso e familiar.

medicina "[Deanna Durbin] foi o meu primeiro e único ídolo das telas. Eu queria parecer o máximo possível com ela tanto nos meus modos como nas minhas roupas. Sempre que ia comprar um vestido novo, eu ia buscar na minha coleção uma foto bem bonita de Deanna e pedia um vestido igual ao que ela estava usando. Eu penteava meus cabelos como os dela, na medida do possível. Se me encontrasse numa situação desagradável (...) eu me pegava imaginando o que Deanna faria e mudava as minhas próprias reações de acordo com isso. (...) Idade: 26, sexo: feminino, nacionalidade: britânica. "Só me apaixonei uma vez por um ator de cinema. Foi por Conrad Veidt. Seu magnetismo e sua personalidade me conquistaram. Sua voz e gestos me fascinaram. Eu o odiava, eu o temia, eu o amava. Quando ele morreu, senti como se uma parte vital da minha imaginação tivesse morrido também, e meu mundo de sonhos estava deserto."
– J. P. MAYER, BRITISH CINEMAS AND THEIR AUDIENCES

A selvagem adoração de ídolos de madeira e pedra; o homem civilizado, ídolos de carne e sangue.
– GEORGE BERNARD SHAW

Quando os raios do olhar encontram um objeto claro, lustroso – pode ser aço polido, vidro ou água, uma pedra brilhante ou qualquer outra substância polida e cintilante que tenha lustro, brilho e cintilações (...) esses raios do olhar são refletidos de volta, e o observador então se contempla e obtém uma visão ocular da sua própria pessoa. Isto é o que você vê quando se olha no espelho; nessa situação, você está como se estivesse olhando para si mesmo pelos olhos de outra pessoa.
– IBN HAZM, THE RING OF THE DOVE: A TREATISE ON THE ART AND PRACTICE OF ARAB LOVE

A única constelação de sedução coletiva importante produzida pelos tempos modernos [é] a das estrelas ou ídolos de cinema. (...) Eles são o nosso único mito numa era incapaz de gerar grandes mitos ou figuras de sedução comparáveis com aquelas da mitologia ou da arte.

Às vezes experimentamos essa sensação acordados – um *déjà-vu*, uma coincidência milagrosa, um acontecimento singular que lembra uma experiência da infância. Pessoas podem ter um efeito semelhante. Os gestos, as palavras, a própria existência de homens como Kennedy ou Andy Warhol, por exemplo, evocam tanto o real quanto o irreal: podemos não perceber isto (e como poderíamos, realmente?), mas eles são como figuras oníricas para nós. Eles têm características que os ancoram na realidade – sinceridade, espírito brincalhão, sensualidade –, mas ao mesmo tempo o seu distanciamento, a sua superioridade, a sua quase surreal qualidade os fazem parecer como algo saído de um filme.

Estes tipos têm um efeito assombrador, obsessivo, sobre as pessoas. Em público ou em particular, eles nos seduzem, fazendo-nos desejar possuí-los tanto física quanto psicologicamente. Mas como podemos possuir uma pessoa de um sonho, ou uma estrela de cinema ou do mundo político, ou mesmo um desses fascinadores da vida real, como um Warhol, que atravessam o nosso caminho? Incapazes de tê-los, ficamos obcecados por eles – eles assombram nossos pensamentos, nossos sonhos, nossas fantasias. Nós os imitamos inconscientemente. O psicólogo Sandor Ferenczi chama a isto de "introjeção": outra pessoa se torna parte do nosso ego, nós internalizamos a personalidade dela. Este é o insidioso poder sedutor de uma Estrela, um poder do qual você pode se apropriar transformando-se num criptograma, um misto do real e do irreal. As pessoas em geral são incorrigivelmente banais; isto é, reais em excesso. O que você precisa é de se tornar etéreo. Suas palavras e ações parecem vir do seu inconsciente – têm uma certa frouxidão. Você se retrai, ocasionalmente revelando um traço que faz as pessoas imaginarem se realmente o conhecem.

A Estrela é uma criação do cinema moderno. Isso não é surpresa: o filme recria o mundo de sonho. Assistimos a um filme no escuro num estado de semissonolência. As imagens são bastante reais, e em vários graus retratam situações realísticas, mas são projeções, luzes que piscam, imagens – sabemos que não são reais. É como se estivéssemos observando o sonho de uma outra pessoa. Foi o cinema, não o teatro, que criou a Estrela.

Num palco de teatro, os atores estão distantes, perdidos na multidão, reais demais na sua presença física. O que permitiu ao cinema manufaturar a Estrela foi o *close-up*, que de repente separa atores de seus contextos, enchendo a sua mente com a imagem deles. O *close-up* parece revelar algo não tanto sobre o personagem que estão representando, mas sobre eles mesmos. Vislumbramos alguma coisa da própria Greta Garbo quando olhamos bem de perto o seu rosto. Nunca se esqueça disso ao se moldar como uma Estrela. Primeiro, você precisa ter uma presença tão ampla que possa encher a mente do seu alvo da mesma forma como um *close-up* enche a tela. Você precisa ter um estilo ou presença que o faça se destacar de todo mundo. Seja vago e onírico, mas não distante ou ausente – não é bom que as pessoas não consigam focalizar você ou lembrar como você é. Elas precisam continuar vendo você mentalmente quando você não estiver por perto.

Segundo, cultive um rosto inexpressivo, misterioso, o centro que irradia o estrelismo. Isto permite às pessoas interpretar em você aquilo que elas querem, imaginando que podem ver a sua personalidade, até a sua alma. Em vez de sinalizar humores e emoções, em vez de exagerar na dramatização, a Estrela induz interpretações. Esse é o poder obsessivo do rosto de uma Garbo ou Dietrich, ou até de Kennedy, que moldou sua expressão segundo a de James Dean.

Uma coisa viva é dinâmica e mutante, enquanto um objeto ou imagem é passivo, mas na sua passividade ele estimula nossas fantasias. Uma pessoa pode ganhar poder tornando-se uma espécie de objeto. Um grande charlatão do século XVIII, o conde Saint-Germain, foi em muitos sentidos um precursor da Estrela. Ele apareceu de repente na cidade, ninguém sabia de onde; falava muitas línguas, mas o seu sotaque não era de nenhum país. Nem estava clara a sua idade – não era jovem, nitidamente, mas seu rosto tinha um brilho saudável. O conde só saía de noite. Usava sempre roupas pretas e também joias espetaculares. Chegando à corte de Luís XV, ele causou imediatamente sensação; recendia a riqueza, mas ninguém sabia a origem dela. Ele fez o rei e a madame de Pompadour acreditarem que tinha poderes fantásticos, até mesmo a capacidade de transformar matéria básica em ouro (o dom da Pedra Filosofal), mas nunca fazia grandes reivindicações em benefício próprio; tudo eram insinuações. Ele nunca dizia sim ou não, apenas talvez. Sentava-se para jantar, mas nunca era visto comendo. Certa vez ele presenteou Pompadour com uma caixa de balas que mudava de cor e aspecto conforme o ângulo em que ela a segurava; este objeto fascinante, disse Pompadour, a fazia lembrar do próprio conde. Saint-Germain pintava os quadros mais estranhos que alguém já tinha visto – as cores eram tão vibrantes que, se ele pintasse joias, as pessoas pensavam que eram de verdade. Os pintores ficavam desesperados para conhecer os seus segredos, mas ele jamais os revelava. Ele se ausentava da cidade da mesma maneira como entrava, de repente e em surdina. Seu maior admirador foi Casanova, que o conheceu e nunca mais se esqueceu dele. Quando morreu, ninguém acreditou; anos, décadas, um século depois, as pessoas estavam certas de que ele estava escondido em algum lugar. Uma pessoa com poderes como os seus não morre nunca.

> *O poder do cinema está no seu mito. Suas histórias, seus retratos psicológicos, sua imaginação ou realismo, as impressões cheias de significado que deixa – estes são secundários. Apenas o mito é poderoso, e na essência do mito cinematográfico está a sedução – aquela da figura sedutora reconhecida, um homem ou uma mulher (mas, acima de tudo, uma mulher) associada ao poder arrebatador, mas capcioso, da própria imagem cinematográfica. (...) A estrela não é de forma alguma um ser ideal ou sublime: ela é artificial. (...) Sua presença serve para submergir toda a sensibilidade e expressão sob um fascínio ritual pelo vazio, sob o êxtase do olhar dela e a nulidade do seu sorriso. É assim que ela adquire status mítico e se torna sujeita a ritos coletivos de adulação sacrificial. A ascensão dos ídolos do cinema, as divindades das massas, foi e continua sendo uma história central dos tempos modernos. (...) Não adianta descartá-la como simples sonhos de massas mistificadas. É uma ocorrência sedutora. (...) Sem dúvida, a sedução na era das massas*

não é mais como a de (...) As ligações perigosas ou Diário de um sedutor, nem como a encontrada na mitologia antiga que, indubitavelmente, contém as histórias mais ricas de sedução. Nessas, a sedução é quente, enquanto nossos ídolos modernos são frios, estando na interseção de dois meios frios, o da imagem e o das massas. (...) As grandes estrelas ou sedutoras não deslumbram por seus talentos ou inteligências, mas por suas ausências. Elas são deslumbrantes na sua nulidade e na sua frieza – a frieza da maquiagem e do hieraticismo ritual. (...) Estas grandes efígies sedutoras são nossas máscaras, nossas estátuas da ilha de Páscoa.
– JEAN BAUDRILLARD, *SEDUCTION*

Se quer saber tudo sobre Andy Warhol, basta olhar a superfície de meus quadros e filmes e de mim, e lá estou eu. Não há nada por trás disso.
– ANDY WARHOL, CITADO EM STEPHEN KOCH, *STARGAZER: THE LIFE, WORLD & FILMS OF ANDY WARHOL*

O conde tinha todas as qualidades da Estrela. Tudo nele era ambíguo e aberto a interpretações. Colorido e vibrante, ele se destacava da multidão. As pessoas pensavam que ele era imortal, assim como uma estrela parece não envelhecer nem desaparecer. Suas palavras eram como a sua presença – fascinantes, diversas, estranhas, de sentido pouco claro. Esse é o poder do qual você tem o comando ao se transformar num objeto cintilante.

Andy Warhol também deixava todos os que o conheciam obcecados. Ele tinha um estilo característico – aquelas asas de prata –, e seu rosto era inexpressivo e misterioso. Nunca se sabia o que ele estava pensando; como seus quadros, ele era pura superfície. Na qualidade de suas presenças, Warhol e Saint-Germain lembram os grandes quadros *trompe l'oeil* do século XVII, ou as gravuras de M. C. Escher – fascinantes misturas de realismo e impossibilidade que faziam as pessoas ficarem pensando se eram reais ou imaginárias.

Uma Estrela deve se destacar, e isto pode implicar um certo talento dramático, do tipo que Dietrich revelava quando aparecia nas festas. Às vezes, entretanto, um efeito mais assombroso, onírico, pode ser criado com toques sutis: a maneira de fumar um cigarro, uma inflexão de voz, um modo de caminhar. Quase sempre são pequenas coisas que entram na pele das pessoas, e as fazem imitar você – o cacho de cabelos sobre o olho direito de Veronica Lake, a voz de Cary Grant, o sorriso irônico de Kennedy. Embora estas nuances quase não fiquem registradas na mente consciente, subliminarmente elas podem ser tão atraentes como um objeto com um formato surpreendente ou uma cor estranha. Inconscientemente, somos atraídos de uma forma estranha por coisas que não têm outro significado além da sua aparência fascinante.

Estrelas nos fazem desejar saber mais sobre elas. Você precisa aprender a excitar a curiosidade das pessoas permitindo que elas vislumbrem alguma coisa da sua vida particular, algo que pareça revelar um elemento da sua personalidade. Deixe que elas fantasiem e imaginem. Um traço que costuma acionar esta reação é um toque de espiritualidade, que pode ser diabolicamente sedutor, como o interesse de James Dean por filosofia oriental e ocultismo. Sugestões de bondade e um coração grande podem causar um efeito semelhante. Estrelas são como deuses no monte Olimpo, que vivem para o amor e a brincadeira. Aquilo que você ama – gente, hobbies, animais – revela o tipo de beleza moral que as pessoas gostam de ver numa Estrela. Explore este desejo mostrando a elas pedacinhos da sua vida privada, as causas pelas quais você luta, a pessoa pela qual está apaixonado (no momento).

As Estrelas também seduzem fazendo-nos identificar com elas, dando-nos uma emoção vicária. Foi isto que Kennedy fez na sua coletiva à imprensa a respeito de Truman: ao se posicionar como um homem jovem enganado por um homem mais velho, evocando um conflito de gerações arquetípico, ele fez os jovens se identificarem com ele. (A popularidade da figura do adolescente sem afeto, iludido, nos filmes de Hollywood o ajudou nisso.) A chave é representar um tipo, como Jimmy Stewart representava a quinta-essência do americano médio e Cary Grant o aristocrata elegante. Gente do seu tipo gravitará na sua direção, se identificará com você, dividirá com você alegrias ou sofrimentos. A atração deve ser inconsciente, transmitida não por suas palavras, mas pela sua pose, a sua atitude. Hoje, mais do que nunca, as pessoas estão inseguras, e suas identidades fluidas. Ajude-as a escolher um papel para representar na vida, e elas acorrerão em bando para se identificar com você. Simplesmente, faça um tipo dramático, notável e fácil de imitar. O poder que você tem de influenciar a noção de identidade das pessoas desta maneira é insidioso e profundo.

Lembre-se: todo mundo é um artista em público. As pessoas nunca sabem exatamente o que você pensa ou sente; elas o julgam por sua aparência. Você é um ator. E os atores mais eficientes têm uma distância interior: como Dietrich, eles podem moldar a sua presença física como se a percebessem pelo lado de fora. Esta distância interior nos fascina. Estrelas brincam consigo mesmas, sempre ajustando a própria imagem, adaptando-a aos tempos. Nada é mais ridículo do que uma imagem que esteve em moda dez anos atrás, mas hoje não está mais. Estrelas devem sempre renovar o seu lustro ou enfrentarão o pior dos destinos: o esquecimento.

Símbolo:

O Ídolo. Uma pedra esculpida
com a forma de um deus, talvez cintilante
de ouro e pedras preciosas. Os olhos dos adoradores
encherão de vida a pedra imaginando que ela possui poderes reais.
Sua forma lhes permite ver o que desejam ver – um deus –, mas é, na
verdade, apenas um pedaço de pedra.
O deus vive em suas imaginações.

RISCOS

Estrelas criam ilusões agradáveis de ver. O risco é que as pessoas se cansam delas – a ilusão não mais fascina – e se viram para outra Estrela. Deixe isto acontecer e você achará muito difícil recuperar o seu lugar na galáxia. Você precisa manter todos os olhares na sua direção, custe o que custar.

Não se preocupe com a notoriedade, ou com nódoas na sua imagem; somos extremamente complacentes com nossas Estrelas. Depois da morte do presidente Kennedy, todos os tipos de verdades desagradáveis a seu respeito vieram à luz – os infindáveis casos de amor, o vício de assumir riscos e correr perigo. Nada disso diminuiu o seu encanto, e de fato o público ainda o considera um dos maiores presidentes dos Estados Unidos. Errol Flynn enfrentou muitos escândalos, inclusive um notório caso de estupro, que só reforçaram a sua imagem de libertino. Depois que as pessoas reconhecem uma Estrela, qualquer tipo de publicidade, até a ruim, simplesmente alimenta esta obsessão. Claro que você pode exagerar: as pessoas gostam de que a Estrela tenha uma beleza transcendente, e fraquezas extremamente humanas acabarão desiludindo-as. Mas a má publicidade é um risco menor do que o desaparecimento por muito tempo, ou distanciamento cada vez maior. Você não pode assombrar os sonhos das pessoas se elas nunca o veem. Ao mesmo tempo, você não pode deixar que o público fique familiarizado demais com você, ou que a sua imagem se torne previsível. As pessoas se viram contra você num instante se você começar a entediá-las, pois o tédio é o grande mal da sociedade.

Talvez o maior risco para as Estrelas seja a infinita atenção que despertam. A atenção obsessiva pode se tornar desconcertante e pior do que isso. Como qualquer mulher atraente é capaz de confirmar, cansa ser olhada o tempo todo, e o efeito pode ser destrutivo, como mostra a história de Marilyn Monroe. A solução é desenvolver um tipo de distância de si mesmo como o que tinha Dietrich – aceite as atenções e a idolatria com moderação, e mantenha um certo distanciamento delas. Veja a sua própria imagem com espírito brincalhão. Mais importante de tudo: jamais se torne obcecado pela qualidade obsessiva do interesse das pessoas por você.

ANTISSEDUTOR

*Os
sedu-
tores o atra-
em pela atenção fo-
cada, individualizada, que
dão a você. Os sedutores o atraem
pela atenção focada, individualizada, que
dão a você. Os antissedutores são o oposto: inseguros, absortos em seus próprios problemas e incapazes de
compreender a psicologia do outro, eles literalmente repelem. Os antissedutores não têm consciência do que fazem
e não percebem que estão incomodando, tomando liberdades, falando demais. Falta-lhes a sutileza para criar a
promessa de prazer que a sedução requer. Descubra em
você mesmo as qualidades antissedutoras, e reconheça-as
nos outros – lidar com o antissedutor não é nada agradável nem lucrativo.*

TIPOLOGIA DOS ANTISSEDUTORES

Antissedutores há de muitos tipos e formatos, mas quase todos possuem em comum um único atributo, a fonte da sua repulsa: a insegurança. Todos nós somos inseguros e sofremos com isso. Mas somos capazes de superar estes sentimentos às vezes: um envolvimento sedutor pode nos fazer sair de nossa autoabsorção e, no grau em que seduzimos ou somos seduzidos, nos sentimos carregados de energia e confiantes. Antissedutores, entretanto, são inseguros a tal ponto que não podem ser atraídos para o processo sedutor. Suas necessidades, suas ansiedades, sua autoconsciência os fecham. Eles interpretam a mais leve ambiguidade da sua parte como uma desfeita ao seu ego; eles veem a mais simples sugestão de retraimento como uma traição, e tendem a se queixar amargamente disso.

Parece fácil: os Antissedutores repelem, então seja repelido – evite-os. Mas, infelizmente, muitos Antissedutores não podem ser detectados como tais à primeira vista. São mais sutis e, se você não tomar cuidado, eles o farão cair na armadilha de um relacionamento muito insatisfatório. Você precisa procurar pistas do autoenvolvimento e da insegurança deles; talvez sejam pouco generosos, ou discutam com inusitada tenacidade, ou sejam excessivamente preconceituosos. Talvez cubram você de elogios não merecidos, declarando o seu amor antes de saber qualquer coisa sobre você. Ou, o que é mais importante, não prestam atenção a detalhes. Como não podem ver o que faz de você uma pessoa diferente, não podem surpreendê-lo com nuances de atenção.

É importantíssimo reconhecer as qualidades antissedutoras, não só nos outros, mas também em nós mesmos. Quase todos nós temos uma ou duas qualidades do Antissedutor latente na nossa personalidade e, à medida que conseguimos conscientemente eliminá-las, ficamos mais sedutores. Uma falta de generosidade, por exemplo, não sinaliza um Antissedutor se ela é a única falha dessa pessoa, mas é raro alguém pouco generoso ser realmente atraente. A sedução implica você se abrir,

O conde Ludovico em seguida observou com um sorriso: "Prometo que nosso sensível cortesão jamais agirá de forma tão idiota para conquistar os favores de uma mulher." Cesar Gonzaga respondeu: "Não tão idiota como um cavalheiro de que me lembro, de certa reputação, do qual, para poupar o corar dos homens, não desejo mencionar o nome." "Bem, pelo menos nos diga o que ele fez", falou a duquesa. Então Cesar continuou: "Ele era amado por uma dama muito importante, e por sua solicitação foi secretamente à cidade onde ela vivia. Depois de vê-la e gozar da sua companhia pelo tempo que ela o permitiu, ele suspirou e chorou amargamente para mostrar a angústia que sofria ao ter de deixá-la, e implorou que ela jamais se esquecesse dele; e, em

seguida, acrescentou que ela deveria pagar o seu quarto na hospedaria porque ela é que o chamara e ele achava justo, portanto, não ter nenhuma participação nas despesas com a viagem." Nisso, todas as damas começaram a rir e dizer que aquele homem não merecia o nome de cavalheiro; e muitos homens ficaram envergonhados como ele deveria ter ficado, se tivesse ele o juízo de reconhecer o que significava esse comportamento tão pouco gracioso.
– BALDASSARE CASTIGLIONE, O CORTESÃO

mesmo que apenas com o propósito de iludir; ser incapaz de dar gastando dinheiro costuma significar incapacidade de dar em geral. Descarte a falta de generosidade. Ela é um empecilho ao poder e um grave pecado na sedução.

É melhor se desligar dos Antissedutores logo de início, antes que eles mergulhem seus tentáculos carentes em você; portanto, aprenda a ler os sinais. Estes são os tipos principais.

Bruto. Se a sedução é uma espécie de cerimônia ou ritual, parte do prazer está na sua duração – o tempo que leva, a espera que aumenta a expectativa. Os brutos não têm paciência para essas coisas; estão preocupados apenas com o próprio prazer, jamais com o do outro. Ser paciente é mostrar que você está pensando na outra pessoa, o que nunca deixa de impressionar. Impaciência tem o efeito oposto: supondo que você está tão interessado neles que não tem razão para esperar, os Brutos ofendem você com o seu egoísmo. Por baixo desse egoísmo, também existe quase sempre um torturante sentimento de inferioridade; quando você os rejeita ou os faz esperar, eles reagem com violência. Se você desconfia de que está lidando com um Bruto, faça um teste – deixe-o esperando. A reação lhe dirá tudo de que você precisa saber.

Vejamos agora como o amor diminui. Isto acontece com a fácil acessibilidade de seus consolos, com a possibilidade de se ver e conversar longamente com o amante, com o garbo e as atitudes inadequados do amante, e com a súbita pobreza. (...) Outra causa da diminuição do amor é a percepção da notoriedade do amante, e relatos das suas misérias, mau caráter e maldades em geral; também um caso com outra mulher, mesmo que isso não envolva sentimentos de amor. O amor também

Sufocante. Sufocantes se apaixonam por você antes mesmo de você perceber que eles existem. O traço é ilusório – você pode pensar que eles te acharam irresistível –, mas o fato é que sofrem de um vazio interior, um poço profundo de necessidades que não pode ser enchido. Não se envolva jamais com Sufocantes; é quase impossível se livrar deles sem traumas. Eles grudam até você se ver forçado a empurrá-los, quando eles o cobrem de sentimentos de culpa. Nós tendemos a idealizar uma pessoa amada, mas amor leva tempo para se desenvolver. Reconheça os Sufocantes pela forma como rapidamente eles te adoram. Ser assim tão admirado pode dar um estímulo momentâneo ao seu ego, mas, bem lá no fundo, você percebe que as emoções intensas deles não estão relacionadas com nada que você tenha feito. Confie nestes instintos.

Uma subvariante do Sufocante é o Capacho, a pessoa que servilmente imita você. Localize estes tipos de início vendo se são capazes de ter uma ideia própria. A incapacidade de discordar de você é um mau sinal.

Moralizador. Sedução é um jogo, e deve ser jogado com o coração leve. Vale tudo no amor e na sedução; a moral não entra em cena. A personalidade do Moralizador, entretanto, é rígida. São pessoas que seguem ideias prefixadas e tentam fazer você se curvar aos seus padrões. Elas querem mudar você, fazer de você uma pessoa melhor, então criticam e julgam o tempo todo – esse é o seu prazer na vida. Na verdade, suas ideias morais têm origem na própria infelicidade deles, e mascaram o desejo que sentem de dominar quem está em volta. Sua incapacidade de se adaptar e gozar os faz ser fáceis de reconhecer; sua rigidez mental pode também vir acompanhada de uma rigidez física. É difícil não levar para o nível pessoal as suas críticas; portanto, é melhor evitar a presença dessas pessoas e seus comentários venenosos.

Unha de fome. A mesquinharia sinaliza mais do que um problema com dinheiro. É indício de algo constrito na personalidade da pessoa – algo que a impede de se soltar e assumir riscos. É o traço mais antissedutor de todos, e você não pode se permitir ceder a ele. Os sovinas, na sua maioria, não percebem que têm um problema; na verdade imaginam que ao dar a alguém uma migalha estão sendo generosos. Olhe bem para você – é provável que seja mais pão-duro do que pensa. Tente ser um pouco mais desprendido com o seu dinheiro e com você mesmo, e verá o potencial sedutor na generosidade seletiva. Claro que você deve manter a sua generosidade sob controle. Dar demais pode ser sinal de desespero, como se estivesse tentando comprar alguém.

Desajeitado. Desajeitados são pessoas inibidas, e a inibição delas aumenta a sua. No início você pode achar que estão pensando em você, e isso as faz parecer inconvenientes. De fato, estão pensando só em si mesmas – preocupadas com a própria aparência, ou com o que vão conseguir na tentativa de seduzir você. A preocupação delas é contagiante: em breve você também estará preocupando-se consigo mesmo. Desajeitados raramente alcançam os estágios finais da sedução, mas, se chegarem lá, também deixarão isso a perder. Na sedução, a principal arma é a ousadia, não dar tempo ao alvo para parar e pensar. O Desajeitado não tem noção de oportunidade. Você pode achar divertido tentar treiná-lo ou educá-lo, mas se continuar Desajeitado depois de uma certa idade, provavelmente é um caso perdido – é incapaz de sair de si mesmo.

Falastrão. As seduções mais eficazes são conseguidas com olhares, ações indiretas, atrativos físicos. As palavras têm o seu lugar, mas falar demais em geral tira o encanto, reforçando diferenças superficiais e fazendo as coisas ficarem pesadas. Gente que fala demais quase sempre fala de si mesma. Não têm aquela voz interior que pergunta: Estou sendo chato? Ser um Falastrão é ter um egoísmo profundamente enraizado.

diminui se a mulher percebe que o amante é tolo e não entende as coisas, ou se ela vê que ele está fazendo muitas exigências amorosas sem pensar no recato da sua parceira nem estar disposto a perdoar a sua vergonha. Um amante fiel deve preferir as duras penas do amor em vez de, com suas demandas, causar constrangimentos à sua parceira, ou sentir prazer em ofender a sua modéstia; pois quem pensa apenas no resultado do seu próprio prazer, e ignora o bem-estar da sua parceira, deve ser chamado de traidor e não de amante. O amor também sofre diminuição se a mulher percebe que seu amor é covarde na guerra, ou vê que ele não tem paciência, ou tem o vício do orgulho. Nada parece menos apropriado ao caráter de um amante do que se adornar de humildade, extremamente intocado pela nudez do orgulho. Aí também a prolixidade de um tolo ou de um louco muitas vezes diminui o amor. Existem muitos que gostam de prolongar as suas palavras loucas na presença de uma mulher pensando que a agradam se usam uma linguagem tola, imprudente, mas de

> *fato eles estão estranhamente iludidos. Na verdade, quem pensa que seu comportamento tolo agrada a uma mulher sensata sofre da maior pobreza de juízo.*
> – ANDREAS CAPELLANUS, "HOW LOVE IS DIMINISHED"

Jamais interrompa ou discuta com estes tipos – isso só vai alimentar a fanfarrice deles. Aprenda a controlar a sua língua a qualquer custo.

Reator. Reatores são sensíveis demais, não só a você, mas a seus próprios egos. Eles analisam em minúcia cada palavra e ação em busca de sinais de uma ofensa à sua vaidade. Se você estrategicamente se retrair, como às vezes é preciso na sedução, eles amarram a cara e atacam você. Tendem a se lamentar e se queixar, dois traços muito antissedutores. Teste-os contando uma piada leve ou uma história à custa deles: deveríamos todos ser capazes de rir de nós mesmos um pouco, mas o Reator não consegue. Você lê o ressentimento nos olhos dele. Apague qualquer qualidade reativa da sua própria personalidade – elas repelem inconscientemente as pessoas.

> *Homens de verdade Não deveriam enfeitar-se. (...) Mantenham-se agradavelmente limpos, façam exercícios, peguem uma cor Ao ar livre, confiram se a toga lhes cai bem E não tem manchas; não apertem demais os cadarços dos sapatos Nem ignorem fivelas enferrujadas, ou andem por aí com roupas largas demais. Não permitam que um barbeiro incompetente Arruíne as suas aparências: cabelos e barbas exigem Atenção de um especialista. Mantenham as unhas curtas e limpas Não deixem pelos saindo das narinas, verifiquem se o hálito não é desagradável Evitem a morrinha masculina Que faz os narizes torcerem... Eu estava para avisá-las [mulheres] dos sovacos cheirando a bode*

Grosseirão. Grosseirões são desatentos a detalhes muito importantes na sedução. Percebe-se isto na sua aparência pessoal – suas roupas são deselegantes segundo qualquer padrão – e nas suas ações: não sabem que às vezes é melhor se controlar e não ceder aos próprios impulsos. Os Grosseirões são indiscretos, falam qualquer coisa em público. Não têm noção do momento certo e raramente estão em harmonia com o seu gosto. A indiscrição é o sinal certeiro de um Grosseirão (falando com os outros sobre o seu namoro, por exemplo); pode parecer impulsivo, mas a verdadeira origem disso é o seu radical egocentrismo, a sua incapacidade de se ver como os outros os veem. Mais do que apenas evitar os Grosseirões, você precisa ser o oposto deles – tato, estilo e atenção aos detalhes são exigências básicas de um sedutor.

EXEMPLOS DE ANTISSEDUTOR

1. Cláudio, neto do grande imperador romano Augusto, era considerado meio imbecil quando rapaz, e tratado mal por quase todos da sua família. Seu sobrinho Calígula, que se tornou imperador em 37 a.D., divertia-se torturando-o, fazendo-o correr pelo palácio em alta velocidade como penalidade por sua estupidez, mandando amarrar sandálias sujas nas suas mãos, no jantar, além de outras coisas. Mais velho, Cláudio pareceu ficar ainda mais bobo e, enquanto todos os seus parentes viviam sob constante ameaça de assassinato, ele era deixado em paz. Portanto, foi uma grande surpresa para todos, inclusive para o próprio Cláudio, que a mesma cabala de soldados que assassinou Calígula em 41 a.D. também proclamasse Cláudio imperador. Não desejando governar, ele delegava quase todo o governo aos confidentes (um grupo de es-

cravos alforriados) e passava o seu tempo fazendo o que mais gostava: comer, beber, jogar e ir para a cama com prostitutas.

A mulher de Cláudio, Valéria Messalina, era uma das mulheres mais bonitas de Roma. Embora parecendo gostar dela, Cláudio não lhe dava atenção, e ela começou a ter seus casos. No início, era discreta, mas com o passar dos anos, provocada pela negligência do marido, foi ficando cada vez mais debochada. Mandou construir um quarto para ela no palácio, onde recebia dezenas de homens, fazendo o possível para imitar a mais notória prostituta de Roma, cujo nome estava escrito na porta. Qualquer homem que recusasse suas propostas era condenado à morte. Quase todos em Roma sabiam dessas orgias, mas Cláudio não dizia nada; parecia não perceber.

Tão forte era a paixão de Messalina por seu amante favorito, Caio Sílio, que ela resolveu se casar com ele, embora ambos já fossem casados. Enquanto Cláudio estava fora, eles fizeram uma cerimônia de casamento, autorizada por um contrato de casamento que o próprio Cláudio fora induzido astuciosamente a assinar. Depois da cerimônia, Caio se mudou para o palácio. Agora o choque e o desgosto de toda a cidade finalmente forçaram Cláudio a agir, e ele ordenou a execução de Caio e dos outros amantes de Messalina – mas não da própria Messalina. Não obstante, um bando de soldados inflamados pelo escândalo foi atrás dela e a matou a facadas. Quando foram contar isso ao imperador, ele simplesmente pediu mais vinho e continuou comendo. Várias noites depois, para espanto de seus escravos, ele perguntou por que a imperatriz não vinha jantar com ele.

Nada nos enfurece mais do que a falta de atenção. No processo de sedução, às vezes é preciso se retrair, submetendo o alvo a momentos de dúvida. Mas a desatenção prolongada não só quebra o encanto, mas também pode gerar o ódio. Cláudio exagerava neste comportamento. Sua insensibilidade foi criada pela necessidade: agindo como um imbecil, ele ocultou a sua ambição e se protegeu em meio a concorrentes perigosos. Mas a insensibilidade virou uma segunda natureza. Cláudio ficou relaxado, e não percebia mais o que estava acontecendo ao redor. Sua desatenção teve um profundo efeito sobre a sua mulher: Como pode um homem, pensou ela, especialmente um homem de físico tão pouco atraente como Cláudio, não me notar, ou não se importar com meus casos com outros homens? Mas nada que ela fizesse parecia ter importância para ele.

Cláudio marca o ponto extremo, mas o espectro da desatenção é amplo. Muita gente presta pouca atenção aos detalhes, os sinais que a pessoa dá. Seus sentidos estão amortecidos pelo trabalho, pelas dificul-

---

E pelos arrepiados nas pernas, Mas não estou instruindo camponesas do Cáucaso Ou ribeirinhas da Mísia – então não é preciso Lembrar vocês de não deixarem os dentes desbotarem Pela negligência, ou se esquecerem de lavar as mãos todas as manhãs? Vocês sabem como clarear a pele Com pó, acrescentem um corado a um rosto pálido Habilmente apaguem o rude traçado de uma sobrancelha Coloquem um remendo numa face manchada. Vocês não relutam em delinear os olhos com máscara escura Ou com um toque de açafrão Ciliciano. (...) Mas não deixem seus amantes descobrirem todos aqueles potes e garrafas Em seus toucadores: a melhor maquiagem permanece invisível. Um rosto emplastrado demais Com a pintura escorrendo pelo pescoço suado Vai criar repulsa. E aquela gosma saindo de tosões mal lavados – Ateniense, talvez, mas, queridas, que cheiro! – Isto é usado como creme facial: evite-o. Quando estiver em companhia, Não passe nada nas espinhas,

não comece a limpar os dentes: O resultado pode ser atraente, mas o processo dá nojo. (...)
– OVÍDIO, A ARTE DE AMAR

dades, pelo egoísmo. Vemos com frequência isto desligando a carga sedutora entre duas pessoas, notadamente entre casais que vivem juntos há anos. Levada ao exagero, ela vai despertar raiva, amargura. Quase sempre, aquele que foi enganado por um parceiro iniciou a dinâmica com padrões de desatenção.

Mas, se como o gato de inverno diante da lareira, o amante se demorar depois de ter sido mandado embora, e não suportar ter de ir, certos meios precisam ser adotados para fazê-lo compreender; e estes devem ser progressivamente mais rudes, até tocá-lo na carne viva. Ela deve recusá-lo na cama, e zombar dele, e deixá-lo zangado; ela deve despertar a inimizade da própria mãe contra ele; deve tratá-lo com uma óbvia falta de candura e se espalhar em longas considerações sobre a ruína dele; sua partida deve ser declaradamente prevista, seus gostos e desejos, frustrados, sua pobreza, ultrajada; ela deve permitir que ele veja que está simpatizando com outro homem, deve acusá-lo com palavras duras sempre; deve contar mentiras sobre ele a seus aduladores, deve interromper suas frases e enviá-lo em missões frequentes longe de casa. Ela deve procurar ocasiões para discutir, e fazê-lo vítima de

2. Em 1639, um exército francês cercou e tomou posse da cidade italiana de Turim. Dois oficiais franceses, o chevalier (mais tarde conde) de Grammont e seu amigo Matta, decidiram voltar suas atenções para as belas mulheres da cidade. As esposas de alguns dos homens mais ilustres de Turim foram mais do que suscetíveis – seus maridos estavam ocupados, tinham suas próprias amantes. A única exigência das esposas era que o pretendente jogasse de acordo com as regras da galanteria.

O chevalier e Matta encontraram logo parceiras, o chevalier escolhendo a bela mademoiselle de Saint-Germain, que estava prestes a ficar noiva, e Matta oferecendo seus serviços a uma mulher mais velha e mais experiente, madame de Senantes. O chevalier passou a se vestir de verde, Matta, de azul, sendo estas as cores preferidas de suas damas. No segundo dia de suas cortes, os casais visitaram um palácio nos arredores da cidade. O chevalier era todo encantos, fazendo mademoiselle de Saint-Germain rir estrondosamente com seus ditos espirituosos, mas Matta não se saiu tão bem; não tinha paciência para esse negócio de galanterias e, quando ele e madame Senantes foram dar um passeio, ele apertou a mão dela e com ousadia declarou seu afeto. A dama, é claro, se aborreceu, e quando eles voltaram para Turim ela foi embora sem olhar para ele. Sem perceber que a havia ofendido, Matta imaginou que ela estava muito emocionada e se sentiu bastante contente consigo mesmo. Mas o chevalier de Grammont, imaginando o motivo da separação do casal, foi visitar madame de Senantes e perguntou como as coisas tinham se passado. Ela lhe contou a verdade – Matta tinha dispensado as formalidades e estava pronto para levá-la para cama. O chevalier riu e pensou consigo mesmo como teria feito diferente se fosse ele a cortejar a linda madame.

Nos dias seguintes, Matta continuou sem entender os sinais. Ele não foi visitar o marido de madame de Senantes, como o costume exigia. Não vestia as cores dela. Quando os dois foram dar um passeio a cavalo juntos, ele foi atrás das lebres, como se elas fossem a presa mais interessante, e quando ele cheirava rapé não lhe oferecia um pouco. Enquanto isso, ele continuava a fazer suas propostas insistentes. Finalmente, madame não aguentou mais e se queixou com ele diretamente. Matta pediu perdão; não tinha percebido os seus erros. Comovida por seus pedidos de desculpas, a dama estava mais do que pronta para continuar a corte – mas dias depois, após uma ou outra tentativa de fazer a corte, Matta outra vez supôs que ela estava pronta para ir para a cama. Para sua consternação, ela o recusou como antes. "Não penso que [mulheres] possam ficar extremamente ofendidas", contou Matta ao chevalier, "se alguém deixa de lado as trivialidades para ir direto à questão." Mas madame de Senantes não quis mais nada com ele, e o chevalier de Grammont, vendo uma oportunidade que não poderia deixar passar, aproveitou-se da indignação dela cortejando-a em segredo da forma adequada, e acabou conquistando os favores que Matta havia tentado obter à força.

Não há nada mais antissedutor do que sentir que alguém supõe que você é dele, que você não resiste aos seus encantos. A mais leve aparência deste tipo de conceito é mortal para a sedução; você deve se colocar à prova, não se apressar, conquistar o coração do seu alvo. Talvez você tema que ele ou ela se ofenda com um ritmo mais lento, ou perderá o interesse. É mais provável, entretanto, que seu temor reflita a sua própria insegurança, e insegurança é sempre antissedutora. Na verdade, quanto mais você demora, mais demonstra a intensidade do seu interesse, e mais forte o fascínio que você exerce.

Num mundo de poucas formalidades e cerimônias, a sedução é um dos poucos vestígios do passado que mantêm os antigos padrões. É um ritual, e ritos devem ser observados. A pressa revela não a intensidade de seus sentimentos, mas o grau do seu egoísmo. Pode ser possível às vezes apressar alguém a fazer amor, mas você só receberá como retribuição a falta de prazer que este tipo de amor permite. Se você é naturalmente impetuoso, faça o possível para disfarçar. Por estranho que pareça, o esforço que você despender controlando-se pode ser entendido pelo seu alvo como profundamente sedutor.

3. Em Paris, na década de 1730, vivia um homem chamado Meilcour, que estava bem na idade de ter o seu primeiro caso de amor. A mãe de um amigo, madame de Lursay, uma viúva por volta dos 40 anos, era bela e encantadora, mas tinha fama de intocável; desde menino, Meilcour tinha se apaixonado por ela, mas jamais esperava que seu amor fosse correspondido. Portanto, foi com grande surpresa e excitação que ele percebeu que, agora que estava com idade suficiente, os doces olhares de madame de Lursay pareciam indicar mais do que um interesse maternal por ele.

Durante dois meses, Meilcour tremeu na presença de de Lursay. Tinha medo dela, e não sabia o que fazer. Uma noite, estavam discutin-

milhares de perfídias domésticas; ela deve esmerar-se em irritá-lo; deve brincar com os olhares de outro na sua presença e ceder à repreensível prodigalidade diante dele; deve sair de casa o maior número de vezes possível e deixar claro que não tem nenhuma necessidade real de fazer isso. Todos estes meios são bons para mostrar a um homem a porta da rua.
– EASTERN LOVE, VOLUME II: THE HARLOT'S BREVIARY OF KSHEMENDRA

Assim como as damas amam homens valentes e ousados, prontos para a luta, da mesma forma elas amam os que agem assim no amor; e o homem que é covarde e, além do mais, respeitoso com elas, jamais conquistará a sua preferência. Não que elas os queiram tão arrogantes, ousados e presunçosos, que devam pela força principalmente derrubá-las no chão; mas, sim, que elas desejam neles uma certa intrépida modéstia ou, melhor, quem sabe, uma modesta intrepidez. Pois embora elas mesmas não sejam exatamente libertinas, e não solicitarão um homem e nem, na verdade, oferecerão seus favores, sabem muito bem desper-

tar os apetites e as paixões, e atraem conflitos de tal modo que aquele que não aproveitar a ocasião e juntar-se ao combate sem a menor reverência por nível e grandeza, sem escrúpulos de consciência, tempo ou qualquer tipo de hesitação, é verdadeiramente um tolo ou desanimado poltrão, e alguém que merece permanecer para sempre esquecido pela sorte. Ouvi falar de dois honrados cavalheiros e camaradas, com os quais duas muito honradas damas, e de forma alguma de humilde qualidade, combinaram um dia se encontrar em Paris para um passeio pelo jardim. Chegando lá, as damas se separaram uma da outra, cada uma sozinha com seu próprio cavalheiro, cada uma em várias aleias do jardim, que era tão fechado com uma leve treliça de ramos, a ponto de a luz do dia mal conseguir penetrar, e a frescura do lugar era muito agradável. Agora um dos dois era um homem ousado, e sabia muito bem que a reunião tinha sido feita para algo mais do que passear e respirar ar puro e, julgando pelo rosto da sua dama, que ele via todo em fogo, que ela desejava provar outro

do uma peça recente. Como um personagem tinha declarado bem o seu amor a uma mulher, observou madame. Notando o óbvio desconforto de Meilcour, ela prosseguiu: "Se não estou enganada, uma declaração só pode ser tão embaraçosa porque você mesmo tem uma para fazer." Madame de Lursay sabia muito bem que era ela a origem do constrangimento do rapaz, mas gostava de implicar; você precisa me dizer, disse ela, por quem está apaixonado. Finalmente, Meilcour confessou: era na verdade madame que ele desejava. A mãe do amigo aconselhou-o a não pensar nela dessa forma, mas também suspirou, e lhe deu um olhar comprido e lânguido. Suas palavras disseram uma coisa; seus olhos, outra – quem sabe ela não era tão intocável quanto ele tinha pensado? No fim da noite, entretanto, madame de Lursay disse que duvidava da duração dos sentimentos dele, e deixou o jovem Meilcour perturbado porque ela não havia dito nada sobre retribuir o seu amor.

Alguns dias se passaram, Meilcour repetidamente pedia a de Lursay que declarasse o seu amor por ele, e ela repetidamente recusava. Por fim, o jovem concluiu que o seu caso era impossível, e desistiu; mas, algumas noites depois disso, num serão na casa dela, suas roupas pareciam mais excitantes do que o usual, e a aparência dela fez o sangue dele queimar nas veias. Ele retornou então, e a seguia por toda parte, enquanto ela cuidava de manter uma pequena distância para os outros não perceberem o que estava acontecendo. Mas ela também havia dado um jeito para ele ficar sem levantar suspeitas depois que as visitas fossem embora.

Finalmente sozinhos, ela o fez sentar-se ao seu lado no sofá. Ele mal conseguia falar; o silêncio era constrangedor. Para fazê-lo falar, ela tocou no mesmo velho tema; a juventude dele faria do seu amor por ela uma fantasia passageira. Em vez de negar, ele pareceu desanimado e continuou mantendo uma distância polida, até que ela exclamou, com óbvia ironia: "Se as pessoas soubessem que você está aqui com o meu consentimento, que eu voluntariamente combinei isto com você (...) o que diriam? E, no entanto, como estariam erradas, pois ninguém poderia ser mais respeitoso do que você." Incentivado, Meilcour agarrou a mão dela e a olhou nos olhos. Ela corou e lhe disse que deveria ir embora, mas o modo como se acomodou no sofá e devolveu o seu olhar sugeria que ele devia fazer o contrário. Mas Meilcour ainda hesitou: ela lhe dissera para ir embora e, se ele desobedecesse, ela poderia fazer uma cena, e talvez nunca o perdoasse; ele teria feito papel de bobo, e todos, inclusive sua mãe, ficariam sabendo. Ele se levantou, pediu desculpas por sua ousadia momentânea. O olhar dela, atônito e um tanto frio, significava que ele tinha realmente ido longe demais, imaginou, e, despedindo-se, foi embora.

***

Meilcour e madame de Lursay aparecem no romance *The Wayward Head and Heart*, escrito em 1738 por Crébillon fils, que baseou seus personagens nas libertinas que conhecia na França naquela época. Para Crébillon fils, a sedução depende de sinais – de ser capaz de enviá-los e interpretá-los. Não porque a sexualidade é reprimida e exige que se fale em códigos. É mais porque a comunicação sem palavras (por meio de roupas, gestos, ações) é a mais agradável, excitante e sedutora forma de linguagem.

No romance de Crébillon fils, madame de Lursay é uma engenhosa sedutora que acha excitante iniciar rapazes. Mas nem mesmo ela consegue vencer a jovial estupidez de Meilcour, que é incapaz de interpretar os seus sinais porque está absorto nos próprios pensamentos. Mais adiante na história, ela dá um jeito de educá-lo, mas na vida real há muitos que não podem ser educados. São pessoas por demais literais e insensíveis aos detalhes com poder sedutor. Elas não só repelem, mas irritam e enfurecem você com seus constantes mal-entendidos, sempre vendo a vida por trás da cortina de seu ego e incapazes de enxergar as coisas como elas realmente são. Meilcour está tão preocupado consigo mesmo que não vê que madame está esperando que ele tome a atitude ousada à qual ela terá de sucumbir.

A hesitação dele mostra que está pensando em si mesmo, não nela; está preocupado com a sua imagem, não está se sentindo arrebatado pelos encantos dela. Nada poderia ser mais antissedutor. Reconheça esses tipos e, se não são mais tão jovens para usar isso como desculpa, não se envolva no acanhamento deles – eles irão contagiar você com dúvidas.

4. Na corte de Heian, do final do século X, no Japão, o jovem nobre Kaoru, suposto filho do grande sedutor Genji, só tinha tido azar no amor. Havia se apaixonado por uma jovem princesa, Oigimi, que morava num lar arruinado no campo, o pai dela passando dificuldades. Então, um dia, ele se encontrou com a irmã de Oigimi, Nakanokimi, que o convenceu de que era por ela que ele estava realmente apaixonado. Confuso, ele retornou para a corte, e não visitou as irmãs durante algum tempo. Nisso, o pai delas morreu e, logo em seguida, também Oigimi.

Agora Kaoru percebeu o seu engano: tinha amado Oigimi o tempo todo, e ela havia morrido desesperada achando que ele não gostava dela. Nunca mais encontraria ninguém igual; só conseguia pensar nela. Quando Nakanokimi, com o pai e a irmã mortos, foi viver na corte, Kaoru transformou a casa onde Oigimi e sua família tinham morado num santuário.

alimento que não as uvas moscatéis penduradas na treliça, e também pelo discurso desenfreado, ardente e libertino dela, ele prontamente aproveitou uma tão boa oportunidade. Assim, agarrando-a sem a menor cerimônia, ele a deitou sobre um pequeno sofá que havia ali, feito de turfa e torrões de terra, e impôs sobre ela a sua vontade de um modo tão agradável, sem que ela pronunciasse uma palavra, mas apenas: "Céus! Senhor, o que pretende? Certamente é o sujeito mais louco e estranho que já existiu! Se vier alguém, o que dirá? Céus! Sai daqui!" Mas o cavalheiro, sem se perturbar, continuou fazendo tão bem o que tinha começado que foi até o fim, ela aproveitando, e tão contente que, depois de dar três ou quatro voltas pela aleia, eles começaram tudo de novo. Anon, entrando por outra aleia, aberta, viu em outra parte do jardim o outro casal, que caminhava junto exatamente como eles o tinham deixado antes. Daí que a dama, muito satisfeita, falou com o cavalheiro na mesma situação: "Acho que fulano bancou o tolo puritano, e não deu a sua dama outra distração além de palavras,

discursos bonitos e passeio."
Depois, quando os quatro se reuniram, as duas damas não hesitaram em perguntar uma à outra o que tinha se passado com cada uma. Então aquela que estava bem satisfeita respondeu que estava ótima, e na verdade estava; na verdade, na ocasião não podia estar melhor. A outra, que não estava satisfeita, declarou que da sua parte tivera que se virar com o amante mais tolo e covarde que já vira; e o tempo todo os dois cavalheiros as viam rindo juntas enquanto caminhavam e reclamavam: "Oh! Que idiota! O tímido poltrão e covarde!" Com isso, o galante bem-sucedido disse ao seu companheiro: "Ouça as nossas damas, que reclamam e escarnecem de você. Vai ver que você exagerou no papel de puritano e janota nesta peleja." Nisso ele concordou; mas não dava mais tempo de consertar o erro, pois a oportunidade não lhe deu outro pretexto para agarrá-la.
— SEIGNEUR DE BRANTÔME, *LIVES OF FAIR & GALLANT LADIES*

Um dia, Nakanokimi, vendo a melancolia em que caíra Kaoru, lhe disse que havia uma terceira irmã, Ukifune, parecida com sua amada Oigimi, que vivia escondida no campo. Kaoru se animou – talvez tivesse uma chance de se redimir, de mudar o passado. Mas como faria para encontrar essa mulher? Chegou a hora de visitar o santuário para prestar homenagem à falecida Oigimi, e ele soube que a misteriosa Ukifune também estava lá. Agitado e excitado, ele conseguiu vislumbrá-la por uma fenda da porta. Ao vê-la, ficou sem fôlego: apesar de ser uma moça do campo de aparência simples, aos olhos de Kaoru ela era a própria encarnação de Oigimi. Sua voz, entretanto, era parecida com a de Nakanokimi, a quem ele também havia amado. Lágrimas rolaram de seus olhos.

Meses depois, Kaoru conseguiu encontrar a casa nas montanhas onde Ukifune morava. Foi visitá-la, e ela não o desapontou. "Eu a vi uma vez pela fenda de uma porta", disse-lhe ele, e "desde então, tenho pensado muito em você." Em seguida, pegou-a em seus braços e a levou para um carro que estava aguardando. Retornava com ela para o santuário, e a viagem lhe trazia à lembrança a imagem de Oigimi; novamente os olhos dele se encheram de lágrimas. Olhando para Ukifune, ele silenciosamente a comparou com Oigimi – não usava roupas tão bonitas, mas tinha belos cabelos.

Quando Oigimi estava viva, ela e Kaoru tinham jogado coto juntos; assim, uma vez no santuário, ele mandou buscar cotos. Ukifune não jogava tão bem como Oigimi, e seus modos eram menos refinados. Não precisava se preocupar – ele a ensinaria, ele a transformaria numa dama. Mas então, como tinha feito com Oigimi, Kaoru voltou para a corte, deixando Ukifune saudosa no santuário. Passou-se algum tempo antes que ele a fosse visitar de novo; ela tinha se aprimorado, estava mais bonita do que antes, mas ele não conseguia parar de pensar em Oigimi. Mais uma vez, ele a deixou prometendo levá-la para a corte, mas semanas se passaram e ele finalmente recebeu a notícia de que Ukifune tinha desaparecido, tendo sido vista pela última vez no caminho do rio. Era bem provável que tivesse se suicidado.

No funeral de Ukifune, Kaoru estava arrasado de tanta culpa: Por que não viera buscá-la antes? Ela merecia um destino melhor.

Kaoru e os outros aparecem no conto japonês do século XI *A história de Genji*, da nobre Murasaki Shikibu. Os personagens são baseados em pessoas que a autora conhecia, mas o tipo de Kaoru está presente em todas as culturas e períodos: são homens e mulheres que parecem estar em busca de um parceiro ideal. O que têm nunca parece bom o suficiente; à primeira vista a pessoa os excita, mas logo começam a ver falhas e, assim que uma nova pessoa cruza o seu caminho, esta lhe parece melhor e a primeira é esquecida. Estes tipos costumam tentar mudar o mortal imperfeito que os excitou aprimorando-o cultural e moralmente. Mas isto se revela extremamente insatisfatório para ambas as partes.

O fato não é que estes tipos estejam em busca de um ideal, mas que são pessoas extremamente insatisfeitas consigo mesmas. Você pode confundir a insatisfação deles com os padrões elevados de um perfeccionista, mas a verdade é que nada realmente os deixará felizes, pois a infelicidade que sentem está profundamente arraigada. É possível reconhecê-los pelo seu passado, onde se encontram restos espalhados de romances curtos e tempestuosos. Da mesma forma, eles tendem a comparar você com os outros, e a querer modificar você. Talvez no início você não perceba no que se meteu, mas gente assim acabará provando ser extremamente antissedutora porque não consegue ver as suas qualidades individuais. Corte o romance pela raiz. Estes tipos são sádicos não assumidos e vão torturar você com suas metas inatingíveis.

5. Em 1762, na cidade de Turim, na Itália, Giovanni Giacomo Casanova ficou conhecendo um certo conde A.B., um cavalheiro milanês que pareceu gostar imensamente dele. O conde estava passando por dificuldades, e Casanova lhe emprestou algum dinheiro. Agradecido, o conde convidou Casanova para passar uma temporada com ele e a mulher em Milão. Sua mulher, disse ele, era de Barcelona, e muitíssimo admirada por sua beleza. Ele mostrou a Casanova as cartas que ela lhe escrevia, que tinham uma intrigante espirituosidade; Casanova a imaginou como um prêmio que merecia ser conquistado. E foi para Milão.

Chegando à casa do conde A.B., Casanova descobriu que a dama espanhola era certamente bela, mas também calada e séria. Alguma coisa o incomodava naquela mulher. Quando ele estava tirando as roupas das malas, a condessa viu entre as suas coisas um estonteante vestido vermelho debruado de zibelina. Era um presente, explicou Casanova, para a dama milanesa que conquistasse o seu coração.

Na noite seguinte, durante o jantar, a condessa de repente estava mais cordial, fazendo brincadeiras e arreliando Casanova. Ela descreveu o vestido como um suborno – ele o usaria para convencer uma mulher a se entregar. Pelo contrário, disse Casanova, ele só dava presentes depois, como sinal de seu apreço. Naquela noite, na carruagem ao voltar da ópera, ela lhe perguntou se uma sua amiga rica podia comprar o vestido e, diante da resposta negativa, ficou nitidamente contrariada. Percebendo o jogo dela, Casanova lhe ofereceu o vestido se ela fosse boa com ele. Ela se zangou e os dois discutiram.

Finalmente Casanova se cansou dos humores da condessa: vendeu o vestido por 15 mil francos para a amiga rica, que por sua vez o deu para ela, como tinha sido planejado o tempo todo. Mas, para provar que não estava interessado no dinheiro, Casanova disse à condessa que lhe daria os 15 mil francos sem condições. "Você é um homem muito mau", disse ela, "mas pode ficar, você me diverte." Ela retomou os seus modos coquetes, mas Casanova não se deixou enganar. "A culpa não é minha, madame, se os seus encantos não têm poder sobre mim", disse-lhe ele. "Aqui estão os 15 mil francos como consolo." E, depositando o dinheiro sobre a mesa, saiu, deixando a condessa furiosa e jurando vingança.

Quando Casanova foi apresentado à dama espanhola, duas coisas nela o repeliram. Primeiro, o seu orgulho: em vez de se envolver no toma-lá-dá-cá da sedução, ela exigia a submissão de um homem. Orgulho pode refletir autoconfiança, sinalizando que você não se abaixa diante dos outros. Com a mesma frequência, entretanto, ele se origina de um complexo de inferioridade que exige que os outros se abaixem diante de você. A sedução requer uma receptividade com relação à outra pessoa, uma disposição para se curvar e se adaptar. Orgulho excessivo, sem nada que o justifique, é altamente antissedutor.

A segunda qualidade que desagradou Casanova foi a ganância da condessa: seus pequenos jogos coquetes tinham como única intenção conseguir o vestido – ela não estava interessada em romance. Para Casanova, sedução era um jogo descontraído que as pessoas jogavam para se divertirem juntas. No seu esquema de coisas, tudo certo se a mulher quisesse dinheiro e presentes também; ele entendia o desejo, e era um homem generoso. Mas ele também achava que este era um desejo que a mulher deveria disfarçar – ela devia dar impressão de estar interessada no prazer. A pessoa que está obviamente de olho no dinheiro ou outra recompensa material só pode repelir. Se essa é a sua intenção, se você tem em mira algo além do prazer – dinheiro, poder –, não demonstre. A suspeita de um motivo oculto é antissedutora. Não deixe nada desfazer a ilusão.

6. Em 1868, a rainha Vitória da Inglaterra foi a anfitriã do seu primeiro encontro em particular com o novo primeiro-ministro do país, William Gladstone. Ela havia estado com ele antes e conhecia a sua reputação de absolutista moral, mas esta seria uma cerimônia, uma troca de amenidades. Gladstone, entretanto, não tinha paciência para essas coisas. Naquele primeiro encontro, ele explicou à rainha a sua teoria sobre a realeza: a rainha, acreditava ele, tinha de representar um papel exem-

plar na Inglaterra – um papel à altura do qual ela não tinha estado nos últimos tempos por ser excessivamente reservada.

Este sermão definiu um tom pejorativo para o futuro, e as coisas só pioraram: não demorou muito e Vitória recebia cartas de Gladstone mergulhando ainda mais no assunto. Metade delas a rainha nem se dava ao trabalho de ler e, não demorou muito, ela fazia de tudo para evitar o contato com o líder do governo; se era obrigada a vê-lo, o encontro era o mais breve possível. Com essa finalidade, ela jamais permitia que ele se sentasse na sua presença, na esperança de que um homem da idade dele fosse se cansar logo e ir embora. Pois, se começava a falar de um assunto de seu agrado, ele não notava a expressão de desinteresse ou os bocejos mal contidos do seu interlocutor. Seus memorandos, até sobre as questões mais simples, tinham de ser traduzidos num inglês comum por um dos próprios funcionários da rainha para que ela pudesse entender. Pior de tudo, Gladstone argumentava com ela, e seus argumentos tinham um jeito de fazê-la se sentir idiota. Ela logo aprendeu a balançar a cabeça e parecer que estava concordando com qualquer ponto abstrato que ele estivesse defendendo. Numa carta para sua secretária, referindo-se a si mesma na terceira pessoa, ela escreveu: "Ela sempre sentiu nos modos [de Gladstone] uma excessiva obstinação e arrogância (...) que ela nunca experimentava com *ninguém*, e que achava muito desagradável." Com o passar dos anos, estes sentimentos se transformaram num ódio crescente.

Como chefe do Partido Liberal, Gladstone tinha uma nêmese, Benjamin Disraeli, chefe do Partido Conservador. Ele considerava Disraeli amoral, um judeu diabólico. Numa sessão no Parlamento, Gladstone atacou com violência o seu rival, acumulando pontos ao descrever as consequências da política do seu adversário. Cada vez mais irado (como costumava acontecer quando falava de Disraeli), ele socava a mesa do orador com tanta força que penas e papéis voavam. O tempo todo, Disraeli parecia semiadormecido. Quando Gladstone terminou, ele abriu os olhos, levantou-se e calmamente caminhou até a mesa. "O justo e honorável cavalheiro", disse ele, "falou com muita paixão, muita eloquência e muita – eh! – violência." Em seguida, depois de uma pausa calculada, continuou: "Mas o dano pode ser reparado", e começou a recolher o que tinha caído da mesa e a colocar tudo de volta no lugar. O discurso que se seguiu foi ainda mais magistral pela calma e pelo irônico contraste com o de Gladstone. Os membros do Parlamento ficaram fascinados, e todos concordaram em que ele tinha ganho o dia.

Se Disraeli era o consumado sedutor e encantador social, Gladstone era o Antissedutor. Claro que ele tinha seus defensores, principalmente entre os elementos mais puritanos da sociedade – duas vezes ele derrotou Disraeli numa eleição geral. Mas era difícil para ele ampliar o seu encanto além do círculo de fiéis. As mulheres em particular o achavam insuportável. É claro que na época elas não votavam, e não representavam uma grande ameaça política; mas Gladstone não tinha paciência para pontos de vista femininos. A mulher, era a sua ideia, tinha de aprender a ver as coisas como um homem, e era seu propósito na vida educar a quem ele considerava um ser irracional ou esquecido de Deus.

Não demorou muito para Gladstone exasperar todo mundo. É essa a natureza das pessoas que estão convencidas de uma verdade, mas não têm paciência com uma perspectiva diferente ou não se interessam pela psicologia alheia. Estes tipos são tirânicos e, a curto prazo, quase sempre conseguem o que querem, particularmente dos menos agressivos. Mas despertam muitos ressentimentos e tácita antipatia, que acabam por derrubá-los. As pessoas percebem o que existe por trás dessa atitude moral preconceituosa, que com muita frequência é um disfarce para um jogo de poder – moralidade é uma forma de poder. Um sedutor nunca procura persuadir diretamente, nunca desfila a sua moralidade, nunca prega sermões ou se impõe. Tudo é sutil, psicológico, indireto.

Símbolo:
O Caranguejo.
Num mundo hostil,
o caranguejo sobrevive pela dureza da sua
casca, pela ameaça de suas pinças, e pelo seu
esconderijo na areia. Ninguém ousa chegar perto.
Mas o Caranguejo não pode surpreender o seu inimigo e tem
pouca mobilidade. Sua força defensiva é a sua suprema limitação.

USOS DA ANTISSEDUÇÃO

A melhor maneira de evitar envolvimentos com Antissedutores é reconhecê-los na hora e ficar ao largo, mas quase sempre eles nos iludem. Envolvimentos com estes tipos são dolorosos e difíceis de desenredar porque, quanto mais reações emocionais você demonstrar, mais envolvido parece estar. Não se zangue – isso talvez só sirva para encorajá-los ou exacerbar as tendências antissedutoras deles. Em vez disso, tenha uma atitude distante e indiferente; não lhes dê atenção, faça-os sentir que não têm a mínima importância para você. O melhor antídoto para um Antissedutor é ser você mesmo antissedutor.

Cleópatra tinha um efeito devastador sobre todos os homens que cruzavam o seu caminho. Otávio – o futuro imperador Augusto, e o homem que derrotaria e destruiria o amante de Cleópatra, Marco Antônio – estava bastante consciente do poder que ela exercia, e se defendeu sendo extremamente afável com ela, cortês em excesso, mas jamais demonstrando qualquer emoção, quer de interesse quer de desagrado. Em outras palavras, ele a tratava como se ela fosse uma mulher comum. Diante desta fachada, ela não podia enfiar suas garras nele. Otávio fez da antissedução a sua defesa contra a mulher mais irresistível da história. Lembre-se: sedução é um jogo de atenção, de lentamente encher a mente da outra pessoa com a sua presença. Distância e desatenção criam o efeito contrário, e isso pode ser usado como uma tática quando for preciso.

Finalmente, se você quer mesmo "antisseduzir", basta fingir as qualidades relacionadas no início do capítulo. Reclame; fale muito, particularmente sobre si mesmo; vista-se diferente do gosto da outra pessoa; não dê atenção a detalhes; sufoque, e assim por diante. Uma palavra de alerta: com o tipo que argumenta, o Falastrão, não fale muito. Palavras só farão as coisas ficarem mais inflamadas. Adote a estratégia da rainha Vitória: balance a cabeça, pareça concordar, depois encontre uma desculpa para interromper a conversa. Esta é a única defesa.

AS VÍTIMAS DO SEDUTOR – OS 18 TIPOS

As pessoas à sua volta são todas vítimas em potencial de uma sedução, mas antes você precisa saber com que tipo de vítima está lidando. Elas são classificadas segundo o que sentem que está lhes faltando em suas vidas – aventura, atenção, romance, uma experiência picante, estímulo mental ou físico etc. Uma vez identificado esse tipo, você tem os ingredientes necessários para a sedução; você será aquele que lhes dará o que elas não têm e não conseguem obter sozinhas. Ao estudar vítimas em potencial, aprenda a ver a realidade por trás das aparências. Uma pessoa tímida pode estar querendo muito brincar de estrela; a puritana pode estar louca por uma emoção transgressora. Não tente seduzir o seu próprio tipo.

ooo
o

TEORIA DA VÍTIMA

Ninguém neste mundo se sente completo e satisfeito. Todos nós sentimos alguma lacuna em nossa personalidade, algo de que precisamos ou que queremos, mas não podemos conseguir sozinhos. Quando nos apaixonamos, quase sempre é por alguém que parece preencher esse vazio. O processo em geral é inconsciente e depende de sorte: esperamos que a pessoa certa cruze o nosso caminho e, quando nos apaixonamos, queremos que ela retribua o nosso amor. Mas o sedutor não deixa essas coisas ao acaso.

Olhe as pessoas à sua volta. Esqueça o seu exterior social, os seus traços óbvios de personalidade; enxergue o que há por trás disso focalizando as lacunas, as peças que estão faltando em suas psiques. Essa é a matéria bruta de qualquer sedução. Preste bem atenção em suas roupas, seus gestos, seus comentários precipitados, o que elas têm em suas casas, certas expressões no olhar; faça com que falem do passado, particularmente romances passados. E, aos poucos, o contorno dessas peças que faltam começa a se fazer visível. Compreenda: as pessoas estão constantemente emitindo sinais daquilo que lhes falta. Elas anseiam por completude, ilusória ou real, e, se isso tiver de vir de uma outra pessoa, essa pessoa tem um poder enorme sobre elas. Podemos chamá-las de vítimas de uma sedução, mas, quase sempre, são vítimas voluntárias.

Este capítulo traça o perfil de 18 tipos de vítimas, cada uma com uma falta dominante. Embora o seu alvo possa muito bem revelar as características de mais de um tipo, costuma haver sempre uma necessidade comum que as une. Talvez você veja alguém ao mesmo tempo como um Novo Puritano e como uma Estrela Esmagada, mas o que ambos têm em comum é um sentimento de repressão, e portanto um desejo de fazer travessuras, junto com um temor de não serem suficientemente capazes ou ousados. Identificado o tipo de vítima, preste atenção para não se deixar levar pelas aparências externas. De um modo ao mesmo tempo intencional e inconsciente, com frequência desenvolvemos um exterior social que tem o objetivo específico de disfarçar nossas fraquezas e deficiências. Por exemplo, você pode achar que está lidando com alguém duro e cínico sem perceber que, bem lá no fundo, essa pessoa tem um coração mole e sentimental. Ela anseia secretamente por romance. E, a não ser que você identifique o seu tipo e as emoções por baixo da dureza que ela revela, vai perder a chance de realmente seduzi-la. O que é mais importante: esqueça o mau hábito de achar que os outros sentem falta das mesmas coisas que você. Talvez você deseje muito o conforto e a segurança, mas, ao dar conforto e segurança a uma outra pessoa, supondo que ela também queira isso, é bem mais provável que você a esteja sufocando e afastando.

Jamais tente seduzir alguém do seu próprio tipo. Vocês serão como dois quebra-cabeças nos quais estão faltando as mesmas peças.

OS 18 TIPOS

O Libertino ou a Sereia Reformados. Pessoas deste tipo já foram felizes sedutores que fizeram sucesso com o sexo oposto. Mas chegou o dia em que foram obrigados a desistir disto – alguém os encurralou num relacionamento, estavam enfrentando demasiada hostilidade social, envelheceram e decidiram sossegar. Seja por que motivo for, você pode estar certo de que eles têm algum ressentimento e uma sensação de perda, como se lhes faltasse um dos membros. Estamos sempre tentando reviver prazeres que experimentamos no passado, mas a tentação é particularmente forte para o Libertino ou a Sereia Reformados porque os prazeres que tiveram com a sedução foram intensos. Estes tipos estão no ponto para a colheita: basta que você cruze o caminho deles e lhes ofereça a oportunidade de retomar os seus hábitos de libertino ou de sereia. O sangue deles ferverá nas veias e não conseguirão resistir ao apelo da juventude.

É importantíssimo, entretanto, dar a estes tipos a ilusão de que quem está seduzindo são eles. Com o Libertino Reformado, você deve acender a centelha do seu interesse indiretamente, depois deixá-lo queimar e brilhar de desejo. Com a Sereia Reformada, você vai lhe dar a impressão de ainda ser dona de um irresistível poder capaz de atrair um homem e fazer com que ela desista de tudo por sua causa. Lembre-se de que aquilo que você está oferecendo a estes tipos não é um outro relacionamento, uma outra prisão, mas a chance de escapar do curral e se divertir. Não se deixe constranger pelo fato de eles já estarem num relacionamento; um compromisso preexistente costuma ser o contraste perfeito. Se atraí-los para um relacionamento é o que você quer, esconda esta intenção da melhor maneira possível e entenda que, talvez, ela não possa ser satisfeita. O Libertino e a Sereia são infiéis por natureza; a sua capacidade de despertar antigas sensações lhes dá poder, mas depois você terá de conviver com as consequências da irresponsabilidade dessas pessoas.

O Sonhador Desapontado. Na infância, é bem possível que estes tipos tenham passado muito tempo sozinhos. Para se distraírem, criaram uma intensa vida de fantasias, alimentada por livros, filmes e outras espécies de cultura popular. E, mais velhos, ficou cada vez mais difícil conciliar essa vida de fantasia com a realidade e eles, portanto, com frequência se sentem frustrados com o que conseguem ter. É o que acontece nos relacionamentos. Estas pessoas sonharam com heróis românticos, com perigo e aventuras excitantes, mas o que elas têm são amantes com fragilidades humanas, as mesquinhas fraquezas do dia a dia. Com o passar dos anos, talvez tenham de fazer concessões para não passar o resto da vida sozinhas; por baixo dessa camada superficial, no entanto, são pessoas amargas e que ainda aguardam ansiosas por algo grandioso e romântico.

Você pode reconhecer os tipos pelos livros que leem e os filmes a que assistem, pelo modo como aprumam os ouvidos quando escutam falar das aventuras que certas pessoas conseguem viver na vida real. Nas roupas que vestem e na decoração de suas casas, revela-se o gosto pelo romance exuberante ou pelo drama. São pessoas quase sempre presas na armadilha de relacionamentos insípidos, e um comentário aqui e outro ali deixarão a descoberto o desapontamento e a tensão interior que sentem.

Estes tipos são vítimas excelentes e satisfatórias. Primeiro, costumam ter reprimidas uma paixão e uma energia enormes, que você pode liberar e concentrar em si mesmo. Elas possuem também uma grande imaginação e vão reagir a qualquer coisa vagamente misteriosa ou romântica que você lhes oferecer. Basta você disfarçar algumas das suas qualidades nada exaltadas e lhes dar parte de seus sonhos. Esta pode ser a chance de viverem suas aventuras ou serem cortejadas por uma alma cavalheiresca. Se você lhes der uma parte do que desejam, elas imaginarão o resto. A qualquer custo, não permita que a realidade desfaça a ilusão que você está criando. Um momento de mesquinharia e elas desaparecem numa frustração mais amarga do que nunca.

A Realeza Mimada. Estas pessoas foram as clássicas crianças mimadas. Todos as suas vontades e desejos eram satisfeitos por pais em adoração – diversões intermináveis, um desfile de brinquedos, seja lá o que fosse que as deixasse felizes por um ou dois dias. Enquanto muitas crianças aprendem a se distrair sozinhas, inventando jogos e fazendo amigos, a Realeza Mimada aprende que os outros é que vão distraí-la. Mimadas, ficam preguiçosas e, mais velhas, quando os pais não estão mais aqui para lhes fazer as vontades, tendem a se sentir muito entediadas e inquietas. A solução é encontrar prazer na variedade, mudar rapidamente de uma pessoa para outra, de emprego, de lugar, antes que se estabeleça a monotonia. Elas não se acomodam bem nos relacionamentos porque, nessas situações, um certo hábito e uma certa rotina são inevitáveis. Mas essa incansável busca de variedade é cansativa para elas e tem o seu preço: problemas no trabalho, romances insatisfatórios em série, amigos espalhados pelo mundo inteiro. Não confunda a inquietação e a infidelidade dessas pessoas com realidade – o que o Príncipe ou a Princesa Mimados estão realmente procurando é uma pessoa, aquela figura paterna ou materna, que lhes dará o mimo que tanto desejam.

Para seduzir este tipo, esteja preparado para lhe proporcionar muitas distrações – novos lugares para visitar, novas experiências, cores, espetáculo. Você terá de manter um ar de mistério, continuamente surpreendendo o seu alvo com um novo aspecto da sua personalidade. Variedade é a palavra-chave. Depois de fisgar os Nobres Mimados, as coisas ficam mais fáceis porque eles logo se tornam dependentes de você e não será mais preciso tanto esforço. A não ser que o mimo na infância os tenha deixado por demais difíceis e preguiçosos, eles são excelentes como vítimas – serão fiéis a você como foram à mamãe e ao papai. Mas você terá de fazer quase todo o trabalho sozinho. Se estiver atrás de um relacionamento duradouro, disfarce. Ofereça segurança a longo prazo a um Nobre Mimado, e ele sairá correndo em pânico. Reconheça este tipo pelo turbilhão que é o seu passado – mudanças de emprego, viagens, relacionamentos curtos – e pelo ar de aristocracia, não importando a sua classe social, que vem de ter sido um dia tratado como um nobre.

O Novo Puritano. Puritanismo sexual ainda existe, mas já não é tão comum. Puritanismo, entretanto, nunca se refere apenas a sexo; puritano é alguém excessivamente preocupado com as aparências, com o que a sociedade considera um comportamento apropriado e aceitável. Puritanos ficam rigorosamente dentro dos limites da correção porque, mais do que tudo, temem o julgamento da sociedade. Visto por esta perspectiva, o puritanismo continua tão difundido como sempre foi.

O Novo Puritano preocupa-se excessivamente com os padrões de bondade, justiça, sensibilidade política, bom gosto etc. O que distingue o Novo Puritano, porém, assim como acontecia com o antigo, é que bem lá no fundo a culpa e os prazeres transgressivos na verdade os deixam excitados e intrigados. Assustados com esta atração, eles correm no sentido contrário e se tornam as pessoas mais corretas do mundo. Eles tendem a usar cores insípidas; jamais se arriscam quando o assunto é moda. Podem ser muito preconceituosos e críticos com relação às pessoas que se arriscam e são menos corretas. São viciados na rotina, o que para eles é um meio de abafar o seu turbilhão interior.

Novos Puritanos são secretamente oprimidos por sua correção e desejam muito transgredir. Assim como os puritanos sexuais são alvos perfeitos para um Libertino ou uma Sereia, o Novo Puritano não raro se sente muito tentado por alguém que demonstre uma faceta perigosa ou picante. Se você deseja um Novo Puritano, não se deixe impressionar por seus julgamentos ou críticas a você. Isso é só um sinal de como você o fascina; de como ele pensa em você. É possível atrair um Novo Puritano com a sedução, de fato, dando-lhe uma chance de criticar, ou mesmo tentar reformar você. Não leve a sério nada do que dizem, é claro, mas agora você tem a desculpa perfeita para gastar o seu tempo com eles – e Novos Puritanos podem ser seduzidos simplesmente estando em contato com você. Estes tipos na verdade são vítimas excelentes e compensadoras. Quando se consegue que se abram e desistam de ser tão corretos, eles ficam inundados de emoções e sentimentos. Podem até afogar você. Talvez estejam num relacionamento com alguém tão insípido quanto eles mesmos parecem ser – não desanime. Estão simplesmente adormecidos aguardando serem despertados.

A Estrela Esmagada. Todos nós queremos atenção, todos nós queremos brilhar, mas com a maioria de nós estes desejos são fugazes e facilmente aquietados. O problema das Estrelas Esmagadas é que, num determinado momento da vida, elas se viram como o centro das atenções – talvez fossem belas, charmosas e efervescentes, talvez atletas, ou possuidoras de algum outro talento –, mas aquele tempo passou. Pode parecer que elas aceitaram isto, mas a lembrança de ter um dia brilhado é difícil de superar. Em geral, a aparência de estar sempre querendo atenção, de tentar se destacar, não é muito bem vista na sociedade bem-educada ou no ambiente de trabalho. Para progredir, as Estrelas Esmagadas aprendem a abafar seus desejos; mas, ao deixarem de ter as atenções que julgam merecer, elas também ficam ressentidas. É possível reconhecer Estrelas Esmagadas por certos momentos de descuido: de repente, num ambiente social, alguém lhes dá atenção e isso as faz brilhar; elas mencionam seus dias de glória, e há uma leve centelha no olhar; um pouco de vinho, e elas se tornam efervescentes.

Seduzir este tipo de pessoa é simples: basta fazê-la o centro das atenções. Quando estiver ao seu lado, aja como se ela fosse uma estrela e você está ali se aquecendo sob o seu brilho. Faça-a falar, principalmente sobre si mesma. Em situações sociais, fique em segundo plano e deixe que, na comparação, ela é que pareça engraçada e radiante. Em geral, banque o Encantador. A recompensa de seduzir Estrelas Esmagadas é que você desperta emoções fortes. Elas se sentirão profundamente gratas por você deixá-las brilhar. Não importa até que ponto elas se sintam esmagadas e refreadas, o alívio desse sofrimento libera intensidade e paixão, tudo direcionado para você. Elas se apaixonarão perdidamente. Se você tem alguma tendência para estrela ou dândi, é melhor evitar esse tipo de vítima. Mais cedo ou mais tarde, essas tendências virão à tona, e a competição entre vocês será feia.

O Noviço. O que separa os Noviços de outras pessoas comuns, jovens e inocentes, é que eles são fatalmente curiosos. Têm pouca, ou quase nenhuma, experiência do mundo, mas foram expostos a ele indiretamente – pelos jornais, filmes, livros. Achando a sua inocência um peso, eles querem muito ser iniciados na vida mundana. Todos os veem como pessoas doces e inocentes, mas eles sabem que não é assim – não podem ser tão angelicais como os outros pensam.

Seduzir um Noviço é fácil. Para fazê-lo bem, entretanto, é necessário um pouquinho de arte. Os Noviços se interessam por gente com experiência, em particular por aquelas pessoas que sugerem corrupção e maldade. Acentue bastante esse traço, entretanto, e eles ficarão tímidos e assustados. O que funciona melhor com um Noviço é uma mescla de qualidades. Você mesmo é um pouco infantil, com um espírito brincalhão. Ao mesmo tempo, está claro que você tem uma profundidade oculta, até sinistra. (Este era o segredo do sucesso de Lord Byron com tantas mulheres inocentes.) Você está iniciando os seus Noviços não só sexual mas experimentalmente, expondo-os a novas ideias, levando-os a novos lugares, novos mundos, tanto literais quanto metafóricos. Não torne a sua sedução feia ou gananciosa – tudo deve ser romântico, até o lado mau e sombrio da vida. Os jovens têm os seus ideais; é melhor iniciá-los com um toque estético. A linguagem sedutora opera maravilhas com os Noviços, como faz a atenção aos detalhes. Espetáculos e acontecimentos animados e coloridos agradam aos seus sentidos sensíveis. Eles são facilmente iludidos por estas táticas porque lhes falta a experiência para ver o que existe por trás delas.

Às vezes os Noviços não são tão jovens e tiveram uma certa instrução, pelo menos quanto aos costumes do mundo. Mas fingem inocência porque veem o poder que isso tem sobre as pessoas mais velhas. Estes são os falsos Noviços, conscientes do jogo que estão fazendo – mas Noviços continuam sendo. Pode ser menos fácil iludi-los do que aos Noviços puros, mas a maneira de seduzi-los é bem parecida – misture inocência e corrupção, e você os deixará fascinados.

O Conquistador. Estes tipos têm uma quantidade extraordinária de energia, que acham difícil controlar. Estão sempre à espreita de gente para conquistar, obstáculos para vencer. Nem sempre você reconhece os Conquistadores pelo seu exterior – podem parecer um pouco tímidos em situações sociais e manter um certo grau de reserva. Não procure em suas palavras ou aparência, mas em suas ações, no trabalho e nos relacionamentos. Eles amam o poder e, custe o que custar, eles o conseguem.

Conquistadores tendem a ser pessoas emotivas, mas a emoção deles só aparece em explosões, quando forçadas. Tratando-se de romance, a pior coisa que você pode fazer com eles é deitar e se fazer de presa fácil; eles podem se aproveitar da sua fraqueza, mas rápido se descartarão de você e o deixarão no bagaço. Você deve dar aos Conquistadores uma chance de serem agressivos, de vencer alguma resistência ou obstáculo, antes de deixar que pensem que dominaram você. Dê-lhes uma boa caçada. Um pouco de dificuldade e mau humor, usando de coquetismo, e a mágica está feita. Não se intimide com a agressividade e a energia deles – é disso mesmo que você pode tirar vantagem. Para acertá-los, mantenha-os avançando e recuando, como um touro. No final, eles enfraquecem e ficam dependentes, como Napoleão se tornou escravo de Josefina.

O Conquistador costuma ser do sexo masculino, mas existem por aí muitas mulheres Conquistadoras – Lou Andreas-Salomé e Natalie Barney ficaram famosas. As Conquistadoras sucumbirão ao coquetismo, entretanto, assim como os homens.

O Fetichista Exótico. A maioria de nós se excita e se intriga com aquilo que é exótico. O que distingue os Fetichistas Exóticos do resto de nós é o grau desse interesse, que parece governar todas as suas escolhas na vida. Na verdade, eles se sentem vazios por dentro e têm uma forte dose de aversão por si próprios. Não gostam das suas origens, sejam elas quais forem, da sua classe social (em geral média ou alta) e da sua cultura porque não gostam de si mesmos.

Estes tipos são fáceis de reconhecer. Gostam de viajar, suas casas são repletas de objetos de lugares distantes; transformam em fetiches a música ou a arte desta ou daquela cultura. Com frequência, têm um forte traço de rebeldia. Nitidamente, a maneira de seduzi-los é colocar-se na posição de exótico – se você não parecer pelo menos vir de uma educação ou raça diferente, ou ter uma aura alienígena, não precisa nem se dar ao trabalho. Mas é sempre possível inventar algo que o faça exótico, transformar isso numa espécie de teatro para eles se divertirem. Nas roupas que você veste, nas coisas sobre as quais fala, nos lugares aonde você os leva, exiba a sua diferença. Exagere um pouco e eles imaginarão o resto porque esses tipos tendem a ser autoiludíveis. Fetichistas Exóticos, entretanto, não são vítimas particularmente boas. Seja lá qual for o seu exotismo, em breve lhes parecerá banal, e eles vão querer outra coisa. É uma luta mantê-los interessados. A insegurança subjacente neles deixará você também intranquilo.

Uma variação deste tipo é o homem ou a mulher que se vê preso num relacionamento, numa ocupação, numa cidade morta, idiotizantes. São as circunstâncias, ao contrário da neurose pessoal, que fazem com que essas pessoas transformem o exótico em fetiche; e estes Fetichistas Exóticos são melhores vítimas do que o tipo que odeia a si mesmo porque você pode lhes oferecer uma fuga temporária daquilo que os oprime. Nada, entretanto, oferecerá aos verdadeiros Fetichistas Exóticos a fuga de si mesmos.

A Rainha do Drama. Tem gente que não passa sem uma situação dramática constante em suas vidas – é o modo que encontraram para fugir do tédio. O maior erro que você pode cometer ao seduzir estas Rainhas do Drama é dar a ideia de estar lhes oferecendo estabilidade e segurança. Isso só vai afugentá-las. Quase sempre, as Rainhas do Drama (e existem muitos homens nessa categoria) gostam de bancar a vítima. Querem algo para se queixar, querem sofrer. A dor é uma fonte de prazer para elas. Com este tipo, você deve ter disposição, e ser capaz, de lhes dar o grosseiro tratamento mental que desejam. É a única maneira de seduzi-las profundamente. No momento em que você exagera na gentileza, elas encontram um motivo para discutir ou se livrar de você.

Você reconhece uma Rainha do Drama pelo número de pessoas que as magoaram, pelas tragédias e traumas que sofreram. No máximo, podem ser extremamente egoístas e antissedutoras, mas a maioria é relativamente inofensiva e serão ótimas vítimas se você conseguir conviver com um turbilhão de emoções. Se por algum motivo você quiser algo mais duradouro com este tipo de gente, terá de estar sempre injetando drama no seu relacionamento. Tem gente para quem isto é um desafio excitante e uma fonte de constante renovação para o relacionamento.

Mas, em geral, você deve ver o envolvimento com a Rainha do Drama como algo efêmero e que vai deixar a sua vida um pouco mais dramática.

O Professor. Estes tipos não se livram da armadilha de estarem sempre analisando e criticando tudo que lhes passa pela frente. Sua mente é superdesenvolvida e superestimulada. Mesmo quando falam de amor ou de sexo, é com muita reflexão e análise. Tendo desenvolvido sua mente à custa do corpo, muitos se sentem fisicamente inferiores e compensam impondo a sua superioridade mental sobre os outros. A conversa deles é quase sempre irônica – você nunca sabe exatamente o que estão dizendo, mas sente que eles o olham de cima para baixo. Eles gostariam de escapar de suas prisões mentais, mas não conseguem chegar lá sozinhos. Professores às vezes se envolvem em relacionamentos com outros tipos de professor, ou com gente a quem tratam como inferior. Mas, bem lá no fundo, eles anseiam por serem dominados por alguém com presença física – um Libertino ou uma Sereia, por exemplo.

Professores podem ser excelentes vítimas, pois debaixo dessa potência intelectual residem inseguranças atormentadoras. Faça-os se sentirem como Dom Juans ou Sereias, nem que seja só um pouquinho, e eles se tornarão seus escravos. Muitos têm um traço masoquista que virá à tona assim que você despertar os seus sentidos adormecidos. Você está oferecendo uma fuga para a mente, portanto torne-a a mais completa possível: se tiver, você mesmo tendências intelectuais, esconda-as. Essa sua característica só vai atiçar o humor competitivo do seu alvo, e deixá-lo com a cabeça fervendo. Permita que seus Professores mantenham a noção de suas superioridades mentais; deixe que eles o julguem. Você saberá o que eles vão tentar esconder: que você é quem está no controle porque está lhes dando o que ninguém mais pode lhes dar – estímulo físico.

A Bela. Desde os mais tenros anos de sua vida, a Bela é admirada pelos outros. O desejo que eles têm de olhar para ela é a fonte do seu poder, mas também a origem de muita infelicidade: ela está constantemente preocupada porque seus poderes estão desaparecendo, porque não está mais chamando atenção. Se é honesta consigo mesma, também percebe que ser adorada apenas pela própria aparência é uma coisa monótona e que não satisfaz – e é solitária. Muitos homens se intimidam com a beleza e preferem admirá-la de longe; outros são atraídos, mas não para conversar. A Bela sofre de isolamento.

Como lhe falta tanta coisa, a Bela é relativamente fácil de seduzir e, fazendo isso direito, você terá conquistado não só uma presa muito valorizada, mas alguém que se tornará dependente do que você lhe oferecer.

O mais importante nesta sedução é dar valor a esses aspectos da Bela que ninguém mais aprecia – a sua inteligência (em geral maior do que se imagina), suas habilidades, seu caráter. É claro que você deve adorar o seu corpo – você não pode despertar nenhuma insegurança na única área em que ela se sabe forte, e de cuja força ela mais depende –, mas você deve também adorar a sua mente e a sua alma. Estímulo intelectual funcionará muito bem com a Bela, distraindo-a de suas dúvidas e inseguranças, e dando ideia de que você valoriza esse lado da sua personalidade.

Como a Bela está sempre sendo olhada, ela tende a ser passiva. Sob a sua passividade, entretanto, costuma haver uma frustração: a Bela adoraria ser mais ativa e caçar um pouco por conta própria. Um leve coquetismo pode funcionar bem aqui: em algum momento de toda a sua adoração, você poderia se mostrar um pouco frio, convidando-a a vir atrás de você. Treine-a a ser mais ativa e você terá uma excelente vítima. A única desvantagem é que suas muitas inseguranças exigem atenção e cuidados constantes.

O Bebê Crescido. Algumas pessoas se recusam a crescer. Talvez tenham medo de morrer ou de ficar velhas; talvez estejam apaixonadamente apegadas à vida que levaram na infância. Avessas à responsabilidade, elas lutam para transformar tudo em brincadeiras e divertimento. Aos 20 anos, podem ser charmosas; aos 30, interessantes; mas, quando chegam aos 40, começam a ficar desgastadas.

Ao contrário do que você possa imaginar, um Bebê Crescido não quer se envolver com outro Bebê Crescido, ainda que a combinação possa dar a ideia de que serão maiores as chances de brincadeiras e frivolidades. O Bebê Crescido não quer concorrência, mas uma figura adulta. Se você deseja seduzir este tipo, deve estar preparado para ser aquela pessoa que é séria, responsável. Pode ser um estranho modo de seduzir, mas, neste caso, funciona. Você deve dar a impressão de que lhe agrada o espírito jovial do Bebê Crescido (ajuda se você realmente gostar), de que é capaz de participar disso, mas continua sendo o adulto indulgente. Sendo responsável, você deixa o Bebê livre para brincar. Atue totalmente como o adulto amoroso, jamais julgando ou criticando o comportamento dele, e uma forte ligação se formará. Bebês Crescidos podem ser divertidos por uns tempos, mas, como todas as crianças, são muitas vezes potencialmente narcisistas. Isto limita o prazer que você pode ter com eles. Você deve considerá-los como diversões de curto prazo ou válvulas de escape temporárias para seus instintos paternos, ou maternos, frustrados.

O Salvador. Somos com frequência atraídos por pessoas que parecem vulneráveis ou fracas – a tristeza delas, ou a depressão, pode na verdade ser muito sedutora. Há gente, entretanto, que leva isso ainda mais longe, que parece atraída apenas por quem vive cheio de problemas. Pode parecer uma atitude nobre, mas Salvadores em geral têm motivos complicados: são quase sempre de natureza sensível e querem mesmo ajudar. Ao mesmo tempo, solucionar problemas alheios lhes dá uma espécie de poder que os deixa muito satisfeitos – sentem-se superiores e no controle da situação.

É também o modo perfeito para se esquecer dos próprios problemas. Você reconhece estes tipos por sua empatia – eles sabem ouvir e tentam fazer com que você se abra e fale. Também vai notar que eles têm histórias de relacionamentos com pessoas dependentes e perturbadas.

Salvadores podem ser vítimas excelentes, ainda mais se você aprecia atenções cavalheirescas ou maternais. Se você é mulher, banque a donzela aflita dando ao homem a chance que tantos esperam – a de agir como um cavalheiro. Se não é, finja-se de menino que não consegue enfrentar este mundo cruel; uma Salvadora o envolverá em atenções maternais, conquistando para si mesma a satisfação adicional de se sentir mais poderosa e no controle do que um homem. Um ar de tristeza atrairá qualquer um dos dois gêneros. Exagere nas suas fraquezas, mas não com gestos e palavras óbvios – deixe que sintam que você tem muito pouco amor, que passou por uma série de maus relacionamentos, que sofreu muito na vida. Depois de atrair o Salvador com a chance de ajudá-lo, você pode então alimentar o fogo do relacionamento com um constante suprimento de necessidades e vulnerabilidades. Você pode também convidar ao resgate moral: você é mau. Fez coisas ruins. Precisa da mão firme, porém amorosa, de alguém. Neste caso, o Salvador fica se sentindo moralmente superior, mas também sente a emoção vicária de estar se envolvendo com uma pessoa que não presta.

O Debochado. Estes tipos levaram uma vida boa e experimentaram muitos prazeres. Provavelmente têm, ou tiveram, muito dinheiro para financiar suas vidas hedonísticas. Por fora, tendem a parecer céticos e esgotados, mas sob a sua experiência da vida quase sempre esconde um sentimentalismo que lutaram para reprimir. Os Debochados são consumados sedutores, mas existe um tipo capaz de seduzi-los facilmente – o jovem e inocente. Com a idade, eles suspiram pela juventude perdida; sentindo saudades da inocência que já não têm faz muito tempo, eles começam a cobiçá-la nos outros.

Se você quer seduzi-los, provavelmente terá de ser um tanto jovem e ter conservado pelo menos um ar de inocência. Isto é fácil de fingir – faça alarde da sua pouca experiência do mundo, da sua maneira infantil de ver as coisas. Também é bom parecer que está resistindo às investidas deles: os Debochados vão achar animado e excitante caçar você. Pode até parecer que você não gosta ou desconfia deles – isso vai realmente incentivá-los a continuar. Sendo aquele que resiste, você controla a dinâmica. E, possuindo a juventude que lhes falta, você consegue manter o domínio e fazer que se apaixonem perdidamente. Muitas vezes, eles são suscetíveis a essa paixão porque abafaram suas próprias inclinações românticas durante tanto tempo que, no momento em que elas afloram, perdem o controle. Não desista antes da hora, e não baixe a sua guarda – esses tipos são perigosos.

O Adorador de Ídolos. Todo mundo sente uma carência interior, e com os Adoradores de Ídolos, ou idólatras, ela é ainda maior. Eles não se satisfazem consigo mesmos, e buscam no mundo algo para adorar, algo para preencher o seu vazio interior. Quase sempre isto assume a forma de um grande interesse por questões espirituais ou por uma causa digna; concentrando-se em algo supostamente elevado, eles se distraem do seu próprio vazio, daquilo de que não gostam em si mesmos. Adoradores de Ídolos são fáceis de localizar – são aquelas pessoas que estão extravasando suas energias em alguma causa ou religião. Em geral, elas mudam de ano para ano trocando um culto por outro.

Para seduzir estes tipos, basta se tornar o objeto de adoração deles, tomar o lugar da causa ou da religião a que tanto se dedicam. No início, você talvez tenha de compartilhar com eles esse interesse espiritual participando da sua adoração ou expondo-os a uma nova causa; no final, você a substituirá. Com este tipo de gente, você tem de ocultar as suas falhas, ou pelo menos lhes dar um lustro santificado. Seja banal e os Adoradores de Ídolos nem olharão para você. Mas espelhe as qualidades a que aspiram possuir e, lentamente, eles transferirão para você a sua adoração. Mantenha tudo num plano elevado – deixe que romance e religião se fundam numa coisa só.

Lembre-se de duas coisas ao seduzir estes tipos. Primeiro, eles tendem a ter uma mente excessivamente ativa, o que os faz muito desconfiados. Como muitas vezes lhes falta estímulo físico, e como o estímulo físico os distrairá, dê a eles um pouco disso: uma caminhada na montanha, um passeio de barco, ou sexo, farão a mágica. Mas isso dá muito trabalho porque a mente deles está sempre ativa. Segundo, eles costumam sofrer de baixa autoestima. Não tente elevá-la; eles perceberão o que você está fazendo, e seus esforços em elogiá-los colidirão com a imagem que fazem de si próprios. Eles devem adorar você; não é você que tem de adorá-los. Adoradores de Ídolos são vítimas perfeitas a curto prazo, mas a sua interminável necessidade de buscar acaba por levá-los a procurar alguma coisa nova para adorar.

O Sensualista. O que marca estes tipos não é o seu gosto pelo prazer, mas os seus sentidos hiperativos. Às vezes eles mostram esta característica nas suas aparências – no seu interesse por moda, cor, estilo. Mas, às vezes, o traço é mais sutil: por serem tão sensíveis, costumam ser bastante tímidos, e evitam se destacar ou parecer muito vistosos. Você os reconhece pela forma como reagem ao ambiente em que vivem, como não suportam ficar numa sala sem a luz do sol, ficam deprimidos com certas cores ou se excitam com determinados odores. Eles vivem numa cultura que não dá ênfase à experiência sensorial (exceto talvez o sentido da visão). E, assim, o que falta ao Sensualista é exatamente muitas experiências sensoriais para apreciar e saborear.

A chave para seduzi-los é ter em mira os seus sentidos, levá-los a lugares bonitos, prestar atenção aos detalhes, fazê-los participar do espetáculo e, é claro, usar muitos atrativos físicos. Sensualistas, como os animais, podem ser atraídos com cores e cheiros. Apele para o maior número possível de sentidos mantendo seus alvos distraídos e fracos. Seduções de Sensualistas são com frequência fáceis e rápidas, e você pode usar sempre as mesmas táticas para deixá-los interessados, embora seja aconselhável variar um pouco a espécie, se não a qualidade, de seus apelos sensuais. Foi isso que Cleópatra fez com Marco Antônio, um inveterado Sensualista. Estes tipos são vítimas esplêndidas por serem relativamente dóceis, se você lhes der o que desejam.

O Líder Solitário. Quem tem poder não é necessariamente diferente dos outros, mas é tratado diferente, e isso tem um grande efeito sobre a sua personalidade. Todos ao redor tendem a bajular e paparicar, a ter um interesse, a querer dessas pessoas alguma coisa. Isso as torna desconfiadas, e um pouco difíceis, mas não confunda aparência com realidade: Líderes Solitários estão loucos para serem seduzidos para que alguém penetre no seu isolamento e os conquiste. O problema é que a maioria das pessoas se sente intimidada demais para tentar, ou usa uma tática – elogios, charme – que eles percebem e desprezam. Para seduzir estes tipos, é melhor agir como se fosse igual, ou até mesmo superior, a eles – uma forma como nunca são tratados. Se você não tiver cerimônias com eles, vão se emocionar – você faz questão de ser honesto, até, quem sabe, correndo um certo risco. (Não ter cerimônias com os poderosos pode ser perigoso.) Líderes Solitários são capazes de se tornar emotivos quando alguém os faz sofrer e, em seguida, é carinhoso com eles.

Este é um dos tipos mais difíceis de seduzir, não só porque são desconfiados, mas porque a mente deles está sobrecarregada de cuidados e responsabilidades. Eles têm menos espaço mental para a sedução. Você terá de ser paciente e esperto, preenchendo aos poucos a mente deles com pensamentos a seu respeito. Mas, consiga isto e, em troca, conquistará um grande poder, pois na solidão em que vivem eles irão se tornar dependentes de você.

O Gênero Flutuante. Todos nós somos um misto de características masculinas e femininas, mas a maioria aprende a desenvolver e exibir um lado socialmente aceitável enquanto reprime o outro. Gente do tipo Gênero Flutuante sente que a separação dos sexos em gêneros tão distintos é um peso. Às vezes estas pessoas são consideradas homossexuais reprimidos ou latentes, mas isto é um equívoco: elas podem muito bem ser heterossexuais, mas seus lados masculino e feminino estão em contínua alternância e, como isso pode deixar os outros confusos, se revelado, elas aprendem a sufocar esse ir-e-vir, chegando por vezes ao exagero. Na verdade, elas adorariam poder brincar com seu gênero, dar plena expansão a ambos os lados. Muita gente se encaixa neste tipo sem ser óbvia: uma mulher pode ter uma energia masculina; um homem, desenvolver um lado estético. Não procure por sinais óbvios porque estes tipos costumam andar clandestinos, mantendo-os em segredo. Isso os torna vulneráveis a uma poderosa sedução.

O que os tipos do Gênero Flutuante estão realmente procurando é uma outra pessoa com gênero indefinido, a sua contraparte do sexo oposto. Mostre que quando estão com você é possível relaxar, expressar o lado reprimido de suas personalidades. Se você tem essas tendências, este é um caso em que seria melhor seduzir o mesmo tipo do sexo oposto. Um irá despertar os desejos reprimidos no outro e, de repente, os dois terão licença para explorar todos os tipos de combinações de gênero sem medo de críticas. Se você não é do tipo Gênero Flutuante, deixe em paz essas pessoas. Você só vai inibi-las e criar mais desconforto.

PARTE DOIS
O PROCESSO SEDUTOR

A maioria de nós compreende que certas ações de nossa parte terão um efeito agradável e sedutor sobre a pessoa que gostaríamos de seduzir. O problema é que, em geral, estamos mais preocupados com as nossas próprias necessidades: pensamos mais no que desejamos dos outros do que naquilo que eles poderiam querer de nós. Uma vez ou outra, podemos fazer algo sedutor, mas quase sempre completamos com uma ação egoísta ou agressiva (temos pressa em conseguir o que queremos); ou, sem perceber o que estamos fazendo, mostrando um aspecto de nós mesmos que é mesquinho e banal, desfazendo qualquer ilusão ou fantasia que a pessoa possa ter de nós. Nossas tentativas de sedução em geral não duram o bastante para criar um efeito muito forte.

Você não vai seduzir ninguém se depender só da sua personalidade envolvente, ou por fazer ocasionalmente algo nobre ou atraente. Sedução é um processo que ocorre ao longo do tempo – quanto mais você se demorar e quanto mais lento for, mais profundamente penetrará na mente da sua vítima. É uma arte que requer paciência, concentração e pensamento estratégico. Você precisa estar sempre um passo à frente da sua vítima jogando poeira nos olhos dela, lançando um encanto, mantendo-a em desequilíbrio.

Os 24 capítulos desta parte o armarão com uma série de táticas para ajudá-lo a sair de si mesmo e entrar na mente da sua vítima para que você possa tangê-la como a um instrumento. Os capítulos estão ordenados numa sequência, indo desde o contato inicial com a sua vítima até a conclusão bem-sucedida. Esta ordem baseia-se em certas leis eternas da psicologia humana. Como os pensamentos das pessoas tendem a girar em torno de suas preocupações e inseguranças diárias, você não pode começar uma sedução sem antes ter adormecido lentamente as ansiedades da sua vítima e encher a sua mente distraída com pensamentos sobre você. Os capítulos de abertura o ajudarão a fazer isto. É uma tendência natural nos relacionamentos as pessoas se tornarem tão acostumadas umas com as outras que o tédio e a estagnação se instalam. O mistério é a alma da sedução e, para mantê-lo, você precisa constantemente surpreender as suas vítimas, agitar as coisas, até chocá-las. Uma sedução não deve nunca se estabilizar numa rotina confortável. Os capítulos do meio e os finais instruirão você na arte de alternar esperança e desespero, prazer e dor, até que suas vítimas enfraqueçam e sucumbam. Em cada caso, uma tática está armando a seguinte, permitindo que você avance com algo ainda mais ousado e mais violento. Um sedutor não pode ser tímido ou misericordioso.

Para ajudá-lo a dar sequência à sedução, os capítulos estão dispostos em quatro fases, cada uma delas com um objetivo em particular: fazer a vítima pensar em você; obter acesso às suas emoções criando momentos de prazer e confusão; indo mais fundo ao trabalhar no inconsciente delas, despertando desejos reprimidos; e, finalmente, induzindo à rendição física. (As fases são nitidamente marcadas e explicadas com uma breve introdução.) Obedecendo a estas fases, você trabalhará com mais eficiência sobre a mente da sua vítima e criará o ritmo lento e hipnotizante de um ritual. De fato, o processo sedutor pode ser visto como uma espécie de ritual de iniciação, em que você está desenraizando as pessoas de seus hábitos, dando-lhes novas experiências, fazendo-as passar por testes, antes de iniciá-las numa nova vida.

É melhor ler todos os capítulos e obter o máximo de conhecimento possível. Quando chegar a hora de aplicar estas táticas, você escolhe as mais apropriadas para a sua vítima; às vezes uma ou outra já será o suficiente, dependendo do nível de resistência que você encontrar e da complexidade dos problemas da sua vítima. Estas táticas são igualmente aplicáveis a seduções sociais e políticas, menos o componente sexual na Fase Quatro.

A qualquer custo, resista à tentação de correr para o clímax da sua sedução, ou de improvisar. Você não está sendo sedutor, mas egoísta. Tudo no dia a dia é feito às pressas e de improviso, e você precisa oferecer algo diferente. Sem se apressar e respeitando o processo sedutor, você não só vai quebrar a resistência da sua vítima, mas a deixará apaixonada.

FASE UM

SEPARAÇÃO –
DESPERTANDO INTERESSE E DESEJO

Suas vítimas vivem em seus próprios mundos, a mente ocupada com ansiedades e preocupações diárias. A sua meta nesta fase inicial é lentamente separá-las desse mundo fechado e fazê-las pensar muito em você. Depois de decidir quem você vai seduzir (1: Escolha a vítima certa), a sua primeira tarefa é chamar a atenção da sua vítima, despertar o interesse por você. Com aqueles que talvez sejam mais resistentes ou difíceis, você deve tentar uma abordagem mais lenta e mais insidiosa, conquistando primeiro a sua amizade (2: Crie uma falsa noção de segurança – aborde indiretamente); com os mais entediados e menos difíceis de alcançar, uma abordagem dramática vai funcionar, seja fascinando-os com uma presença misteriosa (3: Envie sinais ambíguos) ou parecendo ser alguém cobiçado e disputado pelos outros (4: Aparente ser um objeto de desejo).

Quando a vítima já estiver adequadamente intrigada, você precisa transformar o interesse dela em algo mais forte – desejo.

O desejo em geral é precedido de sentimentos de vazio, de algo faltando lá dentro que precisa ser satisfeito. Você deve instilar intencionalmente estes sentimentos, fazer as suas vítimas conscientes da aventura e do romance que estão faltando em suas vidas (5: Crie uma necessidade – desperte ansiedade e descontentamento). Se elas o virem como aquela pessoa que vai preencher o vazio em suas vidas, o interesse desabrochará em desejo. O desejo deve ser alimentado plantando sutilmente ideias em sua mente, sugestões de prazeres sedutores que as aguardam (6: Domine a arte da insinuação). Espelhando os valores das suas vítimas, sendo condescendente com seus quereres e humores, você as deixará encantadas (7: Entre no espírito delas). Sem perceber como isso aconteceu, cada vez mais os pensamentos delas giram em torno de você. Chegou a hora de alguma coisa mais forte. Fascine-as com um prazer ou aventura irresistível (8: Crie tentação) e elas seguirão você.

1
ESCOLHA A VÍTIMA CERTA

*Tudo
depende do alvo da sua
sedução. Estude bem as suas presas, e
escolha apenas as que se mostrarem suscetíveis
aos seus encantos. As vítimas certas são aquelas para
quem você vai preencher um vazio, que veem em você algo
exótico. São em geral solitárias ou pelo menos um tanto infelizes (talvez devido a circunstâncias adversas recentes), ou podem
facilmente ficar assim – pois é quase impossível seduzir uma
pessoa plenamente satisfeita. A vítima perfeita tem uma certa qualidade que inspira em você fortes emoções, fazendo
com que suas manobras sedutoras pareçam mais
naturais e dinâmicas. A vítima perfeita permite a caça perfeita.*

PREPARANDO-SE PARA A CAÇADA

O jovem Vicomte de Valmont foi um notório libertino na Paris da década de 1770, a desgraça de muitas jovens e um engenhoso sedutor das mulheres de aristocratas ilustres. Mas, depois de um certo tempo, a repetição disso tudo começou a entediá-lo; seus sucessos eram fáceis demais. Então, em certo ano, durante o lento e sufocante mês de agosto de um verão parisiense, ele decidiu descansar um pouco da cidade e visitar a tia no seu château na província. A vida ali não era aquilo a que estava acostumado – havia caminhadas pelo campo, conversas com o vigário local, jogos de cartas. Seus amigos da cidade, em particular a sua companheira libertina e confidente, a marquesa de Merteuil, esperavam que ele voltasse correndo.

Havia outros hóspedes no château, entretanto, incluindo a Présidente de Tourvel, uma mulher de 24 anos cujo marido estava temporariamente ausente, tendo trabalho para fazer em algum outro lugar. A Présidente tinha ficado suspirando no château, à espera dele. Valmont já a tinha visto antes; era sem dúvida bela, mas tinha fama de pudica e extremamente dedicada ao marido. Não era uma dama da corte; seu gosto para se vestir era atroz (cobria sempre o pescoço com babados medonhos) e à sua conversa faltava espirituosidade. Por alguma razão, entretanto, longe de Paris, Valmont começou a ver estes traços sob uma luz diferente. Ele a seguia até a capela onde ela ia rezar todas as manhãs. Ele a via de relance no jantar ou jogando cartas. Ao contrário das damas de Paris, ela parecia não ter consciência dos seus encantos; isto o excitava. Por causa do calor, ela usava um vestido simples de linho, que revelava os contornos do seu corpo. Um pedaço de musselina lhe cobria os seios, permitindo a ele mais do que simplesmente imaginá-los. Os cabelos, deselegantes na sua leve desordem, lembravam o quarto de dormir. E o seu rosto – ele nunca havia notado como era expressivo. Seus traços se iluminavam quando ela dava esmola a um pedinte; ela corava ao menor elogio. Era muito natural e descontraída. E, ao falar

O nono. Estou cego? O olho interior da alma perdeu o seu poder? Eu a vi, mas é como se tivesse visto uma revelação celestial – tão completamente a sua imagem voltou a desaparecer para mim. Em vão reúno todos os poderes da minha alma para invocar esta imagem. Se tornar a vê-la, serei capaz de reconhecê-la instantaneamente, mesmo que esteja entre centenas de outras. Agora ela fugiu, e o olho da minha alma tenta em vão alcançá-la com seu desejo. Eu caminhava ao longo de Langelinie aparentemente despreocupado e sem prestar atenção ao que me rodeava, embora meu olhar reconhecedor nada deixasse sem observar – e então meus olhos deram com ela. Meus olhos fixados imóveis sobre ela. Eles não mais obedeciam à vontade do dono;

era impossível para mim desviar o olhar e assim deixar passar o objeto que queria ver – eu não olhava apenas, eu estava com os olhos pregados. Assim como o esgrimista congela na sua estocada, do mesmo modo meus olhos estavam fixos, petrificados na direção inicialmente tomada. Impossível baixar os olhos, impossível desviar o olhar, impossível não ver, porque vi demais. A única coisa de que me lembro é que ela vestia um casaco verde, isso é tudo – pode-se chamar a isso de captar a nuvem em vez de Juno; ela me escapou (...) e deixou para trás apenas o seu casaco. A menina me causou uma impressão. O décimo sexto. (...) Não estou impaciente, pois ela deve morar aqui na cidade, e neste momento é o que basta para mim. Esta possibilidade é a condição para o devido surgimento da sua imagem – tudo será apreciado em lentos tragos. (...) O décimo nono. Cordélia, então, é o seu nome! Cordélia! É um belo nome, e isso também é importante, visto que pode ser muito perturbador ter de citar um nome feio junto com os adjetivos mais ternos.
– SÖREN KIERKEGAARD, *DIÁRIO DE UM SEDUTOR*

sobre o marido, ou religião, Valmont podia sentir a profundidade de seus sentimentos. Se essa natureza apaixonada pudesse um dia ser desviada para um caso de amor...

Valmont estendeu a sua estada no château, para o prazer da tia, que não podia imaginar qual fosse o motivo. E escreveu à marquesa de Merteuil explicando a sua nova ambição: seduzir madame de Tourvel. A marquesa não acreditou. Ele queria seduzir aquela pudica? Se conseguisse, pouco prazer teria com isso e, se fracassasse, que desgraça – o grande libertino incapaz de seduzir uma mulher cujo marido estava longe! Ela escreveu uma carta sarcástica, que só deixou Valmont ainda mais inflamado. A conquista desta mulher notoriamente virtuosa provaria o seu grande poder de sedução. Sua fama só poderia aumentar com isso.

Havia um obstáculo, entretanto, que parecia tornar o sucesso quase impossível: todos conheciam a reputação de Valmont, inclusive a Présidente. Ela sabia como era perigoso ficar sozinha com ele, como as pessoas comentariam sobre a mínima associação com ele. Valmont fez tudo para negar essa reputação, chegando até a frequentar serviços religiosos e parecer arrependido do seu comportamento. A Présidente notou, mas continuou a manter distância. O desafio que ela apresentava a Valmont era irresistível, mas ele o enfrentaria?

Valmont decidiu tentar. Um dia ele combinou um pequeno passeio com a Présidente e sua tia. Escolheu um caminho delicioso que nunca tinham tomado antes, mas, num determinado ponto, encontraram uma pequena vala que não ficava bem uma dama atravessar sozinha. O resto do passeio era tão agradável, entretanto, disse Valmont, que não deveriam retroceder dali e, galantemente, pegou a tia nos braços e a carregou por sobre a vala, fazendo a Présidente dar boas gargalhadas. Mas aí chegou a sua vez, e Valmont intencionalmente a pegou de um modo meio desastrado, de tal forma que ela se agarrou nos braços dele e, segurando-a de encontro ao peito, ele pôde sentir o coração dela batendo mais rápido, e a viu corar. A tia também viu e gritou: "A criança está com medo!" Mas Valmont entendeu diferente. Agora ele sabia que o desafio podia ser enfrentado, que a Présidente seria conquistada. A sedução podia prosseguir.

Interpretação. Valmont, a Présidente de Tourvel e a marquesa de Merteuil são todos personagens do romance francês do século XVIII *As ligações perigosas*, de Choderlos de Laclos. (O personagem de Valmont foi inspirado em vários libertinos da vida real da época, e o mais importante de todos era o duque de Richelieu.) Na história, Valmont preocupa-se que sua sedução tenha se tornado mecânica; ele faz um movimento, e a mulher quase sempre reage da mesma maneira. Mas uma sedução não deve ser igual a outra – um alvo diferente muda toda a dinâmica. O problema de Valmont é que ele está sempre seduzindo o mesmo tipo – o tipo errado. Ele percebe isto quando encontra madame de Tourvel.

Não é porque o marido dela é um conde que ele decide seduzi-la, ou porque ela se veste com elegância, ou é desejada por outros homens – as razões usuais. Ele a escolhe porque, ao seu modo inconsciente, ela já o seduziu. Um braço nu, uma risada não ensaiada, um jeito brincalhão – tudo isto prendeu a atenção dele porque nada é planejado. Uma vez fascinado por ela, a força do seu desejo fará as suas manobras subsequentes parecerem menos calculadas; aparentemente ele é incapaz de se controlar. E suas fortes emoções pouco a pouco irão contagiá-la.

Além do efeito que a Présidente tem sobre Valmont, ela possui outros traços que a tornam a vítima perfeita. Está entediada, o que a atraía para a aventura. É ingênua, e incapaz de perceber os truques dele. Finalmente, o calcanhar de aquiles: ela se acredita imune à sedução. Quase todos nós somos vulneráveis às atrações de outras pessoas, e tomamos precauções contra lapsos indesejados. Madame de Tourvel não toma nenhuma. Depois que Valmont a testa na vala, e vê que é fisicamente vulnerável, ele sabe que ela acabará caindo.

A vida é curta, e não deve ser desperdiçada correndo-se atrás das pessoas erradas para seduzi-las. A escolha do alvo é crítica; é o início da sedução que determina tudo que vier depois. A vítima perfeita não possui certas características faciais, ou o mesmo gosto pela música, ou objetivos semelhantes na vida. É assim que um sedutor banal escolhe as suas vítimas.

A vítima perfeita é a pessoa que excita você de um jeito que as palavras não conseguem explicar, cujo efeito sobre você nada tem a ver com superficialidades. Ele ou ela tem uma qualidade que falta em você, e que talvez você inveje secretamente – a Présidente, por exemplo, tem uma inocência que Valmont já perdeu faz muito tempo, ou nunca teve. É preciso que haja uma leve tensão – que a vítima sinta um pouco de medo de você, ou até um leve desprezo. Essa tensão está cheia de potencial erótico e tornará a sedução mais animada. Seja mais criativo na escolha da sua presa e será recompensado com uma sedução mais excitante. É claro, isso não significa nada se a vítima em potencial não estiver aberta à sua influência. Teste a pessoa antes. Depois de sentir que ele ou ela também é vulnerável a você, então a caçada pode começar.

O amor, como entendido por Dom Juan, é um sentimento aparentado com o gosto pela caça. É a ânsia de uma atividade que precisa de estímulos sempre diversos para desafiar a habilidade.
– STENDHAL, LOVE

Não é a qualidade do objeto desejado que nos dá prazer, mas sim a energia de nossos apetites.
– CHARLES BAUDELAIRE, THE END OF DON JUAN

A filha do desejo deve se esforçar para ter os seguintes amantes, cada um na sua vez, por ser mutuamente repousante para ela: um menino que se soltou cedo demais da autoridade e conselho do pai, um autor a serviço de um príncipe bastante simplório, o filho de um mercador cujo orgulho está em rivalizar com outros amantes, um asceta que seja escravo do amor em segredo, o filho de um rei cujas extravagâncias sejam ilimitadas e que tenha um gosto por velhacos, o filho rústico de algum brâmane de aldeia, o amante de uma mulher casada, um cantor que acabou de colocar no bolso

> *uma boa quantia em dinheiro, o chefe de uma caravana recém-chegada. (...) Estas breves instruções admitem uma variedade infinita de interpretações, cara criança, segundo as circunstâncias; e requer inteligência, percepção e reflexão para tirar o melhor partido de cada caso em particular.*
> *– EASTERN LOVE, VOLUME II: THE HARLOT'S BREVIARY OF KSHEMENDRA*

> *É um golpe de sorte encontrar alguém que mereça ser seduzido. (...) A maioria das pessoas sai correndo na frente, fica noiva ou faz outras coisas idiotas e, numa reviravolta da sorte, está tudo acabado, e elas não sabem nem o que ganharam nem o que perderam.*
> *– Sören Kierkegaard*

CHAVES PARA A SEDUÇÃO

Ao longo da vida, nós nos vemos tendo de convencer pessoas – seduzi-las. Algumas estarão relativamente abertas à nossa influência, nem que seja de uma forma sutil, enquanto outras parecem impermeáveis aos nossos encantos. Talvez achemos isto um mistério que foge ao nosso controle, mas esta é uma maneira ineficaz de lidar com a vida. Sedutores, sejam sexuais ou sociais, jogam com as probabilidades. Sempre que possível, dirigem-se a pessoas que traem alguma vulnerabilidade a eles, e evitam aquelas que não podem ser convencidas. Deixar em paz as pessoas inacessíveis a você é um caminho sensato; você não pode seduzir todo mundo. Por outro lado, precisa perseguir ativamente a presa que reage da maneira certa. Esta técnica tornará as suas seduções bem mais agradáveis e satisfatórias.

Como você reconhece as suas vítimas? Pela maneira como reagem a você. Não dê muita atenção às suas reações conscientes – alguém que esteja tentando agradar ou encantar você de uma forma muito óbvia provavelmente está jogando com a sua vaidade, e quer alguma coisa de você. Em vez disso, preste mais atenção àquelas reações fora do controle consciente – um rubor, um gesto seu involuntariamente espelhado, até quem sabe um lampejo passageiro de raiva ou ressentimento. Tudo isto mostra que você está causando um efeito sobre uma pessoa que está aberta à sua influência.

> *As mulheres mais fáceis de conquistar para as relações sexuais: (...) a mulher que olha de esguelha para você; (...) a mulher que odeia o marido, ou que é odiada por ele; (...) a mulher que não teve muitos filhos; (...) a mulher que gosta muito de companhia; a mulher que é aparentemente muito afetuosa com o marido; a esposa de um ator; a viúva; (...) a mulher que gosta de se divertir; (...) a mulher vaidosa; a mulher cujo marido lhe é inferior em nível social ou habilidade; a mulher que se orgulha de sua habilidade nas artes; (...) a mulher que é desprezada pelo marido sem nenhum motivo; (...) a mulher cujo marido se dedica a viajar; a*

Como Valmont, você também pode reconhecer os alvos certos pelo efeito que têm sobre você. Talvez eles o deixem pouco à vontade – talvez correspondam a um ideal enraizado na infância, ou representem algum tipo de tabu pessoal que o excita, ou sugerem a pessoa que você imagina que seria caso fosse do sexo oposto. Quando alguém causa um efeito assim tão forte em você, isto transforma todas as suas manobras subsequentes. Seu rosto e gestos ficam mais animados. Você tem mais energia; quando as vítimas resistem (como toda boa vítima deve fazer), por sua vez você ficará mais criativo, mais motivado para vencer a resistência delas. A sedução seguirá adiante como um bom jogo. Seu forte desejo contagiará o alvo e lhe dará a perigosa sensação de ter poder sobre você. É claro, você é quem está basicamente no controle visto ser você quem está deixando as vítimas emotivas nos momentos certos, conduzindo-as de um lado para o outro. Bons sedutores escolhem alvos que os inspiram, mas sabem como e quando se conter.

Não corra para os braços ansiosos da primeira pessoa que pareça gostar de você. Isto não é sedução, mas insegurança. A necessidade que atrai você resultará num apego de baixo nível, e o interesse de ambos os lados fraquejará. Observe os tipos nos quais não pensou antes – lá é que você vai encontrar desafio e aventura. Caçadores experientes não escolhem a sua presa por ser fácil de apanhar; eles querem a emoção da caçada, uma luta de vida e morte – quanto mais feroz melhor.

Embora a vítima perfeita para você dependa de você, certos tipos prestam-se a uma sedução mais satisfatória. Casanova gostava de mulheres jovens que eram infelizes, ou tinham sofrido um contratempo recente. Essas mulheres atraíam o seu desejo de bancar o salvador, mas também atendiam a uma necessidade: pessoas felizes são muito mais difíceis de seduzir. O contentamento delas as torna inacessíveis. É sempre mais fácil pescar em águas turbulentas. Da mesma forma, um ar de tristeza por si só é bastante sedutor – Genji, o herói do romance japonês *A história de Genji*, não conseguia resistir a uma mulher com um ar melancólico. No livro de Kierkegaard *Diário de um sedutor*, o narrador, Johannes, tem uma exigência essencial com relação à sua vítima: ela deve ter imaginação. É por isso que ele escolhe uma mulher que vive num mundo de fantasia, uma mulher que envolverá cada gesto dele em poesia, imaginando muito mais do que existe ali. Assim como é difícil seduzir uma pessoa que é feliz, é difícil seduzir alguém que não tenha imaginação.

Para as mulheres, o homem másculo é quase sempre a vítima perfeita. Marco Antônio era deste tipo – gostava do prazer, exaltava-se com facilidade e, tratando-se de mulheres, era difícil não perder a cabeça. Para Cleópatra, foi uma presa fácil de manipular. Uma vez no controle das emoções dele, ela o mantinha permanentemente na coleira. Uma mulher não deve nunca se deixar desconcertar por um homem excessivamente agressivo. Quase sempre ele é a vítima perfeita. É fácil, com alguns truques coquetes, inverter essa agressão e torná-lo seu escravo. Esses homens na verdade gostam de ser forçados a perseguir uma mulher.

Cuidado com as aparências. A pessoa que parece vulcanicamente apaixonada muitas vezes está ocultando insegurança e envolvimento pessoal. Isto foi o que os homens na sua maioria não perceberam na cortesã do século XIX Lola Montez. Ela parecia muito dramática, muito

esposa de um joalheiro; a mulher ciumenta; a mulher gananciosa.
– THE HINDU ART OF LOVE

O ócio estimula o amor, o ócio vigia o que suspira por amor. O ócio é a causa e sustentação deste doce Mal. Elimine o ócio, e o arco de Cupido se quebra, Seus archotes jazem apagados, desprezados. Como um plátano se regozija no vinho, como o álamo na

> *água, Como um junco do pântano no solo alagado, assim Vênus ama o ócio. (...) Por que achas que Egisto Se tornou um adúltero? Fácil: estava ocioso – e entediado. Todas as outras pessoas estavam longe em Troia numa longa campanha: toda a Grécia tinha embarcado seu contingente do outro lado. Suponha que ele suspirasse por guerra? Argos Não tinha guerras para lhe oferecer. Suponha que lhe agradassem os tribunais? Argos não tinha litígios. Amar era melhor do que não fazer nada. É assim que Cupido se infiltra; é assim que ele permanece.*
> *– OVÍDIO, CURES FOR LOVE*

excitante. De fato, era uma mulher perturbada, obcecada por si mesma, mas quando os homens percebiam isto já era tarde – estavam envolvidos com ela e não conseguiam se libertar antes de meses de dramas e tortura. Pessoas externamente distantes ou tímidas são quase sempre alvos melhores do que as extrovertidas. Elas estão morrendo de vontade de ser atraídas para fora, e águas mansas ocultam correntes profundas.

Pessoas com muito tempo disponível são extremamente suscetíveis à sedução. Elas têm espaço mental para você preencher. Tullia d'Aragona, a infame cortesã italiana do século XVI, preferia homens jovens para suas vítimas: além da razão física para tal preferência, eles eram mais ociosos do que homens trabalhadores com carreiras e, por conseguinte, mais indefesos contra uma engenhosa sedutora. Por outro lado, você deve em geral evitar quem está preocupado com negócios ou trabalho – sedução demanda atenção, e gente ocupada tem pouco espaço na cabeça para você ocupar.

Segundo Freud, a sedução começa cedo na vida, no relacionamento que temos com nossos pais. Eles nos seduzem fisicamente, tanto pelo contato corporal como satisfazendo nossos desejos, tais como a fome, e nós em troca tentamos seduzi-los a nos prestar atenção. Somos criaturas por natureza vulneráveis à sedução durante a vida inteira. Todos queremos ser seduzidos; ansiamos que nos tirem de dentro de nós mesmos, de nossas rotinas, para o drama de eros. E o que nos atrai mais do que tudo é sentir que alguém possui algo que não temos, uma qualidade que desejamos. As suas vítimas perfeitas são com frequência pessoas que pensam que você tem algo que elas não têm, e que ficará encantado em lhes proporcionar. Essas vítimas podem ter um temperamento totalmente oposto ao seu, e esta diferença criará uma excitante tensão.

> *Os chineses têm um provérbio: "Quando Yang está no ascendente, Yin nasceu", que significa, traduzido para o nosso idioma, que, quando um homem dedicou o melhor de seus anos a ganhar a vida, o Yin, ou lado emocional da sua natureza, vem à superfície e exige os seus direitos. Quando um período desses ocorre, tudo que antes parecia importante perde o significado.*

Quando Jiang Qing, mais tarde conhecida como madame Mao, se encontrou pela primeira vez com Mao Tsé-tung, em 1937, no seu retiro na montanha na China ocidental, ela pôde perceber como ele estava desesperado por um pouco de cor e tempero na sua vida: todas as mulheres no acampamento se vestiam como homens, e tinham renunciado a todos os adornos femininos. Jiang tinha sido uma atriz em Xangai, e era tudo menos austera. Ela deu o que faltava a ele, e também a emoção adicional de ser capaz de educá-la no comunismo apelando para o seu complexo de Pigmalião – o desejo de dominar, controlar e refazer uma pessoa. De fato, era Jiang Qing quem controlava o seu futuro marido.

A maior de todas as carências é a de excitação e aventura, exatamente o que a sedução oferece. Em 1964, o ator chinês Shi Pei Pu, um homem que havia conquistado a fama personificando mulheres, conheceu Bernard Bouriscout, um jovem diplomata designado para a embaixada francesa na China. Bouriscout tinha ido para a China em busca de aventura, e estava desapontado com o pouco contato com o povo chinês. Fingindo ser uma mulher que, ainda criança, fora forçada a viver como menino – supostamente na família já havia mulheres demais –, Shi Pei usou o tédio e a insatisfação do jovem francês para manipulá-lo. Inventando uma história das fraudes pelas quais havia passado, ele lentamente atraiu Bouriscout para um caso que duraria muitos anos. (Bouriscout havia tido encontros homossexuais antes, mas se considerava heterossexual.) Por fim, o diplomata foi levado a atuar como espião para os chineses. O tempo todo ele acreditou que Shi Pei Pu era uma mulher – seu forte desejo de aventura o deixara assim vulnerável. Tipos reprimidos são vítimas perfeitas para uma profunda sedução.

Pessoas que reprimem o apetite pelo prazer são vítimas prontas para serem colhidas, particularmente quando bem mais velhas. O imperador chinês do século VIII Ming Huang passou grande parte do seu reinado tentando livrar a sua corte de um custoso vício pelo luxo, e era ele mesmo um modelo de austeridade e virtude. Mas assim que viu a concubina Yang Kuei-fei banhando-se num lago do palácio, tudo mudou. Exercendo o seu poder, o imperador a conquistou – só para se tornar um seu abjeto escravo.

A escolha da vítima certa é igualmente importante na política. Sedutores em massa, tais como Napoleão ou John F. Kennedy, oferecem ao seu público exatamente aquilo que lhe falta. Quando Napoleão assumiu o poder, o orgulho do povo francês estava abatido pelo sangrento restolho da Revolução Francesa. Ele lhes ofereceu glória e conquistas. Kennedy reconheceu que os americanos estavam entediados com o conforto idiotizante dos anos Eisenhower; ele lhes deu aventura e riscos. Mais importante do que isso, ele talhou sob medida o seu apelo ao grupo mais vulnerável a isso: a geração mais jovem. Políticos de sucesso sabem que nem todos serão suscetíveis aos seus encantos, mas, se conseguirem encontrar um grupo de fiéis com uma necessidade a ser satisfeita, terão encontrado uma torcida que ficará do seu lado não importa o que aconteça.

O fogo-fátuo da ilusão conduz o homem de um lado para o outro, levando-o por estranhos e complicados desvios de seu antigo caminho na vida. Ming Huang, o "Imperador Inteligente" da dinastia T'ang, foi um exemplo da profunda verdade desta teoria. Desde o momento em que viu Yang Kuei-fei banhando-se no lago perto do seu palácio nas montanhas Li, ele estava destinado a sentar-se aos seus pés, aprendendo com ela os mistérios emocionais do que os chineses chamam de Yin.
– ELOISE TALCOTT HIBBERT, *EMBROIDERED GAUZE: PORTRAIT OF FAMOUS CHINESE LADIES*

Símbolo:

A Grande Caçada. Leões são perigosos – caçá-los é conhecer a emoção do risco. Leopardos são mais espertos e ágeis, oferecendo a excitação de uma caça difícil. Não corra atrás da caça. Conheça a sua presa e escolha com cuidado. Não perca tempo com caça pequena – os coelhos que retrocedem caindo no laço, a vison que entra na armadilha perfumada. Desafio é prazer.

O INVERSO

Não há inverso possível. Nada se ganha tentando seduzir a pessoa que se fecha para você, ou que não pode lhe dar o prazer e a caça de que você precisa.

2

CRIE UMA FALSA NOÇÃO DE SEGURANÇA – ABORDE INDIRETAMENTE

Se você for direto demais logo de início, arrisca-se a provocar uma resistência que não baixará nunca. No princípio não deve haver nada de sedutor nos seus modos. A sedução deve começar de forma oblíqua, indireta, para que o alvo só comece a perceber você aos poucos. Ronde a periferia da vida do seu alvo – aproxime-se por intermédio de uma terceira pessoa, ou pareça cultivar um relacionamento mais ou menos neutro, passando aos poucos de amigo a amante. Arranje um encontro "por acaso", como se você e o seu alvo fossem destinados a se conhecer – nada é mais sedutor do que a ideia de um destino. Tranquilize o alvo até ele se sentir seguro, e aí ataque.

DE AMIGO A AMANTE

Anne Marie Louis d'Orléans, a duquesa de Montpensier, conhecida na França do século XVII como *La Grande Mademoiselle*, não sabia o que era o amor na vida. A mãe tinha morrido quando ela era jovem; o pai casou de novo e a ignorou. Ela vinha de uma das famílias mais ilustres da Europa: era neta do rei Henrique IV; o futuro rei Luís XIV era seu primo. Quando jovem, houve propostas de casamento com o viúvo rei da Espanha, com o filho do Sagrado Imperador Romano, e até com o próprio primo Luís, entre muitos outros. Mas todas essas uniões tinham propósitos políticos, ou porque a família dela era extremamente rica. Ninguém se preocupava em cortejá-la; ela raramente conhecia seus pretendentes. Para piorar a situação, a Grande Mademoiselle era uma idealista que acreditava nos valores cavalheirescos tão fora de moda: coragem, honestidade, virtude. Ela abominava os interesseiros cujos motivos para cortejá-la eram, na melhor das hipóteses, dúbios. Em quem ela podia confiar? Um por um, ela encontrava uma razão para desprezá-los. Ser uma solteirona parecia o seu destino.

Em abril de 1669, a Grande Mademoiselle, então com 42 anos, conheceu um dos homens mais estranhos da corte: o marquês Antonin Péguilin, mais tarde conhecido como o duque de Lauzun. Um favorito de Luís XIV, o marquês de 36 anos era um bravo soldado com um espírito mordaz. Era também um incurável dom-juan. Apesar de baixo, e certamente nada bonito, seus modos ousados e seus feitos militares o tornavam irresistível para as mulheres. A Grande Mademoiselle já o notara fazia alguns anos, admirando a sua elegância e coragem. Mas foi só dessa vez, em 1669, que ela teve uma conversa de verdade com ele, embora breve, e, não obstante conhecesse a sua reputação de conquistador de mulheres, ela o achou encantador. Dias depois, eles se esbarraram de novo; agora a conversa foi mais longa, e Lauzun se mostrou mais inteligente do que ela havia imaginado – conversaram sobre o dramaturgo Corneille (o preferido dela), de heroísmo e outros assuntos

Muitas mulheres adoram o ilusório, Odeiam a avidez excessiva. Portanto, banque o difícil, Impeça o tédio de aumentar, e não deixe que suas súplicas Soem confiantes demais da posse. Insinue sexo Camuflado de amizade. Já vi criaturas teimosíssimas Enganadas com este gambito, a troca de companheiro por garanhão.
– OVÍDIO, A ARTE DE AMAR

Na rua, não a faço parar, ou troco com ela uma saudação, mas não chego perto, e sempre me esforço por me manter distante.
É provável que nossos repetidos encontros sejam nitidamente notados por ela; é provável que ela perceba que no seu horizonte um novo planeta surgiu que, no seu curso, se enredou perturbadoramente com o dela de um

tranquilo e curioso modo, mas ela não tem a mínima ideia da lei que rege este movimento. (...) Antes de começar o meu ataque, devo primeiro conhecê-la e a todo o seu estado mental.
– SÖREN KIERKE-GAARD, *DIÁRIO DE UM SEDUTOR*

Mal ele falou e os novilhos, forçados a abandonar seus pastos na montanha, encaminharam-se para a praia, como Júpiter ordenara; dirigiam-se para as areias onde a filha [Europa] do grande rei costumava brincar com as jovens de Tiro, suas companheiras. (...) Esquecendo a dignidade do seu cetro, o pai e governante dos deuses, cuja mão empunha o raio tridente flamejante, cujo aceno de cabeça estremece o universo, estava disfarçado de touro; e, misturando-se com os outros novilhos, junto a eles mugindo e caminhando na grama macia, era uma bela visão. Seu couro era branco como a neve virgem, a neve ainda não derretida pelo chuvoso vento do sul. Os músculos do pescoço destacados, e vincos profundos na pele sobre os flancos. Seus chifres eram

elevados. Seus encontros passaram a ser mais frequentes. Tinham se tornado amigos. Anne Marie anotou em seu diário que suas conversas com Lauzun, quando elas ocorriam, eram o ponto alto do seu dia; quando ele não estava na corte, ela sentia a sua falta. Sem dúvida, seus encontros eram tão frequentes que não podiam ser acidentais por parte dele, mas ele sempre parecia surpreso ao vê-la. Ao mesmo tempo, ela registrou sentir-se incomodada – estava tomada por estranhas emoções, e não sabia por quê.

O tempo passava, e Mademoiselle ia se ausentar de Paris por uma ou duas semanas. Agora Lauzun a abordou sem avisar e lhe fez um apelo emocionado para que o visse como seu confidente, o grande amigo que cumpriria qualquer missão que ela precisasse ver realizada enquanto estava fora. Ele era poético e cavalheiresco, mas o que realmente estava querendo dizer? No seu diário, Anne finalmente enfrentou as emoções que vinham crescendo dentro dela desde a primeira conversa entre os dois: "Eu me disse: não estou cismando à toa; deve haver um objeto de todos estes sentimentos, e não consigo imaginar quem possa ser. (...) Finalmente, depois de vários dias preocupada com isto, percebi que era M. de Lauzun que eu amava, ele é que de alguma forma se infiltrara em meu coração e o havia capturado."

Consciente da origem de seus sentimentos, a Grande Mademoiselle se tornou mais direta. Se Lauzun ia ser o seu confidente, ela podia lhe falar de casamento, dos partidos que continuavam a lhe oferecer. O assunto daria a ele uma chance de expressar seus sentimentos; quem sabe ele talvez se mostrasse ciumento? Infelizmente, Lauzun parece que não entendeu a deixa. Em vez disso, ele lhe perguntou por que ela estava pensando em casamento – parecia tão feliz. Além do mais, quem estaria à sua altura? Isto continuou durante semanas. Ela não conseguia arrancar nada de pessoal dele. De certa forma, ela compreendia – havia as diferenças de nível (ela estava bem acima dele) e idade (ela era seis anos mais velha). Então, poucos meses depois, a esposa do irmão do rei morreu, e o rei Luís sugeriu à Grande Mademoiselle que substituísse a sua finada cunhada – isto é, que se casasse com o irmão dele. Anne Marie ficou revoltada; nitidamente, o irmão estava tentando colocar as mãos na sua fortuna. Ela pediu a opinião de Lauzun. Como súditos fiéis do rei, ele respondeu, deviam obedecer aos desejos reais. Ela não gostou da resposta e, para piorar as coisas, ele não foi mais visitá-la, como se não fosse mais de bom-tom os dois continuarem amigos. Esta foi a gota d'água. A Grande Mademoiselle disse ao rei que não se casaria com o irmão dele, e ponto final.

Agora, Anne Marie encontrou-se com Lauzun e lhe disse que ia escrever num pedaço de papel o nome do homem com quem sempre desejara se casar. Ele deveria colocar o papel debaixo do travesseiro e ler no dia seguinte. Ao fazer isso, ele viu as palavras "C'est vous" – É você. Ao ver Mademoiselle na noite seguinte, Lauzun disse que ela devia estar brincando; todos ririam dele na corte. Ela insistiu em que estava falando sério. Ele pareceu chocado, surpreso – mas não tanto quanto o resto da corte semanas mais tarde, quando se anunciou o noivado deste dom-juan de posição social relativamente baixa com a dama que ocupava o primeiro posto abaixo do rei na sociedade francesa, uma mulher conhecida ao mesmo tempo por sua virtude e habilidade para defendê-la.

pequenos, é verdade, mas tão belamente torneados que se podia jurar serem obra de um artista, mais polidos e brilhantes do que uma joia. Não havia ameaça no porte de sua cabeça ou em seus olhos; ele parecia totalmente plácido.

Interpretação. O duque de Lauzun foi um dos maiores sedutores da história, e a lenta e constante sedução da Grande Mademoiselle foi a sua obra-prima. Seu método foi simples: obliquidade. Sentindo o interesse dela naquela primeira conversa, ele decidiu ludibriá-la com amizade. Seria o seu amigo mais dedicado. No início foi encantador; um homem perdia tempo conversando com ela sobre poesia, história, feitos de guerra – seus assuntos preferidos. Aos poucos, ela começou a confiar nele. Então, quase sem perceber, seus sentimentos mudaram: O consumado conquistador de mulheres só estava interessado em amizade? Não se sentia atraído por ela como mulher? Pensando nisso tudo, ela percebeu estar apaixonada por ele. Isso, em parte, foi o que a fez recusar o casamento com o irmão do rei – uma decisão nítida e indiretamente provocada pelo próprio Lauzun quando parou de visitá-la. E como ele podia estar atrás de dinheiro e posição social, ou sexo, se nunca havia tomado nenhuma atitude nesse sentido? Não, o brilhantismo da sedução de Lauzun foi que a Grande Mademoiselle acreditou que todos os movimentos partiam dela.

Uma vez escolhida a vítima certa, você deve atrair a sua atenção e despertar desejo. A passagem de amizade para amor pode conquistar o sucesso sem chamar atenção como uma manobra. Primeiro, suas conversas de amigo com seus alvos lhe darão informações valiosas sobre suas personalidades, seus gostos, suas fraquezas, os anseios de infância que governam o seu comportamento como adultos. (Lauzun, por exemplo, pôde espertamente se adaptar aos gostos de Anne Marie depois de estudá-la de perto.) Segundo, ao dedicar parte do seu tempo para estar com suas vítimas, você as faz se sentir confortáveis ao seu lado. Acreditando que você só está interessado no que elas pensam na companhia delas, diminuirão a resistência, dissipando a costumeira tensão entre os sexos. Agora elas estão vulneráveis, pois a sua amizade abriu o portão

A filha de Agenor [Europa] estava cheia de admiração por um espécime tão bonito e tão amigável. Porém, apesar da aparência gentil, ela no início teve medo de tocá-lo; depois, aproximou-se mais, e aos seus lábios brilhantes ofereceu flores. O amante estava deliciado e, enquanto não podia alcançar o seu tão esperado prazer, beijou-lhe as mãos. Mal podia esperar pelo resto, só com grande dificuldade ele se conteve. Ora ele se divertia e brincava sobre o verde campo, ora se deitava, branco como a neve na areia amarela. Aos poucos, a princesa perdeu o medo e, com suas mãos inocentes, tocou-lhe no peito quando ele o ofereceu para ser

acariciado, e pendurou guirlandas frescas em seus chifres: até que finalmente ela se aventurou a montar no touro, pouco sabendo nas costas de quem se reclinava. Então o deus se afastou da costa em pequenos estágios, primeiro plantando os cascos que eram parte do seu disfarce na espuma na beira d'água e, depois, prosseguindo em direção ao mar alto até levar embora o seu butim por sobre a ampla extensão do oceano.
– OVÍDIO, METAMORFOSES

Estas poucas reflexões nos levam à compreensão de que, visto que na tentativa de seduzir compete ao homem dar os primeiros passos, para o sedutor, seduzir nada mais é do que reduzir a distância, neste caso a da diferença entre os sexos e que, para fazer isto, é necessário se feminilizar ou, pelo menos, se identificar com o objeto da sua sedução. (...) Como escreve Alain Roger: "Se existe uma sedução, é o sedutor quem primeiro se desvia no sentido de que ele abdica do seu próprio sexo. (...) Sedução sem dúvida visa à consumação sexual, mas só chega lá criando uma espécie de simulacro de

dourado de seus corpos: a mente delas. Neste momento, um comentário precipitado, o mais leve contato físico, será a centelha para uma ideia diferente, que as pegará desprevenidas; talvez exista alguma coisa entre vocês dois. Uma vez despertado este sentimento, elas se perguntarão por que você não fez nada, e elas mesmas tomarão a iniciativa, gozando a ilusão de estarem no controle. Nada é mais eficaz na sedução do que fazer os seduzidos pensarem que eles é que estão seduzindo.

Eu não me aproximo dela, fico apenas na periferia da sua existência. (...) Esta é a primeira teia para a qual ela deverá ser atraída.
– Sören Kierkegaard

CHAVE PARA A SEDUÇÃO

O seu objetivo como sedutor é poder direcionar as pessoas para onde você quer. Mas o jogo é arriscado; assim que desconfiam de que estão agindo sob a sua influência, elas se ressentem. Não suportamos achar que estamos obedecendo à vontade de uma outra pessoa. Se os seus alvos perceberem isso, mais cedo ou mais tarde vão se virar contra você. Mas e se você conseguir que façam o que você quer sem se darem conta disso? E se pensarem que eles é que estão no controle? Esse é o poder da obliquidade e, sem ele, nenhum sedutor exerce a sua magia.

O primeiro movimento a ser dominado é o seguinte: assim que tiver escolhido a pessoa certa, é preciso fazer o alvo vir até você. Se, nos estágios iniciais, você fizer seus alvos pensarem que eles é que estão tomando a iniciativa, o jogo está ganho. Não haverá ressentimentos, reações contrárias perversas, paranoias.

Para fazer com que venham até você, é preciso lhes dar espaço. Isto pode ser feito de vários modos. Você pode ficar rondando na periferia de suas existências, deixando que o notem em diferentes lugares, mas nunca se aproximando. Assim você chama a atenção deles e, se quiserem diminuir a distância, terão de chegar mais perto. Você pode fazer amizade com eles, como fez Lauzun com a Grande Mademoiselle, aproximando-se cada vez mais, enquanto mantém a distância adequada a amigos de sexos opostos. Você também pode brincar de gato e rato com eles, primeiro mostrando-se interessado, depois recuando – atraindo-os ativamente para que o sigam até a sua teia. Seja o que você fizer, e não importa o tipo de sedução que estiver praticando, você deve evitar a qualquer custo a tendência natural de pressionar os seus alvos. Não cometa o erro de pensar que eles perderão o interesse se você não insistir, ou que apreciarão uma enxurrada de atenções. Excesso de atenção logo de início na verdade só vai sugerir insegurança, e despertar dúvidas quanto aos seus motivos. Pior de tudo, não dará aos seus alvos espaço para a imaginação. Dê um passo atrás; deixe que as ideias que você está provocando lhe venham como se fossem próprias. Isto é duplamente importante, se você estiver lidando com alguém que tenha sobre você um efeito muito forte.

Nós não conseguimos, realmente, entender o sexo oposto. Ele é sempre um mistério para nós, e é esse mistério o responsável pela tensão tão deliciosa da sedução; mas é também uma fonte de intranquilidades. É famosa a pergunta de Freud sobre o que as mulheres realmente querem; até para o mais perspicaz de todos os pensadores da psicologia, o sexo oposto era uma terra estranha. Tanto para os homens como para as mulheres, existem sentimentos profundamente enraizados de medo e ansiedade com relação ao outro sexo. Nos estágios iniciais de uma sedução, portanto, você deve descobrir como acalmar qualquer sensação de desconfiança que a outra pessoa possa ter. (Uma sensação de perigo e medo pode acentuar a sedução mais tarde, mas, se você despertar essas emoções logo de início, é bem mais provável ela fugir correndo assustada.) Estabeleça uma distância neutra, pareça inofensivo, e dê a si mesmo espaço para agir. Casanova cultivava uma leve feminilidade entre as suas características – um interesse por roupas, teatro, questões domésticas – que as moças achavam confortante. A cortesã renascentista Tullia d'Aragona, ao fazer amizade com os grandes pensadores e poetas da sua época, falava de literatura e filosofia – tudo menos *boudoir* (e tudo menos dinheiro, que era também o seu objetivo). Johannes, o narrador de *Diário de um sedutor*, de Sören Kierkegaard, acompanha o seu alvo a distância; quando seus caminhos se cruzam, ele é polido e aparentemente tímido. Conforme Cordélia o vai conhecendo, ele não a assusta. De fato, é tão inofensivo que ela começa a desejar que ele não seja tanto assim.

Duke Ellington, o grande artista do jazz e consumado sedutor, começava fascinando as damas com a sua boa aparência, suas roupas elegantes e o seu carisma. Mas, assim que se via sozinho com uma mulher, ele dava um ligeiro passo atrás, tornando-se excessivamente educado, falando apenas de trivialidades. A conversa banal pode ser uma tática brilhante; ela hipnotiza o alvo. A monotonia da sua fachada dá à palavra sugestiva mais sutil, ao mais leve olhar, um poder amplificado. Jamais mencione amor e faça a sua ausência falar a todo o volume – suas vítimas se perguntarão por que você nunca discute as suas emoções e, como pensam nisso, vão se adiantar, imaginando o que será que se passa na sua cabeça. Serão elas a trazer à tona o tema amor ou afeto. A monotonia intencional tem muitas aplicações. Na psicoterapia, o médico dá

> Gomorra. O sedutor nada mais é do que uma lésbica."
> – FRÉDÉRIC MONNEY-RON, *SÉDUIRE: L'IMAGINAIRE DE LA SÉDUCTION DE DON GIOVANNI À MICK JAGGER*

> Enquanto ele [Júpiter] corria apressado de um lado para o outro, parou de repente à visão de uma jovem arcadiana. O fogo da paixão aqueceu a medula de seus ossos. Esta menina não era daquelas que passam o tempo fiando fibras macias de lã, ou arrumando os cabelos em penteados diferentes. Era uma das guerreiras de Diana vestindo a sua túnica presa com um broche, as tranças cuidadosamente amarradas atrás com uma fita branca, e levando na mão um leve dardo ou o seu arco. (...)
> O sol lá em cima já passara do seu zênite quando ela entrou num bosque cujas árvores jamais haviam experimentado o fio do machado. Ali ela retirou dos ombros a aljava, afrouxou a corda do seu arco maleável e deitou-se na grama, descansando a cabeça sobre a sua aljava pintada. Quando Júpiter a viu assim, cansada e desprotegida, disse: "Eis um segredo sobre

o qual minha esposa nada saberá; ou, se chegar a saber, valerá as suas reclamações!" Sem perda de tempo, ele assumiu a aparência e a roupa de Diana, e falou com a moça. "A mais querida de minhas companheiras", disse ele, "onde estivestes caçando? Na encosta de que montanha?" Ela se ergueu da grama: "Saudações, divina senhora", gritou ela, "maior aos meus olhos do que o próprio Júpiter – não me importo se ele me escutar!" Júpiter riu ao ouvir as palavras dela. Deliciado por ser preferido a si mesmo, ele a beijou – não com a contenção adequada a beijos de moças: e, quando ela começou a contar as suas caçadas pela floresta, ele a interrompeu com um abraço e traiu a sua verdadeira identidade com um movimento indecente. Longe de concordar, ela lhe resistiu até onde podia uma mulher (...) como uma menina seria capaz de vencer um homem, e quem poderia derrotar Júpiter! Ele fez o que quis e voltou para os céus.
– OVÍDIO, METAMORFOSES

respostas monossilábicas para atrair os pacientes, fazê-los relaxar e se abrir. Em negociações internacionais, Henry Kissinger embalava os diplomatas com detalhes entediantes, depois atacava com exigências ousadas. No início de uma sedução, palavras menos intensas quase sempre funcionam melhor do que as cheias de vigor – o alvo aumenta o volume, olha no seu rosto, começa a imaginar, fantasiar, e fica fascinado por você.

Usar outras pessoas para chegar perto dos seus alvos é extremamente eficaz; infiltre-se em seus círculos e você deixa de ser um estranho. O conde de Grammont, um sedutor do século XVII, antes de agir fazia amizade com a criada de quarto da sua vítima, com um amigo, até com um amante. Assim ele colhia informações, descobria um jeito de se aproximar dela de uma forma menos ameaçadora. Também plantava ideias, dizendo coisas que era provável a terceira pessoa repetir, coisas que deixariam a dama intrigada, particularmente vindas de alguém que elas conheciam.

Ninon de l'Enclos, a cortesã e estrategista da sedução do século XVII, acreditava que disfarçar as próprias intenções não era apenas uma necessidade; acrescentava prazer ao jogo. O homem não deveria jamais declarar seus sentimentos, achava ela, principalmente no início. É irritante e gera desconfiança. "Uma mulher se convence muito mais de que é amada pelo que adivinha do que por aquilo que lhe dizem", observou Ninon certa vez. Muitas vezes, a pressa de alguém em declarar os seus sentimentos vem de um falso desejo de agradar, pensando que isto vai fazer o outro se sentir lisonjeado. Mas o desejo de agradar pode incomodar e ofender. Crianças, gatos e pessoas coquetes nos atraem porque aparentemente não tentam, parecem até desinteressadas. Aprenda a disfarçar os seus sentimentos e deixe que as pessoas imaginem sozinhas o que está acontecendo.

Em todas as áreas da vida, você não deve jamais dar a impressão de ter um interesse qualquer – isso cria uma resistência que você não vai conseguir baixar. Aprenda a abordar as pessoas por um outro lado. Diminua o seu colorido, misture-se, pareça pouco ameaçador e terá mais espaço para manobrar depois. O mesmo vale na política, onde a ambição declarada costuma assustar as pessoas. Vladimir Ilitch Lenin à primeira vista parecia um russo qualquer; vestia-se como um operário, falava com sotaque de camponês, não tinha nenhum ar de grandeza. Isto fazia o público se sentir confortável e se identificar com ele. Porém, sob esta aparência visivelmente apagada, é claro, havia um homem espertíssimo que estava sempre manobrando. Quando as pessoas perceberam, já era tarde demais.

Símbolo: *A Teia de Aranha. A aranha descobre um canto inofensivo para tecer a sua teia. Quanto mais tempo levar tecendo, mais fabulosa a sua construção, poucos entretanto a percebem – seus fios diáfanos são quase invisíveis. A aranha não precisa caçar, nem sair do lugar, para comer. Fica quieta no seu canto esperando que as vítimas se aproximem sozinhas, e fiquem presas na teia.*

Prefiro ouvir meu cão latindo para um corvo a um homem jurando que me ama.
– BEATRIZ, EM MUITO BARULHO POR NADA, WILLIAM SHAKESPEARE

O INVERSO

Na guerra, você precisa de espaço para alinhar suas tropas, espaço para manobras. Quanto mais tiver, mais intrincada será a sua estratégia. Mas às vezes é melhor subjugar o inimigo, não lhe dando tempo para pensar ou reagir. Apesar de Casanova adaptar suas estratégias à mulher em questão, quase sempre ele procurava impressionar logo, despertando o desejo dela já no primeiro encontro. Talvez fosse um pouco galante, salvando-a de algum perigo; talvez se vestisse de forma a ser notado por seu alvo no meio da multidão. De qualquer maneira, conquistada a atenção da mulher, ele era rápido como um raio. Uma Sereia como Cleópatra tenta causar um efeito físico imediato sobre os homens, não dando tempo ou espaço para suas vítimas recuarem. Ela usa o elemento surpresa. A primeira fase do seu contato com alguém pode envolver um nível de desejo que jamais se repetirá; a ousadia triunfará.

Mas estas são seduções breves. As Sereias e os Casanovas só sentem prazer com a quantidade de vítimas que conquistam, passando rapidamente de uma para outra, e isto pode ser cansativo. Casanova se esgotou; Sereias, insaciáveis, nunca estão satisfeitas. A sedução construída de uma forma indireta e cuidadosa talvez reduza o número de suas conquistas, mas a qualidade delas é mais compensadora.

Conheço um homem cuja amada se sentia totalmente à vontade e cordial com ele; mas se ele lhe tivesse revelado, com um mínimo gesto, estar apaixonado, a amada se tornaria tão remota para ele como as Plêiades, cujas estrelas se dependuram muito alto lá no céu. É a competência de um estadista o que se requer em tais casos; a parte em questão estava gozando intensamente, e ao máximo, o prazer da companhia da sua amada, mas se tivesse apenas sugerido o que sentia por dentro teria obtido não mais do que uma miserável fração dessas atenções, e suportaria na barganha toda a arrogância e caprichos de que é capaz o amor.
– IBN HAZAN, THE RING OF THE DOVE: A TREATISE ON THE ART AND PRACTICE OF ARAB LOVE

3

ENVIE SINAIS AMBÍGUOS

Quando as pessoas perceberem a sua presença, e estiverem talvez vagamente intrigadas, é preciso atiçar o interesse delas antes que se disperse. O que é óbvio e surpreendente pode atrair a atenção delas de início, mas essa atenção não dura muito; a longo prazo, a ambiguidade é muito mais potente. Nós somos, na grande maioria, óbvios demais – em vez disso, seja alguém difícil de compreender. Envie sinais ambíguos: ao mesmo tempo duros e gentis, espirituais e materiais, inocentes e dissimulados. A mistura de características sugere profundidade, que fascina mesmo confundindo. Uma aura indefinível, enigmática, faz as pessoas desejarem saber mais, atraindo-as para o seu círculo. Crie esse poder insinuando que existe em você algo de contraditório.

BOM E RUIM

Em 1806, quando Prússia e França estavam em guerra, Augusto, o simpático príncipe da Prússia de 24 anos e sobrinho de Frederico, o Grande, foi capturado por Napoleão. Em vez de trancafiá-lo, Napoleão permitiu que ele vagasse pelo território francês, com espiões vigiando-o de perto. O príncipe dedicava-se ao prazer e passava o seu tempo indo de cidade em cidade seduzindo as moças. Em 1807, ele decidiu visitar o Château de Coppet, na Suíça, onde vivia a grande escritora madame de Staël.

Augusto foi recebido por sua anfitriã com todo o cerimonial de que ela era capaz. Depois de apresentá-lo aos outros hóspedes, todos se retiraram para a sala de estar, onde ficaram conversando sobre a guerra de Napoleão na Espanha, a moda que se usava em Paris e assim por diante. De repente, a porta se abriu e entrou um outro hóspede, uma mulher que por algum motivo estava no seu quarto durante o rebuliço da chegada do príncipe. Era madame Récamier, de 30 anos, a melhor amiga de madame de Staël. Ela se apresentou ao príncipe, e em seguida retirou-se rapidamente para o seu quarto.

Augusto já sabia que madame Récamier estava no château. De fato, havia escutado muitas histórias sobre esta infame mulher, que, nos anos seguintes à Revolução Francesa, foi considerada a mais bela da França. Homens haviam enlouquecido por ela, particularmente nos bailes quando ela tirava a sua capa de noite, revelando os diáfanos vestidos brancos que tornara famosos, e dançava com muita espontaneidade. Os pintores Gérard e David haviam imortalizado seu rosto e estilo, e até seus pés, considerados os mais bonitos que alguém já tinha visto; e ela partira o coração de Lucien Bonaparte, irmão do imperador Napoleão. Augusto gostava de moças mais jovens do que madame Récamier e tinha vindo ao château para descansar. Mas aqueles poucos momentos em que ela roubou a cena com a sua repentina entrada o apanharam desprevenido: era tão bela quanto diziam; o mais surpreendente na sua beleza, porém, era aquela sua expressão que parecia tão doce, na verdade celestial, com

Reichardt tinha visto Juliette, em outro baile, queixar-se timidamente de que não dançaria, e então, depois de certo tempo, arrancando o seu pesado vestido de noite, revelar um vestido ligeiro por baixo. De todos os lados, houve murmúrios e cochichos sobre o seu coquetismo e afetação. Como sempre, ela vestia cetim branco, bem decotado nas costas, deixando ver seus ombros encantadores. Os homens imploravam para que dançasse para eles. (...) Ao som de uma música suave, ela entrou flutuando na sala com seu manto grego diáfano. A cabeça amarrada com um fichu de musselina. Ela se inclinou timidamente para a plateia, e então, em leves piruetas, sacudiu com a ponta dos dedos um xale transparente, de modo a consecutivamente inflá-lo como um pano de cortina, um

> *véu, uma nuvem. Tudo isto com uma estranha mistura de precisão e langor. Ela usava os olhos de um modo sutil fascinante – "ela dançava com os olhos". As mulheres achavam que todo esse serpentear do corpo, todo esse balançar rítmico descuidado da cabeça, era sensual; os homens eram transportados para um reino de felicidade sobrenatural. Juliette era um ange fatal, e muito mais perigosa por se parecer com um anjo! A música ia entrando em surdina, de repente, com um truque hábil, os cabelos castanhos de Juliette se soltavam e caíam em nuvens à sua volta. Um pouco sem fôlego, ela desaparecia na penumbra do seu boudoir. E ali a multidão a seguia e a encontrava reclinada no seu sofá-cama, com um ar elegantemente pálido, como a Psique de Gérard, enquanto suas criadas refrescavam sua testa com água-de-colônia.*
> *– MARGARET TROUNCER, MADAME RÉCAMIER*

um toque de tristeza no olhar. Os outros hóspedes continuaram conversando, mas Augusto só conseguia pensar em madame Récamier.

Durante o jantar naquela noite, ele a observou. Não falava muito, e mantinha os olhos baixos, mas uma ou duas vezes ela olhou para cima – diretamente para o príncipe. Depois do jantar, os hóspedes se reuniram na galeria, e trouxeram uma harpa. Para o deleite do príncipe, madame Récamier começou a tocar, cantando uma canção de amor. E agora, de repente, ela mudou: havia uma expressão marota nos seus olhos ao se virar para ele. A voz angelical, os olhares, a energia que animava o seu rosto fizeram a cabeça dele girar. Estava confuso. Quando a mesma coisa aconteceu na noite seguinte, o príncipe decidiu estender a sua permanência no château.

Nos dias seguintes a essa decisão, o príncipe e madame Récamier passearam a pé juntos, remaram no lago e participaram de danças, quando ele finalmente a segurou nos braços. Conversavam até tarde da noite. Mas nada ficava claro para ele; ela parecia tão espiritual, tão nobre, e então acontecia o toque de mão, uma súbita observação de flerte. Depois de duas semanas no château, o melhor partido da Europa esqueceu todos os seus hábitos libertinos e propôs casamento a madame Récamier. Ele se converteria ao catolicismo, a religião dela, ela se divorciaria do marido bem mais velho. (Ela lhe dissera que o seu casamento nunca tinha se consumado e, por conseguinte, a Igreja Católica concederia a anulação.) Ela então iria viver com ele na Prússia. Madame prometeu fazer tudo como ele queria. O príncipe voltou correndo para a Prússia para pedir a aprovação da família, e madame retornou a Paris a fim de providenciar a requerida anulação. Augusto lhe enviava uma enxurrada de cartas de amor e esperava. O tempo passava; ele achou que ia enlouquecer. Então, finalmente, uma carta: ela havia mudado de ideia.

Meses mais tarde, madame Récamier enviou a Augusto um presente: o seu famoso quadro, reclinada num sofá, pintado por Gérard. O príncipe passava horas diante dele tentando entender o mistério por trás do olhar daquela mulher. Ele havia se juntado à companhia de suas conquistas – de homens como o escritor Benjamin Constant, que disse a seu respeito: "Ela foi o meu derradeiro amor. Pelo resto da vida, fui como uma árvore atingida por um raio."

Interpretação. A lista de conquistas de madame Récamier cresceu ainda mais com a idade; nela se incluíram o príncipe de Metternich, o duque de Wellington, os escritores Constant e Chateaubriand. Para todos estes homens, ela foi uma obsessão cuja intensidade só fazia aumentar quando eles estavam longe dela. O seu poder tinha duas origens. Primei-

> *A ideia de que dois elementos distintos se combinam no sorriso de Mona Lisa surgiu na cabeça de muitos*

ro, o seu rosto era angelical, o que atraía os homens até ela. Ela apelava para os instintos paternos, encantando com a sua inocência. Mas havia uma segunda qualidade à espreita, nos olhares de flerte, na dança selvagem, na súbita alegria – tudo isso apanhava os homens desprevenidos. Nitidamente, havia alguma coisa a mais nela do que eles tinham percebido, uma intrigante complexidade. Quando sozinhos, eles se pegavam pensando nessas contradições, como se um veneno corresse em suas veias. Madame Récamier era um enigma, um problema que precisava ser solucionado. Tudo que você quisesse, fosse uma endiabrada coquete ou uma deusa inatingível, ela parecia ser. Sem dúvida, ela incentivava esta ilusão mantendo os homens a uma certa distância para que eles jamais pudessem entendê-la. E ela foi a rainha do efeito calculado, como a sua entrada de surpresa no Château de Coppet, que a fez o centro das atenções, ainda que apenas por poucos segundos.

O processo sedutor implica preencher a mente de alguém com a sua imagem. A sua inocência, a sua beleza, ou o seu jeito de flertar podem atrair a atenção dessa pessoa, mas ela não fica obcecada; logo ela passa para a imagem surpreendente seguinte. Para aprofundar esse interesse, você deve sugerir uma complexidade impossível de compreender em uma ou duas semanas. Você é um mistério indefinível, um fascínio irresistível, prometendo um grande prazer, se apenas puder ser possuído. Assim que começarem a fantasiar a seu respeito, estarão à beira da encosta escorregadia da sedução, e nada os impedirá de cair.

ARTIFICIAL E NATURAL

O grande sucesso da Broadway em 1881 foi a opereta de Gilbert e Sullivan Patience, uma sátira sobre o mundo boêmio de estetas e dândis que estava tão em moda em Londres. Para entrar nesta onda, os promotores da opereta decidiram convidar um dos mais infames estetas da Inglaterra para uma turnê de palestras pela América: Oscar Wilde. Com apenas 27 anos na época, Wilde era mais famoso por sua persona pública do que pelo seu reduzido conjunto de obras. Os promotores americanos estavam confiantes de que o público ficaria fascinado com este homem, a quem imaginavam andar sempre com uma flor na mão, mas não esperavam que esse fascínio durasse muito; ele daria algumas palestras, depois a novidade acabava e eles o embarcariam de volta para casa. O dinheiro era bom e Wilde aceitou. Na sua chegada a Nova York, um homem da alfândega lhe perguntou se tinha alguma coisa a declarar: "Nada a declarar", ele respondeu, "exceto o meu talento."

Choveram convites – a sociedade nova-iorquina estava curiosa para conhecer aquela excentricidade. As mulheres acharam Wilde encanta-

críticos. Por conseguinte, eles encontram na expressão da bela florentina a mais perfeita representação dos contrastes que dominam a vida erótica das mulheres; o contraste entre reserva e sedução, e entre a mais dedicada doçura com a sensualidade que é implacavelmente exigente – consumindo os homens como se fossem seres alienígenas.
– SIGMUND FREUD, *LEONARDO DA VINCI E UMA LEMBRANÇA DE SUA INFÂNCIA*

As mãos [de Oscar Wilde] eram gordas e frouxas; ao seu cumprimento faltava garra, e num primeiro encontro recuava-se diante desta flacidez felpuda, mas a aversão logo era superada quando ele começava a falar, pois a sua autêntica gentileza e desejo de agradar fazia esquecer o que era desagradável na sua aparência e contato físico, dando um encanto aos seus modos, e graça à sua precisão de discurso. À primeira vista, ele afetava as pessoas de várias maneiras. Algumas mal reprimiam o riso, outras se sentiam hostis, uma ou outra ficava "arrepiada", muitas se sentiam conscientes

> *de estarem constrangidas, mas, exceto por uma pequena minoria incapaz de se recuperar da primeira sensação de repulsa e, portanto, se mantinham longe do seu caminho, ambos os sexos o achavam irresistível, e para os rapazes da sua época, diz W. B. Yeats, ele era como um personagem triunfante e audaz de uma outra era*
> – HESKETH PEARSON, OSCAR WILDE: HIS LIFE AND WIT

dor, mas os jornais foram menos gentis; The New York Times o chamou de "falsidade estética". Então, uma semana depois de chegar, ele fez a sua primeira palestra. O salão estava apinhado de gente; mais de mil pessoas tinham vindo, muitas apenas para ver como ele era. Não se decepcionaram. Wilde não trazia uma flor na mão, e era mais alto do que esperavam, mas tinha os cabelos longos e soltos e vestia um terno de veludo verde e gravata, assim como calções pelo joelho e meias de seda. Muitos na plateia ficaram desconcertados; olhando-o de suas poltronas, a combinação do seu grande porte com as roupas bonitas era repugnante. Algumas pessoas riram abertamente, outras não conseguiram esconder o constrangimento. Esperavam odiar o homem. E aí, ele começou a falar.

O tema era o "Renascimento inglês", o movimento da "arte pela arte" na Inglaterra do final do século XIX. A voz de Wilde era hipnótica; ele falava num tom ritmado, afetado e artificial, e poucos compreendiam realmente o que ele dizia, mas o discurso era muito espirituoso e fluente. Sua aparência sem dúvida era estranha, mas no todo nenhum nova-iorquino jamais tinha visto ou escutado um homem tão intrigante, e a palestra foi um enorme sucesso. Até os jornais se enterneceram. Em Boston, semanas depois, uns sessenta garotos de Harvard tinham preparado uma emboscada; ridicularizariam o poeta efeminado usando calções pelo joelho, levando flores e aplaudindo estrondosamente a sua entrada. Wilde não se perturbou nem um pouco. A plateia riu histérica aos seus comentários improvisados e, quando os garotos insistiram com suas perguntas, ele manteve a dignidade, não revelando nenhum sentimento de raiva. Mais uma vez, o contraste entre os seus modos e sua aparência física o fez parecer bastante extraordinário. Muitos ficaram profundamente impressionados, e Wilde estava a caminho de se tornar uma sensação.

> *Era uma vez um ímã, e perto dele viviam alguns arquivos de aço. Um dia, dois ou três arquivos pequenos sentiram um súbito desejo de visitar o ímã, e começaram a comentar como seria agradável fazer isso. Outros arquivos vizinhos escutaram a conversa e também ficaram contagiados*

A breve turnê de palestras transformou-se num acontecimento nacional de costa a costa. Em San Francisco, esse palestrante convidado para falar sobre arte e estética se mostrou capaz de vencer qualquer um no copo e no jogo de pôquer, o que o transformou no sucesso da temporada. De volta da costa oeste, Wilde foi parar no Colorado e foi alertado de que, se o poeta bonitinho ousasse aparecer na cidade mineira de Leadville, seria pendurado na árvore mais alta do lugar. Era um convite que Wilde não poderia recusar. Chegando a Leadville, ele ignorou os olhares insistentes e desagradáveis; visitou as minas, bebeu e jogou cartas, depois falou sobre Botticelli e Cellini nos salões. Como todo mundo, os mineiros ficaram fascinados com ele, chegando até a dar o seu nome a uma das minas. Ouviu-se um caubói dizer: "Esse sujeito é um artista, mas derruba qualquer um de nós no copo e depois carrega a gente para casa, dois de cada vez."

Interpretação. Numa fábula que improvisou durante um jantar certa vez, Oscar Wilde falou sobre uns arquivos de aço que tiveram um súbito desejo de visitar um ímã vizinho. Conversando uns com os outros a respeito disso, eles se viram aproximando-se cada vez mais do ímã sem perceberem como ou por quê. Finalmente, foram sugados numa só massa para o lado do ímã. "Então o ímã sorriu – porque os arquivos de aço não tinham nenhuma dúvida quanto a estarem fazendo aquela visita por sua livre e espontânea vontade." Tal era o efeito que o próprio Wilde tinha sobre todos ao seu redor.

A atração exercida por Wilde era mais do que um simples subproduto da sua personalidade, ela era bastante calculada. Um grande apreciador de paradoxos, ele brincava conscientemente com a sua própria excentricidade e ambiguidade, o contraste entre a sua aparência afetada e o seu desempenho espirituoso e desembaraçado. Naturalmente sensível e espontâneo, ele construiu uma imagem que ia contra a sua própria natureza. As pessoas sentiam aversão, ficavam confusas e intrigadas, e finalmente atraídas por este homem que parecia impossível entender.

O paradoxo é sedutor porque joga com significados. Somos secretamente oprimidos pela racionalidade de nossa vida, onde tudo deve significar alguma coisa; a sedução, ao contrário, se alimenta da ambiguidade, de sinais ambíguos, de qualquer coisa que drible a interpretação. A maioria das pessoas é extremamente óbvia. Se têm uma personalidade exibida, podemos nos sentir momentaneamente atraídos, mas a atração acaba; não há profundidade, nenhum movimento contrário para nos puxar para dentro delas. A chave para atrair e manter a atenção é irradiar mistério. E ninguém é naturalmente misterioso, pelo menos não durante muito tempo; mistério é algo que você precisa trabalhar, uma manobra da sua parte, e algo que deve ser usado logo no início da sedução. Deixe que uma parte da sua personalidade se revele para que todos notem. (No exemplo de Wilde, era a afetação traduzida por suas roupas e poses.) Mas também envie um sinal ambíguo – um sinal de que você não é o que parece, um paradoxo. Não se preocupe se esta subqualidade for negativa, como perigo, crueldade ou falta de moral; as pessoas se sentirão atraídas pelo enigma de qualquer forma, e a bondade pura raramente seduz.

pelo mesmo desejo. Outros mais se juntaram a eles, até que no final todos os arquivos começaram a discutir a questão, e cada vez mais o desejo se transformava num impulso. "Por que não ir hoje?", disse um deles; mas os outros eram da opinião que seria melhor deixar para amanhã. Enquanto isso, sem que percebessem, eles haviam involuntariamente se aproximado do ímã, que estava ali bem quieto, pelo visto sem prestar atenção ao que eles estavam fazendo. E assim eles continuaram discutindo, o tempo todo aproximando-se sem sentir do vizinho; e, quanto mais falavam, mais sentiam crescer o impulso, até que os mais impacientes declararam que iam naquele dia mesmo, não importando o que os outros fizessem. Ouviu-se dizer que era dever deles visitar o ímã, e que já deveriam ter ido há muito tempo. E, conversando, eles se aproximavam sempre cada vez mais sem perceber que tinham saído do lugar. Então, por fim, os impacientes prevaleceram, e, com um impulso irresistível, o grupo todo gritou: "Não adianta esperar. Iremos hoje. Iremos agora. Iremos

> *imediatamente."*
> *E então numa massa unânime eles foram arrastados e, no momento seguinte, estavam grudados em todos os lados do ímã. Nisso o ímã sorriu – pois os arquivos de aço não tinham nenhuma dúvida de que estavam fazendo aquela visita por sua própria e espontânea vontade.*
> – OSCAR WILDE, CONFORME CITADO POR RICHARD LE GALIENNE EM HESKETH PEARSON, *OSCAR WILDE: HIS LIFE AND WIT*

> *Paradoxo com ele era apenas a verdade plantando bananeira para chamar atenção.*
> – Richard Le Gallienne, sobre o seu amigo Oscar Wilde

CHAVES PARA A SEDUÇÃO

Nada acontece na sedução se você não conseguir atrair e manter a atenção da sua vítima, a sua presença física tornando-se uma presença mental persistente. Na verdade, é bastante fácil criar esse primeiro alvoroço – um estilo fascinante de se vestir, um olhar sugestivo, algo exagerado em você. Mas e depois? Nossa mente é obstruída por imagens – não só da mídia, mas da desordem do dia a dia. E muitas destas imagens são bastante surpreendentes. Você se torna mais uma coisa gritando para chamar atenção; a sua atração passará se você não disparar a centelha de um tipo de encanto mais duradouro que faz as pessoas pensarem que existe em você algo mais do que estão vendo. Quando começam a enfeitar a sua imagem com as próprias fantasias, estão fisgadas.

Isto precisa ser feito logo no início, antes que seus alvos saibam demais e as impressões que tenham sobre você estejam definidas. Deve ocorrer no momento em que colocam os olhos em você. Ao enviar sinais ambíguos naquele primeiro encontro, você cria uma pequena surpresa, uma leve tensão: você parece ser uma coisa (inocente, atrevido, intelectual, espirituoso), mas também lhes dá um vislumbre de algo mais (diabólico, tímido, espontâneo, triste). Mantenha as coisas sutis: se a segunda qualidade é forte demais, você vai parecer esquizofrênico. Mas deixe que elas se perguntem como você pode ser espirituoso ou triste por baixo da sua ousada espirituosidade intelectual, e terá a atenção delas. Dê-lhes uma ambiguidade que lhes permita ver o que querem ver, capture a imaginação delas com ligeiros vislumbres voyeurísticos da sua alma secreta.

> *Agora que a luta tinha terminado e os cavaleiros se dispersavam, cada um seguindo o seu caminho para onde seus pensamentos o guiavam, aconteceu que Rivalin estava se dirigindo para onde a encantadora Blancheflor se sentava. Vendo isto, ele galopou até ela e, olhando-a nos olhos, a saudou com alegria. "Deus a guarde, encantadora mulher!" "Obrigada", disse a moça, e continuou muito envergonhada, "que Deus Todo-Poderoso, que faz todos os corações felizes, alegre o seu coração e a sua mente! E muito grata lhe sou! – mas sem esquecer que temos uma questão a resolver." "Ah, doce mulher, o que fiz?",*

O filósofo grego Sócrates foi um dos maiores sedutores da história; os rapazes que o seguiam como estudantes não estavam apenas fascinados por suas ideias, estavam apaixonados por ele. Um desses jovens foi Alcibíades, o notório farrista que se tornou uma poderosa figura política quase no final do século V a.C. No *Banquete*, de Platão, Alcibíades descreve os poderes sedutores de Sócrates comparando-o com as figurinhas de Sileno que eram feitas naquela época. No mito grego, Sileno era muito feio, mas também um profeta muito sábio. Consequentemente, as estátuas de Sileno eram ocas e, quando desmontadas, encontravam-se pequenas imagens de deuses no seu interior – a verdade e a beleza interior por baixo de um exterior pouco atraente. E assim, para Alcibíades, acontecia o mesmo com Sócrates, que era tão feio a ponto de ser repugnante, mas cujo rosto irradiava uma beleza e um contentamento interiores. O efeito era desconcertante e atraente. Outro grande personagem sedutor da história, Cleópatra, também emitia sinais ambíguos: segundo todos os relatos, fisicamente atraente, na voz, no rosto, no corpo e nos modos, ela também possuía uma mente brilhantemente ativa, que, para muitos escritores da época, a fazia parecer um tanto masculina de espírito. Estas qualidades opostas lhe davam complexidade, e a complexidade lhe dava poder.

Para captar e manter a atenção, você precisa mostrar atributos que destoem da sua aparência física, criando profundidade e mistério. Se você tiver um rosto suave e um ar inocente, emita sugestões de que existe algo obscuro, até vagamente cruel no seu caráter. Isto não vem anunciado nas suas palavras, mas nos seus modos. O ator Errol Flynn tinha um rosto angelical de menino e um ligeiro ar de tristeza. Sob esta aparência externa, entretanto, as mulheres podiam perceber uma crueldade subjacente, um traço criminoso, um tipo excitante de periculosidade. Este jogo de qualidades contrárias atraía o interesse obsessivo. O equivalente feminino é o tipo sintetizado por Marilyn Monroe; o seu rosto e a sua voz eram de uma menina, mas dela também emanava fortemente algo de sexual e malicioso. Madame Récamier fazia tudo isso com os olhos – o olhar de um anjo de repente interrompido por uma certa sensualidade e um certo flerte.

Jogar com os papéis de gênero é um tipo intrigante de paradoxo que tem uma longa história na sedução. Os maiores dom-juans tinham um toque de beleza e feminilidade, e as cortesãs mais atraentes tinham um traço masculino. A estratégia, entretanto, só funciona bem quando a subqualidade é apenas sugerida; se a mistura for óbvia, ou surpreendente demais, vai parecer bizarra e até ameaçadora. A grande cortesã francesa do século XVII Ninon de l'Enclos era decididamente feminina na aparência, mas todos os que a conheciam se impressionavam com um toque de agressividade e independência que havia nela – mas só um toque. O romancista italiano do final do século XIX Gabriele d'Annunzio era sem dúvida masculino nas suas abordagens, mas havia uma gentileza, uma consideração, misturadas nisso, e um interesse por refinamentos femininos. As combinações podem ser feitas em vários sentidos: Oscar Wilde era bastante feminino na aparência e nos modos, mas a sugestão subjacente de que ele era na verdade bastante masculino atraía tanto os homens como as mulheres.

Uma potente variação sobre este tema é a mistura de calor físico e frieza emocional. Dândis como Beau Brummell e Andy Warhol

foi a resposta do cortês Rivalin. "O senhor tem me aborrecido por causa de um amigo meu, o melhor que já tive." "Céus", pensou ele, "que significa isto? O que fiz para desagradá-la? O que ela diz que eu fiz?", e ele imaginou que, sem saber, deveria ter magoado um parente dela alguma vez em seus esportes cavalheirescos e por isso ela estava aborrecida com ele. Mas não, o amigo a que ela se referia era o seu próprio coração, através do qual ele a fazia sofrer: esse era o amigo de que ela falava. Mas ele não sabia nada disso. "Adorável mulher", disse ele com todo o seu costumeiro encanto, "não quero que fique zangada comigo ou me leve a mal. Portanto, se o que me diz é verdade, ordene-me a sua sentença: farei tudo que me mandar." "Não o odeio tanto pelo que aconteceu", foi a resposta da moça, "nem o amo por isso. Mas, para ver como consertará o mal que me fez, eu o testarei uma outra hora." E assim ele se inclinou como para ir embora, e ela, encantadora menina, suspirou por ele muito em segredo e disse com suave ternura.

"Ah, caro amigo, Deus o abençoe!" A partir desse momento, um ficou pensando no outro. Rivalin se afastou, imaginando muitas coisas. Imaginou sob muitos aspectos por que Blancheflor estaria aborrecida, e o que se esconderia por trás disso tudo. Ele considerou a saudação dela, as palavras que ela pronunciara; ele analisou o seu suspiro minuciosamente, a despedida dela, todo o comportamento. (...) Mas, como não tinha certeza dos motivos dela – se agira por inimizade ou amor –, ele hesitou perplexo. Vacilou pensando uma coisa, depois outra, até se ver tão enredado na armadilha do seu próprio desejo que não tinha forças para escapar. (...) Sua perplexidade o colocara num dilema, pois não sabia se ela lhe queria bem ou mal; não conseguia entender se ela o amava ou odiava. Nenhuma esperança ou desespero ele considerava que o proibisse de avançar ou recuar – esperança e desespero o levavam de um lado para o outro numa dissensão que não se resolvia. A esperança lhe falava de amor; o desespero, de ódio. Por causa dessa divergência, ele não podia ceder à

combinam aparências físicas surpreendentes com uma espécie de frieza de modos, um distanciamento de tudo e de todos. Ambos são tentadores e evasivos, e as pessoas passam a vida inteira correndo atrás desses homens tentando estilhaçar a sua inacessibilidade. (O poder das pessoas que parecem inacessíveis é diabolicamente sedutor; queremos ser aquele que vai derrubá-lo.) Elas também se envolvem numa capa de ambiguidades e mistério falando muito pouco ou apenas de questões superficiais, sugerindo uma profundeza de caráter que você jamais consegue alcançar. Quando Marlene Dietrich entrava numa sala, ou chegava a uma festa, todos os olhos inevitavelmente se viravam para ela. Primeiro havia as suas roupas sensacionais, escolhidas para fazer as cabeças se virarem. Depois, o seu ar indiferente de quem não está nem um pouco interessada. Homens, e mulheres também, ficavam obcecados por ela, lembrando-se dela muito depois que as outras memórias da noite tinham se apagado. Lembre-se: essa primeira impressão, essa entrada, é importantíssima. Demonstrar um desejo excessivo de atenção é sinal de insegurança, e muitas vezes afasta as pessoas; banque o muito frio e desinteressado, por outro lado, e ninguém vai se dar ao trabalho de chegar perto. O truque é combinar as duas atitudes na mesma hora. É a essência do coquetismo.

Talvez você seja conhecido por uma qualidade em particular, que vem logo à mente quando as pessoas o veem. É melhor prender a atenção delas sugerindo que, por trás desta reputação, esconde-se alguma outra qualidade. Ninguém teve uma fama mais soturna e pecaminosa do que Lord Byron. O que deixava as mulheres enlouquecidas era que, por trás desse exterior um tanto frio e desdenhoso, elas podiam sentir que ele era na verdade muito romântico, até espiritual. Byron fazia esse jogo com seus ares melancólicos e um ato ocasional de bondade. Hipnotizadas e confusas, as mulheres achavam ser aquela que o levaria de volta à bondade, que faria dele um amante fiel. Quando uma mulher começava a pensar desse jeito, estava completamente fascinada por ele. Não é difícil criar um efeito tão sedutor. Se você é conhecido como uma pessoa eminentemente racional, digamos, sugira algo irracional. Johannes, o narrador em *Diário de um sedutor*, de Kierkegaard, primeiro trata a jovem Cordélia com a polidez de quem está falando de negócios, como a reputação dele a levaria a esperar. Mas não demora muito e ela o escuta fazendo observações que sugerem um traço selvagem, poético, no seu caráter; e ela fica excitada e intrigada.

Estes princípios têm aplicações muito além da sedução sexual. Para prender a atenção de um público amplo, para seduzi-lo a pensar em você, é preciso misturar os seus sinais. Exiba em excesso uma só qualidade – mesmo que seja nobre, como conhecimento ou eficiência –, e as pessoas sentirão que falta a você humanidade. Todos nós somos complexos e ambíguos, cheios de impulsos contraditórios; se você mostrar apenas um lado, mesmo que seja um lado bom, vai deixar as pessoas irritadas. Elas vão desconfiar de que você é um hipócrita. Mahatma Gandhi, um personagem santo, confessou abertamente ter sentimentos de raiva e vingança. John F. Kennedy, a figura pública americana mais sedutora dos tempos modernos, era um paradoxo ambulante: um aristocrata da Costa Leste com o gosto de um homem comum, um homem obviamente masculino – um herói de guerra –, com uma vulnerabilidade que se podia sentir por baixo, um intelectual que amava a cultura popular. As pessoas eram atraídas por Kennedy como os arquivos de aço na fábula de Wilde. Uma superfície brilhante pode ter um encanto decorativo, mas o que atrai o seu olhar para um quadro é uma profundidade de campo, uma inexprimível ambiguidade, uma complexidade surrealista.

Símbolo: *A Cortina do Teatro. No palco, as dobras pesadas vermelho-escuras da cortina atraem o seu olhar com a sua superfície hipnótica. Mas o que realmente fascina e atrai você é o que você pensa que possa estar acontecendo por trás da cortina – a luz que escapa pelas frestas, a sugestão de um segredo, de algo que está para acontecer. Você sente a emoção de um* voyeur *prestes a assistir a uma performance.*

sua firme crença nem ao ódio, nem, ainda, ao amor. Assim, seus sentimentos ficavam à deriva num porto inseguro – a esperança o puxava para perto, o ódio o afastava. Ele não via constância em nenhum dos dois; eles não concordavam nem de um modo nem de outro. Quando o desespero veio lhe dizer que a sua Blancheflor era sua inimiga, ele vacilou e procurou escapar: mas na mesma hora chegou a esperança, trazendo-lhe o seu amor, e uma carinhosa aspiração, assim por força ele ficou. Diante de tanta discórdia, ele não sabia para onde se virar: não podia avançar em direção alguma. Quanto mais lutava para fugir, com mais firmeza o amor o empurrava para trás. Quanto mais se esforçava para escapar, o amor o trazia de volta mais firmemente.
– GOTTFRIED VON STRASSBURG, *TRISTÃO E ISOLDA*

O INVERSO

A complexidade que você sinaliza para as outras pessoas só as afetará adequadamente se tiverem a capacidade de apreciar um mistério. Algumas pessoas gostam das coisas simples e não têm paciência para ir atrás de alguém que as confunde. Preferem ser deslumbradas e conquistadas. A grande cortesã da Belle Époque, conhecida como La Belle Otero, causava um efeito mágico complexo sobre artistas e figuras políticas que se apaixonavam por ela, mas, lidando com o homem mais descomplicado, sensual, ela o assombrava com espetáculo e beleza. Ao se encontrar com uma mulher pela primeira vez, Casanova podia se vestir com a roupa mais fantástica, com joias e cores vibrantes para deslumbrar os olhos; ele usava a reação do alvo para avaliar se ia precisar ou não de uma sedução mais complicada. Algumas das suas vítimas, as moças em particular, não precisavam de mais do que uma aparência que brilhasse e fosse fascinante, que era realmente o que elas queriam, e a sedução ficava neste nível.

Tudo depende do seu alvo: não se preocupe em criar profundidade para quem é insensível a ela, ou que talvez se perturbe ou se desconcerte com isso. Você pode reconhecer esses tipos pela preferência que têm pelos prazeres simples da vida, pela falta de paciência com uma história mais cheia de nuances. Com eles, seja simples.

4

APARENTE SER UM OBJETO DE DESEJO – CRIE TRIÂNGULOS

É raro as pessoas se sentirem atraídas por alguém que os outros evitam ou desprezam; elas se reúnem em torno de quem já despertou o interesse. Queremos o que os outros querem. Para atrair suas vítimas para mais perto e fazê-las desejar ardentemente possuir você, é preciso criar uma aura de objeto de desejo – de ser querido e cortejado por muitos. Para elas, será uma questão de vaidade ser o objeto preferido das suas atenções, fazê-lo afastar-se de uma multidão de admiradores. Crie a ilusão de popularidade cercando-se de membros do sexo oposto – amigos, ex-amantes, pretendentes atuais. Crie triângulos que estimulem a rivalidade e aumente seu próprio valor. Construa uma reputação que possa precedê-lo: se tantos sucumbiram aos seus encantos, deve haver um motivo.

CRIANDO TRIÂNGULOS

Uma noite, em 1882, o filósofo prussiano de 32 anos Paul Rée, que vivia em Roma na época, visitou a casa de uma mulher mais velha que dirigia um salão de escritores e artistas. Rée notou ali uma novidade, uma jovem russa de 21 anos chamada Lou von Salomé, que viera a Roma de férias com a mãe. Rée se apresentou e os dois começaram uma conversa que varou a noite. As ideias dela sobre Deus e moralidade eram parecidas com as dele; ela falava com intensidade, mas ao mesmo tempo seu olhos pareciam flertar com ele. Depois disso, durante alguns dias Rée e Salomé fizeram longas caminhadas pela cidade. Intrigado com seus pontos de vista, mas confuso com as emoções que ela despertava, ele queria passar mais tempo junto dela. Então, um dia, ela o surpreendeu com uma proposta: sabia que ele era muito amigo do filósofo Friedrich Nietzsche, na época também visitando a Itália. Os três, disse ela, deviam viajar juntos – não, na verdade, deviam viver juntos, numa espécie de *ménage à trois* de filósofos. Um feroz crítico da moral cristã, Rée adorou a ideia. Escreveu ao amigo sobre Salomé descrevendo como ela estava louca para conhecê-lo. Depois de receber algumas dessas cartas, Nietzsche foi correndo para Roma.

Rée tinha feito o convite para agradar a Salomé, e impressioná-la; ele também queria ver se Nietzsche compartilhava do seu entusiasmo pelas ideias da moça. Mas, assim que Nietzsche chegou, algo desagradável aconteceu: o grande filósofo, que sempre fora um solitário, ficou obviamente encantado com Salomé. Em vez de conversarem os três, Nietzsche parecia conspirar para pegar a menina sozinha. Quando Rée percebia Nietzsche e Salomé conversando sem o incluir, sentia calafrios de ciúme. Esqueça esse *ménage à trois* de filósofos: Salomé era dele, ele a havia descoberto, e não a dividiria com ninguém, nem mesmo com seu querido amigo. De algum modo, tinha de conseguir ficar com ela sozinho. Só então poderia cortejá-la e conquistá-la.

Quero lhe contar sobre um cavalheiro que certa vez conheci e que, embora de aparência agradável e comportamento reservado, e também um guerreiro muito capaz, não se destacava tanto no que diz respeito a qualquer uma dessas qualidades que não se encontrassem muitos que lhe fossem iguais ou até melhores. Não obstante, quis a sorte que uma certa dama se apaixonasse profundamente por ele. Ela viu que ele sentia o mesmo e, conforme o seu amor crescia dia a dia, não havendo modo de os dois se falarem, ela revelou seus sentimentos a uma outra dama que esperava lhe fosse servir nesta questão. Ora, esta senhora não era nem um pouco inferior à primeira em nível social e beleza; e aconteceu que ao ouvir falar do rapaz (a quem nunca tinha visto) com tanto afeto, e perceber que a outra mulher, a quem sabia ser extremamente discreta e inteligente, o amava além das palavras, ela logo começou a imaginar que ele deveria ser o mais belo, o mais sábio, o mais discreto dos homens e, em resumo, aquele mais merecedor do seu amor no mundo inteiro. Assim, sem nunca ter lhe colocado os olhos, ela se apaixonou tão perdidamente por ele que se dispôs a conquistá-lo, não para a amiga, mas para si própria. E nisto teve sucesso sem fazer muito esforço, pois na verdade era uma mulher mais para ser cortejada do que para cortejar. E agora ouçam a esplêndida sequência: não muito tempo depois aconteceu que uma carta que havia escrito para o seu amante caiu nas mãos de uma outra mulher de comparável nível, encanto e beleza; e que sendo, como a maioria das mulheres, curiosa e ávida por conhecer segredos, a abriu e leu. Percebendo que fora redigida com a mais profunda paixão, nos termos mais amorosos e ardentes, ela de início sentiu compaixão, pois sabia muito bem de quem vinha a carta e para quem era destinada; mas tal era o poder das palavras que lia, revirando-as

Estava nos planos de madame Salomé acompanhar a filha de volta à Rússia, mas Salomé queria ficar na Europa. Rée interveio oferecendo-se para viajar com as Salomé até a Alemanha e apresentá-las à sua própria mãe, que, prometeu ele, cuidaria da menina e agiria como uma chaperone. (Rée sabia que a mãe ia ser uma guardiã relapsa, na melhor das hipóteses.) Madame Salomé concordou com a sugestão, porém de Nietzsche foi mais difícil afastar: ele resolveu acompanhá-los na jornada rumo ao norte, até a casa de Rée, na Prússia. Em determinado momento da viagem, Nietzsche e Salomé foram dar um passeio a pé sozinhos e, quando voltaram, Rée teve a sensação de que alguma coisa física havia acontecido entre eles. O sangue ferveu; Salomé estava lhe escapando das mãos.

Finalmente o grupo se dividiu: a mãe voltou para a Rússia; Nietzsche, para sua casa de verão em Tautenburg; Rée e Salomé continuaram na casa de Rée. Mas Salomé não se demorou muito: ela aceitou um convite de Nietzsche para visitá-lo, desacompanhada, em Tautenburg. Na sua ausência, Rée ficou morrendo de dúvidas e raiva. Ele a queria mais do que nunca, e estava preparado para redobrar os esforços. Quando ela finalmente voltou, Rée expressou a sua amargura falando mal de Nietzsche, criticando a sua filosofia e questionando os motivos dele com relação à moça. Mas Salomé tomou partido de Nietzsche. Rée ficou desesperado; sentiu que a havia perdido de vez. Dias depois, entretanto, ela o surpreendeu novamente: tinha decidido que desejava viver com ele, e apenas com ele.

Por fim, Rée tinha o que queria, ou assim pensava. O casal se estabeleceu em Berlim, onde alugaram um apartamento juntos. Mas agora, para desânimo de Rée, o antigo padrão se repetia. Eles viviam juntos, mas os rapazes cortejavam Salomé de todos os lados. Queridinha dos intelectuais de Berlim, que admiravam o seu espírito independente, a sua recusa em se comprometer, ela estava sempre cercada de um harém masculino que a tratava de "Vossa Excelência". Mais uma vez, Rée se via competindo pela atenção de Salomé. Desesperado, ele a abandonou alguns anos depois e, no final, se suicidou.

Em 1911, Sigmund Freud conheceu Salomé (agora conhecida como Lou Andreas-Salomé) numa conferência na Alemanha. Queria se dedicar ao movimento psicanalítico, disse ela, e Freud a achou encantadora, embora, como todo mundo, ele soubesse do seu infame caso com Nietzsche (ver página 73, "Dândi"). Salomé não tinha nenhuma espécie de formação em psicanálise ou terapia, mas Freud a aceitou no círculo íntimo de seguidores que frequentavam suas palestras privadas. Logo depois que ela entrou para o círculo, um dos alunos mais brilhantes e promissores de Freud, o Dr. Victor Tausk, 16 anos mais jovem que

Salomé, se apaixonou por ela. O relacionamento de Salomé com Freud tinha sido platônico, mas ele se afeiçoara profundamente a ela. Ficava deprimido quando ela faltava a uma palestra, e lhe enviava bilhetes e flores. O envolvimento amoroso dela com Tausk o deixou extremamente ciumento, e ele começou a competir por sua atenção. Tausk tinha sido como um filho para ele, mas o filho estava ameaçando roubar a amante platônica do pai. Não demorou muito, porém, e Salomé abandonou Tausk. Agora a sua amizade com Freud ficou mais forte do que nunca, e assim durou até que ela morreu, em 1937.

Interpretação. Os homens não se apaixonavam simplesmente por Lou Andreas-Salomé; eles ficavam dominados pelo desejo de possuí-la, de roubá-la dos outros, de ser o orgulhoso proprietário do seu corpo e do seu espírito. Raramente a viam sozinha; ela sempre, de algum modo, se cercava de outros homens. Ao perceber o interesse de Rée, disse que desejava conhecer Nietzsche. Isto excitou ainda mais Rée, e o fez querer se casar com ela, guardá-la só para si, mas ela insistia em conhecer o amigo dele.

As cartas que ele escreveu a Nietzsche traíam o seu desejo por esta mulher, e isso por sua vez alimentou o próprio desejo de Nietzsche, antes mesmo de conhecê-la. Sempre que um dos homens estava sozinho com ela, o outro ficava em segundo plano. Depois, bem mais tarde, quase todos os homens que a conheceram sabiam do infame caso com Nietzsche, e isso só fazia aumentar o desejo que tinham de possuí-la, de competir com a memória de Nietzsche. O afeto de Freud por ela, similarmente, transformou-se num intenso desejo quando ele precisou competir com Tausk por suas atenções. Salomé era inteligente e por si só bastante atraente; mas a sua constante estratégia de impor aos pretendentes um triângulo de relacionamentos acentuava a sua capacidade de despertar desejo. E, enquanto eles brigavam por causa dela, ela tinha o poder, sendo desejada por todos e submissa a ninguém.

Nosso desejo por outra pessoa quase sempre envolve considerações sociais: somos atraídos por aquelas que são atraentes para os outros. Queremos possuí-las e roubá-las. Você pode acreditar em todas as bobagens sentimentais que quiser a respeito de desejo, mas, no final, em grande parte ele está relacionado com a vaidade e a cobiça. Não fique se lamentando ou fazendo reflexões morais sobre o egoísmo das pessoas, simplesmente tire proveito disto. A ilusão de que você é desejado pelos outros o deixará mais atraente para sua vítima do que o seu rosto bonito ou o seu corpo perfeito. O modo mais eficaz de criar essa ilusão é criar um triângulo: coloque uma outra pessoa entre você e a sua víti-

---

mentalmente e considerando que tipo de homem era esse capaz de despertar um tão grande amor, na mesma hora ela própria começou a se apaixonar por ele; e a carta foi sem dúvida muito mais eficiente do que se o próprio rapaz a tivesse escrito para ela. E, como acontece às vezes de o veneno preparado para um príncipe matar aquele que prova a sua comida, assim aquela pobre mulher, na sua ganância, bebeu a poção de amor preparada para outra pessoa. O que mais há para se dizer? O caso não era segredo, e as coisas se desenvolveram de tal modo que muitas outras mulheres além dessas, em parte por despeito das outras, em parte para seguir o exemplo delas, dedicaram todo o seu esforço para conquistar o amor deste homem, disputando-o durante um tempo como fazem os meninos com as cerejas.
– BALDASSARE CASTIGLIONE, *O CORTESÃO*

Na maioria das vezes, preferimos uma coisa a outra porque ela é o que nossos amigos já preferem, ou porque esse objeto tem nítido significado social. Adultos, quando têm

fome, são exatamente como crianças ao buscarem o alimento que os outros estão comendo. Nos seus casos de amor, eles buscam o homem ou a mulher a quem os outros acham atraente e abandonam os que não são procurados. Quando dizemos que um homem ou uma mulher são desejáveis, o que estamos falando na verdade é que outras pessoas os desejam. Não é que tenham alguma qualidade especial, mas sim que estão de acordo com um modelo atualmente em moda.
— SERGE MOSCOVICI, THE AGE OF THE CROWD: A HISTORICAL TREATISE ON MASS PSYCHOLOGY

Em seu benefício, será de grande proveito distrair a dama que deseja conquistar com um relato do número de mulheres apaixonadas por você, e das propostas decididas que elas lhe fizeram; pois isto não só prova que você é um grande favorito entre as damas, e um homem honrado, mas a convencerá de que poderá ter a honra de ser acrescentada à mesma lista, e de ser igualmente elogiada

ma, e deixe sutilmente que ela perceba o quanto esta terceira pessoa quer você. O terceiro ponto no triângulo não precisa ser uma pessoa apenas: cerque-se de admiradores, revele conquistas do passado – em outras palavras, envolva-se numa aura de desejabilidade. Faça seus alvos competirem com o seu passado e com o seu presente. Eles vão querer ardentemente possuí-lo só para si mesmos, o que lhe dará um grande poder desde que você não se deixe agarrar. Falhe em se fazer um objeto de desejo logo de início, e você vai acabar como o escravo arrependido dos caprichos de seus amantes – eles o abandonarão assim que passar o interesse.

[Uma pessoa] desejará um objeto qualquer desde que esteja convencida de que ele é desejado por outra pessoa a quem admire.
– René Girard

CHAVES PARA A SEDUÇÃO

Somos criaturas sociais, e imensamente influenciadas pelos gostos e desejos dos outros. Imagine uma grande reunião social. Você vê um homem sozinho, com quem ninguém fala e que vai de um lado para o outro sem companhia; não existe nele uma espécie de isolamento já esperado? Por que está sozinho, por que o evitam? Deve haver uma razão. Enquanto alguém não sentir pena deste homem e começar a conversar com ele, vai parecer que ele é indesejado e indesejável. Mas ali, num outro canto da sala, está uma mulher cercada de gente. As pessoas acham graça no que ela diz e, ao rirem, outras mais se juntam ao grupo, atraídas por esta alegria. Quando ela muda de lugar, as pessoas vão atrás. O rosto dela brilha de atenção. Tem que haver um motivo.

Em ambos os casos, é claro, não precisa na verdade haver motivo algum. O homem negligenciado pode ter qualidades bastante encantadoras, supondo que um dia você converse com ele; mas provavelmente você não fará isso. A desejabilidade é uma ilusão social. Sua origem está menos no que você diz ou faz, ou em qualquer tipo de ostentação ou autopropaganda, do que na sensação de que outras pessoas desejam você. Para transformar o interesse do seu alvo em algo mais profundo, em desejo, você deve fazer com que o vejam como alguém que os outros tratam com carinho e cobiçam. Desejo é ao mesmo tempo imitativo (gostamos do que os outros gostam) e competitivo (queremos tirar dos outros o que eles têm). Na infância, queremos monopolizar a atenção do nosso pai ou da nossa mãe, afastá-los dos outros irmãos. Este senso de rivalidade impregna o desejo humano, repetindo-se ao longo de toda a nossa vida. Faça as pessoas competirem por sua atenção, faça que elas vejam você como alguém que todos querem. A aura da desejabilidade envolverá você.

Seus admiradores podem ser amigos ou até pretendentes. Chame isso de efeito harém. Paulina Bonaparte, irmã de Napoleão, valorizava-se aos olhos masculinos por estar sempre cercada por homens em atitude de adoração nos bailes e festas. Se saía para passear a pé, jamais ia com um homem apenas, eram sempre dois ou três. Talvez estes homens fossem apenas amigos, ou mesmo só figurantes e gente que estava sempre por ali; a visão deles era o bastante para sugerir que ela era apreciada e desejada, uma mulher pela qual valia a pena brigar. Andy Warhol também se cercava das pessoas mais glamourosas e interessantes que pudesse encontrar. Fazer parte do seu círculo íntimo significava que você também era desejável. Colocando-se no meio, porém mantendo-se distante de tudo, ele fazia todos competirem por sua atenção. Ele despertava o desejo nas pessoas de possuí-lo retraindo-se.

Práticas como esta não estimulam apenas desejos competitivos, elas têm como objetivo atingir o ponto fraco essencial das pessoas: a vaidade e a autoestima. Conseguimos suportar que uma outra pessoa tenha mais talento, ou mais dinheiro, mas sentir que um rival é mais desejável do que nós – isso é insuportável. No início do século XVIII, o duque de Richelieu, um grande libertino, conseguiu seduzir uma jovem mulher que era muito religiosa, mas cujo marido, um bobalhão, estava sempre viajando. Ele então começou seduzindo a vizinha do andar de cima, uma jovem viúva. Quando as duas mulheres descobriram que ele passava de uma para outra numa mesma noite, elas o enfrentaram. Um homem mais simples teria fugido, mas não o duque; ele conhecia a dinâmica da vaidade e do desejo. Nenhuma das mulheres queria se sentir preterida por causa da outra.

E assim ele deu um jeito de arrumar um pequeno *ménage à trois*, sabendo que elas agora disputariam para ver quem seria a favorita. Quando a vaidade das pessoas está em jogo, você consegue delas o que quiser. Segundo Stendhal, se estiver interessado numa mulher, dê atenção à irmã dela. Isso despertará um desejo triangular.

A sua reputação – o seu ilustre passado como sedutor – é um meio eficaz de criar uma aura de desejabilidade. As mulheres se jogavam aos pés de Errol Flynn, não por causa do seu rosto bonito, e certamente não por suas habilidades como ator, mas por causa da sua fama. Elas sabiam que outras mulheres o achavam irresistível. Firmada a sua reputação, ele não precisou mais correr atrás das mulheres; elas vinham até ele. O homem que acha que a sua fama de libertino despertará nas mulheres o medo ou a desconfiança, e que ela não deve ser divulgada, está muito

na presença de outras mulheres amigas suas. Isto a deixará extremamente encantada, e você não precisa se surpreender se ela testemunhar a sua admiração pelo seu caráter dependurando-se no seu pescoço ali mesmo.
– LOLA MONTEZ, THE ARTS AND SECRETS OF BEAUTY, WITH HINTS TO GENTLEMEN ON THE ART OF FASCINATING

O desejo mimético de [René] Girard ocorre quando um sujeito individual deseja um objeto porque é desejado por outro sujeito, aqui designado como o rival: o desejo é moldado nos desejos e ações do outro. Philippe Lacoue-Labarthe diz que "a hipótese básica em que se baseia a famosa análise de Girard [é que] todo desejo é o desejo do outro (e não imediatamente

> *desejo de um objeto), toda estrutura de desejo é triangular (incluindo o outro – mediador ou modelo – cujo desejo o desejo imita), todo desejo é, portanto, desde o começo alimentado pelo ódio e a rivalidade; em resumo, a origem do desejo é a mimese – mimetismo – e nenhum desejo é jamais moldado que não deseje em seguida a morte ou o desaparecimento do modelo ou personagem exemplar que lhe deu origem.*
> *– JAMES MANDRELL, DON JUAN AND THE POINT OF HONOR*

enganado. Pelo contrário, com isso ele se torna mais atraente. A virtuosa duquesa de Montpensier, a Grande Mademoiselle da França do século XVII, começou curtindo uma amizade com o libertino Lauzun, mas um pensamento a deixou perturbada: se um homem com o passado de Lauzun não a via como uma possível amante, havia alguma coisa errada com ela. Esta ansiedade acabou jogando-a nos braços dele. Participar do clube de conquistas de um grande sedutor pode ser uma questão de vaidade e orgulho. Ficamos felizes por estar em tal companhia, de ter nosso nome divulgado como amante desse homem ou dessa mulher. A sua própria reputação talvez não seja tão fascinante, mas você deve encontrar um jeito de sugerir à sua vítima que outras pessoas, muitas pessoas, o acharam desejável. É confortante. Não há nada como um restaurante cheio de mesas vazias para convencer você a não entrar.

Uma variação da estratégia do triângulo é o uso de contrastes: a cuidadosa exploração de pessoas que são monótonas ou pouco atraentes pode, por comparação, aumentar a sua desejabilidade. Numa ocasião social, por exemplo, faça com que o seu alvo seja obrigado a conversar com a pessoa mais entediante disponível. Apareça para salvá-lo, e ele vai adorar ver você. Em *Diário de um sedutor*, de Sören Kierkegaard, Johannes tem intenções com relação à inocente e jovem Cordélia. Sabendo que seu amigo Edward é extremamente tímido e chato, ele o incentiva a cortejá-la; algumas semanas de atenções de Edward farão com que os olhos dela vaguem em busca de um outro alguém, qualquer um, e Johannes garantirá que pousem sobre ele. Johannes escolheu usar estratégia e manobra, mas a maioria dos ambientes sociais conterá contrastes que você pode usar quase naturalmente. A atriz inglesa do século XVII Nell Gwyn tornou-se a principal amante do rei Carlos II porque o seu humor e naturalidade a fizeram mais desejada do que as muitas damas da corte, mulheres pretensiosas e cheias de formalidade. Quando a atriz de Xangai Jiang Qing conheceu Mao Tsé-tung, em 1937, não precisou se esforçar muito para seduzi-lo; as outras mulheres no seu acampamento na montanha em Yenan vestiam-se como homens, e eram decididamente pouco femininas. A simples visão de Jiang bastou para seduzir Mao, que logo trocou a sua mulher por ela. Para usar os contrastes, desenvolva e exiba aqueles atributos atraentes (humor, vivacidade e outros) que são escassos no seu próprio grupo social, ou escolha um grupo em que as suas qualidades naturais sejam raras e brilhem.

O uso de contrastes tem amplas ramificações políticas, pois uma figura política deve também seduzir e parecer desejável. Aprenda a ressaltar as qualidades que faltam aos seus rivais. Pedro II, czar na Rússia do século XVIII, era arrogante e irresponsável; assim, sua mulher, Catarina, a Grande, fazia o possível para parecer modesta e confiável. Ao

> *É irritante que nosso novo conhecido goste do menino. Mas as melhores coisas na vida não são gratuitas para todos? O sol brilha para todos. A lua, acompanhada por inúmeras estrelas, leva até os animais para o pasto. O que se pode imaginar mais gracioso do que a água? Mas ela flui para o mundo inteiro. É o amor apenas, então, algo furtivo e não uma coisa da qual se envaidecer? Exatamente, é isso – não quero nenhuma das boas coisas da vida se as pessoas não as invejarem.*
> *– PETRÔNIO, SATIRICON*

retornar à Rússia, em 1917, depois de o czar Nicolau ter sido deposto, Vladimir Lenin deu um show de firmeza e disciplina – exatamente o que nenhum outro líder possuía naquela época. Na corrida presidencial americana de 1980, a indecisão de Jimmy Carter fez a simplicidade de propósitos de Ronald Reagan parecer desejável. Contrastes são eminentemente sedutores porque não dependem das palavras que você usa ou da propaganda que faz de si mesmo.

O público os lê de uma forma inconsciente e enxerga o que quer ver.

Finalmente, parecer que é desejado pelos outros aumenta o seu valor, mas o modo como você se porta também influencia. Não deixe que seus alvos o vejam com muita frequência; mantenha distância, pareça inatingível, fora do alcance deles. Um objeto raro e difícil de obter em geral é mais valioso.

Símbolo: *O Troféu.*
O que faz você querer conquistar o troféu
e considerá-lo como algo que vale a pena possuir
é a visão dos outros competidores. Alguns, movidos por
um espírito de bondade, podem querer recompensar a todos pela
tentativa, mas o Troféu assim perde o valor. Ele deve representar
não apenas a sua vitória, mas a derrota de todos os outros.

O INVERSO

Não há outro lado da moeda. É essencial parecer desejável aos olhos dos outros.

5

CRIE UMA NECESSIDADE – DESPERTE ANSIEDADE E DESCONTENTAMENTO

Alguém plenamente satisfeito não pode ser seduzido. É preciso instilar na mente de seus alvos a tensão e a desarmonia. Desperte neles o descontentamento, a sensação de estarem infelizes com a vida e consigo mesmos: em suas vidas falta aventura, eles se extraviaram dos ideais de sua juventude, ficaram enfadonhos. Os sentimentos de inadequação que você vai criar lhe darão espaço para se insinuar, para fazê-los ver em você a resposta para os problemas deles. A dor e a ansiedade são os precursores adequados para o prazer. Aprenda a criar a necessidade que você será capaz de satisfazer.

ABRINDO UMA FERIDA

Em Eastwood, cidade mineradora de carvão na Inglaterra central, David Herbert Lawrence era considerado um rapaz um tanto estranho. Pálido e delicado, não tinha tempo para jogos e atividades típicas de um menino, mas se interessava por literatura; e preferia a companhia das meninas, que compunham a maior parte das suas amizades. Lawrence visitava com frequência a família Chambers, seus vizinhos, até se mudarem de Eastwood para uma fazenda não muito longe dali. Ele gostava de estudar com as irmãs Chambers, em particular com Jessie; ela era tímida e séria, e fazer com que ela se abrisse e confiasse nele era um agradável desafio. Com o passar do tempo, Jessie ficou muito apegada a Lawrence e eles se tornaram bons amigos.

Um dia, em 1906, Lawrence, na época com 21 anos, não apareceu à hora de costume para estudar com Jessie. Acabou chegando bem mais tarde, e com um humor como ela nunca tinha visto antes – preocupado e calado. Agora era a sua vez de fazê-lo se abrir. Finalmente ele falou: sentia que ela estava muito apegada a ele. E o seu futuro? Com quem se casaria? Certamente não com ele, disse, pois eram apenas amigos. Mas era injusto da sua parte impedir que ela visse outros rapazes. Deviam, é claro, continuar amigos e não deixar de conversar, mas talvez com menos frequência. Quando ele terminou e foi embora, ela sentiu um estranho vazio. Ainda não tinha pensado em amor ou casamento. De repente, ficou indecisa. Como seria o seu futuro? Por que não estava pensando nisso? Ficou ansiosa e preocupada sem entender por quê.

Lawrence não interrompeu as visitas, mas tudo havia mudado. Ele a criticava por isto e por aquilo. Ela não se interessava muito por coisas materiais. Que tipo de esposa seria, então? Um homem quer de uma mulher mais do que apenas conversar. Ele a comparou a uma freira. Os dois começaram a se ver menos. Quando, tempos depois, Lawrence aceitou um posto de professor numa escola nos arredores de Londres, ela se sentiu em parte aliviada por se ver um pouco livre dele. Mas,

Ninguém se apaixona se estiver, nem que seja parcialmente, satisfeito com o que tem ou com aquilo que é. A experiência de se apaixonar tem origem numa extrema depressão, uma incapacidade de encontrar algo que tenha valor no dia a dia. O "sintoma" da predisposição para se apaixonar não é o desejo consciente disso, o intenso desejo de enriquecer nossas vidas; é a profunda sensação de não valer nada e não ter nada de valioso, e de vergonha por não ter. (...) Por esta razão, o apaixonar-se ocorre com mais frequência entre pessoas jovens por serem profundamente inseguras, sem certeza do seu valor, e muitas vezes envergonhadas de si próprias. A mesma coisa se aplica a pessoas de outras idades que sofrem alguma perda em suas vidas – quando a sua juventude acaba

> ou quando começam a envelhecer.
> – FRANCESCO ALBERONI, ENAMORAMENTO E AMOR

> "O que é o Amor, então?", disse eu. "Um mortal?" "Longe disso." "Então, o quê?" "Como em meus exemplos anteriores, ele fica entre o mortal e o imortal." "Que tipo de ser ele é, então, Diotima?" "Ele é um grande espírito, Sócrates; tudo que é da natureza de um espírito é metade deus e metade homem." (...) "Quem são seus pais?", perguntei. "Essa é uma longa história", respondeu ela, "mas vou lhe contar. No dia em que Afrodite nasceu, os deuses participavam de um banquete; entre eles estava Ardil, filho da Invenção. Depois do jantar, vendo que se festejava, a Pobreza veio mendigar e parou diante da porta. Ardil estava bêbado de néctar – vinho, posso dizer, ainda não havia sido descoberto – e saiu para o jardim de Zeus, e adormeceu. Então Pobreza, pensando aliviar a sua triste condição se tivesse um filho de Ardil, deitou-se com ele e concebeu Amor. Como Amor foi concebido no dia do aniversário de Afrodite, e como ele também

quando ele se despediu dela e deu a entender que talvez fosse pela última vez, ela não aguentou e começou a chorar. Ele, então, começou a lhe escrever todas as semanas. Nas cartas falava das moças com quem estava se encontrando; quem sabe uma delas seria a sua esposa? Finalmente, obedecendo a uma ordem sua, ela foi visitá-lo em Londres. Deram-se bem juntos, como nos velhos tempos, mas ele continuava a atormentá-la sobre o seu próprio futuro cutucando aquela velha ferida. No Natal, ele voltou a Eastwood e, ao visitá-la, parecia exultante. Tinha decidido que era com Jessie que iria se casar, que de fato sempre se sentira atraído por ela. Deveriam manter segredo por enquanto; embora a sua carreira de escritor estivesse decolando (seu primeiro romance estava para ser publicado), ele precisava ganhar mais. Apanhada desprevenida por essa repentina declaração, louca de felicidade, Jessie concordou com tudo, e tornaram-se amantes.

Em pouco tempo, porém, o padrão familiar se repetia: críticas, rompimentos, anúncios de noivado com outra moça. Isto só fazia aumentar o seu poder sobre Jessie. Só em 1912 é que ela finalmente decidiu não o ver mais, perturbada pelo modo como ele a havia retratado no seu romance autobiográfico *Filhos e amantes*. Mas Lawrence continuou sendo a sua eterna obsessão.

Em 1913, uma jovem inglesa chamada Ivy Low, que tinha lido os romances de Lawrence, começou a se corresponder com ele, as suas cartas, transbordantes de admiração. Agora Lawrence já estava casado com uma alemã, a baronesa Frieda von Richthofen. Para surpresa de Ivy, entretanto, ele a convidou para visitá-los na Itália. Ela sabia que ele devia ser uma espécie de dom-juan, mas queria muito conhecê-lo e aceitou. Lawrence não era o que ela tinha esperado: seu tom de voz era agudo, seu olhar penetrante, e havia nele algo de vagamente feminino. Não demorou muito e os dois passeavam juntos, com Lawrence fazendo confidências a Ivy. A moça sentiu que estavam ficando amigos, o que a deixou encantada. Então, de repente, pouco antes da sua partida, ele disparou a lhe fazer uma série de críticas – era tão pouco espontânea, tão previsível, mais parecia um robô do que um ser humano. Arrasada com esse ataque inesperado, mesmo assim ela foi obrigada a concordar – o que ele dizia era verdade. O que ele teria visto nela em primeiro lugar? Quem era ela, afinal de contas? Ivy deixou a Itália sentindo-se vazia – mas, aí, Lawrence continua a lhe escrever como se nada tivesse acontecido. Logo ela percebeu que estava perdidamente apaixonada, apesar de tudo o que ele lhe havia dito. Mas será que era apesar ou por causa do que ele tinha dito?

Em 1914, o escritor John Middleton-Murry recebeu uma carta de Lawrence, grande amigo seu. Nela, sem motivo aparente, Lawrence criticava Middleton-Murry por ser insensível e pouco galante com sua mulher, a romancista Katherine Mansfield. Middleton-Murry mais tarde escreveu: "Eu nunca tinha sentido por um homem antes o que a sua carta me fez sentir por ele. Era uma experiência nova, única, na minha vida; e permaneceria sendo única." Ele achou que por baixo das críticas de Lawrence havia algum tipo anormal de afeto. Desse momento em diante, sempre que via Lawrence, ele sentia uma estranha atração física que não conseguia explicar.

Interpretação. A quantidade de mulheres, e de homens, que ficaram enfeitiçados por Lawrence é surpreendente porque ele conseguia ser muito desagradável. Em quase todos os casos, o relacionamento começava como amizade – conversas francas, trocas de confidências, um vínculo espiritual. E aí, invariavelmente, ele se virava contra eles expressando duras críticas pessoais. Nessas ocasiões, ele já conhecia bem as suas vítimas, e as críticas eram quase sempre bastante precisas, tocando num nervo exposto. O que inevitavelmente detonava nelas um estado de confusão e uma ansiedade, um sentimento de que havia alguma coisa errada com elas. Arrancadas com um solavanco da sua usual noção de serem pessoas normais, elas se sentiam intimamente divididas. Com metade da sua mente, ficavam se perguntando o que o levava a fazer isso, e o achavam injusto; com a outra metade, acreditavam que era tudo verdade. Então, nesses momentos de insegurança, recebiam dele uma carta ou uma visita na qual ele voltava a sua antiga e encantadora personalidade.

Ora elas o viam de um modo diferente. Ora elas eram fracas e vulneráveis, carentes de alguma coisa; e ele parecia muito forte. Ora ele as atraía, sentimentos de amizade transformando-se em afeto e desejo. Uma vez indecisas quanto a si mesmas, estavam suscetíveis a se apaixonarem.

A maioria de nós se protege das asperezas da vida sucumbindo a rotinas e padrões, fechando-se para os outros. Por baixo destes hábitos, entretanto, existe uma enorme sensação de insegurança e defensividade. Sentimos que não estamos realmente vivendo. O sedutor deve cutucar esta ferida e trazer à plena consciência estes pensamentos semiconscientes. Era o que Lawrence fazia: as suas repentinas e brutalmente inesperadas estocadas atingiam as pessoas em seus pontos fracos.

Apesar de Lawrence alcançar um enorme sucesso com a sua abordagem frontal, é melhor despertar ideias de inadequação e incerteza in-

possuía uma paixão inata pelo belo e, portanto, pela beleza de Afrodite, tornou-se seu seguidor e servo. Mais uma vez, tendo Ardil como pai e Pobreza como sua mãe, é este o seu caráter. Ele é sempre pobre e, longe de ser sensível e belo, como a maioria das pessoas imagina, ele é duro e curtido pelo tempo, descalço e sem teto, sempre dormindo ao relento por falta de uma cama, no chão, na soleira das portas e na rua. Até aí ele se parece com a mãe e vive necessitado. Mas, sendo também o filho de seu pai, ele trama para conseguir para si mesmo tudo que for belo e bom; ele é corajoso, direto e persistente, sempre inventando truques como um ardiloso caçador."
– PLATÃO,
O BANQUETE

Somos todos como as partes de moedas que crianças quebram ao meio como lembrança – fazendo de uma duas, como linguados – e cada um de nós está sempre buscando a sua metade correspondente. (...) E assim toda esta agitação é uma relíquia daquele estado original nosso quando éramos inteiros, e agora, quando estamos desejando

e perseguindo essa totalidade primordial, dizemos que estamos apaixonados.
– DISCURSO DE ARISTÓFANES EM *O BANQUETE*, DE PLATÃO, CITADO EM JAMES MANDRELL, *DON JUAN AND THE POINT OF HONOR*

diretamente sugerindo comparações com você mesmo ou com outras pessoas, e insinuando que suas vítimas levam vidas que não são assim tão fantásticas como elas imaginam. É preciso que elas se sintam em guerra consigo mesmas, divididas em duas direções e ansiosas por causa disso. A ansiedade, uma sensação de falta e necessidade, é a precursora de todos os desejos. Estas estocadas na mente da vítima criam espaço para você instilar o seu próprio veneno, o canto da sereia para a aventura e a satisfação que fará com que suas vítimas o sigam até a sua teia. Sem ansiedade e sensação de que falta alguma coisa, não pode haver sedução.

O desejo e o amor têm como objeto coisas ou qualidades que um homem não possui naquele momento, mas das quais sente falta.
– Sócrates

CHAVES PARA A SEDUÇÃO

Dom Juan: Boa resposta, bela jovem! Então! Existem tantas Criaturas bonitas como você nestes Campos, entre estas Árvores e Pedras? Charlotta: Sou como vê, Senhor. Dom Juan: É desta aldeia? Charlotta: Sim, Senhor. Dom Juan: Como se chama? Charlotta: Charlotta, Senhor, para servi-lo. Dom Juan: Ah, que gentil Pessoa! Que olhar penetrante! Charlotta: Senhor, estou envergonhada. (...) Dom Juan: Bela Charlotta, não é casada, é? Charlotta: Não, Senhor, mas serei em breve, com Pierrot, filho da Boa Simonetta. Dom Juan: O quê? Alguém como você, Esposa de um Camponês! Não, não; é profanar tanta Beleza. Você não nasceu para viver numa Aldeia. Certamente merece melhor Sorte, e os Céus, que sabem disso muito bem, me

No convívio social, todos usam máscara; fingimos ser mais seguros de nós mesmos do que realmente somos. Não queremos que as outras pessoas tenham nem a mais vaga ideia do eu indeciso que habita dentro de nós. Na verdade, nossos egos e personalidades são muito mais frágeis do que aparentam ser; eles encobrem sentimentos de confusão e vazio. Como um sedutor, você não deve confundir aparência com realidade. As pessoas são sempre suscetíveis de serem seduzidas porque, de fato, falta a todas uma sensação de completude, todas sentem lá no íntimo que algo está faltando. Traga à tona essas dúvidas e ansiedades, e as pessoas podem ser conduzidas e atraídas para seguir você.

Ninguém o verá como alguém para seguir ou se apaixonar se não refletir primeiro, de alguma forma, sobre si mesmo e aquilo que está perdendo. Antes de prosseguir com a sedução, você deve colocar diante deles um espelho no qual possam vislumbrar esse vazio interior. Conscientes de que falta alguma coisa, eles agora podem focalizar você como a pessoa que vai preencher essa lacuna. Lembre-se: na grande maioria, somos pessoas preguiçosas. Aliviar sozinhos os nossos próprios sentimentos de tédio e inadequação exige um esforço enorme; deixar para os outros esse trabalho é, ao mesmo tempo, mais fácil e mais excitante. O desejo de ter alguém preenchendo o nosso vazio é a fraqueza de que se aproveitam os sedutores. Deixe as pessoas ansiosas quanto ao futuro, deixe-as deprimidas, questione-as sobre suas identidades, faça com que sintam o tédio que devora suas vidas. O terreno está preparado. As sementes da sedução podem ser semeadas.

No Banquete de Platão – o mais antigo tratado ocidental sobre o amor, e um texto que tem tido uma influência determinante sobre nossas ideias de desejo –, a cortesã Diotima explica a Sócrates a paternidade de Eros, o deus do amor. O pai de Eros era o Ardil, ou Artifício, e sua mãe era a Pobreza, ou Necessidade. Eros se parece com seus pais: sente uma necessidade, que está sempre tramando uma forma de satisfazer. Como o deus do amor, ele sabe que não é possível induzir o amor em outra pessoa a não ser que ela também sinta a necessidade. E é isso que sua seta faz: ao picar a pele das pessoas, ela as faz sentir uma falta, uma dor, uma ânsia. Esta é a essência da sua tarefa como sedutor. Como Eros, você precisa criar uma ferida na sua vítima, mirar naquele ponto macio, a fissura em sua autoestima. Se ela estiver presa a uma rotina, faça-a perceber isso com mais intensidade trazendo "ingenuamente" o assunto à baila e falando sobre ele. O que você precisa é de uma ferida, uma insegurança que possa ampliar um pouco, uma ansiedade que possa ser aliviada pelo envolvimento com uma outra pessoa, isto é, você. Ela deve sentir a ferida antes de se apaixonar. Observe como Lawrence despertava ansiedade sempre atingindo o ponto fraco das suas vítimas: com Jessie Chambers, a sua frieza física; com Ivy Low, a sua falta de espontaneidade; com Middleton-Murry, a sua falta de galanteria.

Cleópatra conseguiu que Júlio César dormisse com ela na primeira noite em que a conheceu, mas a verdadeira sedução, a que o fez seu escravo, começou depois. Nas conversas que se seguiram, ela falava sempre de Alexandre, o Grande, o herói de quem supostamente descendia. Ninguém se comparava a ele. Por dedução, César ficava se sentindo inferior. Compreendendo que sob a sua fanfarronice César era inseguro, Cleópatra despertou nele uma ansiedade, uma ânsia de provar a sua grandeza. Uma vez sentindo-se assim, ficou ainda mais fácil seduzi-lo. Dúvidas quanto à sua masculinidade eram o seu ponto fraco.

Quando César foi assassinado, Cleópatra voltou os seus olhares para Marco Antônio, um dos sucessores de César na liderança de Roma. Antônio gostava de prazeres e espetáculos, e seus gostos eram rudes. Ela lhe apareceu primeiro na sua barca real, em seguida ofereceu-lhe vinho e banquete. Tudo estava programado para sugerir a ele a superioridade do estilo de vida egípcio sobre o de Roma, pelo menos tratando-se de prazeres. Comparados com os egípcios, os romanos eram chochos e sem sofisticação. E ao perceber o que perdia no convívio com seus insossos soldados e a amatronada esposa romana, Antônio passou a ver Cleópatra como a encarnação de tudo que era excitante na vida. Ele se tornou seu escravo.

> *trouxeram até aqui para impedir este Casamento; pois, em resumo, bela Charlotta, eu a amo com todo o meu Coração e, se consentir, a livrarei deste miserável Lugar, e a colocarei na Condição que merece. Este Amor é sem dúvida repentino, mas é um Efeito de sua grande Beleza. Eu a amo tanto em quinze minutos quanto amaria outra em seis meses.*
> – MOLIÈRE, DON JOHN; OR, THE LIBERTINE, EM THE THEATRE OF DON JUAN, OSCAR MANDEL (COORD.)

> *Pois esta noite eu me volto para o oeste, onde outrora estava a última fronteira. Das terras que se estendem por quatro mil e oitocentos quilômetros atrás de mim, os pioneiros do passado renunciaram à sua segurança, ao seu conforto e, às vezes, às suas vidas para construir um mundo novo aqui no Oeste. Não eram cativos de suas próprias dúvidas,*

prisioneiros de seus próprios preços. Seu lema não era "cada um por si" – mas "todos por uma causa comum". Estavam determinados a fazer com que esse novo mundo fosse forte e livre, a vencer seus obstáculos e dificuldades, a conquistar os inimigos que os ameaçavam de todos os lados. (...) Hoje, alguns diriam que essas lutas terminaram – que todos os horizontes já foram explorados, que todas as batalhas já foram vencidas, que não existe mais uma fronteira americana. Mas creio que ninguém nesta vasta assembleia concordará com estes sentimentos. (...) Eu lhes digo que a Nova Fronteira está aqui, queiramos nós buscá-la ou não. (...) Seria mais fácil intimidar-se diante dessa fronteira, olhar para a segura mediocridade do passado, ser atraído pelas boas intenções e a retórica solene – e aqueles que preferem esse caminho não devem votar em mim, independentemente do partido. Mas eu acredito que os tempos exigem invenção, inovação, imaginação, decisão. Estou pedindo a cada um dos senhores que sejam novos pioneiros nessa Nova Fronteira.

Este é o fascínio do exótico. No seu papel de sedutor, tente se posicionar como alguém que vem de fora, como uma espécie de estrangeiro. Você representa mudança, diferença, uma quebra nas rotinas. Faça suas vítimas sentirem que, em comparação, suas vidas são aborrecidas e seus amigos, menos interessantes do que pensam. Lawrence fazia seus alvos se sentirem pessoalmente inadequados; se achar difícil ser tão brutal, concentre-se nos amigos deles, nas suas circunstâncias, nos elementos externos de suas vidas. Existem muitas lendas sobre Dom Juan, mas quase sempre ele é descrito seduzindo uma moça de aldeia ao fazê-la sentir que está levando uma vida terrivelmente provinciana. Ele, por sua vez, veste roupas vistosas e tem um porte nobre. Estranho e exótico, ele é sempre de algum outro lugar. Primeiro ela sente a monotonia da sua vida, depois ela o vê como sua salvação. Lembre-se: as pessoas preferem achar que, se levam uma vida sem graça, não são elas as responsáveis por isso, mas as circunstâncias, as pessoas enfadonhas que elas conhecem, a cidade onde nasceram. Depois de fazê-las sentir o fascínio do exótico, a sedução é fácil.

Outra área diabolicamente sedutora para se mirar é o passado da vítima. Envelhecer é renunciar aos ideais da juventude ou comprometê-los, tornar-se menos espontâneo, menos vivo de certo modo. Este conhecimento jaz latente dentro de todos nós. Como um sedutor, você deve trazê-lo para a superfície, deixar claro como as pessoas se afastaram de seus objetivos e ideais do passado. Você, por sua vez, apresenta-se como um representante desse ideal, como se estivesse lhes oferecendo a chance de recuperar a juventude perdida por meio da aventura – por meio da sedução. Nos seus últimos anos de vida, a rainha Elizabeth I da Inglaterra ficou conhecida como uma governante muito firme e exigente. Ela fazia questão de não deixar que seus cortesãos vissem nela nenhuma suavidade ou fraqueza. Mas, então, Robert Devereux, o segundo conde de Essex, chegou à corte. Muito mais novo do que a rainha, o elegante Essex muitas vezes a repreendia por seu azedume. A rainha o perdoava – era tão exuberante e espontâneo, ele não conseguia se controlar. Mas seus comentários a perturbavam; na presença de Essex, ela começou a se lembrar de todos os seus ideais da juventude – a vivacidade, o encanto feminino – que depois desapareceram da sua vida. Ela também sentia voltar um pouco daquele espírito de menina quando estava perto dele. Rapidamente ele se tornou o seu favorito, e logo ela estava apaixonada por ele. A velhice é constantemente seduzida pela juventude, mas primeiro os jovens precisam deixar claro o que está faltando para os mais velhos, como foi que eles perderam seus ideais. Só então eles sentirão que a presença do jovem lhes permitirá recapturar aquela centelha, o espírito rebelde que os anos e a sociedade conspiraram para reprimir.

Este conceito tem infinitas aplicações. Corporações e políticos sabem que não podem seduzir o seu público a aceitar o que querem que aceite, ou fazer o que querem que faça, a não ser que despertem primeiro uma noção de necessidade e insatisfação. Deixe as massas inseguras quanto à sua própria identidade e você poderá ajudar a defini-la. A tática vale para grupos e nações, assim como para indivíduos: é impossível seduzi-los sem antes serem levados a sentir alguma falta. Parte da estratégia na eleição de John F. Kennedy, em 1960, foi deixar os americanos infelizes com a década de 1950, e com a distância que o seu país estava de seus ideais. Ao falar dos anos 1950, ele não mencionava a estabilidade econômica da nação ou a sua emergência como uma superpotência. Pelo contrário, ele sugeria que o período tinha a marca da conformidade, da carência de riscos e aventuras, da perda dos valores americanos desbravadores de fronteiras. Votar em Kennedy era embarcar numa aventura coletiva, voltar aos ideais que os americanos haviam deixado para trás. Mas, antes de aderirem à sua cruzada, foi preciso fazê-los tomar consciência de tudo que haviam perdido, do que lhes estava faltando. Um grupo, como um indivíduo, pode ficar preso à rotina, perdendo de vista os seus objetivos originais. O excesso de prosperidade exaure as suas forças. Você pode seduzir uma nação inteira mirando na insegurança coletiva, naquela noção latente de que nem tudo é como parece. Despertar a insatisfação com o presente e fazer com que um povo se lembre de um passado glorioso podem balançar a sua noção de identidade. Então, você será aquela pessoa que irá redefini-la – uma excelente sedução.

> **Símbolo:** *A Seta do Cupido. O que desperta desejo na pessoa seduzida não é um toque suave ou uma sensação agradável; é uma ferida. A seta provoca um sofrimento, uma dor, uma necessidade de alívio. Antes do desejo, é preciso que haja a dor. Mire a seta no ponto fraco da vítima, criando uma ferida que você pode abrir e voltar a abrir novamente.*

Minha convocação é para os jovens de coração, independentemente da idade.
– JOHN F. KENNEDY, DISCURSO DE COMPROMISSO COMO CANDIDATO À PRESIDÊNCIA DA REPÚBLICA PELO PARTIDO DEMOCRATA, CITADO EM *THE KENNEDY OBSESSION: THE AMERICAN MYTH OF JFK,* JOHN HELLMANN

O ritmo normal da vida oscila em geral entre uma leve satisfação consigo mesmo e um ligeiro desconforto, que se origina do conhecimento das próprias deficiências pessoais. Gostaríamos de ser tão bonitos, jovens, fortes ou espertos como outras pessoas das nossas relações. Desejamos poder realizar tantas coisas como elas, queremos muito ter semelhantes vantagens, posições, igual ou maior sucesso. Estar contente consigo mesmo é a exceção e, com muita frequência, uma cortina de fumaça que produzimos para nós mesmos e, é claro, para os outros. Em algum ponto nela existe um persistente sentimento de

O INVERSO

Se você baixar demais a autoestima das suas vítimas, talvez elas se sintam muito inseguras para cair na sua sedução. Não seja cruel; como Lawrence, acompanhe sempre o ataque ferino com um gesto de alívio. De outro modo, você simplesmente as afastará.

O encanto é quase sempre um caminho mais sutil e eficaz para a sedução. O primeiro-ministro vitoriano Benjamin Disraeli sempre fazia as pessoas se sentirem melhores a respeito de si mesmas. Ele se submetia à vontade delas, fazia com que fossem o centro das atenções, com que se sentissem espirituosas e vibrantes. Ele era um incentivo à vaidade delas, e elas ficavam viciadas nele. Esta é uma espécie de sedução difusa, sem tensões e intensas emoções que a variedade sexual desperta; ela contorna a ânsia das pessoas, a necessidade que elas têm de algum tipo de satisfação. Mas, se você for sutil e inteligente, ela pode ser um jeito de baixar as defesas das pessoas, criando uma amizade que não ameaça ninguém. Uma vez fascinadas por você desse modo, você pode abrir a ferida. Na verdade, depois que Disraeli encantou a rainha Vitória e ficou seu amigo, ele a fazia se sentir vagamente inadequada para o estabelecimento de um império e a realização de seus ideais. Tudo depende do alvo. Com pessoas cheias de inseguranças talvez seja preciso usar a variedade mais delicada. Depois que elas estiverem se sentindo à vontade com você, aponte as suas setas.

---

desconforto com nós mesmos e um leve não gostar de si próprio. Eu asseguro que um acréscimo nesse estado de espírito de descontentamento deixa a pessoa especialmente suscetível a "apaixonar-se". (...) Na maioria dos casos, essa atitude de intranquilidade é inconsciente, mas há ocasiões em que ela chega aos limites da consciência na forma de uma leve inquietação, ou uma estagnante insatisfação, ou um sentir-se incomodado sem saber por quê.
– THEODOR REIK, OF LOVE AND LUST

6

DOMINE A ARTE DA INSINUAÇÃO

Fazer seus alvos se sentirem insatisfeitos e carentes da sua atenção é essencial, mas, se você for óbvio demais, eles vão perceber e ficar na defensiva. Não se conhecem defesas, entretanto, para as insinuações – a arte de plantar ideias na mente dos outros deixando cair sugestões vagas que, mais tarde, criam raízes e os faz achar, até, que a ideia é deles. A insinuação é o meio supremo de influenciar pessoas. Crie uma sublinguagem – frases ousadas seguidas de retração e um pedido de desculpas, comentários ambíguos, conversas banais combinadas com olhares tentadores – que penetre no inconsciente do alvo para transmitir o que você realmente quer dizer. Torne tudo sugestivo.

INSINUANDO DESEJO

Certa noite, na década de 1770, um jovem foi à Ópera de Paris se encontrar com a amante, a condessa de __. O casal tinha brigado e ele estava ansioso por vê-la novamente. A condessa ainda não havia chegado, mas do camarote vizinho uma amiga dela, madame de T__, chamou o rapaz para ir até lá, observando que era muita sorte eles terem se encontrado naquela noite – ele devia acompanhá-la numa viagem que teria de fazer. O rapaz queria com urgência ver a condessa, mas madame era encantadora e insistente, e ele concordou em ir com ela. Sem lhe dar tempo de perguntar por que ou para onde, ela o escoltou rapidamente até a sua carruagem, que saiu em disparada.

Agora o rapaz ordenou que sua anfitriã lhe dissesse para onde o estava levando. No princípio ela apenas riu, mas finalmente falou: para o château do seu marido. O casal estava separado, mas haviam decidido se reconciliar; mas o marido era um tédio, e ela achava que um rapaz charmoso como ele ia animar mais as coisas. O rapaz estava intrigado: madame era uma mulher mais velha, com fama de ser bastante formal, embora ele também soubesse que ela tinha um amante, um marquês. Por que ela o havia escolhido para esta excursão? Não dava para acreditar muito na história que ela estava contando. Em seguida, durante a viagem, ela sugeriu que ele olhasse pela janela a paisagem lá fora, como ela fazia. Para isso, ele precisou se debruçar sobre ela e, nisso, a carruagem deu um tranco. Ela agarrou a mão dele e caiu nos seus braços. Ficou ali por um instante, depois se afastou abruptamente. Depois de um silêncio constrangido, ela disse: "Pretende me convencer da minha imprudência quanto a você?" Ele protestou que o acontecido tinha sido um acidente e lhe garantiu que se comportaria. Mas, na verdade, tê-la nos braços o tinha feito pensar diferente.

Eles chegaram ao château. O marido veio recebê-los e o rapaz expressou a sua admiração pelo prédio. "O que está vendo não é nada", interrompeu madame, "preciso lhe mostrar o apartamento de monsieur."

Quando estávamos para entrar no aposento, ela me fez parar: "Lembre-se", disse em tom grave, "você nunca viu o santuário em que está prestes a entrar, nem mesmo desconfiou da sua existência. (...)" (...) Tudo isto era como se fosse um rito de iniciação. Ela me levou pela mão por um pequeno e escuro corredor. Meu coração batia forte como se eu fosse um jovem prosélito sendo testado antes da celebração de grandes mistérios. (...)
"Mas sua condessa (...)", disse ela parando. Eu estava para responder quando as portas se abriram; minha resposta foi interrompida pela admiração. Fiquei atônito, encantado, não sei mais o que aconteceu comigo, e comecei sinceramente a acreditar em mágica. (...) Na verdade, eu me vi numa ampla caverna de espelhos

onde as imagens estavam tão artisticamente pintadas que davam a ilusão de todos os objetos que representavam.
– VIVANT DENON, "NO TOMORROW", EM *THE LIBERTINE READER*, MICHEL FEHER (COORD.)

Pouquíssimos anos depois, na nossa cidade natal, onde a fraude, a astúcia e a velhacaria prosperam mais do que o amor e a lealdade, vivia uma mulher nobre de surpreendente beleza e impecável educação, que a Natureza dotara de um temperamento tão altivo e uma inteligência tão perspicaz como não se encontrava em nenhuma mulher da sua época (...).
Esta dama, sendo bem-nascida e estando casada com um mestre negociante de tecidos de lã porque ele era muito rico, não conseguia conter o seu sincero desprezo, pois era da firme opinião que nenhum homem de condição inferior, por mais rico que fosse, merecia ter uma esposa nobre. E ao descobrir que, apesar da enorme fortuna, ele só era capaz de diferenciar a lã do algodão, supervisionar a montagem de um tear ou debater sobre as virtudes de um

Antes que ele pudesse perguntar o que ela estava querendo dizer, mudaram de assunto. O marido era mesmo um tédio, mas ele pediu licença e se retirou depois da ceia. Agora madame e o rapaz estavam sozinhos. Ela o convidou para um passeio pelos jardins; era uma noite esplêndida, e enquanto caminhavam ela enfiou o braço no dele. Não estava preocupada que ele fosse se aproveitar dela, disse, porque sabia como ele estava apegado à sua boa amiga, a condessa. Conversaram sobre outras coisas e, em seguida, ela retornou ao tema da amante dele: "Ela está fazendo você bastante feliz? Oh, temo o contrário, e isto me entristece. (...) Não costuma ser vítima dos estranhos caprichos dela?" Para surpresa do rapaz, madame começou a falar da condessa de um modo que parecia como se ela lhe tivesse sido infiel (algo de que ele desconfiava). Madame suspirou – lamentava dizer tais coisas sobre a amiga, e pediu que ele a perdoasse; então, como uma nova ideia lhe tivesse ocorrido, ela mencionou um pavilhão ali perto, um local encantador, cheio de lembranças agradáveis. Mas, que pena, estava trancado e ela não tinha a chave. Mas ainda assim eles chegaram até lá e, vejam só, tinham esquecido a porta aberta. Estava escuro lá dentro, mas o rapaz pôde perceber que era um local para entrevistas. Eles entraram e mergulharam num sofá e, antes de entender o que estava lhe passando pela cabeça, ele a pegou nos braços. Madame parecia querer se desvencilhar dele, mas depois cedeu. Finalmente, ela recobrou os sentidos: deviam voltar para casa. Teria ele ido longe demais? Devia tentar se controlar.

Caminhando de volta para casa, madame observou: "Que noite deliciosa tivemos." Ela estava se referindo ao que tinha acontecido no pavilhão? "Tem uma sala ainda mais encantadora no château", prosseguiu, "mas não posso lhe mostrar nada", sugerindo que ele havia sido por demais ousado. Ela havia mencionado esta sala ("apartamento de monsieur") várias vezes antes; ele não conseguira imaginar o que pudesse ser tão interessante nela, mas agora estava morrendo de vontade de ver e insistiu para que ela lhe mostrasse. "Se prometer ser bom", replicou ela, arregalando os olhos. Na casa às escuras, ela o conduziu até a sala, que, para o encanto dele, era uma espécie de templo do prazer: havia espelhos nas paredes, pinturas em estilo *trompe l'oeil* evocando uma cena na floresta, até uma gruta escura e uma estátua de Eros enfeitada com guirlandas. Dominado pelo espírito do lugar, o rapaz rapidamente retomou o que tinha começado no pavilhão, e teria perdido de todo a noção do tempo se uma criada não entrasse correndo para avisá-los de que estava clareando lá fora – monsieur não demoraria a se levantar.

Os dois imediatamente se separaram. Mais tarde, naquele mesmo dia, quando o rapaz se preparava para ir embora, sua anfitriã disse:

"Adeus, monsieur; devo-lhe tantos prazeres; mas lhe paguei com um belo sonho. Agora o seu amor o chama de volta. (...) Não dê à condessa motivo para brigar comigo." Refletindo sobre a sua experiência no caminho de volta, ele não conseguia entender o que isso significava. Tinha a vaga sensação de ter sido usado, mas os prazeres de que se lembrava pesavam mais do que suas dúvidas.

Interpretação. Madame de T__ é um personagem do conto libertino do século XVIII "No Tomorrow", de Vivant Denon. O rapaz é o narrador. Embora uma obra de ficção, as técnicas de madame nitidamente se baseavam naquelas de várias libertinas famosas da época, mestres no jogo da sedução. E a mais perigosa de suas armas era a insinuação – o meio pelo qual madame lançou o seu encanto sobre o rapaz fazendo com que ele parecesse ser o agressor, dando-lhe a noite de prazeres que ela desejava e salvaguardando sua impecável reputação, tudo de um só golpe. Afinal de contas, foi ele quem iniciou o contato físico, ou assim parecia. Na verdade, ela é quem estava no controle, plantando na mente dele exatamente as ideias que queria. Aquele primeiro contato físico na carruagem, por exemplo, ela o havia tramado convidando-o a se aproximar: depois ela o repreendeu por ter sido ousado, mas o que permaneceu na mente dele foi a excitação do momento. Falando sobre a condessa, ela o deixou confuso e se sentindo culpado; mas em seguida ela sugeriu que sua amante lhe era infiel, plantando uma outra semente na cabeça dele: raiva e o desejo de vingança. Depois ela lhe pediu que esquecesse o que tinha dito e a perdoasse por isso, uma insinuante tática-chave: "Estou lhe pedindo que esqueça o que eu disse, mas sei que você não pode; a ideia vai continuar na sua mente." Assim provocado, era inevitável que ele a agarrasse no pavilhão. Várias vezes ela mencionou a sala no château – é claro que ele insistiu para ir até lá. Ela envolveu a noite num clima de ambiguidade. Até suas palavras, "Se prometer ser bom", podiam ser interpretadas de muitas maneiras. A cabeça e o coração do rapaz se inflamaram com todos os sentimentos – descontentamento, confusão, desejo – que ela indiretamente havia instilado dentro dele.

Particularmente nas primeiras fases de uma sedução, aprenda a fazer de tudo que você diz ou faz uma espécie de insinuação. Insinue dúvida com um comentário, aqui e ali, sobre outras pessoas na vida da vítima, fazendo com que ela se sinta vulnerável. Um leve contato físico insinua desejo, como um olhar fugaz porém inesquecível, ou um tom de voz inusitadamente afetuoso, ambos na menor fração de segundo possível. Um comentário de passagem sugere que algo na vítima interessa a você; mas que seja sutil, com suas palavras revelando uma possibilidade,

determinado fio com uma fiadeira, ela resolveu que, dentro do que lhe fosse possível, não participaria das suas bestiais carícias. Além disso, estava determinada a buscar prazer em outro lugar, na companhia de quem lhe parecesse mais merecedor de seu afeto, e foi assim que se apaixonou perdidamente por um homem de uns 30 anos, solteiro e ótimo partido. E, se passasse um dia sem vê-lo, ficava inquieta pelo resto da noite. O cavalheiro, entretanto, não desconfiava de nada, e não a notava; e ela, por sua vez, muito cautelosa, não se aventurava a declarar o seu amor por intermédio de uma criada ou de uma carta por achar isso muito arriscado. Mas, tendo percebido que ele era muito amigo de um certo padre, um rotundo, desajeitado indivíduo que, não obstante, considerava como um frade extremamente capaz devido ao seu estilo de vida santificado, calculou que esse sujeito seria o intermediário ideal entre ela e o homem a quem amava. E assim, após refletir sobre a estratégia que adotaria, ela fez uma visita, a uma hora adequada do dia, à igreja onde ele se encontrava e, encontrando-o, perguntou-lhe se concordaria em ouvi-la em confissão. Visto perceber só de olhar que ela era uma dama de qualidade, o frade ouviu de bom grado a sua confissão e quando, ao terminar, ela continuou dizendo: "Padre, como vou explicar-lhe agora, existe uma questão sobre a qual sou forçada a lhe pedir conselho e ajuda. Já lhe tendo dito meu nome, estou certa de que conhece minha família e meu marido. Ele me ama mais do que à própria vida e, como é extremamente rico, nunca teve a menor dificuldade ou hesitação em me suprir de tudo pelo qual eu demonstre o mais leve desejo. Por conseguinte, meu amor por ele não tem limites e, se meus simples pensamentos, para não falar do meu verdadeiro comportamento, fossem contrários aos seus desejos e dignidade, eu seria mais merecedora do fogo do inferno do que a mulher mais malvada que já existiu. "Mas há uma certa pessoa, de respeitável aparência que, se não estou enganada, é muito amigo seu. Eu realmente não sei como se chama, mas é alto e bonito, suas roupas são castanhas e de corte elegante, e, talvez por não saber da

gerando uma dúvida. Você está plantando sementes que irão despontar raízes nas próximas semanas. Quando você não estiver presente, seus alvos irão criar fantasias sobre as ideias que você despertou, e meditar sobre suas dúvidas. Eles estão pouco a pouco sendo conduzidos para a sua teia sem perceberem que você é quem está no controle. Como podem resistir ou ficar na defensiva se não conseguem nem ver o que está acontecendo?

> *O que diferencia a sugestão de outros tipos de influência psíquica, tais como uma ordem, uma informação ou instrução, é que, no caso da sugestão, desperta-se na mente da outra pessoa uma ideia que não é examinada quanto à sua origem, mas aceita como se tivesse surgido espontaneamente naquele cérebro.*
> – Sigmund Freud

CHAVES PARA A SEDUÇÃO

Você não pode passar pela vida sem, de uma forma ou de outra, tentar convencer as pessoas de alguma coisa. Tome o caminho direto, diga exatamente o que você quer, e sua honestidade talvez o faça se sentir bem, mas é provável que não chegue a lugar algum. As pessoas têm os seus próprios conjuntos de ideias, que o hábito petrifica; suas palavras, entrando na mente alheia concorrem com milhares de noções preconcebidas que já estão lá, e não conseguem nada. Além do mais, as pessoas se ressentem com suas tentativas de convencê-las, como se fossem incapazes de decidir por si mesmas – como se você soubesse o que é melhor. Pense em vez disso no poder da insinuação e da sugestão. Requer um pouco de paciência e arte, mas os resultados fazem a grande diferença.

A insinuação funciona de um modo muito simples: disfarçada numa observação ou encontro banal, lança-se uma sugestão. É sobre alguma questão emocional – um prazer ainda não alcançado, uma falta de estímulo na vida de uma pessoa. A sugestão fica registrada lá no fundo da mente do alvo, uma estocada sutil nas suas inseguranças; sua fonte é rapidamente esquecida. É sutil demais para ser lembrada na época, e depois, quando cria raízes e se desenvolve, parece saída naturalmente da própria cabeça da vítima, como se estivesse ali o tempo todo. A insinuação permite que você despiste a resistência natural das pessoas porque elas parecem estar ouvindo apenas o que se originou delas mesmas. É uma linguagem própria, que tem comunicação direta com o inconsciente. Nenhum sedutor, nenhum persuasor, pode esperar ter êxito sem dominar a linguagem e a arte da insinuação.

Um estranho homem chegou certa vez à corte de Luís XV. Ninguém sabia nada a seu respeito, e seu sotaque e idade eram irreconhecíveis. Ele se chamava conde de Saint-Germain. Era obviamente rico; no seu casaco, nas mangas, sapatos e dedos cintilavam pedras preciosas e diamantes de todos os tipos. Tocava violino à perfeição, pintava magnificamente. O mais excitante nele, porém, era a sua conversa.

Na verdade, o conde foi o maior charlatão do século XVIII – um homem que dominava a arte da insinuação. Quando falava, uma palavra aqui e outra ali escapulia – uma vaga alusão à pedra filosofal, que transformava metais básicos em ouro, ou ao elixir da vida. Ele não dizia possuir essas coisas, mas fazia com que você o associasse a seus poderes. Tivesse ele simplesmente afirmado possuí-las, e ninguém teria acreditado nele e as pessoas teriam lhe dado as costas. O conde às vezes se referia a um homem morto havia quarenta anos como se o tivesse conhecido pessoalmente; sendo assim, então o conde estaria com oitenta anos, embora parecesse uns quarenta. Ele mencionou o elixir da vida (...) parece tão jovem. (...)

A chave das palavras do conde era a imprecisão. Ele sempre lançava suas sugestões numa conversa animada, notas graciosas numa melodia corrente. Só depois as pessoas refletiam sobre o que ele havia dito. Passado um tempo, elas começaram a se aproximar dele, indagando sobre a pedra filosofal e o elixir da vida, sem perceberem que tinha sido ele a plantar essas ideias em sua mente. Lembre-se: para semear uma ideia sedutora, você precisa cativar a imaginação das pessoas, suas fantasias, seus anseios mais profundos. O que faz girar as rodas é sugerir coisas que as pessoas querem ouvir – a possibilidade de prazer, riqueza, saúde, aventura. No final, estas coisas boas serão exatamente aquilo que você parece estar lhes oferecendo. Elas virão até você como se por vontade própria, sem perceberem que foi você quem colocou essas ideias na sua cabeça.

Em 1807, Napoleão Bonaparte resolveu que era crucial para ele convencer o czar russo Alexandre I a ficar do seu lado. Ele queria duas coisas do czar: um tratado de paz em que concordavam em dividir entre os dois a Europa e o Oriente Médio; e uma aliança de casamento. Ele se divorciaria da esposa Josefina para se casar com alguém da família do czar. Em vez de propor estas coisas diretamente, Napoleão decidiu seduzir o czar. Utilizando como campo de batalha encontros sociais polidos e conversas amigáveis, ele pôs mãos à obra. Um aparente deslize da língua revelou que Josefina não podia ter filhos; Napoleão mudou logo de assunto. Um comentário aqui, outro ali, pareciam sugerir uma associação dos destinos da França e da Rússia. Uma noite, pouco antes

minha natureza decidida, parece fazer-me o cerco. Surge infalivelmente sempre que olho da minha janela, fico diante da minha porta ou saio de casa, e estou surpresa, de fato, que não esteja aqui neste momento. Desnecessário dizer, estou muito aborrecida com tudo isto porque a conduta dele com frequência dá a uma mulher honesta a má fama, mesmo que ela seja inocente de todo. "(...) Por amor de Deus, portanto, eu lhe imploro que fale com ele severamente e o persuada a refrear suas atitudes importunas. Há muitas mulheres que sem dúvida acham interessante este tipo de coisa, e que gostarão de ser olhadas e espiadas por ele, mas eu pessoalmente não tenho inclinação para isto, e considero o seu comportamento por demais desagradável." E, tendo chegado ao fim do seu discurso, a dama inclinou a cabeça como se fosse cair no choro. O reverendo frade percebeu logo a quem ela estava se referindo e, tendo afetuosamente elogiado a sua pureza de pensamento, prometeu-lhe tomar todas as providências necessárias para garantir que o sujeito deixasse de importuná-la. (...)

> Não muito tempo depois, o cavalheiro em questão fez uma de suas visitas costumeiras ao reverendo frade e, após terem conversado um pouco sobre vários assuntos, o religioso o chamou de lado e o repreendeu delicadamente pelos olhares amorosos que, segundo lhe dera a entender a dama, acreditava que ele estava lançando em sua direção. Naturalmente, o cavalheiro achou estranho, pois nunca havia nem mesmo olhado para a dama e era raro passar por sua casa. (...) O cavalheiro, sendo mais perspicaz do que o reverendo frade, não foi exatamente lento ao avaliar a esperteza da dama e, fingindo uma expressão um tanto envergonhada, prometeu não importuná-la mais. Depois de se despedir do frade, entretanto, ele se encaminhou para a casa da dama, que, de uma minúscula janela, mantinha-se em constante vigilância para poder vê-lo caso por ali passasse (...). E a partir daquele dia, procedendo com a máxima prudência e dando a impressão de que estava totalmente interessado em alguma outra coisa, ele passou a ser um visitante regular da vizinhança.
> – GIOVANNI BOCCACCIO, DECAMERON

de se despedirem, ele falou do seu desejo de ter filhos, deu um suspiro triste, em seguida pediu licença e foi para a cama, deixando que o czar fosse dormir pensando nisso. Ele assistira com o czar a uma peça cujos temas eram a glória, a honra e o império; depois, conversando com ele, disfarçava suas insinuações discutindo o que tinham visto. Em poucas semanas, o czar falava com seus ministros de uma aliança de casamento e um tratado com a França como se fossem ideias suas.

Deslizes da língua, comentários aparentemente distraídos do tipo para "ir dormir pensando neles", referências fascinantes, declarações pelas quais você rapidamente se desculpa – tudo isso tem um imenso poder de insinuação. São coisas que penetram na pele das pessoas como veneno e assumem vida própria. A chave para o sucesso das suas insinuações é fazê-las quando seus alvos estiverem nos seus momentos mais relaxados ou distraídos para não perceberem o que está acontecendo. Uma conversa descontraída e polida é quase sempre a fachada perfeita para isso: as pessoas estão pensando no que dirão em seguida, ou estão absortas em seus próprios pensamentos. Suas insinuações não ficarão muito bem registradas, e é isso que você quer.

Em uma de suas primeiras campanhas, John F. Kennedy se dirigiu a um grupo de veteranos. Os feitos heróicos de Kennedy durante a Segunda Guerra Mundial – o incidente do PT-109 que o transformou num herói de guerra – eram bastante conhecidos; mas, no discurso, ele falou dos outros homens que estavam no barco, jamais mencionando o próprio nome. Ele sabia, entretanto, que todos estavam pensando no que ele havia feito porque de fato ele havia colocado a ideia na cabeça deles. O seu silêncio sobre o assunto não só os fez pensar nisso sozinhos, mas fez Kennedy parecer humilde e modesto, qualidades que combinam bem com o heroísmo. Na sedução, como aconselhou a cortesã francesa Ninon de l'Enclos, é melhor não falar sobre o seu amor por uma pessoa. Deixe que o seu alvo entenda isso pelo modo como você se comporta. O seu silêncio sobre o assunto terá um poder mais insinuante do que se você tivesse falado sobre isso diretamente.

Não são só as palavras que insinuam; preste atenção aos gestos e olhares. A técnica preferida de madame Récamier era manter suas palavras banais e o olhar instigante. No transcorrer da conversa isso impediria os homens de pensar muito profundamente sobre esses olhares ocasionais, mas não conseguiriam se esquecer deles. Lord Byron tinha o seu famoso "olhar baixo": enquanto todos estavam discutindo algum assunto sem interesse, ele parecia estar de cabeça baixa, mas aí uma jovem (o alvo) o via erguer os olhos, para ela, com a cabeça ainda inclinada. Era um olhar que parecia perigoso, desafiador, mas também ambíguo;

mulheres foram fisgadas assim. O rosto tem a sua própria linguagem. Estamos acostumados a tentar ler o rosto das pessoas, muitas vezes um indicador melhor de seus sentimentos do que as palavras que pronunciam, que são tão fáceis de controlar. Como as pessoas estão sempre lendo a sua expressão facial, use-a para insinuar os sinais que preferir.

Finalmente, a insinuação funciona tão bem não só porque contorna a resistência natural das pessoas. Ela é também a linguagem do prazer. No mundo há muito poucos mistérios; gente demais fala exatamente o que sente ou quer. Nós ansiamos por alguma coisa que seja enigmática, que alimente nossas fantasias. Por causa da falta de sugestão e ambiguidade no dia a dia, a pessoa que as utiliza de repente parece possuir algo fascinante e cheio de promessas. É uma espécie de jogo excitante – o que esta pessoa está querendo? O que está dizendo? Alusões, sugestões e insinuações criam uma atmosfera sedutora, sinalizando que a sua vítima não está mais envolvida nas rotinas da vida diária, mas entrou em um outro reino.

Símbolo: *A Semente.*
O solo está cuidadosamente preparado. As sementes são plantadas com meses de antecedência. Uma vez no chão, ninguém sabe que mão as jogou ali. Fazem parte da terra. Disfarce suas manipulações plantando sementes que por si só lançarão raízes.

O INVERSO

O perigo na insinuação é que, se você deixa as coisas ambíguas, o seu alvo pode não entender. Há momentos, principalmente em um estágio posterior de uma sedução, em que é melhor comunicar a sua ideia de uma forma direta, em especial quando você já sabe que o alvo a aceitará. Casanova costumava agir assim. Ao perceber que uma mulher o desejava, e não precisava de muitas preparações, ele fazia um comentário direto, sincero e efusivo que penetrava na cabeça dela como uma droga e a fazia cair sob o seu encanto. Quando o libertino e escritor Gabriele D'Annunzio encontrava uma mulher que desejava, raramente

Olhares são a artilharia pesada do flerte: tudo pode ser transmitido num olhar, mas esse olhar sempre pode ser negado por não poder ser citado palavra por palavra.
– STENDHAL, CITADO EM *VICE: AN ANTHOLOGY*, RICHARD DAVENPORT-HINES (COORD.)

perdia tempo. Os elogios fluíam de sua boca e da sua pena. Ele encantava com sua "sinceridade" (pode-se fingir sinceridade, e ela é apenas mais um estratagema entre tantos). Mas isto só funciona quando você sente que o alvo já está conquistado. Se não, as defesas e suspeitas que você desperta com o ataque direto tornarão impossível a sua sedução. Na dúvida, o caminho indireto é o melhor.

7

ENTRE NO ESPÍRITO DELES

*As
pessoas, em
geral, se trancam
em seus próprios mundos,
o que as torna teimosas e difíceis
de convencer. Para fazê-las sair da concha e
iniciar a sua sedução, você precisa entrar no espírito delas. Jogue de acordo com as suas regras, aprecie o que
elas apreciam, adapte-se aos seus humores. Com isso você afaga um
narcisismo profundamente arraigado e derruba as defesas que as protegem.
Hipnotizadas pela imagem espelhada que você apresenta, elas se abrirão,
tornando-se vulneráveis à sua sutil influência. Não demora muito, e
você pode inverter a dinâmica: depois de penetrar no espírito
delas você pode fazê-las entrar no seu quando já for
tarde demais para retroceder. Seja tolerante
com os humores e caprichos de seus
alvos, não lhes dando motivos para reagir ou
resistir.*

ESTRATÉGIA INDULGENTE

Em outubro de 1961, à jornalista americana Cindy Adams foi concedida uma entrevista exclusiva com o presidente Sukarno da Indonésia. Foi um golpe notável porque Cindy era uma jornalista pouco conhecida na época, enquanto Sukarno era uma figura mundial no meio de uma crise. Líder da luta da Indonésia pela independência, ele era o presidente do país desde 1949, quando os holandeses finalmente desistiram da colônia. No início da década de 1960, sua ousada política exterior o fizera odiado nos Estados Unidos, chegando até a ser chamado de o Hitler da Ásia.

Cindy decidiu que, para conseguir uma entrevista animada, ela não se deixaria impressionar demais nem se intimidar por Sukarno, e começou a conversa brincando com ele. Para sua agradável surpresa, a tática quebra-gelo pareceu funcionar: Sukarno se mostrou interessado. Ele deixou a entrevista transcorrer por mais de uma hora e, no final, encheu-a de presentes. O sucesso dela foi extraordinário, e mais ainda foram as cartas amistosas de Sukarno depois que ela e o marido voltaram para Nova York. Poucos anos depois, veio uma proposta para colaborar com ele na sua autobiografia.

Cindy Adams, que estava acostumada a escrever elogios a artistas de terceira categoria, ficou confusa. Sabia que Sukarno tinha fama de ser um diabólico dom-juan – *le grand séducteur*, os franceses o chamavam. Tinha tido quatro esposas e centenas de conquistas. Era um homem bonito, e obviamente se sentia atraído por ela, mas por que escolhê-la para esta tarefa de tamanho prestígio? Talvez a sua libido fosse forte demais para ele se preocupar com essas coisas. Mas era uma oferta irrecusável.

Em janeiro de 1964, Cindy Adams retornou à Indonésia. Sua estratégia, ela havia decidido, continuaria a mesma: seria aquela senhora atrevida e sem papas na língua que parecia ter encantado Sukarno três anos antes. Durante a primeira entrevista juntos para discutirem questões relacionadas com o livro, ela reclamou dos aposentos que lhe ha-

Quer conservar a sua amante? Convença-a de que ela o deixou maravilhado com sua beleza. Se é púrpura que ela está vestindo, elogie a cor púrpura; Se estiver vestida de seda, diga que a seda É a que melhor lhe cai. (...) Admire Sua voz maviosa, seus gestos enquanto ela dança, Grite: "Mais uma vez!", quando ela parar. Você pode até elogiar Seu desempenho na cama, seu talento no amor – Manifeste em voz alta o que o deixou excitado. Embora ela se mostre mais feroz do que uma Medusa, Aos olhos do seu amante, ela será sempre boa E gentil. Porém, cuidado para não se trair nos elogios, não deixe a sua expressão arruinar a mensagem. O artifício é mais eficaz Quando dissimulado.

> *A descoberta irá desacreditá-lo para sempre.*
> – OVÍDIO, A ARTE DE AMAR

viam sido reservados em termos bastante fortes. Como se ele fosse o seu secretário, ela lhe ditou uma carta, que Sukarno iria assinar, detalhando o tratamento especial que deveria receber de todos. Para seu espanto, ele anotou tudo obedientemente e assinou.

A segunda etapa na programação de Cindy era dar uma volta pela Indonésia para entrevistar pessoas que tivessem conhecido Sukarno na sua juventude. Assim, ela reclamou com ele do avião em que viajaria, que falou não ser seguro. "Vou lhe dizer uma coisa, meu querido, acho que você deveria me dar um avião particular." "Tudo bem", respondeu ele, aparentemente um tanto desconcertado. Mas um só não bastava, ela continuou; exigiu vários aviões, e um helicóptero, e um piloto só para ela, um bom piloto. Ele concordou com tudo. O líder da Indonésia parecia não só intimidado por Cindy Adams, mas totalmente fascinado com aquela mulher. Ele elogiava a sua inteligência e espirituosidade. Num determinado momento, ele confidenciou. "Sabe por que estou fazendo esta autobiografia? Só por sua causa, é isso." Ele prestava atenção nas suas roupas, elogiava o que ela estava vestindo, notando qualquer mudança no que ela usava. Era mais um servil pretendente do que o "Hitler da Ásia".

Inevitavelmente, é claro, ele lhe fez propostas. Ela era uma mulher atraente. Primeiro um toque de mão sobre a mão dela, depois um beijo roubado. Ela o recusava sempre, deixando claro que era feliz no seu casamento, mas se preocupava: se ele só estava interessado em ter um caso, toda aquela história sobre o livro não ia dar em nada. Mais uma vez, entretanto, a sua estratégia direta parecia ser a correta. Surpreendentemente, ele recuou sem raiva ou ressentimentos. Prometeu-lhe que o seu afeto permaneceria platônico. Cindy foi obrigada a admitir que ele não era nada daquilo que ela havia esperado, ou que lhe haviam descrito. Talvez ele gostasse de ser dominado por uma mulher.

As entrevistas continuaram por vários meses, e ela notou ligeiras mudanças nele. Ainda se dirigia a ele com familiaridade, temperando a conversa com comentários atrevidos, mas agora ele os devolvia, encantado com este tipo de brincadeira picante. Ele adotava o mesmo humor vivaz que ela estrategicamente se forçava a ter. No princípio ele se vestia com o uniforme militar, ou com seus ternos italianos. Agora ele usava roupas informais, andava até descalço, de acordo com o estilo informal do relacionamento dos dois. Uma noite ele observou gostar da cor dos cabelos dela. Era Clairol, preto-azulado, explicou ela. Ele quis usar a mesma cor; ela lhe trouxe um frasco. Cindy fez isso achando que era uma brincadeira, mas, dias depois ele requisitou a sua presença no palácio para pintar os seus cabelos. Ela foi e, agora, os dois tinham exatamente a mesma cor de cabelo.

> *O garotinho (ou garotinha) procura fascinar seus pais. Na literatura oriental, a imitação é reconhecida como um meio para atrair. Os textos sânscritos, por exemplo, dedicam uma parte importante ao truque da mulher que copia as roupas, as expressões e o discurso do seu amado. Esse tipo de drama mimético é recomendado com insistência à mulher que, "sendo incapaz de se unir com seu amado, o imita para distrair os pensamentos". A criança também, usando o expediente de imitar atitudes, roupas e outras coisas mais, procura fascinar, com uma intenção mágica, o pai ou a mãe e assim "distrair seus pensamentos". Identificação significa que alguém está abandonando e não abandonando desejos amorosos. É um atrativo que a criança usa para capturar seus pais e pelo qual, é preciso admitir, eles se deixam seduzir. O mesmo é válido para as massas que imitam seu líder, usam o seu nome e repetem seus gestos.*

O livro, *Sukarno, An Autobiography as Told to Cindy Adams*, foi publicado em 1965. Para surpresa dos leitores americanos, Sukarno se revelava uma pessoa extraordinariamente encantadora e adorável, que era na verdade como Cindy o descrevia para todos. Quando alguém argumentava o contrário, dizia que não o conheciam tão bem quanto ela. Sukarno gostou muito e providenciou a sua ampla distribuição. O livro ajudou-o a conquistar a simpatia na Indonésia, onde estava sendo ameaçado de um golpe militar. E Sukarno não se surpreendeu com isso – sempre soube que Cindy Adams daria um tratamento melhor às suas memórias do que qualquer jornalista "sério".

Interpretação. Quem estava seduzindo quem? Era Sukarno quem estava seduzindo, e a sua técnica de sedução no caso de Cindy Adams seguiu uma sequência clássica. Primeiro, ele escolheu a vítima certa. Um jornalista experiente teria resistido ao fascínio de um relacionamento pessoal com o seu tema, e um homem seria menos suscetível aos seus encantos. E, assim, ele escolheu uma mulher, e uma cuja experiência jornalística era em outra área. No seu primeiro encontro com Cindy, ele enviou sinais ambíguos: foi cordial, mas sugeriu também um outro tipo de interesse. Depois, tendo colocado uma dúvida na cabeça dela (Talvez ele queira apenas ter um caso?), ele prosseguiu espelhando as suas atitudes. Aceitava todos os seus humores, retraindo-se sempre que ela reclamava. Ser indulgente com uma pessoa é uma forma de entrar no espírito dela, deixar que ela domine por um momento.

Talvez as liberdades que Sukarno tomava com Cindy demonstrassem a sua incontrolável libido ou, quem sabe, fossem mais astuciosas. Ele tinha fama de dom-juan; ela ficaria magoada se não tentasse namorá-la. (As mulheres se sentem menos ofendidas por serem consideradas atraentes do que se imagina, e Sukarno foi esperto o bastante ao dar a cada uma de suas quatro esposas a impressão de ser a sua favorita.) A paquera eliminada, ele entrou mais no espírito dela, assumindo o seu ar informal, até se feminilizando ligeiramente ao adotar a mesma cor de cabelos. O resultado foi que Cindy decidiu que ele não era o que ela esperava, ou temia, que fosse. Ele não era nem um pouco ameaçador e, afinal de contas, ela é quem estava no controle. O que Cindy não entendeu foi que, uma vez baixadas as suas defesas, ela não viu mais como suas emoções estavam sendo profundamente dominadas por ele. Ela não o havia encantado, ele é que a encantara. O que ele queria o tempo todo foi o que ele conseguiu: um livro de memórias pessoais escrito por uma estrangeira simpatizante, que deu ao mundo um retrato bastante atraente de um homem de quem muitos desconfiavam.

Inclinam-se diante dele, mas ao mesmo tempo estão inconscientemente armando um laço para prendê-lo. Grandes cerimônias e demonstrações são, da mesma forma, ocasiões em que tanto as multidões quanto o líder se encantam mutuamente.
– SERGE MOSCOVICI, THE AGE OF THE CROWD

Meu sexto irmão, o dos lábios fendidos, Príncipe dos Fiéis, é chamado de Chacabac. Quando jovem, era muito pobre. Um dia, mendigando pelas ruas de Bagdá, passou por uma esplêndida mansão em cujos portões havia uma multidão de criados. Ao indagar, meu irmão foi informado de que a residência pertencia a um membro da rica e poderosa família Barmecida. Chacabac aproximou-se dos guardiões do portão e pediu uma esmola. "Entre", disseram, "nosso amo lhe dará tudo o que deseja." Meu irmão entrou no majestoso vestíbulo e prosseguiu até uma ampla sala com piso de mármore, tapeçarias nas paredes, que dava para um belo jardim. Ficou atônito, sem saber para onde ir, e continuou avançando até o fundo do salão. Ali, entre almofadas, reclinava-se um velho simpático com uma longa barba, que meu irmão reconheceu logo como sendo o dono da casa. "O que posso fazer por você, meu amigo?", perguntou o velho levantando-se para receber meu irmão. Quando Chacabac respondeu que era um pedinte faminto, o velho expressou a mais profunda compaixão dilacerando as suas preciosas túnicas e chorando: "É possível eu viver em Bagdá e haver nesta cidade um homem como você morrendo de fome? Esta é uma desgraça que não posso suportar!" Em seguida, confortou meu irmão acrescentando: "Insisto para que fique e divida comigo o meu jantar." Com isto, o dono da casa bateu as mãos e chamou um de seus escravos: "Traga a bacia e o jarro com água." Depois, disse ao meu irmão: "Aproxime-se, meu amigo, e lave suas mãos." Chacabac ergueu-se de onde estava, mas não enxergou bacia nem jarro. Ficou espantado ao ver seu anfitrião gesticulando como se estivesse derramando sobre as mãos a água de um vaso invisível para secá-las com uma toalha, também

De todas as táticas sedutoras, entrar no espírito de alguém talvez seja a mais diabólica. Ela dá às suas vítimas a sensação de estarem seduzindo você. O fato de satisfazer as suas vontades, de imitá-las, de entrar no seu espírito, sugere que você ficou fascinado por elas. Você não é um sedutor perigoso com o qual é preciso estar sempre atento, mas alguém dócil e nada ameaçador. A atenção que você lhes dedica é embriagante – visto que você as está espelhando, tudo que elas veem e escutam de você reflete o seu próprio ego e gostos. O que incentiva a vaidade delas. Tudo isto arma a sedução, a série de manobras que invertem a dinâmica. Depois de derrubadas as defesas, elas estão abertas à sua sutil influência. Em pouco tempo, você começa a comandar a dança e, sem perceberem a troca, elas se veem entrando no seu espírito. É assim que o jogo termina.

As mulheres só se sentem à vontade com quem se arrisca com elas, e entra em seu espírito.
– Ninon de l'Enclos

CHAVES PARA A SEDUÇÃO

Uma das grandes fontes de frustração em nossas vidas é a teimosia dos outros. Como é difícil chegar perto deles, fazer com que vejam as coisas do nosso jeito. Quase sempre temos a impressão de que, quando parecem estar nos escutando, e aparentemente concordando conosco, é tudo superficial – mal nos afastamos, retornam às suas próprias ideias. Passamos a vida batendo de frente com as pessoas como se fossem muralhas de pedra. Mas, em vez de ficar reclamando que ninguém compreende você ou lhe dá atenção, por que não tentar algo diferente: em vez de ver as pessoas como despeitadas ou indiferentes, em vez de tentar imaginar por que elas agem assim, olhe-as com os olhos de um sedutor. O modo de fazer as pessoas saírem de seus estados naturais de intratabilidade e obsessão consigo mesmas é entrando no espírito delas.

Todos nós somos narcisistas. Na infância, o nosso narcisismo era físico: estávamos interessados na nossa própria imagem, no nosso próprio corpo, como se ele fosse um ser distinto. Mais velhos, o nosso narcisismo se torna mais psicológico: ficamos absortos em nossos próprios gostos, opiniões, experiências. Forma-se um casco à nossa volta. Paradoxalmente, o modo de atrair as pessoas para fora dessa casca dura é ficar mais parecido com elas, na verdade uma espécie de imagem refletida. Não é preciso passar dias estudando o que se passa na cabeça dos outros; basta se conformar com seus estados de espírito, adotar seus gostos, cooperar com tudo que colocarem no seu caminho. Agindo assim, você baixa a defensividade natural deles. A noção de autoestima dessas pessoas não se sente ameaçada por você ser um estranho ou ter hábitos diferentes. As pessoas realmente se amam, mas o que mais gostam é de ver suas próprias ideias e gostos refletidos no outro. Isso as valida. A habitual insegurança delas desaparece. Hipnotizadas por sua imagem no espelho, elas relaxam. Agora que a muralha interior ruiu, aos poucos você pode ir puxando-as para fora e, por fim, inverter a dinâmica. Uma vez abertas para você, é fácil contagiá-las com uma espécie de hipnose; é a forma mais insidiosa e eficaz de persuasão que o homem conhece.

No romance chinês do século XVIII *The Dream of the Red Chamber*, todas as moças da próspera casa de Chia estão apaixonadas pelo devasso Pao-yu. Ele sem dúvida é bonito, mas o que o torna irresistível é a sua estranha habilidade de entrar no espírito de uma jovem. Pao-yu passou a sua juventude no meio das meninas, cuja companhia ele sempre preferiu. Consequentemente, nunca é visto como ameaçador ou agressivo. Tem permissão para entrar nos aposentos das meninas, elas o veem por toda parte e, quanto mais o veem, mais fascinadas elas ficam. Não é que Pao-yu seja feminino; ele continua sendo homem, mas um homem capaz de ser mais ou menos masculino segundo as exigências da situação. Sua familiaridade com as jovens lhe dá a flexibilidade para entrar em seus espíritos.

Esta é uma grande vantagem. A diferença entre os sexos é o que torna possível o amor e a sedução, mas também conta com um componente de medo e desconfiança. A mulher pode temer a agressão e a violência masculinas; o homem, muitas vezes, é incapaz de entrar no espírito da uma mulher e, assim, permanece estranho e ameaçador. Os maiores sedutores da história, desde Casanova até John F. Kennedy, cresceram cercados de mulheres e tinham eles mesmos um quê de feminilidade. O filósofo Sören Kierkegaard, no seu romance *Diário de um sedutor*, recomenda passar mais tempo com o sexo oposto, conhecendo o "inimigo" e suas fraquezas, para que você possa se beneficiar com esse conhecimento. Ninon de l'Enclos, uma das maiores sedutoras que já existiram, tinha qualidades masculinas definidas. Ela era capaz de impressionar um homem com a sua intensa acuidade filosófica, e encantá-lo parecendo dividir com ele o interesse pela política e a guerra. Muitos homens tinham com ela, antes, uma profunda amizade, só depois é que se apaixonavam perdidamente. O masculino em uma mulher é tão tranquilizante para os homens como o feminino no homem é para as mulheres. Para um homem, a estranheza de uma mulher pode gerar frustração e até hostilidade. Ele talvez se sinta atraído para um encontro sexual, mas um encanto mais permanente não se cria se não vier acompanhado de uma

invisível. Ao terminar, o anfitrião chamou seus criados: "Tragam a mesa!" Inúmeros criados entravam e saíam do salão, como se estivessem preparando uma refeição. Meu irmão continuava sem ver nada. Mas seu anfitrião o convidou para se sentar a uma mesa imaginária dizendo: "Honre-me comendo deste alimento."
O velho passava as mãos de um lado para o outro como se estivesse tocando pratos invisíveis, e também movimentava maxilares e lábios como se mastigasse. E dizia a Chacabac: "Coma à vontade, meu amigo, pois deve estar faminto."
Meu irmão começou a mover os maxilares, a mastigar e engolir, como se estivesse comendo, enquanto o velho insistia dizendo: "Coma, meu amigo, e note a excelência deste pão e a sua brancura."
"Este homem", pensou Chacabac, "deve gostar de piadas." Assim lhe disse: "É, senhor, o pão mais branco que já vi, e nunca provei nada igual em toda a minha vida."
"Este pão", disse o anfitrião, "foi assado por uma menina escrava que comprei por quinhentas moedas de ouro." Logo depois, ordenou a um de seus escravos:

"Tragam o pudim de carne, e que venha com bastante gordura!"
(...) Em seguida, o anfitrião mexeu com os dedos como se estivesse escolhendo um pedaço num prato imaginário, e enfiou o petisco invisível na boca do meu irmão. O velho continuou enaltecendo a excelência dos vários pratos, enquanto meu irmão ficava tão sofregamente faminto que estaria disposto a morrer por uma casca de pão de cevada.
"Já provou algo mais delicioso", continuava o velho, "do que o tempero destes pratos?"
"Nunca, realmente", respondia Chacabac.
"Coma com entusiasmo, então", disse o anfitrião, "e não se sinta envergonhado!"
"Eu agradeço, senhor", respondeu Chacabac, "mas já estou satisfeito."
Nesse mesmo momento, o velho bateu as mãos de novo e gritou: "Tragam o vinho!"
(...) "Senhor", disse Shakashik, "sua generosidade me emociona!" Ele levou aos lábios a taça invisível e fez como se a esvaziasse de um só gole.
"Saúde e alegria para você!", exclamou o velho, fingindo

sedução mental. A chave é entrar no espírito dele. Os homens são com frequência seduzidos pelo elemento masculino no comportamento ou caráter de uma mulher.

No romance *Clarissa* (1748), de Samuel Richardson, a jovem e devota Clarissa Harlowe está sendo cortejada pelo notório libertino Lovelace. Clarissa conhece a reputação de Lovelace, mas em geral ele não tem agido como ela esperaria: é educado, parece um pouco triste e confuso. Em um determinado momento, ela descobre que ele teve um gesto muito nobre e caridoso com uma família em desgraça dando dinheiro ao pai, ajudando a filha a se casar, aconselhando-os de forma sensata. No final, Lovelace confessa a Clarissa o que ela já havia suspeitado; está arrependido, quer mudar de vida. As cartas que lhe escreve são emocionadas, quase religiosas na sua paixão. Ela, talvez, é quem irá conduzi-lo para o bom caminho? Mas é claro que Lovelace a prende numa armadilha: está usando a tática do sedutor de espelhar o gosto da moça, neste caso a espiritualidade. Depois que ela baixa a guarda, quando já acredita que pode reformá-lo, seu destino está selado: agora ele pode lentamente insinuar o seu próprio espírito nas cartas que lhe escreve e nos seus encontros com ela. Lembre-se: a palavra operacional é "espírito", e isso é quase sempre, exatamente, o objetivo. Ao parecer que está espelhando os valores espirituais de alguém, você passa a ideia de estar estabelecendo uma profunda harmonia entre vocês dois, que depois pode ser transferida para o plano físico.

Quando Josephine Baker se mudou para Paris, em 1925, no elenco de uma revista só com artistas negros, seu exotismo a transformou numa sensação da noite para o dia. Mas os franceses são notoriamente inconstantes, e Josephine percebeu que esse interesse não tardaria a ser transferido para uma outra pessoa. A fim de seduzi-los para sempre, ela entrou no espírito deles. Aprendeu a língua e começou a cantar em francês. Passou a se vestir e agir como uma dama elegante francesa, como se dissesse que preferia o estilo de vida francês ao americano. Países são como pessoas: são extremamente inseguros e se sentem ameaçados por hábitos diferentes. Costuma ser muito sedutor para um povo ver alguém de fora adotando os seus modos de viver. Benjamin Disraeli nasceu e viveu a vida inteira na Inglaterra, mas era judeu de nascimento, e tinha traços exóticos; os ingleses provincianos o consideravam um estrangeiro. No entanto, ele era mais britânico nos seus modos e gostos do que muito inglês e nisso, em parte, residia o seu encanto, como ele provou tornando-se o líder do Partido Conservador. Se você é estrangeiro (como a maioria de nós, basicamente, é), use isso como uma vantagem: tire proveito da sua natureza alienígena de forma a mostrar ao grupo o quanto você prefere os gostos e costumes dele aos seus.

Em 1752, o notório libertino Saltykov decidiu que seria o primeiro homem na corte russa a seduzir a grã-duquesa de 23 anos, a futura imperatriz Catarina, a Grande. Ele sabia que ela era uma pessoa solitária; o marido, Pedro, a ignorava, como faziam muitos outros cortesãos. E, no entanto, os obstáculos eram inúmeros: ela era vigiada dia e noite. Mas Saltykov conseguiu se tornar amigo da jovem mulher e ingressar no seu minúsculo círculo. Finalmente, ele a pegou sozinha e lhe fez ver que compreendia muito bem a sua solidão, que não gostava do marido dela e que compartilhava do seu interesse pelas novas ideias que estavam correndo a Europa. Em pouco tempo, ele se viu capaz de combinar outros encontros quando lhe dava a impressão de que, ao seu lado, nada mais no mundo tinha importância para ele. Catarina se apaixonou perdidamente, e ele de fato foi o seu primeiro amante. Saltykov tinha entrado no espírito dela.

Ao espelhar o outro, você concentra nele uma forte atenção. Ele percebe o esforço que você está fazendo e fica enaltecido com isso. Obviamente você o escolheu, distinguindo-o do resto. Parece que não existe mais nada na sua vida exceto essa pessoa – seus humores, seus gostos, seu espírito. Quanto maior o seu enfoque, mais profundo o encanto que você provoca e mais intenso o efeito inebriante que você tem sobre a vaidade dela.

Muitos de nós têm dificuldade para conciliar a pessoa que somos agora, neste momento, com a pessoa que desejávamos ser. Estamos decepcionados porque comprometemos nossos ideais da juventude e ainda nos imaginamos como aquela pessoa com tanto potencial, mas que as circunstâncias impediram de realizar. Quando você está espelhando alguém, não fique só na pessoa em que ela se transformou; entre no espírito daquela pessoa ideal que ela queria ser. Foi assim que o escritor francês Chateaubriand conseguiu se tornar um grande sedutor, apesar da feiura física. Na sua juventude, no final do século XVIII, quando o romantismo estava entrando em moda e muitas mulheres jovens sentiam-se profundamente oprimidas pela falta de romance em suas vidas, Chateaubriand redesperta as suas fantasias de se apaixonarem perdidamente, de satisfazerem seus ideais românticos, que haviam alimentado quando meninas. Esta forma de distrair o espírito de uma outra pessoa é talvez a técnica mais eficaz, porque faz as pessoas se sentirem mais satisfeitas consigo mesmas. Na sua presença, elas vivem a vida da pessoa que queriam ser – um grande amante, um herói romântico, seja o que for. Descubra esses ideais frustrados e espelhe-os, fazendo-os renascer ao refleti-los para o seu alvo. Poucos conseguem resistir a tal fascínio.

servir-se de vinho e beber. Entregou uma outra taça ao seu convidado, e ambos continuaram a agir assim até que Chacabac, fazendo-se de bêbado, começou a rolar a cabeça de um lado para o outro. Enquanto isso, pegando seu anfitrião desprevenido, ergueu de repente o braço tão alto que se podia ver o branco da axila e lhe deu um sonoro golpe no pescoço que fez o salão todo estremecer.
E a este, seguiu-se mais outro.
O velho se levantou zangado e gritou: "O que está fazendo, vil criatura?"
"Senhor", respondeu meu irmão, "o senhor recebeu o seu humilde escravo em sua casa e o satisfez com toda a sua generosidade; alimentou-o com suas melhores iguarias e saciou a sua sede com os vinhos mais vigorosos. Infelizmente, ele ficou bêbado, e esqueceu as boas maneiras! Mas o senhor é tão nobre que certamente lhe perdoará a ofensa."
Ao ouvir essas palavras, o velho caiu na gargalhada e disse: "Há muito tempo faço esta brincadeira com toda a espécie de homens, mas nenhum jamais teve a paciência ou senso de humor para entrar no meu espírito como você fez. Agora,

portanto, eu o perdoo, e peço que de fato coma e beba comigo, e que me faça companhia enquanto eu viver." Terminando de falar, o velho ordenou aos seus criados que servissem todos os pratos que haviam consumido em imaginação e, quando ele e meu irmão ficaram satisfeitos, retiraram-se para beber numa outra sala, onde uma bela jovem tocava música e cantava. O velho barmecida deu a Chacabac uma túnica de honra e o fez seu companheiro constante.
– "THE TALE OF SHAKASHIK, THE BARBER'S SIXTH BROTHER", TALES FROM THE THOUSAND AND ONE NIGHTS

Este desejo de um duplo de outro sexo que se assemelhe a nós totalmente, sem deixar de ser o outro, de uma criatura mágica que é nós mesmos com a vantagem, além de tudo que possamos imaginar, de ter uma existência autônoma. (...) Encontramos traços deste desejo até nas circunstâncias mais banais do amor: na atração associada a qualquer mudança, qualquer disfarce, como na importância do uníssono e da

Símbolo:
O Espelho do Caçador. A cotovia é um pássaro apetitoso, mas difícil de pegar. No campo, o caçador coloca um espelho num suporte. A cotovia pousa diante do espelho, dá um passo para a frente, outro para trás, fascinada com a própria imagem em movimento e com a dança de acasalamento imitativa que vê representada diante dos seus olhos. Hipnotizado, o pássaro perde toda a noção do que o cerca, até que a rede do caçador o prende contra o espelho.

O INVERSO

Em 1897, em Berlim, o poeta Rainer Maria Rilke, cuja reputação mais tarde daria a volta ao mundo, conheceu Lou Andreas-Salomé, a escritora e beldade russa famosa por ter partido o coração de Nietzsche. Lou era a queridinha dos intelectuais de Berlim, e Rilke, apesar dos seus 22 anos e dos 36 dela, apaixonou-se loucamente. Mandou-lhe uma enxurrada de cartas de amor mostrando que havia lido todos os seus livros e conhecia intimamente os seus gostos. Os dois ficaram amigos. Não demorou muito, e ela editava a poesia dele, e ele ouvia atento cada uma de suas palavras.

Salomé se sentiu lisonjeada por Rilke espelhar o seu espírito, encantada com a intensa atenção que ele lhe prestava e com a comunhão espiritual que começaram a desenvolver. Tornou-se sua amante. Mas estava preocupada com o futuro dele; era difícil ganhar a vida como poeta, e ela o encorajou a aprender a sua língua materna, o russo, e se tornar um tradutor. Ele seguiu o conselho com tamanha avidez que, em poucos meses, já sabia falar russo. Visitaram a Rússia juntos, e o rapaz ficou assombrado com o que viu – os camponeses, os costumes populares, a arte, a arquitetura. De volta a Berlim, Rilke transformou seus aposentos numa espécie de santuário da Rússia e passou a vestir as blusas típicas dos camponeses russos e a temperar suas conversas com frases em russo. E então o encanto do seu espelhamento se desgastou.

No início, Salomé tinha se sentido enaltecida por ele dividir com ela os seus interesses de uma forma tão intensa, mas agora via as coisas de uma outra perspectiva: ele parecia não ter uma identidade verdadeira. Dependia dela para a sua própria autoestima. Era tudo muito servil. Em 1899, para o terror dele, ela rompeu o relacionamento.

A lição é simples: a sua entrada no espírito de alguém deve ser uma tática, uma forma de deixar essa pessoa fascinada. Você não pode ser simplesmente uma esponja absorvendo os humores da outra. Espelhe-os durante muito tempo e ela perceberá o que está acontecendo e sentirá repulsa. Sob a semelhança com ela que você a faz ver, é preciso que você tenha uma forte noção da sua própria identidade. Na hora certa, você tem de trazê-la para o seu espírito, não pode viver no campo dela. Jamais exagere no espelhamento, portanto. Ele só é útil na primeira fase de uma sedução; em algum momento, é preciso inverter a dinâmica.

repetição de si mesmo nos outros. (...) As grandes e implacáveis paixões amorosas estão todas associadas ao fato de um ser humano imaginar que vê o seu eu mais secreto espiando-o por trás da cortina do olhar do outro.
– ROBERT MUSIL, CITADO EM DENIS DE ROUGEMONT, *LOVE DECLARED*

8

CRIE TENTAÇÃO

Deixe o seu alvo fascinado criando a tentação adequada: um vislumbre de prazeres futuros. Como a serpente que tentou Eva com a promessa do conhecimento proibido, você deve despertar nos seus alvos um desejo incontrolável. Descubra aquele ponto fraco, aquela fantasia que ainda está por realizar, e faça com que pensem que você é capaz de levá-los até lá. A chave é manter tudo vago. Pode ser riqueza, aventuras, prazeres proibidos e pecaminosos. Balance o prêmio na frente dos seus olhos, adiando a satisfação, e deixe que a imaginação deles faça o resto. O futuro parece prenhe de possibilidades. Estimule uma curiosidade maior do que as dúvidas e ansiedades que a acompanham, e eles o seguirão.

O OBJETO TANTALIZANTE

Certa vez, na década de 1880, um cavalheiro chamado Don Juan de Todellas passeava por um parque, em Madri, quando viu uma mulher de vinte e poucos anos saindo de uma carruagem acompanhada por uma criança de 2 anos e uma babá. A jovem estava vestida com elegância, mas o que tirou o fôlego de Don Juan foi a sua semelhança com uma mulher que ele havia conhecido três anos antes. Certamente, não podia ser a mesma pessoa. A mulher que ele tinha conhecido, Cristeta Moreruela, era corista de um teatro de segunda classe. Era órfã e muito pobre – sua situação não podia ter mudado tanto. Ele se aproximou: o mesmo rosto bonito. Então, ouviu a sua voz. Ficou tão chocado que precisou se sentar: era mesmo aquela mulher.

Don Juan era um sedutor incorrigível, cujas conquistas eram inúmeras e de todos os tipos. Mas lembrava-se do seu caso com Cristeta muito bem porque ela era muito jovem – a moça mais encantadora que ele já conhecera. Ele a tinha visto no teatro, a cortejara assiduamente e tinha conseguido convencê-la a viajar com ele até uma cidade à beira-mar. Apesar de ficarem em quartos separados, nada era obstáculo para Don Juan: ele inventou uma história sobre problemas nos negócios, conquistou a simpatia dela e, num momento de ternura, aproveitou-se da sua fraqueza. Dias depois, ele a deixou com o pretexto de ter de cuidar dos negócios. Pensou que nunca mais a veria. Sentindo-se um pouco culpado – o que era raro acontecer –, ele lhe enviou cinco mil pesetas fingindo que mais tarde voltaria a estar com ela. Em vez disso, foi para Paris. Só recentemente é que retornara a Madri.

Enquanto estava ali sentado lembrando de toda essa história, uma ideia o perturbava: a criança. Será que o menino era filho dele? Se não fosse, ela deveria ter se casado quase imediatamente depois do namoro dos dois. Como ela pôde fazer uma coisa dessas? Agora, era óbvio que estava rica. Quem seria o marido dela? Estaria a par do seu passado? Misturado à sua confusão havia um intenso desejo. Ela era tão jovem

Por estes dois crimes Tântalo foi punido com a ruína de seu reino e, depois da sua morte pela própria mão de Zeus, com o eterno tormento em companhia de Exíon, Sísifo, Títio, as Danaides e outros. Agora ele pende, perenemente consumido pela sede e pela fome, do galho da árvore frutífera que se inclina sobre um lago pantanoso. Suas ondas batem-lhe na cintura, e às vezes chegam até o seu rosto, mas, quando ele se enclina para beber, elas fogem, e nada resta além da lama escura aos seus pés; ou, se ele consegue com a mão aparar um pouco de água, ela lhe escorre por entre os dedos antes que possa ao menos molhar os lábios rachados, deixando-o com mais sede do que nunca. A árvore está carregada de peras, maçãs lustrosas, figos doces, azeitonas maduras e romãs, que oscilam batendo-lhe

nos ombros; mas sempre que ele estende a mão para pegar o fruto saboroso, um golpe de vento o carrega para longe.
— ROBERT GRAVES, *THE GREEK MYTHS, VOLUME 2*

Don Juan: Arminta, ouça a verdade – pois não são as mulheres amigas da verdade? Sou um nobre, herdeiro da antiga família dos Tenorios, conquistadores de Sevilha. Depois do rei, meu pai é o homem mais poderoso e respeitado na corte. (...) Por acaso eu passava por esta estrada e a vi. O amor às vezes se comporta de um modo que até ele mesmo se surpreende (...)
Arminta: Não sei se o que está dizendo é verdade ou retórica mentirosa. Sou casada com Batricio, todos sabem disso. Como é possível anular o casamento, mesmo que ele me abandone?
Don Juan: Quando o casamento não está consumado, seja por malícia ou fraude, ele pode ser anulado (...)
Arminta: Certo. Mas, por Deus, não vai me abandonar no momento em que tiver me separado de meu marido? (...)

e bela. Por que ele havia desistido tão facilmente? De alguma forma, mesmo que ela estivesse casada, ele a teria de volta.

Don Juan passou a frequentar o parque todos os dias. Ele a viu mais algumas vezes; seus olhares se encontraram, mas ela fingiu não notar. Seguindo atrás da babá em uma de suas missões, ele entabulou com ela uma conversa e perguntou sobre o marido da sua senhora. A criada lhe contou que o homem se chamava Señor Martínez e que estava numa longa viagem de negócios; também lhe disse onde Cristeta morava. Don Juan lhe deu um bilhete para entregar à sua senhora. Em seguida deu um giro, a pé, pela casa de Cristeta – um belo palácio. Confirmaram-se as suas piores suspeitas: ela havia se casado por dinheiro.

Cristeta recusou-se a vê-lo. Ele persistiu, enviando mais bilhetes. Finalmente, para evitar uma cena, ela concordou em se encontrar com ele, só uma vez, no parque. Ele preparou o encontro cuidadosamente: seduzi-la de novo seria uma operação delicada. Mas, ao vê-la se aproximando nas suas roupas bonitas, foi vencido por suas emoções e por sua luxúria. Ela só podia pertencer a ele, nunca a um outro homem, disse-lhe. Cristeta ficou ofendida; obviamente a sua atual situação impedia até que se encontrassem mais uma vez. Mas, por baixo da frieza dela, ele podia sentir vibrar fortes emoções. Implorou para vê-la de novo, mas ela foi embora sem prometer nada. Ele lhe mandou mais cartas, enquanto quebrava a cabeça tentando entender: Quem era esse Señor Martínez? Por que se casaria com uma corista? Como arrancar dele Cristeta?

Finalmente Cristeta concordou em se encontrar mais uma vez com Don Juan, no teatro, onde ele não se arriscaria a provocar um escândalo. Escolheram um camarote, onde poderiam conversar. Ela lhe garantiu que o filho não era dele. Disse que ele só a queria agora porque pertencia a outro, porque não a poderia ter mais. Não, disse ele, estava mudado: faria tudo para tê-la de volta. De um modo desconcertante, em certos momentos os olhos dela pareciam estar flertando com ele. Mas, em seguida, ela parecia prestes a chorar, e descansava a cabeça no ombro dele – só para levantar imediatamente, como se percebesse que isso não estava certo. Era o último encontro dos dois, disse ela, e fugiu. Don Juan ficou fora de si. Ela estava brincando com ele; era uma coquete. Ele estava só dizendo que tinha mudado, mas talvez fosse verdade: nunca fora tratado assim por uma mulher. Ele jamais teria permitido isso.

Nas noites seguintes, Don Juan dormiu mal. Só conseguia pensar em Cristeta. Teve pesadelos em que matava o marido dela, que estava ficando velho e que estava sozinho. Era demais. Ele precisou se ausentar da cidade. Enviou-lhe um bilhete de despedida e, para seu espanto, ela respondeu: queria vê-lo, tinha algo para lhe dizer. Ele já estava fraco demais para resistir. Conforme ela havia solicitado, ele a encontrou numa ponte de noite. Desta vez Cristeta não fez nenhum esforço para se controlar: sim, ela ainda amava Don Juan e estava pronta para fugir com ele. Mas ele deveria ir até a casa dela no dia seguinte, à luz do dia, e levá-la embora. Não poderia haver segredos.

Fora de si com tanta felicidade, Don Juan concordou com as exigências dela. No dia seguinte, apareceu no palácio na hora combinada e pediu para ver a Señora Cristeta. Não havia ninguém ali com esse nome, disse a mulher à porta. Don Juan insistiu: seu nome é Cristeta. Ah, Cristeta, disse a mulher: ela mora lá nos fundos, junto com os outros inquilinos. Confuso, Don Juan foi até os fundos do palácio. Ali ele pensou ter visto o filho dela brincando na rua com as roupas sujas. Mas não, disse para si mesmo, deve ser outra criança. Ele chegou diante da porta de Cristeta e, em vez da criada, ela mesma veio abrir. Ele entrou. Era o quarto de uma pessoa pobre. Penduradas em prateleiras improvisadas, entretanto, estavam as roupas elegantes de Cristeta. Como num sonho, ele se sentou, confuso, e escutou enquanto Cristeta revelava a verdade.

Ela não estava casada, não tinha filho. Meses depois de ser abandonada por ele, percebera que tinha sido vítima de um consumado sedutor. Ainda amava Don Juan, mas estava determinada a virar o jogo. Descobrindo por intermédio de uma amiga em comum que ele tinha voltado para Madri, ela pegou as cinco mil pesetas que ele lhe enviara e comprou roupas caras. Tomou emprestado o filho de uma vizinha, pediu à prima da vizinha que se fingisse de babá da criança e alugou uma carruagem – tudo para criar uma elaborada fantasia que só existiu na mente dele. Cristeta nem precisou mentir: nunca tinha dito que estava casada ou que tinha um filho. Ela sabia que o fato de não poder tê-la só faria com que ele a desejasse mais do que nunca. Era o único modo de seduzir um homem como ele.

Deslumbrado com o empenho dela, e com as emoções que ela tão habilmente despertara nele, Don Juan perdoou Cristeta e propôs casar-se com ela. Para sua surpresa, e talvez alívio, ela educadamente recusou. Assim que estivessem casados, disse ela, os olhos deles se voltariam para outro lugar. Só se continuassem como estavam é que ela se conservaria em posição de superioridade. Don Juan não teve outra escolha senão concordar.

Interpretação. Cristeta e Don Juan são personagens do romance *Dulce y Sabrosa* (*Doce e saborosa*, 1891), do escritor espanhol Jacinto Octavio Picón. A maior parte das obras de Picón trata de homens sedutores e suas vítimas do sexo feminino, um tema que ele estudou e conhecia

Don Juan: Arminta, luz de meus olhos, amanhã seus pés calçarão chinelas de prata polida com botões do ouro mais puro. E seu pescoço de alabastro estará prisioneiro de belos colares; em seus dedos, anéis de ametista cintilarão como estrelas, e de suas orelhas penderão pérolas orientais. Arminta: Sou sua.
— TIRSO DE MOLINA, THE PLAYBOY OF SEVILLE, EM THE THEATRE OF DON JUAN, MANDEL (COORD.)

Mas a serpente, mais sagaz que todos os animais selváticos que o Senhor Deus tinha feito, disse à mulher: "É assim que Deus disse: 'Não comereis de toda árvore do jardim?'" Respondeu-lhe a mulher: "Do fruto das árvores do jardim podemos comer, mas do fruto da árvore que está no meio do jardim, disse Deus 'Dele não comereis, nem tocareis nele para que não morrais.'" Então a serpente disse à mulher: "É certo que não morrereis. Porque Deus sabe que no dia em que dele comerdes se vos abrirão os olhos e, como Deus, sereis conhecedores do bem e do mal." Vendo a mulher que a árvore era boa para se comer, agradável aos olhos,

muito bem. Abandonada por Don Juan, e refletindo sobre a natureza dele, Cristeta decidiu matar dois coelhos com uma só cajadada: ela se vingaria e o teria de volta. Mas como atrair um homem assim? Uma vez provado o fruto, ele não estava mais interessado. O que lhe vinha às mãos facilmente, ou caía em seus braços, não tinha fascínio para ele. O que tentaria Don Juan a desejar de novo Cristeta, a persegui-la, era a ideia de que ela já havia sido colhida, de que ela era o fruto proibido. Esta era a fraqueza dele – era por isso que perseguia virgens e mulheres casadas, mulheres que ele não deveria ter. Para um homem, ela raciocinou, a grama do vizinho é sempre mais viçosa. Ela se transformaria nesse objeto distante, atraente, fora de alcance, tantalizando-o, despertando emoções que ele não conseguiria controlar. A ideia de possuí-la novamente, e o prazer que ele imaginava que isso lhe traria, foi demais para ele: e engoliu a isca.

A tentação é um processo duplo. Primeiro você é coquete, você flerta; estimula um desejo prometendo prazer e distração da rotina diária. Ao mesmo tempo, você deixa claro aos seus alvos que não poderão ter você, pelo menos não de imediato. Você está estabelecendo uma barreira, uma espécie de tensão.

No passado, essas barreiras eram fáceis de criar aproveitando os obstáculos sociais preexistentes – de classe, raça, casamento, religião. Hoje, elas têm de ser mais psicológicas: o seu coração é de outra pessoa; você não está realmente interessado no alvo; um segredo o faz se retrair; o momento é ruim; você não é bom o suficiente para a outra pessoa; a outra pessoa não é boa o suficiente para você, e assim por diante. Por outro lado, você pode escolher alguém que já tenha uma barreira inerente: ela é de outra pessoa, não deve querer você. Essas barreiras são mais sutis do que a variedade social ou religiosa, mas não deixam de ser barreiras e a psicologia continua sendo a mesma. As pessoas se sentem perversamente excitadas pelo que não podem, ou não devem, ter. Crie este conflito interior – a excitação e o interesse existem, mas você não está disponível – e as terá como Tântalo tentando alcançar a água. E como Don Juan e Cristeta, quanto mais você fizer seus alvos perseguirem-no, mais eles se imaginarão como os agressores. A sua sedução fica perfeitamente disfarçada.

*O único modo de se livrar da tentação
é cedendo a ela.*
— Oscar Wilde

---

e árvore desejável para dar entendimento, tomou-lhe do fruto e comeu, e deu também ao marido, e ele comeu. — GÊNESIS 3:1-6, ANTIGO TESTAMENTO

Tu forte sedutora, Oportunidade.
— JOHN DRYDEN

Ouvindo, Masetto sentia um desejo tão forte de ir e ficar com essas freiras que todo o seu corpo formigava de excitação, pois era evidente, pelo que tinha escutado, que seria capaz de conseguir o que tinha em mente. Ao perceber, no entanto, que não chegaria a lugar algum se revelasse suas intenções a Nuto, respondeu: "Fez muito bem em se afastar [do convento]! Que espécie de vida um homem pode ter cercado de tantas mulheres? É o mesmo que viver com um bando de diabos.

CHAVES PARA A SEDUÇÃO

Na maior parte do tempo, as pessoas lutam para manter a segurança e uma sensação de equilíbrio em suas vidas. Se vivessem o tempo todo arrancando suas raízes para sair atrás de cada nova pessoa ou fantasia que lhes passa pela frente, não sobreviveriam à corrida de obstáculos diária. Em geral elas vencem a luta, mas nem sempre é fácil. O mundo está repleto de tentações. Elas leem sobre gente que tem mais dinheiro do que elas, sobre as aventuras que os outros estão vivendo, sobre aqueles que encontraram riqueza e felicidade. A segurança que se esforçam para ter, e que parece que têm em suas vidas, é na verdade uma ilusão. Ela encobre uma tensão constante.

Como um sedutor, você não pode confundir o que as pessoas aparentam ser com a realidade. Você sabe que a luta delas para manter suas vidas em ordem é exaustiva, e que elas vivem consumidas por dúvidas e arrependimentos. É difícil ser bom e virtuoso sempre tendo que reprimir os desejos mais fortes. Não esquecendo disso, a sedução fica mais fácil. O que as pessoas querem não é tentação; tentação acontece todos os dias. O que as pessoas querem é cair em tentação, ceder. Essa é a única maneira de se livrarem da tensão em que vivem. Custa muito mais resistir à tentação do que se entregar.

Sua tarefa, portanto, é criar uma tentação que seja mais forte do que a variedade cotidiana. Ela precisa estar focalizada nelas, voltada para elas individualmente – para seus pontos fracos. Compreenda: todos têm uma fraqueza principal, de onde todas as outras se originam. Encontre essa insegurança gerada na infância, aquilo que falta em suas vidas, e terá a chave para tentá-los. A fraqueza deles pode ser a ganância, a vaidade, o tédio, algum desejo profundamente reprimido, a fome de um fruto proibido. Eles a sinalizam com pequenos detalhes que escapam ao controle consciente: o estilo de se vestir, um comentário fora de hora. No passado deles, e particularmente nos seus romances do passado, encontram-se espalhadas as pistas. Dê-lhes uma potente tentação, talhada sob medida para suas fraquezas, e você pode fazer a esperança de prazer que desperta neles se destacar acima das dúvidas e ansiedades que a acompanham.

Em 1621, o rei Filipe III, da Espanha, queria desesperadamente forjar uma aliança com a Inglaterra casando sua filha com o filho do rei inglês, Jaime I. Jaime parecia disposto a aceitar a ideia, mas procurava ganhar tempo. O embaixador espanhol na corte inglesa, um homem chamado Gondomar, recebeu a tarefa de levar adiante o plano de Filipe. Ele colocou na sua mira o favorito do rei, o duque (ex-conde) de Buckingham.

*Ora, seis em cada sete vezes, elas não sabem o que querem." Mas, quando terminaram a conversa, Masetto começou a pensar no que seria preciso fazer para ir ficar com elas. Sabendo-se capaz de executar as tarefas mencionadas por Nuto, não se preocupava com a possibilidade de perder o emprego, mas temia ser recusado por sua juventude e sua aparência excepcionalmente atraente. E assim, tendo rejeitado vários outros expedientes possíveis, ele no final falou para si mesmo: "O convento é distante e lá ninguém me conhece. Se eu fingir que sou mudo, vão acreditar em mim." Nessa firme convicção, ele se vestiu de pobre, pendurou no ombro um machado e, sem dizer a ninguém para onde ia, partiu para o convento. Ao chegar, ficou andando pelo pátio onde, por sorte, cruzou com o criado e, gesticulando como fazem os mudos, fez-lhe ver que estava mendigando algo para matar a fome em troca de cortar a madeira de que precisavam.
O criado de boa vontade lhe deu alguma coisa para comer e, depois, lhe apresentou a um pilha de toras que*

Nuto não tinha conseguido cortar (...) Mas, quando o criado descobriu que excelente jardineiro ele era, fez um gesto para Masetto perguntando se gostaria de ficar ali, e esse fez sinais para indicar que estava disposto a fazer tudo que o criado desejasse (...) Ora, um dia, quando Masetto descansava depois de um turno de trabalho exaustivo, aproximaram-se dele duas freiras muito jovens que passeavam pelo jardim. Como ele parecia estar dormindo, elas começaram a olhar fixo para ele e a mais ousada disse para a companheira: "Se tivesse certeza de que você é capaz de guardar um segredo, eu lhe contaria sobre uma ideia que já me passou pela cabeça muitas vezes e que pode muito bem nos ser útil a nós duas." "Conte-me", respondeu a outra. "Pode estar certa de que não falarei sobre isso com ninguém."

A ousada começou a falar mais claramente. "Eu me pergunto se você já pensou na vida rígida que levamos, e que os únicos homens que ousam colocar os pés aqui são o criado, que é idoso, e este nosso jardineiro mudo. Mas ouço com frequência contar, por

Gondomar conhecia a principal fraqueza do duque: a vaidade. Buckingham ansiava por glória e aventuras que lhe acrescentassem fama; estava entediado com suas tarefas limitadas, e não parava de reclamar.

O embaixador primeiro o elogiou profusamente – o duque era o homem mais capaz do país e era uma pena que lhe dessem tão pouco para fazer. Em seguida, começou a lhe sussurrar nos ouvidos uma grande aventura. O duque, como Gondomar sabia, era a favor do casamento com a princesa espanhola, mas essas malditas negociações de casamento com o rei Jaime estavam muito demoradas, e não resolviam nada. E se o duque acompanhasse o filho do rei, seu bom amigo príncipe Carlos, até a Espanha?

É claro, isso teria de ser feito em segredo, sem guardas ou escolta, pois o governo inglês e seus ministros jamais aprovariam uma tal viagem. Mas isso tornaria as coisas ainda mais perigosas e românticas. Uma vez em Madri, o príncipe poderia se jogar aos pés da princesa Maria, declarar seu imorredouro amor e voltar com ela para a Inglaterra em triunfo. Que façanha cavalheiresca, e tudo por amor! O duque ficaria com todo o crédito e, durante séculos, o seu nome seria famoso.

O duque gostou da ideia e convenceu Carlos a aceitá-la; depois de muitas discussões, convenceram também o relutante rei Jaime. A viagem por um triz não foi um desastre (Carlos teria de se converter ao catolicismo para conquistar Maria) e o casamento nunca aconteceu, mas Gondomar tinha feito o seu trabalho. Ele não subornou o duque oferecendo-lhe dinheiro ou poder – ele mirou aquele seu lado infantil que não cresceu. Uma criança tem pouca força para resistir. Ela quer tudo, agora, e raramente pensa nas consequências. Todos têm dentro de si uma criança à espreita – um prazer que lhes foi negado, um desejo reprimido. Atinja este ponto, tente-os com o brinquedo adequado (aventura, dinheiro, diversão), e eles despem a sensatez normal do adulto. Reconheça os seus pontos fracos com o comportamento infantil que revelarem no dia a dia – esta é a ponta do iceberg.

Napoleão Bonaparte foi nomeado supremo general do exército francês em 1796. Sua missão era derrotar as forças austríacas que haviam se apossado do Norte da Itália. Os obstáculos eram imensos: Napoleão tinha apenas 26 anos na época; os generais abaixo dele invejavam a sua posição e duvidavam de suas habilidades. Seus soldados estavam cansados, subnutridos, mal pagos e de mau humor. Como motivar esse grupo a combater um exército tão experiente como o austríaco? Ao se preparar para atravessar os Alpes em direção à Itália, Napoleão fez um discurso para suas tropas que pode ter sido o momento decisivo na sua carreira, e na sua vida: "Soldados, vocês estão quase mortos de fome e seminus. O governo lhes deve muito, mas nada pode fazer por vocês. A sua paciência, a sua coragem são motivos de honra, mas não lhes dão nenhuma glória (...) Eu os conduzirei às planícies mais férteis do mundo. Lá vocês encontrarão cidades prósperas, províncias produtivas. Lá vocês colherão honra, glória e riqueza." O discurso teve um efeito poderoso. Dias depois, esses mesmos soldados, após uma dura caminhada montanha acima, viram lá em baixo o vale do Piemonte. As palavras de Napoleão ecoaram em seus ouvidos, e uma gangue esfarrapada e resmungona virou um exército inspirado que varreria todo o Norte da Itália atrás dos austríacos.

Na tentação de Napoleão havia dois elementos: atrás de você está um passado triste; à sua frente, um futuro de riqueza e glória, se você me seguir. Essencial na estratégia de sedução é uma demonstração clara de que o alvo nada tem a perder e tudo a ganhar. O presente oferece pouca esperança, o futuro pode estar repleto de prazeres e excitação. Mas lembre-se de manter vagos, e um tanto inatingíveis, os ganhos futuros. Seja específico demais e irá desapontar; deixe a promessa muito à mão, e você não será capaz de adiar a satisfação o tempo suficiente para conseguir o que deseja.

As barreiras e tensões na tentação estão ali para impedir as pessoas de cederem muito fácil e superficialmente demais. Você quer que elas lutem, resistam, fiquem ansiosas. A rainha Vitória certamente se apaixonou pelo seu primeiro-ministro, Benjamin Disraeli, mas havia barreiras religiosas (ele era um judeu de pele escura), de classe (ela, é claro, era uma rainha), de gosto social (ela era um modelo de virtude, ele um notório dândi).

O relacionamento nunca se consumou, mas que deliciosas eram estas barreiras nos seus encontros diários, cheios de constantes flertes.

Muitas dessas barreiras desapareceram hoje em dia, e portanto precisam ser produzidas – é o único modo de colocar tempero na sedução. Tabus de qualquer tipo são uma fonte de tensão e, agora, eles são psicológicos, não religiosos. Você está procurando alguma repressão, algum desejo secreto que fará a sua vítima sentir um mal-estar se você acertar em cheio, mas que a deixará ainda mais tentada. Busque no passado delas; seja o que for de que elas pareçam ter medo ou procurar fugir pode ser a chave. Talvez seja o anseio por uma figura materna ou paterna, ou um desejo homossexual latente. Quem sabe, você pode satisfazer esse desejo apresentando-se como uma mulher masculina ou um homem feminino. Para outros, você representa a Lolita, ou o papai – alguém que eles não deveriam ter, o lado escuro de suas personalidades. Mantenha a ligação vaga – você quer que eles tentem alcançar algo ilusório, algo que vem da própria mente deles.

várias damas que nos visitam, que todos os outros prazeres do mundo são ninharias em comparação com o que uma mulher experimenta quando está com um homem. Portanto, tenho pensado, visto não ter mais ninguém disponível, que gostaria de descobrir com a ajuda deste sujeito mudo se o que elas falam é verdade. Por acaso, não poderia haver um homem melhor para isso porque, mesmo que ele quisesse, não conseguiria bater com a língua nos dentes. Não saberia nem mesmo explicar, pois, como você mesma pode ver, é um jovem mentalmente retardado e curto de inteligência. Gostaria de saber o que você acha da ideia." "Pobre de mim!", disse a outra. "Não percebe que prometemos a Deus nos mantermos virgens?" "Ah! Estamos sempre Lhe fazendo promessas que nunca cumprimos! Que importância tem se deixarmos de cumprir mais esta? Ele pode encontrar outras moças para preservarem as suas virgindades para Ele." (...) Antes de irem embora, cada uma experimentou repetidas vezes a habilidade para cavalgar do sujeito mudo e, mais tarde, quando estavam ocupadas trocando histórias sobre tudo isso, concordaram que a experiência era tão agradável como tinham sido levadas a crer, na verdade, mais ainda.

E a partir de então, sempre que surgia a oportunidade, elas passavam muitas horas agradáveis nos braços do sujeito mudo.

Um dia, entretanto, aconteceu de uma companheira delas olhar pela janela da sua cela, notar o ir-e-vir e chamar a atenção de outras duas para o que estava acontecendo. Tendo conversado sobre o assunto entre si, no início decidiram entregar as companheiras à abadessa. Mas depois mudaram de ideia e, em comum acordo com as outras duas, dividiram a posse de Masetto. E, devido a várias indiscrições, a estas cinco subsequentemente se juntaram as três restantes, uma após a outra.

Por fim, a abadessa, que ainda não tinha se dado conta de nada, estava passeando pelo jardim num dia muito quente, sozinha, quando cruzou com Masetto esticado, dormindo a sono solto, à sombra de uma amendoeira. A cavalgação em excesso durante a noite o deixava fraco para as tarefas diárias,

Em Londres, em 1769, Casanova conheceu uma jovem chamada Charpillon. Era muito mais nova do que ele, um mulher bonita como ele nunca tinha visto antes, e com fama de destruidora de homens. Num de seus primeiros encontros, a moça lhe disse sem rodeios que ele se apaixonaria por ela e que ela o arruinaria. Para a incredulidade geral, Casanova a perseguiu. Em cada encontro, ela sugeria que talvez cedesse – quem sabe na próxima vez, se ele fosse bonzinho com ela. Ela inflamava a curiosidade dele – que prazer ela renderia; ele seria o primeiro a domá-la. "O veneno do desejo penetrou tão completamente em todo o meu ser", escreveu ele mais tarde, "que, se ela quisesse, poderia ter me despojado de tudo que eu possuía. Eu mesmo teria implorado por um beijinho". Este "caso" na verdade foi a sua ruína: ela o humilhou. Charpillon havia corretamente avaliado que a fraqueza básica de Casanova era a sua necessidade de conquistar, de vencer um desafio, de provar o que nenhum outro homem havia experimentado. Por baixo disso havia uma espécie de masoquismo, um prazer na dor que uma mulher lhe causaria. Fingindo-se de mulher impossível, excitando-o para frustrá-lo em seguida, ela lhe oferecia o máximo da tentação. O que quase sempre funciona é dar ao alvo a sensação de que você é um desafio, um prêmio a ser conquistado. Ao possuir você, eles conseguem o que ninguém mais tem. Podem até sofrer; mas a dor é amiga do prazer, e oferece as suas próprias tentações.

No Antigo Testamento, lemos que "Davi ergueu-se do seu sofá e estava caminhando sobre o telhado da casa do rei. (...) [e] viu do telhado uma mulher se banhando; e a mulher era belíssima". A mulher era Betsabé. Davi a chamou, seduziu-a (supostamente), depois deu início ao processo de se livrar do marido dela, Urias, em batalha. Mas, na verdade, foi Betsabé quem seduziu Davi. Ela se banhou no telhado da sua casa numa hora em que sabia que ele estaria na sacada. Depois de tentar um homem que ela sabia ter um fraco por mulheres, ela se fez de coquete, forçando-o a correr atrás dela. Esta é a estratégia da oportunidade: dê a alguém que é fraco a chance de ter o que tanto deseja colocando-se simplesmente ao seu alcance como por acaso. Tentação quase sempre é uma questão de sincronia, de cruzar o caminho da pessoa fraca no momento certo, dando-lhe a oportunidade de se render.

Betsabé usou o seu corpo inteiro como isca, mas em geral costuma ser mais eficaz usar apenas uma parte do corpo, criando um efeito de fetiche. Madame Récamier permitia um vislumbre de pele por baixo dos vestidos leves que usava, mas apenas rapidamente, ao tirar a capa para dançar. Os homens iam para casa naquela noite sonhando com o pouco que tinham visto. A imperatriz Josefina fazia questão de desnudar os belos braços em público. Dê ao alvo apenas uma parte de você para fantasiar, criando assim um tentação constante em sua mente.

Símbolo:
*A Maçã no Jardim do Éden.
A fruta parece extremamente convidativa, e você não deve comê-la; ela é proibida. Mas é por isso mesmo que você só pensa nela dia e noite. Você a vê, mas não pode tê-la. E a maneira de se livrar desta tentação é render-se e provar a fruta.*

O INVERSO

O inverso da tentação é segurança ou satisfação, e ambos são fatais para a sedução. Se você não consegue tentar alguém a abandonar o seu habitual conforto, não será capaz de seduzir essa pessoa. Se você satisfaz o desejo que despertou, a sedução acabou. Não há inverso na tentação. Embora seja possível pular algumas etapas, nenhuma sedução acontece sem alguma forma de tentação; portanto, é sempre melhor planejá-la cuidadosamente, sob medida para a fraqueza ou infantilidade do seu alvo em particular.

e ali estava ele, com as roupas agitadas na frente pelo vento, completamente exposto. Vendo-se sozinha, a dama ficou com os olhos esbugalhadas diante deste espetáculo e foi tomada pelo mesmo anseio ao qual suas jovens pupilas já haviam sucumbido. Assim, tendo despertado Masetto, ela o levou para o seu quarto, onde o manteve por vários dias, provocando amargas queixas das freiras que reclamavam o trabalho suspenso do seu faz-tudo no jardim. Antes de mandá-lo de volta para o seu próprio alojamento, ela repetidamente saboreou o único prazer para o qual sempre reservara a sua mais feroz desaprovação e, desde então, exigia quinhões suplementares que eram consideravelmente muito maiores do que a sua justa parte.
— GIOVANNI BOCCACCIO, *DECAMERON*

FASE DOIS

DESENCAMINHE – CRIANDO PRAZER E CONFUSÃO

Suas vítimas estão suficientemente intrigadas e o desejo delas por você está aumentando, mas o apego é fraco e a qualquer momento elas podem resolver virar as costas. O objetivo nesta fase é desencaminhar as suas vítimas de tal forma – mantendo-as emotivas e confusas, dando-lhes prazer, mas fazendo com que queiram mais – que não seja mais possível recuar. Uma surpresa agradável fará com que vejam você como alguém encantadoramente imprevisível, mas também as manterá em desequilíbrio (9: Mantenha-os em suspense – O que virá em seguida?). O artifício das palavras doces e agradáveis as deixa embriagadas e estimula fantasias (10: Use o poder demoníaco das palavras para semear confusão). Toques estéticos e pequenos rituais de prazer excitarão os sentidos delas, distrairão a mente (11: Preste atenção aos detalhes).

O maior perigo que você corre nesta fase é a simples sugestão de rotina ou familiaridade. Você precisa conservar algum mistério, manter uma leve distância para que, na sua ausência, suas vítimas fiquem obcecadas por você (12: Poetize a sua presença). Elas podem perceber que estão se apaixonando por você, mas jamais desconfiar do quanto isto se originou de suas manipulações. Uma demonstração oportuna da sua fraqueza, de como você se tornou emotivo sob a influência delas ajudará a encobrir as suas pistas (13: Desarme usando a fraqueza e a vulnerabilidade estratégicas). Para excitar as suas vítimas e deixá-las altamente emotivas, você precisa lhes dar a sensação de estarem mesmo vivendo algumas das fantasias que você despertou em suas imaginações (14: Confunda desejo e realidade – Crie a ilusão perfeita). Ao lhes dar apenas uma parte da fantasia, você as mantém voltando sempre para buscar mais. Ao focalizar a sua atenção nelas de tal forma que o resto do mundo deixa de existir, levá-las até para fazer uma viagem as desencaminhará (15: Isole a vítima). Não há mais volta.

9

MANTENHA-OS EM SUSPENSE – O QUE VIRÁ EM SEGUIDA?

Assim que as pessoas acham que sabem o que esperar de você, o seu encanto sobre elas está quebrado. Mais: você lhes terá cedido o poder. A única maneira de conduzir o seduzido e manter o controle é criar suspense, uma surpresa calculada. As pessoas adoram um mistério, e esta é a chave para atraí-las ainda mais para a sua teia. Comporte-se de um modo que as deixe querendo saber: O que você está pretendendo? Fazer alguma coisa que elas não esperam de você lhes dará uma deliciosa sensação de espontaneidade – elas não conseguirão prever o que virá em seguida. Você está sempre um passo à frente e no controle. Deixe a vítima excitada com uma súbita mudança de direção.

A SURPRESA CALCULADA

Em 1753, com 28 anos de idade, Giovanni Casanova conheceu uma jovem chamada Caterina, por quem se apaixonou. O pai dela sabia que espécie de homem Casanova era e, para evitar algum acidente antes de poder casá-la, a mandou para um convento na ilha de Murano, em Veneza, onde ela ficaria durante quatro anos.

Mas Casanova não era do tipo de se deixar intimidar. Enviava clandestinamente cartas para Caterina. Passou a frequentar a missa no convento várias vezes por semana, vendo-a de relance. As freiras começaram a comentar entre si: quem era este rapaz simpático que aparecia com tanta frequência? Certa manhã, quando Casanova, depois da missa, estava para pegar uma gôndola, uma criada do convento passou por ele e deixou cair aos seus pés uma carta. Pensando que poderia ser de Caterina, ele a pegou. Era realmente para ele, mas não de Caterina; sua autora era uma das freiras do convento que o havia notado em suas muitas visitas e gostaria de conhecê-lo. Ele estaria interessado? Se estivesse, deveria ir ao parlatório do convento a uma determinada hora, quando a freira estaria recebendo uma visita do mundo exterior, uma amiga sua que era condessa. Ele poderia ficar de longe, observando-a, e decidir se ela era do seu gosto ou não.

Casanova ficou muito intrigado com a carta; o estilo tinha dignidade, mas havia também alguma coisa de maroto – particularmente para uma freira. Ele precisava pesquisar mais. No dia e hora indicados, ele se postou na lateral do parlatório do convento e viu uma mulher muito elegante conversando com uma freira sentada por trás de uma treliça. Ele escutou o nome da freira, e ficou surpreso: era Mathilde M., uma conhecida veneziana de vinte e poucos anos cuja decisão de entrar para um convento deixara a cidade surpresa. O que mais o deixou atônito, porém, foi ver que por baixo do seu hábito de freira ela era uma bela jovem, nos olhos particularmente, num tom de azul brilhante. Talvez ela precisasse que lhe fizessem um favor e pretendia usá-lo como instrumento.

Conto tomar [o povo francês] de surpresa. Uma ação ousada perturba a serenidade das pessoas e elas ficam aturdidas com uma grande novidade.
– NAPOLEÃO BONAPARTE, CITADO EM EMIL LUDWIG, NAPOLEON

O primeiro cuidado de um dândi é jamais fazer o que esperam que ele faça, ir sempre além. (...) O inesperado pode ser nada mais que um gesto, mas um gesto que seja totalmente incomum. Alcibíades cortou a cauda do seu cachorro para surpreender as pessoas. Ao ver a cara dos amigos olhando o animal mutilado, ele disse: "Ah, isto é exatamente o que eu queria que acontecesse: enquanto os atenienses ficarem comentando a cauda do meu cachorro, não falarão nada de pior a meu respeito."

Chamar atenção não é o único objetivo de um dândi, ele precisa conservá-la por meios inesperados, até ridículos. Depois de Alcibíades, quantos dândis aprendizes cortaram as caudas de seus cães! O barão de Saint-Cricq, por exemplo, com suas botas de sorvete: num dia de muito calor, ele pediu no Tortonis dois sorvetes, o de baunilha servido na sua bota do pé direito e o de morango na do pé esquerdo. (...) O conde de Saint-Germain adorava levar os amigos ao teatro na sua voluptuosa carruagem forrada de cetim cor-de-rosa e puxada por dois cavalos negros com caudas enormes; ele perguntava aos amigos naquele seu tom inimitável: "O que desejam ver? Vaudeville, o espetáculo de Variedades, o teatro do Palais Royal? Tomei a liberdade de comprar um camarote para cada um dos três." Feita a escolha, com ar de pouco caso, ele pegava os bilhetes não usados, fazia um rolinho e usava para acender o charuto.
– MAUD DE BELLEROCHE, *DU DANDY AU PLAYBOY*

Casanova foi vencido pela curiosidade. Dias depois, retornou ao convento e pediu para vê-la. Enquanto esperava, o coração batia a mil por hora – ele não sabia o que esperar. Ela finalmente apareceu e sentou-se por trás da treliça. Estavam sozinhos na sala, e ela disse que poderia dar um jeito de os dois jantarem juntos numa pequena aldeia ali perto. Casanova ficou encantado, mas quis saber com que tipo de freira estava lidando. "E – você não tem nenhum amante além de mim?", perguntou. "Tenho um amigo, que é também totalmente dono de mim", respondeu ela. "É a ele que devo a minha riqueza." E perguntou se ele tinha uma amante. Sim, ele respondeu. Então, num tom misterioso, ela prosseguiu: "Eu o previno de que, se um dia me deixar tomar o lugar dela em seu coração, nenhum poder na terra será capaz de me arrancar de lá." E, entregando-lhe a chave da casa, lhe disse para ir se encontrar com ela dali a duas noites. Ele a beijou por trás da treliça e saiu atordoado. "Passei os dois dias seguintes num estado de febril impaciência", escreveu ele, "que não me deixava dormir ou comer. Além do berço, da beleza e da inteligência, minha nova conquista possuía um encanto adicional: era o fruto proibido. Eu estava prestes a me tornar rival da Igreja." Ele a imaginava no seu hábito com a cabeça raspada.

Casanova chegou na hora combinada. Mathilde estava esperando. Para sua surpresa, ela vestia um traje elegante e, de algum modo, tinha evitado raspar a cabeça, pois seus cabelos estavam presos num coque magnífico. Casanova começou a beijá-la. Ela resistiu, mas apenas ligeiramente, depois se afastou dizendo que o jantar já estava servido. Durante a refeição, ela preencheu mais algumas lacunas: seu dinheiro lhe permitia subornar determinadas pessoas e, assim, conseguia escapar do convento com frequência. Ela havia falado de Casanova com seu amigo e dono, e ele tinha aprovado a ligação. Era idoso?, Casanova quis saber. Não, respondeu ela, com um brilho no olhar, tem uns 40 anos, e é bastante bonito. Depois do jantar, um sino tocou – o sinal para voltar depressa para o convento, ou seria apanhada. Ela vestiu de novo o hábito e saiu.

Um belo panorama agora se descortinava diante de Casanova, o de meses passados na vila com esta deliciosa criatura, cortesia do misterioso dono que estava pagando tudo. Ele voltou logo ao convento para combinar o próximo encontro. Os dois se encontrariam numa praça em Veneza, depois seguiriam para a vila. Na hora e no local indicados, Casanova viu um homem se aproximar. Temendo que fosse o misterioso amigo, ou algum outro homem enviado para matá-lo, ele recuou. O homem deu a volta por trás dele, depois chegou mais perto: era Mathilde com máscara e roupas masculinas. Ela riu do susto que ele levou.

Que freira diabólica. Ele teve de admitir que, vestida de homem, ela o excitava ainda mais.

Casanova começou a desconfiar de que as coisas não eram exatamente o que pareciam. Por exemplo, ele encontrou uma coleção de romances e panfletos libertinos na casa de Mathilde. Depois ela blasfemou, como ao falar da satisfação que sentiriam juntos durante a Quaresma "mortificando a sua carne". Agora ela se referia ao misterioso amigo como seu amante. Ele começou a imaginar um plano para tirá-la desse homem e do convento fugindo com ela e possuindo-a.

Dias depois, recebeu dela uma carta, na qual confessava: durante um dos seus encontros clandestinos na vila, seu amante tinha se escondido num armário e assistira a tudo. O amante, ela lhe contou, era um embaixador francês em Veneza e tinha ficado impressionado com Casanova. Não era do estilo de Casanova deixar-se enganar dessa forma, mas, no dia seguinte, ele voltou ao convento e, docilmente, combinou mais um encontro. Desta vez ela apareceu na hora certa e ele a abraçou – só para descobrir que estava abraçando Caterina vestida com as roupas de Mathilde. Mathilde tinha ficado amiga de Caterina e conhecia a sua história. Aparentemente com pena da moça, ela deu um jeito para que Caterina pudesse sair do convento naquela noite e se encontrar com Casanova. Meses antes, Casanova estava apaixonado por esta jovem, mas já tinha se esquecido dela. Em comparação com a engenhosa Mathilde, Caterina era uma pretensiosa chata. Ele não conseguiu disfarçar o seu desapontamento. Ardia por ver Mathilde.

Casanova ficou zangado com a peça que Mathilde tinha lhe pregado. Mas, dias depois, ele tornou a vê-la e tudo foi esquecido. Como ela havia previsto na primeira entrevista dos dois, o seu poder sobre ele era total. Ele agora era seu escravo, viciado nos seus caprichos, e nos perigosos prazeres que ela oferecia. Quem sabe as imprudências que ele teria sido capaz de cometer por sua causa se as circunstâncias não interrompessem o romance?

Interpretação. Nas suas seduções, Casanova estava quase sempre no controle. Era ele quem conduzia levando a sua vítima numa viagem para um destino desconhecido, atraindo-a para a sua teia. Nas suas memórias, a história de Mathilde é o único caso de sedução em que o jogo virou favoravelmente: ele é o seduzido, a vítima desnorteada.

O que fez de Casanova um escravo de Mathilde foi a mesma tática que ele tinha usado com inúmeras outras jovens: o fascínio irresistível de ser conduzido por outra pessoa, a emoção de ser surpreendido, o poder do mistério. Cada vez que ele deixava Mathilde, era com a ca-

---

Chahzenã estava sentado perto de uma das janelas que davam para o jardim do rei quando viu uma porta do palácio se abrir e por ela passarem vinte jovens escravas e vinte negros. No meio deles estava a rainha do seu irmão [rei Chahriar], mulher de insuperável beleza. Eles se encaminharam para a fonte, onde todos se despiram e sentaram na grama. A esposa do rei então chamou: "Massud!", e prontamente se aproximou um escravo negro, que a cobriu depois de sufocá-la com beijos e abraços. O mesmo fizeram os negros com as jovens escravas, farreando juntos até a noite chegar...

... E assim Chahzenã relatou [ao seu irmão rei Chahriar] tudo que tinha visto no jardim real naquele dia. (...) Sabendo disso, Chahriar anunciou a sua intenção de partir mais uma vez. As tropas deixaram a cidade com as tendas e o rei foi atrás. Depois de ficar um certo tempo acampado, ele deu ordens aos escravos para não deixar entrar ninguém na tenda do rei. Em seguida, disfarçado, retornou sem ser percebido ao palácio, onde o irmão o aguardava. Os dois sentaram-se diante de uma janela que

dava para o jardim. E não fazia muito tempo que estavam ali quando a rainha e suas mulheres apareceram com os escravos negros e se comportaram como Chahzenã havia descrito. (...) Assim que eles entraram no palácio, o rei Chahriar mandou matar a rainha junto com suas mulheres e os escravos negros. Desde então, ele tomou como hábito levar uma virgem para sua cama como esposa todas as noites, matando-a no dia seguinte. Isso ele fez durante três anos, até o povo se revoltar e fugir do país levando suas filhas. Ora, o vizir tinha duas filhas. A mais velha se chamava Cheherazade, e a mais nova Dinarzade. Cheherazade era muito talentosa e versada na sabedoria dos poetas e nas lendas de reis antigos. Naquele dia, Cheherazade percebeu que o pai estava ansioso e quis saber o motivo de tanta preocupação. Quando o vizir lhe contou sobre a sua difícil situação, ela disse: "Dê-me em casamento a este rei; ou eu morro e servirei de resgate para as filhas de muçulmanos, ou continuo viva e serei a causa da sua libertação." Ele implorou sinceramente que ela não se

beça atordoada de perguntas. A sua habilidade para continuar surpreendendo-o a mantinha sempre presente na sua mente, aumentando o seu encanto e apagando o de Caterina. Cada surpresa era cuidadosamente calculada para o efeito que deveria produzir. A primeira carta inesperada picou a sua curiosidade, como aconteceu também quando ele a viu pela primeira vez na sala de espera; vê-la de repente vestida como uma mulher elegante despertou um intenso desejo; depois, vê-la vestida de homem fortaleceu ainda mais a natureza excitantemente transgressora do romance. As surpresas mexiam com o seu equilíbrio, mas o deixavam palpitante na expectativa de qual seria a próxima. Até uma surpresa desagradável, como a do encontro com Caterina, que Mathilde arranjara, o manteve emotivo e fraco. Encontrar-se com a suave Caterina naquele momento só serviu para que ele desejasse Mathilda ainda mais.

Na sedução, você precisa criar uma tensão e um suspense constantes, um sentimento de que com você nada é previsível. Não pense nisto como um desafio penoso. Você está criando drama na vida real, portanto descarregue nele as suas energias criativas, divirta-se. São inúmeras as surpresas calculadas que você pode fazer às suas vítimas – mandar uma carta inesperada, aparecer de repente, levá-las a um lugar desconhecido. Mas as melhores são as que revelam algo de novo no seu caráter. Isto precisa ser tramado. Nas primeiras semanas, seus alvos tenderão a fazer certos julgamentos precipitados a seu respeito com base nas aparências. Talvez o vejam como uma pessoa um pouco tímida, prática, puritana. Você sabe que esse não é o seu verdadeiro eu, mas é assim que você age em situações sociais. Deixe que tenham essa impressão e, de fato, reforce-a um pouco, sem exageros: por exemplo, pareça um pouco mais reservado do que de costume. Agora você tem espaço para, de repente, surpreendê-los com algum ato ousado, poético ou malicioso. Depois que tiverem mudado de ideia a seu respeito, surpreenda-os de novo, como Mathilde fez com Casanova – primeiro ela é uma freira interessada num romance, depois é uma libertina, em seguida uma sedutora com um traço de sadismo. Enquanto lutam para entender quem você é, ficam pensando em você o tempo todo, e vão querer saber mais a seu respeito. A curiosidade os levará ainda mais fundo na sua teia, até ser tarde demais para voltar atrás.

Esta é sempre a lei dos interessantes. (...) Quem sabe surpreender vence o jogo sempre. A energia da pessoa envolvida fica temporariamente suspensa; torna-se impossível para ela reagir.
– Sören Kierkegaard

CHAVES PARA A SEDUÇÃO

A criança em geral é uma criatura obstinada, teimosa, que fará de propósito exatamente o contrário do que pedimos. Mas existe uma situação em que elas alegremente abandonam a costumeira teimosia: quando lhes prometem uma surpresa. Pode ser um presente escondido numa caixa, um jogo com um final imprevisível, uma viagem para um destino desconhecido, uma história cheia de suspense com um desfecho que ninguém espera. Nestas horas em que a criança fica esperando pela surpresa, a sua força de vontade fica em suspenso. Elas o seguirão servilmente enquanto você balançar diante delas a possibilidade. Este hábito infantil está enraizado lá no fundo de cada um de nós, e é a fonte de um prazer humano elementar: o de ser conduzido por alguém que sabe para onde está indo, e que nos leva para viajar. (Talvez a nossa satisfação em nos deixar transportar esteja relacionada com uma lembrança, muito marcante dentro de nós, de termos sido literalmente carregados por nossos pais quando éramos pequenos.)

Sentimos uma emoção semelhante ao assistir a um filme ou ler um livro de mistério; ficamos nas mãos de um diretor ou autor que nos conduz, levando-nos por passagens intrincadas. Continuamos sentados em nossas poltronas, viramos as páginas, alegremente escravizados pelo suspense. É o prazer que uma mulher sente ao ser conduzida por um dançarino seguro, abandonando qualquer sentimento de defesa que possa ter e deixando o trabalho para a outra pessoa fazer. Apaixonar-se envolve expectativa; estamos prestes a tomar um outro caminho, entrar numa vida nova, onde tudo será estranho. O seduzido quer ser levado, transportado como uma criança. Se você for previsível, o seu encanto se desgasta; o dia a dia é previsível. Nos contos árabes de As mil e uma noites, a cada noite o rei Chahriar toma como esposa uma virgem e, na manhã seguinte, a mata. Uma dessas virgens, Cheherazade, consegue escapar a este destino contando ao rei uma história que só poderá terminar no dia seguinte. Ela faz isso noite após noite, mantendo o rei em constante suspense. Quando uma história termina, ela imediatamente inicia outra. Faz isso durante quase três anos, até que o rei decide que ela não deve morrer. Você é como Cheherazade: sem novas histórias, sem expectativas, a sua sedução morre. Continue alimentando o fogo noite após noite. Seus alvos não devem jamais saber o que virá em seguida – que surpresas você está guardando para eles. Como acontece com o rei Chahriar, eles ficarão sob seu controle enquanto você conseguir mantê-los tentando adivinhar o que vai acontecer.

arriscasse tanto; mas Cheherazade estava decidida e não cederia às súplicas paternas. (...) Assim, o vizir a vestiu com os trajes matrimoniais, enfeitou-a com joias e se aprontou para anunciar o casamento de Cheherazade com o rei.

Antes de se despedir da irmã, Cheherazade lhe deu estas instruções: "Quando o rei me receber, mandarei chamar por você. Então, assim que o rei tiver terminado, você deve dizer: 'Conte-me, minha irmã, uma história maravilhosa para ajudar a passar a noite.' E aí eu lhe contarei um conto que, se for da vontade de Alá, será o nosso meio de libertação."

O vizir levou a filha até o rei. E depois que o rei levou a virgem Cheherazade para a sua alcova e se deitou com ela, a moça começou a chorar e disse: "Tenho uma irmã mais nova de quem gostaria de me despedir."

O rei mandou vir Dinarzade. Quando ela chegou, abraçou-se com a irmã e sentou-se ao seu lado. E então Dinarzade disse a Cheherazade: "Conte-nos, minha irmã, um conto maravilhoso para que a noite se passe mais agradável."

*"Com todo o prazer", respondeu ela, "se o rei permitir."
E o rei, que sofria de insônia, ouviu ansioso a história de Cheherazade: Era uma vez, na cidade de Barrá, um alfaiate próspero que gostava de jogos e diversão. (...)
[Quase três anos se passaram]. Nesse tempo, Cheherazade deu três filhos ao rei Chahriar. Na milésima primeira noite, ao terminar a história de Maruf, ela se levantou, e beijando o chão diante dele, disse: "Grande rei, há mil e uma noites venho lhe contando as fábulas de eras passadas e as lendas de antigos reis. Posso ousar pedir um favor a sua majestade?"
O rei respondeu: "Peça, e lhe será concedido."
Cheherazade chamou as amas dizendo: "Tragam meus filhos." (...) "Veja estes três [meninos] que Alá nos concedeu. Pelo bem deles, eu lhe imploro que poupe a minha vida. Pois se destruir a mãe dessas crianças, elas não encontrarão nenhuma outra mulher que as ame como eu."
O rei abraçou os três filhos e, com os olhos rasos d'água, respondeu: "Juro por Alá, Cheherazade, que você já estava perdoada antes da vinda destas crianças."*

Em 1765, Casanova conheceu uma jovem condessa italiana chamada Clementina que morava com suas duas irmãs. Clementina gostava muito de ler e se interessava pouco pelos homens que enxameavam à sua volta. Casanova somou-se a esse número adquirindo livros para lhe dar de presente, discutindo literatura com ela, mas a jovem condessa não era menos indiferente com ele do que tinha sido com os outros. Então, um dia, ele convidou a família inteira para uma pequena viagem. Não quis dizer para onde iam. Amontoaram-se numa carruagem, o tempo todo tentando adivinhar o seu destino. Poucas horas depois, entraram em Milão – que alegria, as irmãs nunca tinham estado lá. Casanova levou-as para o seu apartamento, onde estavam expostos três vestidos – os mais magníficos que as moças já tinham visto. Havia um para cada irmã, ele lhes disse, e o verde era para Clementina. Atordoada, ela o vestiu e o seu rosto se iluminou. As surpresas não pararam por aí – havia uma refeição deliciosa, champanhe e jogos. Ao retornarem para casa, tarde da noite, Clementina estava perdidamente apaixonada por Casanova.

O motivo é simples: a surpresa cria um momento em que as defesas das pessoas caem e novas emoções entram correndo. Se a surpresa é agradável, o veneno sedutor penetra em suas veias sem que percebam. Qualquer acontecimento repentino tem um efeito semelhante, atingindo diretamente as nossas emoções antes que fiquemos defensivos. Os libertinos conhecem muito bem este poder.

Uma jovem esposa na corte de Luís XV, na França do século XVIII, notou que um simpático e jovem cortesão a observava, primeiro na ópera, depois na igreja. Indagando, ela descobriu que era o duque de Richelieu, o libertino mais notório da França. Nenhuma mulher estava a salvo com este homem, ela foi alertada; era impossível resistir a ele, e ela devia evitá-lo a todo custo. Bobagem, respondeu, era feliz no seu casamento. Ele não poderia seduzi-la. Ao vê-lo novamente, ela achou graça na sua persistência. Ele se disfarçava de mendigo e a abordava no parque, ou de repente o coche dele aparecia ao lado do seu. Nunca era agressivo e parecia bastante inofensivo. Ela permitiu que ele lhe falasse na corte; era encantador e espirituoso, e até pediu para conhecer o seu marido.

As semanas se passaram, e a mulher percebeu que tinha cometido um erro: ela esperava ansiosa para ver o duque. Havia baixado a sua guarda. Isto tinha de acabar. Agora ela começava a evitá-lo e ele parecia respeitar os seus sentimentos: parou de importuná-la. Então, um dia, semanas depois, ela estava na casa de campo de um amigo quando o duque apareceu de repente. Ela corou, tremeu, afastou-se, mas o seu aparecimento inesperado apanhou-a desprevenida – deixou-a nervosa.

Dias depois, ela se tornou mais uma das vítimas de Richelieu. É claro que ele havia armado tudo, inclusive o encontro de surpresa.

O que é repentino não só provoca um solavanco sedutor, como dissimula manipulações. Apareça em algum lugar sem ser esperado, diga ou faça alguma coisa de repente, e as pessoas não terão tempo para imaginar que a sua ação foi calculada. Leve-as para algum lugar novo, como se a ideia de fazer isso tivesse acabado de lhe ocorrer, revele de repente um segredo. Tornadas emocionalmente vulneráveis, elas ficarão atordoadas demais para ver o que você está fazendo. Qualquer coisa que acontece de repente parece natural; e qualquer coisa que parece natural tem um encanto sedutor.

Meses depois de chegar a Paris, em 1926, Josephine Baker já havia encantado e seduzido totalmente o público francês com sua dança selvagem. Em menos de um ano, porém, ela percebeu esse interesse diminuir. Desde criança, detestava sentir que não tinha controle sobre a própria vida. Por que ficar à mercê de um público caprichoso? Ela deixou Paris e voltou um ano depois, totalmente mudada – agora ela representava o papel de uma francesa elegante que, por acaso, também era uma hábil dançarina e atriz. Os franceses se apaixonaram de novo; o poder estava do lado dela. Se você é uma figura muito conhecida pelo público, aprenda este truque da surpresa. As pessoas estão entediadas não só com suas próprias vidas, mas com aqueles que deveriam impedi-las de se sentirem assim. Logo que elas percebem que é possível prever o seu próximo passo, elas o comem vivo. O artista Andy Warhol estava sempre mudando de personagem e ninguém era capaz de prever qual seria o próximo – artista, produtor de cinema, homem da sociedade. Tenha sempre na sua manga uma surpresa. Para conservar a atenção do público, mantenha-o adivinhando. Deixe os moralistas acusarem-no de falta de sinceridade, de não ter coração ou alma. Eles estão é com inveja da liberdade e das brincadeiras que você revela na sua persona pública.

Finalmente, você talvez ache mais sensato se apresentar como alguém confiável, que não se dá a caprichos. Sendo assim, você na verdade é apenas tímido. É preciso coragem e esforço para armar uma sedução. A confiabilidade é ótima para atrair as pessoas, mas continue confiável e não vai passar de um chato. Cães são confiáveis, um sedutor não é. Se, por outro lado, você prefere improvisar, imaginando que qualquer tipo de planejamento ou cálculo é a antítese da surpresa, você está cometendo um erro grave. A constante improvisação significa apenas que você é preguiçoso, e só pensa em si mesmo. O que costuma seduzir uma pessoa é sentir que você se esforçou pensando nela. Não é preciso trombetear aos quatro ventos, mas deixe isso claro nos presentes que

Eu a amei porque vi que era casta e meiga, sábia e eloquente. Que Alá a abençoe, e abençoe seu pai e mãe, seus ancestrais, e todos os seus descendentes. Ó Cheherazade, esta milésima primeira noite é mais clara para nós do que o dia!"
– TALES FROM THE THOUSAND AND ONE NIGHTS

der, nas pequenas viagens que planejar, nas ligeiras provocações com as quais você atrai as pessoas. Pequenos esforços como esses serão mais do que amplamente recompensados pela conquista do coração e da força de vontade do seduzido.

Símbolo:
A Montanha-Russa.
O carro sobe lentamente até o topo,
depois despenca no espaço, chicoteia você
para um lado, joga-o de cabeça para baixo
em todas as direções possíveis. Os passageiros riem
e gritam. O que os emociona é o abandono, o ceder o controle
a uma outra pessoa, que os lança em inesperadas direções.
Que nova emoção os aguarda na próxima curva?

O INVERSO

A surpresa deixa de ser surpreendente se você continua fazendo sempre a mesma coisa. Jiang Qing procurava surpreender o seu marido Mao Tsé-tung com mudanças repentinas de humor, da rispidez à doçura e vice-versa. No início, ele se sentiu cativado; adorava a sensação de nunca saber o que ia acontecer. Mas foi assim durante anos, e era sempre a mesma coisa. Em breve, as oscilações de humor supostamente imprevisíveis de madame Mao o aborreciam. Você deve variar de método. Quando madame Pompadour era a amante do rei Luís XV, um entediado crônico, ela inventava sempre uma surpresa diferente – uma nova diversão, um novo jogo, uma moda nova, um novo estado de espírito. Ele não conseguia jamais prever o que viria em seguida e, enquanto esperava pela próxima surpresa, sua força de vontade ficava temporariamente suspensa. Nenhum homem foi mais escravo de uma mulher do que Luís de madame Pompadour. Quando você mudar de direção, que essa nova direção seja realmente nova.

10

USE O PODER DEMONÍACO DAS PALAVRAS PARA SEMEAR CONFUSÃO

*É
difícil fazer as pessoas
escutarem; elas estão absortas em
seus próprios pensamentos e desejos, e não têm tempo
para os seus. O truque para fazê-las ouvir é dizer o que elas
querem escutar, encher os ouvidos delas com o que for que lhes
seja agradável. Esta é a essência da linguagem sedutora. Inflame as
emoções das pessoas com frases carregadas de energia, distribua elogios, conforte suas inseguranças, envolva-as em palavras doces e promessas e, não só elas escutarão o que você quer lhes dizer, mas perderão a vontade de resistir. Mantenha a sua linguagem vaga,
deixando que elas entendam aquilo que quiserem. Use a
escrita para despertar fantasias e criar um retrato idealizado de si mesmo.*

ORATÓRIA SEDUTORA

No dia 13 de maio de 1958, os franceses da extrema direita e seus simpatizantes no exército assumiram o controle da Argélia, na época colônia francesa. Eles temiam que o governo socialista francês concedesse aos argelinos a sua independência. Agora, com a Argélia sob o seu controle, eles ameaçavam tomar conta de toda a França. A guerra civil parecia iminente.

Neste difícil momento, todos os olhos se voltaram para o general de Gaulle, o herói da Segunda Guerra Mundial, que tinha representado um papel crucial para libertar a França das mãos dos nazistas. Nos últimos dez anos, de Gaulle se mantivera afastado da política, desgostoso com as lutas internas entre os vários partidos. Ele continuava muito popular e era visto em geral como o homem capaz de unir o país, mas era também um conservador e os direitistas estavam certos de que, assumindo o poder, ele apoiaria a causa que defendiam. Dias depois do golpe de 13 de maio, o governo francês – a Quarta República – caiu e o Parlamento chamou de Gaulle para ajudar a formar um novo governo, a Quinta República. Ele pediu e lhe concederam plenos poderes durante quatro meses. No dia 4 de junho, dias depois de se tornar chefe do governo, de Gaulle voou para a Argélia.

Os colonos franceses ficaram em êxtase. Tinha sido o golpe deles que, indiretamente, levara de Gaulle ao poder; sem dúvida, eles imaginaram, ele estava vindo agradecer e lhes garantir que a Argélia ia continuar sendo francesa. Quando ele chegou a Argel, milhares de pessoas lotavam a praça principal da cidade. A multidão delirava. O general, um homem extremamente alto, ergueu os braços sobre a cabeça e a cantoria dobrou de volume. O povo estava implorando que ele participasse. Em vez disso, ele baixou os braços até que se fez silêncio, em seguida os abriu num gesto amplo e lentamente entoou com a sua voz profunda: *"Je vous ai compris"* – Eu compreendo os senhores. Houve um momento de tranquilidade e, em seguida, conforme suas palavras foram assentan-

Depois da Operação Sedição, estão nos oferecendo a Operação Sedução.
– MAURICE KRIEGEL-VALRIMONT, POUCO DEPOIS DE CHARLES DE GAULLE TER ASSUMIDO O PODER

Minha amante encenou uma greve. (...) Eu voltei aos versos e cumprimentos, Minhas armas naturais. Palavras doces Removem severas trancas de porta. Há mágica na poesia, seu poder É capaz de fazer baixar a lua sangrenta, O sol voltar atrás, as serpentes explodirem em pedaços Ou as águas correrem rio acima. Portas não estão à altura deste feitiço, as trancas Mais firmes se abrem com a senha deste encanto. Mas a epopeia é um desastre para mim. Não chego a lugar algum com os pés

ágeis de Aquiles, ou com um dos filhos de Atreu. Aquele tal que desperdiçou vinte anos em guerras e viagens, O pobre Heitor arrastado no pó – Não adianta. Mas esbanje palavras sutis sobre o perfil de uma jovem E mais cedo ou mais tarde ela se oferecerá como pagamento, Uma ampla recompensa pelo seu esforço. Portanto, adeus, Heroicas figuras legendárias – a permuta Que me ofereceis não me tenta. Um bando de beldades Desfalecendo com minhas cantigas de amor – é só o que eu quero.
– OVÍDIO, OS AMORES

Quando ela tiver recebido uma carta, quando o seu doce veneno tiver entrado em seu sangue, então uma palavra é suficiente para fazer explodir o seu amor. (...) A minha presença pessoal impedirá o êxtase. Se eu estiver presente apenas numa carta, então ela poderá facilmente me enfrentar; até certo ponto, ela me confunde com uma criatura mais universal possuída pelo seu amor. E, também, numa carta, pode-se

do, um brado ensurdecedor: ele os compreendia. Era tudo que queriam escutar.

De Gaulle prosseguiu falando da grandeza da França. Mais aplausos. Ele prometeu que haveria novas eleições, e "com esses representantes eleitos, veremos como fazer o resto". Sim, um novo governo, exatamente o que a multidão queria – mais aplausos. Ele "encontraria o lugar para a Argélia" no "conjunto" francês. Deveria haver "disciplina total, sem restrições ou condições" – quem contestaria isso? Ele concluiu com um brado: "*Vive la République! Vive la France!*", o slogan carregado de emoção que havia sido o grito de cerrar fileiras na luta contra os nazistas. Todos gritaram de volta. Nos dias que se seguiram, de Gaulle fez discursos semelhantes por toda a Argélia a multidões igualmente delirantes.

Só depois que de Gaulle voltou para a França é que as palavras dos seus discursos calaram na mente das pessoas: nem uma só vez ele prometeu manter a Argélia francesa. De fato, ele havia sugerido que talvez desse o direito de voto aos árabes, que talvez concedesse uma anistia aos rebeldes argelinos que tinham lutado para forçar os franceses a deixar a colônia. De algum modo, na excitação provocada por suas palavras, os colonos não haviam se concentrado no que elas realmente significavam. De Gaulle enganara todo mundo. E, na verdade, nos meses seguintes, ele trabalhou para conceder à Argélia a sua independência – tarefa que finalmente realizou em 1962.

Interpretação. De Gaulle não estava se importando com uma velha colônia francesa, e com o que ela simbolizava para alguns franceses. Nem ele tinha simpatia alguma por quem quer que fomentasse a guerra civil. Sua única preocupação era fazer da França uma potência moderna. E, por conseguinte, quando foi para Argel ele tinha um plano a longo prazo: enfraquecer os direitistas, fazendo com que brigassem entre si, e trabalhar pela independência da Argélia. Seu objetivo a curto prazo tinha de ser diluir as tensões e conseguir tempo para agir. Ele não ia mentir aos colonos dizendo que apoiava a sua causa – isso lhe arrumaria confusão quando voltasse para casa. Em vez disso, ele os distrairia com uma oratória sedutora, embriagando-os com palavras. Sua famosa frase "Eu compreendo vocês" poderia muito bem ter significado: "Eu compreendo o perigo que vocês representam." Mas uma multidão jubilosa contando com o seu apoio entendeu do jeito que quis. Para mantê-los num nível febril, de Gaulle fez referências emocionais – à Resistência Francesa durante a Segunda Guerra Mundial, por exemplo, e à necessidade de "disciplina", palavra de grande apelo para os direitistas. Ele encheu seus ouvidos de promessas – um novo governo, um futuro glorioso. Ele os fez cantar, criando um vínculo emocional. Ele falou num tom dramático e palpitante de emoção. Suas palavras criaram uma espécie de delírio.

De Gaulle não estava tentando expressar seus sentimentos ou falar a verdade; ele estava tentando produzir um efeito. Esta é a chave da oratória sedutora. Seja falando com um indivíduo isolado ou com uma multidão, faça uma experiência simples: contenha a sua vontade de dizer o que pensa. Antes de abrir a boca, pergunte a si mesmo: O que posso dizer que tenha o efeito mais agradável sobre os meus ouvintes? Com frequência isso inclui adular os seus egos, apaziguar suas inseguranças dando-lhes vagas esperanças para o futuro, mostrando-se solidário com seus esforços ("Eu compreendo vocês"). Comece com algo que seja agradável, e o resto será fácil: as defesas vêm abaixo. As pessoas ficarão receptivas, abertas a sugestões. Pense nas suas palavras como drogas entorpecentes que deixarão as pessoas emotivas e confusas. Mantenha a sua linguagem vaga e ambígua, deixando que os seus ouvintes preencham as lacunas com suas fantasias e imaginações. Em vez de tirá-los de sintonia, irritados e na defensiva, impacientes para que você se cale, eles ficarão maleáveis, felizes com as suas doces palavras.

ESCRITA SEDUTORA

Numa tarde de primavera, no final da década de 1830, numa rua em Copenhague, um homem chamado Johannes vislumbrou uma bela jovem. Pensativa, mas deliciosamente inocente, ela o fascinou e ele a seguiu, à distância, descobrindo onde morava. Ele passou as semanas seguintes indagando e ficou sabendo mais coisas sobre a moça. Seu nome era Cordélia Wahl e vivia com a tia. As duas levavam uma vida tranquila; Cordélia gostava de ler e de ficar sozinha. Seduzir moças era a especialidade de Johannes, mas Cordélia ia ser difícil: ela já havia recusado vários bons pretendentes.

Johannes imaginou que Cordélia talvez esperasse algo mais da vida, alguma coisa grandiosa, que se parecesse com os livros que tinha lido e os sonhos que supostamente preenchiam a sua solidão. Ele arrumou um jeito de ser apresentado e passou a frequentar a casa acompanhado por um amigo chamado Edward. Este jovem tinha suas próprias ideias para cortejar Cordélia, mas era desajeitado e se esforçava demais para agradá-la. Johannes, por outro lado, virtualmente a ignorava, preferindo fazer amizade com a tia. Os dois conversavam sobre as coisas mais triviais – a vida no campo, as notícias publicadas nos jornais. Uma vez ou outra, Johannes enveredava por uma discussão mais filosófica, pois

---

mais prontamente dar livres rédeas à imaginação; numa carta, posso me lançar aos seus pés num estilo soberbo etc. – algo que facilmente pareceria ridículo se feito pessoalmente, e a ilusão se perderia. (...) Em geral, as cartas são, e continuarão sendo, um meio inestimável para impressionar uma jovem; a letra morta da escrita tem muito mais influência do que a palavra viva. A carta é uma comunicação sigilosa; a pessoa é dona da situação, não se sente pressionada com a presença real de ninguém, e acredita que uma jovem prefira estar sozinha com o seu ideal.
– SÖREN KIERKEGAARD, *DIÁRIO DE UM SEDUTOR*

Deixe que a cera pavimente o seu caminho, espalhada em lâminas macias, Deixe que a cera siga na frente como testemunha da sua mente – Leve para ela as suas palavras lisonjeiras, palavras que imitam o amante; E lembre-se, quem quer que você seja, de fazer algumas boas Súplicas. Súplicas foram o que fez Aquiles devolver o Corpo de Heitor a Príamo; até um deus irado

> Se comove com a voz da oração. Faça promessas, que mal há emPrometer? É aqui que qualquer um pode ser generoso. (...)Uma carta persuasivaÉ com que se deve começar, explorar a mente dela, Reconhecer o terreno. Uma mensagem rabiscada numa maçã Traiu Cidipe: ela foi enfeitiçada por suas próprias palavras. Meu conselho, portanto, jovens romanos, é aprender as nobres Artes dos advogados – não só para que possam defender Um cliente trêmulo: uma mulher, não menos do que a populaça, Senador da elite, ou grave juiz, Se renderão à eloquência. Não obstante, disfarcem Seus poderes, evitem palavras extensas, Não pareçam intelectuais demais. Quem, senão um tolo, Declama para sua amante? Um estilo muito empolado Repele as jovens quase sempre. Use uma linguagem comum, Palavras familiares, mas persuasivas – como se Você estivesse ali, diante dela. Se ela recusar a sua carta, Devolvê-la sem a ter lido, seja persistente.
> – OVÍDIO, A ARTE DE AMAR

percebera, com o canto do olho, que nestas ocasiões Cordélia prestava atenção ao que ele dizia, embora fingisse escutar Edward.

Isto continuou por várias semanas. Johannes e Cordélia mal se falavam, mas ele podia ver que a intrigava e que Edward a deixava muito irritada. Certa manhã, sabendo que a tia não estava em casa, ele foi visitá-la. Era a primeira vez que os dois ficavam sozinhos. Da maneira mais seca e polida, ele lhe propôs casamento. Desnecessário dizer que a moça ficou chocada e atarantada. Um homem que nunca demonstrara o menor interesse por ela agora queria se casar? Ficou tão surpresa que entregou o caso para a tia, que, como Johannes esperava, aprovou. Se Cordélia tivesse resistido, a tia teria respeitado a sua vontade; mas ela não resistiu.

Externamente, tudo havia mudado. O casal estava noivo. Johannes agora entrava na casa sozinho, sentava-se ao lado de Cordélia, segurava na sua mão, conversava com ela. Mas, por dentro, ele se certificou de manter as coisas como estavam. Permaneceu distante e polido. Às vezes ele se mostrava mais interessado, particularmente ao falar de literatura (o assunto preferido de Cordélia), mas num determinado ponto ele sempre voltava para questões mais mundanas. Sabia que isso frustrava Cordélia, que tinha esperado que agora ele seria diferente. Mas, até quando saíam juntos, ele a levava para reuniões sociais formais organizadas para casais noivos. Tão convencional! Amor e casamento então era isso, estas pessoas prematuramente envelhecidas falando de casas e de seus próprios enfadonhos futuros? Cordélia, em geral tímida, pediu que Johannes não a arrastasse mais para estas reuniões.

O campo de batalha estava preparado. Cordélia estava confusa e ansiosa. Então, semanas depois do noivado, Johannes lhe mandou uma carta. Nela ele descrevia o seu estado de alma e a sua certeza de que a amava. Falava por metáforas, sugerindo que havia anos esperava, de lanterna na mão, o aparecimento de Cordélia; metáforas fundindo-se com a realidade de trás para a frente. O estilo era poético, as palavras brilhavam de desejo, mas o todo era deliciosamente ambíguo – Cordélia lia e relia a carta umas dez vezes sem saber ao certo o que queriam dizer. No dia seguinte, Johannes recebeu uma resposta. O estilo era simples e direto, mas cheio de sentimento: a carta dele a deixara muito feliz, escreveu Cordélia, e ela não havia imaginado este lado do seu caráter. Ele respondeu por escrito que *estava mudado*. Não disse como nem por quê, mas deduzia-se que era por causa dela.

Agora suas cartas chegavam quase todos os dias. Eram em geral do mesmo tamanho, num estilo poético com um toque de loucura, como se ele estivesse embriagado de amor. Ele falava de mitos gregos, comparando Cordélia a uma ninfa e se dizendo ele mesmo um rio que se apaixonara por uma virgem. Sua alma, ele dizia, era um mero reflexo da imagem dela; ele só tinha olhos e pensamentos para ela. Enquanto isso, ele detectava mudanças em Cordélia: suas cartas eram mais poéticas, menos contidas. Sem perceber, ela repetia as ideias dele, imitando o seu estilo e suas metáforas como se fossem seus. Também, quando se viam pessoalmente, ela ficava nervosa. Ele fazia questão de continuar o mesmo, distante e majestoso, mas tinha certeza de que ela o via de um modo diferente, percebendo nele uma profundidade que não conseguia penetrar. Em público, ela não perdia uma só de suas palavras. Deve ter decorado suas cartas, pois se referia a elas constantemente em suas conversas. Era uma vida secreta que os dois compartilhavam. Quando ela segurava a mão dele, era com mais firmeza do que antes. Seus olhos expressavam uma impaciência, como se estivessem esperando dele, a qualquer momento, uma atitude ousada.

Johannes encurtou suas cartas, mas elas se tornaram mais numerosas, às vezes várias chegavam num mesmo dia. As metáforas ficaram mais físicas e mais sugestivas, o estilo mais desconexo, como se ele mal conseguisse organizar seus pensamentos. Às vezes ele mandava um bilhete com apenas uma ou duas frases. Certa vez, numa festa na casa de Cordélia, ele deixou cair um desses bilhetes na sua cesta de tricô e observou, quando ela saiu correndo para ler, o rosto corado. Nas cartas dela, ele via sinais de emoção e tumulto. Ecoando um sentimento que ele havia sugerido em uma de suas cartas anteriores, ela escreveu que odiava toda essa história de noivado – o amor deles estava muito acima de tudo isso.

Estava tudo pronto. Em breve ela seria dele do jeito que ele queria. Ela romperia com o noivado. Um encontro no campo seria fácil de combinar – de fato, seria ela a propor isso. Esta seria a sedução mais habilmente arquitetada de Johannes.

Interpretação. Johannes e Cordélia são personagens do romance vagamente autobiográfico *Diário de um sedutor* (1843), do filósofo dinamarquês Sören Kierkegaard. Johannes é um sedutor muito experiente que se especializa em trabalhar com a mente da sua vítima. Foi aí exatamente onde os outros pretendentes de Cordélia tinham falhado: eles começavam se impondo, um erro comum. Pensamos que, sendo persistentes, sufocando nossos alvos com atenções românticas, vamos convencê-los do nosso afeto. Pelo contrário, estamos é convencendo-os da nossa impaciência e insegurança. A atenção agressiva não é lisonjeira porque não é personalizada. É a libido desenfreada em funcionamen-

Portanto, quem é incapaz de escrever cartas ou bilhetes jamais será um sedutor perigoso.
– SÖREN KIERKEGAARD, *OU ISTO OU AQUILO*

Em pé, sobre um penhasco do Olimpo, Hera, a deusa do trono de ouro, viu o irmão, que também era irmão do marido, ocupado nos campos da glória humana, e seu coração se alegrou. Em seguida, avistou Zeus no pico mais alto do Ida e se encheu de ressentimento. Hera, a de olhos de novilha, pôs-se a refletir de que modo iludir o espírito de Zeus, portador da égide, e o plano que lhe pareceu melhor foi o de se enfeitar e ir até a Ida, seduzi-lo e depois lançar-lhe sobre as pálpebras e a mente astuta um sono gentil e tranquilo. (...) Quando tudo estava perfeito, ela saiu do quarto, chamou Afrodite e teve com ela uma conversa particular: "Querida filha, faria algo por mim, eu me pergunto, ou se recusaria, zangada porque prefiro os gregos e você, os troianos?" E a filha de Zeus, Afrodite, respondeu: "Deusa venerada como filha de Cronos, fale o que pensa. Diga-me o que deseja e, se me for possível, o farei." Hera, com toda a intenção de enganar: "Dê-me agora o Sexo e o Desejo que você usa para subjugar os imortais e os humanos. (...)" E Afrodite, amiga dos sorrisos: "Como posso, ou poderia, recusar a alguém que dorme nos braços de Zeus todo-poderoso?" E com isso, ela desamarrou do seio uma tira bordada com amuletos mágicos. Estão ali contidos o Sexo e o Desejo, e sedutoras Palavras Doces, que fazem até os sensatos perderem a cabeça. (...) Hera estava rápido se aproximando do Gárgaro, o pico mais alto do Ida, quando Zeus a avistou. E, ao vê-la, o desejo tomou conta dele, como da primeira vez que tinham se amado, enfiando-se na cama às escondidas dos pais. De pé ao lado dela, ele disse: "Hera, por que deixou o Olimpo? E onde estão seus cavalos e carros?" e Hera, com intenção de enganar: "Vou

to; o alvo percebe isso. Johannes é esperto demais para começar de um modo tão óbvio. Em vez disso, ele dá um passo atrás, deixando Cordélia intrigada ao agir com uma certa frieza e, cuidadosamente, criando a impressão de ser um homem formal, ou pouco misterioso. Só então ele a surpreende com a sua primeira carta. Obviamente existe algo mais nele do que ela havia pensado e, no momento em que ela acredita nisso, a sua imaginação se descontrola. Agora ele pode excitá-la com suas cartas, criando uma presença que a persegue como um fantasma. As palavras dele, com suas imagens e referências poéticas, não lhe saem da cabeça. E esta é a maior de todas as seduções: possuir a sua mente antes de agir para conquistar o seu corpo.

A história de Johannes mostra que boa arma pode ser uma carta no arsenal de um sedutor. Mas é importante aprender como incorporar cartas na sedução. É melhor não começar a sua correspondência antes que se passem pelo menos várias semanas após o seu contato inicial. Deixe a vítima ficar impressionada: você parece intrigante, mas não demonstra nenhum interesse em particular. Quando perceber que ela está pensando em você, é hora de atingi-la com a sua primeira carta. Qualquer desejo que você expressar por ela surgirá como uma surpresa; a sua vaidade ficará em cócegas e ela desejará mais. Agora aumente a frequência das suas cartas, de fato mais do que a sua presença pessoal. Isto vai lhe dar tempo e espaço para idealizar você, o que seria mais difícil se os dois estivessem sempre frente a frente. Depois de fascinada, você pode sempre dar um passo atrás diminuindo a frequência das cartas – deixe que ela pense que você está perdendo o interesse e ela ficará ávida por mais.

Planeje suas cartas como homenagens aos seus alvos. Faça tudo que você escreve repercutir na mente deles como se fosse a única coisa em que você é capaz de pensar – um efeito delirante. Se contar uma anedota, faça com que tenha alguma relação com eles. Sua correspondência é uma espécie de espelho que você está segurando diante deles – eles se veem refletidos através do seu desejo. Se, por algum motivo, não gostarem de você, escreva-lhes como se gostassem. Lembre-se: o tom das suas cartas é o que vai deixá-los interessados. Se a sua linguagem é elevada, poética, criativa no seu louvor, eles ficarão contagiados, querendo ou não. Jamais discuta, jamais se defenda, jamais acuse-os de serem insensíveis. Isso arruinaria o encanto.

Uma carta pode sugerir emoção ao parecer desordenada, divagando de um assunto a outro. Nitidamente, pensar está difícil para você, o seu amor o deixou confuso. Pensamentos desordenados são pensamentos excitantes. Não perca tempo com informações reais; concentre-se em sentimentos e sensações usando palavras repletas de conotações. Plante ideias semeando sugestões, escrevendo sugestivamente sem se explicar. Não discurse, não pareça intelectualizado ou superior – você só vai passar a imagem de pomposo, o que é mortal. É muito melhor usar um estilo coloquial, embora com um toque poético para elevar a linguagem acima do lugar-comum. Não seja sentimental – é cansativo e direto demais. Melhor sugerir o efeito que o alvo tem sobre você do que ser muito efusivo quanto aos seus próprios sentimentos. Permaneça vago e ambíguo, deixando espaço para o leitor imaginar e fantasiar. Você escreve não para se expressar, mas para criar emoções no leitor, disseminando a confusão e o desejo.

Você vai saber quando suas cartas estão alcançando o efeito desejado assim que os seus alvos começarem a espelhar as suas ideias, repetindo as palavras que você escreve, seja nas cartas que eles mesmos redigem ou pessoalmente. Esta é a hora de passar para um nível mais físico e erótico. Use uma linguagem vibrante de conotações sexuais, ou, melhor ainda, que sugira sexualidade tornando suas cartas mais curtas, mais frequentes e mais desordenadas ainda do que antes. Não há nada mais erótico do que um bilhete curto e abrupto. Seus pensamentos quedam inacabados; só poderão ser completados pela outra pessoa.

Sganarelle a Dom Juan: Bem, o que tenho a dizer é (...) Não sei o que dizer; pois você expressa as coisas de uma tal forma com suas palavras, que parece ter razão; e, no entanto, a verdade é que você não tem. Eu tinha as ideias mais excelentes do mundo, e suas palavras as confundiram totalmente.
— Molière

CHAVES PARA A SEDUÇÃO

Raramente pensamos antes de falar. É da natureza humana dizer a primeira coisa que vem à cabeça – e, quase sempre, essa primeira coisa é sobre nós mesmos. Usamos as palavras basicamente para expressar nossos próprios sentimentos, ideias e opiniões. (Também para nos queixar e discutir.) Isto porque geralmente estamos preocupados com nós mesmos – a pessoa que mais nos interessa é o nosso próprio eu. Até certo ponto, isto é inevitável e, na maioria das situações pelas quais passamos em nossas vidas, não há nada de errado com isso: podemos funcionar muito bem assim. Mas, na sedução, essa atitude limita o nosso potencial.

Você não pode seduzir se não tiver capacidade para sair da própria pele e entrar na do outro, penetrando na psicologia dele. A chave da

---

*visitar os confins da terra, e o Pai Oceano e a Mãe Tétis que me alimentaram e cuidaram de mim em sua casa. (...)"
E Zeus, as nuvens amontoando-se ao seu redor: "Você pode ir lá depois. Vamos para cama agora e fazer amor. Nunca uma deusa ou mulher me fez sentir tão dominado pelo desejo. (...) Jamais amei alguém como a amo agora, jamais nas garras de um amor tão doce." E Hera, querendo enganar: "Que coisa para se dizer, meu temível senhor. Imagine nós dois deitados aqui no Ida e nos amando a céu aberto em plena luz do dia! E se um dos Imortais nos visse adormecidos e fosse contar a todos os outros deuses? Eu não poderia mais voltar para casa. Seria uma vergonha. Mas, se realmente deseja fazer isto, há o quarto de dormir que seu querido filho Hefesto construiu para o pai com portas bem sólidas. Vamos até lá e nos deixemos, visto que está com disposição." E Zeus, acumulador de nuvens, respondeu: "Hera, não se preocupe que deuses ou homens nos vejam. Eu a envolverei numa nuvem tão densa e dourada que nem Hélio conseguiria nos vigiar, e não há luz para se*

> *ver mais forte do que a dele."*
> – HOMERO, ILÍADA

> ANTÔNIO: *Amigos, romanos, compatriotas, prestem atenção; vim para enterrar César, não para louvá-lo. O mal que os homens fazem sobrevive a eles; o bem quase sempre é enterrado junto com seus ossos. Que seja assim com César. (...) Falo, não para contestar as palavras de Brutus, mas estou aqui para dizer o que sei. Todos vocês o amaram um dia, não sem razão. O que os impede, portanto, de chorar por ele? Ah, discernimento, fugiu para as feras brutais e os homens perderam a razão! Sofram comigo. Meu coração está aqui no esquife, com César, e preciso parar até que ele retorne para mim. (...)*
> PLEBEU: *Pobre alma! Seus olhos estão vermelhos como fogo de tanto chorar.*
> PLEBEU: *Não há homem mais nobre em Roma do que Antônio.*
> PLEBEU: *Agora atenção. Ele voltou a falar.*
> ANTÔNIO: *Mas, ontem, a palavra de César podia ter enfrentado o mundo. Agora, ali está ele, e ninguém com humildade para lhe prestar*

linguagem sedutora não são as palavras que você pronuncia, ou o seu tom de voz sedutor; é a mudança radical de perspectivas e hábitos. Você precisa parar de dizer a primeira coisa que lhe vem à cabeça – você tem de controlar o impulso de abrir a boca e sair falando o que pensa. A chave é ver as palavras como uma ferramenta, não para comunicar ideias e sentimentos reais, mas para confundir, deliciar e inebriar.

A diferença entre linguagem normal e linguagem sedutora é a mesma que existe entre ruído e música. O ruído é uma constante na vida moderna, algo irritante cujo volume abaixamos se for possível. A nossa linguagem normal é como o ruído – as pessoas podem estar nos ouvindo semiatentas enquanto falamos de nós mesmos, mas com a mesma frequência seus pensamentos estão a quilômetros de distância. De vez em quando, empinam as orelhas quando algo que dizemos as toca, mas isto dura apenas até voltarmos a mais uma das histórias sobre nós mesmos. Desde crianças, aprendemos a reduzir o volume deste tipo de ruído (particularmente quando ele vem de nossos pais).

A música, por outro lado, é sedutora e entra na nossa pele. A intenção dela é o prazer. Uma melodia ou um ritmo ficam no nosso sangue durante dias depois que os escutamos, alterando nossos humores e emoções, nos deixando relaxados ou nos excitando. Para fazer música em vez de ruído, você deve dizer coisas que agradem – coisas relacionadas com as vidas das pessoas, coisas que toquem na vaidade delas. Elas têm muitos problemas, você pode produzir o mesmo efeito distraindo-as, focalizando a atenção delas para fora de si mesmas ao dizer coisas espirituosas ou divertidas, ou que façam o futuro parecer brilhante e cheio de esperança. Promessas e elogios são música para o ouvido de qualquer pessoa. Esta é a linguagem destinada a comover as pessoas e baixar a resistência delas. É a linguagem criada para elas, não direcionada para elas.

O escritor italiano Gabriele D'Annunzio não era atraente fisicamente, mas as mulheres não resistiam a ele. Mesmo as que conheciam a sua fama de dom-juan, e não gostavam dele por causa disso (a atriz Eleanora Duse e a dançarina Isadora Duncan, por exemplo), ficaram enfeitiçadas por ele. O segredo era a fluência das palavras com que envolvia uma mulher. Sua voz era musical, sua linguagem poética e, o mais devastador de tudo, ele sabia como lisonjear. Seus elogios tinham como endereço exatamente os pontos fracos de uma mulher, as áreas onde ela precisava de confirmação. A mulher era bonita, mas sentia-se insegura quanto à própria espirituosidade e inteligência? Ele fazia questão de dizer que estava fascinado não só por sua beleza, mas por sua mente. Ele a comparava a uma heroína da literatura, ou a uma personagem cuidasamente escolhida da mitologia. Conversando com ele, o ego da mulher dobrava de tamanho.

Elogio é linguagem sedutora na sua forma mais pura. O seu propósito não é expressar uma verdade ou um sentimento real, mas apenas causar um efeito em quem o recebe. Como D'Annunzio, aprenda a mirar o seu elogio diretamente no ponto fraco de uma pessoa. Por exemplo, se um homem é um excelente ator e tem confiança no seu talento profissional, elogiá-lo por sua atuação não causará um grande efeito, e pode até alcançar o resultado oposto – ele talvez se sinta acima da necessidade de ter o ego afagado e o seu elogio lhe dirá o contrário. Mas digamos que este ator é um músico ou pintor amador. Ele faz este trabalho por conta própria, sem apoio profissional ou publicidade e tem consciência de que outras pessoas ganham a vida com isso. O elogio de suas pretensões artísticas lhe subirá imediatamente à cabeça e conquistará para você pontos duplos. Aprenda a farejar as partes do ego de uma pessoa que precisam de confirmação. Faça disso uma surpresa, algo que ninguém antes tinha pensado em elogiar – algo que você pode descrever como um talento ou qualidade positiva que os outros não notaram. Fale com um leve tremor na voz, como se estivesse profundamente emocionado com os encantos do seu alvo.

O elogio pode ser uma espécie de preliminar verbal. Os poderes sedutores de Afrodite, que se dizia virem de um cinturão magnífico que ela vestia, incluíam uma linguagem doce – uma habilidade no uso de palavras delicadas e enaltecedoras que preparam o caminho para pensamentos eróticos. Inseguranças e uma persistente falta de confiança em si mesmo embotam a libido. Faça seus alvos se sentirem seguros e fascinantes com suas palavras enaltecedoras e a resistência deles derreterá.

Às vezes a coisa mais agradável de se escutar é a promessa de algo maravilhoso, um futuro indefinido porém cor-de-rosa que está bem ali, virando a esquina. O presidente Franklin Delano Roosevelt, nos seus discursos, falava pouco sobre programas específicos para enfrentar a Depressão; em vez disso, usava uma retórica inflamada para pintar o quadro de um futuro glorioso para a América. Nas diversas lendas sobre Dom Juan, o grande sedutor focalizava imediatamente a atenção das mulheres no futuro, num mundo fantástico para onde ele prometia carregá-las. Molde as suas palavras sob medida de acordo com os problemas e fantasias de seus alvos. Prometa alguma coisa que possa se realizar, algo possível, mas não a especifique demais; você está convidando-os a sonhar. Se estiverem atolados numa rotina monótona, fale de aventuras, de preferência com você. Não discuta como isso será feito; fale como se magicamente isso já existisse em algum lugar do fu-

reverência. Ó mestres! Se eu estivesse disposto a incitar seu coração e sua mente ao motim e ao ódio, eu prejudicaria Brutus, e prejudicaria Cássios, que, todos sabem, são homens honrados. Eu não lhes farei mal... Mas aqui está um pergaminho com o selo de César. Eu o encontrei no seu armário; é o seu testamento. Deixe só o povo ouvir este testamento, que (perdoem-me) não pretendo ler, e irão correndo beijar as feridas de César morto e mergulhar seus lenços no seu sangue sagrado. (...)
PLEBEU: Queremos ouvir o testamento! Leia, Marco Antônio!
ANTÔNIO: Paciência, gentis amigos: não devo ler. Não convém a vocês agora saber o quanto César os amava. Não são pau nem pedra, mas homens; e, sendo homens, ouvir o testamento de César os deixará excitados e furiosos. É bom que não saibam que são seus herdeiros; pois, se souberem, ah, o que resultaria disso? (...) Se têm lágrimas, preparem-se para vertê-las agora. Todos vocês conhecem este manto, eu lembro quando César o vestiu pela primeira vez. (...) Vejam, aqui atravessou a adaga de Cássio. Vejam o rasgo que fez o invejoso Casca. Por aqui, o

> amado Brutus, apunhalou; e, ao arrancar o seu aço amaldiçoado, notem como o sangue de César o seguiu. (...) Pois Brutus, como sabem, era o anjo de César. Julguem, ó deuses, o quanto César o amava! Este foi o corte mais cruel de todos; pois, quando o nobre César o viu apunhalar, a ingratidão, mais forte do que os braços do traidor, o subjugou totalmente. (...) Ah, agora choram, e percebo que sentem a força da compaixão. Estas são gotas de misericórdia. Almas bondosas, o que choram ao contemplar as vestes de nosso César ferido? Vejam! Aqui está ele mesmo, desfigurado, como veem, por traidores.
> – WILLIAM SHAKESPEARE, JULIUS CAESAR

turo. Erga o pensamento das pessoas até as nuvens, e elas relaxarão, suas defesas cairão, e será muito mais fácil monobrá-las e desviá-las do caminho em que estão. Suas palavras tornam-se uma espécie de droga excitante.

A forma de linguagem mais antissedutora é a argumentação. Quantos amigos silenciosos você criou argumentando? Existe um meio melhor de fazer as pessoas ouvirem e se convencerem: o humor e um toque leve. O político do século XVIII Benjamin Disraeli era mestre neste jogo. No Parlamento, deixar de responder a uma acusação ou injúria era um erro fatal: o silêncio significava que o acusador tinha razão. Mas reagir com raiva, discutir, era se mostrar mal-humorado e defensivo. Disraeli usava uma tática diferente: ele se mantinha calmo. Quando chegava a hora de responder a um ataque, ele caminhava lentamente até a mesa do orador, fazia uma pausa e, em seguida, pronunciava uma réplica humorística ou sarcástica. Todos riam. Agora que ele havia despertado o interesse das pessoas a seu favor, ele dava prosseguimento à refutação do seu inimigo, ainda misturando um ou outro comentário divertido; ou, talvez, simplesmente mudasse de assunto, como se fosse superior a tudo aquilo. Seu humor eliminava o ferrão de qualquer ataque que lhe fizessem. Risos e aplausos têm um efeito dominó: depois que seus ouvintes já riram uma vez, é mais provável que tornem a rir de novo. Neste estado de espírito mais leve, eles ficam mais aptos a escutar. Um toque sutil e uma leve ironia abrem espaço para você convencê-los, trazê-los para o seu lado, rir dos seus inimigos. Essa é a forma de argumentação sedutora.

Pouco depois do assassinato de Júlio César, o chefe do grupo de conspiradores que o matara, Brutus, fez um discurso para uma turba enraivecida. Ele tentou argumentar com a multidão explicando que desejara salvar a República Romana da ditadura. O povo ficou momentaneamente convencido – sim, Brutus parecia um homem decente. Então, Marco Antônio subiu à tribuna e, por sua vez, proferiu um panegírico a Júlio César. Parecia emocionadíssimo. Falou do seu amor por César, e do amor de César pelo povo romano. Mencionou o testamento de César; a multidão clamou para ouvi-lo, mas Antônio disse que não, pois se o lesse eles saberiam o quanto César os havia amado e o quanto esse assassinato era um ato de covardia. A multidão de novo insistiu para que ele lesse o testamento; mas ele ergueu o manto de César, ensanguentado, fazendo notar os furos e rasgões. Aqui Brutus esfaqueou o grande general, ele disse; Cássio apunhalou aqui. Depois, finalmente, ele leu o testamento, que falava da riqueza que César havia deixado para o povo romano. Este foi o golpe de misericórdia – a multidão virou-se contra os conspiradores e saiu dali para linchá-los.

Antônio era um homem esperto, que sabia como excitar uma multidão. Segundo Plutarco, o historiador grego, "ao ver que a sua oratória havia deixado o povo fascinado e que eles estavam profundamente comovidos com suas palavras, ele começou a introduzir em seus louvores [a César] um tom de condolência e indignação pelo destino de César". A linguagem sedutora tem como alvo as emoções das pessoas porque é mais fácil enganar quem já está emotivo. Antônio usou vários artifícios para emocionar a multidão: um tremor na voz, um tom triste e depois zangado. Uma voz emocionada tem um efeito imediato, se não contagiante, sobre o ouvinte. Antônio também provocou a turba com o testamento, guardando a leitura para o final, sabendo que isto os enervaria. Ao erguer o manto, ele tornou a sua imagem retórica visceral.

Talvez você não esteja tentando levar uma multidão ao delírio; você só quer trazer as pessoas para o seu lado. Escolha a sua estratégia e as suas palavras com cuidado. Você pode achar melhor argumentar com elas, explicar as suas ideias. Mas, para uma plateia, é difícil decidir se um argumento é razoável enquanto escuta você falar. Ela precisa se concentrar e ouvir com muita atenção, o que exige um grande esforço. As pessoas se distraem facilmente com outros estímulos e, se perdem uma parte do seu argumento, sentem-se confusas, intelectualmente inferiores e vagamente inseguras. É mais convincente apelar para o coração das pessoas do que para sua mente. Todos compartilham emoções, e ninguém se sente inferior a um orador que desperta seus sentimentos. A multidão se une, todos contagiantemente experimentando as mesmas emoções. Antônio falou de César como se ele e os ouvintes estivessem sentindo a morte de César pelo mesmo ponto de vista. O que poderia ser mais provocante? Use essas mudanças de perspectiva para fazer seus ouvintes sentirem o que você está dizendo. Orquestre os seus efeitos. É mais eficaz passar de uma emoção para outra do que bater numa nota só. O contraste entre o afeto de Antônio por César e a sua indignação com os assassinos foi ainda mais forte do que se ele tivesse ficado com um sentimento ou com o outro.

As emoções que você está tentando despertar devem ser fortes. Não falo de amizade e discórdia; falo de amor e ódio. E é crucial tentar sentir um pouco das emoções que está tentando trazer à tona. Você se torna mais confiável assim. Isto não deve ser difícil: imagine as razões para amar ou odiar antes de abrir a boca. Se necessário, pense em alguma coisa do seu passado que encha você de raiva. Emoções são contagiantes; é mais fácil fazer alguém chorar se você mesmo estiver chorando. Faça da sua voz um instrumento e treine para comunicar emoções. Aprenda a parecer sincero. Napoleão estudava os grandes atores da época e, quando estava sozinho, praticava colocar emoção na sua voz.

O objetivo do discurso sedutor é o de criar uma espécie de hipnose: você está distraindo as pessoas, baixando as suas defesas, tornando-as mais vulneráveis à sugestão. Aprenda as lições de repetição e afirmação do hipnotizador, elementos-chave para adormecer um paciente. A repetição consiste em proferir sempre a mesma palavra, de preferência uma que tenha conteúdo emocional: "impostos", "liberais", "fanáticos". O efeito é hipnotizante – ideias podem ficar implantadas para sempre no inconsciente das pessoas, bastando para isso repeti-las com bastante frequência. Afirmação é simplesmente fazer afirmativas fortes e positivas, como os comandos do hipnotizador. A linguagem sedutora deve ter uma espécie de ousadia, o que vai dissimular milhares de pecados. Sua audiência ficará tão surpresa com a sua linguagem ousada que não terá tempo para refletir se o que você está dizendo é verdade ou não. Jamais diga: "Não acho que o outro lado tomou uma decisão acertada"; diga: "Merecemos coisa melhor", ou "Eles confundiram as coisas". A linguagem afirmativa é uma linguagem ativa, cheia de verbos, imperativos e frases curtas. Corte os "Eu acredito", "Talvez", "Na minha opinião". Vá direto à essência.

Você está aprendendo a falar um tipo diferente de linguagem. A maioria das pessoas usa apenas a linguagem simbólica – suas palavras significam coisas reais, os sentimentos, as ideias e as crenças que realmente possuem. Ou representam coisas concretas no mundo real. (A origem da palavra "simbólico" está numa palavra grega que significa "juntar as coisas" – neste caso, uma palavra e algo real.) Como um sedutor, você está usando o oposto: a linguagem *diabólica*. Suas palavras não significam nada real; o som delas, e os sentimentos que evocam, são mais importantes do que aquilo que se supõe que signifiquem. (A palavra "diabólico", basicamente, quer dizer separar, dividir as coisas – aqui, palavras e realidade.) Quanto mais você fizer as pessoas se concentrarem na sua linguagem maviosa, e nas ilusões e fantasias que ela evoca, mais você as separa da realidade. Você as conduz até as nuvens, onde é difícil distinguir entre a verdade e o que não é verdade, entre o real e o irreal. Mantenha as suas palavras vagas e ambíguas para que as pessoas nunca saibam exatamente o que você está querendo dizer. Envolva-as numa linguagem demoníaca, diabólica, e elas não serão capazes de focalizar as suas manobras, as possíveis consequências da sua sedução. E, quanto mais elas se perdem em ilusões, mais fácil será desviá-las de seus caminhos e seduzi-las.

Símbolo:
*As Nuvens. Nas nuvens,
é difícil ver as coisas com precisão.
Tudo parece vago; a imaginação dispara,
enxergando coisas que não existem ali. Suas
palavras devem levar as pessoas até as nuvens,
onde é fácil para elas se perderem.*

O INVERSO

Não confunda linguagem floreada com sedução: usando a linguagem floreada, você corre o risco de irritar as pessoas, de parecer pretencioso. Excesso de verbosidade é sinal de egoísmo, de incapacidade de controlar as suas próprias tendências naturais. Quase sempre, tratando-se de linguagem, menos é mais; a frase imprecisa, vaga, ambígua deixa mais espaço para a imaginação do ouvinte do que a cheia de expressões bombásticas e autoindulgências.

Você deve sempre pensar primeiro nos seus alvos, e no que será agradável aos ouvidos deles. Haverá muitas ocasiões em que será melhor guardar silêncio. O que você não diz pode ser sugestivo e eloquente, dando um ar de mistério. No diário da corte japonesa do século XI *The Pillow Book of Sei Shonagon*, o conselheiro Yoshichika fica intrigado com uma dama que vem numa carruagem silenciosa e bela. Ele lhe manda um bilhete, e ela responde com outro; ele é o único a ler, mas, por sua reação, todos percebem que é de mau gosto, ou está mal escrito. O bilhete estragou o efeito da beleza da mulher. Shonagon escreve: "Ouvi dizer que nenhuma resposta é melhor do que uma resposta ruim." Se você não é eloquente, se não domina a linguagem sedutora, pelo menos aprenda a frear a língua – use o silêncio para cultivar uma presença enigmática.

Finalmente, a sedução tem passo e ritmo. Na fase um, você é cauteloso e indireto. Quase sempre é melhor disfarçar as suas intenções, deixar o seu alvo à vontade com palavras deliberadamente neutras. A sua conversa deve ser inofensiva, até um pouco amena. Nesta segunda fase, você se volta mais para o ataque; é a hora da linguagem sedutora. Agora, quando você os envolver em suas palavras e cartas sedutoras, isso aparecerá como uma agradável surpresa. Vai lhes dar a sensação imensamente agradável de serem eles a inspirar em você, de repente, tanta poesia e tantas palavras inebriantes.

11

PRESTE ATENÇÃO AOS DETALHES

Frases de amor grandiloquentes e gestos grandiosos podem ser suspeitos: Por que você se esforça tanto para agradar? Os detalhes da sedução – os gestos sutis, as coisas que você faz de improviso – são quase sempre mais charmosos e reveladores. Você precisa aprender a distrair suas vítimas com milhares de pequenos rituais agradáveis – presentes atenciosos feitos sob medida para elas, roupas e adornos desenhados para agradá-las, gestos que mostram o tempo e a atenção que você está lhes dedicando. Todos os sentidos delas estão envolvidos nos detalhes que você orquestra. Crie espetáculos para ofuscar os seus olhos; hipnotizadas pelo que estão vendo, não perceberão as suas reais intenções. Aprenda a sugerir com os detalhes os sentimentos e humores apropriados.

O EFEITO HIPNOTIZANTE

Em dezembro de 1898, as esposas de sete importantes embaixadores do Ocidente na China receberam um estranho convite: a imperatriz-viúva Tzu Hsi, de 63 anos, oferecia um banquete em sua homenagem na Cidade Proibida de Beijing. Os embaixadores estavam bastante descontentes com a imperatriz-viúva por vários motivos. Ela era uma manchu, uma raça do norte que havia conquistado a China no início do século XVII, fundando a dinastia Ching e governando o país por quase três séculos. Lá pela década de 1890, as potências ocidentais tinham começado a dividir entre si pedaços da China, país que consideravam atrasado. Queriam que ele se modernizasse, mas os manchus eram conservadores e resistiam a todas as reformas. No início de 1898, o imperador chinês Kuang Hsu, o sobrinho de 27 anos de idade da imperatriz-viúva, tinha na verdade iniciado uma série de reformas com as bênçãos dos ocidentais. Mas aí, transcorridos cem dias de reformas, veio a notícia da Cidade Proibida de que o imperador estava muito doente, e que a imperatriz-viúva assumira o poder. Os diplomatas ocidentais desconfiaram de um jogo sujo; a imperatriz agira provavelmente para interromper as reformas. O imperador estava sendo maltratado, talvez até envenenado – quem sabe já tivesse morrido. Enquanto as esposas dos sete embaixadores se preparavam para a inusitada visita, os maridos avisaram: Não confiem na imperatriz-viúva. Uma mulher astuta e cruel por temperamento, ela ascendera da obscuridade para ser a concubina de um imperador já falecido e, ao longo dos anos, havia conseguido se tornar muito poderosa. Muito mais do que o imperador, ela era a pessoa mais temida da China.

No dia combinado, as mulheres entraram na Cidade Proibida numa procissão de liteiras transportadas por eunucos da corte em uniformes deslumbrantes. Elas mesmas, não querendo ficar para trás, vestiam a última moda usada no ocidente – corpetes justos, longos vestidos de veludo com mangas bufantes, anáguas armadas, chapéus altos enfeita-

A barca em que ela estava, como um trono polido,
Queimava sobre as águas: a popa de ouro batido;
Púrpura, as velas, e tão perfumadas que
Os ventos se apaixonavam por elas; de prata eram os remos
Que batiam ao som das flautas e faziam
As águas que tocavam correrem mais rápido
Como por eles enamoradas. Quanto a ela mesma,
Excede a qualquer descrição: deitada ela estava
No seu pavilhão – tecido de ouro – Imagem superior àquela de Vênus
Onde a fantasia supera a natureza: de cada lado lindos meninos rechonchudos, como Cupidos sorridentes,
Com leques multicoloridos, cujo vento parecia
Fazer cintilar os rostos delicados que refrescava,
E o que desfaziam tornavam a fazer. (...)

*Suas damas,
como as Nereidas,
Inúmeras sereias, dela
não arredavam
os olhos,
Fazendo de suas
flexões, adornos:
ao leme
Uma aparente sereia
dirige: o cordame
de seda
Infla ao toque dessas
mãos macias como
pétalas de flor
Que docilmente
fazem o serviço. Da
barca,
Um estranho e invisível perfume desperta
os sentidos
Dos atracadouros
adjacentes. A cidade
lançou até ela
O seu povo; e Antônio
Entronizado em
praça pública, ficou
sozinho,
Assobiando ao vento;
que, não fosse o
vácuo,
Teria ido ver
Cleópatra também,
E deixado um vazio
na natureza.*
– WILLIAM
SHAKESPEARE,
ANTONIO AND
CLEOPATRA

*Nos dias prósperos
dos alegres bairros
em Edo, havia um
especialista em moda
chamado Sakakura
que ficou muito
amigo da grande
cortesã Chitosé. Esta
mulher gostava muito
de beber saquê; para
acompanhar, ela
apreciava os chamados caranguejos de
flor, encontrados*

dos com plumas. Os residentes da Cidade Proibida olhavam as suas roupas intrigados, particularmente o modo como deixavam à vista os colos proeminentes. As esposas estavam certas de terem impressionado seus anfitriões. No Salão de Audiências, elas foram recebidas por príncipes e princesas, assim como por membros inferiores da realeza. As chinesas vestiam magníficos trajes manchus com o toucado tradicional preto, alto e coberto de joias; estavam dispostas numa ordem hierárquica refletida no colorido de suas roupas, um surpreendente arco-íris.

O chá foi servido em xícaras de porcelana finíssima, em seguida elas foram escoltadas até a presença da imperatriz-viúva. A visão era de tirar o fôlego. A imperatriz estava sentada no Trono do Dragão, salpicado de pedras preciosas. Vestia quimonos com fartos bordados em relevo, um toucado magnífico com diamantes, pérolas e jade, e um enorme colar de pérolas perfeitamente idênticas. Era uma mulher pequenina, mas, no trono, vestida daquele jeito, parecia gigantesca. Ela sorriu para as damas com muita simpatia e sinceridade. Foi um alívio para elas ver, sentado num trono menor e num nível abaixo, o seu sobrinho, o imperador. Ele estava pálido, mas saudou-as com entusiasmo e parecia bem-humorado. Talvez estivesse apenas doente.

A imperatriz apertou a mão de cada uma das mulheres. Ao fazer isso, um auxiliar eunuco ia lhe passando um anelão de ouro com uma pérola grande, que ela deixava escorregar para as mãos delas. Depois dessa apresentação, as esposas foram acompanhadas até uma outra sala, onde mais uma vez tomaram chá e, depois, conduzidas a um salão de banquete onde a imperatriz se sentava agora numa cadeira de cetim amarelo – a cor imperial. Ela falou um pouco com as mulheres; tinha uma bela voz. (Dizia-se que a sua voz era capaz de, literalmente, fazer as aves descerem das árvores.) Terminada a conversa, ela pegou mais uma vez na mão de cada uma das mulheres e, muito emocionada, lhes disse: "Uma família – uma só família." As mulheres então assistiram a uma peça no teatro imperial. Finalmente, a imperatriz recebeu-as uma última vez. Desculpou-se pela apresentação a que tinham acabado de assistir, que era certamente inferior ao que estavam acostumadas no Ocidente. Houve mais uma rodada de chá, mas, desta vez, segundo relatou a esposa do embaixador americano, a imperatriz "adiantou-se e, levando aos lábios cada uma das xícaras de chá, dava um gole, depois, girando a xícara, a erguia até os nossos lábios dizendo novamente: 'Uma família – uma só família'". As mulheres receberam mais presentes, depois foram escoltadas de volta até suas liteiras e transportadas para fora da Cidade Proibida.

As mulheres retransmitiram a seus maridos as suas mais sinceras crenças de que estavam todos enganados quanto à imperatriz. A esposa do embaixador americano relatou: "Ela estava feliz, e seu rosto irradiava benevolência. Não se viam traços de crueldade. (...) Em suas atitudes havia muita franqueza e simpatia. (...) [Saímos de lá] sentindo uma grande admiração por sua majestade e cheias de esperança com relação à China." Os maridos relataram aos seus governos que o imperador estava bem e que podiam confiar na imperatriz.

Interpretação. O contingente estrangeiro na China não tinha ideia do que estava realmente acontecendo na Cidade Proibida. Na verdade, o imperador tinha conspirado para prender e, possivelmente, matar sua tia. Descobrindo a trama, um crime terrível em termos confucianos, ela o forçou a assinar a própria abdicação, mandou prendê-lo e disse ao mundo lá fora que ele estava doente. Como parte da pena, ele deveria aparecer nas funções oficiais como se nada tivesse acontecido.

A imperatriz-viúva odiava os ocidentais, a quem considerava uns bárbaros. Não gostava das mulheres dos embaixadores com suas modas feias e gestos afetados. O banquete foi um espetáculo, uma sedução, para apaziguar as potências ocidentais que vinham ameaçando invadir a China caso tivessem matado o imperador. O objetivo era simples: deslumbrar as esposas com um show de cores e teatro. A imperatriz aplicou toda a sua perícia à tarefa, e ela era um gênio nos detalhes. Havia projetado a exibição em ordem crescente – primeiro os eunucos uniformizados, depois as damas manchus com seus adornos de cabeça e, finalmente, a própria imperatriz. Era teatro puro e foi impressionante. Em seguida, ela baixou um pouco o tom, humanizando o espetáculo com presentes, saudações cordiais, a presença tranquilizante do imperador, chás e divertimentos em nada inferiores ao que pudesse existir no ocidente. O banquete terminou com mais uma nota alta – a pequena encenação das xícaras de chá compartilhadas acompanhada de presentes ainda mais magníficos. Ao saírem, as mulheres estavam atordoadas. Na verdade, nunca tinham visto um esplendor tão exótico – e jamais compreenderam o quanto os seus detalhes haviam sido cuidadosamente orquestrados pela imperatriz. Fascinadas com o espetáculo, elas transferiram os seus sentimentos de felicidade para a imperatriz e lhe deram a sua aprovação – que era tudo que ela queria.

A chave para distrair as pessoas (sedução é distração) é encher seus olhos e ouvidos com detalhes, pequenos rituais, objetos coloridos. São os detalhes que dão às coisas uma aparência de realidade e substância. Um presente atencioso não parece ter segundas intenções. Um ritual re-

---

no rio Mogami, no oriente, e estes ela mandava colocar em salmoura para o seu prazer. Sabendo disto, Sakakura contratou um artista da Escola Kanopara para pintar a sua crista de bambu com ouro em pó nas minúsculas conchas desses caranguejos; ele fixou o preço de cada concha pintada num retângulo de ouro e as foi dando de presente a Chitosé durante o ano para que ela as tivesse sempre.
– IHARA SAIKAKU, THE LIFE OF AN AMOROUS WOMAN, AND OTHER WRITINGS

Pois esses homens que praticaram o amor sempre consideraram correto dizer que não há nada que se compare a uma mulher vestida. E quando se pensa em como um homem desafia, amarfanha, espreme e expõe o refinamento da sua dama, e como ele arruína o excelente tecido de ouro e a trama de prata, as lantejoulas e artigos de seda, pérolas e gemas preciosas, está claro que o seu ardor e satisfação podem se multiplicar – muito mais do que com uma simples pastora ou outra mulher de igual qualidade, por mais bela que seja. E por que outrora Vênus era considerada tão bela e desejável, se não porque, apesar de toda a sua beleza, ela não estivesse também graciosamente vestida, e em geral tão perfumada que se podia sentir a sua suave fragrância a cem passos de distância? Pois sempre se soube que os perfumes são um grande incentivo ao amor. É por isso que as imperatrizes e as senhoras importantes de Roma usavam tanto estes perfumes, como também usam nossas grandes damas da França – e, principalmente, as de Espanha e Itália que, desde a antiguidade, têm sido mais curiosas e mais sofisticadas na luxúria do que as francesas, tanto nos perfumes como nos costumes e nas roupas magníficas dos quais as mais belas da França desde então copiam a requintada arte. Além do mais, italianas e espanholas também aprenderam com modelos e estátuas antigas de damas romanas, que se veem entre diversas outras antiguidades ainda existentes na Espanha e na Itália; as quais, se um homem as olhar atentamente, serão consideradas muito perfeitas no modo de pentear e vestir, e muito

pleto de pequenas atitudes encantadoras é muito agradável de observar. Joias, móveis elegantes, toques coloridos nas roupas ofuscam a vista. É uma fraqueza infantil nossa: preferimos nos concentrar em pequenos detalhes agradáveis a observar o quadro mais geral. Quanto mais sentidos você atrair, mais hipnotizante é o efeito. Os objetos que você usar na sua sedução (presentes, roupas etc.) têm linguagem própria, e ela é poderosa. Jamais ignore um detalhe ou o deixe ao acaso. Orquestre-os num espetáculo e ninguém notará como você está sendo manipulador.

O EFEITO SENSUAL

Um dia, um mensageiro contou ao príncipe Genji – o velho, mas ainda consumado sedutor na corte Heian japonesa no final do século X – que uma de suas conquistas da juventude tinha morrido inesperadamente, deixando uma filha órfã, chamada Tamakazura. Genji não era o pai de Tamakazura, mas resolveu, assim mesmo, trazê-la para a corte e ser o seu protetor. Assim que a moça chegou, homens de elevada posição social começaram a cortejá-la. Genji dissera a todos que ela era uma filha sua que estava desaparecida; por conseguinte, eles supunham que fosse bonita, pois Genji era o homem mais bonito da corte. (Na época, os homens não viam o rosto de uma jovem antes do casamento; em teoria, só podiam lhe dirigir a palavra se ela estivesse oculta por um biombo.) Genji a cobria de atenções, ajudando-a a fazer uma triagem de todas aquelas cartas de amor que recebia e aconselhando-a a fazer um bom casamento.

Como protetor de Tamakazura, Genji podia ver o seu rosto e ela era de verdade muito bonita. Ele se apaixonou. É uma pena, pensava, dar a outro homem esta bela criatura. Uma noite, arrebatado pelos seus encantos, ele tomou a sua mão e lhe disse que se parecia muito com a mãe, a quem ele amara um dia. Ela tremeu – não de excitação, entretanto, mas de medo, pois, apesar de não ser o seu pai, ele estava ali como seu protetor, não como um pretendente. Os criados dela não estavam em casa e era uma noite bonita. Genji, sem falar nada, despiu o seu quimono perfumado e a puxou para si. Ela começou a chorar e a resistir. Sempre um cavalheiro, Genji lhe disse que respeitaria os seus desejos, que não deixaria de cuidar dela e ela não tinha nada a temer. Em seguida, polidamente pediu desculpas.

Vários dias depois, Genji estava ajudando Tamakazura com a sua correspondência quando leu uma carta de amor do seu irmão mais novo, príncipe Hotaru, que se incluía entre os pretendentes da moça. Na carta, Hotaru repreendia Tamakazura por não deixá-lo aproximar-se fisicamente o bastante para lhe falar sobre os seus sentimentos. Tamakazura não havia respondido; não estando acostumada com os hábitos da corte, tinha ficado com vergonha e assustada. Fingindo ajudá-la, Genji mandou um de seus criados escrever a Hotaru em nome dela. A carta, redigida numa bela e perfumada folha de papel, convidava com entusiasmo o príncipe para visitá-la.

Hotaru apareceu na hora indicada. Sentiu um enganador perfume de incenso, misterioso e sedutor. (Misturado com ele havia o próprio perfume de Genji.) O príncipe ficou excitado. Aproximando-se do biombo por trás do qual Tamakazura estava sentada, confessou-lhe o seu amor. Silenciosamente, ela recuou para um outro biombo, mais afastado. De repente, uma luz brilhou, como o brusco clarão de uma tocha acesa, e Hotaru pôde ver por trás do biombo o seu perfil: ela era mais bonita do que ele havia imaginado. Duas coisas encantaram o príncipe: o brilho súbito e misterioso da luz e o breve vislumbre da sua amada. Agora estava realmente apaixonado.

Hotaru passou a lhe fazer a corte pontualmente. Enquanto isso, confiante de que Genji não a perseguia mais, Tamakazura via seu protetor com mais frequência. E agora pequenos detalhes não conseguiam mais passar despercebidos: os quimonos de Genji pareciam ter um brilho especial, com cores agradáveis e vibrantes, como se tingidos por mãos sobrenaturais. Os quimonos de Hotaru, em comparação, pareciam apagados. E a essência impregnada nos quimonos de Genji, como era inebriante. Ninguém mais usava tal fragrância. As cartas de Hotaru eram polidas e bem redigidas, mas as que Genji lhe enviava eram em papel magnífico, perfumado e tingido, e citavam versos poéticos, surpreendendo sempre, mas sempre adequados à ocasião. Genji também cultivava e colhia flores – cravinas, por exemplo –, que lhe dava de presente e que pareciam simbolizar o seu excepcional encanto.

Uma noite, Genji propôs ensinar Tamakazura a tocar o coto. Ela gostou muito. Adorava ler romances e, sempre que Genji tocava o coto, ela sentia como se estivesse sendo transportada para um de seus livros. Ninguém tocava o instrumento melhor do que Genji; seria uma honra aprender com ele. Agora ele a via com frequência, e o seu método de ensinar era simples: ela escolhia uma canção para ele tocar, e em seguida tentava imitá-lo. Depois de tocarem, os dois se deitavam lado a lado, com a cabeça repousando sobre o coto, olhando para a lua. Genji mandava acender as tochas no jardim, dando ao cenário um brilho muito suave.

Quanto mais Tamakazura conhecia a corte – o príncipe Hotaru, os outros pretendentes, o próprio imperador –, mais percebia que ninguém se comparava com Genji. Ele devia ser o seu protetor, sim, isso

próprias para incentivar o amor.
– SENHOR DE BRANTÔME, LIVES OF FAIR & GALLANT LADIES

Durante anos depois da sua entrada para o palácio, inúmeras serviçais eram designadas especialmente para cuidar das roupas de Kuei-fei, que eram escolhidas e talhadas de acordo com as flores da estação. Por exemplo, no Ano-Novo (primavera), ela queria flores de abricó, ameixa e narciso; no verão, ela adotava o lótus; no outono, ela as queria com estampas de peônia; no inverno, usava o crisântemo. Entre as joias, as preferidas eram as pérolas, e as melhores do mundo iam para o seu boudoir e, frequentemente, bordadas em seus numerosos trajes. Kuei-fei era a personificação de tudo que fosse adorável e extravagante. Não admira portanto que reis, príncipes, cortesãos ou humildes serviçais, todos os que a conheceram um dia não conseguissem resistir ao fascínio dos seus encantos. Além do mais, ela era uma mulher muito astuta e sabia como tirar o melhor proveito de seus dons naturais. (...)

> *O imperador Ming Huang, figura suprema na terra e com a possibilidade de escolher as moças mais bonitas, ficou totalmente escravizado pelo seu magnetismo (...) passando dias e noites ao seu lado e abandonando o reino por sua causa.*
> – SHU-CHIUNG, YANG KUEI-FEI: THE MOST FAMOUS BEAUTY OF CHINA

ainda era verdade, mas seria um pecado assim tão grande apaixonar-se por ele? Confusa, ela se pegou cedendo às carícias e beijos com os quais ele a surpreendia, agora que já estava fraca demais para resistir.

Interpretação. Genji é o protagonista do romance do século XI *A história de Genji*, escrito por Murazaki Shikibu, uma mulher da corte Heian. O personagem, provavelmente, foi inspirado num sedutor da vida real, Fujiwara no Korechika.

Para seduzir Tamakazura, a estratégia de Genji foi simples: ele a fez perceber indiretamente como era encantador e irresistível cercando-a de detalhes subentendidos. Também a colocou em contato com o irmão; a comparação com esta figura sem vida, rígida, colocaria em evidência a superioridade de Genji. Na noite em que Hotaru a visitou pela primeira vez, Genji armou tudo, como se estivesse apoiando a sedução de Hotaru – o perfume misterioso, em seguida o clarão de luz na cortina. (A luz vinha de um efeito inédito: no início da noite, Genji tinha colhido centenas de pirilampos numa sacola de tecido. Na hora, ele os deixou sair todos de uma só vez.) Mas, quando Tamakazura viu Genji encorajando Hotaru a conquistá-la, suas defesas contra o protetor relaxaram, e seus sentidos foram tomados por este mestre dos efeitos sedutores. Genji orquestrou cada detalhe possível – o papel perfumado, os quimonos coloridos, as luzes no jardim, as cravinas, a poesia, as aulas de coto que induziram uma irresistível sensação de harmonia. Tamakazura se viu arrastada por um redemoinho sensorial. Contornando a timidez e a desconfiança às quais palavras ou ações só contribuiriam, Genji cercou seus aposentos de objetos, panoramas, sons e perfumes que simbolizavam o prazer da sua companhia muito mais do que a sua presença física teria conseguido – de fato, sua presença só a teria assustado. Ele sabia que os sentidos de uma jovem são o seu ponto mais vulnerável.

> *Então [Pao-yu] chamou Radiante Desígnio e lhe disse: "Vai ver o que [Jade Negro] está fazendo. Se ela perguntar por mim, diga apenas que agora estou bem." "Vai ter de inventar uma desculpa melhor", disse Radiante Desígnio. "Não há nada que possa enviar ou pedir? Não quero chegar lá e me sentir como uma tola sem nada para dizer."*

A chave para a magistral orquestração de detalhes de Genji foi estar atento ao alvo da sua sedução. Como Genji, você precisa estar sintonizado com os sentidos de seus alvos observando-os atentamente, adaptando-se aos seus humores. Você percebe quando eles estão defensivos e se retrai. Você também sente quando eles estão cedendo, e avança. Entre uma coisa e outra, os detalhes que você arma – presentes, diversões, as roupas que veste, as flores que escolhe – têm em mira exatamente os gostos e predileções deles. Genji sabia que estava lidando com uma jovem que adorava histórias românticas; suas cravinas, o coto e a poesia tornam este mundo real para ela. Fique atento a cada movimento e desejo dos seus alvos, e revele a sua atenção nos detalhes e objetos com que os cerca, enchendo os seus sentidos com o estado de espírito que você precisa inspirar. Eles podem argumentar com suas palavras, mas não com o efeito que você tem sobre os seus sentidos.

> *Portanto, na minha opinião, quando um cortejador deseja declarar o seu amor, deve fazê-lo com suas atitudes e não com discursos, pois os sentimentos de um homem às vezes revelam-se mais claramente com (...) um gesto de respeito ou uma certa timidez do que com uma quantidade de palavras.*
> – Baldassare Castiglione

CHAVES PARA A SEDUÇÃO

Na infância, nossos sentidos eram muito mais ativos. As cores de um brinquedo novo ou um espetáculo, como o circo, nos deixavam em êxtase; ficávamos enfeitiçados com um cheiro ou som. Nas brincadeiras que inventávamos, muitas reproduzindo alguma coisa do mundo adulto em escala reduzida, como era gostoso planejar cada detalhe! Tomávamos nota de tudo.

Mais velhos, nossos sentidos se embotam. Perdemos muito da nossa sensibilidade, estamos constantemente com pressa de terminar uma tarefa, para fazer a seguinte. Na sedução, você está sempre tentando trazer o alvo de volta aos momentos dourados da infância. A criança é menos racional, mais facilmente enganada. Também está mais sintonizada com os prazeres dos sentidos. Portanto, quando estiverem com você, seus alvos não devem ter jamais as mesmas sensações que obtêm normalmente com o mundo real, onde todos nós, sem piedade, somos obrigados a fazer tudo correndo. Você precisa, intencionalmente, diminuir esse ritmo e fazer com que eles retornem aos tempos mais simples da juventude. Os detalhes que você orquestrar – cores, presentes, pequenas cerimônias – têm como alvo os seus sentidos, o prazer infantil que sentimos com os encantos imediatos do mundo natural. Com os sentidos impregnados de coisas deliciosas, eles perdem um pouco a capacidade de raciocinar. Fique atento aos detalhes e você mesmo se verá diminuindo de ritmo; seus alvos não se concentrarão naquilo que você pode estar querendo (favores sexuais, poder etc.) porque a sua aparência é de uma pessoa muito ponderada, muito atenciosa. No reino infantil dos sentidos com que você os cerca, eles percebem nitidamente que estão sendo envolvidos por algo que é diferente do mundo real – um ingrediente básico da sedução. Lembre-se: quanto mais você fizer as pessoas se concentrarem em minúcias, menos elas notarão o alcance mais amplo do que você está pretendendo. A sedução irá assumir o rit-

*Pao-yu pensou um pouco, depois pegou dois lenços debaixo da almofada e entregou-os à criada recomendando: "Diga, então, que eu a estou enviando com isto." "Que presente estranho!", disse a criada sorrindo. "Para que ela vai querer dois lenços velhos? Vai se zangar de novo e dizer que você está zombando dela." "Não se preocupe", garantiu-lhe Pao-yu. "Ela vai compreender." Jade Negro já havia se retirado quando Radiante Desígnio chegou ao Refúgio do Bambu. "O que a traz aqui a esta hora?", perguntou Jade Negro.
"[Pao-yu] me pediu que trouxesse [a Jade Negro] estes lenços."
Por um instante, Jade Negro ficou sem entender por que Pao-yu lhe mandaria tal presente naquele exato momento. Ela disse: "Suponho que devam ser algo extraordinário que alguém lhe deu. Diga-lhe para ficar com eles, ou dar para quem lhe dará valor. Eu não preciso deles." "Eles não têm nada de extraordinário", disse Radiante Desígnio. "São apenas dois lenços comuns que tinha à mão."
Jade Negro ficou ainda mais intrigada e, então, de repente, compreendeu: Pao-yu sabia que ela ia*

chorar por ele e assim enviou-lhe dois dos seus lenços. "Pode deixá-los aqui, então", disse ela a Radiante Desígnio, que, por sua vez, ficou surpresa por Jade Negro não se ofender com a aparente brincadeira de mau gosto. Pensando no significado dos dois lenços, Jade Negro ora se sentia feliz, ora estava triste: feliz porque Pao-yu leu seus pensamentos mais secretos e triste por ficar imaginando se o que era mais importante nesses pensamentos um dia se realizaria. Assim pensando sobre o seu futuro e o seu passado, ela não conseguia dormir. Apesar dos protestos de Cuco Púrpura, ela mandou acender a sua lamparina e pôs-se a compor uma série de quartetos escrevendo diretamente nos lenços que Pao-yu lhe mandara.
— TSAO HSUEH CHIN, *DREAM OF THE RED CHAMBER*

mo lento e hipnótico de um ritual, quando os detalhes se tornam mais importantes e os momentos mais solenes.

Na China do século XVIII, o imperador Ming Huang viu uma bela jovem penteando-se à beira de um lago do palácio. Chamava-se Yang Kuei-fei e, apesar de concubina de seu filho, Huang a quis para si. Sendo ele o imperador, não havia ninguém capaz de impedi-lo de fazer isso. Era um homem prático – tinha muitas concubinas e todas com seus encantos, mas ele jamais havia perdido a cabeça por uma mulher. Yang Kuei-fei, entretanto, era diferente. Seu corpo exalava um perfume maravilhoso. Suas roupas eram de gaze feita com a mais pura seda, todas bordadas com flores diferentes dependendo da estação. Andando, ela parecia flutuar, os passinhos miúdos invisíveis por baixo da saia. Dançando era perfeita, compunha canções em sua homenagem que cantava com uma voz magnífica, tinha um modo de olhar para ele que fazia o seu sangue ferver de desejo. Ela logo se tornou a sua favorita.

Yang Kuei-fei deixou o imperador louco. Ele construía palácios para ela, ficava o tempo todo ao seu lado, satisfazia a todos os seus caprichos. Não demorou muito e o seu reino estava falido e arruinado. Yang Kuei-fei era uma ardilosa sedutora que teve um efeito devastador sobre todos os homens que cruzaram o seu caminho. Eram tantas as formas como a sua presença encantava – os perfumes, a voz, os movimentos, a conversa espirituosa, os olhares manhosos, as roupas bordadas. Estes detalhes agradáveis transformaram um rei poderoso num bebê distraído.

Desde sempre as mulheres sabem que dentro do homem aparentemente mais senhor de si existe um animal que elas podem conduzir enchendo os seus sentidos com os atrativos físicos adequados. A chave é atacar por todas as frentes possíveis. Não ignore a sua voz, os seus gestos, o seu andar, as suas roupas, os seus olhares. Algumas das mulheres mais fascinantes da história distraíram de tal modo as suas vítimas com detalhes sensoriais que os homens nem perceberam que tudo não passava de uma ilusão.

Desde a década de 1940 até o início dos anos 1960, Pamela Churchill Harriman teve uma série de casos com alguns dos homens mais importantes e ricos do mundo – Averill Harriman (com quem mais tarde se casaria), Giani Agnelli (herdeiro da fortuna Fiat), barão Elie de Rothschild. O que atraía esses homens, e os deixava escravizados, não era a sua beleza, a sua linhagem ou a sua vivacidade, mas a sua extraordinária atenção aos detalhes. Começando com o seu olhar atento ouvindo você falar, absorvendo todos os seus gostos. Quando conseguia entrar na sua casa, ela a enchia com as flores de que você mais gostava, fazia o seu chef preparar aquele prato que você só tinha provado nos restaurantes mais sofisticados. Você disse gostar de um artista? Dias depois, esse artista estava frequentando uma das suas festas. Ela encontrava as peças de antiquário perfeitas para você, vestia-se do modo que mais o agradasse ou excitasse, e fazia isto sem você precisar dizer nada – ela espionava, colhia informações de terceiros, escutava você falando com os outros. A atenção de Pamela aos detalhes teve um efeito intoxicante sobre todos os homens na sua vida. Tinha algo em comum com os mimos de uma mãe que estava ali para trazer a ordem e o conforto às suas vidas atendendo às suas necessidades. A vida é dura e competitiva. Cuidar de detalhes de um modo tranquilizante para o outro o torna dependente de você. A chave é sondar suas necessidades de uma forma que não seja óbvia demais; assim, quando você fizer exatamente o gesto certo, isso parecerá extraordinário, como se você tivesse lido a mente daquela pessoa. Esta é uma outra maneira de levar seus alvos de volta à infância, quando todas as necessidades deles eram satisfeitas.

Aos olhos de mulheres do mundo inteiro, Rodolfo Valentino reinou como o Grande Amante durante boa parte da década de 1920. As qualidades em que estava baseada essa atração sem dúvida incluíam o seu rosto simpático, quase bonito, a sua habilidade para dançar, uma leve crueldade estranhamente excitante nas suas atitudes. O seu traço mais cativante, porém, talvez tenha sido a sua técnica vagarosa de cortejar. Seus filmes o mostravam seduzindo uma mulher *lentamente*, com cuidadosos detalhes – enviando-lhe flores (escolhendo o tipo que combinasse com o estado de espírito que ele desejava induzir), pegando na mão dela, acendendo o seu cigarro, acompanhando-a a lugares românticos, conduzindo-a na pista de dança. Eram filmes mudos e as plateias nunca escutavam a sua voz – estava tudo nos seus gestos. Os homens o odiavam porque as esposas e namoradas agora queriam ser tratadas dessa mesma forma lenta e atenciosa.

Valentino tinha um traço feminino; dizia-se que ele cortejava uma mulher como uma outra mulher cortejaria. Mas a feminilidade não precisa figurar nesta técnica de sedução. No início da década de 1770, o príncipe Gregory Potemkin começou um romance de muitos anos com a imperatriz Catarina, a Grande, da Rússia. Potemkin era um homem másculo, e nem um pouco bonito. Mas conseguiu conquistar o coração da imperatriz com pequenas coisas que fazia e continuou fazendo durante muito tempo. Ele a mimava com presentes maravilhosos, jamais se cansava de lhe escrever longas cartas, combinava todos os tipos de divertimentos para ela, compunha canções louvando a sua beleza. Mas aparecia diante dela descalço, despenteado, com as roupas amassadas.

Não havia nenhum tipo de alvoroço nas suas atenções, que, entretanto, deixavam claro que ele iria até o fim do mundo por ela. Os sentidos da mulher são mais refinados do que os do homem; para ela, o apelo sensual óbvio de Yang Kuei-fei pareceria apressado e direto demais. O que isto significa, portanto, é que o homem só precisa ir devagar, fazendo da sedução um ritual cheio das pequenas coisas que ele tem de fazer pelo seu alvo. Sem pressa, ele a terá comendo da sua mão.

Tudo na sedução é um sinal, e nada sinaliza melhor do que as roupas. Não é que você tenha de se vestir de um modo interessante, com elegância, ou provocativamente, mas que precisa se vestir para o seu alvo – você tem de agradar ao gosto do seu alvo. Quando Cleópatra estava seduzindo Marco Antônio, suas roupas não eram ousadamente sensuais; ela se vestia como uma deusa grega sabendo do fraco de Antônio por essas figuras de fantasia. Madame de Pompadour, a amante do rei Luís XV, sabia que a fraqueza do rei era o seu tédio crônico; ela sempre usava roupas diferentes, trocando não só de cor como de estilo, oferecendo ao rei um constante banquete visual. Pamela Harriman também era moderada no seu estilo de se vestir, adequando-o ao seu papel de gueixa da alta sociedade e refletindo o gosto sóbrio dos homens a quem seduzia. O contraste funciona muito bem aqui: no trabalho ou em casa, você pode se vestir à vontade – Marilyn Monroe, por exemplo, usava jeans e camiseta –, mas quando estiver com seu alvo, vista algo mais sofisticado, como se fosse uma fantasia. A sua transformação de Cinderela é excitante e dá ideia de que você fez alguma coisa só pela pessoa que está ao seu lado. Sempre que a sua atenção for individualizada (você não se vestiria assim para qualquer um), ela será infinitamente mais sedutora.

Na década de 1870, a rainha Vitória se viu cortejada por Benjamin Disraeli, o seu primeiro-ministro. As palavras de Disraeli eram lisonjeiras e seus modos, insinuantes; ele também lhe enviava flores, cartões afetuosos ou presentes, do tipo que os homens em geral mandam. As flores eram prímulas, símbolo da simples, porém bela amizade, dos dois. Desde então, sempre que Vitória via uma prímula pensava em Disraeli. Ou escrevia-lhe num cartão que ele "não mais no alvorecer, mas no crepúsculo da sua existência, era obrigado a enfrentar uma vida de ansiedades e labuta; mas isto, também, tem o seu romantismo quando ele se lembra de que o seu esforço é pela mais graciosa das criaturas!". Ou ele lhe enviava uma caixinha sem nenhuma inscrição, mas com um coração transpassado por um seta de um lado e a palavra "Fideliter" ou "Fielmente" do outro. Vitória se apaixonou por Disraeli.

Um presente tem um poder sedutor imenso, mas o objeto em si é menos importante do que o gesto e o sutil pensamento ou emoção que ele comunica. Talvez a escolha esteja relacionada com algo do passado da vítima, ou simbolize alguma coisa entre vocês dois, ou seja uma mera representação do que você é capaz de fazer para agradar. Não era o dinheiro que Disraeli gastava que impressionava Vitória, mas o tempo que ele levava para encontrar a coisa adequada ou fazer o gesto apropriado. Presentes caros não vêm com um sentimento anexado; podem temporariamente excitar quem os recebe, mas são logo esquecidos, como uma criança esquece um brinquedo novo. O objeto que reflete a atenção de quem o dá tem um poder sentimental duradouro, que ressurge sempre que o dono o vê.

Em 1919, o escritor italiano e herói de guerra Gabriele D'Annunzio conseguiu reunir um bando de seguidores e tomar a cidade de Fiume, na costa adriática (hoje parte da Eslovênia). Ali, eles estabeleceram o seu próprio governo, que durou mais de um ano. D'Annunzio iniciou uma série de espetáculos públicos que teriam uma imensa influência sobre os políticos de outras partes. Ele se dirigia ao público de uma varanda que dava para a praça principal da cidade, repleta de estandartes coloridos, bandeiras, símbolos religiosos pagãos e, de noite, tochas. Aos discursos seguiam-se procissões. Apesar de D'Annunzio não ser de forma alguma um fascista, o que ele fez em Fiume afetou crucialmente Benito Mussolini, que copiou suas saudações romanas, o seu uso de símbolos, o seu modo de falar em público. Espetáculos assim têm sido usados desde então por governos do mundo inteiro, até pelos democráticos. A impressão geral pode ser grandiosa, mas são os detalhes orquestrados que os fazem funcionar – a quantidade de sentidos que atraem, a variedade de emoções que despertam. O seu objetivo é distrair as pessoas, e nada distrai mais do que uma riqueza de detalhes – fogos de artifício, bandeiras, música, uniformes, soldados marchando, a sensação de um aglomerado de pessoas. Fica difícil pensar direito, particularmente se os símbolos e detalhes despertam emoções patrióticas.

Finalmente, palavras são importantes na sedução e têm uma capacidade enorme de confundir, distrair e incentivar a vaidade do alvo. O mais sedutor a longo prazo, porém, é o que você não diz, o que você comunica indiretamente. As palavras vêm com facilidade e as pessoas desconfiam delas. Qualquer um pode dizer as palavras certas; e, uma vez ditas, nada é sólido, e elas podem até ser totalmente esquecidas. O gesto, o presente atencioso, os pequenos detalhes parecem muito mais reais e substanciais. São também muito mais encantadores do que palavras sublimes de amor exatamente porque falam por si sós e deixam que o seduzido entenda mais do que existe neles. Jamais diga a alguém o que você está sentindo; deixe a pessoa adivinhar isso nos seus olhares e gestos. Essa é a linguagem mais convincente.

Símbolo: *O Banquete.*
Prepararam um banquete em sua homenagem. Tudo foi cuidadosamente coordenado – as flores, a decoração, a lista dos convidados, os dançarinos, a música, o cardápio com cinco pratos, o vinho servido à vontade. O Banquete solta a sua língua, e também as suas inibições.

O INVERSO

Não há inverso. Detalhes são essenciais a qualquer sedução bem--sucedida e não podem ser ignorados.

12

POETIZE A SUA PRESENÇA

Coisas importantes acontecem quando seus alvos estão sozinhos: a mais leve sensação de alívio com a sua ausência, e está tudo acabado. Isso é consequência da familiaridade e da superexposição. Mantenha-se arredio, portanto, para que estando longe eles desejem vê-lo de novo e associem você apenas a pensamentos agradáveis. Ocupe seu pensamento alternando uma presença excitante com um frio distanciamento, momentos exuberantes seguidos de ausências calculadas. Associe-se a imagens e objetos poéticos para que ao pensarem em você eles o vejam através de uma aura idealizada. Quanto mais você figurar na mente deles, mais eles o envolverão em fantasias sedutoras. Liberte essas fantasias com sutis incoerências e alterações no seu comportamento.

PRESENÇA/AUSÊNCIA POÉTICA

Em 1943, os militares argentinos derrubaram o governo. Um popular coronel de 48 anos de idade, Juan Perón, foi nomeado secretário do trabalho e questões sociais. Perón era um viúvo que tinha uma queda por mocinhas; na época da sua nomeação, estava envolvido com uma adolescente que apresentava a todos como sua filha.

Numa noite de janeiro de 1944, Perón estava sentado entre os outros líderes militares num estádio de Buenos Aires assistindo a um festival de artistas. Era tarde e havia alguns lugares vazios perto dele; vindas não se sabe de onde, duas belas jovens atrizes pediram licença para se sentar. Estavam brincando? Ele gostou muito. Reconheceu uma das atrizes – era Eva Duarte, estrela de novelas de rádio cuja fotografia aparecia sempre nas primeiras páginas dos tabloides. A outra atriz era mais jovem e mais bonita, mas Perón não conseguia desviar os olhos de Eva, que conversava com outro coronel. Ela não fazia o seu tipo. Tinha 24 anos, velha demais para o seu gosto; suas roupas eram espalhafatosas e havia algo de gélido nos seus modos. Mas ela olhou para ele, e esse olhar o excitou. Ele desviou os olhos por um momento e, quando percebeu, ela havia trocado de lugar e estava sentada ao seu lado. Começaram a conversar. Ela não perdia uma só de suas palavras. Sim, tudo que ele dizia era exatamente o que ela sentia – os pobres, os trabalhadores, eles eram o futuro da Argentina. Ela mesma conhecera a pobreza. Estava quase chorando quando lhe disse no fim da conversa: "Obrigada por existir."

Poucos dias depois, Eva já tinha conseguido se livrar da "filha" de Perón e se instalar no seu apartamento. Para onde quer que ele se virasse, lá estava ela preparando as suas refeições, cuidando dele quando estava doente, aconselhando-o na política. Por que ele a deixou ficar? Em geral ele se divertia com uma jovem superficial, depois, quando ela parecia estar ficando grudada demais, ele se livrava dela. Mas não havia nada de superficial em Eva. Com o tempo, ele se viu cada vez mais

Aquele que não sabe cercar uma moça de forma que ela perca de vista tudo que ele não quer que ela veja, aquele que não sabe se transformar numa figura poética na mente de uma moça de forma que venha dela tudo que ele deseja – é e continua sendo um desajeitado. (...) Poetizar-se para uma moça é uma arte.
– SÖREN KIERKEGAARD, *DIÁRIO DE UM SEDUTOR*

O que mais? Ela está lá fora, reclinada na sua liteira,
Aproxime-se discretamente,
E – só para enganar os ouvidos de quem estiver por perto –
Torne habilmente cada frase enigmática
Com sutis ambiguidades. Se ela estiver caminhando ociosamente
Pela colunata, então caminhe você por ali também –
Alterne os seus passos com os dela, ande na frente, fique para trás,

Ora devagar, ora mais rápido. Seja ousado, Desvie por entre as colunas entre vocês, passe Demoradamente ao lado dela. Não deixe deFrequentar o teatro quando ela lá estiver, observe a sua beleza –Dos ombros para cima, ela é o tempo Mais deliciosamente gasto, um banquete para olhares de adoração, Para a eloquência das sobrancelhas, o sinal que fala. Aplauda quando um dançarino homem se pavoneia como a heroína, Bata palmas para todos os papéis de amante. Quando ela se retirar, retire-se também – mas não se levante antes dela: Dedique o seu tempo aos caprichos da sua amante. (...) Acostume-a com você; Hábito é a chave, não poupe sofrimentos até alcançá-lo. Deixe que ela o veja sempre por perto, sempre escutando o que você fala, Mostre-lhe o seu rosto dia e noite. Quando tiver certeza de que ela sente a sua falta, Quando parecer certo que ela lamentará a sua ausência, Então lhe dê uma trégua: um campo fica mais fértil quando o solo ocioso, Ressequido, se

viciado no sentimento que ela lhe despertava. Era profundamente fiel, espelhando todas as suas ideias, inflando sem parar o seu ego. Ele se sentia mais másculo na sua presença, era isso, e mais poderoso – ela acreditava nele como o líder ideal para o país, e sua fé o comovia. Ela era como as mulheres nos tangos que ele tanto apreciava – as mulheres sofredoras das ruas que se tornavam figuras maternas santificadas e cuidavam de seus homens. Perón a via todos os dias, porém jamais achou que a conhecia totalmente; num dia, ela fazia comentários ligeiramente obscenos, no outro, ela era uma perfeita dama. Ele tinha uma só preocupação: ela queria se casar, e ele não podia se casar com ela – era uma atriz com um passado duvidoso. Os outros coronéis já estavam achando um escândalo o seu envolvimento com aquela mulher. Não obstante, o romance continuava.

Em 1945, Perón foi exonerado do seu posto e preso. Os coronéis temiam a sua crescente popularidade e desconfiavam do poder da sua amante, que parecia exercer sobre ele uma total influência. Era a primeira vez, em quase dois anos, que ele estava realmente sozinho, e realmente separado de Eva. De repente, ele se viu tomado por novas emoções: espetou fotografias dela por toda a parede. Lá fora, greves em massa eram organizadas em protesto por sua prisão, mas ele só pensava em Eva. Ela era uma santa, uma mulher do destino, uma heroína. Ele lhe escreveu: "Só longe da pessoa amada é que somos capazes de medir a extensão do nosso afeto. Desde o dia em que a deixei (...) não consigo acalmar o meu triste coração. (...) Minha imensa solidão está impregnada de recordações suas." Agora ele prometeu que se casaria com ela.

As greves se tornavam mais intensas. Oito dias se passaram e Perón foi libertado; casou-se logo com Eva. Meses depois, ele foi eleito presidente. Como primeira-dama, Eva participava das cerimônias oficiais com suas roupas e joias um tanto extravagantes; ela era vista como uma ex-atriz com um enorme guarda-roupa. Mas, em 1947, ela partiu para uma turnê pela Europa e os argentinos acompanharam cada movimento seu – as multidões em êxtase saudando-a na Espanha, a sua audiência com o papa – e, na sua ausência, a opinião deles a seu respeito mudou. Como ela representava bem o espírito argentino, a sua nobre simplicidade, o seu gosto pelo drama! Ao voltar, semanas depois, eles a cobriram de atenções.

Eva também havia mudado durante a sua viagem pela Europa: agora os seus cabelos oxigenados estavam puxados para trás num coque severo, e ela vestia *tailleurs* bem cortados. Tinha um ar mais sério, mais adequado a uma mulher que ia se tornar a salvadora dos pobres. Em breve a sua imagem era vista por toda parte – suas iniciais nas paredes, nos lençóis, nas toalhas dos hospitais para pessoas pobres; seu perfil nas camisetas de um time de futebol da região mais pobre da Argentina, cujo clube ela patrocinava; o seu rosto sorridente gigantesco cobrindo as laterais dos prédios. Visto ter se tornado impossível descobrir qualquer coisa de pessoal a seu respeito, começaram a surgir todos os tipos de fantasias. E, quando o câncer interrompeu a sua vida em 1952, aos 33 anos (a idade de Cristo ao morrer), o país ficou de luto. Milhões de pessoas desfilaram diante do seu corpo embalsamado. Ela não era mais uma atriz de rádio, uma esposa, uma primeira-dama, mas Evita, uma santa.

Interpretação. Eva Duarte era uma moça pobre, filha ilegítima, que fugiu para Buenos Aires para ser atriz e foi forçada a fazer muitas coisas deselegantes para sobreviver e vencer no mundo teatral. Seu sonho era escapar de tudo que pudesse limitar o seu futuro, pois era muito ambiciosa. Perón era a vítima perfeita. Ele se imaginava um grande líder, mas a verdade é que estava rapidamente se tornando um velho lascivo e fraco demais para subir de posição. Eva injetou poesia na sua vida. A linguagem dela era rebuscada e teatral; ela o cercava de atenções, quase mesmo a ponto de sufocá-lo, mas a mulher obediente e servil a um grande homem é uma imagem clássica e celebrada em inúmeros tangos. No entanto, ela conseguia se manter arisca, misteriosa, como uma estrela de cinema que se vê sempre nas telas, mas que ninguém conhece de verdade. E, quando Perón ficou finalmente sozinho, na prisão, essas imagens e associações poéticas explodiram na sua cabeça. Ele a idealizava loucamente; no que lhe dizia respeito, ela tinha deixado de ser uma atriz com um passado de mau gosto. Do mesmo modo, ela seduziu uma nação inteira. O segredo era a sua dramática presença poética combinada com um toque de misterioso distanciamento; com o tempo, podia-se ver nela o que se quisesse. Até hoje, as pessoas fantasiam sobre quem foi realmente Eva Perón.

A familiaridade destrói a sedução. É raro isso acontecer logo de início; há muito o que aprender a respeito de uma nova pessoa. Mas, no meio desse processo, chega uma hora em que o alvo começa a idealizar e fantasiar você só para descobrir que você não é o que ele, ou ela, pensou. Não é uma questão de ser visto com muita frequência, ou de estar disponível demais, como alguns imaginam. De fato, se os seus alvos o veem muito raramente, você não lhes dá nada com que se satisfazer, e outra pessoa pode conquistar a atenção deles; você precisa ocupar a mente deles. É mais uma questão de ser muito coerente, muito óbvio, muito humano e real. Seus alvos não podem idealizá-lo se o conhecerem demais, se começarem a vê-lo como humano demais. Não só você precisa man-

*encharca com a chuva.
A presença de Demófones dava a Fílis não mais do que uma leve excitação;
Foi pôr-se ao mar que lhe causou tristeza no coração.
Penélope estava atormentada com a ardilosa ausência de Ulisses,
Protesileu, distante, deixou em brasas Laodameia.
Separações curtas funcionam melhor, porém: o tempo desgasta os afetos,
O amor ausente desaparece, um novo toma o seu lugar.
Com Menelau distante, a pouca inclinação de Helena para dormir
Sozinha a conduzia de noite para
A cama confortável do seu hóspede. Ficou louco, Menelau?
– OVÍDIO, A ARTE DE AMAR*

*Quanto ao Nascimento do Amor
Eis o que acontece com a alma:
1. Admiração.
2. Você pensa: "Que delícia seria beijá-la, ser por ela beijado" e assim por diante (...)
3. Esperança. Você observa as suas perfeições, e é neste momento que uma mulher deve realmente se render, para o máximo do prazer físico. Mesmo as mais recatadas coram até o branco dos olhos neste momento de*

esperança. A paixão é tão forte, o prazer tão intenso, que elas se traem inconfundivelmente.
4. Nasceu o amor. Amar é gostar de ver, tocar e sentir com todos os sentidos, o mais perto possível, um objeto adorável que retribui o amor.
5. Tem início a primeira cristalização. Na certeza de que uma mulher o ama, é um prazer dotá-la com mil perfeições e contar suas bênçãos com infinita satisfação. No final você lhe dá um valor excessivo, e a vê como algo que caiu do céu, desconhecido ainda, mas que certamente será seu. Deixe um amante com seus pensamentos por vinte e quatro horas, e é isso que acontece: Nas minas de sal de Salzburgo, lançam um galho seco em um dos poços abandonados. Dois ou três meses depois, ele é retirado coberto de um luminoso depósito de cristais. O minúsculo ramo, não maior do que a garra de um passarinho, está salpicado com uma galáxia de cintilantes diamantes. O ramo original está irreconhecível. O que chamei de cristalização é um processo mental que encontra em tudo que acontece novas provas da perfeição do ser amado. (...)

ter uma certa distância, como deve haver algo fantástico e fascinante em você, criando em sua mente todos os tipos de deliciosas possibilidades. A possibilidade que Eva oferecia era a de ser aquilo que, na cultura argentina, se considerava como a mulher ideal – dedicada, maternal, santa –, mas são inúmeros os ideais poéticos que você pode tentar personificar. Cavalheirismo, aventura, romance e outros mais são igualmente potentes e, se você estiver envolto numa leve fragrância dessas qualidades, poderá criar uma atmosfera poética o suficiente para impregnar a mente das pessoas de fantasias e sonhos. A qualquer custo, você deve personificar alguma coisa, nem que seja malícia e maldade. Qualquer coisa para evitar o estigma da familiaridade e do lugar-comum.

O que eu preciso é de uma mulher que seja alguma coisa, qualquer coisa; muito bonita ou muito boa, ou, em último recurso, muito má; muito espirituosa ou muito idiota, mas alguma coisa.

– Alfred de Musset

CHAVES PARA A SEDUÇÃO

Todos fazemos de nós mesmos uma imagem muito mais lisonjeira do que a realidade: nós nos achamos mais generosos, altruístas, honestos, amáveis, inteligentes ou bonitos do que somos de fato. É extremamente difícil para nós ter uma opinião honesta quanto às nossas próprias limitações; temos uma necessidade desesperada de nos idealizar. Como a escritora Angela Carter observa, preferimos nos alinhar com os anjos do que com os primatas superiores de quem na verdade descendemos.

Esta necessidade de idealização se estende aos nossos envolvimentos românticos porque, quando estamos apaixonados, ou fascinados por uma outra pessoa, vemos um reflexo de nós mesmos. A nossa escolha, quando decidimos nos envolver com a outra pessoa, revela algo importante e íntimo a nosso respeito: não queremos enxergar que nos apaixonamos por alguém vulgar, que se veste mal ou não tem gosto, porque isso reflete mal naquilo que somos. Além do mais, quase sempre tendemos a nos apaixonar por alguém que de alguma forma se assemelhe a nós. Se essa pessoa tiver uma deficiência ou, pior de tudo, for comum, então há alguma coisa de deficiente ou comum em nós mesmos. Não, custe o que custar, a pessoa amada dever ser supervalorizada e idealizada, no mínimo pelo bem da nossa própria autoestima. E também, num mundo duro e cheio de decepções, é um prazer enorme conseguir fantasiar a respeito da pessoa com quem se está envolvido.

Assim a tarefa do sedutor fica mais fácil: as pessoas estão doidas para ter a chance de fantasiar sobre *você*. Não estrague esta oportunidade de ouro expondo-se demais, ou se tornando tão familiar e banal que o alvo o veja exatamente como você é. Não é preciso ser um anjo, ou um modelo de virtude – isso seria um tédio. Você pode ser perigoso, travesso, até um pouco vulgar, dependendo do gosto da sua vítima. Porém jamais comum ou limitado. Na poesia (ao contrário da realidade), tudo é possível.

Tão logo nos vemos enfeitiçados por uma outra pessoa, formamos mentalmente uma imagem de quem ela é e dos prazeres que poderá oferecer. Pensando nela quando estamos sozinhos, tendemos a idealizar essa imagem cada vez mais. O romancista Stendhal, no seu livro Sobre o amor, chama este fenômeno de "cristalização", contando como, em Salzburgo, na Áustria, costumava-se lançar um galho seco nas profundezas de uma mina de sal abandonada em pleno inverno. Meses depois, ao retirarem o galho, ele estava coberto de cristais espetaculares. É isso que acontece com a pessoa amada dentro de nossa mente.

Segundo Stendhal, entretanto, existem duas cristalizações. A primeira acontece assim que conhecemos a pessoa. A segunda, e mais importante, se dá mais tarde, quando uma ligeira dúvida vai se infiltrando – você deseja a outra pessoa, mas ela se esquiva, você não tem certeza de que ela é sua. Esta leve dúvida é crítica – faz a sua imaginação trabalhar dobrado, intensifica o processo poetizador. No século XVII, o grande libertino duque de Lauzun realizou umas das mais espetaculares seduções da história – a da Grande Mademoiselle, prima do rei Luís XIV e a mulher mais rica e poderosa da França. Ele excitava a imaginação dela com breves encontros na corte, deixando-a vislumbrar de leve a sua espirituosidade, a sua audácia, os seu modos frios. Ela começou a pensar nele quando estava sozinha. Em seguida, passou a tropeçar nele com mais frequência na corte, e os dois mantinham breves conversas ou davam pequenos passeios. Depois desses encontros, ela ficava com uma dúvida: Ele está ou não está interessado em mim? Isto a fazia querer vê-lo mais para esclarecer as suas dúvidas. Ela começou a idealizá-lo de um modo totalmente desproporcional com a realidade, pois o duque era um incorrigível canalha.

Lembre-se: se você é fácil de ter, não deve valer tanto assim. É difícil poetizar uma pessoa que se mostra tão vulgar. Se, passado o interesse inicial, você deixar claro que não é uma pessoa que passe despercebida, se despertar uma leve dúvida, o alvo vai imaginar que existe alguma coisa especial, sublime, inatingível em você. Sua imagem se *cristalizará* na mente da outra pessoa.

O homem apaixonado vê a perfeição no objeto do seu amor, mas sua atenção tende a se desviar depois de algum tempo porque tudo que é uniforme é cansativo, até a felicidade perfeita. Isto é o que acontece em seguida para prender a atenção:
6. Vem surgindo a dúvida. (...) Ele é visto com indiferença, frieza, ou até raiva se parecer confiante demais. Ele tenta compensar entregando-se a outros prazeres, mas os acha vazios. Ele é tomado pelo temor de uma assustadora calamidade e agora se concentra totalmente. Assim começa:
7. A segunda cristalização, que deposita camadas de diamantes como prova de que "ela me ama"; A cada minuto, durante toda a noite que se segue ao surgir da dúvida, o amante tem um momento de terrível apreensão e, em seguida, se tranquiliza, "ela me ama"; e a cristalização começa a revelar novos encantos. E aí, mais uma vez, o olho feroz da dúvida o espia e ele para hipnotizado. Ele se esquece de respirar e murmura: "Mas ela me ama?" Dilacerado entre a dúvida e a alegria, o pobre amante se convence de ser impossível encontrar

maior prazer no mundo do que aquele que ela poderá lhe dar.
– STENDHAL, SOBRE O AMOR

Apaixonar-se automaticamente pode levar à loucura. Não controlado, chega a extremos. Disto sabem muito bem os "conquistadores" de ambos os sexos. Depois que a atenção de uma mulher se fixa num homem, é muito fácil para ele dominar totalmente os pensamentos dela. Um simples jogo de aquece e resfria, de atitudes solícitas e desdém, de presença e ausência é o que basta. O ritmo dessa técnica atua sobre a atenção da mulher como uma máquina pneumática e acaba esvaziando-a de todo o restante do mundo. Como diz bem o nosso povo: "Exaurir alguém de seus sentidos!" De fato, a pessoa é absorvida – absorvida por um objeto! Na grande maioria, os "casos de amor" se reduzem a este jogo mecânico do amado sobre a atenção do amante. A única coisa que salva um amante é um choque violento externo, um tratamento que lhe é imposto. Muitos acham que ausência e longas viagens são um bom antídoto para os

Cleópatra sabia que não era muito diferente das outras mulheres, e que de fato o seu rosto não era particularmente bonito. Mas sabia também que os homens tendem a supervalorizar uma mulher. Basta sugerir que existe algo diferente em você para que o associem a algo grandioso e poético. Cleópatra fez César perceber que ela estava ligada aos grandes reis e rainhas do passado egípcio; com Antônio, ela criou a fantasia de que era descendente da própria Afrodite. Estes homens estavam se divertindo com uma mulher que não era apenas decidida, mas uma espécie de deusa. Estas associações podem ser difíceis hoje em dia, mas as pessoas ainda sentem um prazer enorme em associar o outro a alguma figura fantástica da infância. John F. Kennedy se apresentou como um cavaleiro andante – nobre, bravo, encantador. Pablo Picasso não era apenas um grande pintor sedento de jovens, ele era o Minotauro da lenda grega, ou o trapaceiro diabólico que tanto seduz as mulheres. Estas associações não devem ser feitas com muita antecedência; elas só funcionam quando o alvo começa a ficar fascinado, quando já está sugestionável. Um homem que tivesse acabado de conhecer Cleópatra acharia ridícula a associação com Afrodite. Mas quem está se apaixonando acreditará em quase tudo. O truque é associar a sua imagem a algo mítico com as roupas que você veste, com as coisas que diz, os lugares que frequenta.

No romance de Marcel Proust *Em busca do tempo perdido*, o personagem Swann se vê aos poucos seduzido por uma mulher que não é realmente o seu tipo. Ele é um esteta e gosta de coisas sofisticadas. Ela é de uma classe inferior, menos refinada, até um pouco deselegante. O que a poetiza na mente dele é uma série de momentos exuberantes que passam juntos, momentos que ele começa a associar a ela. Um deles é um concerto num salão que frequentavam, no qual ele ficou inebriado com alguns breves compassos de uma sonata. Sempre que ele pensa nela, lembra desta pequena melodia. Presentinhos que ela lhe dava, objetos que havia tocado ou manipulado começam a adquirir vida própria. Qualquer tipo de experiência que se torne mais intensa, artística ou espiritual se prolonga na mente por mais tempo do que as comuns. Você precisa encontrar um jeito de dividir esses momentos com seus alvos – um concerto, uma peça de teatro, um encontro espiritual, seja o que for – para que eles associem a você algo elevado. Momentos exuberantes compartilhados exercem uma imensa atração sedutora. Além disso, qualquer tipo de objeto pode ser impregnado de ressonâncias poéticas e associações sentimentais, como discutimos no último capítulo. Os presentes que você dá e outros objetos podem se tornar impregnados com sua presença; se estiverem associados a lembranças agradáveis, vê-los vai lembrar você e acelerar o processo de poetização.

Embora se diga que longe dos olhos mais perto do coração, uma ausência antes da hora será mortal para o processo de cristalização. Como Eva Perón, você deve cercar seus alvos com uma atenção focalizada para que naqueles momentos críticos em que estiverem sozinhos a mente deles gire numa espécie de reflexo de emoções passadas. Faça tudo que puder para manter o alvo pensando em você. Cartas, lembrancinhas, presentes, encontros inesperados – tudo isso o torna onipresente. Tudo deve lembrar você.

Finalmente, se os seus alvos devem vê-lo como uma figura elevada e poética, é vantagem fazer com que eles mesmos, por sua vez, se sintam elevados e poetizados. O escritor Chateaubriand fazia uma mulher sentir-se uma deusa, ela causava nele um efeito fortíssimo. Ele lhe enviava poemas que ela, supostamente, havia inspirado. Para fazer a rainha Vitória se sentir ao mesmo tempo uma mulher sedutora e uma grande líder, Disraeli a comparava com personagens mitológicas e grandes antecessoras, tais como a rainha Elizabeth. Ao idealizar assim os seus alvos, em troca você faz com que eles o idealizem, visto que você deve ser igualmente notável para ser capaz de ver e apreciar neles todas essas excelentes qualidades. Ficarão também viciados nos sentimentos sublimes que você inspira.

> amantes. *Observe que estas são curas para a própria atenção. A distância da pessoa amada nos faz famintos da sua atenção; impede qualquer outra coisa de despertar atenção. Viagens, ao nos obrigar fisicamente a sair de nós mesmos e solucionar centenas de pequenos problemas, ao nos arrancar de nosso ambiente habitual e nos impor centenas de objetos inesperados, conseguem derrubar o porto seguro do maníaco e abrir canais na sua consciência selada, pelos quais entram o ar fresco e a perspectiva normal.*
> — JOSÉ ORTEGA Y GASSET, *ON LOVE: ASPECTS OF A SINGLE THEME*

Símbolo: *A Auréola.*
Lentamente, quando o alvo está sozinho, ele começa a imaginar uma espécie de brilho tênue envolvendo a sua cabeça, formado por todos os possíveis prazeres que você é capaz de oferecer, o fulgor da sua presença carregada de energia, as suas nobres qualidades. Auréola o distingue das outras pessoas. Não a faça desaparecer tornando-se familiar e comum.

> A excessiva familiaridade pode destruir a cristalização. Uma encantadora menina de 16 anos estava começando a gostar muito de um simpático rapaz da sua idade, que costumava passar por baixo da sua janela ao entardecer. A mãe da moça o convidou para passar uma semana com eles no campo. Era um remédio ousado, reconheço, mas a menina era romântica e o rapaz um bocado sem graça; em três dias ela o desprezava.
> – STENDHAL, DO AMOR

O INVERSO

Pode parecer que a tática inversa seria revelar algo sobre você mesmo, ser totalmente honesto a respeito de suas falhas ou virtudes. Esta sinceridade era uma das características de Lord Byron – ele quase vibrava de emoção ao revelar todas as suas más e desagradáveis qualidades, chegando mesmo ao ponto de, mais tarde na sua vida, contar às pessoas sobre o envolvimento incestuoso que teve com sua meia-irmã. Este tipo de intimidade perigosa pode ser imensamente sedutora. O alvo poetizará os seus vícios, e a sua honestidade com relação a eles; começarão a ver mais do que existe. Em outras palavras, o processo de idealização é inevitável. A única coisa que não pode ser idealizada é a mediocridade, mas nela não há nada de sedutor. É impossível seduzir sem criar algum tipo de fantasia ou poetização.

13

DESARME USANDO A FRAQUEZA E A VULNERABILIDADE ESTRATÉGICAS

Excesso de manobras da sua parte pode levantar suspeitas. A melhor maneira de encobrir os seus rastros é fazer o outro se sentir superior e mais forte. Se você parece fraco, vulnerável, cativado pela outra pessoa e incapaz de se controlar, suas ações terão uma aparência mais natural, menos calculada. A fraqueza física – lágrimas, acanhamento, palidez – ajuda a criar este efeito. Para ganhar mais confiança, faça da honestidade uma virtude: afirme a sua "sinceridade" confessando algum pecado seu – não precisa ser verdade. Finja-se de vítima, depois transforme a solidariedade do seu alvo em amor.

A ESTRATÉGIA DA VÍTIMA

Naquele verão sufocante, na década de 1770, quando a Présidente de Tourvel foi visitar o château da sua velha amiga madame de Rosemonde, deixando em casa o marido, ela contava gozar da paz e da tranquilidade da vida rural mais ou menos sozinha. Mas gostava de prazeres simples e logo seu cotidiano no château entrou numa rotina confortável – missas todos os dias, passeios a pé pela região, obras de caridade nas aldeias vizinhas, jogos de cartas à noite. Quando o sobrinho da madame de Rosemonde apareceu, portanto, a Présidente se sentiu constrangida – mas também ficou curiosa.

O sobrinho, Vicomte de Valmont, era o libertino mais notório de Paris. Sem dúvida era bonito, mas não o que ela havia esperado: parecia triste, um tanto oprimido e, o mais estranho de tudo, mal tinha prestado atenção nela. A Présidente não era uma mulher coquete; vestia-se com simplicidade, ignorava a moda e amava o marido. Mas era jovem e bela, e estava acostumada a chamar a atenção dos homens. No fundo, ela estava ligeiramente perturbada porque ele não a notava. Então, um dia, na missa, ela viu de repente Valmont, que parecida absorto em suas orações. Veio-lhe a ideia de que ele estava numa fase de busca de si mesmo.

Assim que se espalhou a notícia de que Valmont estava no castelo, a Présidente recebeu uma carta de uma amiga alertando-a para esse homem perigoso. Mas ela se achava a última mulher do mundo capaz de ser vulnerável a ele. Além do mais, ele parecia prestes a se arrepender do seu mau passado; talvez ela pudesse ajudá-lo nessa direção. Que maravilhosa vitória seria para Deus. E assim a Présidente observava as idas e vindas de Valmont tentando compreender o que se passava na sua cabeça. Era estranho, por exemplo, que ele saísse de manhã para caçar e voltasse sem ter caçado coisa alguma. Um dia, ela resolveu incumbir uma criada de fazer uma leve e inocente espionagem, e ficou intrigada e encantada ao saber que Valmont não tinha ido caçar; ele fora visitar uma aldeia da região, onde deu dinheiro para uma família pobre que es-

As fracas têm poder sobre nós. As francas, enérgicas, eu dispenso. Sou fraco e indeciso por natureza, e a mulher tranquila e reservada, que obedece aos desejos de um homem a ponto de se permitir ser usada, é muito mais encantadora. Um homem pode moldá-la à vontade, e gosta ainda mais dela.
– MURASAKI SHIKIBU, THE TALE OF GENJI

Hera, filha de Cronos e Reia, tendo nascido na ilha de Samos ou, há quem diga, em Argos, foi criada na Arcádia por Temenos, filho de Pelasgos. As Estações foram suas amas. Após banir o seu pai, o irmão gêmeo de Hera, Zeus, foi procurá-la em Cnossos, Creta, ou, alguns dizem, no monte Thomax (hoje chamado de montanha Cuco), na Argólida, onde cortejou, no início sem sucesso. Ela teve

piedade dele só quando ele se disfarçou de cuco sujo de lama e ternamente o aqueceu ao seio. Nisso ele, de imediato, retornou à sua verdadeira forma e a estuprou, assim ela foi forçada por vergonha a se casar com ele.
– ROBERT GRAVES, THE GREEK MYTHS

Numa estratégia (?) de sedução, um atrai o outro para a sua própria área de fraqueza, que é também a área de fraqueza do outro ou da outra. Uma fraqueza calculada, uma fraqueza incalculável: um desafia o outro a ceder. (...) Seduzir é parecer fraco. Seduzir é enfraquecer. Seduzimos com nossas fraquezas, jamais com sinais de força ou poder. Na sedução colocamos em funcionamento esta fraqueza, e é isso que dá força à sedução. Seduzimos com a nossa morte, a nossa vulnerabilidade e com o vazio que nos assombra. O segredo é saber jogar com a morte na ausência de um olhar ou gesto, na ausência de conhecimento ou significado. A psicanálise nos diz para assumir a nossa fragilidade e passividade, mas, quase em termos religiosos, as transforma

tava sendo despejada de casa. Sim, ela estava certa, sua alma apaixonada estava largando a sensualidade pela virtude. Como ela se sentia feliz por isso!

Naquela noite, Valmont e a Présidente se viram sozinhos pela primeira vez, e ele de repente explodiu numa surpreendente confissão. Estava perdidamente apaixonado pela Présidente, e com um amor como nunca havia experimentado antes: a virtude dela, a sua bondade, a sua beleza, seus modos delicados o haviam conquistado totalmente. A generosidade dele com os pobres naquela tarde era por sua causa – talvez inspirado nela, talvez algo mais sinistro: tinha sido para impressioná-la. Ele jamais confessaria isso mas, sozinho com ela, não conseguiu controlar suas emoções. Ajoelhando-se, ele lhe implorou para ajudá-lo, para guiá-lo na sua miséria.

A Présidente foi apanhada desprevenida e começou a corar. Muito constrangida, ela saiu correndo da sala e por alguns dias fingiu estar doente. Não sabia como reagir às cartas que Valmont agora lhe enviava implorando para que o perdoasse. Ele elogiava o seu belo rosto e a sua bela alma, e afirmava que ela o havia feito repensar toda a sua vida. Essas cartas emotivas produziam emoções perturbadoras e de Tourvel se orgulhava da sua calma e prudência. Sabia que deveria insistir para que ele saísse do château, e lhe escreveu nesse sentido; relutante, ele concordou, mas com uma condição – que ela lhe permitisse escrever de Paris. Ela consentiu, desde que as cartas não fossem ofensivas. Quando ele disse a madame de Rosemonde que estava partindo, a Présidente sentiu uma pontada de culpa: sua anfitriã e tia sentiria a falta do sobrinho, e ele estava tão pálido. Obviamente sofria.

As cartas de Valmont começaram a chegar e de Tourvel logo se arrependeu de ter lhe dado esta liberdade. Ele ignorava a sua exigência de evitar falar de amor – na verdade, ele jurava amá-la eternamente. Ralhava com ela por sua frieza e falta de sensibilidade. Explicava o mau caminho que havia dado à sua vida – não era culpa sua, ele não tinha tido orientação, fora desviado pelos outros. Sem a sua ajuda, ele voltaria a cair nesse mundo. Não seja cruel, ele dizia, você é quem me seduziu. Sou seu escravo, a vítima de seus encantos e bondade; visto que é forte e não sente o que eu sinto, nada tem a temer. De fato, a Présidente de Tourvel tinha pena de Valmont – ele parecia tão fraco, tão sem controle. Como ela poderia ajudá-lo? E por que pensava nele, o que fazia agora cada vez mais? Era uma mulher bem casada. Não, ela devia pelo menos colocar um ponto final nesta cansativa correspondência. Nada de falar de amor, ela escreveu, ou não responderia mais. As cartas pararam de chegar. Ela sentiu um alívio. Finalmente, paz e tranquilidade.

Numa noite, porém, ela estava sentada à mesa do jantar quando escutou, de repente, a voz de Valmont lá atrás falando com madame de Rosemonde. Num impulso, ele dizia, tinha resolvido voltar para uma breve visita. Ela sentiu correr um arrepio pela espinha, o rosto corou; ele se aproximou e sentou-se ao seu lado. Olhou para ela, ela desviou os olhos e encontrou logo uma desculpa para levantar-se da mesa e ir para o seu quarto. Mas não conseguiu evitá-lo totalmente nos dias seguintes, e ele lhe parecia mais pálido do que nunca. Ele era polido e, às vezes, passava-se um dia inteiro sem que ela o visse, mas essas curtas ausências tiveram um efeito paradoxal: agora de Tourvel percebia o que tinha acontecido. Ela sentia falta dele, queria vê-lo. Este modelo de virtude e bondade tinha se apaixonado por um incorrigível leviano. Desgostosa consigo mesma e com o que havia permitido acontecer, ela deixou o château no meio da noite, sem avisar ninguém, e foi para Paris, onde planejava de alguma maneira se arrepender do seu terrível pecado.

Interpretação. O personagem de Valmont no romance epistolar *As ligações perigosas*, de Choderlos de Laclos, baseia-se na vida real de vários libertinos famosos da França do século XVIII. Tudo que Valmont faz é calculado – as ações ambíguas que deixam de Tourvel curiosa a seu respeito, o ato de caridade na aldeia (ele sabe que está sendo seguido), o retorno ao château, a palidez do seu rosto (ele estava tendo um caso com uma moça do château, e as farras noite adentro lhe davam um ar abatido). O mais devastador de tudo é o seu posicionamento como o lado fraco, o seduzido, a vítima. Como a Présidente vai imaginar que está sendo alvo de manipulação quando tudo sugere que ele está fascinado com a sua beleza, seja física ou espiritual? Não pode ser um mentiroso se, repetidamente, faz questão de confessar a "verdade" sobre si mesmo: ele admite que sua caridade foi questionavelmente motivada, ele explica por que se desviou do bom caminho, ele lhe confessa as suas emoções. (Toda esta "honestidade", claro, é calculada.) Em essência, ele é igual a uma mulher, ou pelo menos igual a uma mulher daquela época – emotivo, incapaz de se controlar, de humor inconstante, inseguro. Ela é que é fria e cruel, como um homem. Ao se posicionar como vítima de de Tourvel, Valmont pode não só disfarçar suas manipulações como evocar piedade e preocupação. Fazendo-se de vítima, ele desperta as ternas emoções produzidas por uma criança doente ou um animal ferido. E estas emoções são facilmente canalizadas para o amor – conforme a Présidente consternada descobre.

Sedução é um jogo de redução de desconfianças e resistências. A maneira mais inteligente de se fazer isto é deixar a outra pessoa mais

---

numa espécie de resignação e aceitação para promover um bem temperado equilíbrio psíquico. Sedução, ao contrário, joga triunfantemente com a fraqueza, fazendo disso um jogo, com suas próprias regras.
– JEAN BAUDRILLARD, SEDUCTION

O antigo provérbio americano diz que, para enganar uma pessoa, você precisa antes conquistar a sua confiança ou, pelo menos, fazer com que ela se sinta superior (as duas ideias estão relacionadas) e baixe a guarda. O provérbio explica muita coisa sobre comerciais de televisão. Supondo que as pessoas não sejam idiotas, elas devem reagir aos comerciais de TV com um sentimento de superioridade que lhes permite acreditar que estão no controle. Na persistência desta ilusão da vontade, conscientemente elas nada têm a temer com os comerciais. As pessoas tendem a confiar em tudo que se achem com capacidade de controlar. (...)

Os comerciais de TV parecem tolos, desajeitados e ineficazes de propósito. São feitos para parecerem assim em nível consciente a fim de, conscientemente, serem ridicularizados e rejeitados. (...) Os publicitários em geral admitem que, ao longo dos anos, os comerciais aparentemente piores são os que vendem mais. Um comercial de TV eficaz é intencionalmente projetado para insultar a inteligência consciente do espectador e, portanto, penetrar em suas defesas.
— WILSON BRYAN KEY, SUBLIMINAL SEDUCTION

forte, mais no controle das coisas. A desconfiança em geral surge da insegurança; se os seus alvos se sentem superiores e seguros na sua presença, é difícil que duvidem dos seus motivos. Você é fraco demais, emotivo demais, para estar tramando alguma coisa. Leve esse jogo até onde puder. Faça alarde das suas emoções e de como elas o afetaram. As pessoas ficam imensamente enaltecidas quando sentem o poder que exercem sobre você. Confesse alguma maldade, ou mesmo uma coisa ruim que você fez, ou pensou fazer, com elas. A honestidade é mais importante do que a virtude, e um gesto honesto as deixará cegas para muitas ações enganosas. Crie uma impressão de fraqueza – física, mental, emocional. Força e confiança podem ser assustadoras. Faça da sua fraqueza um conforto e banque a vítima – do poder que exercem sobre você, das circunstâncias, da vida em geral. Esta é a melhor maneira de encobrir as suas pistas.

Você sabe, um homem não vale nada se não souber chorar na hora certa.
— Lyndon Baines Johnson

CHAVES PARA A SEDUÇÃO

Todos temos fraquezas, vulnerabilidades, pontos frágeis em nossa constituição mental. Talvez sejamos tímidos ou sensíveis demais, ou precisemos de atenção – seja qual for o ponto fraco, é algo que não conseguimos controlar. Podemos tentar compensar, ou esconder, mas quase sempre isso é um erro: as pessoas percebem que existe alguma coisa falsa ou artificial. Lembre-se: o que é natural no seu caráter é inerentemente sedutor. A vulnerabilidade de uma pessoa, o que ela parece incapaz de controlar, é muitas vezes o que existe de mais sedutor nela. Quem não demonstra nenhuma fraqueza, por outro lado, evoca a inveja, o medo e a raiva – queremos sabotar essa pessoa só para derrubá-la.

É preciso muita arte para usar a timidez, mas consegue-se muito com isso. Quantas vezes eu usei a timidez para enganar uma mocinha! Em geral, mocinhas falam muito mal de homens tímidos, mas, no íntimo, gostam deles. Um pouco de timidez enaltece a vaidade de uma adolescente, faz com que ela se sinta superior; é o seu pagamento adiantado. Quando postas para dormir, no momento exato em que acreditam que você vai morrer de timidez, você lhes mostra que está tão longe disso que chega a ser bastante

Não lute contra as suas vulnerabilidades, nem tente reprimi-las, mas coloque-as para funcionar. Aprenda a transformá-las em poder. O jogo é sutil: se você chafurdar na sua fraqueza, exagerar na mão, será visto como alguém que está querendo simpatia ou, pior, como uma figura patética. Não, é melhor deixar que as pessoas vislumbrem de vez em quando o lado sensível e frágil do seu caráter, e em geral só depois que elas já o conhecem faz algum tempo. Esse vislumbre vai torná-lo mais humano, reduzir as desconfianças delas e preparar o terreno para um apego maior. Habitualmente forte e no controle das situações, em certos momentos você cede, fraqueja, deixe que as pessoas percebam isso.

Era assim que Valmont usava a sua fraqueza. Ele já perdera a sua inocência havia muito tempo, mas, lá no fundo, lamentava que isso tivesse acontecido. Era vulnerável a quem fosse realmente inocente. Sua sedução da Présidente teve êxito porque não foi totalmente um fingimento; havia uma fraqueza genuína da sua parte que até lhe permitia chorar às vezes. Ele deixou a Présidente ver este seu lado em momentos-chave para desarmá-la. Como Valmont, você pode estar fingindo e ser sincero ao mesmo tempo. Suponha que você seja genuinamente tímido – em alguns momentos, dê um certo peso à sua timidez, exagere um pouco. Deve ser fácil para você enfeitar uma qualidade que já possui.

Ao publicar o seu primeiro poema importante em 1812, Lord Byron tornou-se a celebridade do momento. Além de escritor talentoso, era um sujeito simpático, até bonito, tão ensimesmado e enigmático quanto seus personagens. A mulheres ficaram loucas por Byron. Ele tinha um infame "olhar furtivo", baixando ligeiramente a cabeça e erguendo os olhos para uma mulher, fazendo-a estremecer. Byron, porém, tinha outras qualidades: no primeiro encontro, era impossível deixar de notar seus movimentos nervosos, suas roupas mal cortadas, sua estranha timidez e o seu perceptível claudicar. Este homem infame, que desprezava todas as convenções e parecia tão perigoso, era pessoalmente inseguro e vulnerável.

No seu poema "Dom Juan", o herói é menos um sedutor de mulheres do que um homem constantemente perseguido por elas. O poema é autobiográfico; as mulheres queriam tomar conta desse homem um tanto frágil, que parecia não controlar suas emoções. Passado mais de um século, John F. Kennedy, menino, era obcecado por Byron, o homem a quem mais gostaria de imitar. Ele até tentou copiar o olhar "furtivo" de Byron. Ele mesmo foi um jovem frágil, com constantes problemas de saúde. Era também bonitinho e os amigos viam nele algo de levemente feminino. As fraquezas de Kennedy – físicas e mentais, pois era muito inseguro, tímido e hipersensível – eram exatamente o que atraía as mulheres. Se Byron e Kennedy tivessem tentado esconder suas vulnerabilidades com uma arrogância masculina, não teriam tido nenhum encanto sedutor. Pelo contrário, eles aprenderam a expor sutilmente as suas fraquezas, deixando as mulheres perceberem este seu lado delicado.

Há medos e inseguranças que são peculiares de um sexo ou de outro; o modo como você vai usar a fraqueza estratégica deve sempre levar em conta estas diferenças. Uma mulher, por exemplo, pode se sentir atraída pela força e autoconfiança de um homem, mas em excesso essas qualidades podem causar medo, parecer artificiais, até feias. Particularmente intimidante é a sensação de que o homem é frio e insensível. Elas podem ficar inseguras, achando que ele só está interessado em sexo e nada mais.

> confiável. A timidez faz um homem perder o seu significado masculino e, portanto, é um meio relativamente bom de neutralizar a relação sexual.
> – SÖREN KIERKEGAARD, *DIÁRIO DE UM SEDUTOR*

> Mas há uma outra forma de Caridade, muitas vezes praticada com os prisioneiros pobres encerrados em masmorras e privados de todos os prazeres com mulheres. Nesta, as esposas dos carcereiros e as mulheres que cuidam deles, ou as châtelaines que mantêm prisioneiros de guerra em seus Castelos, se apiedam e lhes dão parte de seu amor por grande caridade e misericórdia. Assim estas esposas de carcereiros, nobres châtelaines e outras, tratam seus prisioneiros, os quais, embora cativos e infelizes eles sejam, não deixam por isso de sentir as ardências da carne tanto quanto sentiram em seus melhores dias. (...) Para o que digo, darei como exemplo uma história que o capitão Beaulieu, capitão das galés do rei, de quem já falei várias vezes, me contou. Ele estava a serviço do finado grande prior da França, um membro da casa de Lorena, que

era muito apegado a ele. Certa vez, indo levar seu senhor a bordo de uma fragata, em Malta, foi assaltado por galés sicilianas e levado prisioneiro para o Castel-à-mare, em Palermo, onde foi encerrado numa masmorra excessivamente estreita, escura e triste, e muito maltratado durante três meses. Por sorte, o governador do castelo, que era um espanhol, tinha duas filhas muito bonitas que, ouvindo seus queixumes e gemidos, pediram licença ao pai para visitá-lo, por honra do bom Deus; e isso ele lhes permitiu fazer. E, visto que o capitão era com certeza um cavalheiro muito galante, e de boa lábia como muitos, ele conseguiu vencê-las na conversa e, logo na primeira visita, elas obtiveram do pai autorização para ele deixar a sua triste masmorra e ser instalado numa alcova decente e receber um tratamento melhor. E não foi só isso, pois elas insistiram e conseguiram licença para visitá-lo à vontade todos os dias e falar com ele. E as coisas se sucederam tão bem que logo ambas estavam apaixonadas por ele, embora ele não fizesse uma bela figura e elas fossem damas muito bonitas.

Faz muito tempo que sedutores do sexo masculino aprenderam a ser mais femininos – a mostrar suas emoções e parecer interessados nas vidas de seus alvos. Os trovadores medievais foram os primeiros a dominar esta estratégia; eles escreviam poesias em homenagem às mulheres, exageravam sem cessar os seus sentimentos e passavam horas nos *boudoirs* de suas damas escutando as mulheres se queixarem e absorvendo os seus estados de espírito. Em troca da disposição a se fingir de fraco, o trovador conquistava o direito de amar.

Pouco mudou desde então. Alguns dos maiores sedutores da história recente – Gabriele D'Annunzio, Duke Ellington, Errol Flynn – compreenderam o valor de se fingirem escravos de uma mulher como um trovador de joelhos. A chave é cultivar o seu lado mais delicado sem deixar de ser o mais masculino possível. Isto pode incluir uma ocasional demonstração de acanhamento, que o filósofo Sören Kierkegaard considerava como uma tática extremamente sedutora num homem – ela dá à mulher uma sensação de conforto e superioridade até. Lembre-se, entretanto, de fazer tudo com moderação. Um vislumbre de timidez já basta; em exagero, faz a vítima perder as esperanças, achando que vai acabar tendo de fazer o trabalho sozinha.

Os temores e inseguranças de um homem quase sempre estão associados à sua sensação de masculinidade; em geral ele se sente ameaçado diante de uma mulher obviamente manipuladora demais, que controla muito. As maiores sedutoras da história sabiam disfarçar suas manipulações fingindo-se de menininhas precisando da proteção masculina. A famosa cortesã da antiga China Sy Shou pintava o rosto para ficar parecendo bem pálida e fraca. Seu modo de caminhar também a fazia parecer frágil. A grande cortesã do século XIX Cora Pearl literalmente se vestia e agia como uma garotinha. Marilyn Monroe sabia como dar a impressão de depender da força de um homem para sobreviver. Em todos esses exemplos, as mulheres é que estavam no controle da dinâmica, incentivando a noção de masculinidade de um homem para, basicamente, escravizá-lo. Para ser mais eficaz, a mulher deve parecer ao mesmo tempo que precisa de proteção e é sexualmente excitável, permitindo ao homem a suprema realização de suas fantasias.

A imperatriz Josefina, esposa de Napoleão Bonaparte, conquistou o domínio sobre o marido desde o início com um calculado coquetismo. Mais tarde, entretanto, ela conservou esse poder com o uso constante – e não tão inocente – de lágrimas. A visão de alguém chorando costuma ter um efeito imediato sobre nossas emoções – é impossível permanecer neutro. Ficamos com pena e, muitas vezes, fazemos qualquer coisa para impedir o choro – inclusive o que normalmente não faríamos. A tática do choro é de uma potência incrível, mas quem chora nem sempre é assim tão inocente. Em geral, existe alguma verdade por trás das lágrimas, mas pode haver também alguma encenação, um jogo de efeito. (E, se o alvo percebe, a tática vai por água abaixo.) Além do impacto emocional das lágrimas, há algo de sedutor na tristeza. Queremos o conforto da outra pessoa e, como de Tourvel descobriu, esse desejo rapidamente se transforma em amor. Fingir tristeza, até chorar às vezes, tem um grande valor estratégico, mesmo para um homem. É uma habilidade que você pode aprender. O personagem central do romance do século XVIII *Mariana*, de Marivaux, pensava em alguma coisa triste do seu passado para conseguir chorar e parecer triste no presente.

Use as lágrimas com parcimônia e guarde-as para a hora certa. Talvez esse seja o momento em que o alvo parece desconfiar dos seus motivos, ou quando você estiver preocupado por não lhe estar causando nenhum efeito. Lágrimas são um barômetro seguro do quanto a outra pessoa está caída por você. Se ela parecer aborrecida, ou não morder a isca, seu caso provavelmente não tem mais jeito.

Em situações sociais e políticas, parecer ambicioso demais, ou muito controlado, faz as pessoas terem medo de você; é crucial mostrar o seu lado delicado. A demonstração de uma única fraqueza esconderá milhares de manipulações. Emoção e choro, até, também funcionam aqui. O mais sedutor é se fazer de vítima. Para o seu primeiro discurso no Parlamento, Disraeli preparou um texto elaborado, mas na hora a oposição gritava e ria tão alto que mal se escutava o que ele dizia. Ele foi em frente, até o fim, mas, ao se sentar novamente, estava achando que tinha sido um total fracasso. Para sua grande surpresa, seus colegas lhe disseram que foi o maior sucesso. Seria um fracasso se ele tivesse se queixado ou desistido; mas, continuando a falar como tinha feito, ele havia se colocado como vítima de uma facção cruel e irracional. Quase todos simpatizavam com ele agora, o que lhe seria útil no futuro. Atacar a mesquinharia dos seus adversários dá a você uma imagem ruim também; em vez disso, absorva os golpes deles, e banque a vítima. O público vai ficar do seu lado, numa reação emocional que servirá de base para uma grandiosa sedução política.

E assim, sem pensar na possibilidade de uma prisão mais rigorosa ou até a morte, mas sim tentado por ela, ele se colocou à disposição do prazer das duas meninas com boa vontade e saudável apetite. E estes prazeres continuaram sem nenhum escândalo, pois tão afortunado foi ele nesta sua conquista durante oito meses inteiros, que nenhum escândalo aconteceu o tempo todo, e nenhum dano, inconveniência nem qualquer surpresa ou descoberta. Pois, na verdade, as duas irmãs se entendiam tão bem e tão generosamente se ajudavam uma à outra, e tão obsequiosamente faziam sentinela uma à outra, que nada de ruim aconteceu. E ele me jurou, sendo meu amigo íntimo, que jamais em seus dias de maior liberdade gozou de tão excelente divertimento ou sentiu ardor maior, ou melhor apetite, do que na dita prisão – que verdadeiramente foi uma boa prisão para ele, embora o povo diga que nenhuma prisão pode ser boa. E esta época feliz durou oito meses, até uma trégua ser acordada entre o imperador e Henrique II, rei da França, pela qual todos os prisioneiros

deixaram as masmorras e foram libertados. Ele jurou que nunca se sentiu mais triste do que ao deixar esta boa prisão, mas lamentou demais deixar estas belas jovens, com quem estava em tão alto favor, e que expressaram todos os pesares possíveis na sua partida.
– SENHOR DE BRANTÔME, LIVES OF FAIR AND GALLANT LADIES

Símbolo: *A Imperfeição. Um belo rosto é delicioso de se ver, mas o excesso de perfeição nos deixa frios e, até, ligeiramente intimidados. É a manchinha, o sinal de beleza, que torna um rosto humano e adorável. Portanto, não esconda todas as suas imperfeições. Você precisa delas para suavizar os seus traços e despertar sentimentos de ternura.*

O INVERSO

Saber o momento certo é tudo na sedução: você deve sempre procurar indícios de que o alvo está caindo no seu feitiço. Quem está se apaixonando tende a ignorar as fraquezas do outro, ou a vê-lo como alguém cativante. Uma pessoa não seduzida, racional, por outro lado, pode achar a timidez ou explosões de emoção patéticos. Certas fraquezas também não possuem nenhum valor sedutor, não importa o quanto o alvo esteja apaixonado.

A grande cortesã do século XVII Ninon de L'Enclos gostava de homens com lado delicado. Mas às vezes o homem exagerava queixando-se de que ela não o amava o suficiente, que era muito volúvel e independente, que o tratava mal e o enganava. Para Ninon, esse comportamento quebrava a magia, e ela acabava logo com o romance. Queixas, lamentos, carências e pedidos insistentes por simpatia vão se revelar ao seu alvo, não como franquezas encantadoras, mas como tentativas manipuladoras de exercer um poder negativo. Portanto, quando se fingir de vítima, seja sutil, sem fazer muito alarde. As únicas fraquezas das quais vale a pena tirar vantagem são aquelas que fazem você parecer adorável. Todas as outras devem ser reprimidas e erradicadas custe o que custar.

14

CONFUNDA DESEJO E REALIDADE – CRIE A ILUSÃO PERFEITA

Para compensar as suas dificuldades na vida, as pessoas gastam uma boa parte do seu tempo divagando, imaginando um futuro cheio de aventuras, sucesso e romance. Se conseguir criar a ilusão de que, por seu intermédio, poderão realizar o que sonham, elas ficarão à sua mercê. É importante começar devagar, conquistando a confiança delas e, aos poucos, ir construindo a fantasia que combina com os seus desejos. Mire nos desejos secretos que têm sido frustrados ou reprimidos, despertando emoções incontroláveis, obscurecendo a capacidade de raciocinar. A ilusão perfeita é a que não se afasta muito da realidade, mas que tem um toque de irreal, como sonhar acordado. Conduza os seduzidos a um ponto de confusão em que eles não percebam mais a diferença entre ilusão e realidade.

FANTASIA EM CARNE E OSSO

Em 1964, um francês de 20 anos de idade, chamado Bernard Bouriscout, chegou a Beijing, na China, para trabalhar como contador na embaixada da França. Suas primeiras semanas ali não foram o que ele havia esperado. Bouriscout crescera nas províncias francesas sonhando com viagens e aventuras. Quando foi designado para a China, imagens da Cidade Proibida e dos antros de jogatina de Macau rodopiaram pela sua cabeça. Mas esta era a China comunista e o contato entre ocidentais e chineses era quase impossível na época. Bouriscout teve de fazer a sua vida social com os outros europeus baseados na cidade, e que panelinha chata eles formavam. Ele foi se sentindo cada vez mais sozinho, arrependido de ter aceitado o posto, e começou a fazer planos para sair dali.

Então, numa festa de Natal naquele mesmo ano, o olhar de Bouriscout foi atraído por um homem no canto da sala. Ele ainda não tinha visto nenhum chinês nesses encontros. O homem era intrigante; esguio e baixo, um tanto reservado, mas com uma presença atraente. Bouriscout chegou perto e se apresentou. O homem, Shi Pei Pu, era escritor de libretos para a ópera chinesa e também professor de chinês dos membros da embaixada francesa. Aos 26 anos, falava um francês perfeito. Tudo nele fascinava Bouriscout; sua voz era como música, suave e sussurrante, e ele deixava você querendo saber mais a seu respeito. Bouriscout, apesar da sua habitual timidez, insistiu para trocarem números de telefone. Talvez Pei Pu pudesse ser o seu tutor chinês.

Encontraram-se dias depois num restaurante. Bouriscout era o único ocidental ali – finalmente ia provar algo real e exótico. Pei Pu, ele ficou sabendo, tinha sido um ator famoso de óperas chinesas e vinha de uma família ligada à antiga dinastia de governantes. Agora compunha óperas sobre trabalhadores, mas disse isso com um olhar de ironia. Os dois começaram a se encontrar com mais frequência, Pei Pu mostrando a Bouriscout os pontos interessantes de Beijing. Bouriscout adorava as histórias dele – Pei Pu falava devagar, e cada detalhe histórico parecia

Amantes e loucos possuem a mente tão fervilhantes, Fantasias tão criativas, que captam Mais do que a fria razão compreende.
– WILLIAM SHAKESPEARE, SONHO DE UMA NOITE DE VERÃO

Ele não era uma pessoa sensual. Era como (...) alguém que tivesse vindo das nuvens. Não era humano. Podia-se dizer que era um amigo ou uma amiga; era uma pessoa diferente, enfim. (...) Sente-se que ele era apenas uma pessoa amiga que vinha de um outro planeta e tão gentil também, tão irresistível e distante da vida terrena.
– BERNARD BOURISCOUT, LIAISON, JOYCE WADLER

O romance surgira novamente no seu caminho na pessoa de um simpático e jovem oficial alemão, o

tenente Konrad Friedrich, que foi visitá-la em Neuilly para lhe pedir ajuda. Ele queria que Paulina [Bonaparte] usasse a sua influência para convencer Napoleão no sentido de atender às necessidades das tropas francesas nos Estados papais. Foi instantânea a impressão que ele causou na princesa, que o acompanhou pelo jardim até o canteiro de pedras com plantas ornamentais. Ali ela parou e, olhando nos olhos do rapaz misteriosamente, ordenou-lhe que voltasse àquele mesmo lugar, naquela mesma hora, no dia seguinte quando, talvez, ela tivesse uma boa notícia para lhe dar. O jovem oficial fez uma mesura e partiu. (...) Nas suas memórias, ele revelou em detalhes o que aconteceu depois do primeiro encontro com Paulina: "Na hora combinada, dirigi-me para Neuilly, caminhei até o local indicado do jardim e fiquei esperando perto do canteiro de pedras. Não fazia muito tempo que estava ali quando uma dama apareceu, cumprimentou-me gentilmente e me conduziu por uma porta lateral ao interior do canteiro de pedras onde havia vários aposentos e galerias e, num esplêndido

adquirir vida com as suas palavras, as mãos gesticulando para dar mais colorido ao que ele contava. Aqui, ele dizia, foi onde o último imperador Ming se enforcou, apontando para o lugar e descrevendo ao mesmo tempo como tinha sido. Ou, o cozinheiro do restaurante onde comiam tinha trabalhado no palácio do último imperador, e lá vinha mais uma história magnífica. Pei Pu também falava da vida na Ópera de Beijing, onde os homens com frequência representavam papéis femininos e às vezes ficavam famosos por isso.

Os dois homens ficaram amigos. O contato dos chineses com estrangeiros era restrito, mas eles conseguiram dar um jeito de se encontrar. Uma noite Bouriscout acompanhou Pei Pu quando ele foi à casa de um funcionário francês ensinar os seus filhos. Ele ouviu Pei Pu contar "A história da borboleta", uma história da ópera chinesa: uma jovem quer muito frequentar uma escola imperial, mas lá não se aceitavam meninas. Ela se disfarça de garoto, passa nos exames e é admitida. Um colega se apaixona por ela, que se sente atraída por ele e acaba lhe contando que é na verdade uma menina. Como a maioria dessas histórias, o fim é trágico. Pei Pu a contou com uma emoção fora do comum; de fato, ele havia feito o papel da menina na ópera.

Dias depois, era de noite e eles estavam passando em frente dos portões da Cidade Proibida quando Pei Pu voltou à "História da borboleta". "Veja minhas mãos", disse ele. "Veja meu rosto. Essa história da borboleta é a minha história também." No seu discurso lento e dramático, ele explicou que a mãe já tinha duas filhas. Filhos homens eram muito mais importantes na China; se na terceira gravidez ela tivesse uma menina, o pai seria obrigado a tomar uma segunda esposa. Nasceu o terceiro bebê: outra menina. Mas a mãe, assustada, não quis dizer a verdade, e fez um acordo com a parteira: diriam que a criança era um menino, e ela seria criada como tal. Esta terceira criança era Pei Pu.

Com o passar dos anos, Pei Pu fez o impossível para disfarçar o seu sexo. Não usava banheiros públicos, arrancava os cabelos com pinça para parecer que estava ficando careca, e outras coisas mais. Bouriscout ficou fascinado com a história, e até aliviado, pois, como o menino da história da borboleta, sentia uma forte atração por Pei Pu. Agora tudo fazia sentido – as mãos pequeninas, a voz aguda, o pescoço delicado. Ele tinha se apaixonado por ela e, pelo visto, o sentimento era recíproco.

Pei Pu começou a frequentar o apartamento de Bouriscout, e logo estavam dormindo juntos. Ela continuava se vestindo de homem, mesmo no apartamento dele, mas as mulheres na China usavam roupas masculinas, e Pei Pu parecia mais mulher do que qualquer chinesa que ele conhecia. Na cama, ela tinha uma timidez e um modo de dirigir as mãos dele que era ao mesmo tempo excitante e feminino. A tudo ela dava um ar de realce e romantismo. Longe dela, cada palavra e gesto seus ressoavam na mente de Bouriscout. O que tornava o romance ainda mais excitante era que tinham de mantê-lo em segredo.

Em dezembro de 1965, Bouriscout voltou para Paris. Ele viajava, tinha outros romances, mas seus pensamentos retornavam sempre para Pei Pu.

A Revolução Cultural estourou na China e ele perdeu contato com ela. Antes de partir, ela lhe dissera que estava esperando um filho dele. Bouriscout não sabia se o bebê já tinha nascido. Sua obsessão por ela cresceu demais e, em 1969, ele deu um jeito de arrumar um outro cargo do governo em Beijing.

O contato com estrangeiros agora era ainda mais desencorajado do que na sua primeira visita, mas ele conseguiu descobrir onde estava Pei Pu. Ela lhe disse que tinha tido um menino, em 1966, mas que ele se parecia com Bouriscout e, em vista do crescente ódio por estrangeiros na China, e a necessidade de manter secreto o seu sexo, ela o mandara para uma região isolada perto da Rússia. Fazia muito frio lá – talvez ele estivesse morto. Ela mostrou a Bouriscout fotografias do menino e ele viu alguma semelhança. Nas semanas seguintes, os dois conseguiram se encontrar aqui e ali, e então Bouriscout teve uma ideia: simpatizava com a Revolução Cultural, e queria contornar as proibições que o impediam de ver Pei Pu; portanto, se ofereceu para servir de espião. A oferta foi transmitida às pessoas certas e em breve ele estava roubando documentos para os comunistas. O filho, de nome Bertrand, foi chamado de volta a Beijing, e Bouriscout finalmente o conheceu. Agora uma tríplice aventura preenchia a vida de Bouriscout: a fascinante Pei Pu, a emoção da espionagem e o filho ilícito, que ele queria levar para a França.

Em 1972, Bouriscout deixou Beijing. Nos anos seguintes, ele tentou repetidas vezes levar Pei Pu e o filho para a França, e dez anos depois acabou conseguindo; os três se tornaram uma família. Em 1983, entretanto, as autoridades francesas desconfiaram desse relacionamento entre um funcionário do Ministério das Relações Exteriores e um chinês, e com uma pequena investigação descobriram o serviço de espionagem que Bouriscout prestava. Ele foi preso e logo veio a surpreendente confissão: o homem com quem vivia era na verdade uma mulher. Confusos, os franceses ordenaram que Pei Pu fosse examinado; como pensavam, ele era um homem completo. Bouriscout foi para a prisão.

Mesmo depois de ouvir a própria confissão do seu ex-amante, Bouriscout continuou convencido de que Pei Pu era mulher. Seu corpo macio, o íntimo relacionamento dos dois – como ele poderia estar errado?

salão, uma sensual banheira. A aventura estava começando a me parecer muito romântica, quase um conto de fadas e, enquanto eu imaginava o que resultaria disso, uma mulher vestida com um roupão da mais fina cambraia entrou por uma porta lateral, aproximou-se de mim e, sorrindo, perguntou se me agradava estar ali. Na mesma hora reconheci a bela irmã de Napoleão, cujo corpo perfeito era nitidamente delineado por cada movimento do seu roupão. Ela estendeu a mão para que eu a beijasse e me disse para me sentar no sofá ao seu lado. Nessa ocasião certamente não era eu o sedutor. (...) Depois de um intervalo, Paulina puxou o cordão de uma sineta e ordenou à mulher que atendeu que preparasse um banho para o qual ela me convidou. Com vestes de banho do mais fino linho ficamos quase uma hora na água translúcida azulada. Em seguida, nos foi servido um lauto jantar em outra sala e nos demoramos ali juntos até o anoitecer. Quando parti, tive de prometer retornar em breve e passei com a princesa muitas tardes iguais a essa."
– HARRISON BRENT, PAULINE BONAPARTE: A WOMAN OF AFFAIRS

> A cortesã deve ser uma figura meio indefinida, fluida, jamais se fixando com certeza nas imaginações. Ela é a lembrança de uma experiência, o ponto onde um sonho se transforma em realidade ou a realidade num sonho. O colorido forte esmaece, o nome dela se torna um eco apenas – eco de um eco, visto que ela provavelmente o adotou de uma antiga predecessora. A ideia da cortesã é um jardim de delícias onde o amante caminha, sentindo primeiro o perfume desta flor e depois daquela, mas sem jamais compreender de onde vem a fragrância que o inebria. Por que não deveria a cortesã fugir à análise? Ela não quer ser reconhecida pelo que é, e sim ter permissão para ser poderosa e eficaz. Ela oferece a verdade de si mesma – ou, melhor, das paixões que passam a ser direcionadas para ela. E o que ela dá de volta é si mesma e uma hora de graça na sua presença. O amor renasce quando se olha para ela: Não é o bastante? Ela é a força geradora de uma ilusão, o ponto de nascimento do desejo, o limiar da contemplação da beleza física.
> – LYNNE LAWNER, LIVES OF THE COURTESANS: PORTRAITS OF THE RENAISSANCE

Só quando Pei Pu, preso na mesma cela, lhe mostrou a incontestável prova do seu sexo é que Bouriscout finalmente a aceitou.

Interpretação. Assim que Pei Pu conheceu Bouriscout, percebeu que tinha encontrado a vítima perfeita. O francês estava solitário, entediado e desesperado. O modo como ele reagia a Pei Pu deu a entender que talvez fosse homossexual também, ou talvez bissexual – confuso, pelo menos. (Bouriscout de fato tinha tido relações homossexuais quando garoto; sentindo-se culpado por isso, havia tentado reprimir este seu lado.) Pei Pu já representava papéis femininos antes, e era muito bom nisso; era franzino e efeminado; fisicamente não era um esforço. Mas quem acreditaria numa tal história, ou pelo menos não se mostraria cético?

O componente crítico da sedução de Pei Pu, na qual ele realizou a fantasia de aventura do francês, foi começar devagar e colocar uma ideia na mente da sua vítima. No seu francês perfeito (mas que era repleto de interessantes expressões em chinês), ele acostumou Bouriscout a ouvir histórias e lendas, algumas verdadeiras, mas todas contadas naquele tom dramático porém no qual se podia acreditar. Em seguida, ele plantou a ideia da personificação de gênero com a sua "História da borboleta". Quando ele confessou a "verdade" quanto ao seu gênero, Bouriscout já estava totalmente encantado por ele.

Bouriscout afastou todas as ideias de desconfiança porque desejava acreditar na história de Pei Pu. A partir daí, tudo ficou fácil. Pei Pu fingia estar menstruada; não foi muito caro arrumar uma criança que pudesse razoavelmente passar por filho deles. Mais importante, levou a fantasia até o fim, permanecendo esquivo e misterioso (exatamente o que um ocidental esperaria de uma mulher asiática) enquanto envolvia o seu passado e, na verdade, toda a experiência dos dois em fragmentos excitantes de história. Como Bouriscout mais tarde explicou: "Pei Pu me excitava mentalmente (...) eu estava tendo relações e na minha cabeça, nos meus sonhos, estava a anos-luz da realidade."

Bouriscout pensava estar vivendo uma aventura exótica, uma perseverante fantasia sua. De uma forma menos consciente, tinha uma válvula de escape para a sua homossexualidade reprimida. Pei Pu personificava a sua fantasia, dando-lhe um corpo ao trabalhar primeiro com a sua mente. A mente tem duas correntes: ela quer acreditar nas coisas nas quais é agradável acreditar, mas tem uma necessidade autoprotetora de desconfiar das pessoas. Se você começar com muito teatro, fazendo muita força para criar uma fantasia, vai alimentar esse lado desconfiado da mente e, uma vez alimentado, as dúvidas não desaparecem. Em vez disso, você deve começar de manso, aumentando a confiança, enquanto deixa talvez as pessoas verem um leve toque de algo estranho ou excitante em você que provoca o interesse delas. Depois você monta a sua história como um texto de ficção qualquer. Você fixou a base para a confiança – agora as fantasias e os sonhos em que as envolverá ficam de repente verossímeis.

Lembre-se: as pessoas querem acreditar no extraordinário; com um pouco de fundamento, uma leve preliminar mental, elas caem na sua ilusão. Em último caso, arrisque pelo aspecto da realidade: use figurantes reais (como o filho que Pei Pu mostrou a Bouriscout) e acrescente toques fantásticos às suas palavras, ou um gesto ocasional que dê a você uma leve irrealidade. Ao perceber que foram fisgadas, você pode aprofundar o encanto entrando cada vez mais na fantasia. A essa altura, já estarão de tal modo mergulhadas na própria mente que você não precisa mais se preocupar com a verossimilhança.

REALIZAÇÃO DE UM DESEJO

Em 1762, Catarina, mulher do czar Pedro III, armou um golpe contra o seu ineficaz marido e se proclamou imperatriz da Rússia. Durante alguns anos, Catarina governou sozinha, mas teve uma série de amantes. Os russos chamavam esses homens de vremienchiki, "os homens do momento" e, em 1774, o homem do momento era Gregory Potemkin, um tenente de 35 anos, dez menos do que Catarina, e um candidato pouco provável ao papel. Potemkin era rude e nem um pouco bonito (tinha perdido um olho num acidente). Mas sabia fazer Catarina rir e a adorava tanto que ela acabou sucumbindo. Rapidamente ele se tornou o amor da sua vida.

Catarina fez Potemkin subir cada vez mais na hierarquia, no final fazendo-o governador da Rússia Branca, uma grande área no Sudoeste do país incluindo a Ucrânia. Como governador, Potemkin teve de deixar São Petersburgo e ir viver no Sul. Ele sabia que Catarina não ficava sem uma companhia masculina, portanto tomou a si a tarefa de nomear o subsequente vremienchiki da imperatriz. Ela não só aprovou esta combinação como deixou claro que Potemkin seria sempre o seu favorito.

O sonho de Catarina era entrar em guerra com a Turquia, reconquistar Constantinopla para a Igreja ortodoxa e expulsar os turcos da Europa. Ela se ofereceu para dividir esta cruzada com o jovem imperador da casa dos Habsburgos, José II, mas José não se decidia a assinar o tratado que os uniria na guerra. Impaciente, em 1783 Catarina anexou a Crimeia, uma península ao sul quase toda ela habitada por tártaros mu-

Foi em 16 de março, o mesmo dia em que o duque de Gloucester escreveu para Sir William, que Goethe registrou a primeira ação conhecida do que estava destinado a se chamar Atitudes de Emma. Os que elas eram, saberemos em breve. Primeiro é preciso enfatizar que as Atitudes eram um espetáculo apenas aos olhos dos favorecidos. (...) Goethe, discípulo de Winckelmann, estava nesta data emocionado com a forma humana, conforme escreve um contemporâneo. Aqui estava o espectador ideal para o drama clássico que Emma e Sir William haviam arquitetado nas longas noites de inverno. Sentemo-nos ao lado de Goethe para assistir à sua descrição do espetáculo. "Sir William Hamilton (...) após muitos anos de dedicação às artes e ao estudo da natureza, encontrou o clímax desses prazeres na pessoa de uma jovem inglesa de 20 anos com um rosto bonito e um corpo perfeito. Ele mandou fazer para ela um traje grego que lhe caía à perfeição. Vestida assim, ela solta os cabelos e, com alguns xales, varia de tantas maneiras suas poses, gestos, expressões etc. que o espectador mal acredita nos seus olhos. Ele vê o que milhares de artistas gostariam de expressar realizando-se diante dele em movimentos e surpreendentes transformações – de pé, ajoelhada, sentada, reclinando-se, séria, triste, alegre, extática, contrita, fascinante, ameaçadora, ansiosa, uma pose se segue a outra sem intervalos. Ela sabe compor as dobras do seu véu para combinar com cada estado de espírito, e tem centenas de modos de transformá-lo num adereço de cabeça. O velho cavalheiro a idolatra e se entusiasma com tudo que ela faz. Nela, ele encontrou todas as antiguidades, todos os perfis de moedas sicilianas, até o Apolo do Belvedere. Isto é certo: como espetáculo, não se compara com nada que você já tenha visto na sua vida. Já tivemos a

çulmanos. Ela pediu a Potemkin que fizesse o que já tinha conseguido na Ucrânia – livrar a área de bandidos, construir estradas, modernizar portos, trazer a prosperidade à população pobre. Depois de tudo limpo, a Crimeia seria o posto perfeito para se lançarem numa guerra contra a Turquia.

A Crimeia era uma região árida e atrasada, mas Potemkin adorava desafios. Pondo-se a trabalhar em centenas de projetos diferentes, ele ficou embriagado com visões dos milagres que poderia fazer ali. Fundaria uma capital no rio Dnieper, Ekaterinoslav ("Para glória de Catarina"), que rivalizaria com São Petersburgo e seria a sede de uma universidade superior a qualquer outra da Europa. A região rural abrigaria infindáveis campos de cereais, pomares com frutas raras do Ocidente, fazendas de criação de bichos-da-seda, novas cidades com fervilhantes mercados. Numa visita à imperatriz em 1785, Potemkin falou dessas coisas como se já existissem, tão vívidas eram as suas descrições. A imperatriz ficou encantada, mas seus ministros estavam céticos – Potemkin falava muito. Ignorando os conselhos deles, em 1787 Catarina planejou uma excursão até lá. Pediu a José II que a acompanhasse – ele ficaria tão impressionado com a modernização da Crimeia que assinaria imediatamente a favor da guerra contra a Turquia. Potemkin, naturalmente, deveria organizar tudo.

E assim, em maio daquele ano, depois que as águas do Dnieper descongelaram, Catarina se preparou para uma viagem partindo de Kiev, na Ucrânia, até Sebastopol, na Crimeia. Potemkin programou sete palácios flutuantes para transportar Catarina e o seu séquito rio abaixo. A viagem começou e, quando Catarina, José e os cortesãos olharam para as margens de ambos os lados, viram arcos triunfais em frente de cidades de aparência limpa com os muros recentemente pintados; um gado de ar saudável pastando nos campos; fileiras de tropas marchando pelas estradas; construções surgindo por toda parte. Ao anoitecer, distraíram-se assistindo a camponeses em trajes coloridos e moças sorridentes com flores nos cabelos dançando à beira d'água. Catarina tinha visitado esta região havia muitos anos, e a pobreza dos camponeses a deixara triste – na época, decidiu que faria alguma coisa para mudar o destino deles. Ver diante de seus olhos os sinais dessa transformação a deixou emocionada e ela puxou a orelha dos críticos de Potemkin: Vejam o que o meu favorito fez, olhem estes milagres!

Eles ancoraram em três cidades no caminho, ficando sempre num palácio magnífico, recém-construído, com quedas d'água artificiais no estilo dos jardins ingleses. Em terra, atravessaram aldeias com mercados vibrantes, os camponeses felizes nos seus trabalhos, construindo e consertando. Em todos os locais onde passaram a noite, um espetáculo lhes enchia os olhos – danças, desfiles, quadros vivos com motivos mitológicos, vulcões artificiais iluminando jardins mouriscos. Até que, no fim da viagem, no palácio de Sebastopol, Catarina e José discutiram a guerra com a Turquia. José reiterou as suas preocupações. De repente, Potemkin interrompeu: "Tenho cem mil tropas aguardando que eu diga 'Sigam!'" Naquele momento escancararam-se as janelas do palácio e, ao som dos canhões retumbantes, eles viram tropas enfileiradas até onde a vista alcançava, e uma frota de navios enchendo o porto. Pasmo com a visão, imagens de cidades do leste europeu recuperadas das mãos turcas dançando na sua cabeça, José II finalmente assinou o tratado. Catarina ficou em êxtase, e seu amor por Potemkin cresceu ainda mais. Ele havia transformado os seus sonhos em realidade.

Catarina jamais desconfiou de que tudo que tinha visto era puro fingimento, talvez a ilusão mais sofisticada que um homem já criou.

Interpretação. Nos quatro anos em que foi governador da Crimeia, Potemkin tinha realizado pouca coisa porque esta região atrasada levaria décadas para se desenvolver. Mas nos poucos meses que antecederam a visita de Catarina, ele havia feito o seguinte: todos os prédios que davam para a estrada ou para o rio receberam uma nova mão de tinta; árvores artificiais foram montadas para esconder pontos inconvenientes na paisagem; telhados quebrados foram consertados com tábuas frágeis pintadas para parecerem telhas; todas as pessoas que os visitantes veriam foram instruídas para vestirem suas melhores roupas e parecerem felizes; velhos e doentes deveriam ficar em casa. Navegando pelo Dnieper em seus palácios flutuantes, a comitiva imperial viu aldeias recém-construídas, mas a maioria dos prédios era apenas uma fachada. O gado veio embarcado de longe, e era transferido à noite para outros pastos ao longo do itinerário. Os camponeses dançando foram treinados para as apresentações; depois de cada uma delas, eles subiam às pressas em carroças e eram transportados para um novo local ao longo do rio, como também os soldados marchando que pareciam estar por toda parte. Os jardins dos novos palácios estavam repletos de árvores transplantadas que morreram dias depois. Os próprios palácios eram rápida e precariamente construídos, mas com uma decoração tão maravilhosa que ninguém percebeu. Uma fortaleza ao longo do caminho tinha sido construída com areia, e destruída logo depois por uma tempestade.

O custo dessa imensa ilusão foi enorme, e a guerra com a Turquia seria um fracasso, mas Potemkin alcançou o seu objetivo. Ao observador, é claro, havia indícios por todo o caminho de que aquilo tudo não

---

oportunidade de apreciá-lo em duas noites.
– FLORA FRASER, EMMA, LADY HAMILTON

Pois este estranho não é na realidade nada de novo ou alheio, mas algo que é familiar e antigo – estabelecido na mente e que dela se tornou alienado apenas pelo processo de repressão. Esta referência ao fato de repressão nos permite, além do mais, compreender a definição de Schelling para o estranho como algo que deveria ter permanecido oculto, mas que veio à luz. (...) Há mais um ponto de aplicação geral que eu gostaria de acrescentar. (...) É que o efeito estranho é com frequência facilmente produzido quando a distinção entre imaginação e realidade se apaga, como quando algo que até então consideramos como imaginário surge diante de nós na realidade, ou quando um símbolo assume as plenas funções do objeto que simboliza e assim por diante. É este fator que contribui não pouco ao efeito estranho associado às práticas mágicas. O elemento infantil nisto, que também domina a

> *mente dos neuróticos, é a ênfase excessiva da realidade psíquica em comparação com a realidade material – uma característica intimamente aliada à crença na onipotência dos pensamentos.*
> – SIGMUND FREUD, "THE UNCANNY", EM *PSYCHOLOGICAL WRITINGS AND LETTERS*

era o que parecia ser, mas, se a própria imperatriz insistia em que tudo era real e glorioso, os cortesãos não podiam fazer outra coisa a não ser concordar. Essa foi a essência da sedução: Catarina queria tanto ser vista como uma governante amorosa e progressista que derrotaria os turcos e libertaria a Europa, que, ao ver os sinais de mudança na Crimeia, sua mente completou o quadro.

Quando nossas emoções estão envolvidas, quase sempre é impossível ver as coisas como elas são. O amor obscurece a nossa visão, nos faz colorir os acontecimentos de forma a coincidir com nossos desejos. Para que as pessoas acreditem nas ilusões que você cria, é preciso alimentar as emoções sobre as quais elas têm menos controle. Muitas vezes a melhor maneira de fazer isto é sondar quais são os seus desejos insatisfeitos, aqueles que estão gritando para serem realizados. Talvez elas queiram se ver como pessoas nobres e românticas, mas a vida não deixou. Talvez queiram uma aventura. Se algo parece validar este desejo, elas se tornam emotivas e irracionais, quase alucinadas.

Lembre-se de envolvê-las em sua ilusão *lentamente*. Potemkin não começou com grandes espetáculos, mas com visões simples ao longo do caminho, tais como um gado pastando. Em seguida, ele os trouxe para a terra, intensificando o drama, até o clímax calculado quando as janelas se escancararam revelando uma poderosa máquina de guerra – na verdade uns mil homens e barcos perfilados de forma a sugerir um número bem maior. Como Potemkin, faça o alvo participar de algum tipo de viagem, física ou não. A sensação de estar compartilhando de uma aventura vem cheia de associações com fantasias. Faça as pessoas sentirem que vão ver ou viver algo relacionado com seus desejos mais profundos e elas enxergarão aldeias felizes e prósperas onde só existem fachadas.

> *Aqui começa a verdadeira jornada pela terra encantada de Potemkin. Foi como um sonho – o sonhar de olhos abertos do mágico que descobriu o segredo de materializar suas visões. (...) [Catarina] e seus companheiros tinham deixado para trás o mundo da realidade . (...) A conversa deles era sobre Efigênia e os antigos deuses, e Catarina sentiu-se como sendo ao mesmo tempo Alexandre e Cleópatra.*
> – Gina Kaus

CHAVES PARA A SEDUÇÃO

O mundo real pode ser implacável; coisas acontecem sobre as quais temos pouco controle, os outros ignoram os nossos sentimentos nas suas buscas para conseguirem o que desejam, o tempo acaba e não fizemos o que queríamos. Se parássemos para olhar o presente e o futuro de uma forma totalmente objetiva, entraríamos em desespero. Felizmente, desde cedo desenvolvemos o hábito de sonhar acordados. Neste outro mundo mental que habitamos, o futuro está cheio de róseas possibilidades. Talvez amanhã vendamos aquela brilhante ideia, ou encontremos a pessoa que vai mudar nossa vida. A nossa cultura estimula essas fantasias com constantes imagens e histórias de maravilhosas ocorrências e romances felizes.

O problema é que essas imagens só existem em nossa mente ou, ou na tela. Elas na verdade não bastam – queremos o que é real, não esse interminável devaneio e excitação. A sua tarefa como sedutor é dar vida às fantasias de alguém personificando uma figura imaginária ou criando um cenário que se pareça com o dos sonhos dessa pessoa. Ninguém resiste à atração de um desejo secreto que se realiza diante dos próprios olhos. Você deve primeiro escolher alvos que tenham algum recalque ou sonho não realizado – sempre as vítimas mais prováveis de uma sedução. Lenta e gradualmente, você monta a ilusão de que eles vão ver, sentir e viver aqueles seus sonhos. Quando eles têm essa sensação, perdem o contato com a realidade e começam a ver a fantasia que você armou como mais real do que tudo. E, quando eles perdem o contato com a realidade, ficam (para citar as vítimas femininas de Stendhal e Lord Byron) como cotovias assadas caindo na sua boca.

A maioria das pessoas tem uma ideia errada do que seja ilusão. Como qualquer mágico sabe, ela não precisa ser nada de teatral ou grandioso; o que é teatral e grandioso pode de fato ser destrutivo, chamar demasiada atenção para você e para os seus planos. Em vez disso, crie uma aparência de normalidade. Quando seus alvos se sentirem seguros – nada está fora do normal –, você tem espaço para enganá-los. Pei Pu não inventou de imediato uma mentira sobre o seu gênero; esperou, fez Bouriscout vir até ele. Depois que Bouriscout se convenceu, Pei Pu continuou usando roupas masculinas. Ao dar vida a uma fantasia, o grande erro é achar que ela deva ser verdadeira demais. Isso chegaria às raias do bizarro, que é divertido, mas raramente "sedutor". Pelo contrário, o que você precisa é o que Freud chamou de "o estranho", algo que é desconhecido e familiar ao mesmo tempo, como um *déjà-vu*, ou uma lembrança de infância – qualquer coisa ligeiramente irracional ou irreal. O estranho, a mistura do real com o irreal, tem um poder imenso sobre a nossa imaginação. As fantasias a que você dá vida para os seus alvos não devem ser bizarras ou excepcionais; devem ter raízes na realidade, com uma leve sugestão do estranho, do teatral, do oculto (falando de destino, por exemplo). Você faz as pessoas lembrarem vagamente de alguma coisa da infância delas, ou do personagem de um livro ou filme.

Mesmo antes de escutar a história de Pei Pu, Bouriscout teve a estranha sensação de que havia algo de notável e fantástico naquele homem de aparência comum. O segredo para criar um efeito estranho é mantê-lo sutil e sugestivo.

Emma Hart veio de uma família prosaica, o pai era ferreiro rural na Inglaterra do século XVIII. Emma era muito bonita, mas não tinha outros talentos para seu mérito. No entanto, chegou a ser uma das maiores sedutoras da história, seduzindo primeiro Sir William Hamilton, o embaixador inglês na corte de Nápoles, e depois (como Lady Hamilton, esposa de Sir William) o vice-almirante Lord Nelson. O mais curioso nela, quando você a conhecia, era a estranha sensação de ser uma figura do passado, uma mulher saída de um mito grego ou história antiga. Sir William colecionava antiguidades gregas e romanas; para seduzi-lo, Emma espertamente se fez parecida com uma estátua grega, e com figuras míticas em quadros da época. Não era só o seu penteado, ou as suas roupas, mas as suas poses, o modo como se comportava. Era como se um dos quadros que ele colecionava tivesse adquirido vida. Logo Sir William começou a receber para festas em sua casa em Nápoles, nas quais Emma aparecia fantasiada e posava, recriando imagens da mitologia e da história. Dezenas de homens se apaixonaram por ela, pois personificava a imagem das suas infâncias, uma imagem de beleza e perfeição. A chave para essa criação de fantasia era uma certa associação cultural compartilhada – mitologia, sedutoras históricas como Cleópatra. Todas as culturas têm uma fonte inesgotável dessas figuras de passados distante e não tão distante. Você sugere uma semelhança em espírito e aparência – mas você é de carne e osso. O que pode ser mais emocionante do que a sensação de estar diante de um personagem imaginário que vem lá das suas mais remotas recordações?

Numa noite, Paulina Bonaparte, irmã de Napoleão, deu uma festa na sua casa. Mais tarde, um simpático oficial alemão se aproximou dela no jardim e lhe pediu ajuda para transmitir um pedido ao imperador. Paulina prometeu fazer o possível e, depois, com uma expressão bastante misteriosa, lhe disse para voltar àquele mesmo lugar na noite seguinte. O oficial voltou e foi recebido por uma jovem mulher, que o conduziu a uns aposentos próximos ao jardim e depois a um magnífico salão, completo, com uma banheira extravagante. Momentos depois, outra jovem mulher entrou por uma porta lateral vestida com roupas diáfanas. Era Paulina. Soaram sinetas, cordas foram puxadas e criadas surgiram preparando o banho, dando ao oficial um roupão e desaparecendo. O oficial mais tarde descreveu a noite como algo saído de um conto de fadas, e ele teve a sensação de que Paulina estava intencionalmente representando o papel de alguma sedutora mítica. Paulina era bonita e poderosa o suficiente para ter quase todos os homens que quisesse, e não estava interessada simplesmente em atrair um homem para a cama; ela queria envolvê-lo numa aventura romântica, seduzir a sua mente. Parte da aventura era a sensação de que ela estava representando um papel, e convidava o seu alvo para compartilhar dessa fantasia.

Representar papéis é muito agradável. Essa atração tem origem na infância, quando aprendemos a emoção de experimentar diferentes papéis imitando os adultos ou personagens fictícios. Quando crescemos e a sociedade define o papel que vamos representar, uma parte de nós anseia pelo espírito brincalhão que tivemos um dia, pelas máscaras que fomos capazes de usar. Ainda queremos brincar disso, representar um papel diferente na vida. Satisfaça esse desejo dos seus alvos deixando evidente, primeiro, que você está representando um papel, depois, convidando-os a dividir com você uma fantasia. Quanto mais você fizer as coisas parecerem uma brincadeira ou ficção, melhor. Observe como Paulina começou a sedução com um misterioso pedido para o oficial voltar na noite seguinte; depois, uma segunda mulher o conduziu por uma série mágica de aposentos. A própria Paulina demorou para entrar e, quando apareceu, não mencionou o assunto dele com Napoleão, ou nada que fosse remotamente banal. Ela tinha um ar etéreo; ele estava sendo convidado a ingressar num conto de fadas. A noite foi real, mas teve uma estranha semelhança com um sonho erótico.

Casanova levava ainda mais longe esta representação de papéis. Ele viajava com um enorme guarda-roupa e um baú repleto de acessórios, muitos deles presentes para seus alvos – leques, joias, aderéços diversos. E algumas das coisas que ele dizia e fazia eram copiadas dos romances que tinha lido e das histórias que havia escutado. Ele envolvia as mulheres numa atmosfera romântica intensificada, mas que, não obstante, era bastante real para os seus sentidos. Como Casanova, você deve ver o mundo como uma espécie de teatro. Dê uma certa leveza aos papéis que estiver representando; tente criar uma sensação de drama e ilusão; confunda as pessoas com a livre irrealidade de palavras e gestos inspirados na ficção; no dia a dia, seja um consumado ator. Nossa cultura reverencia os atores por causa da sua liberdade para representar papéis. É algo que todos nós invejamos.

Durante anos, o cardeal de Rohan viveu temeroso de ter ofendido de algum modo a sua rainha, Maria Antonieta. Ela nem olhava para ele. Então, em 1784, a Comtesse de Lamotte-Valois lhe sugeriu que a rainha estava disposta não só a mudar essa situação como, na verdade, ser sua amiga.

A rainha, disse Lamotte-Valois, indicaria isso na sua próxima recepção formal – ela o cumprimentaria de um modo especial.

Durante a recepção, Rohan percebeu mesmo uma ligeira mudança no comportamento da rainha em relação a ele, e um quase imperceptível olhar na sua direção. Ficou felicíssimo. Agora a condessa sugeria que os dois se correspondessem, e Rohan passou dias escrevendo e reescrevendo a sua primeira carta para a rainha. Para seu encanto, recebeu outra de volta. Em seguida, a rainha quis falar com ele em particular nos jardins de Versailles. Rohan ficou fora de si de tanta felicidade e expectativa. Ao anoitecer, ele encontrou a rainha nos jardins, caiu no chão e beijou a fímbria do seu vestido. "Vamos esquecer o passado", disse ela. Nisso, escutaram vozes se aproximando e a rainha, com medo de que fossem vistos juntos, fugiu rapidamente com suas criadas. Mas Rohan logo recebeu um pedido dela, mais uma vez por intermédio da condessa; ela desejava desesperadamente adquirir o colar de diamante mais belo do mundo. Precisava de um intermediário para fazer a compra, visto que o rei o achava muito caro. Tinha escolhido Rohan para a tarefa. O cardeal estava mais do que disposto; cumprindo essa tarefa, ele provaria a sua lealdade, e a rainha lhe seria devedora para sempre. Agora Rohan esperava que a rainha não só lhe agradecesse pelo que havia feito, como lhe fosse aos poucos retribuindo.

Mas isso nunca aconteceu. A condessa era de fato uma grande vigarista; a rainha nunca lhe acenara, isso só tinha existido na imaginação dele. As cartas que ele havia recebido eram forjadas, e nem mesmo eram bem escritas. A mulher com quem ele se encontrara no parque era uma prostituta paga para se vestir e representar o papel. O colar, é claro, era de verdade, mas depois que Rohan pagou por ele e o entregou à condessa, tinha desaparecido. Dividido em vários pedaços, foi vendido por toda a Europa por quantias astronômicas. E quando Rohan finalmente foi se queixar com a rainha, a notícia da extravagante compra se espalhou rápido. O público acreditou na história de Rohan – de que a rainha tinha na verdade comprado o colar, e estava fingindo que não. Essa mentira foi o primeiro passo para arruinar a sua reputação.

Todo mundo perdeu alguma coisa na vida, sentiu as dores da decepção. A ideia de que podemos ter alguma coisa de volta, de que um erro pode ser consertado, é imensamente sedutora. Com a impressão de que a rainha estava preparada para perdoar um erro que ele tivesse cometido, Rohan ficou imaginando uma porção de coisas – acenos que não existiram, cartas que eram as mais inconsistentes falsificações, uma prostituta que virou Maria Antonieta. A mente é infinitamente sugestionável, e ainda mais quando estão envolvidos desejos muito fortes. E nada é mais forte do que a vontade de mudar o passado, consertar um erro, satisfazer uma frustração. Descobrir estes desejos nas suas vítimas e criar uma fantasia na qual elas possam acreditar será simples para você: poucas pessoas têm o poder de não se deixarem enganar por uma ilusão na qual querem desesperadamente acreditar.

Símbolo: *Xangri-Lá. Todos guardam em sua mente a visão de um lugar perfeito onde as pessoas são gentis e nobres, onde seus sonhos e desejos podem se realizar, onde a vida é repleta de aventuras e romance. Conduza o seu o alvo até lá, dê-lhe um vislumbre do Xangri-Lá por entre a névoa da montanha, e ele se apaixonará.*

O INVERSO

Para este capítulo, não existe inverso. Nenhuma sedução pode acontecer sem que se crie ilusão, a sensação de um mundo que é real, mas separado da realidade.

15

ISOLE A VÍTIMA

A pessoa isolada é fraca. Ao isolar lentamente as suas vítimas, você as torna mais vulneráveis à sua influência. Afaste-as do seu meio ambiente natural, dos seus amigos, da família, do seu lar. O isolamento delas pode ser psicológico: ao encher os seus campos visuais com a agradável atenção que você lhes dedica, você exclui tudo o mais que estiver na mente delas. O isolamento também pode ser físico: você as afasta de seus ambientes normais, seus amigos, família, lar. Faça com que se sintam marginalizadas, no limbo – elas estão deixando para trás um mundo e entrando em outro. Uma vez isoladas, elas não têm nenhum apoio externo e, confusas, são facilmente desencaminhadas. Atraia os seduzidos para o seu covil, onde nada lhes é familiar.

ISOLAMENTO – O EFEITO EXÓTICO

No início do século V a.C., Fu Chai, o rei chinês de Wu, derrotou o seu grande inimigo, Kou Chien, rei de Yueh, numa série de batalhas. Kou Chien foi capturado e forçado a servir como cavalariço nos estábulos de Fu Chai. Ele acabou tendo permissão para voltar para casa, mas, uma vez por ano, era obrigado a pagar um tributo em dinheiro e presentes a Fu Chai. Com o tempo, esse tributo foi aumentando, assim o reino de Wu prosperou e Fu Chai ficou rico.

Um ano, Kou Chien enviou uma delegação a Fu Chai: queriam saber se ele aceitaria duas belas jovens de presente como parte do tributo. Fu Chai ficou curioso e aceitou a oferta. As mulheres chegaram dias depois em meio a muita expectativa, e o rei as recebeu no seu palácio. As duas se aproximaram do trono — seus cabelos estavam magnificamente penteados no estilo chamado "aglomerado de nuvens", enfeitados com pérolas e penas de martim-pescador. Ao caminharem, os pingentes de jade presos em seus cintos soavam delicadamente. No ar, sentia-se um perfume delicioso. O rei ficou muito satisfeito. Uma das moças era muito mais bonita do que a outra; chamava-se Hsi Shih. Ela o olhou nos olhos sem nenhuma timidez; de fato era segura e coquete, algo que ele não estava acostumado a ver numa menina tão jovem.

Fu Chai quis festas para comemorar a ocasião. Os salões do palácio se encheram de foliões; excitada pelo vinho, Hsi Shih dançou para o rei. Ela cantou, e sua voz era bela. Reclinada num sofá de jade branco, ela parecia uma deusa. O rei não saía do seu lado. No dia seguinte, ele a seguia por toda parte. Para seu assombro, ela era espirituosa, inteligente e culta, e sabia citar os clássicos melhor do que ele. Quando ele precisava se afastar para tratar de assuntos reais, sua mente ia cheia de imagens suas. Não demorou muito e ele a levava para suas reuniões de conselho, consultando-a sobre questões importantes. Ela lhe dizia para não escutar tanto o que seus ministros diziam; ele sabia mais do que eles, seu julgamento era superior.

No estado de Wu, grandes preparativos estavam sendo feitos para a recepção das duas beldades. O rei as recebeu em audiência rodeado de seus ministros e toda a sua corte. Quando elas se aproximaram, os pingentes de jade presos em seus cintos soavam como música e o ar estava perfumado com a fragrância de suas roupas. Pérolas e penas de martins-pescadores enfeitavam seus cabelos. Fu Chai, rei de Wu, olhou nos belos olhos de Hsi Shih (495-472 a.C.) e esqueceu o seu povo e o seu Estado. Mas ela não virou o rosto nem corou como fizera três anos antes à beira do riacho. Tinha total domínio da arte da sedução e sabia como encorajar o rei a olhar novamente. Fu Chai mal notou a segunda moça, cujos suaves encantos não o atraíram. Ele só tinha olhos para Hsi Shih, e antes de terminada a audiência quem estava na corte entendeu que a menina seria uma força a ser considerada e que ela poderia influenciar o rei para o bem ou para o mal. (...) Em meio aos foliões nos salões de Wu, Hsi Shih teceu a sua rede de fascínio em torno do coração do suscetível monarca. (...) "Inflamada pelo vinho, ela agora começa a cantar / As canções de Wu para agradar ao insensato rei; / E na dança de Tsu ela sutilmente mistura / Todos os movimentos rítmicos às suas finalidades sensuais." (...) Mas ela podia fazer mais do que cantar e dançar para distrair o rei. Ela era espirituosa, e a sua compreensão da política o surpreendia. Se queria alguma coisa, derramava lágrimas que deixavam o coração do seu amante tão comovido que ele era incapaz de lhe recusar fosse o que fosse. Pois ela era, como Fan Li tinha dito, a única, a incomparável Hsi Shih, cuja personalidade magnética atraía a todos, muitos até contra a própria vontade. (...) Cortinas de seda bordada, crivadas de corais e pedras preciosas, móveis perfumados e biombos incrustados de

O poder de Hsi Shih aumentava a cada dia. Mas ela não era fácil de agradar; se o rei não lhe satisfizesse um desejo qualquer, seus olhos se enchiam de lágrimas, ele ficava com o coração derretido e cedia. Certa vez ela lhe implorou para construir um palácio para ela fora da capital. Claro, ele concordou. E, ao visitar o palácio, surpreendeu-se com a sua magnificência, apesar de ter pago todas as contas: Hsi Shih o enchera de móveis extravagantes. Nos pátios, havia um lago artificial com pontes de mármore. Fu Chai passava cada vez mais tempo ali, sentado ao lado de um tanque observando Hsi Shih pentear os cabelos usando a água como espelho. Ele a via brincar com os pássaros, em suas gaiolas enfeitadas com pedras preciosas, ou simplesmente caminhando pelo palácio, pois ela se movia como um salgueiro agitado pela brisa. Meses se passaram; ele não saía do palácio. Faltava a reuniões de conselho, ignorava a família e os amigos, negligenciava suas funções públicas. Perdeu a noção do tempo. Quando uma delegação o procurava para discutir assuntos urgentes, ele estava distraído demais para escutar. Se alguma coisa que não fosse Hsi Shih ocupasse o seu tempo, Fu Chai não suportava a ideia de que ela pudesse se aborrecer.

Até que chegou aos seus ouvidos a notícia de uma crise iminente; a fortuna que ele havia gasto no palácio deixara o Tesouro na falência, e o povo estava descontente. Ele voltou à capital, mas já era tarde; um exército do reino de Yueh tinha invadido Wu, e alcançado a capital. Estava tudo perdido. Fu Chai não teve tempo de voltar para junto de Hsi Shih. Para não cair nas mãos do rei de Yueh, o homem que um dia servira nos seus estábulos, ele se suicidou.

Mal sabia ele que Kou Chien levara anos tramando essa invasão, e que a sofisticada sedução de Hsi Shih era uma peça principal do seu plano.

Interpretação. Kou Chien queria ter certeza de que a sua invasão de Wu não fracassaria. Seu inimigo não eram os exércitos de Fu Chai, ou a riqueza dele e os seus recursos, mas a sua mente. Se ele pudesse ser profundamente distraído, sua mente cheia de alguma coisa que não fosse assuntos de Estado, ele cairia do galho como uma fruta madura.

Kou Chien encontrou a jovem mais bela do seu reino. Durante três anos, mandou que a treinassem em todas as artes – não apenas canto, dança e caligrafia, mas também na arte de se vestir, conversar, ser coquete. E funcionou; Hsi Shih não dava um momento de descanso a Fu Chai. Tudo nela era exótico e pouco familiar. Quanto mais atenção ele prestava aos seus cabelos, humores, olhares e movimentos, menos pensava em diplomacia e guerra. Ele foi distraído.

Todos nós hoje somos reis protegendo o minúsculo reino das nossas vidas, sobrecarregados com responsabilidades de todos os tipos, cercados por ministros e conselheiros. Um muro se forma à nossa volta – ficamos imunes à influência das outras pessoas porque estamos preocupados demais. Como Hsi Shih, portanto, você deve atrair seus alvos para que se afastem, gentilmente, aos poucos, dos problemas que ocupam a mente deles. E a melhor coisa para fazê-los abandonar suas fortalezas é o clima de exotismo. Ofereça algo pouco familiar que irá fasciná-los e prender a atenção deles. Seja diferente nos seus modos e aparência, e lentamente os envolva nesse seu mundo diferente. Mantenha seus alvos desequilibrados com mudanças coquetes de humor. Não se preocupe com a possibilidade de que a ruptura que você representa vá deixá-los emotivos – isso é um sinal da crescente fraqueza deles. A maioria das pessoas é ambivalente: por um lado, sentem-se confortáveis com seus hábitos e deveres; por outro, estão entediadas e prontas para qualquer coisa que pareça exótica, que pareça vir de um outro lugar. Elas podem lutar ou ter dúvidas, mas prazeres exóticos são irresistíveis. Quanto mais você conseguir que entrem no seu mundo, mais fracas elas se tornam. Como aconteceu com o rei de Wu, quando perceberem, já será tarde demais.

jade e madrepérolas eram alguns dos luxos de que se cercava a favorita. (...) Sobre uma das colinas próximas ao palácio havia uma famosa piscina de águas claras que passou a ser conhecida desde então como a piscina do rei de Wu. Ali, para distrair seu amante, Hsi Shih fazia a sua toalete, usando as águas como espelho enquanto o enfatuado rei lhe penteava os cabelos. (...)
– ELOISE TALCOTT HIBBERT, EMBROIDERED GAUZE: PORTRAITS OF FAMOUS CHINESE LADIES

ISOLAMENTO – O EFEITO "SÓ VOCÊ"

Em 1948, a atriz de 29 anos Rita Hayworth, conhecida como a Deusa do Amor de Hollywood, passava por um momento desfavorável da sua vida. O casamento com Orson Welles estava terminando, a mãe tinha morrido, e a sua carreira parecia estagnada. Naquele verão, ela partiu para a Europa. Welles estava na Itália na época, e no fundo ela sonhava com uma reconciliação.

Rita fez antes uma parada na Riviera francesa. Choveram convites, principalmente de homens ricos, pois na época ela era considerada a mulher mais bonita do mundo. Aristóteles Onassis e o xá do Irã telefonavam quase diariamente implorando por um encontro. A todos ela recusava. Mal chegara, entretanto, tinha recebido um convite de Elsa Maxwell, a anfitriã da alta sociedade, que estava dando uma festinha em Cannes. Rita hesitou, mas Elsa insistiu, dizendo para ela comprar um vestido novo, chegar ligeiramente atrasada e fazer uma entrada triunfal.

Rita concordou e chegou à festa com um vestido branco em estilo grego, os cabelos ruivos caindo sobre os ombros. Foi recebida com uma reação a que já estava acostumada: interromperam-se as conversas enquanto homens e mulheres se viravam nas cadeiras, eles olhando surpresos e elas cheias de inveja. Um deles correu para o seu lado e a acom-

No Cairo, Ali esbarrou de novo com [a cantora] Juliette Greco. Ele a convidou para dançar. "Sua fama é péssima", respondeu ela. "Vamos nos sentar bem longe um do outro." "O que vai fazer amanhã?", ele insistiu. "Amanhã vou pegar um avião para Beirute." Quando ela embarcou, Ali já estava lá dentro, rindo da sua cara de surpresa. (...) Vestida com calças de couro justas pretas e um suéter preto, [Greco] estendeu-se languidamente numa poltrona da sua casa em Paris e observou: "Dizem que sou uma mulher perigosa."

Ora, Ali era um homem perigoso. Era encantador de um modo muito especial. Existe um tipo de homem que é muito esperto com as mulheres. Ele a leva a um restaurante e, se entra uma mulher lindíssima, ele nem olha. Ele faz você se sentir como uma rainha. Claro, eu sabia disso. Não acreditava. Eu ria e apontava para a mulher bonita. Mas isso sou eu. (...) A maioria das mulheres se sentem muito felizes com esse tipo de atenção. É vaidade pura. Ela pensa: "Eu serei a única, e as outras vão cair fora." "(...) Com Ali, como a mulher se sentia importante. (...) Ele era um grande sedutor. Ele fazia você se sentir bem e achar que tudo era fácil. Sem problemas. Nada com que se preocupar. Ou de que se arrepender. Era sempre: 'O que posso fazer por você? De que precisa?' Bilhetes aéreos, carros, barcos; você se sentia nas nuvens."
– LEONARD SLATER, ALY: A BIOGRAPHY

ANA: Não matastes este rei [Henrique VI]? RICARDO: Eu vos asseguro. (...) ANA: E não mereceis nenhum outro lugar, que não o inferno. (...)

panhou até a sua mesa. Era o príncipe Ali Khan, de 37 anos, filho do Aga Khan II, líder mundial da seita islâmica dos ismaelitas e um dos homens mais ricos do mundo. Rita já tinha sido alertada sobre Ali Khan, um notório libertino. Para sua consternação, estavam sentados juntos e ele não saía do seu lado. Crivou-a de perguntas – queria saber sobre Hollywood, qual eram os seus interesses e outras coisas do tipo. Ela começou a relaxar um pouco e a se abrir. Havia outras mulheres bonitas ali, princesas, atrizes, mas Ali Khan ignorou todas, agindo como se Rita fosse a única na festa. Ele a conduziu para a pista de dança, mas, embora fosse um excelente dançarino, Rita não estava confortável – ele a apertava um pouco demais. Mesmo assim, Rita aceitou quando ele se ofereceu para levá-la de carro até o seu hotel. Passaram velozes pela Grande Corniche; a noite estava linda. Por uma noite, ela tinha conseguido esquecer seus muitos problemas e agradecia por isso, mas estava apaixonada por Welles e um romance com um libertino não era exatamente do que ela estava precisando.

Ali Khan precisou pegar um avião para resolver uns negócios durante alguns dias; implorou a Rita que ficasse na Riviera até ele voltar. Enquanto estava longe, ele telefonava constantemente. Todas as manhãs, chegava um enorme buquê de flores. Ao telefone, ele parecia muito aborrecido porque o xá do Irã estava insistindo para vê-la, e a fez prometer desmarcar o encontro com o qual havia finalmente concordado. Nesse meio-tempo, apareceu uma cigana no hotel e Rita deixou que ela lesse a sua mão. "Você está para embarcar no maior romance da sua vida", disse-lhe a cigana. "É alguém que você já conhece. (...) Você deve ceder e se entregar a ele totalmente. Só assim será feliz para sempre." Não sabendo quem era esse homem, Rita, que tinha um fraco pelo oculto, decidiu estender a sua estada. Ali Khan voltou; ele lhe disse que o seu château com vista para o Mediterrâneo era o lugar perfeito para ela fugir da imprensa e esquecer todos os seus problemas, e que ele ia se comportar. Ela cedeu. A vida no château era como um conto de fadas; para onde quer que se virasse, os auxiliares indianos dele estavam ali para satisfazer a todos os seus desejos. De noite, ele a levava ao seu enorme salão de baile, onde dançavam só os dois e mais ninguém. Seria este o homem de quem a cigana falara?

Ali Khan convidou seus amigos para conhecê-la. No meio desse estranho grupo, ela voltou a se sentir sozinha e deprimida; decidiu deixar o château. Nisso, como se tivesse lido os seus pensamentos, Ali Khan a carregou para a Espanha, o país que mais a fascinava. A imprensa percebeu o romance e começou a persegui-los na Espanha: Rita tinha tido uma filha com Welles – isso era jeito de uma mãe se comportar? A reputação de Ali Khan não ajudava, mas ele ficou do seu lado, protegendo-a da imprensa da melhor maneira possível. Agora ela estava mais solitária do que nunca, e mais dependente dele.

Quase no final da viagem, Ali Khan propôs casamento a Rita. Ela recusou; não achava que ele fosse o tipo de homem para se casar. Ele a seguiu até Hollywood, onde seus ex-amigos foram ainda mais hostis do que antes. Graças a Deus que ela tinha Ali para ajudá-la. Um ano depois, ela finalmente sucumbiu, abandonou a sua carreira, foi morar no château de Ali e se casou com ele.

Interpretação. Ali Khan, como muitos homens, apaixonou-se por Rita Hayworth quando a viu no filme *Gilda*, em 1948. Ele meteu na cabeça que daria um jeito de seduzi-la. Assim que soube que ela estava indo para a Riviera, fez com que a amiga Elsa Maxwell a atraísse até a festa e a colocasse sentada ao seu lado. Ele sabia do fracasso do seu casamento e como ela estava vulnerável. Sua estratégia foi bloquear tudo o mais que existisse no mundo dela – seus problemas, os outros homens, a desconfiança a respeito dele e dos seus motivos. A campanha começou com a demonstração de um forte interesse por sua vida – telefonemas frequentes, flores, presentes, tudo para mantê-la pensando nele. Armou para que a cigana plantasse a semente. Quando ela começou a se apaixonar por ele, apresentou-a aos seus amigos sabendo que ela se sentiria estranha entre eles e, por conseguinte, dependente dele. A dependência aumentou com a viagem para a Espanha, onde ela estava em território desconhecido, assediada por repórteres e forçada a contar com a ajuda dele. Aos poucos, ele foi dominando os seus pensamentos. Para onde quer que se virasse, lá estava ele. Finalmente ela sucumbiu, por fraqueza e pelo incentivo à sua vaidade que as atenções dele representavam. Fascinada por Ali, ela esqueceu a sua terrível reputação, renunciando às desconfianças que eram as suas únicas defesas contra ele.

Não era a riqueza ou a sua boa aparência que fazia de Ali Khan um grande sedutor. De fato, ele não era muito bonito, e o seu dinheiro era mais do que contrabalançado pela sua má fama. Seu sucesso era estratégico: ele isolava a vítima, trabalhando tão lenta e sutilmente que elas nem percebiam. A intensidade das suas atenções faziam uma mulher sentir que, aos seus olhos, naquele momento, ela era a única mulher do mundo. Esse isolamento era experimentado como um prazer; a mulher não notava a sua crescente dependência, a forma como, ao encher a sua mente com suas atenções, aos poucos ele a isolava de seus próprios amigos e do seu ambiente. As suas naturais desconfianças ficavam afogadas nesse efeito inebriante sobre o seu ego. Ali Khan quase sempre

RICARDO: Sim, um outro lugar, se quiserdes que o cite. (...)
ANA: Uma masmorra.
RICARDO: A vossa alcova de dormir.
ANA: Mal descanso indica o aposento onde vos tiverdes deitado!
RICARDO: Assim seja, senhora, até que ao vosso lado me deite. (...) Mas, gentil Lady Ana. (...) Não sois a causadora das intermináveis mortes destes plantagenetas, Henrique e Eduardo, tão culpada quanto aquele que as executou?
ANA: Fostes vós a causa e o mais amaldiçoado executante.
RICARDO: Vossa beleza foi a causa dessa execução – vossa beleza, que me perseguiu em meu sono para me incumbir da morte do mundo inteiro a fim de poder viver uma hora em vosso doce regaço.
– WILLIAM SHAKESPEARE, REI RICARDO III

Minha criança, minha irmã, sonho Como tudo pareceria doce Se juntos nessa boa terra fôssemos viver, E ali amar lenta e sempre, Ali amar e morrer entre Esses cenários que espelham você, esse suntuoso clima. Sóis afogados que ali cintilam

culminava as suas seduções levando a mulher a algum lugar encantado do globo – um lugar que ele conhecesse bem, mas onde a mulher se sentia perdida.

Não dê aos seus alvos tempo nem espaço para se preocuparem, desconfiarem de você ou resistirem. Inunde-os com um tipo de atenção que afaste todos os outros pensamentos, cuidados e problemas. Lembre-se – as pessoas no íntimo desejam muito ser desencaminhadas por alguém que sabe para onde está indo. Pode ser um prazer se abandonar, ou até se sentir isolado e fraco, se a sedução for feita aos poucos e com elegância.

> *Coloque-os num local onde não tenham para onde ir, e eles morrerão antes de fugir.*
> – Sun-Tzu

CHAVES PARA A SEDUÇÃO

As pessoas ao seu redor podem parecer fortes, e mais ou menos no controle de suas vidas, mas isso não passa de fachada. Por baixo, são mais frágeis do que se revelam. O que as faz parecer fortes é a quantidade de ninhos e redes de segurança com que se envolvem – seus amigos, suas famílias, suas rotinas diárias, que lhes dão uma sensação de continuidade, segurança e controle. Puxe de repente o tapete delas, largue-as sozinhas num lugar estranho onde os sinalizadores familiares desapareceram ou foram misturados, e você verá uma pessoa diferente.

Um alvo forte e equilibrado é difícil de seduzir. Mas até as pessoas mais fortes se tornam vulneráveis se você puder isolá-las de seus ninhos e redes de segurança. Bloqueie seus amigos e família com sua presença constante, afaste-os do mundo a que estão acostumados e leve-os a lugares que não conhecem. Faça com que passem um tempo no seu ambiente. Perturbe deliberadamente os seus hábitos, consiga que façam coisas que nunca fizeram. Eles se tornarão emotivos, ficando mais fácil desencaminhá-los. Disfarce tudo isso como se fosse uma experiência agradável, e seus alvos acordarão um dia longe de tudo que normalmente os conforta. E aí eles se voltarão para você pedindo ajuda como uma criança que chora pela mãe quando as luzes se apagam. Na sedução, como na guerra, o alvo isolado é fraco e vulnerável.

No romance *Clarissa*, de Samuel Richardson, escrito em 1748, o libertino Lovelace está tentando seduzir a bela heroína da história. Clarissa é jovem, virtuosa e muito protegida pela família. Mas Lovelace é um sedutor ardiloso. Primeiro ele corteja a irmã de Clarissa, Arabella. Um casamento entre os dois parece provável. Mas ele volta de repente

---

*Pelo ar amarfanhado de nuvens
Comovem-me com um tal mistério ao surgirem
Dentro desses outros céusDe seus olhos traiçoeiros
Quando os contemplo brilhando por entre suas lágrimas.*

*Ali, ali, é só graça e proporção,
Riqueza, quietude e prazer. (...)*

*Veja, protegida das enchentes
Ali entre tranquilos canais Esses barcos sonolentos que sonham sair velejando,
E para satisfazer O seu derradeiro prazer, eles se inclinam
Para cá atravessando todas as águas do mundo.
O sol ao findar do dia Veste os campos de feno,
Depois os canais e, por fim, a cidade inteira
De jacintos e ouro: Lentamente a terra adormece
Sob um mar de delicado fogo.*

*Ali, ali, é só graça e proporção,
Riqueza, quietude e prazer. (...)*
– CHARLES BAUDELAIRE, AS FLORES DO MAL

a sua atenção para Clarissa, jogando com a rivalidade entre irmãs para deixar Arabella furiosa. O irmão delas, James, fica irritado com a mudança de sentimentos de Lovelace; briga com ele e sai ferido. A família inteira fica revoltada, unida contra Lovelace que, não obstante, consegue enviar clandestinamente cartas a Clarissa e visitá-la quando está hospedada na casa de uma amiga.

A família descobre e a acusa de deslealdade, mas Clarissa é inocente; ela não incentivou as cartas nem as visitas de Lovelace. Mas agora seus pais estão determinados a casá-la com um homem mais velho e rico. Sozinha no mundo, prestes a se casar com um homem que acha repugnante, ela se volta para Lovelace como a única pessoa capaz de salvá-la dessa confusão. Ele acaba salvando-a ao levá-la para Londres, onde ela pode escapar do temido casamento, mas onde fica também extremamente isolada. Nestas circunstâncias, os seus sentimentos por ele se abrandam. Tudo isto foi magistralmente orquestrado pelo próprio Lovelace – o tumulto dentro da família, o afastamento final de Clarissa de seus parentes, o cenário anterior.

Os seus maiores inimigos numa sedução quase sempre são as famílias e os amigos dos seus alvos. Eles não pertencem ao seu círculo e são imunes aos seus encantos; podem ser a voz da razão para o seduzido. Você precisa trabalhar em silêncio e sutilmente para afastar a sua vítima dessas pessoas. Insinue que invejam da sorte dela ao conhecer você, ou que são figuras paternas que perderam o gosto pela aventura. Este último argumento funciona às mil maravilhas com os jovens, cujas identidades são fluidas e mais dispostas a se rebelar contra qualquer figura de autoridade, principalmente se forem os pais. Você representa excitação e vida; os amigos e os pais são o hábito e o tédio.

Na peça de Shakespeare *A tragédia do rei Ricardo II*, Ricardo, ainda duque de Gloucester, assassinou o rei Henrique VI e seu filho, príncipe Eduardo. Logo em seguida, ele aborda Lady Ana, viúva do príncipe Eduardo, que sabe o que ele fez aos dois homens mais próximos dela, e que o odeia com todo o ódio de que uma mulher é capaz. Mas Ricardo tenta seduzi-la. Seu método é simples: ele lhe diz que fez o que fez por amor a ela. Queria que não houvesse mais ninguém na sua vida além dele. Tão fortes eram os seus sentimentos que ele foi levado a assassinar. Claro que Lady Ana não só resiste a essa argumentação como o odeia. Mas ele persiste. Ana está num momento de extrema vulnerabilidade – sozinha no mundo, sem ninguém para apoiá-la, no auge da dor. Por incrível que pareça, as palavras dele começam a fazer efeito.

Assassinato não é uma tática sedutora, mas o sedutor pode encenar uma espécie de matança – a psicológica. Nossos apegos ao passado são uma barreira para o presente. Até as pessoas que deixamos para trás continuam a ter um domínio sobre nós. Como um sedutor, você será confrontado com o passado, comparado com os pretendentes anteriores, talvez considerado inferior. *Não deixe que as coisas cheguem a esse ponto.* Exclua o passado com suas atenções no presente. Se necessário, descubra como desmerecer seus ex-amores – sutilmente, ou não, dependendo da situação. Chegue mesmo ao ponto de reabrir antigas feridas, fazendo-as sentir a dor antiga e vendo, pelo contraste, que o presente é bem melhor. Quanto mais você as isolar do passado, mais fundo elas mergulharão com você no presente.

O princípio do isolamento pode ser levado ao pé da letra fugindo com o alvo para um lugar exótico. Essa era a técnica de Ali Khan; uma ilha distante, ou ilhas, isolada do resto do mundo sempre foi associada com a busca de prazeres sensoriais. O imperador romano Tibério caiu no deboche depois que construiu a sua casa na ilha de Capri. O perigo da viagem é que seus alvos ficam intimamente expostos a você – é difícil manter um clima de mistério. Mas, se você os levar para um lugar fascinante o suficiente para deixá-los distraídos, eles ficarão impedidos de focalizar qualquer coisa que seja banal no seu caráter. Cleópatra atraiu Júlio César para uma viagem pelo Nilo. Ao penetrar mais fundo no Egito, ele ficou mais isolado de Roma, e Cleópatra lhe pareceu ainda mais sedutora. A sedutora lésbica do início do século XX Natalie Barney teve um romance intermitente com a poetisa Renée Vivien; para reconquistar o seu afeto, ela levou Renée numa viagem até a ilha de Lesbos, local que Natalie havia visitado várias vezes. Ao fazer isso, ela não só isolou Renée como a desarmou e distraiu com as associações do lugar, morada da legendária poetisa lésbica Safo. Vivien até começou a imaginar que Natalie era a própria Safo. Não leve o alvo simplesmente para qualquer lugar; escolha aquele que dará margem às associações mais eficazes.

O poder sedutor do isolamento transcende a esfera sexual. Ao entrarem para o círculo dos dedicados seguidores de Mahatma Gandhi, os novos adeptos eram encorajados a cortar seus laços com o passado – com suas famílias e amigos. Esse tipo de renúncia tem sido uma exigência de muitas seitas religiosas ao longo dos séculos. Quem se isola dessa forma fica muito mais vulnerável a influências e persuasões. Um político carismático alimenta e até incentiva os sentimentos de alienação das pessoas. John F. Kennedy fez isso muito bem quando sutilmente depreciou a época de Eisenhower; o conforto da década de 1950, ele quis dizer, comprometeu os ideais americanos. Ele convidou os americanos a acompanhá-lo numa nova vida, numa "Nova Fronteira" cheia de perigos e excitação. Foi uma isca extremamente sedutora, em especial para os jovens, que eram os mais entusiasmados defensores de Kennedy.

Finalmente, em algum momento durante a sedução deve estar associada uma ideia de risco. Seus alvos devem sentir que estão ganhando uma grande aventura seguindo você, mas que também perdem alguma coisa – uma parte do seu passado, do seu querido conforto. Incentive com energia esses sentimentos ambivalentes. Um pouco de medo é o tempero adequado; embora em excesso ele possa ser debilitante, em pequenas doses nos faz sentir que estamos vivos. Como lançar-se de um avião em pleno voo é excitante, uma emoção, e ao mesmo tempo assusta. E a única pessoa que está ali para interromper a queda, ou apará-los, é você.

Símbolo: *O Flautista de Hamelin. Um sujeito alegre com sua capa vermelha e amarela atrai as crianças de suas casas com os delicados sons de sua flauta. Encantadas, elas não percebem que já caminharam muito, que estão muito distantes de suas famílias. Nem notam a caverna para onde ele acaba levando-as, e que se fecha para sempre atrás delas.*

O INVERSO

Os riscos desta estratégia são simples: isole alguém rápido demais e você induzirá a uma sensação de pânico que acaba fazendo o alvo fugir correndo. O isolamento que você provoca deve ser gradual, e disfarçado em prazer – o prazer de conhecer você, de deixar o mundo para trás. De qualquer modo, algumas pessoas são frágeis demais para ficarem isoladas da sua base de apoio. A grande cortesã moderna Pamela Harriman achou uma solução para o problema: ela isolava suas vítimas das famílias, das ex ou atuais esposas, e no lugar dessas antigas ligações ela rapidamente inseria novos confortos para seus amantes. Ela os cobria de atenções, satisfazendo a todas as suas necessidades. Para Averill Harriman, o bilionário com quem acabou se casando, Pamela literalmente montou um novo lar sem nenhuma associação com o passado e repleto dos prazeres do presente. É tolice manter o seduzido oscilando no vazio durante muito tempo sem nada familiar ou confortante à vista. Em vez disso, substitua as coisas familiares das quais você o afastou por um novo lar, um novo conjunto de confortos.

FASE TRÊS

O PRECIPÍCIO – APROFUNDANDO O EFEITO COM MEDIDAS RADICAIS

O objetivo desta fase é aprofundar tudo – o efeito que você tem na mente, nos sentimentos de amor e apego, na tensão dentro das suas vítimas. Com seus anzóis bem firmes dentro delas, você pode puxá-las de um lado para o outro, oscilando entre a esperança e o desespero, até que enfraqueçam e quebrem. Mostrar até que ponto você está disposto a ir por suas vítimas, fazer algo nobre e cavalheiresco (16: Prove quem você é) vão provocar um forte tranco, detonar uma reação intensamente positiva. Todos têm cicatrizes, desejos reprimidos e coisas mal arrematadas que vêm lá da infância. Traga estes desejos e feridas para a superfície, faça suas vítimas sentirem que estão conseguindo o que nunca tiveram quando crianças e você penetrará fundo em suas psiques, despertando emoções incontroláveis (17: Faça uma regressão). Agora você pode fazer suas vítimas superarem os seus próprios limites levando-as a pôr para fora seus lados sombrios, acrescentando à sua sedução um sentimento de coisa arriscada (18: Provoque o que é transgressão e tabu).

Você precisa aprofundar o fascínio, e nada confundirá e encantará mais as suas vítimas do que dar à sua sedução um verniz espiritual. O que motiva você não é a luxúria, mas o destino, pensamentos divinos e tudo que é elevado (19: Use iscas espirituais). O erótico espreita por trás do que é espiritual. Agora suas vítimas estão prontas. Ao magoá-las intencionalmente infundindo medos e ansiedades, você as levará à beira do precipício de onde será fácil empurrá-las para que caiam (20: Misture prazer com sofrimento). Elas sentem uma grande tensão e desejam ardentemente um alívio.

16

PROVE QUEM VOCÊ É

A maioria das pessoas quer ser seduzida. Se resistem, na certa é porque você não se esforçou o bastante para dissipar as suas dúvidas – sobre os seus motivos, sobre a sinceridade dos seus sentimentos e outras coisas mais. Uma ação no momento oportuno, que mostre até onde você está disposto a ir para conquistá-las, acabará com as incertezas. Não se preocupe em parecer tolo ou estar cometendo um engano – qualquer tipo de ação que seja um sacrifício pessoal e em benefício dos seus alvos os deixará tão emocionados que não perceberão mais nada. Nunca se mostre desencorajado com a resistência das pessoas, nem se queixe. Pelo contrário, enfrente o desafio fazendo algo que seja radical ou cavalheiresco. Inversamente, estimule os outros para que provem quem são tornando-se você mesmo difícil de alcançar, inatingível, algo pelo qual vale a pena lutar.

EVIDÊNCIA SEDUTORA

Qualquer um pode fazer farol, dizer coisas sublimes sobre os seus próprios sentimentos, insistir em que se preocupa muito com a gente, e também com todas as pessoas oprimidas lá no extremo do planeta. Mas se nunca se comporta de uma forma que sustente o que diz, começamos a duvidar de suas intenções – talvez estejamos lidando com um charlatão, um hipócrita ou covarde. Elogios e palavras bonitas não passam daí. Chega uma hora em que você vai ter de mostrar à sua vítima alguma evidência para igualar suas palavras com atos.

Essa evidência tem duas funções. Primeiro, acaba com qualquer dúvida que ainda persista a seu respeito. Segundo, uma ação que revele uma qualidade sua positiva já é, por si só, imensamente sedutora. Atos corajosos e altruístas provocam fortes e positivas reações emocionais. Não se preocupe, seus atos não precisam ser tão corajosos e altruístas a ponto de você perder tudo nesse processo. A simples aparência de nobreza muitas vezes já é o suficiente. De fato, num mundo onde as pessoas analisam demais e falam muito, qualquer tipo de ação tem um revigorante efeito sedutor.

No decorrer de uma sedução, é normal encontrar resistência. Quanto mais obstáculos você vencer, é claro, maior o prazer no final, mas muitas seduções fracassam porque o sedutor não interpreta corretamente as resistências do alvo. Com frequência, você acaba desistindo sem se esforçar muito. Primeiro, compreenda uma lei básica da sedução: resistência é sinal de que as emoções da outra pessoa estão envolvidas. A única pessoa que você não pode seduzir é alguém distante e frio. A resistência é emocional, e pode se transformar no oposto, como no jiu--jítsu, a resistência física do adversário poder ser usada para derrubá-lo no chão. Se as pessoas resistem porque não confiam em você, um ato aparentemente altruísta, que mostre até onde você está disposto a ir para provar quem é, será um bom remédio. Se elas resistem porque são virtuosas, ou porque são fiéis a uma outra pessoa, melhor ainda –

O amor é uma espécie de guerra. Soldados relapsos, vão fazer outra coisa! É preciso mais do que covardes para guardar Estes estandartes. Plantão noturno no inverno, longas marchas, todas as Privações, todas as formas de sofrimento: isto é o que aguarda O recruta que espera uma opção suave. Com frequência vocês estarão em Meio a aguaceiros, e acampados no chão Nu. (...) É o amor eterno a sua ambição? Então deixe de lado o orgulho. A entrada simples e direta pode lhe ser negada, Portas trancadas, fechadas, na sua cara – Portanto, esteja preparado a se esgueirar por uma clarabóia no telhado, Ou se enfiar por uma janela do andar de cima. Ela ficará contente Em saber que você está arriscando quebrar o pescoço, e por ela: isso

> Dará a qualquer amante a prova certa do seu amor.
> – OVÍDIO, A ARTE DE AMAR

> O homem diz: "(...) A fruta colhida no próprio pomar deve ser mais doce do que a obtida da árvore de um estranho, e o que foi alcançado com mais esforço tem mais valor do que aquilo que se ganha com pouco trabalho. Como diz o provérbio: 'Só há recompensa depois de muito esforço.'" A mulher diz: "Se não há recompensa sem muito esforço, você deve ficar exausto de tanto trabalhar para conseguir os favores que busca, visto que o que pede é uma grande recompensa." O homem diz: "Eu lhe darei todos os agradecimentos que conseguir expressar por tão sabiamente me prometer o seu amor quando eu tiver realizado grandes trabalhos. Que Deus não permita que eu, ou qualquer outro, conquiste o amor de mulher tão valiosa sem antes alcançá-lo com muito esforço."
> – P. G. WALSH, ANDREAS CAPELLANUS ON LOVE

> Um dia, [Saint-Preuil] implorou mais do que de costume [a Madame de la Maisonfort] para que lhe concedesse os

virtude e desejo reprimido são facilmente superados pela ação. Como a grande sedutora Natalie Barney certa vez escreveu: "A virtude em geral é a falta de uma sedução maior."

Há duas maneiras de provar quem você é. Primeiro, a ação espontânea: surge uma situação na qual o alvo precisa de ajuda, um problema tem de ser resolvido ou, simplesmente, ele ou ela quer um favor. Você não pode prever essas situações, mas deve estar preparado para elas porque podem acontecer a qualquer momento. Impressione o alvo indo além do que é realmente necessário – sacrificando mais dinheiro, mais tempo, mais esforço do que ele esperava. Seu alvo muitas vezes usará esses momentos, ou até os provocará, como uma espécie de teste: Você vai recuar? Ou enfrentará a situação? Você não pode hesitar ou recuar nem por um momento, ou tudo estará perdido. Se necessário, faça a ação parecer que lhe custou mais do que na realidade, com palavras, mas indiretamente – olhares exaustos, relatos divulgados por terceiros, o que for preciso.

Um segundo modo de se colocar à prova é com a ação corajosa que você planeja e executa com antecedência sozinho e no momento certo – de preferência já no processo de sedução, quando qualquer dúvida que a vítima ainda tenha a seu respeito é mais perigosa do que no início. Escolha uma ação dramática, difícil, que revele o árduo trabalho e o tempo envolvidos. O perigo pode ser extremamente sedutor. Leve com habilidade a vítima a uma crise, um momento de perigo, ou indiretamente a coloque numa posição desconfortável, e você poderá bancar o salvador, o cavalheiro galante. Os fortes sentimentos e emoções assim despertados podem ser facilmente redirecionados para o amor.

EXEMPLOS

1. Na França, durante a década de 1640, Marion de l'Orme era a cortesã mais desejada pelos homens. Famosa por sua beleza, tinha sido amante do cardeal Richelieu, entre outras personalidades notáveis militares e políticas. Conquistar a sua cama era um sinal de sucesso.

O libertino conde de de Grammont tinha passado semanas cortejando de l'Orme e, finalmente, ela lhe concedera uma entrevista numa determinada noite. O conde se preparou para um delicioso encontro, mas, no dia combinado, recebeu uma carta na qual, com muita delicadeza e polidez, ela lhe dizia lamentar muito – estava com uma terrível dor de cabeça e teria de ficar de cama naquela noite. A entrevista teria de ser adiada. O conde teve certeza de estar sendo preterido em favor de outro, pois de l'Orme era tão caprichosa quanto bonita.

Grammont não hesitou. Ao anoitecer, dirigiu-se ao Marais, onde morava de l'Orme, e sondou a área. Numa praça perto da casa dela, ele viu um homem se aproximar a pé. Reconhecendo o duque de Brissac, soube logo que ele o substituiria na cama da cortesã. Brissac pareceu não gostar de ver o conde, portanto Grammont correu para ele e disse: "Brissac, meu amigo, precisa me fazer um grande favor: tenho um encontro marcado, pela primeira vez, com uma moça que mora aqui perto; e como essa visita é apenas para fazer algumas correções, não vou me demorar. Empreste-me por obséquio a sua capa e caminhe com meu cavalo até eu voltar; mas, principalmente, não se afaste muito daqui." Sem esperar a resposta, Grammont pegou a capa do duque e lhe passou as rédeas do cavalo. Olhando para trás, ele viu que Brissac o observava, fingiu então entrar numa casa, esgueirou-se pelos fundos, deu a volta e chegou à residência de de l'Orme sem ser visto.

Grammont bateu à porta e uma criada, tomando-o pelo duque, o fez entrar. Ele foi direto para o quarto da dama, onde a encontrou deitada num sofá num vestido transparente. Arrancou fora a capa de Brissac e ela deu um grito de susto. "O que aconteceu, minha bela?", perguntou ele. "Está curada, pelo visto, da sua dor de cabeça?" Ela ficou aborrecida, exclamou que ainda estava com dor de cabeça e insistiu para ele ir embora. Ela é quem decidia, disse, quando marcar e desmarcar encontros. "Madame", disse Grammont com calma, "sei o que a deixa perplexa: teme que Brissac me encontre aqui; mas pode ficar tranquila." Em seguida, abriu a janela e mostrou Brissac na praça obedientemente andando de um lado para o outro com o cavalo como um cavalariço comum. Estava ridículo; de l'Orme explodiu numa gargalhada, abraçou o conde e exclamou: "Meu querido cavalheiro, não posso mais resistir; é amável e excêntrico demais para não ser perdoado." Ele lhe contou toda a história e ela prometeu que o duque poderia exercitar cavalos a noite inteira, mas não o deixaria entrar. Marcaram um encontro para a noite seguinte. Lá fora, o conde devolveu a capa, desculpou-se por demorar tanto e agradeceu ao duque. Brissac foi muito gentil, até segurando o cavalo de Grammont para ele montar e acenando adeus quando ele partiu.

Interpretação. O conde de Grammont sabia que, em geral, os supostos sedutores desistem com muita facilidade, confundindo capricho ou aparente frieza com um sinal de genuína falta de interesse. De fato, isso pode significar muitas coisas: talvez a pessoa esteja testando você querendo saber se você é realmente sério. O comportamento espinhoso é exatamente esse tipo de teste – se você desiste ao primeiro indício de dificuldade, é óbvio que não a quer tanto assim. Ou talvez ela mesma

maiores favores que uma mulher pode oferecer, e foi além das palavras no seu apelo. Madame, dizendo que ele havia ido longe demais, ordenou-lhe que não aparecesse mais na sua frente. Ele saiu do seu quarto. Apenas uma hora se passou, a senhora estava dando o seu usual passeio sozinha por um daqueles belos canais em Bagnolet, quando Saint-Preuil saltou de trás de uma sebe totalmente nu e, pondo-se neste estado diante da sua senhora, gritou: "Pela última vez, Madame – Adeus!" E se jogou no canal de cabeça. A dama, aterrorizada com o espetáculo, começou a chorar e correu para casa, onde, ao chegar, desmaiou. Assim que recuperou a fala, ela mandou alguém ver o que tinha acontecido com Saint-Preuil, que na verdade não ficou muito tempo no canal e, tendo se enfiado rapidamente nas suas roupas de novo, correu para Paris onde passou vários dias escondido. Enquanto isso, espalhou-se a notícia de que ele havia morrido. Madame de la Maisonfort ficou profundamente emocionada com as medidas extremas que ele havia adotado para provar seus sentimentos. O que

ele fez lhe pareceu sinal de um amor extraordinário; e, tendo talvez notado alguns encantos na sua presença nua que não havia visto quando completamente vestido, ela lamentou profundamente a sua crueldade e declarou em público o seu sentimento de perda. Isso chegou aos ouvidos de Saint-Preuil, e imediatamente ele ressurgiu, não se demorando em tirar proveito de um sentimento tão favorável de sua senhora.
– CONDE BUSSY-RABUTIN, *HISTOIRES AMOUREUSES DES GAULES*

esteja insegura a seu respeito, ou tentando escolher entre você e uma outra pessoa. De qualquer maneira, é absurdo desistir. Uma demonstração indiscutível do quanto você está disposto a fazer derrubará todas as dúvidas. Também derrotará seus rivais, visto que as pessoas na sua maioria são tímidas, preocupadas em não fazer papel de tolas, e portanto raramente se arriscam.

Ao lidar com alvos difíceis ou resistentes, em geral é melhor improvisar, como fez Grammont. Se a sua ação parecer repentina e surpreender, isso os deixará mais emotivos, mais soltos. Um pequeno rodeio para acumular informações – um pouco de espionagem – é sempre uma boa ideia. Mais importante é o espírito com que você encena a sua prova. Se for leve e brincalhão, fará o alvo rir, revelando quem você é e divertindo-o ao mesmo tempo, não importa se você confundir as coisas, ou se ele perceber que você trapaceou um pouco. Ele cederá ao agradável clima que você criou. Note que o conde não se lamentou, não ficou zangado nem na defensiva. Ele só precisou afastar a cortina e mostrar o duque caminhando com seu cavalo, derretendo a resistência de de l'Orme com o riso. Numa única ação bem-feita, ele mostrou do que seria capaz por uma noite de seus favores.

Para se tornar vassalo de uma dama (...) o trovador devia passar por quatro estágios, isto é: aspirante, suplicante, postulante e amante. No último estágio da iniciação amorosa, ele prestava um juramento de fidelidade e essa homenagem era selada com um beijo. Nessa forma idealística de amor cortês reservada à elite aristocrática da cavalaria, o fenômeno do amor era considerado um estado de graça, enquanto a iniciação que se seguia, e a confirmação final do pacto – ou equivalente da acolada cavalheiresca – estava associada ao restante do treinamento e

2. Paulina Bonaparte, irmã de Napoleão, teve tantos casos com homens diferentes ao longo dos anos que os médicos temiam por sua saúde. Ela não ficava com o mesmo homem mais do que algumas semanas; a novidade era o seu único prazer. Depois que Napoleão a casou com o príncipe Camillo Borghese, em 1803, seus romances se multiplicaram. E assim, quando ela conheceu o elegante major Jules de Canouville, em 1810, todos acharam que o caso não ia durar mais do que os outros. Claro que o major era um soldado condecorado, bem-educado, um perfeito dançarino e um dos homens mais bonitos do exército. Mas Paulina, com 30 anos na época, tinha tido casos com dezenas de homens com currículos semelhantes.

Dias depois de iniciado o romance, o dentista imperial foi visitar Paulina. Uma dor de dente não a deixava dormir, e o dentista viu que teria de arrancar um dente cariado ali mesmo. Não se usavam analgésicos na época e, quando o homem começou a tirar de dentro da maleta os seus diversos instrumentos, Paulina ficou aterrorizada. Apesar da dor de dente, ela mudou de ideia e se recusou a arrancá-lo.

O major Canouville estava descansando num sofá vestido com um robe de seda. Assistindo à cena, ele tentou encorajá-la a arrancar o dente: "Um minuto ou dois de dor e está tudo acabado. (...) Uma criança faz isso sem dizer um ai." "Queria vê-lo fazer isso", disse ela. Canouville levantou-se, aproximou-se do dentista, escolheu um dente no fundo da própria boca e ordenou-lhe que o arrancasse. Um dente perfeito foi extraído, e Canouville mal piscou os olhos. Depois disso, não só Paulina deixou o dentista fazer o seu trabalho, mas a sua opinião sobre Canouville mudou: nenhum homem jamais tinha feito nada igual por ela antes.

O caso era para durar algumas semanas; agora ele se estendia. Napoleão não gostou. Paulina era uma mulher casada; romances breves eram permitidos, mas um apego muito grande era constrangedor. Ele mandou Canouville para a Espanha levar uma mensagem para um general. A missão levaria semanas e, nesse meio-tempo, Paulina encontraria outra pessoa.

Canouville, entretanto, não era um amante comum. Cavalgando dia e noite, sem parar para comer ou dormir, ele chegou a Salamanca em poucos dias. Lá ele descobriu que não poderia seguir adiante, visto que as comunicações haviam sido cortadas, e assim, sem esperar por outras ordens, ele voltou para Paris, sem escolta, atravessando território inimigo. Ele só conseguiu ver Paulina rapidamente; Napoleão o mandou de volta para a Espanha na mesma hora. Passaram-se meses antes de ter permissão para retornar, mas, quando isso aconteceu, Paulina reatou logo o seu caso com ele – um inusitado ato de fidelidade da sua parte. Dessa vez, Napoleão mandou Canouville para a Alemanha e, por fim, para a Rússia, onde ele morreu bravamente no campo de batalha em 1812. Foi o único amante pelo qual Paulina esperou, e só por esse ela chorou.

Interpretação. Na sedução, muitas vezes chega uma hora em que o alvo está começando a se apaixonar por você, mas, de repente, ele se retrai. Seus motivos começaram a parecer duvidosos – talvez você esteja atrás de favores sexuais, ou poder, quem sabe dinheiro. A maioria das pessoas se sente insegura, e dúvidas assim podem arruinar a ilusão sedutora. No caso de Paulina Bonaparte, ela estava bastante acostumada a usar os homens para o prazer, e sabia muito bem que, por sua vez, também era usada. Era totalmente cética. Mas as pessoas costumam usar o ceticismo para dissimular uma insegurança. A ansiedade secreta de Paulina era a de que nenhum de seus amantes a havia realmente amado – que na verdade todos os homens queriam dela apenas sexo ou favores políticos. Ao demonstrar, com ações concretas, os sacrifícios que faria por ela – o seu dente, a sua carreira, a sua vida –, Canouville transformou uma mulher profundamente egoísta numa amante dedicada. Não que a reação dela fosse totalmente altruísta; o que ele fazia era um incentivo à sua vaidade. Se era capaz de inspirá-lo a praticar esses atos, ela devia

valorosas façanhas de um nobre. As marcas de autenticidade de um verdadeiro amante e de um cavalheiro perfeito são quase idênticas. O amante estava condenado a servir e obedecer à sua dama como um cavalheiro servia ao seu senhor. Em ambos os casos, a natureza do compromisso era sagrada.
– NINA EPTON, LOVE AND THE FRENCH

Em uma das virtuosas cidades do reino da França, habitava um nobre de boa família que frequentava escolas para aprender como homens virtuosos adquirem a virtude e a honra. Mas embora fosse tão talentoso que, aos 17 ou 18 anos, por assim dizer, era um exemplo para os outros, o Amor não deixava de se somar às suas outras lições e, para poder ser mais bem escutado e recebido, ele se ocultava no rosto e nos olhos da dama mais bela de toda a região, que tinha chegado à cidade para promover uma ação judicial. Mas antes que o Amor buscasse vencer o cavalheiro por meio da beleza dessa dama, ele tinha antes de conquistar o coração dela deixando-a ver as perfeições desse jovem senhor; pois na boa aparência, graça, percepção e excelência de palavras, ninguém o superava. Você, que sabe como o fogo do amor se alastra rápido depois que ele se prende ao coração e à fantasia, vai imaginar logo que entre duas pessoas tão perfeitas como aquelas ele não sossegou enquanto não os teve nas mãos e tão iluminados com a sua luz branca que pensamento, desejo e palavras se inflamaram. A juventude, originando o medo no jovem senhor, o levou a apressar a sua súplica com toda a gentileza possível de se imaginar; mas ela, sendo conquistada pelo Amor, não precisava de força para convencê-la. Não obstante, a vergonha, que permanece com as damas o máximo que pode, por algum tempo a impediu de dizer o que pensava. Mas finalmente a fortaleza do coração, que é a moradia da honra, foi estilhaçada de tal modo que a pobre dama consentiu naquilo que nunca pensara recusar. Entretanto, para testar a paciência, a constância e o amor do seu amante, ela lhe concedeu o que queria sob uma condição muito difícil, com a garantia de merecer isso. Mas, se ele ia apelar para o lado nobre da sua natureza, ela devia se colocar à altura e provar isso mantendo-se fiel.

Tornando a sua façanha a mais elegante e cavalheiresca possível, você elevará a sedução a um novo nível, despertará emoções profundas e ocultará qualquer segunda intenção que possa ter. Os sacrifícios que você está fazendo devem ser visíveis; falar deles, ou explicar o quanto lhe custaram, vai parecer que você está se vangloriando. Perca o sono, adoeça, desperdice um tempo precioso, coloque em jogo a sua carreira, gaste mais dinheiro do que tem. Você pode exagerar tudo isso para obter um efeito, mas que ninguém o pegue vangloriando-se ou sentindo pena de si mesmo; provoque o seu próprio sofrimento, e deixe que os outros vejam. Como quase todos no mundo parecem agir por interesse, o seu ato nobre e altruísta será irresistível.

3. Durante toda a década de 1890 e início do século XX, Gabriele D'Annunzio foi considerado um dos mais importantes romancistas e dramaturgos da Itália. No entanto, muitos italianos não suportavam aquele homem. Seu estilo de escrever era rebuscado e, pessoalmente, parecia muito convencido, excessivamente dramático – cavalgando nu pela praia, fingindo ser um homem renascentista e outras coisas mais. Seus romances falavam em geral de guerra, e da glória de enfrentar e derrotar a morte – um tema interessante para alguém que nunca tinha feito nada disso. E assim, quando estourou a Primeira Guerra Mundial, ninguém se surpreendeu quando D'Annunzio liderou a convocação para a Itália se juntar aos aliados e entrar na briga. Para onde quer que você se virasse, lá estava ele discursando a favor da guerra – uma campanha que teve êxito em 1915, quando a Itália finalmente declarou guerra à Alemanha e à Áustria. O papel de D'Annunzio até então tinha sido totalmente previsível. Mas o que surpreendeu o público italiano foi o que esse homem de 52 anos de idade fez depois: entrou para o exército. Ele não fizera o serviço militar, barcos o deixavam enjoado, mas foi impossível fazê-lo mudar de ideia. Acabou que as autoridades lhe deram um posto numa divisão de cavalaria esperando mantê-lo fora de combate.

A Itália tinha pouca experiência de guerra e o seu exército era um tanto caótico. Os generais perderam a pista de D'Annunzio – que, de qualquer modo, tinha decidido deixar a sua divisão de cavalaria e formar unidades próprias. (Era um artista, afinal de contas, e não podia se submeter à disciplina do exército.) Autodenominando-se Commandante, ele superou o seu habitual enjoo no mar e dirigiu uma série de ataques surpresas liderando grupos de barcos a motor no meio da noite até os portos austríacos e disparando torpedos sobre navios ancorados.

Também aprendeu a voar e começou a liderar investidas perigosas. Em agosto de 1915, ele sobrevoou a cidade de Trieste, na época em mãos inimigas, lançando bandeiras italianas e milhares de panfletos com uma mensagem de esperança escrita no seu estilo inimitável. "O fim do vosso martírio está prestes a acontecer! A alvorada da vossa felicidade é iminente. Do alto dos céus, sobre as asas da Itália, eu vos lanço este penhor, esta mensagem do meu coração." Ele voava a altitudes extraordinárias na época, e atravessando a pesada artilharia inimiga. Os austríacos colocaram a sua cabeça a prêmio.

Numa missão, em 1916, D'Annunzio caiu em cima da sua metralhadora, o que lhe causou uma lesão permanente em um dos olhos e prejudicou seriamente o outro. Informado de que seus dias de piloto tinham chegado ao fim, ele convalescia na sua casa em Veneza. Na época, a condessa Morosini, ex-amante do kaiser alemão, era considerada a mulher mais bela e elegante da Itália. O palácio dela ficava no Gran Canale, em frente à casa de D'Annunzio. Agora ela se via assediada por cartas e poemas do soldado-escritor misturando detalhes de suas proezas no ar com declarações de amor. Em meio aos ataques aéreos sobre Veneza, ele cruzava o canal, mal enxergando com um olho só, para entregar o seu poema mais recente. D'Annunzio, um simples escritor, estava muito abaixo de Morosini, mas a sua disposição de enfrentar o que fosse por ela a conquistou. O fato de poder ser morto um dia por causa de suas imprudências só fez apressar a sedução.

D'Annunzio ignorou os conselhos dos médicos e voltou a voar, liderando ataques ainda mais ousados do que antes. Quando a guerra acabou, ele foi o herói mais condecorado. Agora, onde quer que aparecesse no país, o público lotava as praças para ouvir os seus discursos. Depois da guerra, ele liderou uma marcha sobre Fiume, na costa do Adriático. Nas negociações para definir os saldos de guerra, os italianos achavam que deviam ficar com aquela cidade, mas os aliados não concordavam. As forças de D'Annunzio tomaram a cidade e o poeta tornou-se um líder, governando Fiume por mais de um ano como uma república autônoma. A essa altura, todos já haviam esquecido o seu passado não tão glorioso como poeta decadente. Agora ele não cometia pecados.

Interpretação. O apelo da sedução é o de sermos afastados de nossas rotinas normais, experimentando as emoções do desconhecido. A morte é o supremo desconhecido. Em épocas de caos, confusão e morte – as pragas que assolaram a Europa na Idade Média, o Terror durante a Revolução Francesa, os ataques aéreos sobre Londres na Segunda Guerra Mundial –, as pessoas em geral abandonam suas habituais cautelas e

---

que, se ele a cumprisse, ela o amaria para sempre, mas, se fracassasse, ele jamais a teria enquanto vivesse. E a condição era esta: ela estava disposta a falar com ele, os dois deitados juntos na cama, cobertos apenas com seus lençóis, mas ele não lhe deveria pedir nada mais do que palavras e beijos. Ele, pensando não haver felicidade maior do que a que ela estava lhe prometendo, concordou, e naquela noite a promessa foi mantida; de modo que, apesar de todas as carícias que ela lhe fez e das tentações que o assediaram, ele não quebrou o seu juramento. E, embora o seu tormento lhe parecesse nada menos do que o Purgatório, o seu amor era tão grande, e tão forte a sua esperança, pois estava seguro da eternidade do amor que com tanto esforço havia conquistado, que se manteve paciente e se levantou sem ter feito nada contrário ao desejo que ela havia manifestado. A dama ficou, penso eu, mais atônita do que satisfeita com tal virtude e, sem levar em consideração a honra, a paciência e a fidelidade que seu amante havia demonstrado cumprindo o seu *juramento, desconfiou de que o amor dele não era tão grande quanto ela havia imaginado, ou ele a achou menos agradável do que havia esperado. Portanto, ela decidiu, antes de cumprir a sua promessa, colocar à prova mais uma vez o amor que ele sentia por ela, e para isso pediu-lhe para ir falar com uma de suas criadas, que era mais jovem do que ela e muito bonita, ordenando que lhe dissesse palavras de amor para que as pessoas que o vissem frequentar a casa com tanta frequência pudessem pensar que era por causa dessa moça e não por ela. O jovem senhor, certo de que o seu próprio amor era retribuído em igual medida, obedeceu plenamente às suas ordens e por amor a ela forçou-se a fazer amor com a moça, e essa, achando-o tão simpático e bem falante, acreditou nas suas mentiras mais do que em outras verdades e o amou tanto como se ela mesma fosse imensamente amada por ele. A senhora, achando que as coisas estavam indo muito longe, apesar de o jovem senhor não parar de exigir o cumprimento da sua promessa, deu-lhe permissão para ir vê-la a uma hora*

fazem coisas que jamais fariam. Elas experimentam uma espécie de delírio. Existe algo de imensamente sedutor no perigo, no avançar para o desconhecido. Mostre que você tem um traço de imprudência e uma natureza ousada, que não sente o usual medo da morte, e se tornará instantaneamente fascinante para o grosso da humanidade.

O que você está provando nesse caso não é o que sente por uma outra pessoa, mas alguma coisa sobre si mesmo: você está disposto a enfrentar uma dificuldade. Você não é simplesmente mais um sujeito que gosta de falar muito e se gabar. É a receita do carisma instantâneo. Qualquer personagem político – Churchill, de Gaulle, Kennedy – que se tenha colocado à prova no campo de batalha tem um apelo incomparável. Muitos consideravam D'Annunzio como um mulherengo vaidoso; sua experiência na guerra lhe deu um brilho heroico, uma aura napoleônica. De fato, ele sempre foi um eficaz sedutor, mas agora ele estava ainda mais diabolicamente sedutor. Você não precisa se arriscar a morrer, mas a proximidade com a morte lhe dará uma energia sedutora. (Costuma ser melhor fazer isso com a sedução já em andamento, dando-lhe um ar de agradável surpresa.) Você está disposto a entrar no desconhecido. Ninguém é mais sedutor do que a pessoa que esbarra com a morte. As pessoas se sentirão atraídas por você, talvez estejam esperando pegar por contato um pouco do seu espírito aventureiro.

4. De acordo com uma versão da lenda arturiana, o grande cavalheiro Sir Lancelot certa vez viu de relance a rainha Guinevere, mulher do rei Artur, e isso foi o bastante – ele se apaixonou perdidamente. E assim, ao saber que a rainha havia sido raptada por um cavalheiro malvado, Lancelot não hesitou – esqueceu as suas outras tarefas cavalheirescas e correu atrás dela. Seu cavalo morreu na perseguição e ele continuou a pé. Finalmente, parecia estar quase chegando lá, porém exausto não conseguia dar nem mais um passo. Uma carroça puxada a cavalo passou por ele; estava cheia de homens de aspecto repugnante algemados uns aos outros. Naquela época era tradição colocar criminosos – assassinos, traidores, covardes, ladrões – nessas carroças e passear com eles por todas as ruas da cidade para que a população pudesse vê-los. Quem andasse numa carroça dessas perdia todos os direitos feudais pelo resto da vida. A carroça era um símbolo tão assustador que, ao ver uma sem ninguém dentro, você se arrepiava todo e fazia o sinal da cruz. Mesmo assim, Sir Lancelot aproximou-se do condutor, um anão: "Em nome de Deus, diga-me se viu minha senhora, a rainha, passar por aqui." "Se quiser entrar na minha carroça", disse o anão, "amanhã saberá o que aconteceu com a rainha." E seguiu em frente. Lancelot hesitou um pouco, mas depois saiu correndo atrás e subiu na carroça.

Por onde quer que passassem, o povo da cidade vinha fazer perguntas. Ficavam muito curiosos ao ver um cavaleiro entre os passageiros. Que crime havia cometido? Como irá morrer – esfolado? Afogado? Queimado numa fogueira de espinhos? Finalmente o anão o deixou sair sem dizer uma palavra sobre o paradeiro da rainha. Para piorar as coisas, ninguém se aproximava de Lancelot ou falava com ele, pois estivera na carroça. Ele continuou procurando a rainha, e o tempo todo era amaldiçoado, cuspido, desafiado pelos outros cavaleiros. Ele havia desonrado a classe dos cavaleiros andando naquela carroça. Mas ninguém conseguia fazê-lo parar ou andar mais devagar; finalmente ele acabou descobrindo que o raptor da rainha era o malvado Meleagant. Ele alcançou Meleagant e os dois se bateram em duelo. Ainda fraco da perseguição, Lancelot parecia prestes a ser derrotado, mas, ao saber que a rainha assistia à luta, recuperou as forças e já ia matar Maleagant quando foi anunciada uma trégua. Entregaram-lhe Guinevere.

Lancelot mal continha a sua alegria ao pensar que estava finalmente diante da sua senhora. Mas, para sua surpresa, ela parecia zangada e não olhava para o seu salvador. Ela disse ao pai de Maleagant: "Senhor, na verdade os esforços dele foram inúteis. Sempre negarei que sinto alguma gratidão por ele." Lancelot ficou mortificado, mas não se queixou. Bem mais tarde, depois de passar por inúmeras provações, ela finalmente cedeu e os dois se tornaram amantes. Certa vez, ele lhe perguntou se quando foi raptada por Maleagant tinha sabido da história da carroça e de como ele havia desonrado a cavalaria. Foi por isso que ela o tratou com tanta frieza naquele dia? A rainha respondeu: "Ao hesitar, ficou demonstrada a sua falta de disposição para subir na carroça. Foi por isso, para dizer a verdade, que não queria vê-lo nem lhe falar."

Interpretação. A oportunidade de praticar o seu ato de altruísmo muitas vezes surge de repente. Você tem de demonstrar o seu valor naquele instante, ali mesmo. Pode ser uma situação de resgate, um presente ou um favor que poderia prestar, um súbito pedido para largar tudo e ir ajudar. O mais importante não é se você age precipitadamente, comete um erro e faz alguma tolice, mas se você parece agir em benefício deles sem pensar em si mesmo ou nas consequências.

Em momentos assim, a hesitação, ainda que por poucos segundos, pode arruinar todo o seu esforço de sedução, revelando você como uma pessoa preocupada consigo mesma, pouco cavalheiresca e covarde. Esta, de qualquer maneira, é a moral da versão de Chrétien de Troyes, do século XII, para a história de Lancelot. Lembre-se: o importante não é só o que você faz, mas como você faz. Se você é naturalmente preocupado

---

depois da meia-noite dizendo que, após ter testado plenamente o amor e a obediência que ele havia demonstrado por ela, era apenas justo que fosse recompensado por sua paciência. Da felicidade do amante, ao ouvir isto, não é preciso duvidar e ele não se atrasou. Mas a dama, querendo ainda testar a força do amor dele, havia dito à bela moça – "Sei do amor que um certo nobre lhe tem, e penso que você não está menos apaixonada por ele; e sinto tanta pena de vocês dois que resolvi lhes dar tempo e lugar para que possam estar juntos à vontade."
A moça ficou tão encantada que não conseguiu esconder os seus desejos, e respondeu que estaria presente.
Em obediência, portanto, aos conselhos e ordens de sua senhora, ela despiu-se e deitou numa cama confortável, num quarto cuja porta sua senhora deixou semiaberta, enquanto lá dentro colocava uma lâmpada para que a beleza da moça pudesse ser vista claramente. Em seguida, fingiu que se afastava, mas escondeu-se perto da cama com cuidado para não ser vista. Seu pobre amante,

pensando encontrá-la conforme prometera, entrou no quarto com toda a cautela possível, na hora indicada; e depois de fechar a porta, tirar as roupas e os sapatos de pele, enfiou-se na cama, onde esperava encontrar o que desejava. Mas assim que ele abraçou aquela que acreditava ser a sua senhora, a pobre moça, acreditando-o totalmente seu, envolveu-o em seus braços, dizendo-lhe palavras de amor e com uma expressão tão bela, que não existe um eremita tão santo a ponto de não esquecer o terço pelo seu amor. Mas quando o cavalheiro a reconheceu, tanto com os olhos como com os ouvidos, e descobriu que não estava com aquela por quem havia sofrido tanto, o amor que o fizera subir tão rápido na cama o fez levantar-se mais depressa ainda. E zangado igualmente com sua senhora e com a moça, ele disse: "Nem a sua loucura nem a malícia dela que a colocou aqui podem me fazer diferente do que sou. Mas tente ser uma mulher honesta, pois não será comigo que vai manchar o seu bom nome." Assim dizendo, ele saiu correndo do quarto enraivecido, e passou-se muito tempo antes que

consigo mesmo, aprenda a disfarçar. Reaja da maneira mais espontânea possível, exagerando o efeito ao parecer aturdido, superexcitado, até tolo – o amor fez você chegar a esse ponto. Se tiver de pular para dentro da carroça por causa de Guinevere, certifique-se de que ela o veja fazendo isso sem a menor hesitação.

5. Em Roma, por volta de 1531, espalhou-se a notícia sobre uma jovem mulher sensacional chamada Tullia d'Aragona. Pelos padrões da época, Tullia não era uma beleza clássica; era alta e magra, quando as mulheres cheinhas e voluptuosas eram consideradas o ideal. E a ela faltavam os risos afetados e os modos enjoativos da maioria das jovens querendo chamar a atenção masculina. Não, ela possuía uma qualidade mais nobre. Seu latim era perfeito, podia discutir a literatura mais recente, tocava o alaúde e cantava. Em outras palavras, era uma novidade e, como isso era o que quase todos os homens queriam, eles passaram a visitá-la com muita frequência. Ela tinha um amante, um diplomata, e a ideia de que um homem havia conquistado os seus favores físicos deixava todos loucos. Suas visitas do sexo masculino começaram a competir por sua atenção escrevendo poemas em sua homenagem, cada um querendo ser o seu favorito. Nenhum tinha sucesso, mas continuavam tentando.

Claro que havia os que se sentiam ofendidos, declarando publicamente que ela não passava de uma prostituta de alta classe. Repetiam o boato (talvez verdadeiro) de que ela fazia os homens mais velhos dançarem ao som do seu alaúde e, se gostasse da dança, deixava-se abraçar por eles. Para os fiéis seguidores de Tullia, todos de origem nobre, isso era uma calúnia. Eles redigiram um documento que foi amplamente distribuído: "Nossa honrada senhora, a bem-nascida e digna dama Tullia d'Aragona, supera todas as damas do passado, presente ou futuro com suas deslumbrantes qualidades. (...) Quem quer que se recuse a aceitar esta declaração fica, portanto, obrigado a participar de um torneio com um dos cavalheiros abaixo assinados, que o convencerá do modo costumeiro."

Tullia deixou Roma em 1535, indo primeiro para Veneza, onde o poeta Tasso se tornou seu amante e, finalmente, para Ferrara, que talvez fosse na época a corte mais civilizada da Itália. E que sensação ela causou ali! Sua voz, seu canto, até seus poemas eram louvados por toda parte. Ela abriu uma academia literária dedicada às ideias do livre-pensamento. Autodenominava-se uma musa e, como em Roma, um grupo de homens jovens se reunia à sua volta. Eles a seguiam por toda a cidade, gravando seus nomes nas árvores, escrevendo sonetos em sua homenagem e recitando-os para quem quisesse ouvir.

Um jovem nobre foi levado à loucura com esse culto de adoração: pelo visto todos amavam Tullia, mas nenhum tinha o seu amor retribuído. Determinado a roubá-la dos outros e se casar com ela, esse jovem armou um plano para que ela lhe permitisse visitá-la de noite. Ele proclamou a sua eterna devoção, cobriu-a de joias e presentes e pediu a sua mão. Ela recusou. Ele puxou de uma faca, ela continuou recusando, e ele enfiou a faca no próprio peito. Não morreu, mas agora a reputação de Tullia cresceu ainda mais: nem mesmo o dinheiro podia comprar os seus favores, ou assim parecia. Conforme os anos iam se passando e a sua beleza ia perdendo o viço, sempre aparecia algum poeta ou intelectual para defendê-la ou protegê-la. Poucos paravam para pensar na realidade: que Tullia era mesmo uma cortesã, uma das mais populares e bem pagas nessa profissão.

Interpretação. Todos nós temos defeitos, de um tipo ou de outro. Alguns nascem com a gente, e não se pode fazer nada. Tullia tinha muitos desses defeitos. Fisicamente, não era o ideal renascentista. Não só isso, sua mãe tinha sido uma cortesã e ela era filha ilegítima. Mas os homens que ficavam fascinados por ela não se importavam com isso. Estavam muito distraídos com a sua imagem – a de uma mulher superior, pela qual é preciso brigar para conquistar. Sua pose vinha direto da Idade Média, a época dos cavaleiros e trovadores. Naquele tempo, uma mulher, quase sempre casada, conseguia controlar a dinâmica de poder entre os sexos reservando os seus favores até que o cavaleiro de algum modo provasse o seu valor e a sinceridade de seus sentimentos. Ele podia ser obrigado a sair em busca de alguma coisa, a viver entre os leprosos ou, simplesmente, competir numa justa fatal em sua honra. E tinha de fazer tudo isto sem se queixar. Embora a época dos trovadores já tenha acabado faz tempo, o modelo permanece: o homem gosta realmente de poder provar quem é, de ser desafiado, de competir, de passar por testes e provações para emergir vitorioso. Ele tem um traço masoquista; uma parte dele gosta de sofrer. E, curiosamente, quanto mais a mulher pede, mais valiosa ela parece. A mulher fácil de conseguir não pode valer muito.

Faça as pessoas competirem por sua atenção, coloque-as à prova de algum modo, e você as verá enfrentando o desafio. O calor da sedução aumenta com esses desafios – mostre-me que você me ama *de verdade*. Quando alguém (de qualquer sexo) se mostra capaz de enfrentar uma dificuldade, em geral se espera que a outra pessoa faça o mesmo, e a sedução aumenta. Ao colocar as pessoas à prova, também você eleva o seu próprio valor e encobre os seus defeitos. Seus alvos estão muito ocupados em provar quem são para notar as suas falhas e imperfeições.

voltasse para ver a sua senhora. Mas o amor, que nunca perde a esperança, lhe garantiu que quanto mais ficasse provada a sua constância com todos esses testes, maior e mais deliciosa seria a sua felicidade. A dama, que tinha presenciado tudo que se passara, ficou tão encantada e surpresa ao ver a profundidade e constância do amor dele, que estava impaciente por vê-lo mais uma vez e lhe pedir perdão pelo sofrimento que lhe causara. E, assim que pôde se encontrar com ele, ela lhe dirigiu palavras tão bonitas e agradáveis que ele não só esqueceu todos os seus contratempos, mas até os considerou afortunados, vendo que o resultado foi a glória da sua constância e a garantia do seu amor, de cujo fruto ele passou a usufruir tão plenamente como pôde desejar.
– RAINHA MARGARET DE NAVARRO, *THE HEPTAMERON*, CITADO EM *THE VICE ANTHOLOGY*

O soldado faz cerco às cidades, o amante às casas das moças, Um ataca os muros da cidade, o outro, as portas da frente. O amor, como a guerra, é um jogo de cara ou coroa.

O derrotado se recupera, Enquanto os que se pensam invencíveis caem ortanto, se você tem o amor registrado como uma opção fácil É melhor pensar duas vezes. O amor exige Coragem e iniciativa. O grande Aquiles se aborrece por causa de Briseida – Rápido, troianos, derrubem os muros argivos! Heitor saiu dos braços de Andrômaca para a batalha Protegido pela esposa. O próprio Agamenon, o Supremo, ficava extasiado Com a visão dos cabelos soltos de Cassandra; Até Marte foi surpreendido, sentiu as malhas do ferreiro – O maior escândalo no céu durante anos. E vejam O meu próprio caso. Estava ocioso, nascido para o lazer de roupão. A mente suavizada pela preguiçosa escrita na sombra. Mas o amor por uma bela jovem colocou em ação o vadio, O fez alistar-se. E olhem para mim agora – pronto para a luta, cheio de entusiasmo por exercícios noturnos: Se quer uma cura para a indolência, apaixone-se!
– OVÍDIO, THE AMORES

Símbolo: *A Liça. Na arena, com seus brilhantes penachos e cavalos ajaezados, a dama observa os cavaleiros lutando por sua mão. Ela os ouviu declararem o seu amor de joelhos, suas intermináveis cantigas e belas promessas. São todos bons nisso. Mas aí a trombeta soa e tem início o combate. No torneio, não há fingimentos nem hesitações. O cavaleiro que ela escolher deve ter sangue no rosto e alguns membros quebrados.*

O INVERSO

Ao tentar provar que você é merecedor do seu alvo, lembre-se de que cada um vê as coisas de modo diferente. Uma demonstração de coragem física não impressiona quem não valoriza a coragem física; só vai mostrar que você está interessado na sua atenção, está se exibindo. Os sedutores devem adaptar às dúvidas e fraquezas do seduzido o seu estilo de se colocarem à prova. Para alguns, palavras bonitas são provas melhores do que atitudes temerárias, principalmente se estiverem no papel. Com essas pessoas, mostre os seus sentimentos numa carta – um tipo diferente de prova física e com um apelo mais poético do que um ato exibicionista. Conheça bem o seu alvo e aponte a sua evidência sedutora para a origem de suas dúvidas ou de sua resistência.

17

FAÇA UMA REGRESSÃO

Quem já experimentou certo tipo de prazer no passado vai tentar repeti-lo ou revivê-lo. As lembranças mais arraigadas e agradáveis são em geral aquelas da primeira infância, e quase sempre inconscientemente associadas à figura paterna ou materna. Leve seus alvos de volta àquele ponto colocando-se no triângulo edipiano e posicionando-os como a criança carente. Sem perceberem a causa de suas reações emocionais, eles se apaixonarão por você. Por outro lado, você também pode regredir, deixando para eles o papel do pai que protege e cuida. De qualquer modo, você está oferecendo a suprema fantasia: a chance de ter um relacionamento íntimo com mamãe ou papai, filho ou filha.

A REGRESSÃO ERÓTICA

Como adultos, tendemos a supervalorizar a nossa infância. Na sua independência e impotência, as crianças sofrem de verdade, mas quando ficamos mais velhos, esquecemos convenientemente isso e sentimentalizamos o suposto paraíso que deixamos para trás. Esquecemos a dor e nos lembramos apenas do prazer. Por quê? Porque as responsabilidades da vida adulta são um peso tão grande às vezes que ansiamos secretamente pela dependência da infância, por aquela pessoa que atendia a todas as nossas necessidades, assumia nossos cuidados e preocupações. Esse nosso sonho tem um forte componente erótico, pois o sentimento da criança que depende dos pais está carregado de subtons sexuais. Dê às pessoas uma sensação semelhante a esse sentimento protegido e dependente da infância e elas projetarão em você todos os tipos de fantasias, inclusive de amor e atração sexual que irão atribuir a alguma outra coisa. Não queremos admitir isso, mas desejamos muito regredir, despir o nosso exterior adulto e expressar as emoções infantis que permanecem sob a superfície.

No início da sua carreira, Sigmund Freud enfrentou um estranho problema: muitas das suas pacientes estavam se apaixonando por ele. Freud achava que sabia o que estava acontecendo: incentivada por ele, a paciente mergulhava na sua infância, o que era, claro, a origem da sua doença ou neurose. Ela falava do seu relacionamento com o pai, das suas primeiras experiências de amor e carinho, e também de negligência e abandono. O processo despertava fortes emoções e lembranças. De certo modo, ela era transportada de volta à sua infância. Intensificando esse efeito havia o fato de que o próprio Freud falava pouco e se mantinha um tanto frio e distante, embora se mostrasse interessado – em outras palavras, muito parecido com a figura paterna tradicional. Enquanto isso, a paciente ficava deitava num sofá, em posição de impotência ou passividade, de forma que a situação copiava os papéis de pai e filho. Ela acabava direcionando algumas das confusas emoções com que estava

[No Japão] muitas coisas no modo tradicional de criar os filhos parecem incentivar a dependência passiva. A criança raramente fica sozinha, de dia ou de noite, pois em geral dorme com a mãe. Na rua, ela não é empurrada de frente num carrinho, para enfrentar sozinha o mundo, mas vai presa bem firme nas costas da mãe num confortável casulo. Quando a mãe se inclina, a criança se inclina também, assim as boas maneiras são adquiridas automaticamente enquanto ela sente as batidas do coração materno. Por conseguinte, a segurança emocional tende a depender quase totalmente da presença física da mãe. (...) As crianças aprendem que uma demonstração de dependência passiva é a melhor maneira de obter favores assim

lidando para o próprio Freud. Sem perceber o que acontecia, ela se relacionava com ele como se fosse o seu pai. Ela regredia e se apaixonava. Freud chamou esse fenômeno de "transferência", e ela se tornaria uma parte ativa da sua terapia. Ao fazer as pacientes transferirem parte de seus sentimentos reprimidos para o terapeuta, ele trazia à luz esses problemas, onde poderiam ser tratados num nível consciente.

O efeito das transferências era tão forte, entretanto, que Freud muitas vezes não conseguia fazer suas pacientes superarem as suas paixões. De fato, a transferência é uma poderosa ferramenta para criar apego emocional – o objetivo de qualquer sedução. O método tem infinitas aplicações além da psicanálise. Para praticá-lo na vida real, você precisa representar o terapeuta, incentivando as pessoas a falarem de suas infâncias. A maioria fica muito feliz em atender a essa solicitação; e nossas lembranças são tão vívidas e emocionais que uma parte de nós regride só de falar sobre os primeiros anos de nossas vidas. Também, no decorrer da conversa, pequenos segredos escapam: nós revelamos todos os tipos de informações preciosas sobre nossas fraquezas e nossa constituição mental, informações que você precisa anotar e não esquecer. Você não deve acreditar em tudo que os seus alvos dizem; em geral eles enfeitam ou dramatizam demais os acontecimentos da infância. Mas preste atenção a tudo que não querem falar, a tudo que negam ou que os deixa emocionados. Muitas frases na verdade querem dizer o oposto: se dizem que odeiam o pai, por exemplo, pode ter certeza de que estão escondendo muitas frustrações – que na realidade amaram demais o pai deles, e talvez nunca tivessem recebido o que desejavam dele. Fique atento a temas e histórias recorrentes. O mais importante: aprenda a analisar reações emocionais e ver o que há por trás delas.

Enquanto eles falam, mantenha a pose do terapeuta – atento mas quieto, fazendo comentários ocasionais não discriminadores. Mostre-se interessado mas distante – um tanto apagado, de fato –, e eles começarão a transferir emoções e projetar fantasias em você. Com as informações que obteve sobre a infância deles, e o vínculo de confiança que forjou, agora você pode começar a fazer a regressão. Talvez você tenha descoberto um forte apego com um dos pais, com um irmão, um professor, o primeiro namorado ou primeira namorada, a pessoa que lance uma sombra sobre a sua vida no presente. Sabendo o que nesta pessoa os afetou tanto, você pode assumir o seu papel. Ou talvez você tenha sabido de uma imensa lacuna na sua infância – um pai omisso, por exemplo. Você age como esse pai agora, mas substitui a negligência original pela atenção e o afeto que o pai verdadeiro jamais supriu. Todos ficamos com alguma coisa não resolvida da infância – desapontamentos, falhas,

---

como afeto. Existe um verbo para isso em japonês: amaeru, traduzido no dicionário como "contar com o amor do outro; fazer-se de bebê". Segundo o psiquiatra Doi Takeo, esta é a principal chave para se compreender a personalidade japonesa. A ideia continua na vida adulta também: funcionários mais jovens fazem isso com os mais antigos nas empresas, ou em qualquer outro grupo, as mulheres com os homens, os homens com suas mães e, às vezes, com suas esposas. (...)

(...) Uma revista chamada Young Lady publicou um artigo (janeiro de 1982) sobre "como ficar bonita". Como, em outras palavras, atrair os homens. Uma revista americana ou europeia seguiria adiante dizendo à leitora como ser sexualmente desejável, sem dúvida sugerindo pós, cremes e sprays. Mas Young Lady não. "As mulheres mais atraentes", ela nos informa, "são as cheias de amor maternal. Mulheres sem amor maternal são o tipo com o qual os homens não querem nunca se casar. (...) É preciso olhar os homens com os olhos de mãe."
– IAN BURUMA, BEHIND THE MASK: ON SEXUAL

lembranças dolorosas. Termine o que ficou por terminar. Descubra o que o seu alvo nunca teve e você estará com os ingredientes para uma sedução de raízes bem profundas.

A chave é não falar apenas de lembranças – isso é fraco. O que você vai fazer é conseguir que as pessoas coloquem em ação no seu presente velhas questões do passado sem terem consciência do que está acontecendo. Há quatro tipos de regressão que você pode fazer.

A Regressão Infantil. O primeiro vínculo – o da mãe com o seu bebê – é o mais forte. Ao contrário dos outros animais, os bebês humanos vivem um longo período de incapacidade durante o qual dependem de suas mães, criando um apego que influencia o resto de suas vidas. A chave para fazer esta regressão é reproduzir a noção de amor incondicional da mãe pelo filho. Jamais julgue seus alvos – deixe-os fazer o que quiserem, inclusive se comportar mal; ao mesmo tempo, cerque-os de amorosa atenção, mime-os com conforto. Uma parte deles regridirá àqueles primeiros anos quando a mãe cuidava de tudo e raramente os deixava sozinhos. Isto funciona com quase todo mundo, pois o amor incondicional é a forma mais rara e apreciada. Você nem precisa ajustar o seu comportamento a nada específico em suas infâncias; a maioria de nós já experimentou este tipo de atenção. Enquanto isso, crie atmosferas que reforcem o sentimento que você está gerando – ambientes calorosos, atividades divertidas, cores fortes e alegres.

A Regressão Edipiana. Depois do vínculo entre a mãe e o bebê, vem o triângulo edipiano de mãe, pai e filho. Esse triângulo se forma durante a fase das primeiras fantasias eróticas da criança. O menino quer a mãe só para ele, a menina quer o mesmo do seu pai, mas eles nunca conseguem que as coisas sejam exatamente assim porque terão sempre de competir com as ligações do pai com a mãe ou da mãe com o pai, e também deles com os outros adultos. O amor incondicional desapareceu; agora, inevitavelmente, o pai ou a mãe terá de negar o que a criança deseja. Leve sua vítima de volta a esta fase. Faça o papel paterno ou materno, seja amoroso, mas também ralhe às vezes e imponha uma certa disciplina. As crianças na verdade adoram um pouco de disciplina – sentem com isso que o adulto se preocupa com elas. E crianças adultas também adoram se você misturar o seu carinho com um pouco de rigidez e castigo.

Ao contrário da regressão infantil, a regressão edipiana deve ser ajustada ao seu alvo. Ela depende das informações que você colheu. Sem saber o suficiente, você talvez trate uma pessoa como criança, ralhando com ela de vez em quando, só para descobrir que está despertando

DEMONS, SACRED MOTHERS, TRANSVESTITES, GANGSTERS, DRIFTERS AND OTHER JAPANESE CULTURAL HEROES

Já insisti no fato de que a pessoa amada é um substituto do ego ideal. Duas pessoas que se amam estão intercambiando seus ideais de ego. Os dois se amam porque amam o ideal de si próprios no outro. Não haveria amor na face da terra se este espectro não existisse. Nós nos apaixonamos porque não conseguimos alcançar a imagem que representa os nossos melhores sentimentos ou o que há de melhor em nós mesmos.
A partir desse conceito, é óbvio que o próprio amor só é possível num certo nível cultural ou depois de atingida uma certa fase do desenvolvimento da personalidade.
A criação de um ego ideal em si marca o progresso humano. Quando as pessoas estão plenamente satisfeitas com suas verdadeiras identidades, o amor é impossível.
A transferência do ego ideal para uma pessoa é o traço mais característico de amor.
– THEODOR REIK, OF LOVE AND LUST

*Dei [a Sylphide] os olhos de uma menina da aldeia, a frescura da tez de uma outra. Os retratos das grandes damas da época de Francisco I, Henrique IV e Luís XIV, pendurados na nossa sala de estar, emprestam-me outros traços e eu até copiei beldades dos quadros da Madona nas igrejas. Esta criatura mágica acompanhava-me invisível por toda parte, eu conversava com ela como se fosse uma pessoa de verdade; ela mudava de aparência segundo o grau da minha loucura; Afrodite sem véu, Diana envolta em azul e rosa, Tália numa máscara risonha, Hebe com a taça da juventude – ou se transformava numa fada, concedendo-me o domínio sobre a natureza. (...) A ilusão durou dois anos, durante os quais minha alma atingia o auge da exaltação.
– CHATEAUBRIAND, MEMOIRS FROM BEYOND THE GRAVE, CITADO EM FRIEDRICH SIEBURG, CHATEAUBRIAND*

recordações desagradáveis – ela teve muita disciplina quando criança. Ou você pode estar despertando lembranças de um pai ou mãe detestável e ela vai transferir esse sentimento para você. Não vá avante com a regressão enquanto não souber tudo que for possível sobre a infância dela – o que ela teve em excesso, o que lhe faltou e assim por diante. Se o seu alvo for muito apegado a um pai ou mãe, mas esse apego for parcialmente negativo, a estratégia da regressão edipiana ainda pode ser bastante eficaz. Sempre nos sentimos ambivalentes com relação a um pai ou a uma mãe; mesmo quando os amamos, nos ressentimos de ter dependido deles. Não se preocupe em estar despertando estas ambivalências, que não nos impedem de estar ligados a nossos pais. Lembre-se de incluir um componente erótico no seu comportamento paterno ou materno. Agora não só o seu alvo está tendo a mãe ou o pai só para ele, como está conseguindo algo mais, algo antes proibido, mas que agora é permitido.

A Regressão do Ego Ideal. Quando crianças, quase sempre compomos um personagem ideal com nossos sonhos e ambições. Primeiro, essa figura ideal é a pessoa que gostaríamos de ser. Nós nos imaginamos como corajosos aventureiros, personagens românticos. Depois, na adolescência, passamos a prestar atenção nos outros, muitas vezes projetando neles os nossos ideais. O primeiro garoto ou garota por quem nos apaixonamos pode parecer ter as qualidades ideais que desejamos para nós mesmos, ou talvez nos faça sentir que somos capazes de representar para ele ou para ela esse papel ideal. A maioria de nós carrega por onde vai esse personagem idealizado, escondido logo abaixo da superfície. Ficamos intimamente desapontados com a quantidade de concessões que tivemos de fazer, com o ponto a que chegamos, tão abaixo do que imaginávamos. Faça os seus alvos sentirem que estão vivendo esse ideal da juventude, e chegando mais perto de serem a pessoa que gostariam de ser, e você fará um tipo diferente de regressão, criando um sentimento que faz lembrar o da adolescência. O seu relacionamento com o seduzido é, neste caso, mais equilibrado do que nos tipos anteriores de regressão – mais parecido com o afeto entre irmãos. De fato, o ideal com frequência tem como modelo um irmão ou uma irmã. Para criar este efeito, empenhe-se para reproduzir o estado de espírito intenso, inocente, de uma jovial paixão.

A Regressão Paterna Inversa. Aqui é você quem regride: você intencionalmente representa o papel da criança engraçadinha, adorável, mas também cheia de energia sexual. Os mais velhos sempre acham os mais novos incrivelmente sedutores. Na presença de pessoas jovens, eles sentem voltar um pouco da própria juventude; mas são de fato mais velhos, e, misturado ao revigoramento que sentem na companhia de gente mais nova, está o prazer de representar o papel de pai ou de mãe. Se a criança tem sentimentos eróticos com relação aos pais, sentimentos que são rapidamente reprimidos, os pais precisam enfrentar o mesmo problema ao inverso. Assuma o papel da criança com relação aos seus alvos, entretanto, e eles começarão a manifestar alguns desses sentimentos eróticos reprimidos. A estratégia talvez pareça exigir uma diferença de idade, mas ela não é importante. As qualidades exageradas de menininha de Marilyn Monroe funcionavam muito bem com homens da sua idade. Ao enfatizar uma fraqueza ou vulnerabilidade sua, você dá ao alvo uma chance de bancar o protetor.

EXEMPLOS

1. Os pais de Victor Hugo separaram-se logo depois que o romancista nasceu, em 1802. A mãe, Sophie, estava tendo um caso com o oficial superior do marido, um general. Ela afastou os três meninos Hugo do pai e foi criá-los sozinha em Paris. Lá os garotos tiveram uma vida tumultuada, com crises de pobreza, mudanças frequentes e o prolongado romance da mãe com o general. De todos os meninos, Victor era o mais apegado à mãe, adotando todas as suas ideias e impertinências, particularmente o ódio pelo pai. Mas, com essa infância agitada, ele nunca sentiu que estava recebendo da mãe que adorava amor e atenção suficientes. Quando ela morreu, em 1821, pobre e coberta de dívidas, ele ficou arrasado.

No ano seguinte, Victor Hugo casou-se com a namorada de infância, Adèle, fisicamente parecida com a mãe. Foram felizes por uns tempos, mas logo Adèle começou a se parecer demais com a mãe dele: em 1832, ele descobriu que ela estava tendo um caso com o crítico literário francês Sainte-Beuve, que por acaso também era o seu melhor amigo na época. Victor Hugo já era um escritor famoso, mas não era do tipo calculista. Em geral ele não ocultava o que sentia. Mas não podia confiar em ninguém para falar do caso de Adèle; era humilhante demais. Sua única solução era ter seus próprios casos com atrizes, cortesãs, mulheres casadas. Victor Hugo tinha um apetite prodigioso, às vezes visitando três mulheres diferentes num só dia.

Quase no final de 1832, iniciou-se a produção de uma das peças de Victor Hugo e ele deveria supervisionar a escolha do elenco. Uma atriz de 26 anos chamada Juliette Drouet fez um teste para um dos papéis menores. Acostumado a se sentir muito à vontade com as mulheres, Hugo se viu gaguejando diante de Juliette. Ela, simplesmente, era a mulher mais bonita que ele já tinha visto; isso mais a sua serenidade o intimidaram. Claro, Juliette ficou com o papel. Ele se pegou pensando nela o tempo todo. Ela parecia estar sempre rodeada de um grupo de homens em adoração. Era óbvio que não estava interessada nele, ou assim ele pensou. Mas, uma noite, depois da apresentação, ele a seguiu até em casa e descobriu que ela não estava zangada nem surpresa – na verdade, convidou-o para entrar. Ele passou a noite e, não demorou muito, estava passando quase todas as noites lá.

Victor Hugo estava feliz outra vez. Para sua alegria, Juliette encerrara a carreira no teatro, largara as suas antigas amizades e aprendera a cozinhar. Antes ela gostava de roupas elegantes e ocasiões sociais; agora era a secretária de Victor, mal saía do apartamento que ele montou para ela e parecia viver só para as suas visitas. Passado um certo tempo, entretanto, Victor Hugo retornou aos seus velhos hábitos e começou a ter pequenos casos nas horas vagas. Ela não se queixava – desde que continuasse sendo a única para quem ele sempre voltava. E Hugo de fato havia se tornado bastante dependente dela.

Em 1843, a filha querida de Victor Hugo morreu num acidente e ele entrou em depressão. A única maneira que ele conhecia de sair dessa tristeza era ter um romance novo. E assim, pouco depois, ele se apaixonou por uma jovem aristocrata casada de nome Léonie d'Aunet. Ele via Juliette cada vez menos. Alguns anos depois, Léonie, sentindo-se segura de ser a preferida, deu-lhe um ultimato: não deveria mais se encontrar com Juliette, ou estaria tudo acabado. Hugo recusou. Mas decidiu fazer uma competição: ele continuaria a ver as duas mulheres e, em alguns meses, seu coração lhe diria quem era a preferida. Léonie ficou furiosa, não tinha outra escolha. Seu caso com Victor Hugo já tinha arruinado o seu casamento e a sua posição na sociedade; ela dependia dele. De qualquer maneira, como poderia perder – ela estava em pleno apogeu, enquanto Juliette já estava grisalha. Portanto, fingiu concordar com a competição, mas, com o passar do tempo, foi ficando cada vez mais ressentida com isso, e se queixava. Juliette, por outro lado, comportava-se como se nada tivesse mudado. Quando ele a visitava, ela o tratava como sempre tinha feito, largando tudo para confortá-lo e acarinhá-lo.

A competição durou muitos anos. Em 1851, Victor Hugo estava tendo problemas com Luís Napoleão, o primo de Napoleão Bonaparte e agora presidente da França. Hugo havia atacado as suas tendências ditatoriais pela imprensa áspera e talvez afoitamente, pois Luís Napoleão era um homem vingativo. Temendo pela vida do escritor, Juliette deu um jeito de escondê-lo na casa de amigos e conseguiu um passaporte falso, um disfarce e uma passagem segura para Bruxelas. Tudo seguiu conforme planejado; Juliette foi se encontrar com ele dias depois levando seus pertences mais valiosos. Nitidamente, seu heroísmo a tornara vencedora da competição.

Mas no entanto, depois de passada a novidade dessa fase da vida de Victor Hugo, seus casos recomeçaram. Finalmente, preocupada com a saúde dele e achando que não poderia continuar competindo com mais uma coquete de 20 anos de idade, Juliette fez uma calma e firme exigência: nada de outras mulheres, ou ela o deixaria. Apanhado totalmente de surpresa, mas certo da seriedade de cada uma de suas palavras, Hugo não resistiu e começou a chorar. Um homem velho agora, ele se colocou de joelhos e jurou, sobre a Bíblia e depois sobre um exemplar do seu famoso romance Os miseráveis, que não se desviaria mais do bom caminho. Até a morte de Juliette, em 1883, o seu fascínio sobre Hugo foi total.

Interpretação. A vida amorosa de Victor Hugo foi determinada pelo seu relacionamento com a mãe. Ele nunca sentiu que ela o amava. Quase todas as mulheres com quem teve um caso tinham alguma semelhança física com ela; de algum modo ele compensava essa falta de amor por ele com a quantidade. Quando Juliette o conheceu, não podia saber disso, mas deve ter percebido duas coisas: ele estava extremamente desapontado com a esposa, e continuava ainda sendo um pouco infantil. Suas explosões emocionais e a sua necessidade de atenção o faziam parecer mais um menino do que um homem. Ela conquistou a ascendência sobre ele pelo resto da sua vida suprindo a única coisa que ele nunca teve: total e incondicional amor materno.

Juliette nunca julgava Victor Hugo ou criticava as suas travessuras. Ela o cobria de atenções; visitá-la era como voltar ao útero. Na presença dela, de fato, ele virava mais do que nunca um menino. Como recusar-lhe um favor ou abandoná-la? E, quando ela finalmente ameaçou deixá-lo, ele foi reduzido a um estado de bebê que chora querendo a mãe. No final, ela exercia total poder sobre ele.

Amor incondicional é coisa rara e difícil de encontrar, mas é o que todos queremos porque, ou já o experimentamos uma vez, ou gostaríamos de ter experimentado. Você não precisa chegar até onde Juliette Drouet foi; a simples sugestão de devotada atenção, de aceitar os seus amantes do jeito que eles são, de satisfazer suas necessidades, vai colocá-los numa posição infantil. A sensação de dependência talvez os assuste um pouco, e eles sintam uma tendência oculta ambivalente, uma necessidade de se afirmarem periodicamente, como fazia Hugo com seus casos. Mas seus vínculos com você serão fortes e eles continuarão voltando pedindo mais, presos à ilusão de estarem reconquistando o amor materno que aparentemente haviam perdido para sempre, ou nunca tiveram.

2. Por volta da virada do século XX, o professor Mut, mestre-escola de um colégio para rapazes de uma cidadezinha alemã, começa a sentir um intenso ódio por seus alunos. Mut é quase sessentão e trabalha na mesma escola há muitos anos. Dá aulas de grego e latim, e é um ilustre conhecedor da cultura clássica. Sempre fora necessário impor disciplina, mas agora a coisa estava ficando feia: os alunos simplesmente não queriam mais saber de Homero. Escutavam músicas ruins e só gostavam de literatura moderna. Embora fossem rebeldes, Mut os considera frouxos e indisciplinados. Quer lhes dar uma lição e tornar suas vidas um inferno; seu estilo habitual de lidar com as grosserias deles era a intimidação, e isso quase sempre dava certo.

Um dia, um aluno que Mut detesta – um rapaz arrogante, bem vestido, chamado Lohmann – levanta-se na sala e diz: "Não posso continuar estudando nesta sala, professor. Sinto um cheiro forte de lama." Mud, lama em inglês, era como os meninos chamavam Mut. O professor pega Lohmann com força pelo braço, dá-lhe uma torcida e o expulsa de sala. Mais tarde, ele percebe que Lohmann esqueceu um caderno de exercícios e, folheando-o, lê um parágrafo sobre uma atriz chamada Rosa Fröhlich. Uma trama começa a se armar na cabeça de Mut; vai pegar Lohmann se divertindo com esta atriz, sem dúvida uma mulher de má fama, e fazer o garoto ser expulso da escola.

Primeiro ele precisa descobrir onde ela trabalha. Procura em todas as camadas da classe artística e acaba encontrando o seu nome na porta de um clube chamado Anjo Azul. Ele entra. É um lugar cheio de fumaça de cigarro, frequentado por tipos da classe operária que ele olha com superioridade. Rosa está no palco. Canta uma canção; o modo como olha diretamente no olho de cada um na plateia é muito ousado, mas por alguma razão isso desarma Mut. Ele relaxa um pouco, bebe vinho. Depois da apresentação, ele se dirige para o seu camarim determinado a submetê-la a um interrogatório sobre Lohmann. Uma vez lá, ele se sente estranhamente constrangido, mas arma-se de coragem, acusa-a de desviar rapazes e ameaça chamar a polícia para fechar a casa. Mas Rosa não se intimida. Ela inverte todas as frases de Mut: talvez ele é quem esteja desviando os rapazes. Seu tom é de quem está querendo seduzir e implicar com ele. Sim, Lohmann tinha lhe comprado flores e champanhe – e daí? Nunca ninguém falou assim com Mut: o seu tom de voz autoritário fazia as pessoas abaixarem a cabeça. Ele devia se sentir ofendido: ela é de classe inferior e mulher, e ele um mestre-escola, mas ela fala com ele como se fossem iguais. No entanto, ele não se zanga nem vai embora – alguma coisa o força a ficar.

Agora ela se cala. Pega uma meia e começa a cerzir, ignorando-o: os olhos dele acompanham cada um de seus movimentos, particularmente o modo como ela esfrega o joelho nu. Finalmente, ele volta a falar em Lohmann e na polícia. "Você não imagina o que seja esta vida", diz ela. "Cada um que entra aqui pensa que é o único seixo na praia. Se você não lhes der o que querem, ameaçam chamar a polícia!" "Lamento ter magoado os sentimentos de uma dama", responde ele envergonhado. Quando ela se levanta, os joelhos dos dois se esbarraram e ele sente um calafrio na espinha. Agora ela está sendo gentil com ele de novo, e lhe serve um pouco mais de vinho. Convida-o para voltar, e se retira abruptamente para apresentar o seu próximo número.

No dia seguinte, ele não para de pensar nas palavras dela, na sua aparência. Pensar nela enquanto ensina é excitante como uma travessura. Naquela noite, ele volta ao clube, ainda determinado a pegar Lohmann em flagrante, e mais uma vez se vê no camarim de Rosa tomando vinho e se comportando de um modo estranhamente passivo. Ela lhe pede para ajudá-la a se vestir; isso parece ser uma grande honra, e ele obedece. Ajudando-a com seu corpete e com a maquiagem, ele se esquece de Lohmann. Sente que estava sendo iniciado num novo mundo. Ela belisca suas bochechas e acaricia seu queixo, e ocasionalmente permite que ele vislumbre uma perna nua enquanto calça a meia.

Agora o professor vem todas as noites, ajudando Rosa a se vestir, assistindo à sua apresentação, tudo com uma estranha espécie de orgulho. Ele vai lá com tanta frequência que Lohmann e seus amigos não aparecem mais. Mut tomou o lugar deles – é ele quem traz flores, paga o champanhe dela, ele é quem a serve. Sim, um velho como ele havia passado à frente do jovem Lohmann, que se achava tão agradável! Ele gosta quando ela lhe acaricia o queixo, cumprimenta-o por fazer as coisas direito, mas ele fica ainda mais excitado quando ela o repreende soprando pó de arroz no seu rosto ou empurrando-o para fora da cadeira. Isso quer dizer que ela gosta dele. E assim, aos poucos, ele começa a sustentar todos os seus caprichos. É caro, mas a mantém longe dos outros homens. Ele acaba pedindo-a em casamento. Casam-se, e aí vem o escândalo: ele perde o emprego e, logo depois, todo o seu dinheiro; finalmente vai parar na cadeia. Mas, até o último momento, ele jamais se irrita com Rosa. Pelo contrário, sente-se culpado: não fez o suficiente por ela.

Interpretação. O professor Mut e Rosa são personagens do romance *O anjo azul*, de Heinrich Mann, escrito em 1905, e que depois virou um filme estrelado por Marlene Dietrich. A sedução de Mut por Rosa segue o clássico modelo de regressão edipiana. Primeiro, a mulher ameaça o homem como faz a mãe com o garotinho. Ela ralha com ele, mas a repreensão não é ameaçadora; é meiga, e tem um toque de gozação. Como uma mãe, ela sabe que está lidando com alguém fraco, incapaz de controlar as próprias travessuras. Ela mistura muitos elogios e palavras de aprovação com seus sarcasmos. Quando o homem começa a regredir, ela acrescenta a excitação física – um contato físico para deixá-lo excitado, sutis sugestões sexuais. Como prêmio por sua regressão, o homem tem a emoção de finalmente dormir com a mãe. Mas há sempre um elemento de competição, que a figura materna deve intensificar. O homem consegue possuí-la só para si, o que não poderia fazer com o pai no meio do caminho, mas antes ele precisa tirá-la dos outros.

A chave para esse tipo de regressão é ver e tratar seus alvos como crianças. Nada neles intimida você, não importa a autoridade ou a posição social que tenham. Seu comportamento deixa claro que você sente que é a parte mais forte. Para conseguir isso, talvez ajude imaginar ou visualizá-los como as crianças que foram um dia; de repente, gente poderosa não parece tão poderosa e ameaçadora quando você as faz regredir na sua própria imaginação. Tenha em mente que certos tipos são mais vulneráveis a uma regressão edipiana. Procure aqueles que, como o professor Mut, pareçam exteriormente muito adultos – puritanos, sérios, um pouco convencidos de si mesmos. Eles estão fazendo um esforço enorme para reprimir suas tendências regressivas, supercompensando uma fraqueza deles. Em geral, quem parece estar mais no comando de si mesmo são os mais maduros para uma regressão. De fato, eles estão secretamente ansiando por isto porque o poder que exercem, seus cargos e responsabilidades são mais um peso do que um prazer.

3. Nascido em 1768, o escritor francês François René de Chateaubriand foi criado num castelo medieval na Bretanha. O castelo era frio e melancólico, como se habitado por fantasmas do passado. A família vivia ali em semir-reclusão. Chateaubriand passava grande parte do seu tempo com a irmã Lucile, e seu apego por ela era tão forte que corriam boatos de incesto. Mas, quando ele estava com 15 anos, uma nova mulher chamada Sylphide entrou na sua vida – uma mulher que ele criou na sua imaginação, um misto de todas as heroínas, deusas e cortesãs cujas histórias ele havia lido nos livros. Ele estava sempre vendo mentalmente

os traços dela, e escutando a sua voz. Não demorou muito e os dois passeavam juntos e conversavam. Ele a imaginava inocente e exaltada, mas às vezes eles faziam coisas que não eram assim tão puras. Ele continuou neste relacionamento por dois anos inteiros, até que finalmente partiu para Paris, e substituiu Sylphide por mulheres de carne e osso.

O público francês, cansado dos terrores da década de 1790, recebeu com entusiasmo os primeiros livros de Chateaubriand, percebendo haver neles um novo espírito. Seus romances eram cheios de castelos assolados pelo vento, heróis pensativos e heroínas passionais. O romantismo estava no ar. O próprio Chateaubriand parecia um de seus personagens e, apesar da sua aparência pouco atraente, as mulheres ficavam loucas por ele – com ele, elas podiam escapar de seus entediantes casamentos e viver o tipo de romance turbulento que era tema de seus livros. O apelido de Chateaubriand era o Encantador e, apesar de casado e católico fervoroso, com o passar dos anos crescia o número de seus casos amorosos. Mas ele possuía uma natureza inquieta – esteve no Oriente Médio, nos Estados Unidos, em toda a Europa. Em lugar algum conseguia encontrar o que estava procurando, nem a mulher certa também: quando acabava a novidade, ele ia embora. Em 1807, ele havia tido tantos casos, e se sentia ainda tão insatisfeito, que resolveu se retirar para a sua propriedade rural, chamada Vallée aux Loups. Ele encheu o lugar de árvores do mundo inteiro, transformando a região em algo saído de um de seus romances. Ali ele começou a escrever as memórias, que imaginou seriam a sua obra-prima.

Em 1817, entretanto, a vida de Chateaubriand se desintegrara. Problemas financeiros o haviam forçado a vender Vallée aux Loups. Com quase 50 anos, ele de repente se sentia velho, sem inspiração. Naquele ano, ele visitou a escritora madame de Staël, que estava doente havia um certo tempo e agora ia morrer. Ele passou vários dias à beira da sua cama junto com sua melhor amiga, Juliette Récamier. Os casos de madame Récamier eram notórios. Ela era casada com um homem muito mais velho, mas os dois já não viviam juntos fazia tempo; ela havia partido o coração dos homens mais ilustres da Europa, inclusive do príncipe Metternich, do duque de Wellington e do escritor Benjamin Constant. Dizia-se também que, apesar de todos os seu flertes, ela continuava virgem. Estava agora com quase 40 anos, mas era o tipo de mulher que parece jovem com qualquer idade. Unidos na tristeza pela morte de Staël, ela e Chateaubriand ficaram amigos. Ela o escutava com tanta atenção, adotando os seus humores e fazendo eco aos seus sentimentos, que ele achou que finalmente tinha encontrado uma mulher que o compreendia. Havia também algo de etéreo em madame Récamier. O seu modo de andar, a sua voz, os seus olhos – mais de um homem a havia comparado a um anjo caído do céu. Chateubriand logo estava ardendo de desejo de possuí-la fisicamente.

No ano seguinte ao início da amizade entre os dois, ela apareceu com uma surpresa para ele: tinha convencido um amigo a comprar Vallée aux Loups. O amigo ia se ausentar por algumas semanas e ela convidou Chateuabriand a passar uns dias com ela na sua antiga propriedade. Ele aceitou feliz. Passeou com ela por todos os lugares, explicando o que cada pedacinho de terra tinha significado para ele, as lembranças que o local lhe despertava. Sentia brotar de dentro dele sentimentos da juventude, sentimentos dos quais já havia se esquecido. Ele mergulhava cada vez mais no passado descrevendo coisas da sua infância. Às vezes, caminhando com madame Récamier e olhando dentro daqueles olhos bondosos, ele sentia um arrepio de reconhecimento, mas não conseguia identificar muito bem o que fosse. Só sabia que precisava voltar para as memórias que tinha abandonado. "Pretendo aproveitar o pouco tempo que me resta para descrever a minha juventude", disse ele, "enquanto sua essência permanece palpável para mim."

Pelo visto, madame Récamier retribuía o amor de Chateaubriand, mas, como sempre, ela se esforçava para manter as coisas no nível espiritual.

O Encantador, entretanto, merecia o seu apelido. Sua poesia, seu ar melancólico e sua persistência finalmente venceram e ela sucumbiu, talvez pela primeira vez na sua vida. Agora, como amantes, eram inseparáveis. Mas, como acontecia sempre com Chateaubriand, com o tempo uma mulher só não bastava. O espírito inquieto voltava. Ele começou de novo a ter os seus casos. Em breve, ele e Récamier deixaram de se ver.

Em 1832, Chateaubriand estava viajando pela Suíça. Mais uma vez, a vida lhe puxara o tapete; só que agora ele estava realmente velho, de corpo e espírito. Nos Alpes, foi assaltado por estranhos pensamentos sobre a sua juventude, lembranças do castelo na Bretanha. Chegaram notícias de que madame Récamier estava na região. Fazia anos que ele não a via, e correu para a pousada onde ela estava. Ela foi gentil com ele como sempre; durante o dia caminhavam juntos, de noite ficavam acordados até tarde conversando.

Um dia, Chateaubriand contou a Récamier que havia finalmente decidido terminar suas memórias. E tinha uma confissão para lhe fazer: e lhe contou sobre Sylphide, sua amante imaginária na adolescência. Ele havia esperado um dia encontrar uma Sylphide na vida real, mas as mulheres que conhecera empalideciam na comparação. Com o passar dos anos, ele tinha esquecido esse amor imaginário, mas agora estava velho e não apenas voltara a pensar nela como via o seu rosto e escutava a sua voz. E com estas lembranças, ele percebeu que tinha de fato encontrado Sylphide na vida real – era madame Récamier. O rosto e a voz eram próximos. Mais importante, havia a tranquilidade de espírito, a inocência e a qualidade virginais. Lendo para ela a oração a Sylphide que tinha acabado de escrever, ele lhe disse que gostaria de ser jovem novamente e a visão dela lhe trazia de volta a juventude. Reconciliado com madame Récamier, ele voltou a trabalhar nas suas memórias, que acabaram publicadas com o título *Mémoires d'Outre Tombe*. A maioria dos críticos concorda em que o livro é a sua obra-prima. As memórias foram dedicadas a madame Récamier, a quem permaneceu dedicado até morrer, em 1848.

Interpretação. Todos carregamos dentro de nós a imagem de um tipo ideal de pessoa que desejamos muito conhecer e amar. Quase sempre o tipo é um misto de fragmentos de personagens diferentes da nossa juventude, e até de livros e filmes. Pessoas que nos influenciaram extraordinariamente – um professor, por exemplo – também podem figurar nesta lista. Os traços nada têm a ver com interesses superficiais. De preferência, são inconscientes, difíceis de verbalizar.

Procuramos com mais intensidade este ideal durante a adolescência, quando somos mais idealistas. Muitas vezes, nossos primeiros amores possuem mais desses traços do que nossos romances posteriores. Para Chateaubriand, vivendo com a família no seu castelo isolado, o primeiro amor foi a irmã Lucile, a quem ele adorava e idealizava. Mas, como esse amor era impossível, ele criou um personagem imaginário que tinha todos os seus atributos positivos – nobreza de espírito, inocência, coragem.

Madame Récamier podia não estar informada sobre este tipo ideal de Chateaubriand, mas sabia algo sobre ele muito antes de conhecê-lo. Tinha lido todos os seus livros, e seus personagens eram extremamente autobiográficos. Ela sabia da sua obsessão pela juventude perdida; e todos conheciam os seus intermináveis e insatisfatórios casos com mulheres, seu espírito excessivamente inquieto. Madame Récamier sabia espelhar as pessoas, entrar no estado de espírito delas, e uma das primeiras coisas que fez foi levar Chateaubriand a Vallée aux Loups, onde ele sentia ter deixado uma parte da sua juventude. Animado com as recordações, ele regrediu ainda mais para a sua infância, para a época em que vivia no castelo. Ela o incentivava ativamente a fazer isso. Mais importante, ela personificava um espírito que lhe era natural, mas que combinava com o tipo ideal da juventude dele: inocente, nobre, bondosa. (O fato de tantos homens se apaixonarem por ela sugere que muitos deles tinham os mesmos ideais.) Madame Récamier era Lucile/Sylphide. Chateaubriand levou anos para ver isso, mas, quando percebeu, já estava totalmente fascinado por ela.

 É quase impossível personificar plenamente o ideal de uma pessoa. Mas, se chegar bem próximo, se evocar parte desse espírito ideal, você poderá levar essa pessoa a uma sedução profunda. Para fazer esta regressão, você deve bancar o terapeuta. Consiga que seus alvos falem sobre os seus passados, particularmente sobre seus antigos amores e, mais ainda, sobre o primeiro amor. Esteja atento a qualquer expressão de desapontamento, se esta ou aquela pessoa não lhes deu o que desejavam. Leve-os a lugares que evoquem as suas juventudes. Nesta regressão você está criando não tanto um relacionamento de dependência e imaturidade, mas sim o espírito adolescente de um primeiro amor. Há um toque de inocência no relacionamento. Uma grande parte da vida adulta envolve concessões, conivências e uma certa rigidez. Crie a atmosfera ideal deixando tudo isso de fora atraindo a pessoa para um tipo de fraqueza mútua, evocando uma segunda virgindade. Deve haver no caso uma qualidade irreal, como um sonho, como se o alvo estivesse revivendo aquele primeiro amor, mas sem estar realmente acreditando nisso. Deixe que tudo se desenrole lentamente, cada encontro revelando mais qualidades ideais. É impossível resistir à sensação de estar revivendo um prazer do passado.

4. No verão de 1614, vários membros da alta nobreza da Inglaterra, inclusive o arcebispo de Canterbury, reuniram-se para decidir o que fazer com o conde de Somerset, favorito do rei Jaime I, que na época estava com 48 anos. Havia oito favoritos, o jovem conde acumulara tanto poder e riqueza, e tantos títulos, que não sobrava mais nada para ninguém. Mas como se livrar desse homem poderoso? Por enquanto, os conspiradores não tinham uma resposta.

 Passaram-se algumas semanas e o rei estava inspecionando os estábulos reais quando viu um rapaz que era novo na corte: George Villiers, de 22 anos, membro menor da nobreza. Os cortesãos que acompanhavam o rei naquele dia observaram o olhar do rei seguindo Villiers e viram o seu interesse nas perguntas que fazia sobre o rapaz. Realmente, todos tinham de concordar em que ele era um jovem muito bonito, com o rosto de anjo e modos encantadoramente infantis. Quando a notícia do interesse do rei por Villiers chegou aos ouvidos dos conspiradores, na mesma hora eles perceberam que tinham encontrado a pessoa que estavam procurando: um rapaz que pudesse seduzir o rei e substituir o temido favorito. Deixada ao acaso, entretanto, a sedução nunca aconteceria. Eles precisavam ajudar. Portanto, sem contar a Villiers o que planejavam, fizeram amizade com ele.

O rei Jaime era filho de Maria, rainha dos escoceses. Sua infância tinha sido um pesadelo: o pai, o favorito da mãe e seus próprios regentes tinham sido todos assassinados; a mãe primeiro foi exilada, mais tarde executada. Quando jovem, para evitar suspeitas, Jaime se fazia de bobo. Odiava a visão de uma espada e não suportava o mais leve sinal de discussão. Quando sua prima a rainha Elizabeth I morreu, em 1603, sem deixar herdeiros, ele subiu ao trono como rei da Inglaterra.

Jaime cercou-se de rapazes inteligentes e alegres, e parecia preferir a companhia de meninos. Em 1612, seu filho, o príncipe Henry, morreu. O rei ficou inconsolável. Precisava de distração e estímulo, e seu favorito, o conde de Somerset, já não era mais tão jovem e atraente. A oportunidade era perfeita para a sedução. E assim os conspiradores partiram para Villiers com o disfarce de estarem ajudando-o a subir na corte. Forneceram-lhe um magnífico guarda-roupa, joias, uma carruagem cintilante, o tipo de coisas que o rei notava. Aprimoraram as suas técnicas para cavalgar, lutar esgrima, jogar tênis, dançar, para lidar com aves e cães. Ele foi treinado na arte da conversação – como bajular, contar uma piada, suspirar no momento certo. Felizmente era fácil trabalhar com Villiers; ele era naturalmente alegre e nada parecia aborrecê-lo. Naquele mesmo ano, os conspiradores conseguiram que fosse nomeado copeiro real: todas as noites ele servia o vinho do rei, de forma que o rei o podia ver de perto. Passadas algumas semanas, o rei estava apaixonado. O rapaz parecia suspirar por atenção e carinho, exatamente o que o rei estava louco para oferecer. Como seria maravilhoso moldá-lo e educá-lo. E que porte perfeito ele tinha!

Os conspiradores convenceram Villiers a terminar o seu noivado com uma jovem dama; o rei era determinado nos seus afetos e não suportava concorrências. Não demorou muito, e Jaime queria estar junto de Villiers o tempo todo, pois ele tinha as qualidades que o rei admirava: inocência e alegria. O rei nomeou Villiers camareiro, tornando possível para os dois ficarem sozinhos. O que encantava particularmente Jaime era que Villiers nunca lhe pedia nada, o que dava ainda mais prazer mimá-lo.

Em 1616, Villiers tinha substituído totalmente o ex-favorito. Agora ele era conde de Buckingham, e membro do conselho privado do rei. Para consternação dos conspiradores, entretanto, ele rapidamene acumulou ainda mais privilégios do que o conde de Somerset. O rei o chamava de querido em público, arrumava os seus gibões, penteava seus cabelos. Jaime protegia zelosamente o seu favorito, ansioso em preservar a inocência do rapaz. Atendia a todos os caprichos do jovem, com efeito tornou-se seu escravo. De fato o rei parecia regredir; sempre que Steenie, como ele chamava Villiers, entrava na sala, ele começava a agir como criança. Os dois foram inseparáveis até o rei morrer, em 1625.

Interpretação. Nós somos definitivamente marcados por nossos pais de uma forma que nunca conseguimos compreender muito bem. Mas eles também são igualmente influenciados e seduzidos pelo filho. Podem representar o papel de protetores, mas no processo absorvem o espírito e a energia da criança, revivem uma parte de suas próprias infâncias. E, assim como a criança luta contra sentimentos sexuais pelos pais, os pais devem reprimir sentimentos eróticos comparáveis que se escondem por baixo do carinho que sentem. Quase sempre, a melhor maneira, e a mais insidiosa, de seduzir as pessoas é colocando-se na posição de filho. Imaginando-se mais fortes, mais no controle das situações, elas serão atraídas para a sua teia. Sentirão que nada têm a temer. Enfatize a sua imaturidade, a sua fraqueza, e você as deixará cultivando fantasias de proteger você e tratá-lo como filho – um forte desejo quando as pessoas ficam velhas. O que não percebem é que você está entrando dentro delas, se insinuando – é a criança controlando o adulto. A sua inocência faz com que queiram proteger você, mas também tem uma carga sexual. A inocência é altamente sedutora; tem gente até que está doida para bancar o corrompedor da inocência. Desperte os seus sentimentos sexuais latentes e você as desviará na esperança de satisfazerem uma forte, porém reprimida, fantasia: dormir com a figura infantil. Na sua presença, também, elas começarão a regredir, contagiadas com a sua infantilidade, o seu espírito jovial.

Quase tudo isso era natural para Villiers, mas é bem provável que você tenha de usar uma certa premeditação. Felizmente, todos nós temos fortes tendências infantis que são fáceis de acessar e exagerar. Faça seus gestos parecerem espontâneos. Qualquer elemento sexual no seu comportamento deve parecer inocente, inconsciente. Como Villiers, não force favores. Os pais preferem mimar filhos que não pedem as coisas, mas as solicitam a seu modo. Aparentando não estar julgando nem criticando as pessoas que o cercam, tudo que você fizer vai parecer mais natural e ingênuo. Enfatize as fraquezas que você tiver, coisas que não consegue controlar. Lembre-se: a maioria de nós lembra da infância com muito carinho, mas, quase sempre, paradoxalmente, quem mais se apega a essa fase da vida são aqueles que tiveram as infâncias mais difíceis. Na verdade, as circunstâncias os impediram de *serem* crianças, por isso não cresceram, e anseiam pelo paraíso que jamais puderam experimentar. Jaime I se encaixa nessa categoria. Esses tipos são alvos maduros para uma regressão inversa.

> **Símbolo:** *A Cama. Deitada sozinha na cama, a criança se sente desprotegida, com medo e carente. No quarto ao lado, está a cama dos pais. Ela é grande e proibida, local de coisas sobre as quais você não deve saber. Faça o seduzido sentir as duas coisas – impotência e transgressão – quando você o colocar para dormir.*

O INVERSO

Para inverter as estratégias de regressão, as partes envolvidas teriam de permanecer adultas durante o processo de sedução. O que não só é raro, como não é muito agradável. Seduzir significa realizar certas fantasias. Ser um adulto maduro e responsável não é uma fantasia, é uma obrigação. Além do mais, a pessoa que continua sendo adulta com relação a você é mais difícil de seduzir. Em todos os tipos de sedução – política, da mídia, pessoal –, o alvo deve regredir. O único perigo é a criança, cansada de ser dependente, se virar contra o pai ou a mãe e se tornar rebelde. Você precisa estar preparado para isso e, ao contrário de um pai, jamais levar para o lado pessoal.

18

PROVOQUE O QUE É TRANSGRESSÃO E TABU

Há sempre limites sociais para o que se pode fazer. Alguns deles, os tabus mais elementares, datam de séculos; outros são mais superficiais, definindo simplesmente comportamentos polidos e aceitáveis. Fazer com que seus alvos sintam que você os está levando a transgredir um ou outro tipo de limite é imensamente sedutor. As pessoas anseiam por explorar os seus lados obscuros. Nem tudo no amor romântico deve ser suave e delicado; sugira que você possui um traço cruel, sádico. Você não respeita diferenças de idade, casamentos, vínculos familiares. Depois que o desejo de transgredir tiver atraído os seus alvos até você, será difícil fazê-los parar. Leve-os até mais longe do que eles imaginaram – o sentimento em comum de culpa e a cumplicidade criarão um poderoso vínculo.

A IDENTIDADE PERDIDA

Em março de 1812, George Gordon Byron, com 24 anos de idade, publicou os primeiros cantos do seu poema "Childe Harold". O poema estava repleto de imagens góticas familiares – uma abadia em ruínas, deboches, viagens ao oriente misterioso –, mas a diferença era que o herói era também o vilão: Harold era um homem que levava uma vida de vícios, desdenhando das convenções sociais, mas, de certa forma, sem ser punido por isso. Além disso, o poema não tinha como cenário uma terra distante mas, sim, a Inglaterra atual. "Childe Harold" causou de imediato um alvoroço, em Londres só se falava nisso. A primeira edição esgotou logo. Em poucos dias, o boato se espalhou: o poema, sobre um jovem nobre debochado, era de fato autobiográfico.

Agora a nata da sociedade queria conhecer Lord Byron, e muitos deixavam seus cartões de visita na sua residência em Londres. Não demorou muito e ele estava aparecendo em suas casas. Curiosamente, ele superava as expectativas. Era diabolicamente bonito, com os cabelos cacheados e o rosto de anjo. Seus trajes negros destacavam a tez pálida. Não era de falar muito, o que por si só causava impressão, e quando abria a boca sua voz era baixa, hipnótica e seu tom levemente desdenhoso. Ele mancava (tinha um pé torto de nascença); assim, quando a orquestra atacava uma valsa (a dança da moda em 1812), ele ficava de lado, com o olhar distante. As mulheres enlouqueciam por Byron. Ao conhecê-lo, Lady Roseberry sentiu o coração bater tão forte (um misto de medo e excitação) que precisou se afastar. Elas brigavam para se sentar ao lado dele, para conquistar a sua atenção, para serem seduzidas por ele. Era verdade que ele tinha um pecado secreto, como o herói do seu poema?

Lady Caroline Lamb – casada com William Lamb, filho de Lord e Lady Melborne – era uma mulher jovem e fulgurante no cenário social, mas no íntimo sentia-se infeliz. Quando menina, sonhara com aventuras, romance, viagens. Agora esperavam que fizesse o papel de jovem

Trata-se de um certo tipo de sentimento: o de estar sendo subjugado. Muita gente tem um medo enorme de ser dominada por exemplo, por alguém que os faz rir sem querer, ou que lhes faz morrer de cócegas ou, pior, lhes diz coisas que percebem estarem corretas, mas que não conseguem compreender muito bem, coisas que vão além de seus preconceitos e da sabedoria convencional. Em outras palavras, não querem ser seduzidos porque sedução significa fazer as pessoas se confrontarem com seus próprios limites, limites que se supõe definidos e estáveis, mas que o sedutor de repente faz oscilar. Sedução é o desejo de ser dominado, de ser transportado.
– DANIEL SIBONY, L'AMOUR INCONSCIENT

Faz pouco tempo vi um garanhão controlado com firmeza Morder o freio e disparar Como um raio – mas assim que ele sentiu afrouxar as rédeas, Largadas sobre a sua crina esvoaçante, Parou de repente. Eternamente nos irritamos com as restrições, cobiçando O que é proibido. (Vejam como o doente proibido de imersão não sai de perto da casa de banhos.) (...) Desejo Cresce pelo que está fora de alcance. O ladrão é atraído Por instalações à prova de furto. Quantas vezes o amor Se alimenta da aprovação de um rival? Não é a beleza da sua esposa, mas A sua própria paixão por ela que nos atrai – ela deve Ter alguma coisa para tê-lo fisgado. A moça trancada pelo Marido não é casta, mas perseguida, o medo dela É uma atração maior do que a sua aparência. Paixão ilícita – goste Ou não – é mais doce. Fico aceso Quando a moça diz: "Estou assustada."
– OVÍDIO, THE AMORES

esposa educada, o que não combinava com ela. Lady Caroline foi uma das primeiras a ler "Childe Harold", e algo mais do que a novidade a excitou. Ao ver Lord Byron num jantar, cercado de mulheres, ela olhou no seu rosto, e se afastou; naquela noite ela escreveu sobre ele no seu diário: "Louco, mau e perigoso de se conhecer." E acrescentou: "Aquele belo rosto pálido é a minha ruína."

No dia seguinte, para surpresa de Lady Caroline, Lord Byron foi visitá-la. Evidentemente tinha visto quando ela se afastou dele, a timidez dela o intrigou – não gostava de mulheres agressivas que estavam sempre nos seus calcanhares, como pareciam desdenhar de tudo, inclusive do seu sucesso. Em breve, ele estava visitando Lady Caroline diariamente. Ele se demorava no seu boudoir, brincava com seus filhos, ajudava-a a escolher o vestido do dia. Ela o pressionava a falar da sua vida: ele descrevia o seu pai violento, as mortes prematuras que pareciam uma maldição na sua família, a abadia em ruínas que havia herdado, suas aventuras na Turquia e na Grécia. Sua vida era mesmo tão gótica quanto a de Childe Harold.

Em poucos dias, os dois eram amantes. Agora, entretanto, o jogo tinha virado: Lady Caroline perseguia Byron com uma agressão imprópria para uma dama. Ela se vestia de pajem e se enfiava na carruagem dele, escrevia-lhe cartas extravagantemente emocionais, ostentava o romance. Até que enfim, uma chance de representar o grande papel romântico das suas fantasias de menina. Byron começou a se voltar contra ela. Ele já gostava de chocar as pessoas; agora, confessou a natureza do pecado secreto a que havia aludido em "Childe Harold" – os casos homossexuais que teve durante suas viagens. Fez observações cruéis, mostrou-se indiferente. Mas isso só parecia incentivá-la ainda mais. Ela lhe enviou o costumeiro cacho de cabelos, mas do púbis; seguia-o pelas ruas, fazia cenas em público – finalmente, a família mandou-a para o exterior a fim de evitar mais escândalos. Quando Byron deixou claro que estava tudo acabado entre eles, ela caiu num estado de desvario que duraria vários anos.

Em 1813, um velho amigo de Byron, James Webster, convidou o poeta para uma visita à sua propriedade rural. Sua esposa, Lady Frances, era jovem e bonita, e Webster conhecia a fama de Byron como sedutor, mas ela era uma mulher tranquila e casta – certamente resistiria à tentação de um homem como Byron. Para alívio de Webster, Byron mal falava com Frances, que parecia igualmente desinteressada. Já haviam se passado vários dias quando Frances deu um um jeito de ficar sozinha com Byron na sala de bilhar, onde lhe fez uma pergunta: como uma mulher poderia fazer um homem saber que gostava dele se ele não percebia? Byron rascunhou uma resposta picante num pedaço de papel, que a fez corar ao ler. Logo em seguida, ele convidou o casal para passar uns tempos na sua infame abadia. Ali, a correta e respeitável Lady Frances o viu tomar vinho num crânio humano. Eles ficaram até tarde da noite em uma das câmaras secretas da abadia lendo poesias e se beijando. Com Byron, pelo visto, Lady Frances estava ansiosa demais para explorar o adultério.

Naquele mesmo ano, a meia-irmã de Byron, Augusta, chegou a Londres para se afastar do marido, que estava passando por dificuldades financeiras. Byron não via Augusta fazia algum tempo. Os dois eram fisicamente semelhantes – o mesmo rosto, os mesmos maneirismos; ela era a versão feminina de Lord Byron. E o comportamento dele com relação a ela era mais do que fraternal. Ele a levava ao teatro, aos bailes, recebia-a em sua casa, tratando-a com uma intimidade que Augusta logo retribuiu. Na verdade, a atenção gentil e carinhosa que Byron tinha por ela logo se tornou física.

Augusta era uma dedicada esposa com três filhos, mas cedeu às investidas de seu meio-irmão. Como evitar isso? Ele despertava nela uma estranha paixão, uma paixão mais forte do que já sentira por qualquer outro homem, inclusive o marido. Para Byron, o seu relacionamento com Augusta era o maior de todos os pecados da sua carreira. E logo ele estava escrevendo aos amigos confessando-o. Na verdade, ele se deliciava com suas respostas chocadas, e seu longo poema narrativo, "The Bride of Abydos", tem como tema o incesto entre irmão e irmã. Começaram a se espalhar rumores sobre as relações de Byron com Augusta, que agora estava grávida de um filho dele. A sociedade bem-educada o desprezou – mas as mulheres sentiram-se ainda mais atraídas por ele, e seu livros eram mais populares do que nunca.

Annabella Milbanke, prima de Lady Caroline Lamb, tinha conhecido Byron naqueles primeiros meses de 1812, quando ele era o queridinho de Londres. Annabella era uma pessoa sóbria e prática, e seus interesses eram a ciência e a religião. Mas havia alguma coisa em Byron que a atraía. E o sentimento parecia ser retribuído: não só os dois ficaram amigos, mas para sua surpresa ele demonstrava um outro tipo de interesse por ela, chegando mesmo a lhe propor casamento. Isso aconteceu no meio do escândalo a respeito de Byron e Caroline Lamb, e Annabella não levou a proposta a sério. Nos meses seguintes, ela acompanhou a carreira dele a distância, e soube dos perturbadores falatórios sobre incesto. Mas, em 1813, ela escreveu à tia: "Desejo tanto a sua amizade que me arriscaria a ser chamada de Flirt para poder gozá-la." Ao ler os seus novos poemas, ela escreveu que sua "descrição do Amor quase

Muitas vezes é impossível para [as mulheres] desfazer depois a associação assim formada na mente entre atividades sensuais e o que é proibido, e elas se revelam psiquicamente impotentes, isto é, frígidas quando finalmente tais atividades são permitidas. Esta é a fonte do desejo de tantas mulheres em manter secretas por um certo tempo até as relações legítimas; e do surgimento da capacidade de sensações normais em outras assim que a condição proibitiva é restaurada por uma intriga secreta – infiéis ao marido, elas podem manter uma segunda ordem de fé com o amante. Na minha opinião, a condição necessária de proibição na vida erótica das mulheres ocupa o mesmo lugar que a necessidade masculina de inferiorizar o seu objeto sexual. (...) Mulheres de níveis de civilização mais altos não costumam transgredir a proibição de atividades sexuais durante o período de espera, e portanto adquirem esta íntima associação entre o proibido e o sexual. (...) As consequências danosas da privação de prazer sexual no início se manifestam na falta da plena satisfação quando, mais

tarde, no casamento, se dá livres rédeas ao desejo sexual. Mas, por outro lado, a liberdade sexual irrestrita desde o início não conduz a um resultado melhor. É fácil mostrar que o valor que a mente dá às necessidades eróticas diminui assim que a satisfação se torna possível de ser prontamente obtida. Algum obstáculo é necessário para elevar ao ponto máximo a maré da libido; e em todos os períodos históricos, sempre que as barreiras naturais no caminho da satisfação não eram suficientes, a humanidade ergueu outras convencionais para poder gozar o amor. Isto vale tanto para indivíduos como para nações. Em épocas durante as quais não existiam obstáculos para a satisfação sexual, tais como, talvez, durante o declínio de civilizações da antiguidade, o amor perdeu o valor, a vida ficou vazia, e fortes formações de reação foram necessárias para que se pudesse recuperar o indispensável valor emocional do amor.
— SIGMUND FREUD, "CONTRIBUTIONS TO THE PSYCHOLOGY", *SEXUALITY AND THE PSYCHOLOGY OF LOVE*

me deixa apaixonada". Ela estava desenvolvendo uma obsessão por Byron, que logo ficou sabendo. Eles renovaram a sua amizade e, em 1814, ele lhe propôs de novo casamento; dessa vez ela aceitou. Byron era um anjo decaído e ela é quem iria reformá-lo.

Mas não foi isso que aconteceu. Byron esperava que a vida de casado lhe trouxesse tranquilidade, mas depois da cerimônia percebeu que tinha sido um erro. Ele disse a Annabella: "Agora você vai ver que se casou com o diabo." Em poucos anos, o casamento estava desfeito.

Em 1816, Byron deixou a Inglaterra para nunca mais voltar. Viajou por uns tempos pela Itália; todos conheciam a sua história – os casos, o incesto, a crueldade com suas amantes. Mas, aonde quer que fosse, as italianas, especialmente as nobres e casadas, o perseguiam deixando claro a seu próprio modo que estavam dispostas a serem a próxima vítima byrônica. Na verdade, as mulheres tinham se transformado em agressoras. Como Byron contou ao poeta Shelley: "Ninguém tem sofrido mais pressão do que eu, pobre de mim – tenho sido violentado com mais frequência do que ninguém desde a guerra de Troia."

Interpretação. As mulheres da época de Byron estavam querendo representar um papel diferente do que a sociedade lhes permitia. Elas deviam ser a força decente e moralizadora na cultura; só os homens podiam extravasar seus impulsos mais torpes. Subjacente às restrições sociais sofridas pelas mulheres havia, talvez, o medo da parte mais amoral e desenfreada da psique feminina.

Sentindo-se reprimidas e inquietas, as mulheres da época devoravam romances e contos góticos, histórias em que as personagens femininas eram aventureiras, e tinham a mesma capacidade dos homens para o bem e para o mal. Livros assim ajudaram a detonar uma rebelião. Com mulheres como Lady Caroline colocando em ação um pouco da vida de fantasia que tinham levado na infância, quando até certo ponto isso lhe era permitido. Byron entrou em cena na hora certa. Foi o estopim para os desejos não expressos das mulheres; com ele, podiam ir além dos limites impostos pela sociedade. Para algumas o fascínio era o adultério, para outras era a rebeldia romântica, ou a chance de se tornarem irracionais e pouco civilizadas.

(O desejo de reformá-lo era um mero disfarce para a realidade – o desejo de serem conquistadas por ele.) Em todos os casos, era o fascínio do proibido, que aqui era mais do que simplesmente uma tentação superficial: uma vez envolvida com Byron, ele a transportava para mais longe do que você havia imaginado ou desejado, visto que para ele não existiam limites. As mulheres não se apaixonavam por ele apenas, elas deixavam que ele virasse suas vidas de cabeça para baixo, chegando mesmo a arruiná-las. Elas preferiam esse destino às fronteiras seguras do casamento.

De certo modo, a situação das mulheres no início do século XIX tornou-se generalizada no princípio do século XXI. As válvulas de escape para o mau comportamento dos homens – guerra, política suja, a instituição de amantes e cortesãs – desapareceram; hoje em dia, não só as mulheres como os homens também devem ser eminentemente civilizados e sensatos. E muitos têm uma dificuldade enorme para se manter à altura. Quando crianças, somos capazes de expressar o lado ruim dos nossos caracteres, um lado que todos nós temos. Mas, sob a pressão da sociedade (primeiro, na forma de nossos pais), vamos lentamente aprendendo a reprimir esse lado ruim, que se torna uma espécie de identidade perdida, uma parte da nossa psique que fica enterrada sob a nossa aparência polida.

Quando adultos, queremos secretamente recapturar essa identidade perdida – a parte mais aventureira, menos respeitosa, infantil de nós. Somos atraídos por aqueles que vivem suas identidades perdidas como adultos, mesmo que isso implique maldade ou destruição. Como Byron, você pode se tornar o estopim desses desejos. Deve aprender, entretanto, a manter sob controle esse potencial, e usá-lo estrategicamente. Como a aura de coisa proibida que se forma à sua volta está atraindo as vítimas para a sua teia, não exagere na sua periculosidade, ou elas fugirão assustadas. Quando sentir que estão cedendo ao seu fascínio, você terá rédeas mais livres. Se elas começarem a imitar você, como Lady Caroline imitava Byron, avance um pouco mais – misture uma certa crueldade, envolva-as em pecado, crime, atividades consideradas tabu, o que for preciso. Liberte a identidade perdida que existe dentro delas; quanto mais a expressarem, mais forte é o seu domínio sobre elas. Fazer as coisas pela metade quebra o encanto e gera inibição. Vá o mais longe que puder.

A baixeza atrai a todos.
– Johann Wolfgang Goethe

CHAVES PARA A SEDUÇÃO

Sociedade e cultura baseiam-se em limites – este tipo de comportamento é aceitável, aquele não. Os limites são fluidos e mudam com o tempo, mas há sempre limites. A alternativa é a anarquia, a indisciplina da natureza, que tememos. Mas somos animais estranhos: assim que um limite qualquer é imposto, física ou psicologicamente, ficamos na

---

Assim Monsieur Mauclair analisava as atitudes dos homens com relação às prostitutas: "Nem o amor de uma amante apaixonada porém bem-educada nem o seu casamento com uma mulher a quem respeite podem substituir a prostituta para o animal humano naqueles momentos de perversão em que ele anseia pelo prazer de se degradar sem afetar o seu prestígio social. Nada substitui esse bizarro e intenso prazer de ser capaz de dizer tudo, fazer tudo, profano e paródia, sem temer punição, remorso ou responsabilidade. É uma total revolta contra a sociedade organizada, o seu eu organizado e educado e, especialmente, a sua religião." Monsieur Mauclair ouve o chamado do Demônio nesta paixão sombria poetizada por Baudelaire. "A prostituta representa o inconsciente que nos permite colocar de lado nossas responsabilidades."
– NINA EPTON, LOVE AND THE FRENCH

mesma hora curiosos. Uma parte de nós quer avançar além desse limite, explorar o que é proibido.

Se, quando crianças, nos dizem para não passarmos de um certo ponto no bosque, é lá exatamente que queremos ir. Mas crescemos e nos tornamos polidos e deferentes; uma quantidade cada vez maior de limites complica as nossas vidas. Mas não confunda polidez com felicidade. Ela encobre a frustração, concessões indesejadas. Como explorar o lado obscuro da nossa personalidade sem incorrer em punição ou ostracismo? Ele vaza em nossos sonhos. Às vezes acordamos com uma sensação de culpa pelo assassinato, incesto, adultério, violência que acontecem nos nossos sonhos, até percebermos que ninguém precisa saber disso além de nós mesmos. Mas dê a uma pessoa a sensação de que ao seu lado ela terá uma chance de explorar os limites extremos do comportamento aceitável, polido, com você ela pode expressar parte da sua personalidade enclausurada, e você tem os ingredientes para uma sedução intensa e profunda.

Você terá de ir além da simples provocação com uma fantasia difícil de captar. O choque e o poder sedutor virão da realidade que você lhes está oferecendo. Como Byron, num determinado ponto você pode empurrá-los mais adiante ainda do que eles querem ir. Se foram atrás de você por simples curiosidade, podem estar temerosos ou hesitantes; mas, depois de fisgados, acharão difícil resistir a você, pois não é fácil retornar a um limite depois que ele é transgredido e superado. O ser humano quer mais, e não sabe quando parar. Você determinará por eles quando é hora de parar.

Assim que as pessoas percebem que uma coisa é proibida, algo dentro delas vai querer essa coisa. É o que faz o homem casado ou a mulher casada serem alvos tão apetitosos – quanto mais alguém é proibido, maior é o desejo. George Villiers, o conde de Buckingham, foi o favorito primeiro do rei Jaime I, depois passou a ser o do filho de Jaime, o rei Carlos I. Nada lhe era negado. Em 1625, numa visita à França, ele conheceu a bela rainha Ana e se apaixonou perdidamente. O que poderia ser mais impossível, mais fora de alcance, do que a rainha de uma potência rival? Ele podia ter quase todas as outras mulheres que desejasse, mas a natureza proibida da rainha o deixou pegando fogo, até colocar a si mesmo e ao seu país numa situação constrangedora quando tentou beijá-la em público.

Como o que é proibido é desejado, de alguma forma você deve passar a ideia de que é proibido. A maneira mais espalhafatosa de fazer isso é ter um comportamento que possa lhe conferir uma aura misteriosa e proibida. Teoricamente, você é alguém a ser evitado; de fato, você é

Corações e olhares viajam por caminhos que sempre lhes deram alegrias, e se alguém tenta estragar a brincadeira, só os fará ainda mais apaixonados, sabe Deus (...) assim foi com Tristão e Isolda. Assim que tiveram proibidos os seus desejos, e foram impedidos de gozar um ao outro por espiões e guardas, começaram a sofrer intensamente. O desejo agora os atormentava seriamente com sua magia, muitas vezes pior do que antes; a necessidade que um sentia do outro era mais dolorida e urgente do que nunca. As mulheres fazem muitas coisas só por serem proibidas, que certamente não fariam se não fosse assim. (...) Deus Nosso Senhor deixou Eva livre para fazer o que quisesse com todos os frutos, flores e plantas existentes no Paraíso, exceto um, que lhe proibiu de tocar sob pena de morte. (...) Ela pegou o fruto e desobedeceu o mandamento de Deus (...) mas hoje acredito firmemente que Eva não teria feito isso se não lhe fosse proibido.
– GOTTFRIED VON STRASSBURG, TRISTAN UND ISOLDE, CITADO EM ANDREA HOPKINS, THE BOOK OF COURTLY LOVE

irresistivelmente sedutor. Era esse o fascínio do ator Errol Flynn, que, como Byron, muitas vezes se viu como perseguido em vez de perseguidor. Flynn era diabolicamente bonito, mas tinha também alguma outra coisa: um traço criminoso definido. Na sua juventude desregrada, ele se envolveu em todos os tipos de atividades duvidosas. Na década de 1950, foi acusado de estupro, uma nódoa indelével na sua reputação mesmo depois de absolvido; mas sua popularidade entre as mulheres só cresceu. Dê ênfase ao seu lado escuro e causará um efeito semelhante. Para os seus alvos, estar envolvido com você significa ir além dos seus limites, fazer algo feio e inaceitável – para a sociedade, para seus pares. Para muitos, isso é motivo para morderem a isca.

No romance de Junichiro Tanazaki *Quicksand*, escrito em 1928, Sonoko Kakiuchi, mulher de um respeitável advogado, está entediada e decide estudar arte para passar o tempo. Nas aulas ela percebe que está fascinada por uma colega, a bela Mitsuko, que fica sua amiga e depois a seduz. Kakiuchi é forçada a mentir para o marido sobre o seu envolvimento com Mitsuko e seus frequentes encontros. Mitsuko lentamente a envolve em todos os tipos de atividades nefastas, inclusive um triângulo amoroso com um bizarro rapaz. Todas as vezes que Kakiuchi é posta para explorar um prazer proibido, Mitsuko a desafia a avançar mais e mais. Kakiuchi hesita, sente remorso – sabe que está nas garras de uma jovem e diabólica sedutora que se aproveita do seu tédio para desviá-la do bom caminho. Mas no fim ela não pode deixar de seguir as ideias de Mitsuko – cada ato transgressor a faz querer mais. Quando seus alvos já estiverem atraídos pelo fascínio do proibido, lance um desafio para que se comparem a você no comportamento transgressor. Qualquer desafio é sedutor. Vá aos poucos, aumentando o desafio só depois que eles derem sinal de ceder a você. Já estando sob o seu encanto, eles talvez nem notem em que apuros você os meteu.

O duque de Richelieu, o grande libertino do século XVIII, tinha uma predileção por meninas e, com frequência, acentuava a sedução envolvendo-as num comportamento transgressor, a que os jovens são particularmente suscetíveis. Por exemplo, ele dava um jeito de entrar na casa da moça e atraí-la para a cama; os pais estavam lá embaixo no salão, acrescentando o tempero adequado. Às vezes, ele agia como se estivessem prestes a ser descobertos, o susto momentâneo acentuando a emoção geral. Em todos os casos, ele tentava colocar a moça contra os pais ridicularizando o zelo religioso deles, o puritanismo ou o comportamento beato. A estratégia do duque era atacar os valores mais caros de seus alvos – precisamente aqueles que representam um limite. Numa pessoa jovem, vínculos familiares, religiosos e outros semelhantes são

Um dos amigos de Monsieur Leopold Stern alugou um pied-à-terre de solteiro onde recebia sua esposa como se fosse uma amante, servia-lhe vinho do porto e petit-fours e "experimentava toda a picante excitação do adultério". Ele contou a Stern que era uma deliciosa sensação de estar corneando a si mesmo.
– NINA EPTON, LOVE AND THE FRENCH

úteis para o sedutor; os jovens quase nem precisam de motivo para se rebelarem contra eles. A estratégia, entretanto, pode ser aplicada a pessoas de qualquer idade; para cada valor profundamente respeitado, existe um lado sombrio, uma dúvida, um desejo de explorar o que esses valores proíbem.

Na Itália renascentista, uma prostituta se vestia como uma dama e ia à igreja. Nada mais excitante para um homem do que trocar olhares com uma mulher, que ele sabia ser uma devassa, cercado da esposa, da família, pares e oficiais da igreja. Toda religião ou sistema de valores cria um lado misterioso, um reino sombrio formado por tudo aquilo que proíbe. Provoque os seus alvos, faça-os flertar com o que transgredir seus valores familiares, que são muitas vezes emocionais, mas, no entanto, superficiais, visto serem impostos de fora para dentro.

Um dos homens mais sedutores do século XX, Rodolfo Valentino, era conhecido como a Ameaça Sexual. Para as mulheres, ele atraía duplamente; podia ser terno e atencioso, mas também sugeria uma certa crueldade. De um momento para o outro, ele podia se tornar perigosamente ousado, talvez até um pouco violento. Os estúdios aproveitavam ao máximo essa dupla imagem – quando se noticiava que ele havia abusado da esposa, por exemplo, a história era explorada. Um misto de masculino e feminino, de violento e terno, sempre vai parecer transgressor e atraente. O amor deve ser terno e delicado, mas de fato pode liberar emoções violentas e destrutivas; a possível violência do amor, o modo como rompe com a nossa sensatez habitual, é exatamente o que nos atrai. Aborde o lado violento do romance misturando um traço de crueldade nas suas atenções ternas, particularmente nos últimos estágios da sedução, quando o alvo estiver nas suas garras. A cortesã Lola Montez era famosa por recorrer à violência usando um chicote de vez em quando, e Lou Andreas-Salomé podia ser excepcionalmente cruel com seus homens fazendo brincadeiras coquetes, ora fria ora exigente. Sua crueldade só mantinha seus alvos sempre retornando, querendo mais. Um envolvimento masoquista pode representar uma grande libertação transgressora.

Quanto mais ilícita parecer a sua sedução, mais forte o efeito. Dê aos seus alvos a sensação de estarem cometendo um crime, um ato cuja culpa vão dividir com você. Crie momentos públicos em que vocês dois sabem de alguma coisa que os outros ao redor desconhecem. Podem ser frases e olhares que só vocês reconhecem, um segredo. O apelo sedutor que Byron exerce sobre Lady Frances estava associado à proximidade do marido dela – quando estava com ele, por exemplo, ela guardava escondida no seio uma carta de amor de Byron. Johannes, o protagonista de *Diário de um sedutor*, de Kierkegaard, enviou uma mensagem ao seu alvo, a jovem Cordélia, no meio de um jantar do qual ambos participavam; ela não podia revelar aos outros convidados que o bilhete era dele, pois teria de dar explicações. Ele também dizia alguma coisa em público que tivesse um significado especial para ela, já que se referia a alguma coisa escrita em suas cartas. Tudo isso acrescentava tempero ao romance dando uma sensação de segredo compartilhado, até de consciência pesada por um crime. É importantíssimo tirar proveito dessas tensões em público, criando uma ideia de cumplicidade e conspiração contra o mundo.

Na lenda de Tristão e Isolda, os famosos amantes chegam ao auge da felicidade e exaltação exatamente *por causa* dos tabus que eles quebram. Isolda está noiva do rei Marcos; em breve será uma mulher casada. Tristão é um súdito fiel e guerreiro a serviço do rei Marcos, que tem a idade do seu pai. O romance dá impressão de que se trata de roubar a noiva do pai. Simbolizando o conceito de amor no mundo ocidental, a lenda tem tido uma influência enorme ao longo do tempo, e uma parte importante dela é a ideia de que, sem obstáculos, sem o sentimento de transgressão, o amor é fraco e insosso.

No mundo atual, as pessoas podem estar se esforçando para remover restrições ao comportamento privado, para tornar tudo mais livre, mas isso só torna a sedução mais difícil e menos excitante. Faça o possível para reintroduzir um sentimento de transgressão e crime, mesmo que seja apenas psicológico ou ilusório. É preciso haver obstáculos a serem vencidos, normas sociais de que zombar, leis a desrespeitar, antes que se possa consumar a sedução. Pode parecer que uma sociedade permissiva imponha poucos limites; descubra alguns. Sempre haverá limites, vacas sagradas, padrões de comportamento – interminável munição para despertar transgressões e tabus.

> **Símbolo:** *A Floresta. Diz-se às crianças para não entrarem na floresta que fica do outro lado dos limites seguros de suas casas. Lá não há lei, apenas mato, animais selvagens e criminosos. Mas à chance de explorar, ao fascínio da escuridão e à coisa proibida é impossível resistir. E, uma vez lá dentro, elas querem entrar cada vez mais.*

O INVERSO

O inverso de despertar tabus seria ficar dentro dos limites do comportamento aceitável. Essa seria uma sedução muito morna. O que não quer dizer que o comportamento desregrado ou nocivo seja sedutor: a bondade, a gentileza e uma aura de espiritualidade podem ser extremamente atraentes, visto serem qualidades raras. Mas note que o jogo é o mesmo.

A pessoa que é gentil, boa ou espiritual dentro dos limites que a sociedade receita tem um fraco apelo. São as que vão ao extremo – os Gandhis, os Krishnamurtis – que nos seduzem. Elas não interpretam simplesmente um estilo de vida espiritual, elas se desfazem de todo o conforto material e pessoal para viverem seus ideais ascéticos. Elas também superam limites transgredindo o comportamento aceitável porque seria difícil para as sociedades funcionar se todos chegassem a tal ponto. Na sedução, não há nenhum poder no respeito às fronteiras e limites.

19

USE ISCAS ESPIRITUAIS

*Todo
mundo tem dúvidas e
inseguranças – sobre o próprio corpo, o seu valor pessoal, a sua sexualidade.
Se a sua sedução apelar exclusivamente para o
que é físico, você despertará essas dúvidas e vai deixar
seus alvos constrangidos. Em vez disso, seduza-os de forma a fazê-los esquecerem as inseguranças e se concentrarem
em algo mais sublime e espiritual; uma experiência mística,
uma obra de arte grandiosa, o oculto. Tire vantagem das suas
qualidades divinas; afete um ar de descontentamento com
coisas mundanas; fale das estrelas, do destino, de caminhos
ocultos que unem você e o objeto da sedução. Perdido na
névoa espiritual, o alvo se sentirá leve e desinibido.
Aumente o efeito da sua sedução fazendo com
que o seu clímax sexual pareça a união
espiritual de duas almas.*

OBJETO DE ADORAÇÃO

Liane de Pougy era a cortesã reinante na Paris da década de 1890. Esguia e andrógina, ela era uma novidade, e os homens mais ricos da Europa competiam para possuí-la. No final da década, entretanto, ela já estava cansada de tudo isso. "Que vida estéril", ela escreveu a uma amiga. "Sempre a mesma rotina: o *Bois*, as corridas, as provas de roupas; e para encerrar um dia insípido: jantar!" O que mais desgastava a cortesã era a constante atenção de seus admiradores do sexo masculino, que buscavam monopolizar seus encantos físicos.

Num dia de primavera, em 1899, Liane passeava numa carruagem aberta pelo Bois de Boulogne. Como de costume, os homens a cumprimentavam pelo caminho. Mas um desses admiradores a pegou de surpresa: uma jovem mulher de longos cabelos louros, que lhe dirigiu um olhar intenso, de adoração. Liane sorriu para a mulher, que respondeu com um sorriso e uma mesura.

Dias depois, Liane começou a receber cartões e flores de uma americana de 23 anos de idade chamada Natalie Barney, que se identificou como a loura admiradora no Bois de Boulogne e lhe pediu para marcar um encontro. Liane convidou Natalie para lhe fazer uma visita, mas para se divertir resolveu fazer uma brincadeira: uma amiga a substituiria deitada na cama no boudoir às escuras, enquanto Liane se escondia por trás de uma cortina. Natalie chegou na hora combinada. Estava vestida como um pajem florentino e trazia um buquê de flores. Ajoelhando-se diante da cama, ela começou a louvar a cortesã comparando-a a uma pintura de Fra Angelico. Logo ouviu uma risada – e, erguendo-se, percebeu a peça que lhe haviam pregado. Corou e encaminhou-se para a porta. Quando Liane saiu apressada detrás da cortina, Natalie a repreendeu: a cortesã tinha um rosto de anjo, mas, pelo visto, não o espírito. Contrita, Liane sussurrou: "Volte amanhã de manhã. Estarei sozinha."

A jovem americana apareceu no dia seguinte vestida do mesmo jeito. Era inteligente e espirituosa; Liane relaxou na sua presença, e a

Ah! Poder sempre amar livremente aquela a quem se ama! Passar minha vida aos seus pés como nossos últimos dias juntos. Protegê-la contra sátiros imaginários para que eu possa ser a única a jogá-la sobre este leito de musgo. (...) Nós nos encontraremos de novo em Lesbos e, quando a noite descer, entraremos no bosque para perder as trilhas que conduzem a este século. Quero imaginar nós duas nesta ilha encantada de imortais. Eu a vejo como sendo tão bela, venha, vou lhe descrever aqueles delicados casais femininos e, longe das cidades e do alarido, nos esqueceremos de tudo, exceto da Ética do Belo.
– NATALIE BARNEY, CARTA A LIANE DE POUGY, CITADA EM JEAN CHALON, *PORTRAIT OF A SEDUCTRESS: THE WORLD OF NATALIE BARNEY*

convidou para ficar e assistir ao ritual matinal da cortesã – a complicada maquiagem, as roupas e as joias que ela colocava para desabrochar no mundo. Assistindo em atitude reverente, Natalie observou que adorava a beleza, e que Liane era a mulher mais bela que já tinha visto. Fazendo o papel de pajem, ela seguiu Liane até a carruagem, abriu a porta para ela entrar com uma mesura e acompanhou-a no seu passeio habitual pelo Bois de Boulogne. Uma vez dentro do parque, Natalie ajoelhou-se no chão, longe das vistas dos cavalheiros que passavam e cumprimentavam Liane tirando o chapéu. Ela recitou poemas que havia escrito em homenagem a Liane e lhe disse que considerava sua missão salvar a cortesã da áspera carreira em que havia caído.

Naquela noite, Natalie a levou ao teatro para ver Sarah Bernhardt representar Hamlet. No intervalo, contou a Liane que se identificava com Hamlet – sua ânsia pelo sublime, o seu ódio pela tirania – que, para ela, significava a tirania dos homens sobre as mulheres. A partir daí, Liane passou a receber flores todos os dias de Natalie, e telegramas com pequenos poemas em sua homenagem. Aos poucos, as palavras e olhares de adoração foram se tornando mais físicos com um toque ocasional, depois uma carícia, até um beijo – e um beijo diferente de tudo que Liane já havia experimentado. Uma manhã, com Natalie de plantão, Liane preparava-se para tomar um banho. Quando ela deixou cair a camisola, Natalie de repente se atirou aos pés da amiga, beijando-lhe os tornozelos. A cortesã desvencilhando-se correu para o banho só para provocar Natalie que, arrancando as próprias roupas, foi atrás. Em poucos dias, toda a Paris sabia que Liane de Pougy tinha um novo amante: Natalie Barney.

Liane não se esforçou para disfarçar o seu novo caso, publicando um romance, *Idylle Saphique*, detalhando cada aspecto da sedução de Natalie. Nunca tinha tido um caso amoroso com uma mulher antes, e descrevia o seu envolvimento com Natalie como algo semelhante a uma experiência mística. Mesmo no final da sua longa vida, ela lembrava do romance como, de longe, o mais intenso de todos.

Renée Vivien era uma jovem inglesa que tinha vindo para Paris com o objetivo de escrever poesia e fugir de um casamento que o pai estava tentando arranjar para ela. Renée era obcecada pela morte; também sentia que havia alguma coisa errada com ela, experimentando momentos de intenso desprezo por si mesma. Em 1900, Renée conheceu Natalie no teatro. Algo naqueles olhos americanos bondosos derrotou a habitual reserva de Renée, e ela começou a enviar poesias para Natalie, que respondia com seus próprios poemas. Logo se tornaram amigas. Renée confessou que tinha tido uma amizade muito forte com outra

---

Terrível Natalie, que costumava saquear a terra do amor. Formidável Natalie, temida por maridos visto que ninguém resistia aos seus encantos de sedutora. E era possível ver como as mulheres abandonavam maridos, lares e filhos para seguir esta Circe de Lesbos. O método de Circe era cozinhar poções mágicas. Natalie preferia escrever poemas; ela sempre soube como misturar o físico com o espiritual.
– JEAN CHALON, PORTRAIT OF A SEDUCTRESS: THE WORLD OF NATALIE BARNEY

Era uma vez, na cidade de Gafsa, na Barbária, um homem muito rico que tinha inúmeros filhos, entre eles uma jovem linda e graciosa chamada Alibech. Ela não era cristã, mas havia muitos cristãos na cidade e, um dia, escutando-os por acaso exaltar a fé cristã e o serviço de Deus, ela pediu a um deles a sua opinião sobre o modo melhor e mais fácil de uma pessoa "servir a Deus", como eles falavam. Ele respondeu dizendo que quem servia melhor a Deus eram aqueles que mais se distanciam de bens materiais, como no caso de pessoas que

mulher, mas que ela permanecera platônica – a ideia de envolvimento físico a repugnava. Natalie contou-lhe sobre a antiga poetisa grega Safo, que celebrava o amor entre mulheres como o único amor inocente e puro. Uma noite Renée, inspirada por suas discussões, convidou Natalie para ir ao seu apartamento, que havia transformado numa espécie de capela. O quarto estava cheio de velas e lírios brancos, as flores que ela associava a Natalie. Naquela noite, as duas mulheres se tornaram amantes. Passaram logo a viver juntas, mas, quando Renée percebeu que Natalie não lhe era fiel, seu amor se transformou em ódio. Ela rompeu o relacionamento, mudou de endereço e jurou nunca mais vê-la.

Nos meses seguintes, Natalie lhe mandava cartas e poemas, e foi visitá-la na sua nova casa – tudo em vão. Renée não queria saber dela. Uma noite na ópera, entretanto, Natalie sentou-se ao seu lado e lhe deu um poema que havia escrito em sua homenagem. Expressou o seu pesar pelo que havia acontecido no passado, e também um pedido simples: as duas mulheres fariam uma peregrinação até a ilha grega de Lesbos, lar de Safo. Somente ali poderiam elas purificar a si mesmas e o seu relacionamento. Renée não resistiu. Na ilha elas refizeram os passos da poetisa imaginando-se transportadas de volta aos dias inocentes e pagãos da antiga Grécia. Para Renée, Natalie tinha se tornado a própria Safo. Quando finalmente retornaram a Paris, Renée lhe escreveu: "Minha loura Sereia, não quero que se torne como aqueles que moram na terra. (...) Quero que permaneça como é, pois foi assim que me enfeitiçou." O romance durou até a morte de Renée, em 1909.

Interpretação. Tanto Liane de Pougy quanto Renée Vivien sofriam uma opressão semelhante: eram pessoas muito preocupadas consigo mesmas, excessivamente conscientes de si mesmas. A origem deste hábito em Liane era a constante atenção que os homens davam ao seu corpo. Ela não conseguia fugir dos seus olhares, que a atormentavam com uma sensação de peso. Renée, enquanto isso, pensava demais em seus próprios problemas – o seu lesbianismo reprimido, a sua mortalidade. Sentia-se consumida por um ódio por si mesma.

Natalie Barney, por outro lado, era alegre, despreocupada, absorta no mundo ao seu redor. Suas seduções – e no final da sua vida elas já contavam às centenas – tinham todas uma característica semelhante: ela tirava a vítima de dentro de si própria, direcionando a atenção delas para o belo, a poesia, a inocência do amor sáfico. Ela convidava suas mulheres a participarem de uma espécie de culto em que elas adorariam estas coisas sublimes. Para acentuar a sensação de culto, ela as envolvia em pequenos rituais: davam-se novos nomes, trocavam poemas em

tinham ido viver em regiões remotas do Saara. Ela não comentou nada disso com ninguém, mas, na manhã seguinte, sendo uma criatura simples com seus 14 anos mais ou menos, Alibech saiu sozinha, escondido, tomando a direção do deserto, impelida por nada mais lógico do que um forte impulso adolescente. Dias depois, exausta e faminta, ela chegou ao coração do deserto e, avistando uma pequena cabana ao longe, seguiu cambaleando até lá, onde na porta encontrou um homem santo, que ficou atônito ao vê-la por aquelas bandas e quis saber o que ela estava fazendo ali. Ela lhe disse que tinha sido inspirada por Deus e que estava tentando não só servir a Ele, mas também encontrar alguém que pudesse ensiná-la como fazer isso. Vendo que ela era jovem e muito bonita, o bom homem temeu tomá-la sob sua proteção para que o demônio não o apanhasse desprevenido. Portanto, ele louvou suas boas intenções e, tendo lhe dado uma porção de raízes, maçãs silvestres e tâmaras para comer, e água para beber, lhe disse: "Minha filha, não muito longe daqui vive um homem santo que é muito mais capaz do que eu para lhe ensinar o que quer saber. Vá procurá-lo." E a mandou embora. Quando ela chegou perto desse segundo homem, ouviu dele exatamente a mesma coisa, e assim ela seguiu até chegar à cela de um jovem eremita, um sujeito muito devoto e bondoso chamado Rústico, a quem fez a mesma pergunta que havia dirigido aos outros. Ansioso para provar que possuía uma vontade de ferro, ele não a mandou embora nem a direcionou para outro lugar, como os outros, mas a conservou consigo na sua cela onde, num canto, quando a noite veio, improvisou uma cama de folhas de palmeira sobre a qual convidou-a para se deitar e descansar. Uma vez dado esse passo, muito pouco tempo transcorreu para a tentação entrar em guerra contra a sua força de vontade e, depois dos primeiros acessos, vendo-se vencido em todas as frentes, ele baixou os braços e se rendeu. Abandonando pensamentos piedosos, orações e exercícios de penitência, ele passou a concentrar suas faculdades mentais na juventude e na beleza de menina, e a imaginar modos e meios adequados de

telegramas diariamente, vestiam-se a caráter, faziam peregrinações a locais sagrados. Duas coisas aconteciam inevitavelmente: as mulheres começavam a direcionar parte dos sentimentos de adoração que estavam experimentando para Natalie, que parecia tão sublime e bela como as coisas que ela mostrava para serem adoradas; e, agradavelmente desviadas para este reino espiritualizado, elas também perdiam qualquer sensação de peso que sentissem quanto aos seus corpos, suas pessoas, suas identidades. A repressão da própria sexualidade se derretia. No momento em que Natalie as abraçava ou acariciava, isso parecia inocente e puro como se estivessem de volta ao Jardim do Éden antes da queda.

A religião é o grande bálsamo da existência porque nos tira de dentro de nós mesmos, ela nos conecta a algo maior. Ao contemplarmos o objeto de adoração (Deus, natureza), o peso que carregamos sai de nossos ombros. É maravilhoso sentir-se com os pés fora da terra, experimentar esse tipo de leveza. Por mais liberais que sejam os tempos, muitos de nós nos sentimos desconfortáveis com nossos corpos, nossos impulsos animais. Um sedutor que concentra demasiada atenção ao físico despertará a autoconsciência e um resíduo de desgosto. Portanto, mude o foco. Convide a outra pessoa a adorar alguma coisa bela no mundo. Pode ser a natureza, uma obra de arte, até Deus (ou deuses – o paganismo nunca sai de moda); as pessoas estão morrendo de vontade de acreditar em alguma coisa. Acrescente alguns rituais. Se você puder se fazer parecido com aquilo que estão adorando – você é natural, estético, nobre, sublime –, seus alvos transferirão a adoração deles para você. Religião e espiritualidade estão repletas de subtons sexuais que podem ser trazidos à tona depois que você tiver feito seus alvos perderem a autoconsciência. Do êxtase espiritual ao êxtase sexual, é um pulo.

> *Volte rápido para me pegar e me levar para longe.*
> *Purifique-me com o grande fogo do amor divino, nada*
> *do tipo animal. Você é toda alma, quando quer ser,*
> *quando sente isso, leve-me para longe do meu corpo.*
>
> – Liane de Pougy

CHAVES PARA A SEDUÇÃO

A religião é o sistema mais sedutor que a humanidade já criou. A morte é o que mais tememos e a religião nos oferece a ilusão de que somos imortais, de que algo em nós irá sobreviver. A ideia de que somos uma parte infinitesimal de um vasto e indiferente universo é aterrorizante; a religião humaniza este universo, nos faz sentir importantes e amados. Não somos animais governados por impulsos incontroláveis, animais que morrem sem nenhuma razão aparente, mas criaturas feitas à imagem de um ser supremo. Nós também podemos ser sublimes, racionais e bons. Qualquer coisa que alimente um desejo ou uma ilusão almejada é sedutora e, nisso, nada se compara com a religião.

O prazer é a isca que você usa para atrair uma pessoa para a sua teia. Mas não importa o quanto você seja esperto como sedutor, no fundo seus alvos sabem o objetivo do jogo, a conclusão física à qual você quer chegar. Você pode achar que seu alvo é uma pessoa sem repressões e louca por prazer, mas quase todos nós somos atormentados por um desconforto subjacente com relação à nossa natureza animal. A não ser que você saiba lidar com este desconforto, a sua sedução, mesmo quando bem-sucedida a curto prazo, será superficial e temporária. Em vez disso, como Natalie Barney, tente capturar a alma do seu alvo, construir a base para uma sedução profunda e duradoura. Use a espiritualidade para atrair a sua vítima para o fundo da sua teia, fazendo o prazer físico parecer sublime e transcendente. A espiritualidade disfarçará as suas manipulações, sugerindo que o seu relacionamento é eterno e criando um espaço para o êxtase na mente da vítima. Lembre-se de que a sedução é um processo mental, e nada é mais mentalmente inebriante do que a religião, a espiritualidade e o oculto.

No romance de Gustave Flaubert *Madame Bovary*, Rodolphe Boulanger faz uma visita ao médico rural doutor Bovary e se vê interessado por sua bela mulher, Emma. Boulanger "era rude e astuto. Era um tipo de especialista: tinha tido muitas mulheres na sua vida". Ele percebe que Emma está entediada. Semanas depois, ele consegue esbarrar com ela numa feira campestre, onde a pega sozinha. Ele finge um ar de tristeza e melancolia: "Muitas vezes já passei pelo cemitério à luz da lua e me perguntei se não estaria melhor deitado ali com os outros. (...)" Ele menciona a sua má reputação: É merecida, diz, mas a culpa é sua? "Não sabe realmente que existem almas eternamente atormentadas?" Várias vezes ele pega na mão de Emma, mas ela polidamente a recolhe. Ele fala de amor, a força magnética que atrai duas pessoas. Talvez tenha raízes em alguma existência anterior, alguma prévia encarnação de suas almas. "Veja nós dois, por exemplo. Por que nos encontramos? Como isso aconteceu? Só pode ser porque algo em nossas tendências particulares foi nos aproximando cada vez mais, diminuindo a distância que nos separava, como dois rios correm juntos." Ele pega de novo na mão dela, e agora ela não a retira. Depois da feira, ele a evita durante algumas semanas, e então aparece de repente alegando ter tentado ficar longe, mas que a sorte, o destino o forçaram a voltar. Ele leva Emma para cavalgar. Quando finalmente abre o seu jogo, no bosque, ela parece assustada e rejeita suas investidas. "Você deve estar com uma ideia errada", ele pro-

se aproximar dela de uma forma que ela não o considerasse lascivo por lhe fazer o tipo de proposta que tinha em mente. Ao lhe fazer certas perguntas, ele logo descobriu que ela nunca havia tido relações sexuais com o sexo oposto e que era tão inocente como parecia; e ele portanto pensou numa forma possível de convencê-la a satisfazer os seus desejos com o pretexto de servir a Deus. Começou fazendo um longo sermão no qual lhe mostrava que inimigo poderoso era o demônio para o Senhor Deus, e deu sequência a isso infundindo nela a ideia de que, entre todas as maneiras de servir a Deus, a que Ele mais apreciava consistia em colocar o demônio de volta no Inferno, para onde o Todo-Poderoso o havia destinado em primeiro lugar. A menina quis saber como se fazia isso, e Rústico respondeu: "Você descobrirá logo, mas faça exatamente o que me vir fazendo por enquanto."
E, assim falando, ele começou a se despir das poucas roupas que usava, ficando totalmente nu. A menina seguiu o seu exemplo, e ele caiu de joelhos como se fosse rezar, fazendo

com que ela se ajoelhasse na sua frente. Nessa posição, a beleza da menina exibia-se para Rústico em todo o seu esplendor, e o desejo dele, mais inflamado do que nunca, provocava a ressurreição da carne. Alibech olhou para ele surpresa e disse: "Rústico, o que é isto que vejo projetando-se diante de você, que eu não possuo?" "Ah, minha filha", disse Rústico, "é o demônio sobre o qual lhe falei. Está vendo o que ele faz? Está me machucando tanto que mal posso suportar." "Oh, louvado seja Deus", disse a menina, "vejo agora que meu destino é melhor do que o seu, pois não tenho esse demônio com o qual guerrear." "Nisso está certa", disse Rústico. "Mas tem uma outra coisa, que eu não tenho." "Ah?", disse Alibech. "E o que é?" "Tem o Inferno", disse Rústico. "E sinceramente acredito que Deus a enviou aqui para a salvação da minha alma, porque se este demônio não parar de me infernizar a vida e você estiver preparada para ter piedade de mim e me permitir colocá-lo de volta no Inferno, estará dando-me um maravilhoso

testa. "Eu a tenho no coração como uma Madona num pedestal. (...) Eu suplico: seja minha amiga, minha irmã, meu anjo!" Enfeitiçada por suas palavras, ela permite que ele a segure e a leve cada vez mais para dentro do bosque, onde ela sucumbe.

A estratégia de Rodolphe tem três fases. Primeiro ele fala de tristeza, melancolia, descontentamento, um discurso que o faz parecer mais nobre do que as outras pessoas, como se as buscas materiais comuns da vida não o satisfizessem. Em seguida, fala de destino, a atração magnética entre duas almas. Isto faz o seu interesse por Emma parecer não tanto um impulso momentâneo, mas como algo eterno, associado ao movimento das estrelas. Finalmente ele fala de anjos, o elevado e o sublime. Ao colocar tudo no plano espiritual, ele distrai Emma do que é físico, deixa-a atordoada, e resume em poucos encontros uma sedução que poderia ter levado meses.

As referências que Rodolphe usa podem parecer clichês para os padrões modernos, mas a estratégia em si não envelhecerá nunca. Adapte-a simplesmente aos modismos atuais relacionados com o oculto. Finja um ar espiritual demonstrando um descontentamento com as banalidades da vida. Não é dinheiro, sexo ou sucesso o que mobiliza você; seus impulsos nunca são tão rasteiros. Não, algo muito mais profundo motiva você. Seja o que for, mantenha-o vago, deixando que o alvo imagine seus pensamentos ocultos. As estrelas, a astrologia, o destino são sempre assuntos atraentes; crie a sensação de que o destino uniu você e o seu alvo. Isto fará a sua sedução parecer mais natural. Num mundo onde há coisas demais sendo controladas e manufaturadas, a ideia de que o destino, a necessidade ou um poder mais alto está guiando o relacionamento de vocês é duplamente sedutora. Se quiser tecer motivos religiosos na trama da sua sedução, é sempre melhor escolher uma religião distante, exótica, com um ar levemente pagão. É fácil passar da espiritualidade pagã para o mundanismo pagão. Saber o momento oportuno conta: depois de despertar a alma de seus alvos, passe rapidamente para o físico, fazendo a sexualidade parecer uma mera extensão das vibrações espirituais que vocês estão experimentando. Em outras palavras, empregue a estratégia espiritual o mais próximo possível da hora do seu movimento ousado.

O espiritual não é exclusivamente o religioso ou oculto. É qualquer coisa que acrescente à sua sedução uma qualidade sublime, eterna. No mundo moderno, cultura e arte de um modo ou de outro tomaram o lugar da religião. Há duas maneiras de usar arte na sua sedução: primeiro, criá-la você mesmo em homenagem ao alvo. Natalie Barney escrevia poemas e metralhava seus alvos com eles. Metade da atração que Picasso exercia sobre muitas mulheres era a esperança de que ele as imortalizasse em seus quadros – pois *Ars longa, vita brevis* (A arte é longa, a vida é breve), como se costumava dizer em Roma. Mesmo que o seu amor seja uma fantasia passageira, ao capturá-lo numa obra de arte, você lhe confere uma ilusão sedutora de eternidade. A segunda maneira de usar a arte é fazer com que ela enobreça o romance, dando à sua sedução uma vantagem elevada. Natalie Barney levava suas vítimas ao teatro, à ópera, a museus, a lugares repletos de história e atmosferas. Nesses locais, suas almas podem vibrar na mesma onda espiritual. É claro que você deve evitar obras de arte que sejam mundanas ou vulgares, chamando atenção para suas intenções.

A peça, o filme ou o livro podem ser contemporâneos, até um pouco rudes, desde que contenham uma mensagem nobre e estejam associados a uma causa justa. Até um movimento político pode elevar espiritualmente. Lembre-se de ajustar as suas iscas espirituais ao alvo. Se ele foi mundano e cético, paganismo ou arte serão mais produtivos do que o oculto ou a piedade religiosa.

Rasputin, o místico russo, era reverenciado por sua santidade e seus poderes de cura. As mulheres em particular ficavam fascinadas com Rasputin e iam vê-lo no seu apartamento em São Petersburgo atrás de orientação espiritual. Ele lhes falava da bondade simples dos camponeses russos, do perdão de Deus e outros temas sublimes. Passados alguns minutos, porém, ele infiltrava um comentário ou dois de natureza bem diferente – algo sobre a beleza da mulher, sobre seus lábios convidativos, sobre os desejos que ela era capaz de inspirar num homem. Ele falava de tipos diferentes de amor – amor de Deus, amor entre amigos, amor entre um homem e uma mulher –, mas misturava todos como se fossem um só. Em seguida, voltando para as questões espirituais, ele pegava de repente na mão da mulher ou sussurrava-lhe ao ouvido. Tudo isto tinha um efeito inebriante – as mulheres se viam arrastadas numa espécie de redemoinho, ao mesmo tempo elevadas espiritualmente e sexualmente excitadas. Centenas de mulheres sucumbiram durante estas visitas espirituais, pois ele também lhes dizia que era impossível elas se arrependerem antes de terem pecado – e quem melhor para se pecar do que Rasputin?

Rasputin entendia a íntima associação entre sexo e espírito. A espiritualidade, o amor de Deus são versões sublimadas do amor sexual. A linguagem dos místicos religiosos da Idade Média está cheia de imagens eróticas; a contemplação de Deus e do sublime pode produzir uma espécie de orgasmo mental. Não existe infusão mais sedutora do que a combinação do espiritual com o sexual, do superior com o inferior. Ao falar de questões espirituais, portanto, deixe a sua aparência e a sua presença física sugerirem sexualidade ao mesmo tempo. Faça a harmonia

alívio, assim como prestando um inestimável serviço e prazer a Deus, que é o que diz ter vindo buscar em primeiro lugar." "Ó Padre", respondeu a menina com toda a inocência, "se tenho realmente o Inferno, vamos fazer como sugere assim que estiver pronto." "Deus a abençoe, minha filha", disse Rústico. "Vamos colocá-lo de volta, e então talvez ele me deixe em paz." Nesse ponto da história, ele carregou a menina para uma de suas camas, onde a instruiu na arte de encarcerar o maldito inimigo. Jamais tendo colocado antes um só demônio no Inferno, a menina achou a primeira experiência um pouco dolorida, e disse a Rústico: "Este demônio sem dúvida não deve valer nada, padre, e ser um verdadeiro inimigo de Deus, pois assim como atormenta a humanidade, até magoa o Inferno ao ser recolocado de volta dentro dele." "Filha", disse Rústico, "não será sempre assim." E, para garantir que não seria, antes de saírem da cama eles o colocaram de volta uma meia dúzia de vezes, vencendo a sua arrogância tão bem que ele ficou

*positivamente feliz em se manter tranquilo pelo resto do dia. Nos dias seguintes, entretanto, o orgulho do demônio frequentemente empinava a cabeça, e a menina, sempre pronta para obedecer ao chamado do dever e colocá-lo sob controle, desenvolveu um gosto pela coisa e começou a dizer a Rústico: "Estou entendendo o que aqueles homens justos em Gafsa queriam dizer ao falar que servir a Deus era tão agradável. Sinceramente não me lembro de ter feito nunca algo que me desse tanto prazer e satisfação como sinto ao colocar o demônio de volta no Inferno. Penso que quem dedica as suas energias a qualquer outra coisa que não ao serviço de Deus é um idiota completo."
(...) E assim, mocinhas, se precisarem das graças de Deus, aprendam a colocar o demônio de volta no Inferno, pois é de Seu gosto e agradável às partes envolvidas, e muitas coisas boas surgem e fluem nesse processo.*
— GIOVANNI BOCCACCIO, DECAMERON

do universo e a união com Deus se confundirem com a harmonia física e a união entre duas pessoas. Se conseguir que o objetivo da sua sedução pareça uma experiência espiritual, estará acentuando o prazer físico e criando uma sedução de efeito profundo e permanente.

Símbolo: *As Estrelas no Céu. Objetos de adoração há séculos, e símbolos do sublime e do divino. Ao contemplá-las, ficamos momentaneamente distraídos de tudo que é mundano e mortal. Sentimos leveza. Eleve os pensamentos de seus alvos até as estrelas e eles não notarão o que está acontecendo aqui na terra.*

O INVERSO

Deixar seus alvos sentirem que seu afeto não é temporário nem superficial quase sempre fará com que eles caiam ainda mais profundamente no seu feitiço. Em algumas pessoas, entretanto, isso pode gerar ansiedade: o medo do compromisso, de um relacionamento claustrofóbico sem saída. Jamais permita, portanto, que suas iscas espirituais pareçam estar conduzindo nesse sentido. Concentrar atenção no futuro distante pode implicitamente restringir a liberdade deles; você está seduzindo-os, não lhes propondo casamento. O que você quer é fazer com que eles se percam neste momento experimentando a profundidade eterna dos seus sentimentos no tempo presente. O êxtase religioso é intensidade, não extensão temporal.

Giovanni Casanova usava muitas iscas espirituais nas suas seduções – o oculto, qualquer coisa que pudesse inspirar sentimentos sublimes. Enquanto estivesse envolvido com uma mulher, ela sentia que ele faria tudo por ela, que não estava simplesmente usando-a para depois abandoná-la. Mas ela também sabia que, na hora conveniente para terminar o romance, ele ia chorar, lhe dar um presente magnífico e, aí, tranquilamente sairia de cena. Isso era justo o que muitas mulheres queriam – uma diversão temporária do casamento ou de uma família opressora. Às vezes o prazer é maior quando sabemos que é fugaz.

20

MISTURE PRAZER COM SOFRIMENTO

*O maior
erro na sedução é ser gentil demais. No início, talvez a sua
gentileza seja encantadora, mas logo ela se torna monótona; você está se
esforçando muito para agradar e parece inseguro. Em vez de afogar os seus alvos
em delicadezas, tente infligir-lhes algum sofrimento. Cative-os com a atenção focalizada
depois mude de direção, parecendo de repente desinteressado. Faça-os se sentirem culpados
e inseguros. Force um rompimento, submetendo-os a uma sensação de vazio e dor que lhe
dará espaço de manobra – depois uma reaproximação, um retorno à gentileza anterior
os deixarão de pernas bambas. Quanto mais humilhação você criar, maior será o
entusiasmo. Para aumentar a energia erótica, crie a excitação que o
medo provoca.*

A MONTANHA-RUSSA EMOCIONAL

Numa tarde quente de verão, em 1894, Dom Mateo Díaz, um habitante de Sevilha de 38 anos de idade, resolveu visitar uma fábrica de tabaco da região. Com seus conhecimentos, Dom Mateo teve permissão para percorrer as instalações, mas não estava interessado no aspecto comercial. Dom Mateo gostava de mocinhas, e havia centenas delas trabalhando na fábrica. Como ele havia esperado, naquele dia muitas estavam quase despidas por causa do calor – era um belo espetáculo. Ele ficou um certo tempo apreciando a vista, mas logo se cansou com o barulho e a alta temperatura. Ao se encaminhar para a porta, entretanto, uma operária de 16 anos, no máximo, gritou na sua direção: "*Caballero*, se me der uma moedinha cantarei para o senhor uma pequena canção."

A menina se chamava Conchita Pérez e tinha uma aparência jovem e inocente, de fato bonita, com um brilho no olhar que sugeria um gosto por aventuras. A presa perfeita. Ele escutou a sua canção (que parecia vagamente sugestiva), atirou-lhe uma moeda equivalente a um mês de salário, cumprimentou-a com um leve toque de chapéu e foi embora. Não era bom ir com muita força antes da hora. Caminhando pela rua, ele planejava o que faria para atraí-la a um romance. De repente, sentiu um toque no braço e, ao se virar, a viu andando ao seu lado. Estava quente demais para trabalhar – ele faria a gentileza de acompanhá-la até em casa? Claro. Você tem um amante?, perguntou ele. Não, ela respondeu, "sou *mozita*" – pura, virgem.

Conchita morava com a mãe numa área pobre da cidade. Dom Mateo trocou amabilidades, escorregou dinheiro para a mãe (sabia por experiência como era importante deixar a mãe contente) depois saiu. Pensou em esperar alguns dias, mas ficou impaciente e voltou na manhã seguinte. A mãe não estava. Ele e Conchita retomaram a conversa alegre da véspera e, para surpresa dele, de repente ela estava sentada no seu colo, envolvendo-o em seus braços e beijando-o. Com a sua estratégia voando janela afora, ele a agarrou e retribuiu o beijo. Ela imediatamente

Quanto mais alguém agrada em geral, menos agrada profundamente.
– STENDHAL, SOBRE O AMOR

Você deve misturar a casual repulsa Com a sua graça cordial. Tranque-o fora de casa, deixe-o esperando ali Amaldiçoando aquele portão trancado, deixe-o implorar E ameaçar tudo que ele imaginar. Muitas vezes um pequenino esquife Afunda com ventos favoráveis: é o acesso de seus maridos a elas, À vontade, que priva de amor tantas esposas. Que ela coloque uma porta, e um porteiro de cara fechada para lhe dizer "Afaste-se", e ele logo ficará louco de desejo Com a frustração. Baixe seus floretes rombudos, lute com armas afiadas (Não duvido de que minhas próprias flechas

Se voltarão contra mim.) Quando um recém-capturado amante Estiver para cair na rede, deixe que acredite Ser o único com direitos à sua cama – mas depois, faça-o ciente De rivais, de prazeres compartilhados. Não dê atenção A esses artifícios – e o seu ardor diminuirá. Um cavalo de corrida corre melhor Quando o campo está lá na frente para ser pisado E transposto. Assim as chamas apagadas de uma paixão Podem se reacender com um certo desrespeito – só consigo amar, Eu mesmo, confesso, quando ultrajado. Mas não deixe a causa da Dor parecer óbvia demais: que o amante suspeite Mais do que sabe. Invente um escravo que observa cada Movimento seu, deixe claro que militar ciumento É esse seu homem – coisas assim o excitarão. O prazer Muito seguro não tem sabor. Quer ser livre Como Taís? Finja que está com medo. Embora pela porta seja seguro, faça-o entrar Pela janela. Pareça nervosa. Mande uma criada esperta Entrar correndo e gritar: "Fomos

deu um pulo, os olhos chispando de raiva: está se divertindo comigo, disse ela, usando-me para uma emoção passageira. Dom Mateo negou ser essa a sua intenção, e pediu desculpas por ter ido tão longe. Ao sair, estava confuso: ela é quem tinha começado; por que ele devia se sentir culpado? Mas ele se sentia. As jovens são tão imprevisíveis; é melhor dobrá-las aos poucos.

A partir daí, Dom Mateo foi um perfeito cavalheiro. Ia visitá-la todos os dias, cobria mãe e filha de presentes, não fazia nenhuma proposta amorosa – pelo menos, não de início. A danada da menina ficou tão acostumada com ele que se vestia na sua frente, ou o recebia de camisola. Esses vislumbres do seu corpo o deixavam louco, e às vezes ele tentava roubar um beijo ou uma carícia, mas ela o empurrava para longe e o repreendia. Semanas se passaram; nitidamente ele havia demonstrado que o seu interesse não era passageiro. Cansado do interminável namoro, ele chamou a mãe de Conchita de lado e propôs instalar a menina numa casa própria. Ele a trataria como uma rainha; ela teria tudo que desejasse. (A mãe, claro, também.) Certamente a sua proposta deixaria satisfeitas as duas mulheres – mas, no dia seguinte, chegou um bilhete de Conchita, não com uma palavra de agradecimento e, sim, com uma recriminação: ele estava tentando comprar o seu amor. "Nunca mais me verá", ela concluía. Ele correu até lá e descobriu que as mulheres tinham se mudado naquela mesma manhã sem dizer para onde.

Dom Mateo se sentiu muito mal. Sim, tinha agido como um grosseirão. Da próxima vez, esperaria meses, ou anos se necessário, antes de cometer tamanha ousadia. Mas logo uma outra ideia lhe ocorreu: nunca mais veria Conchita. Só então deu-se conta do quanto a amava.

O inverno passou, o pior da vida de Mateo. Num dia de primavera, ele caminhava pela rua quando escutou alguém chamando o seu nome. Olhou e viu Conchita de pé, diante de uma janela aberta, e radiante de excitação. Ela se debruçou e ele beijou-lhe a mão fora de si de alegria. Por que ela desapareceu tão de repente? As coisas estavam indo rápido demais, ela falou. Teve medo – das intenções dele, e do que ela própria estava sentindo. Mas, ao vê-lo novamente, estava certa de que o amava. Sim, estava pronta para ser sua amante. Ela provaria isso, iria vê-lo. A distância havia mudado a ambos, ele pensou.

Noites depois, como prometido, ela apareceu na casa dele. Os dois se beijaram e começaram a se despir. Ele queria saborear cada minuto, absorvê-lo lentamente, mas sentia-se como um touro enjaulado que finalmente se vê solto. Ele a seguiu até a cama, as mãos passeando por todo o seu corpo. Começou a tirar as roupas íntimas dela, mas estava tudo amarrado de uma forma complicada. Ele acabou se sentando para examinar; ela vestia uma elaborada engenhoca feita de tela, como ele nunca tinha visto antes. Por mais que puxasse, não saía do lugar. Teve vontade de bater em Conchita, estava enlouquecido, mas em vez disso começou a chorar. Ela explicou: queria fazer tudo com ele, mas continuar *mozita*. Essa era a sua proteção. Exasperado, ele a mandou de volta para casa.

Passaram-se algumas semanas, Dom Mateo começou a reavaliar a sua opinião sobre Conchita. Ele a viu flertando com outros homens e dançando um sugestivo flamengo num bar: ela não era uma *mozita*, concluiu, estava enganando-o por dinheiro. E no entanto ele não conseguia desistir dela. Outro homem tomaria o seu lugar – uma ideia insuportável. Ela o convidava a passar a noite na sua cama, desde que prometesse não forçá-la e então, como para torturá-lo até perder a razão, ela entrava na cama nua (supostamente por causa do calor). Tudo isto ele tolerava baseando-se em que nenhum outro homem havia tido tais privilégios. Mas numa noite, não aguentando mais a frustração, ele explodiu de raiva, e deu um ultimato: ou me dá o que quero ou nunca mais vai me ver. De repente, Conchita começou a chorar. Ele nunca a tinha visto chorando, e ficou emocionado. Ela também estava cansada de tudo isso, confessou, com a voz trêmula; ainda não era tarde demais, estava disposta a aceitar a proposta que recusara antes. Ele a instalava numa casa e veria que amante dedicada ela seria.

Dom Mateo não perdeu tempo. Comprou-lhe uma vila, deu-lhe bastante dinheiro para decorá-la. Oito dias depois, a casa estava pronta. Ela o receberia ali à meia-noite. Quanta alegria o aguardava.

Dom Mateo apareceu na hora combinada. O portão com grades que dava para o pátio estava fechado. Ele tocou a campainha. Ela apareceu do outro lado. "Beije minhas mãos", disse ela por trás das grades. "Agora beije a fímbria da minha saia, e a ponta do meu pé, na chinela." Ele fez como ela pedia. "Está bom", disse ela. "Agora pode ir." A expressão chocada no rosto dele a fez rir. Ela o ridicularizou, depois fez uma confissão: sentia repulsa por ele. Agora que tinha uma vila em seu nome, estava livre dele finalmente. Ela chamou e um rapaz surgiu das sombras do pátio. Enquanto Dom Mateo assistia, por demais atônito para se mexer dali, os dois começaram a fazer amor no chão, bem diante dos seus olhos.

Na manhã seguinte, Conchita apareceu na casa de Dom Mateo, supostamente para ver se ele havia se suicidado. Para sua surpresa, ele não havia – de fato, ele a esbofeteou com tanta força que ela foi parar no chão. "Conchita", disse ele, "você me fez sofrer além do que um ser humano é capaz de suportar. Você inventou torturas morais para

*apanhadas!", enquanto você faz sair às pressas
O jovem trêmulo de cena. Mas não deixe de Compensar o medo dele com alguns momentos de prazer descontraído – Ou ele pensará que uma noite com você não vale o risco.*
– OVÍDIO, A ARTE DE AMAR

"Certamente", disse eu, "já lhe disse muitas vezes que a dor exerce sobre mim uma atração peculiar, e nada alimenta mais a minha paixão do que a tirania, a crueldade e, acima de tudo, a infidelidade numa bela mulher."
– LEOPOLD VON SACHER-MASOCH, VENUS IN FURS

Oderint, dum metuant [Que me odeiem, desde que me temam], *como se apenas me o ódio se pertencessem, enquanto medo e amor nada tivessem a ver um com o outro, como se não fosse o medo que torna o amor interessante. Com que tipo de amor abraçamos a natureza? Não existe nele uma secreta ansiedade e horror porque sua bela harmonia vive da indisciplina e da selvagem confusão, sua segurança*

da perfídia? Mas é exatamente esta ansiedade que mais cativa. Assim também com o amor para ser interessante. Por trás dele, deve remoer-se a noite profunda e ansiosa de onde brota a flor do amor.
– SÖREN KIERKE-GAARD, *DIÁRIO DE UM SEDUTOR*

A encantadora criatura de mármore tossiu e ajeitou sobre os ombros a pele de marta. "Obrigado pela aula de arte clássica", respondi, "mas não posso negar que no seu mundo pacífico e ensolarado, assim como nosso clima nevoento, homem e mulher são inimigos naturais. O amor pode uni-los brevemente para formar uma só mente, um só coração, uma só vontade, mas logo eles se separam. E isso você sabe melhor do que eu: ou um deles faz o outro se dobrar à sua vontade, ou se permitirá ser pisoteado." "Sob pés femininos, é claro", disse Lady Vênus com impertinência. "E isso você sabe melhor do que eu." "Claro, é por isso que não tenho ilusões." "Em outras palavras, você agora é meu escravo sem ilusões, e devo pisoteá-lo sem dó." "Senhora!"

experimentá-las no único homem que a amou apaixonadamente. Agora declaro que vou possuí-la à força." Conchita gritou que jamais seria dele, mas ele continuou batendo nela. Finalmente, comovido com suas lágrimas, ele parou. Agora ela olhava amorosamente para ele. Esqueça o passado, disse ela, esqueça tudo que fiz. Agora que ele havia batido nela, agora que ela era capaz de ver o sofrimento dele, tinha certeza de que realmente a amava. Ela ainda era mozita – o romance com o rapaz na noite anterior tinha sido só uma farsa, terminando assim que ele foi embora – e ela ainda pertencia a ele. "Você não vai me ter à força. Eu o aguardo em meus braços." Finalmente ela era sincera. Para o seu supremo deleite, ele descobriu que ela ainda era mesmo virgem.

Interpretação. Dom Mateo e Conchita Pérez são personagens da novela *Woman and Puppet*, escrita em 1896 por Pierre Louÿs. Baseada numa história real – o episódio "Miss Charpillon", nas *Memórias* de Casanova –, a novela serviu de inspiração para dois filmes: *Mulher satânica*, de Josef von Sternberg, com Marlene Dietrich, e *Obscuro objeto do desejo*, de Luis Buñuel. No roteiro de Louÿs, Conchita aceita um homem mais velho orgulhoso e agressivo e, em poucos meses, o transforma num escravo abjeto. Seu método é simples; ela estimula o máximo de emoções possível, inclusive fortes doses de dor. Ela excita a sua luxúria, depois o faz se sentir um covarde por estar se aproveitando dela. Ela lhe dá o papel de protetor, depois o faz sentir-se culpado por tentar comprá-la. O súbito desaparecimento dela o angustia – ele a perdeu –, assim, quando ela reaparece (nunca por acaso), ele sente uma enorme alegria que, entretanto, ela rapidamente transforma de novo em lágrimas. Ciúme e humilhação precedem os momentos finais quando ela lhe entrega a sua virgindade. (Mesmo depois disso, segundo a história, ela encontra meios de continuar atormentando-o.) Cada depressão que ela inspira – culpa, desespero, ciúme, vazio – gera espaço para uma exaltação mais intensa. Ele fica viciado, obcecado na alternância de carga e retração.

Sua sedução não deve jamais seguir um simples curso ascendente em direção ao prazer e à harmonia. O clímax será alcançado cedo demais e o prazer será fraco. O que nos faz apreciar intensamente alguma coisa é o sofrimento prévio. Um esbarrão com a morte nos faz apaixonados pela vida; uma viagem longa torna a volta para casa muito mais agradável. Sua tarefa é criar momentos de tristeza, desespero e angústia para gerar a tensão que permite uma grande descarga. Não se preocupe em deixar as pessoas zangadas; a ira é um indício certo de que você as fisgou. Nem deve temer que, se fazendo de difícil, as pessoas irão fugir – só abandonamos quem nos aborrece. O passeio que você dá com suas vítimas pode ser tortuoso, porém jamais monótono. A qualquer custo, mantenha seus alvos emotivos e tensos. Crie bastantes altos e baixos e você desgastará os últimos vestígios da força de vontade deles.

ASPEREZA E BONDADE

Em 1972, Henry Kissinger, na época assistente para questões de segurança nacional do presidente Richard Nixon, recebeu um pedido de entrevista da famosa jornalista italiana Oriana Fallaci. Era raro Kissinger dar entrevistas; ele não tinha controle sobre o produto final e era um homem que precisava estar no controle. Mas havia lido a entrevista de Fallaci com um general norte-vietnamita e ela fora instrutiva. Oriana estava muito bem informada sobre a Guerra do Vietnã; talvez pudesse obter dela algumas informações, sondar o que ela pensava. Kissinger decidiu pedir uma pré-entrevista, um encontro preliminar. Iria crivá-la de perguntas sobre assuntos diferentes; se ela passasse no teste, ele lhe concederia a entrevista propriamente dita. Os dois se encontraram, e ele ficou impressionado; ela era extremamente inteligente – e valente. Seria um agradável desafio vencê-la e provar que, dos dois, ele era o mais valente. Ele concordou com uma breve entrevista poucos dias depois.

Contrariando Kissinger, Oriana Fallaci começou perguntando se ele estava desapontado com a lentidão das negociações de paz com o Vietnã do Norte. Ele não ia discutir isso – tinha deixado claro na pré-entrevista. Mas ela continuou na mesma linha de interrogatório. Ele se irritou: "Basta", disse, "não quero mais falar sobre o Vietnã." Apesar de Oriana não abandonar logo o tema, suas perguntas se tornaram mais gentis: O que ele achava pessoalmente dos líderes do Vietnã do Sul e do Norte? Ele continuou se esquivando: "Não sou do tipo que se deixa levar pela emoção. Emoções não servem para nada." Ela passou para questões filosóficas mais gerais – guerra, paz. Oriana o elogiou pelo seu papel na reaproximação com a China. Sem perceber, Kissinger começou a se abrir. Falou da dor que sentia ao lidar com o Vietnã, dos prazeres de ceder o poder. E aí, de repente, voltaram as perguntas mais ásperas – ele não passava de um lacaio de Nixon, como muitos desconfiavam? Subindo e descendo, ela continuou, alternadamente lançando a isca e elogiando-o. O objetivo dele era arrancar informações dela sem revelar nada sobre si mesmo; no final, entretanto, ela não lhe dera nada, enquanto ele havia revelado várias opiniões constrangedoras – sua visão das mulheres como joguetes, por exemplo, e a crença de que a sua popularidade era porque as pessoas o viam como uma espécie de caubói

"Ainda não me conhece. Admito que sou cruel – já que a palavra lhe dá tanto prazer – não tenho direito a isso? É o homem que deseja, a mulher é desejada; essa é a única vantagem da mulher, mas decisiva. Ao fazer o homem tão vulnerável à paixão, a natureza o colocou à mercê da mulher, e aquela que não tiver o bom senso de tratá-lo como um humilde súdito, um escravo, um brinquedo, e finalmente traí-lo com um riso – bem, é uma mulher sem juízo.
"Minha querida, seus princípios...", protestei.
"Baseiam-se em séculos de experiência", ela respondeu com malícia, passando os dedos brancos pela pele escura. "Quanto mais a mulher é submissa, mais rapidamente o homem recupera o autocontrole e se torna dominador; mas quanto mais cruel e infiel ela for, quanto mais ela o destratar, quanto mais ela brincar audaciosamente com ele e mais áspera se mostrar, mais ela excita o desejo dele e garante o seu amor e a sua admiração. Sempre foi assim, desde Helena e Dalila até Catarina, a Grande, e Lola Montez."
– LEOPOLD VON SACHER-MASOCH, VENUS IN FURS

Em essência, o domínio do erotismo é o da violência, da violação. (...) Toda a questão do erotismo se resume em golpear o cerne mais íntimo do ser vivo para que o coração pare. (...) Toda a questão do erotismo se resume em destruir o caráter retraído dos participantes como eles são em suas vidas normais. (...) Não devemos jamais esquecer que, apesar da felicidade que o amor promete, seu primeiro efeito é de um turbilhão de tristeza. A própria paixão satisfeita provoca uma agitação tão violenta que a felicidade envolvida, antes de ser uma felicidade a ser gozada, é tão grande a ponto de se parecer mais com o seu oposto, o sofrimento. (...) A semelhança com o sofrimento é ainda maior porque só ele revela a total importância do objeto amado.
– GEORGES BATAILLE, *EROTISM: DEATH AND SENSUALITY*

Sempre uma ligeira dúvida para ser tranquilizada – é isso que mantém alguém ansiando pelo amor apaixonado. Porque as mais punjentes desconfianças se encontram sempre ali, seus prazeres nunca

solitário, o herói que esclarece sozinho as coisas. Quando a entrevista foi publicada, Nixon, chefe de Kissinger, ficou lívido.

Em 1973, o xá do Irã, Mohammed Reza Pahlevi, concedeu uma entrevista a Oriana Fallaci. Ele sabia lidar com a imprensa – não se comprometia, falava sobre generalidades, mostrava-se firme, porém educado. Essa técnica já havia funcionado milhares de vezes. Oriana começou a entrevista num nível pessoal perguntando como era ser um rei, ser o alvo de tentativas de assassinato, e por que o xá parecia sempre tão triste. Ele falou do peso das responsabilidades da sua posição, da dor e da solidão que sentia. Parecia um alívio falar de seus problemas profissionais. Enquanto ele falava, Oriana pouco dizia, seu silêncio era um estímulo para ele continuar. Então, ela mudou de assunto de repente: ele estava tendo dificuldades com sua segunda esposa. Sem dúvida devia sofrer com isso. Era um ponto sensível, e Pahlevi ficou zangado. Tentou mudar de assunto, mas ela voltava sempre. Por que perder tempo falando de esposas e mulheres, ele disse. E aí chegou mesmo a criticar as mulheres em geral – a falta de criatividade delas, a sua crueldade. Oriana insistia: ele tinha tendências ditatoriais e ao seu país faltavam liberdades básicas. Os próprios livros de Oriana estavam na lista negra do governo. Ouvindo isso, o xá pareceu surpreso – talvez estivesse lidando com uma escritora subversiva. Mas aí ela abrandou o seu tom novamente perguntando sobre as suas muitas realizações. O padrão se repetia: mal ele relaxava, ela o atacava por um ponto cego com uma pergunta incisiva; quando ele se irritava, ela tornava a atmosfera mais leve. Como Kissinger, ele se pegava desabafando sem querer e dizendo coisas de que mais tarde se arrependeria, como a sua intenção de elevar o preço da gasolina por exemplo. Lentamente ele foi caindo no seu feitiço, chegando mesmo a flertar com ela. "Ainda que você esteja na lista negra das minhas autoridades", disse ele no final da entrevista, "eu a colocaria na lista branca do meu coração."

Interpretação. As entrevistas de Oriana Fallaci eram em geral com líderes poderosos, homens e mulheres com uma tremenda necessidade de controlar a situação para não revelar nada de constrangedor. Isso a colocava e aos seus entrevistados em conflito, visto que conseguir que se abrissem – ficassem emotivos, cedessem o controle – era justo o que ela queria. A clássica abordagem sedutora do encanto e dos elogios não funcionava com esse tipo de gente; eles percebiam. Em vez disso, Oriana ia em cima das suas emoções, alternando aspereza e bondade. Ela fazia uma pergunta cruel que tocava nas inseguranças mais secretas do entrevistado, que ficava emotivo e querendo se defender; bem lá no fundo, entretanto, algo mais despertava dentro deles – o desejo de provar a Fallaci que não mereciam suas críticas implícitas. Inconscientemente, eles queriam agradá-la, fazer com que gostasse deles. Quando ela, então, mudava de tom, indiretamente elogiando-os, eles sentiam que a haviam conquistado e eram encorajados a se abrir. Sem perceber, eles davam livres rédeas às suas emoções.

Em situações sociais, todos nós usamos máscaras e mantemos erguidas nossas defesas. É constrangedor, afinal de contas, revelar o que se sente na realidade. Como um sedutor, você deve sempre encontrar um jeito de baixar estas resistências. A técnica do elogio e da atenção usada pelo Encantador pode ser eficaz aqui, particularmente com os inseguros, mas talvez leve meses para funcionar e também pode sair pela culatra. Para conseguir um resultado mais rápido, e desmontar pessoas mais inacessíveis, quase sempre é melhor alternar aspereza com bondade. Sendo áspero, você cria tensões internas – seus alvos podem se aborrecer com você, mas estarão também se questionando. O que fizeram para merecer o seu desagrado? Depois, quando você é gentil, eles se sentem aliviados, mas também preocupados porque a qualquer momento podem voltar a te desagradar. Utilize esse padrão para mantê-los em suspense – temendo a sua aspereza e atentos para manter você gentil. Sua bondade e aspereza devem ser sutis; estocadas e elogios indiretos são a melhor coisa. Banque o psicanalista: faça comentários cortantes relativos aos seus motivos inconscientes (você só está sendo fiel à realidade), depois recoste-se na cadeira e escute. O seu silêncio os incitará a admitir coisas constrangedoras. Atenue as suas críticas com elogios ocasionais e eles se esforçarão para agradar você como os cachorros.

> *O amor é uma flor preciosa, mas é preciso haver*
> *o desejo de arrancá-la da beira de um precipício.*
> – Stendhal

CHAVES PARA A SEDUÇÃO

Quase todo mundo é mais ou menos polido. Aprendemos cedo a não dizer às pessoas o que realmente pensamos delas; sorrimos para suas piadas, mostramos interesse por suas histórias e problemas. É a única maneira de conviver com elas. Acaba virando um hábito; somos gentis até quando não é necessário. Tentamos agradar os outros, não pisar nos seus calos, evitar desavenças e conflitos.

A gentileza na sedução, entretanto, apesar de no início ela ser capaz de atrair alguém até você (ela tranquiliza e conforta), logo perde o efeito.

---

se transformam em tédio. Saint-Simon, o único historiador que a França jamais teve, diz: "Depois de muitos caprichos passageiros, a duquesa de Berry se apaixonou profundamente por Riom, um membro mais novo da família d'Aydie, filho de uma das irmãs de madame de Biron. Ele não tinha aparência nem cérebro; era gordo, baixo, bochechudo, pálido e com tantas espinhas no rosto que mais parecia um enorme abcesso; tinha belos dentes, mas nem a mínima ideia de que iria inspirar uma paixão que rapidamente se descontrolou, uma paixão que duraria uma vida inteira, não obstante vários flertes e casos subsidiários. (...)
Ele excitava, mas não retribuía o desejo da princesa; gostava de lhe provocar ciúmes, ou de fingir ele mesmo estar com ciúmes. Muitas vezes ele a fazia chorar. Aos poucos, ele a forçou a uma situação em que não fazia nada sem a sua permissão, até coisas insignificantes. Às vezes, quando ela estava pronta para ir à Ópera, ele insistia para que ficasse em casa; e às vezes a fazia ir sem estar com vontade. Ele a obrigava a conceder favores a damas de quem ela não

gostava ou de quem sentia ciúmes. Ela não tinha liberdade nem para se vestir como quisesse; ele se divertia fazendo-a mudar de penteado ou de roupa no último minuto; ele fazia isso com tanta frequência e de uma forma tão pública que ela se acostumou a perguntar de noite o que deveria fazer e vestir no dia seguinte; e aí, no dia seguinte, ele mudava tudo, e a princesa chorava mais ainda. No final, ela se habituou a lhe enviar bilhetes por um lacaio de confiança, pois desde o início ele estabelecera residência em Luxemburgo; mensagens que continuavam a ser enviadas ao longo de toda a sua toalete, para saber que fitas usar, que saias e outros enfeites; quase invariavelmente ele a fazia vestir alguma coisa que ela não queria. Quando ocasionalmente ela ousava fazer alguma coisa, por menor que fosse, ele a tratava como uma criada, e ela chorava dias a fio. (...) Na companhia de outras pessoas, ele lhe dava respostas tão bruscas que todos baixavam os olhos, e a duquesa corava, embora a sua paixão por ele de modo algum diminuísse." Para a princesa, Riom era um remédio infalível para o tédio.
– STENDHAL, DO AMOR

O excesso de delicadezas pode literalmente empurrar o alvo para bem longe de você. O sentimento erótico depende de se criar tensão. Sem tensão, sem ansiedade e suspense, não pode haver o sentimento de alívio, de verdadeiro prazer e alegria. Compete a você criar essa tensão no alvo, estimular sentimentos de ansiedade, levá-lo de um lado para o outro, de forma que o auge da sedução tenha real peso e intensidade. Livre-se, portanto, do seu desagradável hábito de evitar conflitos, o que, de qualquer maneira, não é uma coisa natural. Na maioria das vezes, você é gentil não por ser no fundo uma pessoa boa, mas porque tem medo de desagradar, por insegurança. Vença esse medo e, de repente, você tem opções – a liberdade para gerar sofrimento e, depois, como num passe de mágica, acabar com ele. Seus poderes sedutores aumentarão dez vezes.

As pessoas ficarão menos transtornadas com suas maldades do que você pode imaginar. No mundo atual, quase sempre estamos famintos de experiências. Queremos emoção, nem que ela seja negativa. O sofrimento que você causa em seus alvos, portanto, é estimulante – faz com que se sintam mais vivos. Eles têm alguma coisa de que se queixar, conseguem se fazer de vítimas. Como resultado, assim que você transforma dor em prazer eles prontamente o perdoam. Desperte o ciúme deles, faça-os se sentirem inseguros, e a confirmação que depois você dará aos seus egos preferindo-os aos seus rivais é duplamente deliciosa. Lembre-se: é mais perigoso deixar seus alvos entediados do que sacudi-los. Magoar as pessoas faz com que fiquem mais apegadas a você do que tratá-las com delicadeza. Crie tensão para poder aliviá-la. Se precisar de inspiração, descubra no alvo aquilo que mais irrita você e use isso como trampolim para um conflito terapêutico. Quanto mais real a sua crueldade, mais eficaz ela é.

Em 1818, o escritor francês Stendhal, na época morando em Milão, conheceu a condessa Metilda Viscontini. Para ele, foi amor à primeira vista. Ela era uma mulher orgulhosa, um tanto difícil, e intimidava Stendhal, que tinha um medo enorme de desagradá-la com um comentário idiota ou uma ação pouco digna. Até que um dia, não aguentando mais, ele pegou na sua mão e confessou o seu amor. Horrorizada, a condessa lhe disse para ir embora e nunca mais voltar.

Stendhal escrevia cartas, uma atrás da outra, para Viscontini implorando que ela o perdoasse. Ela acabou cedendo: voltaria a vê-lo, mas com uma condição – ele a visitaria só de quinze em quinze dias, por não mais de uma hora e apenas na presença de outras pessoas. Stendhal concordou; não tinha escolha. Ele agora vivia para essas breves visitas quinzenais, que se tornaram ocasiões de extrema ansiedade e medo porque nunca sabia ao certo se ela ia mudar de ideia e expulsá-lo para sempre. Foi assim por mais de dois anos, período em que a condessa jamais demonstrou por ele o mais leve sinal de preferência. Stendhal nunca descobriu por que ela havia insistido nesse acordo – talvez quisesse brincar com ele ou mantê-lo à distância. Tudo que sabia era que o seu amor pela condessa só fazia aumentar, tornando-se insuportavelmente intenso, até que por fim ele foi obrigado a deixar Milão.

Para superar esse triste caso, Stendhal escreveu o seu famoso livro *Sobre o amor*, no qual descreve o efeito do medo sobre o desejo. Primeiro, se você teme o ser amado, jamais conseguirá chegar muito perto ou se acostumar com ele. O ser amado, portanto, mantém um elemento de mistério, que só intensifica o amor que você sente. Segundo, há algo de estimulante no medo. Ele o faz vibrar de sensação, acentua a sua percepção, é intensamente erótico. Para Stendhal, quanto mais perto do precipício o seu amado o levar, quanto mais próximo da sensação de que você poderá ser abandonado, mais atordoado e perdido você fica. Apaixonar-se é literalmente perder a razão – perder o controle, um misto de medo e excitação.

Aplique essa sabedoria ao inverso: jamais deixe seus alvos se sentirem muito à vontade com você. Eles precisam sentir medo e ansiedade. Mostre-lhes uma certa frieza, um inesperado lampejo de raiva. Seja irracional, se necessário. Existe sempre uma carta de trunfo: um rompimento. Deixe que sintam que perderam você para sempre, faça-os temer terem perdido o poder de encantar você. Deixe esses sentimentos assentarem dentro deles por uns tempos, depois arranque-os do precipício. A reconciliação será intensa.

Em 33 a.C., Marco Antônio ouviu falar que Cleópatra, sua amante de muitos anos, tinha decidido seduzir o seu rival, Otávio, e que planejava envenenar a ele, Antônio. Cleópatra já tinha envenenado gente antes; de fato era uma especialista na arte. Antônio ficou paranoico e, finalmente, um dia a enfrentou. Cleópatra não protestou a sua inocência. Sim, era verdade, ela podia envenenar Antônio a qualquer momento; não adiantava ele tomar nenhuma precaução. Só o amor que ela sentia por ele o protegia. Para demonstrar isso, ela pegou algumas flores e mergulhou-as no vinho que ele ia beber. Antônio hesitou, depois levou a taça aos lábios; Cleópatra agarrou-lhe o braço e o impediu de beber. Ela mandou buscar um prisioneiro para provar o vinho e ele morreu na hora. Caindo aos pés de Cleópatra, Antônio jurou que a amava agora mais do que nunca. Não falou por covardia; não havia homem mais corajoso do que ele e, se Cleópatra podia ter envenenado Marco Antônio, ele por sua vez podia ter abandonado Cleópatra e voltado para Roma.

Não, o que o deixava excitado era sentir que ela tinha controle sobre as emoções dele, sobre a vida e a morte. Era seu escravo. A prova que ela deu do seu poder sobre ele foi não só eficaz como erótica.

Como Antônio, muitos de nós temos desejos masoquistas sem perceber. É preciso que alguém nos cause algum tipo de dor para que esses desejos profundamente reprimidos aflorem. Você deve aprender a reconhecer os tipos de masoquistas ocultos que existem por aí, pois tem gente que acha que não merece nada de bom na vida, e que, incapaz de lidar com o sucesso, está sempre se sabotando. Seja gentil com eles, admita que os admira, e eles se sentirão constrangidos porque acham impossível estarem à altura dessa figura ideal que você nitidamente está imaginando. Esses autos-sabotadores reagem melhor com uma leve punição; repreenda-os, deixe-os conscientes de suas inadequações. Eles sentem que merecem essas críticas e, quando elas chegam, é com uma sensação de alívio. É fácil também fazer com que sintam culpa, um sentimento de que, bem lá no fundo, eles gostam.

Outras pessoas sentem as responsabilidades e deveres da vida moderna como um peso enorme, e estão ansiosas por largar tudo. Essas pessoas quase sempre estão à procura de alguém ou de alguma coisa para adorar – uma causa, uma religião, um guru. Faça com que adorem você. E há aqueles que querem bancar os mártires. Reconheça-os pela alegria que sentem em se lamentar, em achar que estão sempre com razão e injustiçados; depois dê-lhes motivo para se queixar. Lembre-se: aparências enganam. Quase sempre as pessoas que aparentam ser muito fortes – Kissingers e Dom Mateos – podem no íntimo desejar ser punidas. De qualquer maneira, faça a dor vir seguida de prazer e você criará um estado de dependência que vai durar por muito tempo.

Símbolo: *O Precipício. Na beira de um rochedo, as pessoas costumam sentir vertigem, medo e ficar atordoadas. Por um momento, elas se imaginam caindo de cabeça. Ao mesmo tempo, em parte, elas se sentem tentadas. Conduza seus alvos o mais perto possível da beirada, depois puxe-os de volta. Não existe emoção sem medo.*

O INVERSO

Quem passou recentemente por um grande sofrimento ou perda fugirá se você tentar lhe infligir mais. Essa pessoa já tem o suficiente.

É muito melhor cercar esses tipos com prazer – isso os deixará enfeitiçados. A técnica de causar sofrimento é mais eficaz com quem aceita as coisas tranquilamente, quem tem poder e poucos problemas. Quem leva uma vida confortável também pode sentir uma constante sensação de culpa, como se tivesse escapado impune de um crime. Talvez não tenha consciência disso, mas no íntimo deseja algum tipo de castigo, uma boa surra mental, algo para trazê-lo de volta à terra.

Lembre-se também de não usar a tática do prazer-via-sofrimento cedo demais. Alguns dos maiores sedutores da história – Byron, Jiang Qing (Madame Mao), Picasso – tinham um traço sádico, uma habilidade para infligir tortura mental. Se suas vítimas soubessem com antecedência no que estavam se metendo, sairiam correndo. Na verdade, quase todos esses sedutores atraíam os alvos para suas teias parecendo serem modelos de doçura e afeto. Até Byron parecia um anjo quando conhecia uma mulher, tanto que ela chegava a duvidar da sua diabólica reputação – uma dúvida sedutora porque lhe permitia achar que era a única que realmente o compreendia. A crueldade dele se revelava depois, mas aí já era tarde. As emoções da vítima estavam envolvidas, e a aspereza dele só intensificava o que ela sentia.

No início, portanto, vista a máscara do cordeiro, fazendo do prazer e da atenção as suas iscas. Primeiro desperte o interesse de suas vítimas, depois conduza-as numa corrida desvairada.

FASE QUATRO

CAMINHANDO PARA O GOLPE FINAL

Primeiro você atuou na mente – a sedução mental. Depois você os confundiu e excitou – a sedução emocional. Agora chegou o momento do combate corpo a corpo – a sedução física. Neste ponto, seus alvos estão fracos e maduros de desejo: ao demonstrar uma leve frieza ou desinteresse, você detona o pânico – eles virão atrás de você com impaciência e energia erótica (21: Dê a eles espaço para a queda – o perseguidor é perseguido). Para deixá-los em ponto de ebulição, você precisa adormecer a mente e aquecer-lhes os sentidos. É melhor atraí-los para a luxúria enviando certos sinais carregados que os deixarão excitados e espalharão o desejo sexual como se fosse veneno (22: Use iscas físicas). A hora de atacar e partir para o golpe final é quando a sua vítima está transbordante de desejo, mas não espera conscientemente pelo clímax (23: Domine a arte do movimento ousado).

Terminada a sedução, existe o risco de se estabelecer o desencanto e arruinar todo o seu esforço (24: Atenção aos efeitos posteriores). Se você está querendo um relacionamento, então deve constantemente voltar a seduzir a vítima, criando tensão e alívio. Se a sua vítima vai ser sacrificada, então isso deve ser feito com rapidez e destreza, deixando você livre (física e psicologicamente) para partir para a próxima vítima. E aí, começa tudo de novo.

21

DÊ A ELES ESPAÇO PARA A QUEDA – O PERSEGUIDOR É PERSEGUIDO

Se os seus alvos se acostumarem a vê-lo como o agressor, oferecerão menos resistência e a tensão afrouxará. Você precisa acordá-los, virar o jogo. Quando estiverem sob o seu fascínio, dê um passo atrás e eles começarão a procurá-lo. Comece com um toque de indiferença, uma ausência inesperada, uma sugestão de que está ficando entediado. Provoque demonstrando interesse por outra pessoa. Nada disso deve ser feito de modo explícito; deixe apenas que percebam e a imaginação deles cuidará do resto, criando a dúvida que você deseja. Em breve vão querer possuí-lo fisicamente, e a prudência fugirá pela janela. O objetivo é fazê-los cair em seus braços por vontade própria. Crie a ilusão de que o sedutor está sendo seduzido.

GRAVIDADE SEDUTORA

No início da década de 1840, o centro das atenções no mundo artístico francês era uma mulher jovem chamada Apollonie Sabatier. Sua beleza era tão natural que os escultores e pintores competiam para imortalizá-la em suas obras – e ela era também uma pessoa encantadora, fácil de conversar e sedutoramente autossuficiente – os homens se sentiam atraídos por ela. Seu apartamento em Paris passou a ser o ponto de reunião de escritores e artistas e, em breve, madame Sabatier – como ficou conhecida apesar de não ser casada – era a anfitriã de um dos salões literários mais importantes da França. Escritores como Gustave Flaubert, Alexandre Dumas, pai, e Théophile Gautier contavam entre seus convidados habituais.

Estava para terminar o ano de 1852, quando madame Sabatier, aos 30 anos, recebeu uma carta anônima. O autor lhe confessava estar profundamente apaixonado. Temendo que ela considerasse ridículos os seus sentimentos, ele não revelava o seu nome; mas tinha de fazer com que soubesse que a adorava. Sabatier estava acostumada a esse tipo de atenção – vários homens já haviam se apaixonado por ela –, mas esta carta era diferente: neste homem, parece que ela havia inspirado um ardor quase religioso.

A carta, redigida numa caligrafia disfarçada, continha um poema dedicado a ela; com o título "Àquela que é muito alegre", começava louvando a sua beleza, mas encerrava com os versos:

> E assim, uma noite gostaria de me esgueirar,
> Quando a escuridão bate as horas do prazer,
> Um ladrão covarde, em direção ao tesouro
> Que é a sua pessoa, roliça e macia. (...)
> E, vertiginosa delícia!
> Nesses lábios, de aparência tão fresca
> E a cada dia mais encantadores para o meu gosto –
> Instilar o veneno do meu rancor.

Omissões, recusas, desvios, trapaças, digressões e humildade – tudo visando provocar este segundo estado, o segredo da verdadeira sedução. A sedução vulgar pode ser produto da persistência, mas a verdadeira sedução vem da ausência. (...) É como a esgrima: é preciso espaço para ludibriar o adversário. Nesta fase, o sedutor [Johannes], em vez de tentar se aproximar dela, procura manter distância com vários truques: não fala diretamente com ela, mas apenas com a tia, e só sobre assuntos triviais ou bobos; ele neutraliza tudo com ironia e disfarçado pedantismo; não responde a qualquer movimento feminino ou erótico, e até arruma para ela um falso pretendente para desencantá-la e enganá-la, até que ela toma a iniciativa e rompe o noivado, completando assim a sedução e criando

> a situação ideal para o seu total abandono.
> – JEAN BAUDRILLARD, SEDUCTION

> A notícia espalhou-se por toda parte. Contaram até para a rainha [Guinevere] que estava jantando. Ela quase se suicidou ao saber do pérfido boato sobre a morte de Lancelot. Pensou que fosse verdade e ficou tão perturbada que mal conseguia falar. (...) Ergueu-se logo da mesa e conseguiu expressar a sua dor longe dos olhos e dos ouvidos de todos. Estava tão enlouquecida com a ideia de se matar que não parava de apertar o pescoço. Mas antes ela confessou-se em consciência, arrependeu-se e pediu perdão a Deus; ela se acusava de ter pecado contra aquele que sabia ter sido sempre seu, e que ainda seria, estivesse vivo. (...) Ela enumerava todas as suas crueldades e lembrava de cada uma individualmente; anotando uma por uma, ela as repetia com frequência: "Oh, tristeza! O que estava pensando quando meu amor apareceu diante de mim e eu não me dignei a recebê-lo, nem me importei em ouvir! Não fui uma tola em recusar falar com ele ou mesmo olhar para ele? Uma tola? Não, que Deus me perdoe,

Mesclada à adoração do seu admirador, havia nitidamente uma estranha espécie de luxúria com um toque de crueldade. O poema a deixou ao mesmo tempo perplexa e perturbada – e ela não tinha ideia de quem seria.

Semanas depois, chegou outra carta. Como antes, o autor envolvia Sabatier num culto de adoração, misturando o físico com o espiritual. E, como antes, havia um poema, "Tudo em um", no qual ele escrevia:

> Nenhuma beleza é a melhor,
> Visto ser toda ela uma flor divina...
> Ó mística metamorfose!
> Meus sentidos em uma só direção fluem –
> Sua voz é perfume quando ela fala,
> Seu hálito é música tênue e suave!

Era evidente que o autor estava obcecado pela presença de Sabatier, e só pensava nela – mas agora ela começou a ficar obcecada por ele, pensando nele dia e noite, e imaginando quem poderia ser. As cartas subsequentes só aumentaram o fascínio. Era lisonjeiro ouvir que ele estava enfeitiçado mais do que por sua beleza, mas também era agradável saber que ele não era imune aos seus encantos físicos.

Um dia, ocorreu a madame Sabatier a ideia de quem poderia ser o autor: um jovem poeta que frequentou o seu salão durante muitos anos, Charles Baudelaire. Ele parecia tímido, de fato mal lhe dirigia a palavra, mas ela havia lido algumas de suas poesias e, embora os poemas nas cartas fossem mais refinados, o estilo era semelhante. No seu apartamento, Baudelaire sempre se sentava, polidamente, num canto, mas agora, pensando bem, ele sorria para ela de um modo estranho, nervoso. Era o olhar de um homem jovem apaixonado. Agora, quando ele a visitava, ela o observava atenta e, quanto mais observava, mais certeza tinha de que ele era o autor, no entanto a sua intuição não se confirmava porque ela não queria enfrentá-lo – podia ser tímido, mas era um homem e, em algum momento, teria de se aproximar dela. E ela estava certa de que ele faria isso. Então, de repente, as cartas pararam de chegar – e madame Sabatier não podia compreender por quê, visto que a última tinha sido mais apaixonada ainda do que as outras.

Anos se passaram, durante os quais ela muitas vezes pensou nas cartas do seu admirador anônimo, porém elas nunca eram renovadas. Em 1857, entretanto, Baudelaire publicou um livro de poesias, *As flores do mal*, e madame Sabatier reconheceu muitos versos – eram aqueles que ele havia escrito para ela. Agora estava ali para todo mundo ver. Pouco tempo depois, o poeta lhe mandou um presente: um exemplar especialmente encadernado do livro, e uma carta, desta vez assinada com o seu nome. Sim, ele escrevia, era o autor anônimo – ela o perdoaria por ter sido tão misterioso no passado? Além disso, o que ele sentia por ela era mais forte do que nunca: "Não pensou, nem por um momento, que eu pudesse esquecê-la? (...) Para mim, você é mais do que uma imagem querida que me aparece em sonhos, é a minha superstição (...) minha companheira constante, meu segredo! Adeus, querida Madame. Beijo suas mãos com profunda devoção."

Esta carta teve sobre madame Sabatier um efeito mais forte do que as outras. Talvez fosse a sua sinceridade infantil e o fato de que ele, finalmente, lhe havia escrito de uma forma direta; quem sabe era porque a amava, mas não lhe pedia nada, ao contrário dos outros homens que ela conhecia e que acabavam sempre revelando quererem alguma coisa. O que quer que fosse, ela sentiu um desejo incontrolável de vê-lo. No dia seguinte, ela o convidou para ir ao seu apartamento, sozinho. Baudelaire apareceu na hora marcada. Sentou-se nervoso no seu lugar, olhando para ela com seus olhos enormes, falando pouco e o que disse foi formal e polido. Parecia distante. Depois que ele partiu, madame Sabatier foi tomada por uma espécie de pânico e, no dia seguinte, escreveu a sua primeira carta para ele: "Hoje estou mais calma e posso entender melhor a impressão que tive da nossa noite de quinta-feira juntos. Posso lhe dizer, sem risco de que me ache exagerada, que sou a mulher mais feliz na face da terra, que nunca senti mais sinceramente que o amo e que jamais o vi tão belo, tão adorável, meu divino amigo!"

Madame Sabatier jamais havia escrito uma carta assim; ela é que tinha sido sempre a perseguida. Agora havia perdido o seu habitual autocontrole. E isso estava cada vez pior: Baudelaire não respondeu logo. Quando ela o viu de novo, estava mais frio do que antes. Ela sentiu que deveria haver outra pessoa, que a sua antiga amante, Jeanne Duval, reaparecera de repente na sua vida e o estava afastando dela. Uma noite ela ficou agressiva, abraçou-o, tentou beijá-lo, mas ele não correspondeu e rapidamente encontrou uma desculpa para ir embora. Por que ele estava, de repente, inacessível? Ela começou a crivá-lo de cartas implorando para que fosse vê-la. Sem conseguir pegar no sono, ficava a noite inteira esperando que ele aparecesse. Nunca havia experimentado um tamanho desespero. Tinha de seduzi-lo de algum modo, possuí-lo, tê-lo todo para si. Ela experimentou tudo – cartas, atitudes coquetes, promessas de todos os tipos – até que ele, finalmente, escreveu dizendo que não estava mais apaixonado por ela e ponto final.

*eu fui cruel e mentirosa! (...) Acredito que tenha sido eu apenas quem lhe deu esse golpe mortal. Quando ele veio contente me procurar, esperando que eu o recebesse feliz e eu o desprezei e nem quis olhar para ele, não foi esse um golpe mortal? Naquele momento, quando me recusei a falar, acredito que parti tanto o seu coração quanto a sua vida. Esses dois golpes o mataram, penso eu, e não um assassino contratado. "Ah, Deus! Terei perdão por este assassinato, este pecado? Jamais! Antes secarão todos os rios e todos os mares! Oh, tristeza! Que conforto isso me traria se me fosse dado tê-lo em meus braços antes de morrer. Como? Sim, nua ao seu lado, para gozá-lo plenamente. (...)"
(...) Quando eles estavam a umas seis ou sete léguas do castelo onde se hospedava o rei Bademagu, chegaram notícias que lhe foram agradáveis sobre Lancelot – notícias que ele ficou feliz em saber; Lancelot estava vivo e de volta, são e salvo. Ele agiu corretamente ao informar a rainha. "Piedoso senhor", disse ela, "eu acredito porque me disse. Mas, se ele estivesse*

morto, eu lhe garanto que nunca mais poderia ser feliz." (...) Agora Lancelot tinha exatamente o que desejava: a rainha, de livre e espontânea vontade, procurava a sua companhia e o seu afeto quando estavam nos braços um do outro. O modo como ela fazia amor com ele lhe parecia tão delicado e bom, tanto seus beijos como suas carícias, que na verdade os dois sentiam uma alegria e uma surpresa que nunca haviam experimentado antes nem ouvido falar. Mas deixarei que permaneça para sempre um segredo, visto que não se deve escrever sobre essas coisas: o melhor prazer é aquele que se sugere, mas não se conta.
– CHRÉTIEN DE TROYES, *ROMANCES DA TÁVOLA REDONDA*

Havia ocasiões em que ele era tão intelectual que eu me sentia aniquilada como mulher; em outras, era tão violento e apaixonado, tão cheio de desejo, que eu quase tremia diante dele. Às vezes, eu era como uma estranha para ele; às vezes, ele se rendia totalmente. Depois, quando eu o envolvia em meus braços, tudo mudava,

Interpretação. Baudelaire era um sedutor intelectual. Ele queria impressionar madame Sabatier com suas palavras, dominar seus pensamentos, fazê-la se apaixonar por ele. Fisicamente, ele sabia, não podia competir com seus muitos outros admiradores – era tímido, desajeitado, não exatamente bonito. Então ele recorreu ao seu único ponto forte, a poesia. Persegui-la com cartas anônimas lhe dava uma emoção perversa. Devia saber que ela ia acabar descobrindo que ele era o seu correspondente – ninguém mais escrevia como ele –, mas queria que fizesse isso sozinha. Deixou de lhe escrever porque passou a se interessar por outra pessoa, mas sabia que ela estaria pensando nele, talvez esperando por ele. E, quando publicou o seu livro, resolveu escrever para ela de novo, desta vez diretamente, reativando aquele antigo veneno que havia injetado nela. Quando ficaram sozinhos, percebeu que ela esperava que ele fizesse alguma coisa, que a abraçasse, mas ele não era esse tipo de sedutor. Além do mais, tinha prazer em se retrair, em sentir o seu poder sobre uma mulher a quem tantos desejavam. Quando ela se tornou física e agressiva, a sedução acabou para ele. Tinha feito com que se apaixonasse por ele; era o suficiente.

O efeito devastador do puxa-empurra de Baudelaire sobre madame Sabatier nos dá uma grande lição de sedução. Primeiro, é sempre melhor guardar uma certa distância de seus alvos. Não é preciso chegar a ponto de permanecer anônimo, mas não deve ser visto com muita frequência, ou como um intruso. Se ficar sempre na frente deles, sempre como o agressor, vão se acostumar a serem passivos, e a tensão da sua sedução vai afrouxar. Use cartas para fazê-los pensar em você o tempo todo, alimente as suas imaginações. Cultive o mistério – impeça-os de decifrarem quem você é. As cartas de Baudelaire eram deliciosamente ambíguas, misturando o físico com o espiritual, provocando Sabatier com suas múltiplas interpretações possíveis.

Depois, quando estiverem no ponto, cheios de desejo e interesse, quando estiverem talvez esperando que você tome uma atitude – como madame Sabatier esperava naquele dia no seu apartamento –, dê um passo atrás. Você fica inesperadamente distante, cordial, porém não mais do que isso – com certeza nada sexual. Deixe as coisas ficarem nesse pé por um ou dois dias. O seu retraimento vai gerar ansiedade; o único modo de aliviar essa ansiedade é perseguir e possuir você. Dê um passo atrás, agora, e fará seus alvos caírem em seus braços como fruta madura, cegos pela força da gravidade que os atrai para você. Quanto mais eles participam, mais a força de vontade deles está comprometida, mais profundo é o efeito erótico. Foram desafiados a usar os seus próprios poderes sedutores com você e, quando eles reagem, o jogo vira e eles o perseguirão com uma desesperada energia.

Eu recuo e, portanto, a ensino a ser vitoriosa ao me perseguir. Continuamente me recolho e, neste movimento para trás, eu a ensino a conhecer por meu intermédio todas as forças do amor erótico, os seus pensamentos tumultuados, a sua paixão, o que é a saudade e a esperança, e a impaciente expectativa.

– Sören Kierkegaard

CHAVES PARA A SEDUÇÃO

Visto que os humanos são criaturas naturalmente obstinadas e voluntariosas, e inclinadas a desconfiar dos motivos alheios, é natural, no decorrer de qualquer sedução, que o seu alvo lhe oponha alguma resistência. É raro, portanto, as seduções serem fáceis e sem contratempos. Mas, quando suas vítimas superam em parte as próprias dúvidas e começam a cair no seu feitiço, chega a um ponto em que elas começam a ceder. Podem sentir que você as está conduzindo, mas estão gostando disso. Ninguém gosta de coisas complicadas e difíceis, e seu alvo vai esperar que a conclusão chegue logo. É aí, entretanto, que você precisa aprender a se controlar. Libere o clímax pelo qual esperam tão ansiosamente, sucumba à tendência natural de concluir logo a sedução, e você terá perdido uma chance de aumentar a tensão, de fazer as coisas ficarem mais difíceis. Afinal de contas, você não quer uma vitimazinha passiva para brincar; você quer que a pessoa seduzida empenhe toda a sua força de vontade, torne-se uma participante ativa na sedução. Você quer que ela o persiga, envolvendo-se de forma irremediável na sua teia nesse processo. O único modo de conseguir isso é dando um passo atrás e deixando-a ansiosa.

Você já se retraiu estrategicamente antes (ver Capítulo 12), mas agora é diferente. O alvo está se deixando convencer por você, e o seu recuo vai gerar ideias cheias de pânico: você está perdendo o interesse, a culpa é minha, devo ter feito alguma coisa. Em vez de pensarem que você os está rejeitando por conta própria, seus alvos vão querer interpretar assim porque, se a causa do problema é alguma coisa que eles fizeram, eles têm o poder de reconquistá-lo mudando de comportamento. Por outro lado, se for uma simples rejeição, eles não têm controle sobre isso. As pessoas querem sempre preservar a esperança. Agora elas vão se aproximar de você, vão ficar agressivas, achando que isso vai adiantar. Elas vão elevar a temperatura erótica. Compreenda: a força de vontade de uma pessoa está diretamente associada à sua libido, ao

e eu abraçava uma nuvem.
– CORDÉLIA DESCREVENDO JOHANNES, *EM DIÁRIO DE UM SEDUTOR,* DE SÖREN KIERKEGAARD

É verdade que não poderíamos amar se não houvesse alguma lembrança em nós – na maior parte inconsciente – de termos sido amados um dia. Mas também não poderíamos amar se esse sentimento de termos sido amados não tivesse em algum momento experimentado a dúvida; se tivéssemos sempre tido a certeza dele. Em outras palavras, o amor não seria possível sem a sensação de ser amado e, depois, perder a certeza de ser amado. (...) A necessidade de ser amado não é elementar. Ela é certamente adquirida por experiência no final da infância. Seria melhor dizer: por muitas experiências ou pela repetição de outras semelhantes. Acredito que essas experiências sejam negativas. A criança percebe que não é amada ou que o amor de sua mãe não é incondicional. O bebê aprende que sua mãe pode não estar satisfeita com ele, que pode estar zangada ou aborrecida.

Acredito que essa experiência desperte sentimentos de ansiedade no bebê. A possibilidade de perder o amor da sua mãe sem dúvida afeta a criança com uma força tão terrível quanto a de um terremoto. (...) A criança que experimenta a insatisfação e a aparente recusa de afeto da mãe, de início, reage a essa ameaça com medo. Ela tenta recuperar o que parece perdido mostrando-se hostil e agressiva. (...) A sua mudança de personalidade surge apenas depois do fracasso; quando a criança percebe que o esforço fracassou. E agora algo muito estranho acontece, algo que é alheio ao nosso modo de pensar consciente, mas muito próximo do infantil. Em vez de agarrar imediatamente o objeto e apossar-se dele de um modo agressivo, a criança se identifica com o objeto como ele era antes. A criança faz o mesmo que a mãe lhe fazia naquela época feliz do passado. O processo é muito esclarecedor porque configura o padrão do amor em geral. O garotinho demonstra assim, com suas próprias atitudes, o que ele quer que sua mãe lhe faça, como ela deve se comportar

seu desejo erótico. Quando suas vítimas estão passivamente esperando por você, os seus níveis eróticos estão baixos. Quando elas viram perseguidores, envolvendo-se no processo, irradiando tensão e ansiedade, a temperatura sobe. Portanto, eleve-a o máximo possível.

Ao se retrair, seja sutil; você está injetando desconforto. Sua frieza e distanciamento devem ocorrer aos seus alvos quando estiverem sozinhos, na forma de uma dúvida venenosa que se infiltra em seus pensamentos. Será uma paranoia de geração espontânea. O seu recuo sutil os fará querer possuir você, portanto irão cair voluntariamente em seus braços sem que ninguém os empurre. Isso é diferente da estratégia do capítulo 20, na qual você provoca feridas profundas criando um padrão de dor e prazer. Lá, o objetivo era deixar suas vítimas fracas e dependentes, aqui é torná-las ativas e agressivas. A estratégia que você vai preferir (as duas não podem ser combinadas) depende do que você quer e das tendências da sua vítima.

Em Diário de um sedutor, de Sören Kierkegaard, Johannes tem em mira seduzir a jovem e bela Cordélia. Ele começa sendo muito intelectual com ela e, aos poucos, a deixa intrigada. Em seguida, envia-lhe cartas que são românticas e sedutoras. Agora a sua fascinação desabrocha em amor. Embora pessoalmente ele continue um pouco distante, ela percebe nele uma grande profundidade e está certa de que ele a ama. Aí, um dia, Cordélia tem uma estranha sensação: tem alguma coisa diferente nele. Parece mais interessado em ideias do que nela. Passam-se alguns dias e a dúvida cresce – as cartas estão um pouco menos românticas, falta alguma coisa. Ansiosa, ela lentamente se torna agressiva, passa a ser perseguidora em vez de perseguida. A sedução agora está muito mais excitante, pelo menos para Johannes.

O recuo de Johannes é sutil; ele simplesmente dá a Cordélia a impressão de que seu interesse é um pouco menos romântico do que no dia anterior. Ele volta a ser o intelectual. Isso desperta a ideia incômoda de que seus encantos naturais e sua beleza já não causam nele o mesmo efeito. Ela precisa se esforçar mais, provocá-lo sexualmente, provar a si mesma que tem algum poder sobre ele. Ela está agora transbordando de desejo erótico, que chegou a esse ponto com a sutil recusa de afeto por parte de Johannes.

Cada sexo tem suas próprias iscas sedutoras, que lhe ocorrem naturalmente. Quando você parece interessado em alguém, mas não reage sexualmente, isso perturba, e representa um desafio: essa pessoa vai encontrar um jeito de seduzir você. Para produzir este efeito, primeiro revele um interesse por seus alvos por meio de cartas ou sutil insinuação. Mas quando estiver na presença deles, assuma uma espécie de neutralidade assexuada. Seja cordial, até gentil, nada mais. Você os está forçando a se armarem com os encantos sedutores de seus sexos – justo o que você quer.

Nos estágios posteriores da sedução, deixe que seus alvos sintam que você está interessado por outra pessoa – esta é mais uma forma de recuar. Quando conheceu a jovem viúva Josefina de Beauharnais, em 1795, Napoleão Bonaparte ficou excitado com sua beleza exótica e com os olhares que ela lhe dirigia. Começou ao frequentar suas recepções semanais e, para seu encanto, ela ignorava os outros homens e ficava ao seu lado ouvindo atentamente o que ele dizia. Ele se viu apaixonado por Josefina, e tinha todos os motivos para acreditar que ela sentia o mesmo.

Então, uma noite, ela estava cordial e atenciosa, como de costume – exceto que se mostrava igualmente cordial com um outro homem que estava ali, um ex-aristocrata, como Josefina, o tipo de sujeito com quem Napoleão jamais poderia competir em boas maneiras e espirituosidade. Dúvidas e ciúmes começaram a surgir dentro dele. Como militar, ele sabia o valor de se manter na ofensiva e, passadas algumas semanas de campanha rápida e agressiva, ele a teve só para si, acabando mesmo por se casar com ela. Claro que Josefina, uma esperta sedutora, tinha armado tudo. Ela não disse que estava interessada por outro homem, mas a simples presença dele na sua casa, um olhar aqui e outro ali, gestos sutis deram a entender que era isso. Não existe maneira melhor de sugerir que você está perdendo o interesse. Deixe óbvio demais o seu interesse pelo outro, entretanto, e o tiro sai pela culatra. Esta não é uma ocasião interessante para você parecer cruel; dúvida e ansiedade são os efeitos que você quer. Torne o seu possível interesse pelo outro quase imperceptível a olho nu.

Depois que alguém estiver caído por você, qualquer ausência física criará desconforto. Você está literalmente abrindo espaço. A sedutora russa Lou Andreas-Salomé tinha uma intensa presença; ao seu lado, um homem sentia seus olhos penetrando dentro dele e, com frequência, ficava extasiado com seus modos coquetes e a sua vivacidade. Mas aí, quase invariavelmente, algo acontecia – ela precisava se ausentar da cidade por uns tempos, ou estava ocupada demais para vê-lo. Era durante suas ausências que os homens se apaixonavam perdidamente por ela, e juravam ser mais agressivos da próxima vez que estivessem ao seu lado. Suas ausências nessa parte final da sedução devem parecer, no mínimo, um pouco justificadas. O que você está insinuando não é um fora fenomenal, mas uma leve dúvida: talvez você pudesse ter encontrado um motivo para ficar, quem sabe está perdendo o interesse, deve existir alguém. Na sua ausência, o valor que dão a você cresce. Vão esquecer suas

com ele. Ele anuncia o seu desejo exibindo o seu carinho e afeto pela mãe que lhe deu isso antes. É uma tentativa de vencer o desespero e o sentimento de perda ao assumir o papel da mãe. O menino tenta demonstrar o que ele deseja fazendo isso ele mesmo: veja, gostaria que agisse assim comigo, que fosse assim delicada e amorosa comigo. Claro que essa atitude não é resultado de considerações e planejamentos racionais, mas um processo emocional de identificação, uma troca natural de papéis com o objetivo inconsciente de seduzir a mãe e lhe satisfazer os desejos. Ele demonstra com as próprias ações como quer ser amado. É uma representação primitiva através da inversão, um exemplo de como fazer a coisa que ele deseja feita por ela. Nesta representação revive a lembrança das atenções, da suavidade, do carinho um dia recebidos da mãe ou de pessoas amorosas.
– THEODOR REIK, OF LOVE AND LUST

faltas, perdoar seus pecados. Quando voltar, irão caçá-lo como você deseja. Será como se você tivesse renascido dos mortos.

Segundo o psicólogo Theodor Reik, aprendemos a amar apenas por intermédio da rejeição. Quando bebês, nossas mães nos enchem de amor – não conhecemos outra coisa. Um pouco mais crescidos, entretanto, começamos a sentir que esse amor não é incondicional. Se não nos comportarmos direito, se não as agradarmos, elas podem negá-lo. A ideia de que a mãe poderá negar o seu afeto nos deixa cheios de ansiedade e, no princípio, com irritação – vamos lhe mostrar, vamos ter um acesso de raiva. Mas isso nunca dá certo e, aos poucos, percebemos que a única maneira de impedir que ela nos rejeite de novo é imitá-la – ser tão amoroso, gentil e afetuoso como ela é. Isso vai prendê-la profundamente a nós. O padrão fica entranhado em nós pelo resto de nossas vidas: ao experimentar uma rejeição ou frieza, aprendemos a cortejar e perseguir, a amar.

Recrie este padrão primordial na sua sedução. Primeiro, cubra o seu alvo de afeto. Ele não saberá muito bem de onde vem, mas é uma sensação muito agradável e ele não vai querer perdê-la. Quando esse afeto desaparece, no seu recuo estratégico, ele viverá momentos de ansiedade e raiva, talvez com acessos de fúria, e aí vem a mesma reação infantil: a única maneira de reconquistá-lo, de tê-lo com certeza, será invertendo o padrão, imitar você, ser aquele que dá afeto, o que cede. É o terror da rejeição que vira o jogo.

Este padrão irá se repetir muitas vezes naturalmente num romance ou relacionamento. Uma pessoa esfria, a outra corre atrás, depois por sua vez também esfria, transformando a primeira em perseguidora e assim por diante. Como um sedutor, não deixe isso ao acaso. Faça acontecer. Você está ensinando o outro a se tornar uma pessoa sedutora, assim como a mãe a seu modo ensinou o filho a retribuir o seu amor voltando-lhe as costas. Para seu próprio bem, aprenda a se divertir com esta inversão de papéis.

Não banque simplesmente o perseguido, sinta prazer nisso, participe.

O prazer de ser perseguido por sua vítima pode com frequência superar a emoção da caçada.

> **Símbolo**: *A Romã.*
> *Cultivada com todo o cuidado e*
> *atenção, a romã começa a amadurecer.*
> *Não a colha antes da hora nem a arranque*
> *com força do galho – será dura e amarga. Deixe*
> *o fruto ficar pesado e suculento, depois recue —*
> *ele vai cair sozinho. É quando a polpa é mais deliciosa.*

O INVERSO

Há ocasiões em que abrir espaço e inventar uma ausência vai explodir na sua cara. Afastar-se num momento crítico da sedução pode fazer o alvo perder o interesse por você. Também deixa muito ao acaso – enquanto você está longe, ele pode encontrar alguém que distraia os seus pensamentos. Foi fácil para Cleópatra seduzir Marco Antônio, mas depois do primeiro encontro ele voltou para Roma. Cleópatra era misteriosa e fascinante, mas se deixasse passar muito tempo ele esqueceria os seus encantos. Então, ela deixou de lado o seu coquetismo habitual e foi atrás dele quando estava em uma de suas campanhas militares. Ela sabia que, no momento em que ele a visse, cairia de novo no seu feitiço e a perseguiria.

Use a ausência só quando tiver certeza do afeto do alvo, e nunca permita que seja por muito tempo. Ela é mais eficaz quando acontece mais tarde na sedução. Também não abra muito espaço – não demore muito para escrever, não aja com muita frieza, não demonstre muito interesse por outra pessoa. Essa é a estratégia da mistura de prazer com dor detalhada no capítulo 20 e que vai criar uma vítima dependente, ou fazê-la desistir de vez. Tem gente, também, que sofre de passividade crônica: fica esperando que você faça o movimento ousado e, se não fizer, pensa que você é fraco.

O prazer que se obtém de uma tal vítima é menor do que aquele que você vai conseguir de alguém mais ativo. Mas, se estiver envolvido com esse tipo, faça o que for necessário para fazer valer a sua vontade, depois encerre o caso e passe adiante.

22

USE ISCAS FÍSICAS

Alvos com mente ativa são perigosos. Quando percebem as suas manipulações, começam a desconfiar. Coloque a mente deles em repouso e desperte seus sentidos adormecidos, combinando uma atitude não defensiva com uma presença sexualmente energizada. Enquanto o seu ar frio e indiferente acalma as inibições, o seu olhar, a sua voz e porte – transpirando sexo e desejo – penetram sob a pele deles, agitando seus sentidos e elevando a sua temperatura. Jamais force o físico; pelo contrário, contagie seus alvos com o calor, atraindo-os para a luxúria. Induza suas vítimas a viver o momento – um presente intensificado no qual a moral, o discernimento e a preocupação com o futuro, tudo isso desaparece e o corpo sucumbe ao prazer.

ELEVANDO A TEMPERATURA

Em 1889, o importante empresário teatral de Nova York Ernest Jurgens visitou a França em uma de suas muitas viagens de reconhecimento. Jurgens era conhecido por sua honestidade – artigo raro no mundo do entretenimento, de reputação tão duvidosa – e por sua habilidade para descobrir espetáculos fora do comum. Ele teve de passar a noite em Marselha e, enquanto caminhava pelo cais do velho porto, ouviu assobios e aplausos excitados que vinham de um cabaré frequentado pela classe operária e resolveu entrar. Uma dançarina espanhola de 24 anos de idade chamada Caroline Otero estava se apresentando e, no momento em que colocou os olhos nela, Jurgens já não era mais o mesmo homem. Sua aparência era surpreendente – um metro e setenta e oito, flamejantes olhos escuros, negros cabelos caindo pela cintura, o corpo apertado num espartilho numa figura perfeita de ampulheta. Mas foi o seu jeito de dançar que fez o coração dele bater – todo o seu corpo vivo, contorcendo-se como um animal no cio, dançando o fandango. Sua dança não tinha nada de profissional, mas ela se divertia tanto e era tão solta de movimentos que nada disso tinha importância. Jurgens também não pôde deixar de notar os homens que a observavam no cabaré, embasbacados.

Depois do show, Jurgens foi aos bastidores se apresentar. Os olhos de Otero se arregalaram quando ele falou do seu trabalho e de Nova York. Ele sentiu um calor, um espasmo, no seu corpo quando ela o olhou de cima a baixo. Sua voz era grave e áspera, a língua em constante movimento nos seus Rs enrolados. Fechando a porta, Otero ignorou as batidas e os pedidos insistentes dos admiradores doidos para falar com ela. Disse que o seu modo de dançar era natural – a mãe era uma cigana. Convidou logo Jurgens para acompanhá-la naquela noite e, enquanto ele a ajudava a vestir o casaco, inclinou-se ligeiramente para ele como se tivesse perdido o equilíbrio. Caminhando pela cidade, apoiada no braço dele, ela ocasionalmente sussurrava no seu ouvido. Jurgens sentiu a

O ano era 1907 e La Belle [Otero], na época, tinha sido uma figura internacional por mais de 12 anos. A história foi contada por M. Maurice Chevalier.
"Eu era um jovem astro prestes a estrear no Folies. Otero tinha sido a atração principal ali por várias semanas e, embora eu soubesse quem ela era, nunca a tinha visto dentro ou fora do palco.
"Eu vinha com pressa, de cabeça baixa, pensando numa coisa ou outra, quando levantei os olhos. Lá estava La Belle, em companhia de outras mulheres, vindo na minha direção. Otero estava com quase quarenta anos e eu ainda não tinha feito vinte, mas – ah! – ela era tão bonita!
"Alta, os olhos escuros, um corpo magnífico, como eram as mulheres naquela época, não como as magricelas de hoje em dia."
Chevalier sorriu.

> "Claro que gosto das mulheres modernas também, mas havia um certo charme fatal em Otero. Nós três ficamos ali parados por um ou dois segundos, sem dizer nada, eu olhando para La Belle, não tão jovem como um dia foi e talvez não tão bonita, mas ainda uma mulher e tanto.
> "Ela olhou bem para mim, depois se virou para a mulher que estava ao seu lado – uma amiga, creio eu – e falou em inglês, que ela achava que eu não compreendia. Mas eu compreendi.
> "'Quem é este jovem tão simpático?', perguntou Otero.
> "A outra respondeu: 'É Chevalier.'
> "'Tem uns olhos tão bonitos', disse La Belle, olhando-me de alto a baixo.
> "Em seguida, ela quase me nocauteou com sua franqueza.
> "'Será que ele gostaria de ir para cama comigo? Acho que vou perguntar!' Só que não disse assim dessa forma tão delicada. Ela era bem mais rude e direta.
> "Foi neste momento que tive de tomar uma decisão rápida. La Belle se aproximou de mim. Em vez de me apresentar e sucumbir às consequências, fingi não ter compreendido o que ela havia dito,

sua habitual reserva se dissolvendo. Ele a segurou mais forte. Era um homem de família, jamais lhe passara pela cabeça trair a mulher, mas, sem pensar, ele levou Otero para o seu quarto no hotel. Ela começou a tirar parte de suas roupas – o casaco, as luvas, o chapéu —, uma coisa perfeitamente normal, mas o modo como ela fazia isso fez com que ele perdesse todo o constrangimento. O normalmente tímido Jurgens partiu para o ataque.

Na manhã seguinte, Jurgens fez Otero assinar um lucrativo contrato – um grande risco, considerando-se que ela era uma amadora, na melhor das hipóteses. Ele a levou para Paris e contratou um grande professor de teatro para lhe dar aulas. Retornando depressa para Nova York, ele abasteceu os jornais com reportagens sobre esta misteriosa beleza espanhola que tinha tudo para conquistar a cidade. Em breve a imprensa rival estava dizendo que ela era uma condessa andaluza, uma moça fugida de um harém, a viúva de um xeque e daí por diante. Ele viajava com frequência para Paris para estar com ela, esquecendo a família, pródigo em dinheiro e presentes.

A estreia de Otero em Nova York, em outubro de 1890, foi um sucesso estrondoso. "Otero dança com espontaneidade", dizia um artigo em The New York Times. "Seu corpo ágil e flexível parece o de uma serpente retorcendo-se em rápidas e graciosas curvas." Em pouquíssimas semanas, ela havia se tornado a figura mais celebrada pela sociedade de Nova York, apresentando-se em festas particulares até altas horas da noite. O magnata William Vanderbilt a cortejava com joias caras e noitadas no seu iate. Outros milionários competiam por suas atenções. Enquanto isso, Jurgens metia a mão na caixa registradora da companhia para pagar os presentes que comprava para ela – ele faria qualquer coisa para conservá-la, tarefa na qual estava enfrentando uma pesada concorrência. Meses depois, quando se tornou público o seu desfalque, ele era um homem arruinado. Acabou se suicidando.

Otero voltou para a França, para Paris, e nos anos seguintes subiu na escala social como a cortesã mais famosa da Belle Époque. A notícia se espalhou rápido: uma noite com La Belle Otero (como era conhecida agora) era mais eficaz do que todos os afrodisíacos do mundo. Ela tinha um temperamento forte, e era exigente, mas isso era de se esperar. O príncipe Albert de Mônaco, um homem que vivia atormentado por dúvidas sobre a própria virilidade, sentia-se como um tigre insaciável depois de uma noite com Otero. Ela se tornou sua amante. Outras figuras da realeza se seguiram – o príncipe Albert de Gales (mais tarde rei Eduardo VII), o xá da Pérsia, o grão-duque Nicolau da Rússia. Homens menos ricos esvaziavam suas contas bancárias, e Jurgens foi apenas o primeiro dos muitos que Otero levou ao suicídio.

Durante a Primeira Guerra Mundial, um soldado americano de 29 anos de idade chamado Frederick, que estava servindo na França, ganhou 37 mil dólares num jogo de dados que durou quatro dias. Na folga seguinte, ele foi para Nice e se instalou no melhor hotel. Na primeira noite no restaurante do hotel, ele reconheceu Otero sentada a uma das mesas sozinha. Ele a vira dançando em Paris fazia dez anos, e tinha ficado obcecado por ela. Agora, com quase 50, ela ainda estava mais fascinante do que nunca. Ele molhou as mãos de uns e outros e conseguiu se sentar à sua mesa. Mal conseguia falar: o modo como ela o olhava fixo, uma simples arrumação de cadeira, o corpo dela esbarrando no dele ao se levantar, o jeito que ela deu de andar na sua frente e se exibir. Mais tarde, caminhando pelo bulevar, ele passou em frente de uma joalheria. Entrou e, momentos depois, estava pagando 31 mil dólares por um colar de diamantes. Durante três noites, La Belle Otero foi sua. Nunca na sua vida ele havia se sentido tão masculino e impetuoso. Anos depois, ainda achava que tinha valido a pena o preço que ele teve de pagar.

Interpretação. Embora La Belle Otero fosse uma bela mulher, havia centenas mais bonitas do que ela, ou mais encantadoras e talentosas. Mas Otero estava constantemente em fogo. Os homens liam isso em seus olhos, nos movimentos do seu corpo, em uma dezena de outros sinais. O calor que irradiava de dentro dela vinha dos seus próprios desejos íntimos; tinha um apetite sexual insaciável. Mas era também uma hábil e calculista cortesã, e sabia como colocar em prática a sua sexualidade. No palco ela excitava todos os homens na plateia, abandonando-se na dança. Pessoalmente era mais tranquila, ou ligeiramente mais tranquila. O homem gosta de sentir que a mulher está em fogo não porque tem um apetite insaciável, mas por causa dele; assim Otero personalizava a sua sexualidade usando olhares, um toque de pele, um tom mais lânguido de voz, um comentário picante para sugerir que o homem a estava deixando excitada. Nas suas memórias, ela revelou que o príncipe Albert foi o seu amante mais desajeitado. Mas ele se achava, junto com muitos outros homens, o próprio Hércules. A sexualidade de Otero na verdade vinha dela mesma, mas ela criava a ilusão de que o homem era o agressor.

A chave para atrair o alvo até o ato final da sua sedução é não torná-la óbvia, não anunciar que você está pronto (para atacar ou ser atacado). Tudo deve estar engrenado para atingir não a mente consciente, mas os sentidos. Você precisa que o seu alvo leia pistas não em suas palavras ou atos, mas no seu corpo. Você deve fazer o seu corpo irradiar desejo – pelo alvo. O seu desejo deve ser lido nos seus olhos, num tremor de voz, na sua reação quando seus corpos se aproximam.

pronunciei algumas palavras agradáveis em francês e fui para o meu camarim.
"Pude ver La Belle sorrir de um modo estranho quando passei por ela, como uma tigresa maliciosa vendo o seu jantar desaparecer. Por uma fração de segundo pensei que ela iria se virar e me seguir."
O que Chevalier teria feito se ela fosse atrás dele? Seu lábio inferior fez aquele beicinho que é exclusividade dos franceses. Depois sorriu.
"Eu diminuía o passo e deixava ela me alcançar."
– ARTHUR H. LEWIS, LA BELLE OTERO

Você espera ansiosa que eu a acompanhe às festas: nisto também solicita o meu conselho.
Chegue tarde, quando as lâmpadas estiverem acesas; faça uma entrada graciosa –
O atraso realça o encanto, o atraso é uma grande alcoviteira. Simples você pode ser, mas à noite vai parecer ótima aos ébrios:
Luzes suaves e sombras disfarçarão suas falhas.
Pegue a sua comida com dedos refinados: bons modos à mesa importam;
Não besunte o rosto todo com uma pata engordurada.

> Não coma primeiro em casa, e lambisque – mas, igualmente, não satisfaça De todo o seu apetite, deixe alguma coisa à disposição. Se Páris visse Helena se entupindo até os olhos Ele a detestaria, teria achado o seu rapto Um erro idiota. (...) Toda mulher deve se conhecer, escolher métodos De acordo com o seu corpo: um estilo não serve para todas. Deixe a menina com um rosto bonito deitar de barriga para cima, a senhora Que se vangloria de umas belas costas Deve ser vista por trás. Milanião carregava as pernas de Atalanta sobre Os ombros: pernas bonitas devem ser usadas sempre assim. A mulher pequena deve montar (Andrômaca, noiva tebana de Heitor, era alta demais para esses jogos); Se tiver a constituição de um modelo, com uma figura esguia, Então ajoelhe-se na cama, o pescoço Levemente arqueado; se tiver pernas e seios perfeitos Deve deitar de lado, e o seu amante ficar de pé. Não se envergonhe de soltar os cabelos como uma bacante em êxtase E, sem virar o pescoço, deixar cair as longas madeixas.
> – OVÍDIO, A ARTE DE AMAR

Você não pode treinar seu corpo a agir assim, mas escolhendo a vítima certa (ver o capítulo 1) para provocar esse efeito em você, tudo fluirá naturalmente. Durante a sedução, você deve se retrair para intrigar e frustrar a vítima. Você terá se frustrado no processo e já estará mordendo o freio impaciente. Assim que perceber que o alvo caiu por você e não pode voltar atrás, deixe esses desejos lhe correrem pelas veias e aquecê-lo. Você não precisa tocar nos seus alvos, ou se tornar físico. Como La Belle Otero compreendeu, o desejo sexual é contagiante. Eles pegarão o seu calor e refletirão o brilho. Deixe que façam o primeiro movimento. Isso vai disfarçar os seus passos. O segundo e o terceiro movimentos são seus.

> *Escreva SEXO com letras maiúsculas ao falar de Otero. Ela transpirava isso.*
> – Maurice Chevalier

BAIXANDO O NÍVEL DE INIBIÇÃO

Num dia, em 1931, numa aldeia na Nova Guiné, uma jovem chamada Tuperselai recebeu uma notícia boa: o pai, Allaman, que havia partido meses antes para trabalhar numa plantação de tabaco, estava de volta para uma visita. Tuperselai correu para recebê-lo. Acompanhando o seu pai, vinha um homem branco, uma visão incomum por aquelas partes. Ele era um australiano da Tasmânia de 22 anos de idade, e o dono da plantação. Chamava-se Errol Flynn.

Flynn sorriu afetuosamente para Tuperselai, parecendo muito interessado nos seus seios nus. (Como era costume naquela época na Nova Guiné, ela vestia apenas uma saia de palha.) Num inglês simplificado, ele disse que ela era muito bonita e não parava de repetir o seu nome com uma pronúncia perfeita. Ele não disse mais do que isso, note bem – não sabia falar a língua dela –, assim ela se despediu e foi embora com o pai. Mas naquele mesmo dia, mais tarde, para sua consternação, ela descobriu que Mr. Flynn tinha gostado dela e a comprara do pai por dois porcos, algumas moedas inglesas e conchas que valiam como dinheiro. A família era pobre e o pai gostou do preço. Tuperselai tinha um namorado na aldeia que não queria deixar, mas não ousava desobedecer ao pai e partiu com Mr. Flynn para a plantação de tabaco. Por outro lado, não tinha intenção de ser cordial com este homem, de quem esperava o pior tipo de tratamento possível.

Nos primeiros dias, Tuperselai sentiu muita saudade da sua aldeia, ficou nervosa e mal-humorada. Mas Mr. Flynn era polido, e falava com uma voz macia. Ela começou a relaxar e, como ele se mantinha distante, decidiu que não havia perigo em se aproximar dele. Sua pele branca era apetitosa para os mosquitos e ela começou a banhá-lo todas as noites com ervas perfumadas para afastá-los. Logo ela começou a pensar: Mr. Flynn está sozinho e precisa de companhia. Foi por isso que ele a comprara. De noite, ele costumava ler; e ela começou a distraí-lo com cantos e danças. Às vezes ele tentava se comunicar com palavras e gestos, lutando com o seu pidgin, o inglês simplificado para falar com os nativos. Ela não tinha ideia do que ele tentava dizer, mas ele a fazia rir. E um dia ela compreendeu alguma coisa: a palavra "nadar". Ele a convidava para nadar no rio Laloki. Ela ficou feliz em acompanhá-lo, mas o rio estava cheio de crocodilos e Tuperselai levou a sua lança só por garantia.

Ao ver o rio, Mr. Flynn pareceu se animar – arrancou fora as roupas e mergulhou. Ela foi atrás e nadou até ele. Ele a abraçou e beijou. Os dois flutuaram rio abaixo, ela agarrada nele. Tinha esquecido os crocodilos; não se lembrava mais também da família, do namorado, da sua aldeia e de tudo o mais que havia para esquecer. Numa curva do rio, ele a ergueu e levou para um bosque escondido perto da margem. Tudo aconteceu muito de repente, o que foi ótimo para Tuperselai. A partir daí, este passou a ser um ritual diário – o rio, o bosque – até que veio a hora em que a plantação já não estava indo tão bem e Mr. Flynn deixou a Nova Guiné.

Um dia, uns dez anos depois, uma jovem chamada Blanca Rosa Welter foi a uma festa no Hotel Ritz, na cidade do México. Ao passar pelo bar, à procura de amigos, um homem alto e mais velho lhe barrou o caminho e disse com um sotaque encantador. "Você deve ser Blanca Rosa." Ele não precisava se apresentar – era Errol Flynn, o famoso ator de Hollywood. Seu rosto podia ser visto em cartazes espalhados por toda parte e ele era amigo dos anfitriões da festa, os davis, e tinha escutado seus elogios à beleza de Blanca Rosa, que fazia 18 anos no dia seguinte. Ele a levou para uma mesa num canto. Seus modos eram graciosos e confiantes e, ouvindo-o falar, ela esqueceu dos amigos. Ele falava da sua beleza, repetia o seu nome, dizia que faria dela uma estrela. Antes que ela se desse conta do que estava acontecendo, ele a tinha convidado para encontrá-lo em Acapulco, onde passava as férias. Os Davis, amigos em comum, iriam também como acompanhantes. Seria ótimo, ela disse, mas sua mãe não iria concordar. Não se preocupe com isso, Flynn respondeu; e no dia seguinte ele apareceu na casa dela com um belo presente para Blanca, um anel com a sua pedra zodiacal. Derretendo-se diante do seu sorriso encantador, a mãe de Blanca concordou com o plano dele. Mais tarde, naquele mesmo dia, Blanca se viu num avião voando para Acapulco. Parecia um sonho.

"Como atrair um homem?", perguntou o correspondente em Paris do Aftonbladet, de Estocolmo, a La Belle em 3 de julho de 1910. *"Sendo o mais feminina possível, vestindo-se de modo a realçar as partes mais interessantes da sua anatomia e, sutilmente, deixando que o homem saiba que está disposta a ceder na hora certa. (...)*

"O jeito de prender um homem", revelou Otero mais tarde a um redator do Morning Journal, de Johannesburgo, *"é continuar agindo como se você estivesse tomada por um novo entusiasmo todas as vezes que o vê e, com mal contida ansiedade, aguarda o seu ímpeto."*
– ARTHUR H. LEWIS, LA BELLE OTERO

"Eu sentia falta do estímulo mental quando era mais jovem", respondeu ele, *"mas depois que comecei a ter as mulheres, digamos, com a frequência de uma linha de montagem, descobri que a única coisa que você precisa, quer e deve ter é o absolutamente físico. Simplesmente físico. A mente da mulher atrapalha."*
"É mesmo?"
"Para mim (...) estou falando do meu caso. Não falo em nome

da humanidade masculina. Estou falando do que descobri e do que preciso: do corpo, do rosto, do movimento físico, da voz, da feminilidade, da presença feminina (...) só isso, nada mais. É o melhor. Não há possessividade nisso." Olhei bem para ele. "Estou falando sério", disse ele. "É como vejo e sinto. Apenas a fêmea física elementar. Nada mais do que isso. Se conseguir isso – não largue por pouco tempo."
– EARL CONRAD, ERROL FLYNN: A MEMOIR

Os davis, sob ordens da mãe de Blanca, tentavam não tirar os olhos de cima dela, portanto Flynn a colocou numa jangada e foram flutuando mar afora, longe da praia. Seus elogios lhe enchiam os ouvidos e ela deixou que ele pegasse na sua mão e beijasse o seu rosto. Naquela noite, dançaram juntos, e quando a noite terminou ele a acompanhou até o seu quarto e ficou cantando para ela até que finalmente se despediram. Era o encerramento de um dia perfeito. No meio da noite, ela acordou com a voz dele chamando o seu nome da varanda do seu quarto. Como tinha conseguido chegar lá? O quarto dele ficava no andar de cima; deve ter pulado ou se dependurado, uma manobra arriscada. Ela se aproximou sem medo, mas curiosa. Ele a puxou gentilmente para seus braços e a beijou. O corpo dela estremeceu; dominada por novas sensações, totalmente mareada, ela começou a chorar – de felicidade, disse. Flynn a confortou com um beijo e voltou para o seu quarto lá em cima do mesmo modo inexplicável como tinha chegado. Agora Blanca estava perdidamente apaixonada por ele e faria qualquer coisa que ele lhe pedisse. Semanas depois, de fato, ela o acompanhou até Hollywood, onde acabou se tornando uma atriz de muito sucesso, conhecida como Linda Christian.

Em 1942, uma jovem de 18 anos chamada Nora Eddington tinha um emprego temporário como vendedora de cigarros no tribunal do condado de Los Angeles. O lugar era uma casa de loucos na época, fervilhando de repórteres de tabloides: duas jovens haviam acusado Errol Flynn de estupro. Nora, é claro, notou Flynn, um homem alto e elegante que às vezes comprava seus cigarros, mas seus pensamentos estavam no namorado, um jovem da Marinha. Semanas depois, Flynn foi absolvido, o processo terminou e o lugar ficou mais calmo. Um homem que havia conhecido durante o julgamento ligou para ela um dia: era o braço direito de Flynn e, em nome de Flynn, queria convidá-la para ir à casa do ator na Mulholland Drive. Nora não estava interessada em Flynn e, na verdade, sentia até um pouco de medo dele, mas uma amiga que morria de vontade de conhecê-lo a convenceu a ir e levá-la junto. O que ela tinha a perder? Nora concordou. No dia, o amigo de Flynn apareceu e as levou de carro até uma esplêndida casa no alto de uma colina. Quando chegaram, Flynn estava de pé, sem camisa, ao lado da piscina. Ele veio recebê-la e sua amiga, movendo-se com tanta graça – como um gato – e com modos tão relaxados, que ela foi se sentindo menos nervosa. Ele lhes mostrou a casa, cheia de peças trazidas de suas viagens pelo mar. Era tão agradável ouvi-lo falar do seu gosto por aventuras que ela desejou também ter tido as suas. Ele era um perfeito cavalheiro, e até permitiu que ela falasse do namorado sem o mais leve sinal de ciúme.

Uma delicada desordem no vestir Inspira nas roupas uma malícia: Um tecido de algodão jogado sobre os ombros Em leve distração: Uma renda solta, aqui e ali Escraviza o peitilho carmim: Um punho negligente, e portanto Fitas soltas em profusão: Uma ondulação atraente (merecedora de nota) Na tempestuosa anágua: Um cadarço de sapato descuidado, em cujo laço Vejo uma selvagem civilidade: Me enfeitiçam mais do que quando a arte

O namorado de Nora foi visitá-la no dia seguinte. Mas ele não parecia mais tão interessante; brigaram e romperam ali mesmo. Naquela noite, Flynn saiu com ela da cidade, foram à famosa casa noturna Mocambo. Ele bebia e contava piadas, ela entrou no clima, e muito satisfeita deixou que ele tocasse na sua mão. De repente, ela entrou em pânico. "Sou católica e virgem", deixou escapar, "e um dia vou entrar na igreja de véu e grinalda – e, se acha que vou dormir com você, está muito enganado." Com toda a calma e sem se aborrecer, Flynn lhe disse que não precisava ter medo de nada. Simplesmente gostava da sua companhia. Ela relaxou, e polidamente pediu que recolhesse a mão. Nas semanas seguintes, ela o viu quase todos os dias. Tornou-se a sua secretária. Em breve estava passando as noites nos finais de semana como sua hóspede. Ele a levava para esquiar e velejar. Continuava um perfeito cavalheiro, mas, quando a olhava ou tocava na sua mão, ela se sentia tomada por uma inebriante sensação, um arrepio na pele que ela comparava a entrar num chuveiro gelado num dia quentíssimo. Em breve ela já não ia com tanta assiduidade à igreja, afastando-se da vida a que estava acostumada. Embora externamente nada tivesse mudado entre os dois, por dentro qualquer semelhança com uma resistência a ele não existia mais. Uma noite, depois de uma festa, ela sucumbiu. Ela e Flynn acabaram se envolvendo num casamento tempestuoso que duraria sete anos.

Interpretação. As mulheres que se envolviam com Errol Flynn (e no final da sua vida elas contavam aos milhares) tinham todas as razões do mundo para desconfiarem dele: ele era a coisa mais próxima, na vida real, de um Dom Juan. (De fato, ele havia representado o lendário sedutor num filme.) Estava constantemente cercado por mulheres, que sabiam que nenhum envolvimento com ele durava. E havia os rumores sobre o seu temperamento, e o seu gosto por riscos e aventuras. Nenhuma mulher tinha mais motivos para resistir a ele do que Nora Eddington: quando o conheceu, ele estava sendo acusado de estupro; ela estava envolvida com outro homem; era uma católica temente a Deus. Mas caiu no seu feitiço, exatamente como as outras. Alguns sedutores – D. H. Lawrence por exemplo – operavam principalmente sobre a mente criando fascinação, despertando a necessidade de possuí-los. Flynn operava no corpo. Seus modos tranquilos, de quem não quer nada, contagiavam as mulheres, baixando a resistência delas. Isto se dava quase no mesmo minuto em que o viam pela primeira vez, como uma droga: com as mulheres ele estava à vontade, gracioso e confiante. Elas entravam no espírito dele, à deriva numa corrente que ele criava, deixando para trás o mundo e todo o seu peso – era só você e ele. Então – talvez no mesmo

---

É precisa demais em todas as suas partes.
– ROBERT HERRICK, CITADO EM *EROTIC POEMS*, PETER WASHINGTON (COORD.)

Satni, filho do faraó Usimares, viu uma bela mulher sobre as pedras lisas do templo. Chamou um pajem e disse: "Vá e lhe diga que eu, filho do faraó, lhe darei dez peças de ouro para passar uma hora comigo." "Eu sou Aquela que é Pura, não sou uma qualquer", responde a senhora Thubuit. "Se quiser ter o seu prazer comigo, venha à minha casa em Bubastis. Estará tudo pronto lá." Satni foi a Bubastis de barco. "Por minha vida", disse Thubuit, "suba comigo." No andar superior, areado com pós de lápis-lazúli e turquesa, Satni viu várias camas cobertas de esplêndidos lençóis e muitas tigelas de ouro sobre a mesa. "Por favor, coma", disse Thubuit. "Não foi para isso que eu vim aqui", respondeu Satni, enquanto os escravos colocavam lenha aromática no fogo e espalhavam incenso. "Faça o que viemos fazer aqui", repetiu Satni. "Primeiro você vai fazer uma escritura para o meu sustento", responde Thubuit,

"E vai fixar um dote para mim de todas as coisas e bens que lhe pertencem por escrito." Satni concordou dizendo: *"Mande vir o escriba da escola."* Quando ele fez o que ela havia pedido, Thubuit levantou-se e vestiu um manto de fino linho através do qual Satni podia ver o seu corpo. A paixão dele cresceu, mas ela disse: *"Se é verdade que deseja ter o seu prazer comigo, fará com que seus filhos sejam mortos, para que não entrem em rixa com os meus."* Satni consentiu mais uma vez: *"Que seja cometido contra eles o crime que seu coração desejar."* *"Entre naquele quarto"*, disse Thubuit; e enquanto os pequenos corpos eram lançados aos cães e gatos vadios, Satni deitava-se finalmente numa cama de marfim e ébano, para que seu amor fosse recompensado, e Thubuit deitou-se ao seu lado. *"Então"*, afirmam modestamente os textos, *"a magia e as bênçãos de Deus fizeram muito."* Os encantos das Mulheres Divinas deviam ser irresistíveis, se até *"os homens mais sábios"* estavam dispostos a satisfazer todos os seus desejos para se abandonarem, nem que fosse por

dia, talvez semanas depois – vinha um toque da sua mão, um certo olhar que faziam com que sentissem um arrepio, uma vibração, uma excitação perigosamente física. Elas traíam esse momento no olhar, num rubor, num riso nervoso, e aí ele atacava. Ninguém se movia mais rápido do que Errol Flynn.

O maior obstáculo à parte física da sedução é a educação do alvo, o grau em que ele ou ela foi civilizado e socializado. Essa educação conspira para reprimir o corpo, embotar os sentidos, encher a mente de dúvidas e preocupações. Flynn tinha a capacidade de fazer uma mulher voltar a um estado mais natural, no qual o desejo, o prazer e o sexo não tinham nada de negativo associado a eles. Ele atraía as mulheres para a aventura, não com argumentos, mas com uma atitude franca, sem restrições, que contagiava a mente delas. Compreenda: tudo tem início com você. Quando chega a hora de tornar a sedução física, pratique você mesmo o abandono das suas inibições, das suas dúvidas, dos seus persistentes sentimentos de culpa e ansiedade. Sua confiança e desenvoltura terá mais poder de intoxicar a vítima do que todo o álcool que você possa utilizar. Exiba uma leveza de espírito – nada o aborrece, nada o deixa desanimado, você não leva nada para o lado pessoal. Você está convidando seus alvos a se livrarem do peso da civilização, a confiarem em você e se deixarem levar. Não fale de trabalho, dever, casamento, passado ou futuro. Tem muita gente que vai fazer isso. Pelo contrário, ofereça a rara emoção de se perder no momento, onde os sentidos despertam e a mente fica para trás.

Quando ele me beijou, isso despertou uma reação que eu nunca tinha experimentado nem imaginado antes, um atordoamento de todos os meus sentidos. Foi uma felicidade instintiva, contra a qual nenhum monitor de alerta ou bom senso dentro de mim serviu. Era uma coisa nova, irresistível e, finalmente, esmagadora. Sedução – a palavra subentende ser conduzido – e de uma forma tão delicada, tão carinhosa.

– Linda Christian

CHAVES PARA A SEDUÇÃO

Agora, mais do que nunca, nossa mente vive num estado de constante distração, atravancada com infinitas informações, puxada em todas as direções. Muitos de nós reconhecem o problema: as pessoas escrevem artigos, concluem estudos, mas tudo isso significa apenas uma quantidade maior de informações para digerir. É quase impossível desligar uma mente com excesso de atividade; a tentativa só detona mais pensamentos – uma inevitável galeria dos espelhos. Quem sabe se recorrermos ao álcool, às drogas, à atividade física – qualquer coisa que nos ajude a diminuir o ritmo da mente, a estar mais presente no momento? A nossa insatisfação oferece ao sedutor hábil infinitas oportunidades. As águas à sua volta estão fervilhando de gente que busca algum tipo de alívio para o excesso de estímulo mental. O fascínio do prazer físico desimpedido as fará morder a sua isca, mas, quando rondar as águas, entenda: a única maneira de relaxar uma mente distraída é fazer com que ela focalize uma coisa só. O hipnotizador pede ao paciente para olhar fixo para um relógio que fica oscilando de um lado para o outro. Quando o paciente se concentra, a mente relaxa, os sentidos despertam, o corpo se dispõe a todos os tipos de sensações e sugestões novas. Como um sedutor, você é um hipnotizador, e o que está fazendo é conseguir que o alvo fique concentrado em você.

Ao longo de todo o processo sedutor você vem enchendo a mente do alvo. Cartas, lembrancinhas, experiências compartilhadas que mantêm você sempre presente até quando não está lá. Agora, quando você passa para a parte física da sedução, deve ver seus alvos com mais frequência. Sua atenção deve ser mais intensa. Errol Flynn era um mestre neste jogo. Quando ele mirava numa vítima, esquecia o resto. A mulher ficava sentindo que tudo o mais vinha em segundo lugar atrás dela – a carreira dele, os seus amigos, tudo. E aí ele a levava numa pequena viagem, de preferência com água em volta. Lentamente, o resto do mundo ia desaparecendo ao fundo e Flynn ficava como a figura central em cena. Quanto mais seus alvos pensarem em você, menos ficarão distraídos pensando em trabalho e obrigações. Quando a mente focaliza uma coisa só, ela relaxa e, quando a mente relaxa, todos aqueles pequenos pensamentos paranoicos que tendemos a ter – você gosta mesmo de mim, sou inteligente ou bonita o suficiente, o que acontecerá no futuro – desaparecem da superfície. Lembre-se: tudo começa com você. Não se distraia, esteja presente no momento e o alvo seguirá o seu exemplo. O olhar intenso do hipnotizador cria uma reação semelhante no paciente.

Quando o ritmo da mente superativada do alvo começa a diminuir, os sentidos dele despertam e suas iscas físicas terão um poder duplicado. Agora um olhar inflamado os fará corar. Você tenderá a usar iscas físicas que funcionem basicamente sobre os olhos, o sentido em que mais confiamos na nossa cultura. Aparências físicas são críticas, mas você está atrás de uma agitação mais geral dos sentidos. La Belle Otero certificava-se de que os homens notassem seus seios, seu corpo, seu perfume, o seu andar; nenhuma dessas partes podia predominar. Os

---

breves momentos, em seus braços experientes.
– G. F. TABOUIS, THE PRIVATE LIFE OF TUTANKHAMEN

CÉLIE: *O que é o momento, e como o define? Porque devo dizer com toda a sinceridade que não o compreendo.*
O DUQUE: *Uma certa disposição dos sentidos, tão inesperada quanto involuntária, que uma mulher pode dissimular, mas que, se percebida ou sentida por quem que dela possa tirar vantagem, a coloca em grande risco de estar um pouco mais disposta do que pensava que deveria ou poderia estar.*
– CRÉBILLON FILS, LE HASARD AU COIN DU FEU, CITADO EM THE LIBERTINE READER, MICHEL FEHER (COORD.)

*Quando, numa noite de outono, de olhos fechados,
Respiro a quente e misteriosa fragrância de seus seios,
Estendem-se diante de mim praias felizes, acariciadas
Pelo fulgor deslumbrante dos céus de um azul constante.
E ali, sobre aquela calma e sonolenta ilha, Crescem flores lascivas em meio a árvores fantásticas:*

Ali, os homens são ágeis: as mulheres desses mares Surpreendem com seus olhares que não conhecem malícia. Seu perfume transporta-me até lá como o vento: Vejo um porto apinhado de mastros e velas Ainda exaustos do tumulto dos vendavais; E na canção dos marinheiros que o vento traz Vêm mesclados os odores do tamarindo, — E toda a minha alma é perfume e melodia.
– CHARLES BAUDELAIRE,
AS FLORES DO MAL

sentidos estavam interligados – um apelo ao olfato detonará o tato, um apelo ao tato detonará a visão: o contato casual ou "acidental" – melhor um esbarrar de pele do que algo mais vigoroso por enquanto – vai provocar um solavanco e ativar o olhar. Module sutilmente a voz, torne-a mais lenta e profunda. Os sentidos ativados expulsarão pensamentos racionais.

No romance libertino do século XVIII *The Wayward Head and Heart*, de Crébillon fils, madame de Lursay está tentando seduzir um homem mais jovem, Meilcour. Suas armas são muitas. Uma noite, numa festa da qual é a anfitriã, ela está com um vestido transparente, os cabelos um pouco desgrenhados; ela lança para ele olhares inflamados e a voz está ligeiramente trêmula. Quando estão a sós, com ar inocente ela o faz sentar-se ao seu lado e fala mais devagar; num determinado momento, ela começa a chorar. Meilcour tem motivos de sobra para resistir; está apaixonado por uma moça da sua idade e tinha escutado coisas sobre madame de Lursay que o fariam desconfiar dela. Mas as roupas, os olhares, o perfume, a voz, a proximidade do seu corpo, as lágrimas – tudo isso o deixa eletrizado. "Uma agitação indescritível despertou meus sentidos." Meilcour sucumbe.

As libertinas francesas do século XVIII chamavam isso de "o momento". O sedutor conduz a vítima a um ponto em que ela revela sinais involuntários de excitação física que podem ser lidos em vários sintomas. Uma vez detectados esses indícios, o sedutor deve agir rapidamente, pressionando o alvo para se perder no momento – o passado, o futuro, todos os escrúpulos morais se esvaem no ar. Quando suas vítimas se perdem no momento, está tudo acabado – a mente, a consciência delas não as controlam mais. O corpo cede ao prazer. Madame de Lursay atrai Meilcour para o momento criando um distúrbio generalizado dos sentidos, deixando-o incapaz de pensar direito.

Ao conduzir suas vítimas para o momento, lembre-se de algumas coisas. Primeiro, uma aparência desordenada (os cabelos despenteados de madame de Lursay, o seu vestido amarfanhado) causa um efeito maior sobre os sentidos do que uma aparência arrumada. Ela sugere o quarto de dormir. Segundo, esteja alerta para os sinais de excitação física. Um rubor, a voz trêmula, lágrimas, um riso muito forçado, movimentos relaxados do corpo (qualquer tipo de espelhamento involuntário, os gestos deles imitando os seus), uma troca de palavras reveladora – são sinais de que a vítima está escorregando no momento, e é hora de fazer pressão.

Em 1934, um jogador de futebol chinês chamado Li conheceu uma jovem atriz de nome Lan Ping em Shangai. Li começou a vê-la com frequência nas suas partidas, torcendo por ele. Os dois se encontravam em ocasiões públicas e ele percebia que ela o olhava com seus "estranhos olhos cheios de desejo", depois desviava o olhar. Uma noite, ele se deparou com ela sentada ao seu lado numa recepção. A perna dela roçou na sua. Os dois conversaram, ela o convidou para verem um filme juntos num cinema ali perto. Lá, a cabeça dela foi se encostando no ombro dele; ela sussurrou na sua orelha alguma coisa sobre o filme. Mais tarde, os dois caminhavam pela rua e ela passou o braço pela cintura dele. Ela o levou a um restaurante onde beberam vinho. Li a levou para o seu quarto no hotel e, lá, ele se viu dominado por suas carícias e doces palavras. Ela não lhe deu espaço para recuar, tempo para esfriar a cabeça. Três anos depois, Lan Ping – logo renomeada Jiang Qing – fez um jogo semelhante com Mao Tsé-tung. Ela viria a ser a mulher de Mao – a famosa madame Mao, líder da Gangue dos Quatro.

Sedução, como a guerra, é muitas vezes um jogo de distanciamento e proximidade. Primeiro, você rastreia o inimigo a distância. Suas principais armas são os seus olhos e um comportamento misterioso. Byron tinha o seu famoso olhar sub-reptício, madame Mao o seu olhar cheio de desejo.

A chave é olhar rápida e objetivamente, depois desviar os olhos, como o espadim golpeando a carne. Faça com que seus olhos revelem desejo, e deixe o resto do rosto imóvel. (Um sorriso estragará o efeito.) Uma vez excitada a vítima, você rapidamente encurta a distância, passando ao combate corpo a corpo no qual não dará espaço para o inimigo recuar, nem tempo para ele pensar ou considerar a posição na qual você o colocou. Para eliminar o elemento medo, use elogios, faça o alvo se sentir mais feminino ou masculino, louve os seus encantos. É por culpa dele que você ficou mais físico e agressivo. Não existe isca física melhor do que fazer o alvo se sentir fascinante. Lembre-se: o cinturão de Afrodite, que lhe dava incalculáveis poderes sedutores, incluía o dos doces elogios.

A atividade física compartilhada é sempre uma excelente isca. Rasputin, o místico russo, começava suas seduções com uma isca espiritual – a promessa de uma experiência religiosa compartilhada. Mas, numa festa, seus olhos cravavam na vítima e, inevitavelmente, ele a conduzia numa dança, que ia ficando cada vez mais sugestiva conforme ele se aproximava mais dela. Centenas de mulheres sucumbiram a esta técnica. Para Flynn, era nadar ou velejar. Nessas atividades físicas, a mente desliga e o corpo funciona segundo as suas próprias leis. O corpo do alvo seguirá a sua orientação, espelhará seus movimentos até onde você quiser que ele vá.

No momento, todas as considerações morais se apagam e o corpo passa a um estado de inocência. Você pode criar em parte esse sentimento com uma atitude irresponsável e descontraída. Não está preocupado com o mundo, ou com a opinião das pessoas a seu respeito; você não está julgando o seu alvo. Parte do encanto de Flynn estava na sua total aceitação de uma mulher. Ele não estava interessado num tipo particular de corpo, na raça da mulher, no seu nível de educação, nas suas crenças políticas. Ele estava apaixonado por sua presença feminina. Ele a estava atraindo para uma aventura livre dos constrangimentos e das críticas morais da sociedade. Com ele, ela podia viver uma fantasia – que, para muitas, era a chance de ser agressiva ou transgressora, de experimentar o perigo. Portanto, livre-se da sua tendência a moralizar e julgar. Você atraiu o seu alvo para um mundo momentâneo de prazer – suave e cômodo, com todas as regras e tabus escapulindo pela janela.

> **Símbolo:** *A Jangada. Flutuando mar afora, à deriva na corrente. Logo a praia desaparece de vista e vocês dois estão sozinhos. A água convida você a esquecer todos os cuidados e preocupações, a mergulhar. Sem âncora ou direção, desligado do passado, você se entrega à sensação de se deixar levar e, lentamente, perde todo o constrangimento.*

O INVERSO

Há pessoas que entram em pânico quando percebem que estão caindo no momento. Muitas vezes, usar iscas espirituais ajuda a disfarçar a natureza cada vez mais física da sedução. Era assim que agia a sedutora lésbica Natalie Barney. No seu apogeu, na virada do século XX, o sexo lésbico era extremamente transgressor, e as mulheres iniciadas nele quase sempre se sentiam envergonhadas ou sujas. Barney as conduzia para o físico, mas as envolvia de tal forma em poesia e misticismo que elas relaxavam e se sentiam purificadas com a experiência.

Hoje, pouca gente sente repulsa por sua natureza sexual, mas muitos se sentem desconfortáveis com seus corpos. Uma abordagem puramente sexual vai deixá-los assustados e perturbados. Em vez disso, dê às suas manipulações físicas a aparência de uma união espiritual, mística, e eles perceberão menos o que você está fazendo.

23

DOMINE A ARTE DO MOVIMENTO OUSADO

Chegou o momento:
sua vítima nitidamente deseja você, mas não
está pronta para admitir isso às claras, muito menos
tomar alguma atitude a respeito. É o momento de deixar
de lado o cavalheirismo, a gentileza e o coquetismo, e conquistar com um
movimento ousado. Não dê à vítima tempo para pensar nas consequências;
crie conflito, gere tensão, para que o movimento ousado venha como um
grande alívio. Mostrar hesitação ou embaraço significa que você está
pensando em si mesmo, ao contrário de estar dominado pelos
encantos da vítima. Jamais se contenha ou faça
concessões achando que está sendo correto e
atencioso; é hora de ser sedutor, não político.
Alguém tem de ficar na ofensiva,
e esse alguém é você.

O CLÍMAX PERFEITO

Com uma campanha estruturada em mentiras – a falsa aparência de uma transformação para o bem –, o libertino Valmont fez cerco à virtuosa e jovem Présidente de Tourvel até o dia em que, perturbada com a sua confissão de amor, ela insistiu em que ele deixasse o castelo onde ambos estavam hospedados. Ele concordou. De Paris, entretanto, ele começou a lhe mandar uma carta atrás da outra falando do seu amor em termos veementes; ela implorou para ele parar e, mais uma vez, ele concordou. Então, haviam se passado algumas semanas, ele apareceu de surpresa no castelo. Na sua companhia, de Tourvel ficava corada e nervosa, e desviava o olhar – todos sinais do efeito que ele lhe causava. De novo ela lhe pediu que fosse embora. De que tem medo?, respondeu ele. Sempre fiz o que me pediu, nunca a forcei a fazer nada. Ele se manteve distante e ela, aos poucos, relaxou. Não saía mais da sala quando ele entrava e já conseguia olhar para ele de frente. Quando ele se oferecia para acompanhá-la num passeio, ela não recusava. Eram amigos, ela disse. Até se apoiava no braço dele enquanto caminhavam, um gesto cordial.

Num dia chuvoso, os dois não puderam dar o habitual passeio. Ele a encontrou no corredor na hora que ela estava entrando no quarto; pela primeira vez, ela o convidou para entrar. Parecia relaxada, e Valmont sentou-se ao seu lado no sofá. Ele lhe falou do seu amor. Ela protestou levemente. Ele pegou na mão dela; ela a deixou ali e se encostou no braço dele. Sua voz estava trêmula. Olhou para Valmont, e o coração dele bateu acelerado – era um olhar terno, amoroso. Ela começou a falar – "Ora! Sim, eu..." – e caiu de repente nos braços dele chorando. Era um momento de fraqueza, mas Valmont se conteve. O choro dela tornou-se convulsivo; ela lhe implorava que a ajudasse, que saísse do quarto antes que algo terrível acontecesse. Ele saiu. Na manhã seguinte, acordou com uma surpresa: no meio da noite, alegando uma indisposição, de Tourvel tinha deixado o château de repente e voltado para casa.

Havia, além do mais, uma outra vantagem: a de poder observar à vontade o seu rosto encantador, mais belo do que nunca, no momento em que oferecia a poderosa atração das lágrimas. Meu sangue fervia, e eu tinha tão pouco controle sobre mim mesmo que fui tentado a aproveitar a ocasião. Como devemos ser fracos, como é forte o domínio das circunstâncias, se até eu, sem considerar meus planos, era capaz de arriscar perder todo o encanto de uma luta prolongada, toda a fascinação de uma derrota laboriosamente administrada, ao concluir uma vitória prematura; se, distraído pelo mais pueril dos desejos, eu pudesse querer que o conquistador de madame de Tourvel colhesse como fruto de seus esforços nada além da insossa distinção de ter

> *acrescentado mais um nome à lista. Ah, deixe que ela se renda, mas deixe que lute! Deixe que ela seja fraca demais para prevalecer, porém forte o suficiente para resistir, deixe que ela saboreie à vontade o conhecimento da própria fraqueza, mas que esteja disposta a reconhecer a derrota. Deixe que o humilde caçador mate o cervo onde o encontrou no seu esconderijo; o verdadeiro caçador o encurrala.*
> – VISCONDE DE VALMONT, EM CHODERLOS DE LACLOS, *AS LIGAÇÕES PERIGOSAS*, EM *THE LIBERTINE READER*, MICHEL FEHER (COORD.)

Valmont não a seguiu até Paris. Em vez disso, ele ficava acordado até tarde e não usava pó de arroz para camuflar o ar abatido, que logo se fez notar, decorrente dessa falta de sono. Ele ia à capela todos os dias e se arrastava desconsolado pelo château. Sabia que sua anfitriã se correspondia com a Présidente, que ia acabar sabendo do seu triste estado. Em seguida, ele escreveu para um padre em Paris e lhe pediu para transmitir uma mensagem a de Tourvel: estava disposto a mudar de vida para sempre. Queria só mais um encontro para se despedir e devolver as cartas que ela lhe havia escrito nos últimos meses. O padre combinou um encontro e assim, num fim de tarde em Paris, Valmont se viu mais uma vez sozinho com de Tourvel na casa dela.

A Présidente estava nitidamente nervosa; não conseguia olhar nos seus olhos. Trocaram delicadezas, mas aí Valmont ficou ríspido: ela havia sido cruel com ele, aparentemente estava determinada a fazê-lo infeliz. Bem, era o fim, estavam se separando para sempre, já que ela queria assim. De Tourvel tentou argumentar: era uma mulher casada, não podia fazer outra coisa. Valmont abrandou o tom e se desculpou: não estava acostumado a ter sentimentos tão fortes, disse, e não pôde se controlar. Mas não voltaria a importuná-la. E colocou sobre a mesa as cartas que tinha vindo devolver.

De Tourvel se aproximou: a visão das cartas e a lembrança de todo aquele tumulto que elas representavam a afetaram profundamente. Ela estava pensando que a decisão dele de renunciar ao seu estilo libertino de vida tinha sido espontânea, falou – com um toque de amargura na voz, como se estivesse ressentida por estar sendo abandonada. Não, não foi voluntária, ele respondeu, foi porque ela o havia desprezado. E então, de repente, ele chegou mais perto e a abraçou. Ela não resistiu. "Mulher adorável!", gritou ele. "Não tem ideia do amor que inspira. Jamais saberá como a adorei, como meus sentimentos me são mais caros do que a própria vida! (...) Que [seus dias] sejam abençoados com toda a felicidade da qual me privou!" E, soltando-a, virou-se para ir embora.

De Tourvel reagiu bruscamente. "Você vai me ouvir. Eu insisto", disse ela, e agarrou o braço dele. Ele se voltou e os dois se abraçaram. Desta vez ele não esperou mais, pegou-a no colo e a levou até um canapé, cobriu-a de beijos e de palavras doces que expressavam a felicidade que agora ele estava sentindo. Com esta súbita enxurrada de carícias, toda a resistência dela se desmanchou. "A partir de agora, sou sua", disse ela, "e não ouvirá de meus lábios recusas nem lamentações." De Tourvel foi fiel às suas palavras, e as suspeitas de Valmont se confirmaram: os prazeres que ela lhe deu foram muito maiores do que ele havia alcançado com mulheres em outras seduções.

> *Não sabe que por mais que queiramos, por mais ansiosas que estivermos para nos entregar, devemos não obstante ter uma desculpa? E existe alguma mais conveniente do que parecer estar cedendo à força? Quanto a mim, devo admitir que o que mais me enaltece é um ataque enérgico e bem executado, quando tudo acontece em rápida porém ordenada sucessão; que não nos coloca na posição extremamente*

Interpretação. Valmont – personagem do romance de *As ligações perigosas*, de Choderlos de Laclos, do século XVIII – consegue perceber várias coisas sobre a Présidente à primeira vista. Ela é tímida e nervosa. O marido certamente a respeita – até demais, talvez. Por baixo do seu interesse por Deus, religião e virtude, existe uma mulher apaixonada, vulnerável ao fascínio de um romance e à lisonjeira atenção de um pretendente ardoroso. Ninguém, nem mesmo o marido, a tinha feito se sentir assim porque todos se intimidavam com a sua aparência puritana.

Valmont inicia a sedução, portanto, sendo indireto. Ele sabe que de Tourvel está secretamente fascinada com a sua má reputação. Agindo como se estivesse pensando em mudar de vida, ele consegue que ela queira reformá-lo – um desejo que é, inconscientemente, o de amá-lo. Quando ela vai aos poucos se abrindo à sua influência, ele ataca a vaidade dela: nunca se sentiu desejada como mulher antes, e em certo sentido não pode deixar de apreciar o amor que ele sente por ela. Claro que ela luta e resiste, mas isso é apenas um sinal de que suas emoções estão envolvidas. (A indiferença é o único obstáculo realmente eficaz contra a sedução.) Sem pressa, fazendo os movimentos ousados quando surge a oportunidade, ele infunde nela uma falsa sensação de segurança e prova que sabe ser paciente. Naquela que ele finge ser a sua última visita, entretanto, Valmont percebe que ela está pronta – fraca, confusa, temendo mais a perda da sensação viciante de ser desejada do que as consequências do adultério. Ele deliberadamente a deixa emotiva, num gesto dramático exibe suas cartas, cria uma certa tensão fazendo o jogo do puxa-empurra e, quando ela pega no seu braço, ele sabe que é hora de atacar. Agora ele age rapidamente, não lhe dando tempo para duvidar nem pensar duas vezes. Mas a sua ação parece se originar do amor, não do desejo. Depois de tanta resistência e tensão, como é bom finalmente se render! O clímax agora vem como um grande alívio.

Jamais subestime o papel da vaidade no amor e na sedução. Se parecer impaciente, ávido por sexo, você sinaliza que tudo não passa de libido e que nada tem a ver com os encantos do alvo. Por isso você precisa retardar o clímax. Uma corte mais prolongada alimentará a vaidade do alvo e tornará o efeito do seu movimento ousado ainda mais intenso e duradouro. Espere demais, entretanto – mostrando desejo, mas depois provando ser muito tímido para tomar a iniciativa –, e você despertará um tipo diferente de insegurança: "Você me achou desejável, mas não está agindo de acordo com os seus desejos; talvez não esteja tão interessado." Esse tipo de dúvida fere a vaidade do seu alvo (se não está interessado, talvez eu não seja tão interessante) e é fatal nos últimos estágios

> constrangedora de ter de dissimular algum erro crasso do qual, pelo contrário, deveríamos estar tirando vantagem; que nos guarda a aparência de tomar de assalto aquilo que estamos bastante preparadas a ceder; e, habilmente, incentiva nossas duas paixões preferidas – o orgulho da defesa e o prazer da derrota.
> – CHODERLOS DE LACLOS, *AS LIGAÇÕES PERIGOSAS*, EM *THE LIBERTINE READER*, MICHEL FEHER (COORD.)

> Que homem sensato não intercalará seus elogios
> Com beijos? Mesmo que ela não os retribua,
> Continua a insistir, não obstante! Ela talvez lute, grite "Travesso!",
> Mas quer ser conquistada. Cuidado
> Para não machucar seus lábios delicados com esses beijos à força roubados,
> Não lhe dê chance de protestar
> Você é muito rude. Aqueles que roubam seus beijos, mas não o que vem a seguir,
> Merecem perder tudo que ganharam. A que distância estava
> Da meta final depois dos seus beijos? Isso foi Inépcia, não modéstia, creio eu...
> – OVÍDIO, *A ARTE DE AMAR*

Experimentei todos os tipos de prazer e conheço todas as variedades de alegria; e descobri que nem a intimidade com príncipes, nem a riqueza adquirida, nem o encontro depois de sentir a falta, nem o retorno após uma longa ausência, nem a segurança depois do medo e o repouso num refúgio a salvo – nada disso afeta tão intensamente a alma como a união com o ser amado, especialmente se depois de uma longa recusa e contínuo exílio. Pois então as chamas da paixão se tornam mais escaldantes, a fornalha do desejo se incendeia e o fogo da ávida esperança se espalha mais furioso.
– IBN HAZM, THE RING OF THE DOVE: A TREATISE ON THE ART AND PRACTICE OF ARAB LOVE.

Conheci certa vez dois grandes lordes, irmãos, ambos muito bem-nascidos e talentosos cavalheiros que amavam duas damas, porém uma delas era de qualidade superior e mais importante do que a outra em todos os aspectos. Ora, ao entrarem ambos no quarto desta grande dama, que, na ocasião, continuava deitada na sua cama,

da sedução; constrangimentos e mal-entendidos surgirão de todos os lados. Uma vez lendo nos gestos dos seus alvos que eles estão prontos e à espera de uma solução – uma expressão no olhar, um comportamento espelhado, um estranho nervosismo na sua presença –, você deve partir para a ofensiva, fazê-los sentir que seus encantos desatrelaram você e o empurraram para o movimento ousado. Eles terão então o supremo prazer: a rendição física e o reforço psicológico das suas vaidades.

> *Quanto mais timidez um amante demonstrar conosco, maior é o nosso orgulho em estimulá-lo; quanto mais respeito ele tiver por nossa resistência, mais respeito exigimos dele. De boa vontade diríamos a vocês, homens:"Ah, por piedade não nos suponham tão virtuosas; estão nos forçando a ter virtudes em demasia."*
> – Ninon de l'Enclos

CHAVES PARA A SEDUÇÃO

Considere a sedução como um mundo em que se entra, um mundo separado e distinto do real. As regras aqui são diferentes; o que funciona no dia a dia pode ter o efeito oposto na sedução. O mundo real caracteriza um impulso nivelador, democratizante, onde tudo tem de parecer, no mínimo, mais ou menos igual. Um desequilíbrio patente de poder, um desejo óbvio de poder despertarão inveja e ressentimento; aprendemos a ser gentis e educados, pelo menos superficialmente. Até quem tem poder em geral procura agir com humildade e modéstia – não quer ofender. Na sedução, por outro lado, você pode jogar tudo isso fora, revelar o seu lado ruim, infligir um pouco de sofrimento – de certo modo, ser mais você mesmo. Sua naturalidade a esse respeito por si só será sedutora. O problema é que, depois de anos vivendo no mundo real, não sabemos mais como é ser nós mesmos. Ficamos tímidos, humildes, excessivamente polidos. Nossa tarefa é recuperar parte das nossas qualidades da infância, erradicar toda esta falsa humildade. E a característica mais importante a reconquistar é a da ousadia.

Ninguém nasce tímido; a timidez é uma proteção que desenvolvemos. Se nunca esticarmos o pescoço para fora, se nunca tentarmos, jamais teremos de sofrer as consequências do fracasso ou do sucesso. Se somos gentis e discretos, ninguém ficará ofendido – de fato, vamos parecer santos e agradáveis. Na verdade, pessoas tímidas são autocentradas, obcecadas pela maneira como as pessoas as veem, e não são nada santas. E a humildade pode ter usos sociais, mas é mortal na sedução. Você precisa ser capaz de bancar o santo humilde às vezes; é uma máscara que se coloca. Mas, na sedução, livre-se dela. A ousadia é estimulante, erótica e absolutamente necessária para levar a termo uma sedução. Usada corretamente, ela informa aos seus alvos que eles fizeram você perder todos os seus constrangimentos normais, e que você está lhes dando licença para fazer o mesmo. As pessoas estão doidas para ter uma chance de dar expressão aos aspectos reprimidos de suas personalidades. No estágio final de uma sedução, a ousadia elimina qualquer mal-estar ou dúvida. Numa dança, duas pessoas não podem conduzir. Uma delas assume levando a outra. A sedução não é igualitária; não é uma convergência harmônica. Conter-se no final por medo de ofender, ou pensar que é correto dividir o poder, é a receita do fracasso. Esta não é uma arena para se praticar política, mas, sim, o prazer. A iniciativa ousada pode ser do homem ou da mulher, mas ela precisa acontecer. Se você estiver tão preocupado com o outro, console-se com a ideia de que o prazer daquele que se rende, com frequência, é maior do que o do agressor.

Quando jovem, o ator Errol Flynn era incontrolavelmente ousado. Isso muitas vezes lhe causou problemas; ele ficava agressivo demais ao lado de mulheres desejáveis. Depois, viajando pelo Extremo Oriente, ele se interessou pela prática asiática do sexo tântrico, na qual o homem deve treinar a não ejaculação, preservando a sua potência e acentuando o prazer de ambos os parceiros nesse processo. Flynn mais tarde aplicou esse princípio à sua sedução também, aprendendo a conter a sua natural ousadia e prolongando ao máximo o término da sedução. Portanto, enquanto a ousadia pode operar maravilhas, quando incontrolável, ela não seduz, mas, sim, assusta; você precisa ser capaz de ligá-la e desligá-la quando quiser, sabendo a hora certa de usá-la. Como no tantrismo, você pode provocar mais prazer retardando o inevitável.

Na década de 1720, o duque de Richelieu se apaixonou por uma certa duquesa. Era uma mulher belíssima e desejada por todos, mas também era virtuosa demais para ter um amante, embora soubesse ser bastante coquete. Richelieu esperou o momento mais propício. Fez amizade com ela, encantando-a com o seu humor sutil que fizera dele o favorito das damas. Uma noite, um grupo dessas mulheres, incluindo a duquesa, decidiu lhe pregar uma peça, na qual ele seria forçado a sair nu do seu quarto no palácio de Versalhes. A brincadeira funcionou e todas puderam vê-lo em sua glória ao natural, e riram quando ele saiu correndo. Havia muitos lugares para Richelieu se esconder; ele escolheu o quarto da duquesa. Minutos depois, ele a viu entrar e se despir; quando a luz das velas se extinguiu, ele se enfiou na cama com ela. A duquesa protestou, tentou gritar. Ele tapou sua boca com beijos e ela acabou cedendo, satisfeita. Richelieu tinha decidido fazer o seu movi-

cada um se afastou para distrair a sua amada. Um conversou com a dama de alta linhagem com todo o respeito possível, com humildes saudações e beijar de mãos, palavras de elogios e cumprimentos formais, sem tentar se aproximar ou se impor. O outro irmão, sem nenhuma cerimônia de palavras ou frases delicadas, levou a sua bela para uma janela afastada e descontroladamente tomando liberdades com ela (pois ele era muito forte), logo lhe mostrou que não era do seu estilo amar à l'espagnole, com olhares e trejeitos de rosto e palavras, mas ao autêntico e adequado modo que todo verdadeiro amante deve desejar. Tendo terminado a sua tarefa, ele não saiu do quarto, mas, dizem, disse ao irmão, bem alto para a outra dama que tinha ficado com ele escutar. "Faça como eu, meu irmão, ou não faça nada. Seja corajoso e firme como quiser em outras partes, mas se não mostrar a sua firmeza aqui e agora, está desgraçado, pois aqui não é lugar de cerimônia e respeito, mas onde você vê a sua dama diante de você, que só está esperando pelo seu ataque."

E assim ele deixou o irmão, que ainda naquela ocasião se conteve e deixou para uma próxima vez. Mas a dama não o estimou mais por isso, seja por ter atribuído a uma frieza excessiva no amor, uma falta de coragem ou um defeito de vigor físico.
– SENHOR DE BRANTÔME, LIVES OF FAIR AND GALLANT LADIES

mento ousado naquela ocasião por vários motivos. Primeiro, a duquesa estava gostando dele e até alimentava um desejo secreto por ele. Ela jamais tomaria uma atitude ou admitiria, mas ele estava certo de que isso estava acontecendo. Segundo, ela o havia visto nu, e não podia ter deixado de ficar impressionada. Terceiro, ela teria pena da sua situação e da brincadeira que haviam feito com ele. Richelieu, um consumado sedutor, não ia encontrar um momento melhor.

A iniciativa ousada deve parecer uma agradável surpresa, mas sem surpreender demais. Aprenda a ler os sinais de que o alvo está caindo por você. A maneira como ele se dirige a você terá mudado – será mais maleável, com mais palavras e gestos espelhando os seus –, mas continuará havendo um toque de nervosismo e incerteza. No íntimo, ele já se rendeu a você, mas não está esperando um movimento ousado. É hora de atacar. Se você esperar demais, a ponto de o alvo ficar conscientemente desejando e esperando que você tome a iniciativa, ele perderá o sabor picante da surpresa. Você precisa de um grau de tensão e ambivalência para que o movimento represente um grande alívio. A rendição do alvo aliviará a tensão como uma tão aguardada tempestade de verão. Não planeje com antecedência o seu movimento ousado; ele não pode parecer uma coisa calculada. Espere o momento oportuno, como fez Richelieu. Fique atento às circunstâncias favoráveis. Isso lhe dará espaço para improvisar e entrar em harmonia com o momento, o que acentua a impressão que você quer criar de ter sido, subitamente, dominado pelo desejo. Se perceber que a vítima está esperando o movimento ousado, recue, tranquilize-a com uma falsa sensação de segurança, depois ataque.

Um homem deve começar a apreciar uma mulher quando ela lhe dá oportunidade e manifesta o seu próprio amor por ele com os seguintes sinais: ela chama um homem sem que ele antes tenha se dirigido a ela; ela se mostra a ele em locais secretos; ela fala com ele com a voz trêmula e desarticulada; seu rosto cora de prazer e os dedos das mãos e dos pés transpiram; e às vezes ela fica com ambas as mãos sobre o corpo dele como se tivesse sido surpreendida por alguma coisa, ou exausta de cansaço. Depois que a mulher manifestou o seu amor por ele com sinais externos, com movimentos do seu corpo, o homem deve fazer todas as tentativas possíveis para conquistá-la. Não deve hesitar nem parecer indeciso: se encontra uma

Certa vez, no século XV, conta o escritor Bandello, uma jovem viúva veneziana sentiu um súbito desejo por um simpático aristocrata. Ela fez o pai convidá-lo para ir ao palácio deles discutir negócios, mas durante o encontro o pai precisou sair e ela se ofereceu para mostrar a casa ao jovem. Ele ficou curioso com o seu quarto, que ela descreveu como o mais esplêndido do palácio, mas pelo qual passou sem deixar que ele entrasse. Ele implorou para ver o quarto e ela satisfez o seu desejo. Ele ficou deslumbrado: os veludos, os objetos de arte raros, as pinturas sugestivas, as delicadas velas brancas. Uma fragrância misteriosa perfumava o quarto. A viúva apagou todas as velas, menos uma, depois levou o homem para a cama já aquecida com a chapa de carvão. Ele rapidamente sucumbiu às suas carícias. Siga o exemplo da viúva: o seu movimento ousado deve ter uma característica teatral. Isso vai torná-lo memorável e fazer a sua agressividade parecer mais agradável. A teatralidade pode vir do ambiente – um cenário exótico ou sensual. Pode vir também dos seus atos. A viúva aguçou a curiosidade da vítima criando suspense a respeito do seu quarto. Um ligeiro temor – alguém pode encontrar vocês, digamos – irá acentuar a tensão. Lembre-se: você está criando um momento que precisa se destacar da mesmice do cotidiano.

Manter seus alvos emotivos ao mesmo tempo os enfraquece e acentua o drama do momento. E a melhor maneira de mantê-los num pique emocional é contagiá-los com as suas próprias emoções. Quando Valmont queria que a Présidente ficasse calma, zangada ou meiga, ele mostrava primeiro essa emoção e ela a espelhava. As pessoas são muito suscetíveis aos humores de quem está ao seu lado; isto se torna bastante intenso nos últimos estágios de uma sedução, quando a resistência está baixa e o alvo caiu no seu feitiço. Na hora do movimento ousado, aprenda a contagiar o seu alvo com o estado de espírito emocional de que você precisa, em vez de sugeri-lo com palavras. Você deve acessar o inconsciente do alvo, o que se consegue melhor contagiando-o com emoções, contornando a habilidade consciente dele de resistir.

Pode parecer que o movimento ousado deva partir do homem, mas a história está repleta de mulheres ousadas bem-sucedidas. Há duas formas principais de ousadia feminina. Na primeira, a mais tradicional, a mulher coquete desperta o desejo do homem, está no controle de tudo, mas no último minuto, depois de excitar ao máximo a vítima, ela recua e deixa que ele faça o movimento ousado. Ela arma tudo, depois sinaliza com o olhar, os gestos, de que está pronta para ele. As cortesãs vêm usando esse método ao longo da história; foi assim que Cleópatra agiu com Marco Antônio, Josefina seduziu Napoleão, La Belle Otero acumulou uma fortuna na Belle Époque. Isso permite que o homem conserve suas ilusões masculinas, embora a parte agressiva seja, na realidade, a mulher.

A segunda forma de ousadia feminina não se preocupa com essas ilusões: a mulher simplesmente assume o comando, dá o primeiro beijo, ataca a vítima. Era assim que agiam Marguerite de Valois, Lou Andreas-Salomé e madame Mao, e muitos homens não as achavam de modo algum castradoras, mas, sim, muito excitantes. Tudo depende das inseguranças e predisposições da vítima. Esse tipo de ousadia feminina tem o seu fascínio por ser mais raro do que o primeiro, mas, de qualquer modo, todas as ousadias são um tanto raras. Um movimento ousado sempre se destacará comparado com o habitual tratamento dado pelo marido morno, o amante tímido, o pretendente hesitante. É disso que você precisa. Se todos fossem ousados, a ousadia perderia o seu fascínio.

oportunidade, o homem deve aproveitar. A mulher, na verdade, não gosta do homem que é tímido com suas chances e as desperdiça. Ousadia é a regra, pois tudo se ganha e nada se perde.
– THE HINDU ART OF LOVE, COLETADA E EDITADA POR EDWARD WINDSOR

Símbolo: *A Tempestade de Verão. Os dias de calor seguem-se um após o outro, sem perspectiva de terminar. A terra está seca e estorricada. Mas aí vem uma tranquilidade no ar pesado e opressivo – a calmaria que antecede a tempestade. De repente, surgem rajadas de vento e relâmpagos excitantes e assustadores. Sem nos dar tempo de reagir ou correr em busca de abrigo, vem a chuva e traz com ela uma sensação de alívio. Finalmente.*

O INVERSO

Se duas pessoas se unem em mútuo consentimento, isso não é sedução. Não há inverso.

24

ATENÇÃO AOS EFEITOS POSTERIORES

*Depois
de uma sedução bem-su-
cedida, vem o perigo. Quando as emoções
chegam ao auge, em geral elas oscilam na direção
oposta – para a lassidão, a desconfiança, o desapontamento. Se vocês vão se separar, que o sacrifício seja rápido e repentino. Cuidado com as despedidas longas e prolongadas; insegura, a
vítima vai se agarrar com unhas e dentes, e ambos os lados sofrerão.
Se vocês vão continuar se relacionando, cuidado com a queda de
energia, com a familiaridade que vem se insinuando e acaba com
a fantasia. Se o jogo vai continuar, uma segunda sedução será
necessária. É preciso seduzir uma segunda vez. Não se deixe
passar despercebido pela outra pessoa – use a ausência,
crie sofrimento e conflito para manter o seduzido caminhando sobre brasas..*

DESENCANTO

Sedução é uma espécie de feitiço, um *enchantment*. Quando seduz, você não está no seu estado normal; sua presença é acentuada, você está representando mais de um papel, está estrategicamente dissimulando seus tiques e inseguranças. Você deliberadamente criou mistério e suspense para fazer a vítima experimentar um drama na vida real. Sob o seu fascínio, o seduzido se sente transportado para fora do mundo do trabalho e das responsabilidades.

Você vai manter essa situação enquanto quiser ou puder aumentando a tensão, atiçando emoções, até que chega finalmente a hora de completar a sedução. Depois disso, é quase inevitável estabelecer-se o *disenchantment*. Ao alívio da tensão segue-se um abatimento – da excitação, da energia – que pode até se materializar como uma espécie de desgosto que sua vítima direciona para você, mesmo se o que está acontecendo seja na verdade um processo emocional natural. É como se o efeito de uma droga estivesse passando, permitindo que o alvo veja você como realmente é – e ficando desapontado com as falhas que inevitavelmente existem. Por sua vez, é provável que você também tenha idealizado um pouco os seus alvos e, depois de satisfeito o seu desejo, os esteja vendo como fracos. (Afinal de contas, eles se renderam a você.) Você também pode estar se sentindo decepcionado. Mesmo nas melhores circunstâncias, você está lidando com a realidade e não com a fantasia, e as chamas aos poucos se apagam – a não ser que inicie uma nova sedução.

Você pode achar que, se a vítima vai ser sacrificada, nada disso importa. Mas às vezes o seu esforço para romper um relacionamento vai inadvertidamente reviver o fascínio para a outra pessoa, fazendo com que ela se agarre com tenacidade. Não, em qualquer sentido – sacrifício ou a integração de vocês dois como um casal –, você deve levar em conta o desencanto. A pós-sedução também é uma arte.

Em resumo, triste a mulher que é de temperamento por demais monótono; sua monotonia sacia e desgosta. Ela é sempre a mesma estátua, com ela o homem está sempre certo. Ela é tão boa, tão gentil, e tira das pessoas o privilégio de discutir com ela, e isto muitas vezes é um prazer tão grande! Coloque em seu lugar uma mulher vivaz, caprichosa, decidida, até um certo ponto, entretanto, e as coisas adquirem um outro aspecto. O amante encontrará na mesma pessoa o prazer da variedade. O temperamento é o sal, a qualidade que impede de ficar rançoso. Impaciência, ciúme, discussões, reconciliações, despeito, tudo é alimento para o amor. Variedade encantadora? (...) A paz muito constante produz um tédio mortal. A uniformidade mata o amor, pois assim que o espírito metódico se mistura

com as coisas do coração, a paixão desaparece, o langor sobrevém, o fastio começa a cansar e o desgosto encerra o capítulo.
— NINON DE L'ENCLOS, *LIFE, LETTERS AND EPICUREAN PHILOSOPHY OF NINON DE L'ENCLOS*

O tempo não a faz murchar, nem o hábito azeda Sua infinita variedade; outras mulheres saciam Os apetites que alimentam; mas ela deixa faminto Quanto mais satisfaz.
— WILLIAM SHAKESPEARE, *ANTÔNIO E CLEÓPATRA*

Deem vivas, e vivas outra vez, a um esplêndido triunfo – A presa que eu buscava caiu na minha armadilha. (...) Por que a pressa, rapaz? O seu barco ainda está no meio do caminho, E o porto que busco, distante. Com meus versos, é verdade, pode ter conseguido uma amante, Mas isso não basta. Se minha arte A pegou, minha arte deve mantê-la. Guardar uma conquista é Tão complicado quanto fazê-la. Houve sorte na caçada,

Domine as táticas a seguir para evitar efeitos posteriores indesejados.

Lute contra a inércia. A sensação de que você está se esforçando menos muitas vezes é o que basta para desencantar as suas vítimas. Pensando melhor no que você fez durante a sedução, elas o verão como uma pessoa manipuladora: você queria alguma coisa delas, e então se esforçou, mas agora não lhes dá mais valor. Concluída a primeira sedução, portanto, mostre que ela não terminou totalmente – que você quer continuar se colocando à prova, focalizando nelas a sua atenção, atraindo-as. Quase sempre é o que basta para mantê-las encantadas. Lute contra a tendência a se acomodar no conforto e na rotina. Atice o fogo, mesmo que isso signifique voltar a infligir sofrimento e se retrair. Jamais confie nos seus encantos físicos; até a beleza perde o seu atrativo com a exposição repetitiva. Somente estratégia e esforço combaterão a inércia.

Mantenha o mistério. Familiaridade é a morte da sedução. Se o alvo sabe tudo sobre você, o relacionamento adquire um nível de conforto, mas perde os elementos de fantasia e ansiedade. Sem ansiedade e um toque de medo, a tensão erótica se dissolve. Lembre-se: a realidade não é sedutora. Guarde alguns cantos sombrios na sua personalidade, zombe das expectativas, use ausências para fragmentar a atração pegajosa e possessiva que permite que a familiaridade se insinue. Mantenha um certo mistério, ou não lhe darão mais valor. Não poderá culpar mais ninguém, a não ser você mesmo, pelos resultados.

Conserve a leveza. Sedução é um jogo, não uma questão de vida e morte. Na fase "pós", haverá uma tendência a levar as coisas mais a sério e no nível pessoal, e ficar se queixando do comportamento que não lhe agrada. Lute contra isso o máximo possível, pois vai criar exatamente o efeito que você não quer. Você não pode controlar os outros com lamúrias e reclamações; isso os deixará na defensiva, exacerbando o problema. Você terá mais controle se mantiver o estado de espírito adequado. O seu espírito brincalhão, as pequenas artimanhas que inventará para agradá-los, a sua indulgência com as falhas deles deixarão suas vítimas dóceis e fáceis de lidar. Não tente mudar as suas vítimas; induza-as a dançar conforme a sua música.

Evite a extinção lenta. Muitas vezes, uma pessoa fica desencantada, mas não tem coragem de romper. Em vez disso, ela se fecha. Como uma ausência, este passo atrás psicológico pode inadvertidamente reacender o desejo do outro, e tem início um frustrante ciclo de busca e retirada. Tudo se desenrola lentamente. Assim que se sentir desencantado e souber que está tudo acabado, encerre rapidamente, sem desculpas. Isso só insultaria o outro. Uma separação rápida costuma ser mais fácil de superar – é como se para você a fidelidade fosse um problema, ao contrário de sentir que o seduzido não desperta mais o desejo. Uma vez realmente desencantado, não há retorno, portanto não insista por falsa piedade. É mais piedoso romper honestamente. Se isso lhe parecer inadequado ou muito ofensivo, então deliberadamente desencante a vítima com um comportamento antissedutor.

EXEMPLOS DE SACRIFÍCIO E INTEGRAÇÃO

1. Na década de 1770, o simpático Chevalier de Belleroche iniciou um romance com uma mulher mais velha, a marquesa de Merteuil. Ele a via com frequência, mas logo ela começou a arrumar briga com ele. Fascinado com seus humores imprevisíveis, ele se esforçava para agradá-la, cobrindo-a de atenções e carinho. As brigas acabaram parando e, com o passar dos dias, de Belleroche teve certeza de que de Merteuil o amava – até um dia, quando ele apareceu para uma visita e viu que ela não estava em casa.

O lacaio o recebeu à porta e disse que levaria o chevalier a uma casa secreta de de Merteuil nos arredores de Paris. Lá a marquesa o aguardava com uma renovada disposição para o coquetismo: ela agiu como se este fosse o primeiro encontro dos dois. O chevalier nunca a tinha visto tão ardorosa. Partiu ao nascer do dia mais apaixonado do que nunca, mas dias depois estavam discutindo novamente. A marquesa pareceu fria depois disso, e ele a viu flertar com outro homem numa festa. Sentiu um ciúme terrível, mas, como antes, a sua solução foi ser mais atento e amoroso. Assim, ele pensava, é que se contenta uma mulher difícil.

Agora de Merteuil precisava passar umas semanas na sua propriedade no campo para resolver negócios. Convidou de Belleroche para ir junto e ele concordou feliz, lembrando a nova vida que uma estada mais curta havia trazido para o romance dos dois. Mais uma vez, ela o surpreendeu: o seu afeto e desejo de agradá-lo estavam rejuvenescidos. Desta vez, entretanto, ele não precisou partir na manhã seguinte. Dias se passaram e ela se recusava a receber outros convidados. O resto do mundo não ia se meter entre eles. E desta vez não houve friezas e discussões, só amor e alegria. Mas, agora, de Belleroche já estava começando a ficar um pouco cansado da marquesa. Pensava em Paris e nos bailes que estava perdendo; uma semana depois, ele encurtou a estada

Mas esta tarefa exigirá perícia. Se um dia eu precisei da ajuda
De Vênus e seu filho, e Érato – a Musa Erótica por nome – esse dia é agora, para o meu projeto ambicioso demais
De relatar algumas técnicas capazes de conter
Esse volúvel e jovem viajante, Amor. (...)
Para ser amado, é preciso se mostrar amável – Algo que a boa aparência apenas
Não consegue. Você pode ser bonito como Nereu de Homero,
Ou o jovem Hylas, raptado por aquelas malvadas
Náiades; mas, não obstante, para evitar a surpresa de uma deserção
E conservar a sua namorada, é melhor que tenha talentos intelectuais
Além dos encantos físicos. A beleza é frágil e a passagem
Dos anos diminui a sua substância, a desgasta.
Violetas e lírios não florescem para sempre,
Espinhos duros é o que resta da rosa que já desabrochou.
O mesmo com você, meu simpático jovem: em breve as rugas
Cobrirão o seu corpo, em breve, muito em breve, seus cabelos ficarão grisalhos
Portanto, construa uma mente duradoura, acrescente-a à sua beleza.

com pretexto de cuidar de negócios e voltou correndo para a cidade. Por alguma razão, a marquesa não parecia mais tão encantadora.

Interpretação. A marquesa de Merteuil, personagem do romance *As ligações perigosas*, de Choderlos de Laclos, é uma experiente sedutora que não deixa jamais que seus casos se arrastem por muito tempo. De Belleroche é jovem e bonito, mas é só isso. Quando o seu interesse por ele diminui, ela decide levá-lo para a casa secreta a fim de tentar injetar alguma novidade no romance. O que funciona por um certo tempo, mas não é o bastante.

É preciso se livrar do chevalier. Ela tenta a frieza, a raiva (esperando iniciar uma briga), até uma demonstração de interesse por outro homem. Tudo isto só intensifica o apego que ele tem por ela. Não pode simplesmente abandoná-lo – ele talvez se torne vingativo, ou se esforce ainda mais para conquistá-la. A solução: ela deliberadamente quebra o feitiço afogando-o em atenções. Ao desistir da técnica da alternância de frio e calor, ela age como se estivesse perdidamente apaixonada. Sozinhos os dois, dia e noite, sem espaço para fantasias, ele não a acha mais encantadora e acaba com o romance. Era o que ela estava querendo.

Se um rompimento com a vítima é muito confuso ou difícil (ou você não tem coragem), então faça o seguinte: quebre deliberadamente o encanto que a prende a você. O distanciamento ou a raiva só atiçará a insegurança da outra pessoa, produzindo um terror aderente. Em vez disso, tente sufocá-la com amor e atenções: seja você mesmo grudento e possessivo, sentimentalize cada ação e traço de caráter do amante, crie noção de que este afeto monótono vai durar para sempre. Acabaram-se os mistérios, as atitudes coquetes, os recuos – apenas o amor eterno. Raras são as pessoas capazes de suportar tanta ameaça. Algumas semanas vivendo assim, e elas desaparecem para sempre.

2. O rei Carlos II da Inglaterra era um devotado libertino. Ele mantinha uma reserva de amantes; havia sempre uma favorita da aristocracia e inúmeras outras menos importantes. Ele gostava de variar. Numa noite, em 1668, o rei foi ao teatro onde uma jovem atriz chamada Nell Gwyn despertou nele um desejo repentino. Ela era bonita, com um ar inocente (estava, na época com 18 anos) e um brilho infantil no rosto, mas as falas que dizia no palco eram muito atrevidas e maliciosas. Excitadíssimo, o rei resolveu que ela tinha de ser dele. Terminada a peça, ele a levou para uma noitada de bebidas e diversões, depois a levou para a sua cama real.

Nell era filha de um peixeiro e tinha começado no teatro vendendo laranjas. Chegou à condição de atriz dormindo com escritores e outros

---

Só ela permanecerá até ser consumida pelas chamas. Mantenha a sua mente afiada, explore as artes liberais Domine o grego, assim como o latim. Ulisses era eloquente, não bonito – Mas enchia os corações das deusas do mar Padecendo de amor. (...) Nada funciona melhor para o humor do que a hábil tolerância: aspereza gera ódio, provoca discussões desagradáveis. Detestamos o falcão e o lobo, esses caçadores naturais, Sempre de olho nos rebanhos tímidos; Mas a gentil andorinha escapa das armadilhas do homem, construímos Pequenas torres para os pombos. Evite todas as discussões, recriminações acerbas – O amor é sensível, precisa ser alimentado Com palavras delicadas. Deixe as críticas para esposas e maridos, Deixe-os, se quiserem, achar que isso é a lei natural, Um estado de luta permanente. A amante deve ouvir sempre O que ela quer que lhe digam. (...) Use doces lisonjas, palavras que acariciem O ouvido, deixe-a feliz porque você veio.
– OVÍDIO, A ARTE DE AMAR

homens de teatro. Não se envergonhava disso. (Quando um criado seu brigava com alguém que dizia que ele trabalhava para uma prostituta, ela intervinha dizendo: "Eu sou uma prostituta. Encontre um motivo melhor para brigar.") O humor e o atrevimento de Nell divertiam muito o rei, mas ela era de família pobre e ele não poderia fazê-la a sua favorita. Depois de várias noites com a "bonita e espirituosa Nell", ele voltava para a sua amante principal, Louise Keroualle, uma bem-nascida francesa.

Keroualle era uma esperta sedutora. Bancava a difícil e deixou claro que não daria ao rei a sua virgindade enquanto ele não lhe prometesse um título. Era o tipo de caça que Carlos apreciava, e ele a fez duquesa de Portsmouth. Mas logo a sua ganância e os obstáculos que colocava no caminho começavam a irritá-lo. Para se distrair, ele voltava para Nell. Sempre que a visitava, era regiamente recebido com comidas, bebidas e com o seu grande senso de humor. O rei estava entediado ou melancólico? Ela o levava para beber ou jogar, ou para o campo, onde o ensinava a pescar. Ela sempre tinha uma surpresa escondida na manga. O que ele mais gostava era da sua espirituosidade, o modo como ridicularizava a pretensiosa Keroualle. A duquesa costumava vestir luto sempre que morria um nobre de outro país, como se fosse um parente seu. Nell também aparecia no palácio nessas ocasiões vestida de preto e, desolada, dizia que estava de luto pelo "Autocrata da Tartária" ou "Boog de Oronuko" – seu ancestral. Na cara dela, chamava a duquesa de "Squintabella" e "Salgueiro-Chorão" por causa dos seus modos afetados e melancólicos. Em breve, o rei estava passando mais tempo com Nell do que com a duquesa. Quando Keroualle deixou de ser a favorita, Nell já era em essência a favorita do rei, o que continuou sendo até a morte dele, em 1685.

Interpretação. Nell Gwyn era ambiciosa. Queria fama e poder, mas no século XVII uma mulher só obtinha essas coisas por intermédio de um homem – e quem melhor para isso do que o rei? Mas envolver-se com o rei era um jogo arriscado. Um homem como ele, facilmente entediado e sempre querendo variedades, iria usá-la como um brinquedo e depois a trocaria por outra.

A estratégia de Nell era simples: ela deixava o rei ter outras mulheres e não reclamava. Mas, sempre que se encontravam, ela fazia tudo para distraí-lo. Ela enchia os sentidos dele de prazer, agindo como se a sua posição nada tivesse a ver com o seu amor por ele. A variedade de mulheres pode dar nos nervos, cansando um rei ocupado. Eram todas muito exigentes. Se uma mulher apenas era capaz de proporcionar essa mesma variedade (e Nell, como atriz, sabia representar papéis di-

---

Em Paris, a banda deu um concerto no Palais Chaleux. Tocaram a primeira parte e aí interromperam por uma hora – intervalo, como chamamos –, quando foi oferecido um fabuloso bufê numa mesa comprida repleta de deliciosos quitutes e conhaque, champanhe, vinho e essa raridade em Paris, o uísque escocês. As pessoas, aristocratas e criados, alguns de quatro procuravam alguma coisa no chão. Uma duquesa, que era uma das anfitriãs, tinha perdido um de seus maiores diamantes. (...) A duquesa finalmente se cansou de ver as pessoas procurando o anel pelo chão todo. Olhou em volta persistentemente, depois pegando Duke pelo braço, disse: "Não importa. Sempre posso conseguir diamantes, mas quantas vezes posso ter um homem como Duke Ellington?" Ela desapareceu com Duke. A banda iniciou a segunda parte sozinha, e no final Duke reapareceu sorrindo para encerrar o concerto.
– DON GEORGE, SWEET MAN: THE REAL ELLINGTON

Sei, entretanto, que os homens se tornam mais magnânimos e melhores amantes quando desconfiam de que suas amantes não ligam tanto para eles. Quando o homem se acha o único amante na vida de uma mulher, ele assobia e vai embora. Sei por experiência, segui esta profissão nos últimos vinte anos. Se quiser, eu lhe conto o que me aconteceu faz poucos anos. Na época, eu tinha um amante firme, um certo Demofanto, um usurário que morava perto de Poikile. Ele nunca havia me dado mais do que cinco dracmas e fingia ser o meu homem. Mas o amor dele era apenas superficial, Crisis. Ele jamais suspirou, jamais derramou lágrimas por mim e jamais passou a noite esperando diante da minha porta. Um dia ele veio me ver, bateu à porta, mas eu não abri. Veja, eu estava com o pintor, Calides, no meu quarto; Calides havia me dado dez dracmas. Demofantos xingou, esmurrou a porta e foi embora me amaldiçoando. Vários dias se passaram sem que eu o mandasse chamar, Calides ainda estava na minha casa. Por conseguinte, Demofantos, que já estava bastante excitado, ficou furioso. Arrombou a minha porta, chorou, me empurrou de um lado para o outro,

ferentes), ela tinha uma grande vantagem. Nell jamais pedia dinheiro, portanto Carlos a fez rica. Ela nunca pediu para ser a favorita – como poderia? Era uma plebeia – mas ele a elevou a esse posto.

Muitos de nossos alvos serão como reis e rainhas, principalmente aqueles que ficam enfastiados com muita facilidade. Feita a sedução, eles não apenas terão dificuldade para idealizar você, como talvez se virem para outro homem ou mulher cuja novidade lhes parecer excitante e poética. Precisando que outras pessoas os divirtam, quase sempre se satisfazem com a variedade. Não faça o jogo desses nobres entediados, não fique se lamentando, com pena de si mesmo ou exigindo privilégios. Isso só vai aumentar o desencanto deles depois que a sedução estiver terminada. Em vez disso, faça-os ver que você não é a pessoa que pensam que é. Faça da representação de diferentes papéis um jogo divertido para surpreendê-los, para ser uma fonte inesgotável de entretenimento. É quase impossível resistir a uma pessoa que dá prazer sem pedir nada. Quando estiverem com você, mantenha o humor leve e brincalhão. Represente os papéis do seu personagem que eles gostam, mas não os deixe sentir que conhecem você muito bem. No final, você controlará a dinâmica, e um rei ou rainha arrogante se tornará o seu humilde escravo.

3. Quando Duke Ellington, o extraordinário compositor de jazz, chegava a uma cidade, ele e sua banda eram sempre uma grande atração, mas especialmente para as mulheres do local. Elas apareciam para ouvir a música, é claro, mas, uma vez lá, ficavam hipnotizadas pelo "duque". No palco, Ellington era relaxado e elegante, e parecia estar se divertindo muito. Seu rosto era simpático e seu olhar de alcova famoso. (Ele dormia muito pouco e estava sempre com olheiras.) Depois da apresentação, uma mulher inevitavelmente o convidava para ir à sua mesa, outra se enfiava no seu camarim, outra ainda o abordava na saída. Duke fazia questão de ser acessível, mas, quando beijava a mão de uma mulher, seus olhos e os delas se encontravam por um segundo. Às vezes ela sinalizava um interesse por ele e ele retribuía o olhar dizendo que estava pronto. Às vezes os olhos dele falavam primeiro; poucas mulheres conseguiam resistir a esse olhar, até as mais bem casadas.

Com a música ainda soando em seus ouvidos, a mulher aparecia no quarto de hotel de Ellington. Ele estaria vestido com um terno elegante – gostava de se vestir bem – e o quarto estaria cheio de flores; haveria um piano num canto. Ele tocaria uma música. A sua execução, os seus modos elegantes e descontraídos seriam interpretados pela mulher como puro teatro, uma agradável continuação daquilo a que ela tinha acabado de assistir. E quando tudo terminava, e Ellington tinha de deixar a cidade, ele lhe daria um presente atencioso. Ele dava a entender que a única coisa que o fazia afastar-se dela era a sua turnê. Semanas depois, a mulher talvez escutasse pelo rádio uma nova canção de Ellington com versos sugerindo que ela tinha sido a inspiração. Se ele voltasse a passar por aquela região, ela daria um jeito de estar presente, e Ellington reatava o romance, nem que fosse por uma noite.

Em algum momento da década de 1940, duas jovens mulheres do Alabama chegaram a Chicago para um baile de debutantes. Ellington e sua banda estavam se apresentando. Ele era o músico preferido dessas mulheres e, depois do show, elas foram lhe pedir um autógrafo. Ele era tão charmoso e envolvente que uma das moças acabou perguntando em que hotel ele estava hospedado. Ele lhe disse com um grande sorriso. As moças trocaram de hotel e, mais tarde, naquele mesmo dia, ligaram para Ellington convidando-o para ir ao quarto delas tomar um drinque. Ele aceitou. As duas vestiam belos *negligées* que tinham acabado de comprar. Ao chegar, Ellington agiu com toda a naturalidade, como se aquela calorosa recepção fosse uma coisa comum. Os três já estavam no quarto quando uma das mulheres lembrou: a mãe adorava Ellington. Precisava ligar para ela e colocar Ellington ao telefone. Nem um pouco constrangido com a sugestão, Ellington concordou. Ficou alguns minutos conversando com a mãe ao telefone, elogiando-a muito pela filha encantadora que ela havia criado e dizendo para não se preocupar – estava cuidando bem da menina. A filha pegou de novo o telefone e disse: "Estamos bem porque estamos com Mr. Ellington e ele é um perfeito cavalheiro." Mal ela desligou, os três retomaram as travessuras do início. Para as duas moças, essa foi uma noite inocente, porém de inesquecível prazer.

Às vezes, várias dessas amantes dispersas apareciam no mesmo concerto. Ellington se levantava e beijava cada uma delas quatro vezes (um hábito que ele criou exatamente para esse dilema). E cada uma das mulheres entendia ser aquela cujos beijos realmente importavam.

Interpretação. Duke Ellington tinha duas paixões: música e mulheres. As duas estavam inter-relacionadas. Seus infindáveis romances eram uma constante inspiração para a sua música; ele também as tratava como se fossem teatro, uma obra de arte em si mesmas. Na hora da separação, ele sempre conseguia fazer isso com um toque teatral. Uma observação inteligente e um presente davam a ideia de que para ele o caso não estava encerrado. As letras das músicas com referências à noite que tinham passado juntos mantinham a atmosfera estética muito depois que ele havia deixado a cidade. Não admira que as mulheres estivessem

ameaçou me matar, rasgou a minha túnica e fez tudo, de fato, que um homem ciumento faria, e finalmente me presenteou com seis mil dracmas. Em consideração a esta quantia, fui dele durante oito meses. Sua esposa costumava dizer que eu o havia enfeitiçado com algum pó. Esse pó mágico, certamente, foi o ciúme. É por isso, Crisis, que eu a aconselho a agir assim com Górgias.
– LUCIANO, DIALOGUES OF THE COURTESANS

"Esposa é alguém que se olha pelo resto da vida; mas não importa se ela não é bonita", assim falou Jinta de Gion. Estas podem ser as palavras irreverentes de uma alcoviteira, mas não devem ser descartadas levianamente... Além do mais, acontece com as mulheres bonitas o mesmo que se dá com as belas paisagens: se você está sempre olhando para elas, acaba se cansando dos seus encantos. Isto eu posso julgar por experiência própria. Um ano estive em Matsushima, mas, embora de início tivesse me comovido com a beleza do lugar e batido palmas de admiração dizendo para mim mesmo: "Oh, se eu pudesse trazer aqui um poeta para lhe mostrar esta

maravilha!", depois de olhar o cenário de manhã até de noite, as milhares de ilhas começaram a exalar um cheiro desagradável de algas, as ondas batendo no pontal de Matsuyama se tornaram barulhentas! Sem perceber, eu tinha deixado as flores de cerejeira em Shiogama se espalharem; de manhã dormi demais e perdi a neve do alvorecer no monte Kinka; nem me impressionou muito a lua à noite em Nagané ou Oshima; e, no final, peguei umas pedrinhas pretas e brancas na enseada e me distraí jogando Seis Musashi com as crianças.
– IHARA SAIKAKU, THE LIFE OF AN AMOROUS WOMAN

Os homens desprezam as mulheres que amam muito e tolamente.
– LUCIAN, DIALOGUES OF THE COURTESANS

Tentarei resumir para você, em poucas palavras, como se pode aprofundar um amor depois de conquistado. Dizem que é possível torná-lo mais intenso fazendo com que seja pouco frequente e difícil para os amantes se verem, pois quanto maior a dificuldade de oferecer e receber

sempre voltando. Este não era um caso sexual, um simples encontro de uma noite só, mas um ponto culminante na vida de uma mulher. A atitude descontraída dele tornava impossível sentir culpa; pensar na própria mãe ou no marido não estragaria a ilusão. Ellington não se colocava na defensiva nem encontrava justificativas para o seu apetite por mulheres; a sua infidelidade era devido à sua natureza e nunca a uma falha da mulher. E, se ele não controlava seus desejos, como ela poderia considerá-lo responsável? Era impossível ficar zangada com um homem assim ou se queixar do seu comportamento.

Ellington era um Libertino Esteta, um tipo cuja obsessão pelas mulheres só podia ser satisfeita com a infinita variedade. Um homem conquistador normal acaba feito gato escaldado, mas o Libertino Esteta raramente desperta emoções de mau gosto. Depois de seduzir uma mulher, não há integração nem sacrifício. Ele as mantém na esperança. O feitiço não se desfaz no dia seguinte porque o Libertino Esteta faz da separação uma experiência agradável, até elegante. O fascínio que Ellington exerce sobre uma mulher não acabava.

A lição é simples: mantenha os momentos depois da sedução e a separação no mesmo tom de antes, elevado, estético e agradável. Se você não agir como se estivesse se sentindo culpado pelo comportamento irresponsável, fica difícil para a outra pessoa sentir raiva ou ressentimento. A sedução é um jogo despreocupado, no qual você investe toda a sua energia naquele momento. A separação também deve ser serena e elegante: É o trabalho, a viagem, alguma responsabilidade terrível que obrigam você a se afastar. Crie uma experiência memorável e depois vá embora, e a sua vítima provavelmente se lembrará da deliciosa sedução, não da separação. Você não terá criado inimigos, e ficará com um harém de amantes pelo resto da vida, ao qual sempre poderá voltar quando tiver vontade.

4. Em 1899, a baronesa Frieda von Richthofen, de 20 anos, casou-se com um inglês chamado Ernest Weekley, professor da Universidade de Nottingham, e logo se encaixou no papel de mulher de professor. Weekley a tratava bem, mas ela começou a ficar entediada com a vida tranquila que levavam e o seu morno relacionamento sexual. Quando ia visitar a sua casa na Alemanha, ela tinha alguns casos amorosos, mas isto também não era o que ela queria, e assim ela voltava a ser fiel e atenciosa com seus três filhos.

Um dia, em 1912, um ex-aluno de Weekley, David Herbert Lawrence, foi visitar o casal na sua casa. Um escritor esforçado, Lawrence queria a opinião profissional do professor. Ele não estava em casa, assim

Frieda o entreteve. Ela nunca tinha conhecido um rapaz tão veemente. Ele falava da sua juventude pobre, da sua incapacidade de compreender as mulheres.

E escutava atento às queixas dela. E até ralhou com ela pelo chá ruim que lhe ofereceu – de alguma forma, mesmo sendo uma baronesa, isto a excitou.

Lawrence voltou para outras visitas, mas agora era para ver Frieda, não Weekley. Um dia lhe confessou ter se apaixonado profundamente por ela. Ela admitiu sentir o mesmo e propôs que procurassem um lugar onde pudessem se encontrar. Mas Lawrence tinha uma proposta a fazer: Abandone o seu marido amanhã – abandone-o por mim. E as crianças?, perguntou Frieda. Se as crianças são mais importantes do que o nosso amor, respondeu Lawrence, então fique com elas. Mas se não fugir comigo dentro de alguns dias, jamais tornará a me ver. Para Frieda, a escolha era terrível. Ela não dava a mínima para o marido, mas os filhos eram a sua vida. Mesmo assim, dias depois, ela sucumbiu à proposta de Lawrence. Como resistir a um homem que estava disposto a pedir tanto, a arriscar tanto? Se recusasse, ficaria sempre imaginando como poderia ter sido, pois um homem desses só passa pela sua vida uma vez.

O casal deixou a Inglaterra e seguiu para a Alemanha. Frieda comentava às vezes a falta que sentia dos filhos, mas Lawrence não tinha paciência com ela: Você está livre para voltar para ele quando quiser, dizia, mas se ficar, não olhe para trás. Ele a levou numa árdua caminhada subindo os Alpes. Uma baronesa, ela nunca tinha experimentado tais dificuldades, mas Lawrence era firme: Se duas pessoas estão apaixonadas, o que importa o conforto?

Em 1914, Frieda e Lawrence se casaram, mas nos anos seguintes o mesmo padrão se repetiu. Ele a repreendia por sua preguiça, pela saudade dos filhos, por suas abissais despesas domésticas. Ele a levava em viagens ao redor do mundo com muito pouco dinheiro, jamais a deixando se estabelecer em lugar algum, embora este fosse o seu maior desejo. Os dois estavam sempre brigando. Uma vez, no Novo México, diante de amigos, ele gritou com ela: "Tire esse cigarro sujo da boca! Encolha esse seu barrigão!" "É melhor parar de falar assim, ou vou lhe falar sobre as suas coisas", gritou ela de volta. (Ela havia aprendido a fazê-lo provar do seu próprio remédio.) Os dois saíram. Os amigos ficaram assistindo, preocupados que a coisa ficasse violenta. Os dois desapareceram de vista voltando minutos depois, de braços dados, rindo e encantados um com o outro. Essa era a coisa mais desconcertante com relação aos Lawrence: casados havia anos, eles muitas vezes se comportavam como recém-casados apaixonados.

consolo mútuo, maior se torna o desejo e o sentimento de amor. O amor talvez aumente se um dos amantes demonstrar raiva do outro, pois o amante fica extremamente temeroso que a raiva do parceiro, se despertada, fique para sempre. O amor também aumenta quando o ciúme sincero preocupa um dos amantes porque o ciúme é chamado de nutriz do amor. De fato, mesmo que o amante se sinta oprimido, não por um ciúme genuíno, mas por simples suspeita, o amor sempre fica maior por causa dele, e se torna mais enérgico por sua própria força.
– ANDREAS CAPELLANUS ON LOVE

*Vocês viram o fogo que arde
Até se extinguir e forma um monte de cinzas desbotadas
Sobre suas brasas ocultas (mas uma pitada de enxofre
Bastará para reacender as chamas)?
Assim é com o coração. Ele fica apático se não tem com que se preocupar.
Precisa de um estímulo forte para despertar o amor.
Deixe-a ansiosa por você, reaqueça suas tépidas paixões,
Conte-lhe seus segredos pecaminosos, veja-a empalidecer.*

Três vezes afortunado esse homem, de incalculável sorte, Capaz de fazer uma pobre moça magoada Se torturar por sua causa, perder a voz, ficar branca, desmaiar Quando lhe chegam as indesejadas notícias. Ah, quisera ser eu Aquele cujos cabelos ela arranca furiosa, aquele cujas Faces macias ela arranha com as unhas, A quem ela vê, os olhos faiscantes, através de uma chuva de lágrimas; Sem o qual, por mais que tente, não consegue viver! Quanto tempo (você quer saber) deve deixá-la lamentando o que fez de errado? Um pouco apenas para que a raiva não se fortaleça Com a procrastinação. Nessa hora você já deve tê-la soluçando No seu peito, os braços firmes em volta do seu pescoço. Você quer a paz? Dê-lhe beijos, faça amor com a namorada enquanto ela está chorando – É a única maneira de dissolver a sua raiva.
– OVÍDIO, A ARTE DE AMAR

Interpretação. Quando Lawrence conheceu Frieda, ele viu logo qual era o seu ponto fraco: ela se sentia presa num relacionamento idiotizante e numa vida mimada. O marido, como tantos outros, era gentil, mas não lhe dava suficiente atenção. Ela ansiava por drama e aventura, mas era preguiçosa demais para conseguir isso sozinha. Drama e aventura eram exatamente o que Lawrence podia lhe dar. Em vez de se sentir presa, ela tinha liberdade para abandoná-lo a qualquer momento. Em vez de ignorá-la, ele a criticava constantemente – pelo menos ele prestava atenção, nunca deixou de lhe dar importância. Em vez de conforto e tédio, ele lhe dava aventura e romance. As brigas que ele provocava com a frequência de um ritual também garantiam um drama sem interrupções e espaço para uma poderosa reconciliação. Ele lhe inspirava um leve temor, que a mantinha em desequilíbrio, sem nunca ter muita certeza a seu respeito. Consequentemente, o relacionamento não ficava rançoso. Estava sempre se renovando.

Se é integração que você está querendo, a sedução não pode parar. De outra forma, o tédio vai aos poucos se instalando. E a melhor maneira de manter o processo em funcionamento quase sempre é injetando um drama intermitente. Pode ser penoso – abrindo velhas feridas, despertando ciúmes, recuando um pouco. (Não confunda este comportamento com censuras e queixas – o sofrimento é estratégico, destinado a romper com padrões rígidos.) Por outro lado, também pode ser agradável: pense em se colocar à prova de novo prestando atenção a pequenos detalhes, criando novas tentações. De fato, você deve misturar os dois aspectos, pois sofrimento ou prazer em demasia não é sedutor. Você não está repetindo a primeira sedução porque o alvo já se rendeu. Você está simplesmente dando umas pequenas sacudidelas, leves toques de despertar que mostram duas coisas: você não parou de tentar, e ele não pode deixar de se importar com você. A pequena sacudidela vai mexer com o antigo veneno, alimentar as brasas, levar você temporariamente de volta ao início, quando o seu envolvimento tinha uma frescura e uma tensão muito agradável.

Lembre-se: conforto e segurança são a morte da sedução. Uma viagem que apresente algumas dificuldades será mais positiva para criar um vínculo profundo do que presentes caros e luxos. Os jovens estão certos não se preocupando com o conforto em questões de amor e, quando você retornar àquele sentimento, uma centelha jovial voltará a brilhar.

5. Em 1652, a famosa cortesã francesa Ninon de l'Enclos conheceu e se apaixonou pelo marquês de Villarceaux. Ninon era uma libertina;

filosofia e prazer eram mais importantes para ela do que o amor. Mas o marquês inspirava-lhe novas sensações: ele era tão ousado, tão impetuoso, que pela primeira vez na sua vida ela perdeu um pouco o controle. O marquês era possessivo, um traço que ela em geral detestava. Mas nele isso parecia natural, quase charmoso: ele simplesmente não se controlava. E assim Ninon aceitou as suas condições: não haveria outros homens na sua vida. Por sua vez, ela lhe disse que não aceitaria dele dinheiro ou presentes. Seria tudo por amor, e nada mais.

Ela alugou uma casa em frente à dele em Paris, e os dois se viam todos os dias. Uma tarde, o marquês entrou de repente e a acusou de ter outro amante. Suas suspeitas eram infundadas, suas acusações absurdas, ela lhe disse isso. Mas ele não ficou satisfeito e saiu esbravejando. No dia seguinte, Ninon recebeu a notícia de que ele estava muito doente. Ela ficou preocupadíssima. Num recurso desesperado, um sinal do seu amor e submissão, ela resolveu cortar os belos e longos cabelos, pelos quais era famosa, e mandar para ele. O gesto funcionou, o marquês ficou bom e eles reataram o romance com uma paixão ainda mais forte. Amigos e ex-amantes queixavam-se da sua súbita transformação em mulher dedicada, mas ela não se importava – estava feliz.

Agora Ninon sugeriu que fossem embora juntos. O marquês, um homem casado, não podia levá-la para o seu château, mas um amigo ofereceu o seu no campo como um refúgio para os amantes. Semanas viraram meses e a curta estada se transformou numa prolongada lua de mel. Lentamente, entretanto, Ninon teve a sensação de que havia alguma coisa errada: o marquês estava agindo mais como se fosse um marido. Embora tão apaixonado como antes, ele parecia muito confiante, como se tivesse certos direitos e privilégios que nenhum outro homem podia esperar ter.

A possessividade que um dia a encantara começou a parecer opressiva. Nem ele servia de estímulo para a sua mente. Ela podia ter outros homens, e igualmente bonitos, para satisfazê-la sexualmente sem todo esse ciúme.

Uma vez tendo percebido isso, Ninon não perdeu tempo. Disse ao marquês que estava voltando para Paris, e que era para sempre. Ele implorou e argumentou em sua defesa com muita emoção – como podia ser tão insensível? Apesar de comovida, Ninon ficou firme. Explicações só serviriam para piorar as coisas. Ela voltou para Paris e retomou a sua vida de cortesã. Sua partida abrupta aparentemente deixou o marquês transtornado, mas pelo visto não tanto porque meses depois ela soube que ele havia se apaixonado por outra mulher.

Interpretação. Uma mulher muitas vezes passa meses avaliando as sutis alterações no comportamento do seu amante. Ela pode se queixar, ficar zangada; pode até se culpar. Sob o peso das reclamações dela, o homem talvez mude por uns tempos, mas o que se segue é uma feia dinâmica e infindáveis mal-entendidos. Qual o objetivo de tudo isso? Quando você já está desencantado, já é tarde demais. Ninon poderia ter tentado descobrir o que a havia desencantado – a boa aparência que agora a deixava entediada, a falta de estímulo mental, a sensação de não estar sendo vista com a devida importância. Mas por que perder tempo tentando descobrir tudo isso? O fascínio se quebrara, assim ela seguiu adiante. Não se preocupou em explicar, não se importou com os sentimentos do marquês, em tornar as coisas mais suaves e fáceis para ele. Simplesmente foi embora. A pessoa que parece ter muita consideração pelo outro, que tenta consertar as coisas ou achar desculpas, na verdade é apenas tímida. Ser gentil nesses casos pode ser bastante cruel. O marquês pôde colocar a culpa de tudo na insensibilidade, na natureza irresponsável da sua amante. A vaidade e o orgulho dele intactos, foi fácil passar para um outro romance e esquecê-la.

Não só a longa e interminável morte de um relacionamento causa ao seu parceiro um sofrimento desnecessário como terá consequências a longo prazo para você também, tornando-o mais arisco no futuro e sobrecarregando-o de culpa. Jamais se sinta culpado, ainda que seja ao mesmo tempo o sedutor e aquele que agora se sente desencantado. A culpa não é sua. Nada pode durar para sempre. Você criou prazer para suas vítimas tirando-as das suas rotinas. Se você fizer um rompimento rápido e sem culpas, a longo prazo elas vão apreciar isso. Quanto mais você se desculpa, mais insulta o orgulho delas, despertando sentimentos negativos que vão ficar repercutindo durante anos. Poupe-lhes explicações esfarrapadas que só complicam as coisas. A vítima deve ser sacrificada, não torturada.

6. Após 15 anos sob o governo de Napoleão Bonaparte, os franceses estavam exaustos. Guerras demais, drama demais. Quando Napoleão foi derrotado em 1814, e levado prisioneiro para a ilha de Elba, os franceses só queriam paz e tranquilidade. Os Bourboun – a família real deposta pela revolução de 1789 – voltaram ao poder. O rei era Luís XVIII; gordo, enfadonho e pomposo, mas pelo menos com ele haveria paz.

Então, em fevereiro de 1815, chegou à França a notícia da dramática fuga de Napoleão de Elba com sete pequenos navios e mil homens. Ele podia ir para a América, começar tudo de novo, mas fez a loucura de aportar em Cannes. O que ele estava pensando? Mil homens contra todo o exército francês? Ele se dirigiu para Grenoble com seu exército esfarrapado. Pelo menos, não se podia deixar de admirar a sua coragem, o seu insaciável amor pela glória e pela França.

Aí, também, os camponeses franceses ficaram fascinados com a visão do seu ex-imperador. Este homem, afinal de contas, havia redistribuído um bocado de terras entre eles, que o novo rei estava querendo tomar de volta. Eles desfaleciam ao ver as suas famosas bandeiras com a águia estampada, os símbolos renascidos da revolução. Eles deixaram os campos e se juntaram na sua marcha. Nos arredores de Grenoble, as primeiras tropas que o rei mandou para interceptar Napoleão os alcançaram. Napoleão desmontou e se aproximou deles a pé. "Soldados da Unidade do Quinto Exército!", gritou ele. "Não me conhecem? Se houver entre vocês alguém que deseje matar o seu imperador, que se aproxime e faça isso. Aqui estou!" E abriu o sobretudo cinza, convidando-os a atirar. Houve um momento de silêncio e, então, de todos os lados, ouviram-se gritos de: "*Vive l'Empereur!*" Numa só tacada, o exército de Napoleão dobrou de tamanho.

A marcha continuou. Mais soldados, lembrando a glória que ele lhes havia dado, mudaram de lado. A cidade de Lyon caiu sem uma só batalha. Generais com exércitos maiores foram despachados para detê-lo, mas a visão de Napoleão encabeçando suas tropas foi muita emoção para eles e trocaram de aliança. O rei Luís fugiu da França, com isso abdicando ao trono. No dia 20 de março, Napoleão entrou novamente em Paris retornando ao palácio que havia deixado fazia apenas 13 meses – tudo sem precisar disparar um só tiro.

Os camponeses e os soldados tinham se unido a Napoleão, mas os parisienses foram menos entusiásticos, principalmente aqueles que haviam servido no seu governo. Temiam as tempestades que ele iria provocar. Napoleão governou o país por cem dias, até que os aliados e seus inimigos internos o derrotaram. Desta vez ele foi mandado para a ilha remota de Santa Helena, onde morreria.

Interpretação. Napoleão sempre pensou na França, e no seu exército, como um alvo a ser cortejado e seduzido. Como o general de Ségur escreveu sobre Napoleão: "Em momentos de sublime poder, ele não comanda mais como um homem, mas seduz como uma mulher." No caso da sua fuga de Elba, ele planejou um gesto ousado e surpreendente que excitaria uma nação entediada. Ele iniciou o seu retorno à França entre as pessoas que lhe seriam mais receptivas: os camponeses que o haviam reverenciado. Ele reviveu os símbolos – as bandeiras revolucionárias, os estandartes com a águia – que despertariam velhos sentimentos. Colocou a si próprio como chefe do exército, desafiando seus ex-soldados a atirarem nele. A marcha sobre Paris que o levou de volta ao poder foi puro teatro, calculado para causar um efeito emocional a cada etapa do caminho. Que contraste esta antiga aventura amorosa representava comparando com aquele rei bobalhão que agora os governava!

A segunda sedução da França por Napoleão não foi uma sedução clássica, seguindo as etapas habituais, mas uma ressedução. Ela foi construída sobre antigas emoções e revivia um velho amor. Depois que você seduz uma pessoa (ou uma nação), há quase sempre um período de dormência, um leve afrouxamento, que às vezes leva a uma separação; é surpreendentemente fácil, entretanto, resseduzir o mesmo alvo. Os antigos sentimentos não morrem, eles ficam adormecidos e, como um raio, podem pegar o seu alvo de surpresa.

É um raro prazer ser capaz de reviver o passado, a própria juventude – sentir as antigas emoções. Como Napoleão, acrescente um toque dramático na sua ressedução: reviva antigas imagens, os símbolos, as expressões que acordam a memória. Como os franceses, seus alvos tenderão a esquecer a feiura da separação e lembrarão apenas das coisas boas. Você deve fazer esta segunda sedução com ousadia e rapidez, sem dar aos seus alvos tempo para refletir ou estranhar. Como Napoleão, tire vantagem do contraste com o atual amante deles, ou a amante, fazendo com que o comportamento dessa pessoa pareça tímido e indigesto em comparação com o seu.

Nem todos serão receptivos a uma ressedução, e certos momentos serão inadequados. Quando Napoleão voltou de Elba, os parisienses estavam muito sofisticados para ele e perceberam as suas intenções. Ao contrário dos camponeses do Sul, eles já o conheciam muito bem; e a sua reentrada foi cedo demais, eles estavam cansados dele. Se você quer resseduzir uma pessoa, escolha alguém que não o conheça muito bem, cujas lembranças de você sejam mais puras, alguém por natureza menos desconfiado e que esteja insatisfeito com as atuais circunstâncias. É bom, também, deixar o tempo passar. O tempo vai restaurar o seu brilho e apagar as suas falhas. Jamais veja uma separação ou sacrifício como algo final. Com um pouco de drama e planejamento, uma vítima pode ser recuperada em pouco tempo.

Símbolo: *Brasas,
os vestígios do fogo na manhã seguinte.
Deixadas à vontade, as brasas aos poucos se
extinguem. Não deixe as brasas ao sabor do acaso e dos
elementos. Apague-as, abafe-as, sufoque-as, não as alimente
com nada. Para trazê-las de novo à vida, abane, atice, até arderem
de novo. Somente a sua constante atenção e vigilância as manterá acesas.*

O INVERSO

Para manter uma pessoa encantada, você terá de resseduzi-la constantemente. Mas pode permitir que se instale uma leve familiaridade. O alvo quer sentir que está começando a conhecer você. Mistério demais gera dúvida. E será cansativo para você também, que terá de sustentá-lo. O objetivo é não se manter totalmente estranho, mas sim, de vez em quando, sacudir as vítimas das suas atitudes complacentes surpreendendo-as como você as surpreendeu no passado. Faça isto direito e elas terão a deliciosa sensação de estarem constantemente conhecendo você melhor – porém nunca demais.

APÊNDICE A –
AMBIENTE SEDUTOR/TEMPO SEDUTOR

*Na
sedução,
suas vítimas devem
começar lentamente a
sentir uma mudança inte-
rior. Sob a sua influência, elas
baixam as defesas, sentindo-se livres para agirem de modo diferente,
serem outras pessoas. Certos lugares,
ambientes e experiências o ajudarão
muito na sua busca de mudar e transformar o seduzido. Espaços com uma característica teatral acentuada – opulência,
superfícies cintilantes, um espírito jovial –
criam uma sensação descontraída, infantil, que torna difícil para a vítima pensar
direito. A criação de uma noção alterada
de tempo tem um efeito semelhante –
momentos atordoantes, memoráveis,
que se destacam, um estado de espírito de festa e brincadeiras. Você deve
fazer suas vítimas sentirem que
estar com você é uma experiência diferente de estar no
mundo real.*

LUGAR E HORA FESTIVOS

Séculos atrás, a vida em quase todas as culturas era só trabalho e rotina. Mas, em certas épocas do ano, esta vida era interrompida por festas. Durante essas festas – saturnálias na Roma antiga, os festejos do dia primeiro de maio na Europa, as festanças dos índios chinuques –, o trabalho nos campos e nos mercados era suspenso. A tribo inteira, ou cidade, se reunia num espaço sagrado reservado para as festas. Temporariamente livres de deveres e responsabilidades, as pessoas tinham licença para cometer as maiores loucuras; elas vestiam máscaras ou fantasias, que lhes davam outras identidades, às vezes de personagens poderosos representativos dos grandes mitos das suas culturas. A festa era um tremendo alívio das responsabilidades da vida diária. Ela alterava a noção de tempo das pessoas, criando momentos em que elas saíam de si mesmas. O tempo parecia parar. Ainda é possível encontrar algo parecido com essa experiência nos grandes carnavais que sobreviveram no mundo inteiro.

O festival representava uma quebra no cotidiano de uma pessoa, uma experiência completamente diferente da rotina. Num nível mais íntimo, é assim que você deve ver as suas seduções. Conforme o processo avança, seus alvos experimentam uma diferença radical no seu dia a dia – uma liberdade do trabalho e das responsabilidades. Mergulhados no prazer e na brincadeira, eles podem agir diferente, podem ser outra pessoa, como se estivessem vestindo uma máscara. O tempo que você passa com eles é dedicado a eles e nada mais. Em vez do usual ciclo de trabalho e descanso, você está lhes dando momentos grandiosos, dramáticos, que se destacam dos outros. Você os leva a lugares que não estão acostumados a ver no seu cotidiano – lugares mais intensos, teatrais. O ambiente físico afeta fortemente os humores das pessoas; um lugar dedicado aos prazeres e aos jogos insinua ideias de prazer e jogos. Quando suas vítimas voltam aos seus deveres e ao mundo real, elas sentem o contraste com muita intensidade e começam a desejar aquele outro lugar para onde você as levou. O que você está criando basicamente é um tempo e um lugar para festejar, momentos em que o mundo real deixa de existir e a fantasia assume. A nossa cultura não proporciona mais essas experiências, e as pessoas anseiam por elas. É por isso que quase todos estão esperando ser seduzidos e cairão em seus braços se você fizer o jogo certo.

Veremos a seguir os componentes-chave para reproduzir o lugar e a hora festivos:

Crie efeitos teatrais. O teatro cria a sensação de um mundo mágico, separado. A maquiagem dos atores, os cenários falsos, mas fascinantes, o guarda-roupa ligeiramente irreal – esses elementos visuais acentuados, junto com a trama da peça, criam ilusão. Para produzir este efeito na vida real, você deve desenhar suas roupas, sua maquiagem e atitudes para que tenham um toque artificial, de brincadeira – a sensação de que você se vestiu para o prazer da plateia. Este é o efeito que fazia Marlene Dietrich parecer uma deusa, ou o efeito fascinante de um dândi como Beau Brummell. Seus encontros com os alvos também devem passar uma sensação de drama, que você consegue com os ambientes que escolher e com as suas ações. O alvo não deve saber o que vai acontecer em seguida. Crie suspense com reviravoltas que conduzem ao final feliz; vocês estão representando. Sempre que seus alvos estiverem com você, estarão sendo levados de volta a essa vaga sensação de estarem participando de uma peça teatral. Vocês dois sentem a emoção de usar máscaras, de representar um papel diferente daquele que a vida lhes destinou.

Use a linguagem visual do prazer. Certos tipos de estímulo visual sinalizam que você não está no mundo real. Você quer evitar as imagens que tenham profundidade, que possam provocar pensamentos, ou culpa: pelo contrário, você deve operar em ambientes que sejam só superfície, cheios de objetos cintilantes, espelhos, piscinas, um eterno jogo de luzes. A sobrecarga sensorial desses espaços cria uma sensação descontraída, inebriante. Quanto mais artificial, melhor. Mostre aos seus alvos um mundo alegre, cheio de imagens e sons que excitam o bebê ou a criança que existe dentro deles. O luxo – a sensação de que dinheiro foi gasto e até desperdiçado – aumenta o sentimento de que o mundo real dos deveres e da moral foi banido. Chame a isso de efeito bordel.

Fique no meio de muita gente ou num círculo fechado. Muita gente reunida num mesmo lugar eleva a temperatura a níveis de estufa. Festejos e carnavais dependem do sentimento contagiante que uma multidão cria. Leve seus alvos a esses ambientes às vezes para baixar a defensividade normal deles. Similarmente, qualquer tipo de situação que reúna as pessoas num espaço pequeno por um longo período é extremamente favorável à sedução. Durante anos, Sigmund Freud manteve uma reserva bem entrosada de discípulos que frequentavam suas aulas particulares e que se envolviam num número surpreendente de casos amorosos. Leve a pessoa seduzida para um ambiente apinhado de gente ou vá pescar alvos num mundo fechado.

Produza efeitos místicos. Efeitos espirituais ou místicos distraem a mente das pessoas da realidade, fazendo com que se sintam elevadas e eufóricas. Daqui, é só um passo para o prazer físico. Use qualquer acessório que tiver à mão – livros de astrologia, imagens de santos, músicas com sons místicos de uma cultura distante. O grande charlatão austríaco do século XVIII Franz Mesmer enchia os seus salões com sons de harpa, incensos com fragrâncias exóticas e uma voz feminina cantando num aposento distante. Nas paredes, ele colocava vitrais e espelhos. Os trouxas que lá iam ficavam relaxados, cheios de inspiração e, sentados na sala onde ele usava os ímãs para seus poderes curativos, sentiam uma espécie de arrepio espiritual passando de um corpo para o outro. Qualquer coisa vagamente mística ajuda a bloquear o mundo real e, daí, é fácil passar do espiritual para o sexual.

Distorça a noção de tempo deles – velocidade e juventude. O tempo de festas tem uma espécie de ritmo veloz e frenético que faz as pessoas se sentirem mais vivas. A sedução deve fazer o coração bater mais rápido para o seduzido não ver o tempo passar. Leve-os a lugares de constante atividade e movimento. Embarque com eles em algum tipo de viagem, distraindo-os com novas visões. A juventude pode estar desaparecendo no horizonte, mas a sedução traz o sentimento de ser jovem, não importa a idade das pessoas envolvidas. E juventude é basicamente energia. O ritmo da sedução deve acelerar num determinado momento, criando na mente um efeito de redemoinho. Não é de estranhar que Casanova desenvolvesse grande parte das suas seduções nos bailes, ou que a valsa fosse a ferramenta preferida de muitos libertinos do século XIX.

Crie momentos. O cotidiano é um trabalho servil no qual as mesmas ações se repetem infinitamente. O festival, por outro lado, nos vem à lembrança como um momento em que tudo se transformou – quando uma migalha de mito e eternidade entrou em nossas vidas. A sua sedução deve ter esses picos, ocasiões em que algo dramático acontece e o tempo é experimentado de uma outra forma. Você deve oferecer aos seus alvos momentos assim, seja encenando a sedução num lugar – uma festa de carnaval ou um teatro – onde eles naturalmente ocorrem, seja criando-os você mesmo com ações dramáticas que despertem fortes emoções. Esses momentos devem ser de puro lazer e prazer – nenhum pensamento sobre trabalho ou moral pode vir se intrometer. Madame de Pompadour, a amante do rei Luís XV, precisava resseduzir o seu enfastiado amante a cada dois ou três meses; muito criativa, ela inventava festas, bailes, jogos, um pequeno teatro em Versalhes.

O seduzido se diverte com isso, percebendo o esforço que você faz para distraí-lo e encantá-lo.

CENAS DE TEMPO E LUGAR SEDUTORES

1. Por volta de 1710, um rapaz cujo pai era um próspero comerciante de vinhos em Osaka, no Japão, se viu cada vez mais mergulhado em devaneios. Ele trabalhava dia e noite para o pai, e o peso da vida familiar e de todos os seus deveres era opressor. Como todos os rapazes, ele havia escutado falar das áreas de prazer na cidade – os bairros onde as leis normalmente rígidas do shogunato podiam ser violadas. Era ali que estava o ukiyo, o "mundo flutuante" dos prazeres fugazes, um lugar governado por atores e cortesãs. Era com isso que o rapaz sonhava acordado. Controlando o seu tempo, ele deu um jeito de escapulir de casa uma noite sem ser percebido. Foi direto para o bairro dos prazeres.

Era um aglomerado de construções – restaurantes, clubes exclusivos, casas de chá – que se destacavam do resto da cidade por sua magnificência e colorido. Mal pisou lá dentro, o rapaz percebeu que estava num mundo diferente. Atores passeavam pelas ruas com quimonos elaboradamente tingidos. Seus modos e atitudes eram como se ainda estivessem no palco. As ruas fervilhavam de energia; o ritmo era veloz. Lanternas coloridas sobressaíam na noite escura, como os cartazes coloridos de um teatro kabuki próximo. As mulheres tinham um ar totalmente diferente. Elas olhavam para ele com atrevimento, agindo com a liberdade de um homem. Ele viu um onnagata, um dos homens que representavam papéis femininos no teatro – um homem mais bonito do que a maioria das mulheres que ele conhecia e a quem os transeuntes tratavam como um nobre.

O jovem viu outros rapazes como ele entrando numa casa de chá, e foi atrás. Aqui as cortesãs de classe mais alta, as grandes tayus, exerciam a sua profissão. Minutos depois de ter se sentado, o rapaz ouviu um barulho e uma correria, e pela escada desceu um punhado de tayus acompanhadas de músicos e malabaristas. As mulheres tinham as sobrancelhas raspadas, substituídas por um traço grosso feito com tinta preta. Os cabelos presos para cima numa dobra perfeita, e ele nunca havia visto quimonos tão belos. As tayus pareciam flutuar no chão, usando tipos diferentes de passos (sugestivo, rastejante cauteloso etc.) dependendo de quem elas estivessem se aproximando e do que lhe queriam comunicar. Elas ignoraram o rapaz; ele não tinha ideia de como convidá-las, mas notou que alguns homens mais velhos tinham um modo de caçoar delas que era por si só uma linguagem. O vinho começou a correr, a música a tocar e, finalmente, algumas cortesãs menos graduadas apareceram. Nisso, o jovem já estava com a língua solta. Estas cortesãs eram bem mais cordiais e o rapaz começou a perder a noção do tempo. Mais tarde, ele conseguiu voltar cambaleando para casa e só na manhã seguinte foi que percebeu a dinherama que havia gasto. Se o pai descobrisse...

Mas, semanas depois, lá estava ele novamente. Como centenas desses filhos no Japão de cujas histórias a literatura do período está repleta, ele estava a caminho de esbanjar a fortuna do pai no "mundo flutuante".

Sedução é um outro mundo no qual você inicia suas vítimas. Como o ukiyo, ele depende de uma rígida separação do mundo cotidiano. Quando suas vítimas estão na sua presença, o mundo externo – com sua moral, seus códigos, suas responsabilidades – foi abolido. Tudo é permitido, em especial qualquer coisa que normalmente seja reprimida. As conversas são mais amenas e sugestivas. Roupas e lugares têm um toque de teatralidade. Há licença para agir diferente, para ser outra pessoa, sem qualquer peso ou julgamento. É uma espécie de "mundo flutuante" psicológico concentrado que você cria para os outros, e ele vicia. Quando eles deixam você e voltam para suas rotinas, têm duplamente consciência do que estão perdendo. Assim que ansiarem pela atmosfera que você criou, a sedução está completa. Como no mundo flutuante, o dinheiro é para se gastar. Generosidade e luxúria caminham de mãos dadas com um ambiente sedutor.

2. Começou no início da década de 1960: as pessoas iam ao estúdio de Andy Warhol, em Nova York, absorver a atmosfera e ficar por ali um pouco. Depois, em 1963, o artista se mudou para um novo espaço em Manhattan e um membro do seu séquito cobriu algumas paredes e pilastras com folhas de estanho e pintou com spray prateado uma parede de tijolos e outras coisas. Um sofá no centro com uma manta vermelha, algumas balas de plástico com um metro e meio de altura, uma mesa giratória que cintilava com minúsculos espelhos, e travesseiros pratea-

dos cheios de gás hélio que flutuavam no ar completavam o cenário. Agora o espaço em L ficou conhecido como The Factory (A Fábrica), e uma cena começou a se desenrolar. Cada vez mais pessoas começaram a aparecer – por que não deixar simplesmente a porta aberta, Andy argumentou, e seja o que Deus quiser. Durante o dia, enquanto Andy trabalhava nas suas pinturas e filmes, as pessoas se reuniam – atores, punguistas, traficantes de drogas, outros artistas. E o elevador não parava de ranger a noite toda quando o beautiful people começou a fazer do lugar a sua casa. Este aqui podia ser Montgomery Clift sozinho com um copo na mão; ali, uma jovem e bela socialite conversando com uma drag queen e o curador de um museu. Eles não paravam de aparecer, todos jovens e glamourosamente vestidos. Era como um desses programas infantis na televisão, Andy certa vez falou com um amigo, onde os convidados não param de pipocar numa festa interminável e sempre têm alguma distração nova. E era isso exatamente o que parecia – com nada sério acontecendo, só muita conversa e flertes, e flashes espoucando e intermináveis poses, como se todos estivessem num filme. O curador do museu começava a rir como um adolescente e a socialite balançava de um lado para o outro como um barco de pesca holandês.

À meia-noite, estavam todos apinhados. Mal podiam se mexer. A banda chegava, um show ligeiro começava e tudo tombava numa nova direção, cada vez mais confusa. Por algum motivo, havia uma hora em que a multidão se dispersava, e de tarde começava tudo de novo com o pinga-pinga dos seus seguidores. Raramente alguém ia a The Factory apenas uma vez.

É opressivo ter de fazer as coisas sempre do mesmo jeito, representando o mesmo papel chato imposto pelo dever ou pelo trabalho. As pessoas querem um lugar ou um momento onde possam vestir uma máscara, agir diferente, ser outra pessoa. É por isso que glorificamos os atores: eles têm a liberdade e a capacidade de brincar com o próprio ego que gostaríamos de ter. Qualquer ambiente que ofereça uma chance de representar um papel diferente, de ser um ator, é imensamente sedutor. Pode ser um criado por você mesmo, como The Factory. Ou um lugar aonde você leva o seu alvo. Nesses ambientes, vocês simplesmente não pode ser defensivo; a atmosfera alegre, a sensação de que tudo é permitido (exceto a seriedade) desfazem qualquer tipo de reatividade. Estar num desses lugares é como uma droga. Para recriar esse efeito, lembre-se da metáfora de Andy Warhol sobre os programas infantis de televisão. Mantenha tudo leve e jovial, cheio de distrações, barulho, cores e um certo caos. Nada de peso, responsabilidades ou críticas. Um lugar para uma pessoa se perder.

3. Em 1746, uma jovem de 17 anos chamada Cristina havia chegado a Veneza com o tio, padre, em busca de um marido. Cristina era de uma pequena aldeia, mas tinha a oferecer um substancial dote. Os homens venezianos que estavam dispostos a se casar com ela não a agradavam. Assim, depois de duas semanas de infrutíferas buscas, ela e o tio se preparavam para voltar para a sua aldeia. Estavam sentados na sua gôndoda, prontos para deixar a cidade, quando Cristina viu um jovem elegantemente vestido caminhando na direção deles. "É um sujeito simpático!", disse ela ao tio. "Gostaria que estivesse no barco conosco." Era impossível o cavalheiro ter escutado isso, mas ele se aproximou, pagou ao gondoleiro e se sentou ao lado de Cristina, para o encanto da moça. Apresentou-se como Jacques Casanova. Quando o padre o cumprimentou por sua cordialidade, Casanova respondeu: "Talvez eu não fosse tão gentil, meu reverendo padre, se não estivesse atraído pela beleza da sua sobrinha."

Cristina lhe contou por que estavam em Veneza e por que iam embora. Casanova riu e a censurou – um homem não pode se decidir a casar com uma moça antes de vê-la por alguns dias. Ele deve saber um pouco mais sobre o seu caráter; levaria no mínimo uns seis meses. Ele mesmo estava procurando uma esposa e lhe explicou por que havia se decepcionado com as moças que conhecera, como tinha acontecido com ela em relação aos homens. Casanova parecia não ter um destino; simplesmente os acompanhava, distraindo Cristina o tempo todo com uma conversa espirituosa. Quando a gôndola chegou às margens de Veneza, Casanova contratou uma carruagem até a cidade vizinha de Treviso e os convidou para ir com ele. De lá poderiam pegar um coche até a sua aldeia. O tio aceitou e, dirigindo-se para a carruagem, Casanova ofereceu o braço a Cristina. O que sua amante diria se os visse, perguntou ela. "Não tenho amante", respondeu ele, "e jamais voltarei a ter, pois nunca encontrarei outra moça bonita como você – não, não em Veneza." As palavras dele lhe subiram à cabeça, enchendo-a com as ideias mais estranhas, e ela começou a falar e agir de um modo diferente, tornando-se quase atrevida. Que pena não poder ficar em Veneza os seis meses de que ele precisava para conhecer uma moça, ela disse a Casanova. Sem hesitar, ele se ofereceu para pagar suas despesas em Veneza durante esse período enquanto a cortejava. Na carruagem, ela ficou pensando na oferta e, uma vez em Treviso, chamou o tio de lado e pediu, por favor, que ele voltasse sozinho para a aldeia e viesse buscá-la dentro de alguns dias. Estava apaixonada por Casanova; queria conhecê-lo melhor; ele era um perfeito cavalheiro, em quem se podia confiar. O tio concordou.

No dia seguinte, Casanova não saiu do seu lado. Não havia a mais leve sugestão de incompatibilidade no seu temperamento. Os dois passaram o dia passeando pela cidade, fazendo compras e conversando. Ele a levou ao teatro de noite e depois ao cassino, dando-lhe um dominó e uma máscara. Deu-lhe dinheiro para jogar e ela ganhou. Quando o tio voltou a Treviso, ela nem lembrava mais dos seus planos de casamento – só pensava nos seis meses que passaria com Casanova. Mas retornou com o tio para a aldeia e esperou que Casanova a fosse visitar.

Ele apareceu semanas depois trazendo um simpático rapaz chamado Carlos. Sozinho com Cristina, Casanova explicou a situação: Carlos era o solteiro mais cobiçado de Veneza, um homem que seria um marido melhor do que ele. Cristina admitiu para Casanova que ela também tinha suas dúvidas. Ele era muito excitante, tinha feito com que ela pensasse em outras coisas além de casamento, coisas das quais se envergonhava. Talvez fosse melhor assim. Ela o agradeceu pelo trabalho de lhe arrumar um marido. Carlos a cortejou durante alguns dias e os dois se casaram semanas depois. A fantasia e o fascínio de Casanova, entretanto, permaneceram para sempre na mente de Cristina.

Casanova não podia se casar – era totalmente contra a sua natureza. Mas também era contra a sua natureza se impor a uma moça. Melhor deixá-la com uma imagem de fantasia do que arruinar a sua vida. Além do mais, ele gostava de cortejar e flertar mais do que qualquer outra coisa.

Casanova deu a uma jovem mulher a suprema fantasia. Enquanto girava em torno dela, ele lhe dedicou cada momento. Jamais mencionou trabalho, não permitindo que detalhes enfadonhos e mundanos atrapalhassem a fantasia. E acrescentou a isso um grande teatro. Ele vestia as roupas mais espetaculares, cobertas de joias cintilantes. Ele a levava às diversões mais maravilhosas – carnavais, bailes de máscaras, cassinos, viagens sem destino. Ele era o grande mestre da criação de tempo e distrações sedutoras.

Casanova é o modelo desejado. Enquanto estiverem na sua presença, seus alvos devem sentir uma mudança. O tempo tem um ritmo diferente – eles nem notam que está passando. Ficam com a sensação de que tudo para para eles, assim como as atividades normais ficam interrompidas durante um festival. Os prazeres ociosos que você lhes proporciona são contagiantes – um leva a outro, e a mais outro e outro mais, até que fica muito tarde para voltar atrás.

APÊNDICE B –
SEDUÇÃO SUTIL E INDIRETA:
COMO VENDER QUALQUER COISA ÀS MASSAS

*Quanto
menos você parecer que está vendendo
alguma coisa – inclusive você –, melhor. Com uma técnica
de venda muito óbvia, você vai gerar desconfiança; e também deixar a
sua plateia entediada, um pecado imperdoável. Use, ao contrário, uma abordagem
sutil, sedutora e insidiosa.* **Sutil**: *seja indireto. Crie notícias e ocasiões para a mídia captar e
divulgar o seu nome de uma forma que pareça espontânea, não rígida e calculada.* **Sedutora**:
*mantenha-a interessante. Seu nome e imagem estão revestidos de associações positivas; você
está vendendo prazer e promessas.* **Insidiosa**: *mire no inconsciente usando imagens que
não saiam da cabeça, colocando sua mensagem no que é visual. Estruture o que
você está vendendo como parte de uma nova tendência, e assim será.
É quase impossível resistir à sedução
sutil.*

A VENDA SUTIL

Sedução é a melhor forma de exercer poder. Quem se rende a ela está agindo com satisfação e porque quer. É difícil existirem ressentimentos por parte dos seduzidos; eles perdoam em você qualquer tipo de manipulação porque você lhes proporcionou prazer, artigo raro no mundo. Com tanto poder nas mãos, por que ficar só na conquista de um homem ou de uma mulher? Um grupo de pessoas, um eleitorado, uma nação podem ser controlados por você simplesmente aplicando, em nível de massa, as táticas que funcionam tão bem no individual. A única diferença é o objetivo – que não é sexo, mas influência, voto, a atenção do povo – e o grau de tensão. Quando você está atrás de sexo, cria deliberadamente ansiedade, uma leve dor, um movimento de vaivém. A sedução em nível de massa é mais difusa e sutil. Criando uma constante excitação, você fascina as massas com o que está oferecendo. Elas prestam atenção em você porque isso é agradável.

Digamos que o seu objetivo seja vender a si mesmo – como personalidade, definidor de tendências, candidato a um cargo público. Há duas maneiras de fazer isso: a venda agressiva (abordagem direta) e a venda sutil (abordagem indireta). Na venda agressiva, você faz a sua defesa enérgica e diretamente explicando por que seus talentos, suas ideias, sua mensagem política são superiores aos dos outros. Você se vangloria dos seus sucessos, cita estatísticas, traz opiniões de especialistas, chega mesmo a induzir um certo temor se a plateia ignorar a sua mensagem. A abordagem é ligeiramente agressiva, e pode ter consequências indesejadas: algumas pessoas se sentirão ofendidas, resistirão à sua mensagem, ainda que você diga que é tudo verdade. Outras vão achar que você as está manipulando – quem pode confiar em especialistas e estatísticas, e por que você está se esforçando tanto? Você também vai deixar as pessoas irritadas, tornando-se desagradável de se ouvir. Num mundo onde é impossível ter sucesso sem vender em grandes quantidades, a abordagem direta não vai levar você muito longe.

A venda sutil, por outro lado, tem o potencial de atrair milhões porque é interessante, gentil aos ouvidos e pode ser repetida sem dar nos nervos. A técnica foi inventada pelos grandes charlatães na Europa do século XVII. Para vender seus elixires e misturas alquímicas, primeiro eles montavam um show – palhaços, música, malabarismos do tipo usado nos espetáculos de vaudeville – que nada tinha a ver com o que estavam vendendo. Formava-se uma multidão e, enquanto a plateia ria e relaxava, o charlatão subia ao palco e, com rapidez e dramaticidade, dissertava sobre os efeitos milagrosos do elixir. Aprimorando esta técnica, os charlatães descobriram que, em vez de vender algumas dezenas de garrafas do duvidoso remédio, de repente eles estavam vendendo vintenas e até centenas.

Desde então, publicitários, anunciantes, estrategistas políticos e outros têm elevado este método a novos picos, mas os rudimentos da venda sutil continuam os mesmos. Primeiro, dê prazer criando um clima positivo em torno do seu nome ou mensagem. Induza um sentimento cordial, relaxado. Não dê jamais a impressão de estar vendendo alguma coisa – isso vai parecer suspeito e manipulador. Mas deixe que o valor do entretenimento e dos bons sentimentos ocupem o palco central, fazendo a venda passar sorrateiramente pela porta lateral. E, nessa venda, você não parece estar vendendo a si mesmo, uma determinada ideia ou um candidato; você está vendendo um estilo de vida, bom humor, uma sensação de aventura, de novidade ou uma rebelião embalada em papel de presente.

Aqui estão alguns componentes-chave para a venda sutil.

Aparente ser notícia, não publicidade. As primeiras impressões são críticas. Se a sua plateia o vir primeiro no contexto de um anúncio ou artigo de publicidade, você instantaneamente se unirá à massa de outros anúncios gritando para chamar atenção – e todos sabem que anúncios são engenhosas manipulações, uma espécie de fraude. Portanto, para a sua primeira aparição aos olhos do público, produza um evento, algum tipo de situação que a mídia "inadvertidamente" captará como se fosse notícia. As pessoas prestam mais atenção ao que é divulgado como notícia – parece mais real. Você de repente se destaca de tudo o mais, nem que seja por um momento – mas esse momento tem mais credibilidade do que horas de programação publicitária. A chave é orquestrar perfeitamente os detalhes criando uma história com impacto e movimentos dramáticos, tensão e resolução.

A mídia vai passar dias falando sobre isso. Dissimule o seu verdadeiro objetivo – vender a si mesmo – a qualquer custo.

Desperte emoções básicas. Jamais promova a sua mensagem com argumentos racionais, diretos. Isso vai exigir esforço da sua plateia e não conquistará a atenção dela. Mire no coração, não na cabeça. Planeje suas palavras e imagens para despertar emoções – luxúria, patriotismo, valores familiares. É mais fácil conquistar e prender a atenção das pessoas depois que você as faz pensar em suas famílias, seus filhos, no seu futuro. Elas se sentem estimuladas, com o espírito elevado. Agora você tem a atenção delas e o espaço para insinuar a sua verdadeira mensagem. Dias depois, a plateia se lembrará do seu nome, e lembrar do seu nome já é metade do jogo. Similarmente, descubra meios de se cercar de ímãs emocionais – heróis de guerra, crianças, santos, animaizinhos, seja o que for. Faça a sua aparição lembrar estas associações emocionalmente positivas, dando a você uma presença extra. Não permita que os outros criem ou definam essas associações por você, e não as deixe ao acaso.

Faça do meio a mensagem. Preste mais atenção à forma da sua mensagem do que ao conteúdo. Imagens são mais sedutoras do que palavras, e elementos visuais – cores tranquilizantes, um pano de fundo adequado, a sugestão de velocidade ou movimento – devem ser a sua verdadeira mensagem.

A plateia talvez focalize superficialmente o conteúdo ou moral do que você está pregando, mas na realidade está absorvendo o visual, que pode entrar em suas peles e permanecer lá por mais tempo do que palavras ou sermões. Seus visuais devem ter um efeito hipnótico. Devem fazer as pessoas se sentirem felizes ou tristes, dependendo do resultado que você quiser. E, quanto mais distraídas por pistas visuais, mais difícil será para elas pensar direito ou perceber as suas manipulações.

Fale a língua do alvo – seja comunicativo. A qualquer custo, evite parecer superior à sua audiência. Qualquer sugestão de presunção, palavras ou ideias complicadas, um exagero de estatísticas – tudo isso é fatal. Pelo contrário, aparente ser igual ao seus alvos e íntimo deles. Você os compreende, compartilha do seu estado de espírito, fala a mesma língua. Se as pessoas estiverem descrentes com relação às manipulações de anunciantes e políticos, explore esse ceticismo. Retrate-se como mais um da tribo, com defeitos e tudo. Mostre que compartilha do ceticismo da plateia revelando os truques do ofício. Torne a sua publicidade mais provinciana e mínima possível para que, comparados com você, os seus concorrentes pareçam sofisticados e esnobes. A sua honestidade seletiva e fraqueza estratégica farão com que as pessoas confiem em você. Você é amigo da plateia, um íntimo. Entre no espírito deles e eles vão relaxar e ouvir o que você tem a dizer.

Inicie uma reação em cadeia – todo mundo está fazendo isso. Quem parece desejado pelos outros fica imediatamente mais sedutor para seus alvos. Aplique isso à sedução sutil. Você precisa agir como se já tivesse excitando multidões; o seu comportamento se tornará uma profecia que se autor-realiza. Simule estar na vanguarda de uma tendência ou estilo de vida, e o público o absorverá sôfrego com medo de ficar para trás. Divulgue a sua imagem com um logotipo, slogans, cartazes para que seja vista por toda parte. Anuncie a sua mensagem como uma tendência e ela passará a ser uma tendência. O objetivo é criar uma espécie de efeito virótico no qual um número cada vez maior de pessoas fica contaminado com o desejo de ter seja lá o que for que você estiver oferecendo. É o modo mais fácil e sedutor de vender.

Diga às pessoas quem elas são. É sempre uma tolice envolver um indivíduo ou o público em qualquer espécie de discussão. Eles vão resistir. Tente, em vez disso, mudar as ideias das pessoas, mudar a identidade delas, a percepção que elas têm da realidade e, a longo prazo, você terá muito mais controle sobre elas. Diga-lhes quem elas são, crie uma imagem, uma identidade que elas vão querer assumir. Deixe-as insatisfeitas com a sua condição atual. Fazendo com que se sintam infelizes com elas mesmas, você terá o espaço necessário para sugerir um novo estilo de vida, uma nova identidade. Só escutando o que você diz, elas poderão descobrir quem são. Ao mesmo tempo, você precisa mudar a maneira como elas percebem o mundo exterior controlando o que elas veem. Use o maior número possível de recursos de mídia para criar uma espécie de ambiente total para suas percepções. A sua imagem deve ser vista não como um anúncio, mas como parte da atmosfera.

SEDUÇÕES SUTIS

1. Andrew Jackson foi um verdadeiro herói americano. Em 1814, na batalha de Nova Orleans, ele liderou um bando esfarrapado de soldados americanos contra um exército inglês superior e venceu. Conquistou também os índios na Flórida. E o exército de Jackson o adorava pela sua simplicidade: ele se alimentava de bolotas de pinheiro quando não tinha mais nada para comer, dormia numa cama dura, bebia sidra, exatamente como seus homens. Mas depois, tendo perdido, ou saído lesado, na eleição presidencial de 1824 (de fato ele venceu por voto popular, mas por uma margem tão estreita que a decisão foi parar nas mãos da Câmara dos Deputados que, após muitas negociações, escolheu John Quincy Adams), ele se retirou para a sua fazenda no Tennessee, onde viveu uma vida simples cuidando da terra, lendo a Bíblia, longe das corrupções de Washington. Enquanto Adams tinha estudado em Harvard, jogava bilhar, bebia água

gasosa e apreciava os luxos europeus, Jackson, como muitos americanos daquela época, fora criado numa cabana de toras de madeira. Era um homem sem instrução, um homem da terra.

De qualquer forma, foi isso que os americanos leram nos jornais nos meses seguintes à controvertida eleição de 1824. Estimulados por esses artigos, o povo nas tavernas e nos salões de um ponto a outro do país começou a comentar que o herói de guerra Andrew Jackson tinha sido enganado, que uma elite aristocrática insidiosa conspirava para dominar o país. Assim, quando Jackson declarou que voltaria a concorrer com Adams na eleição presidencial de 1828 – mas desta vez como líder de uma nova organização, o Partido Democrata –, o público vibrou. Jackson foi a primeira figura política importante a receber um apelido, Old Hickory, e logo clubes Hickory pipocavam por todas as cidades americanas. Suas reuniões pareciam encontros para o renascer espiritual. As questões mais excitantes do dia eram discutidas (tarifas, abolição da escravatura), e os membros dos clubes tinham certeza de que Jackson estava do lado deles. Era difícil saber ao certo – ele era um tanto vago sobre esses assuntos –, mas essa eleição tinha um significado mais importante: tratava-se de restaurar a democracia e devolver à Casa Branca os valores básicos americanos.

Em pouco tempo, os clubes Hickory estavam patrocinando eventos como churrascos, plantando hicórias, dançando em torno de mastros feitos com a madeira daquela árvore. Eles organizavam lautos banquetes públicos, e com muita bebida. Nos municípios, havia desfiles, e eram ocasiões emocionantes. Elas até aconteciam de noite para o pessoal das cidades poder assistir à procissão dos partidários de Jackson com tochas nas mãos. Outros carregavam bandeirolas coloridas com retratos de Jackson ou caricaturas de Adams com slogans ridicularizando o seu estilo decadente. E tudo era de hicória – varetas de hicória, vassouras de hicória, bengalas de hicória, folhas de hicória nos chapéus das pessoas. Homens a cavalo cruzavam a multidão incitando as pessoas a aclamar Jackson gritando "hurra!". Outros lideravam a multidão com canções sobre Old Hickory.

Os democratas, pela primeira vez numa eleição, fizeram pesquisas de opinião pública, descobrindo o que o homem comum pensava dos candidatos. Essas pesquisas eram publicadas nos jornais e a surpreendente conclusão foi que Jackson estava na frente. Sim, um novo movimento estava tomando conta do país. O clímax aconteceu quando Jackson se apresentou em Nova Orleans como parte de uma comemoração da batalha na qual havia lutado tão bravamente fazia 14 anos. Era uma coisa sem precedentes: nunca um candidato a presidente da república havia participado pessoalmente de uma campanha, e de fato essa aparição seria considerada pouco correta. Mas Jackson era um tipo novo de político, um verdadeiro homem do povo. Além do mais, ele insistia em que o objetivo da visita era o patriotismo, não a política. Foi um espetáculo inesquecível – Jackson entrando em Nova Orleans num barco a vapor em meio à névoa que se erguia, os canhões disparando de todos os lados, discursos imponentes, banquetes sem fim, uma espécie de delírio em massa tomando conta da cidade. Um homem disse que foi "como um sonho. O mundo jamais assistiu a uma celebração tão gloriosa, tão maravilhosa – jamais estiveram tão alegremente reunidos a gratidão e o patriotismo".

Desta vez a vontade do povo prevaleceu. Jackson foi eleito presidente. E não foi apenas uma região que lhe deu a vitória: o povo da Nova Inglaterra, o pessoal do Sul, do Oeste, comerciantes, fazendeiros e operários estavam todos contaminados com a febre Jackson.

Interpretação. Depois do fracasso de 1824, Jackson e seus partidários estavam determinados a fazer as coisas diferentes em 1828. A América estava se diversificando cada vez mais, desenvolvendo populações de imigrantes, habitantes do oeste, trabalhadores urbanos e assim por diante. Para conquistar um mandato, Jackson teria de superar novas diferenças regionais e de classe. Um dos primeiros e mais importantes passos de seus partidários foi fundar jornais que circulassem por todo o país. Enquanto ele mesmo parecia ter se retirado da vida pública, esses jornais promoviam uma imagem sua como o herói de guerra traído, o homem do povo transformado em vítima. Na verdade, Jackson era rico, como também os seus principais defensores. Ele era dono das maiores plantações do Tennessee e tinha muitos escravos. Ele consumia bebidas alcoólicas mais finas do que sidra e dormia numa cama macia com lençóis europeus. E embora não tivesse tido muita instrução, era extremamente astuto, com uma astúcia fundamentada em anos de combate no exército.

A imagem do homem da terra dissimulava tudo isto e, uma vez estabelecida, podia ser contrastada com a imagem aristocrática de Adams. Assim os estrategistas de Jackson encobriram a sua inexperiência política e fizeram a eleição girar em torno de questões relacionadas com caráter e valores. Em vez de questões políticas, eles levantavam outras mais triviais como beber e frequentar a igreja. Para manter o entusiasmo, eles encenavam espetáculos que pareciam comemorações espontâneas, mas que de fato eram cuidadosamente coreografadas. O apoio a Jackson parecia ser um movimento, como evidenciado (e promovido) pelas pesquisas de opinião. O evento em Nova Orleans – dificilmente sem conotação política, e Louisiana era um estado com influência decisiva numa eleição – envolveu Jackson numa aura de grandeza patriótica, quase religiosa.

A sociedade se fragmentou em unidades cada vez menores. As comunidades estão menos coesas; até os indivíduos têm mais conflitos interiores. Para vencer uma eleição ou vender alguma coisa em grande quantidade, você tem de disfarçar essas diferenças de algum modo – você tem de unificar as massas. O único jeito de conseguir isso é criando uma imagem inclusiva, que atraia e excite as pessoas num nível básico, quase inconsciente. Você não está falando sobre o que é verdade, ou sobre o que é real; você está forjando um mito.

Mitos criam identificação. Construa um mito sobre você mesmo e as pessoas comuns se identificarão com o seu personagem, com as suas dificuldades, as suas aspirações, assim como você se identifica com as deles. Essa imagem deve incluir as suas falhas, acentuar o fato de que você não é o melhor dos oradores, o mais educado, o mais exímio dos políticos. Parecer humano e com os pés na terra disfarça a sua imagem como uma coisa produzida. Para vender essa imagem, você precisa ter a imprecisão adequada. Isso não quer dizer que você deva evitar falar de questões e detalhes – isso o faria parecer sem substância –, mas que tudo que você disser esteja enquadrado no contexto mais sutil de caráter, valores e visão. Você quer baixar os impostos, digamos, porque isso ajudará as famílias – e você é uma pessoa de família. Você deve não só inspirar, como entreter – esse é um toque popular, cordial. Essa estratégia vai deixar furiosos os seus adversários, que tentarão desmascará-lo, revelar a verdade por trás do mito; mas isso só os fará parecer presunçosos, sérios demais, defensivos e esnobes. Essas características agora passam a fazer parte da imagem deles e ajudarão a derrubá-los.

2. Num domingo de Páscoa, 31 de março de 1929, os fiéis começaram a encher a Quinta Avenida, depois dos cultos e missas, para o desfile que costuma acontecer todos os anos nessa época. As ruas estavam interditadas e, como de hábito havia anos, todos vestiam as suas melhores roupas, as mulheres, especialmente, exibindo os últimos lançamentos para a primavera. Mas, esse ano, quem passeava pela Quinta Avenida notou uma coisa diferente. Duas jovens mulheres desciam a escada da igreja de Saint Thomas. Já na calçada, elas abriram as bolsas e tiraram lá de dentro cigarros – Lucky Strikes – e acenderam. Depois desceram a avenida com seus acompanhantes rindo e dando baforadas. Um murmúrio correu pela multidão. Só recentemente as mulheres haviam começado a fumar cigarros, e não se considerava de bom-tom uma dama ser vista fumando na rua. Só um certo tipo de mulher faria isso. Essas duas, entretanto, eram elegantes e bem vestidas. As pessoas as olhavam com atenção, e ficaram

ainda mais surpresas quando elas chegaram à próxima igreja que ficava na avenida. Aqui, mais duas jovens – igualmente elegantes e de boa família – saíram, aproximaram-se das duas com cigarros entre os dedos e, como se subitamente inspiradas a se juntarem a elas, puxaram os seus próprios Lucky Strikes e pediram fogo.

Agora as quatro mulheres marchavam juntas pela avenida. A elas foram constantemente se juntando outras, e logo eram dez jovens mulheres segurando cigarros em público como se fosse a coisa mais natural do mundo. Surgiram fotógrafos e retrataram essa nova visão. Em geral, no desfile de Páscoa, as pessoas ficavam cochichando sobre um novo estilo de chapéu ou uma nova cor para a primavera. Esse ano, todos falavam das ousadas mulheres e seus cigarros. No dia seguinte, saíram fotografias e artigos nos jornais comentando. Um comunicado da United Press dizia: "Assim que Miss Federica Freylinghusen, chamando atenção no seu elegante traje cinza-escuro, abriu caminho em meio ao aglomerado de pessoas em frente da Saint Patrick, Miss Bertha Hunt e suas colegas desferiram mais um golpe a favor da liberdade das mulheres. Pela Quinta Avenida, elas foram caminhando fumando cigarros. Miss Hunt fez o seguinte comunicado a partir do seu esfumacento campo de batalha: 'Espero que tenhamos iniciado algo, e que estas tochas da liberdade, sem preferência por nenhuma marca especial, esmagarão os tabus discriminadores sobre os cigarros para as mulheres e que o nosso sexo continue rompendo com todas as discriminações.'"

A história foi aproveitada por todos os jornais do país e logo as mulheres de outras cidades começaram a acender seus cigarros nas ruas. A controvérsia reinou durante semanas, alguns jornais deplorando o novo hábito, outros levantando-se em defesa das mulheres. Meses depois, entretanto, fumar em público já era uma prática socialmente aceitável para as mulheres. Raras foram as pessoas que se deram ao trabalho de continuar protestando.

Interpretação. Em janeiro de 1929, várias debutantes de Nova York receberam o mesmo telegrama de uma tal Miss Bertha Hunt: "No interesse da igualdade entre os sexos. (...) Eu e outras jovens mulheres acenderemos mais uma tocha da liberdade fumando cigarros enquanto passeamos pela Quinta Avenida no domingo de Páscoa." As debutantes que acabaram participando se reuniram com antecedência no escritório onde Bertha Hunt trabalhava como secretária. Elas planejaram em que igrejas apareceriam, como se juntariam umas às outras, todos os detalhes. Bertha distribuiu maços de Lucky Strike. Tudo funcionou à perfeição no dia combinado.

Mal sabiam as debutantes, entretanto, que a história toda tinha sido ideia de um homem – o chefe de Miss Hunt, Edward Bernays, consultor de relações públicas da American Tobacco Company, fabricante dos cigarros Lucky Srike. A American Tobacco vinha atraindo as mulheres para fumar com todos os tipos de anúncios inteligentes, mas o consumo ficava limitado pelo fato de que fumar na rua não era considerado próprio de uma dama. O chefe da American Tobacco havia pedido ajuda a Bernays, que lhe fez esse favor aplicando uma técnica que se tornaria a sua marca registrada: conquistar a atenção do público criando um evento que a mídia cobriria como se fosse notícia. Orquestre cada detalhe, mas faça-o parecer espontâneo. Com o maior número de pessoas escutando falar desse "evento", dispara-se a centelha do comportamento imitativo – nesse caso, mais mulheres fumando nas ruas.

Bernays, sobrinho de Sigmund Freud e talvez o maior gênio em relações públicas do século XX, compreendeu uma lei fundamental para qualquer tipo de venda. Assim que os alvos sabem que você está querendo alguma coisa – um voto, uma venda –, tornam-se resistentes. Mas disfarce a sua propaganda como notícia e não só você contorna a resistência deles como também pode criar uma tendência social que faça a venda por você. Para que isso funcione, o evento que você montar deve se destacar de todos os outros cobertos pela mídia, mas não demais, ou vai parecer uma coisa premeditada. No caso do desfile de Páscoa, Bernays (por intermédio de Bertha Hunt) escolheu mulheres que pareceriam elegantes e corretas mesmo segurando um cigarro. No entanto, ao quebrar um tabu social, e fazer isso em grupo, essas mulheres criariam uma imagem tão dramática e surpreendente que a mídia seria incapaz de deixar passar. Um evento que é captado pelos jornais tem o *imprimatur* de realidade.

É importante dar a esse evento produzido associações positivas, como fez Bernays ao criar um sentimento de rebelião, de mulheres se unindo. Associações que são patrióticas, digamos, ou sutilmente sexuais – qualquer coisa que seja agradável e sedutora – adquirem vida própria. Quem consegue resistir? As pessoas basicamente se convencem a se juntar à multidão sem nem mesmo perceberem que está acontecendo uma venda. A sensação de estar ativamente participando é vital para a sedução. Ninguém quer se sentir excluído de um movimento que está crescendo.

3. Na campanha presidencial de 1984, o presidente Ronald Reagan, candidato à reeleição, disse ao público: "É um novo nascer do dia na América." Seu governo, afirmou ele, tinha restaurado o orgulho americano. Os recentes e bem-sucedidos Jogos Olímpicos em Los Angeles foram um símbolo do país voltando a ser forte e confiante. Quem desejaria fazer o relógio voltar para 1980, que o antecessor de Reagan, Jimmy Carter, tinha designado como uma época de mal-estar?

O adversário democrata, Walter Mondale, achava que os americanos já estavam fartos do toque sutil de Reagan. Estavam prontos para a honestidade, e esse seria o apelo de Mondale. Diante de uma plateia de televisão transmitindo em nível nacional, Mondale declarou: "Vamos falar a verdade. Mr. Reagan vai aumentar os impostos, e eu também. Ele não lhes dirá isso. Eu acabei de dizer." Ele repetiu essa abordagem direta em inúmeras ocasiões. Em outubro, os seus índices nas pesquisas tinham despencado a níveis recorde.

A repórter da CBS News Lesley Stahl vinha cobrindo a campanha e, ao se aproximar o dia da eleição, ela teve uma sensação desconfortável. Não era tanto que Reagan tivesse focalizado emoções e humores em vez de questões mais complicadas. Era que a mídia estava lhe dando uma carona; ele e a sua equipe, ela sentia, estavam fazendo da mídia o que queriam. Sempre davam um jeito de fotografá-lo no cenário perfeito, aparentando uma figura forte e presidenciável. Eles alimentavam a imprensa com manchetes vistosas e com fotogramas dramáticos de Reagan em ação. Estavam montando um grande espetáculo.

Stahl decidiu compor uma matéria que mostrasse ao público como Reagan usava a televisão para encobrir os efeitos negativos das suas políticas. O artigo começava com uma montagem de imagens que a equipe dele havia orquestrado ao longo dos anos: Reagan descansando no seu rancho de calças jeans; em posição de sentido no tributo à invasão da Normandia na França; jogando futebol com os seguranças do seu Serviço Secreto; sentado numa sala de aula num bairro pobre. (...) Por cima dessas imagens, Stahl perguntava: "Como Reagan usa a televisão? De forma brilhante. Ele tem sido criticado como o presidente dos ricos, mas os filmes na televisão dizem que não é assim. Aos 77 anos, Mr. Reagan poderia estar senil. Mas os filmes na televisão dizem que não. Os americanos querem se sentir orgulhosos do seu país novamente, e do seu presidente. E os filmes na televisão estão permitindo isso. A orquestração da cobertura pela televisão absorve a Casa Branca. O objetivo deles? Enfatizar o maior trunfo do presidente, que, dizem seus acessores, é a sua personalidade. Eles fornecem fotografias suas parecendo um líder. Confiante com seu passo de homem de Marlboro."

Por cima das imagens de Reagan cumprimentando atletas deficientes físicos em cadeiras de rodas e cortando a fita na inauguração de uma nova instalação para idosos, Stahl continuava: "Eles também visam a apagar o que é negativo. Mr. Reagan tentou contrabalançar a lembrança de uma questão pouco popular com um cenário cuidadosamente escolhido que, na verdade, contradiz a política do presidente. Observem a olimpíada dos deficientes, ou a cerimônia inaugural de um lar para idosos. Nada sugere que ele tenha tentado cortar os orçamentos para os deficientes e os subsídios do governo para as casas de idosos."

E assim continuava a matéria, mostrando a lacuna entre as imagens de bem-estar que apareciam na tela e a realidade dos atos de Reagan. "O presidente Reagan", concluiu Stahl, "é acusado de dirigir uma campanha na qual ele ressalta as imagens e esconde os problemas. Mas não há evidência de que as acusações lhe serão nocivas porque, quando o povo vê o presidente na televisão, ele os faz se sentirem bem com relação à América, com relação a si próprios e com relação a ele."

Stahl dependia da boa vontade do pessoal de Reagan para fazer a cobertura da Casa Branca, no entanto a sua matéria era fortemente negativa, assim ela se preparou para ter problemas. Mas um oficial mais antigo da Casa Branca lhe telefonou naquela noite: "Boa matéria", disse ele. "O quê?", perguntou a atônita Stahl. "*Excelente matéria*", repetiu ele. "Não ouviu o que eu disse?", perguntou ela. "Lesley, quando você mostra quatro minutos e meio de ótimas fotografias de Ronald Reagan, ninguém ouve o que você diz. Não sabe que as fotos falam mais do que a sua mensagem porque estão em conflito com ela? O público vê essas fotos e bloqueia a sua mensagem. Nem escutam o que você diz. Portanto, no nosso julgamento, foram quatro minutos e meio de propaganda gratuita a favor da campanha para a reeleição de Ronald Reagan."

Interpretação. A maioria dos homens que trabalharam para Reagan na área de comunicação tinha uma formação em marketing. Eles sabiam a importância de se contar uma história com vivacidade, nitidez e bons visuais. Todas as manhãs, eles discutiam qual seria a manchete do dia, como transformá-la numa matéria visual curta e conseguindo para o presidente uma chance de aparecer no vídeo. Eles prestavam minuciosa atenção ao pano de fundo do presidente na Sala Oval, no enquadramento da câmera quando ele estava com outros líderes mundiais, e faziam com que fosse filmado em movimento com seu passo confiante. A mensagem visual era mais convincente do que qualquer palavra que pudesse ser dita. Como disse um oficial de Reagan: "Em que você vai acreditar, nos fatos ou nos seus olhos?"

Livre-se da necessidade de se comunicar da forma direta normal e se presenteará com mais chances de realizar uma venda sutil. Que as suas palavras sejam discretas, vagas, fascinantes. E preste muito mais atenção ao seu estilo, aos visuais, à história que eles contam. Transmita uma sensação de dinamismo e progresso mostrando-se em movimento. Expresse confiança não por meio de fatos e números, mas com cores e imagens positivas, apelando para a criança que existe em todos. Permita que a mídia o cubra sem orientação e você estará à mercê deles. Portanto, inverta a dinâmica – a imprensa precisa de drama e visuais? Proporcione isso. É válido discutir problemas ou "verdades", desde que o seu pacote seja um passatempo. Lembre-se: as imagens permanecem na lembrança muito depois de esquecidas as palavras. Não faça sermão para o público – isso nunca funciona. Aprenda a expressar a sua mensagem com visuais que insinuem emoções positivas e sentimentos felizes.

4. Em 1919, pediram ao agente de imprensa cinematográfica Harry Reichenbach para cuidar da publicidade de um filme chamado *The Virgin of Stamboul*. Era o caça-níqueis romântico de sempre num cenário exótico, e normalmente um publicitário montaria uma campanha com cartazes atraentes e anúncios. Mas Harry não trabalhava da maneira usual. Ele havia começado a sua carreira como o sujeito que anuncia as atrações na entrada dos parques de diversões e, ali, a única maneira de chamar a atenção do público para entrar na sua tenda é gritar mais alto do que os outros. Portanto, Harry desencavou oito turcos sujos e maltrapilhos que viviam em Manhattan, vestiu-os com fantasias (calças flutuantes verde-mar, turbantes com luas crescentes douradas) fornecidas pelo estúdio, ensaiou com eles cada frase e gesto, e os instalou num hotel caro. Os jornais ficaram logo sabendo (com uma pequena ajuda de Harry) que uma delegação de turcos tinha chegado a Nova York numa missão diplomática secreta.

Os repórteres convergiram para o hotel. Visto que a sua presença em Nova York nitidamente não era mais segredo, o chefe da missão, "xeque Ali Ben Mohammed", os convidou para a sua suíte. Os jornalistas ficaram impressionados com as roupas coloridas dos turcos, com os salamaleques e rituais. O xeque então explicou por que tinham vindo a Nova York. Uma bela jovem chamada Sari, conhecida como a Virgem de Istambul, estava prometida em casamento ao irmão do xeque. Um soldado americano, que estava de passagem, apaixonou-se pela moça e deu um jeito de raptá-la de casa levando-a para a América. A mãe morrera de tristeza. O xeque havia descoberto que ela estava em Nova York, e tinha vindo buscá-la.

Hipnotizados pela linguagem pitoresca do xeque e pela história romântica que ele contara, os repórteres encheram os jornais com histórias sobre a Virgem de Istambul durante vários dias. O xeque foi filmado no Central Park e festejado pela nata da sociedade nova-iorquina. Finalmente encontraram "Sari" e a imprensa noticiou o encontro entre o xeque e a moça histérica (uma atriz com ar exótico). Logo depois, *The Virgin of Stamboul* estreou em Nova York. O enredo era muito parecido com os acontecimentos "reais" noticiados nos jornais. Era uma coincidência? Uma versão feita às pressas da história real? Ninguém parecia saber, mas o público estava curioso demais para se importar com isso, e *The Virgin of Stamboul* bateu os recordes de bilheteria.

Um ano depois, convidaram Harry para cuidar da publicidade de um filme chamado *The Forbidden Woman*. Era um dos piores filmes que ele já tinha visto. Os donos dos cinemas não estavam interessados em exibi-lo. Harry pôs mãos à obra. Por 18 dias corridos, ele publicou um anúncio em todos os principais jornais de Nova York: OBSERVEM O CÉU NA NOITE DE 21 DE FEVEREIRO! SE ESTIVER VERDE – VÁ AO CAPITOL, SE ESTIVER VERMELHO – VÁ AO RIVOLI, SE ESTIVER COR-DE--ROSA – VÁ AO STRAND, SE ESTIVER AZUL – VÁ AO RIALTO, POIS NO DIA 21 DE FEVEREIRO O CÉU LHE DIRÁ ONDE VOCÊ PODERÁ ASSISTIR AO MELHOR ESPETÁCULO DA CIDADE! (Capitol, Rivoli, Strand e Rialto eram os quatro grandes cinemas onde os filmes estreavam na Broadway.) Quase todos os que viram o anúncio ficaram imaginando que espetáculo fabuloso seria esse. O dono do Capitol perguntou a Harry se sabia de alguma coisa, e Harry lhe contou o segredo: era tudo uma armação publicitária para um filme ainda sem contrato de exibição. O dono pediu para ver uma mostra de The Forbidden Woman; Harry passou quase o filme inteiro falando sobre a campanha de publicidade, distraindo o homem daquela chatura na tela. O dono do cinema decidiu exibir o filme durante uma semana, e assim, na noite de 21 de fevereiro, enquanto uma pesada tempestade de neve cobria a cidade e todos os olhos se voltavam para o céu, imensos raios de luz surgiram dos prédios mais altos – um magnífico espetáculo verde. Uma enorme multidão correu para o Capitol. Quem não conseguiu entrar naquele dia continuou tentando. Com a casa lotada e uma multidão excitada, até que o filme não parecia tão ruim.

No ano seguinte, contrataram Harry para a publicidade de um filme de gângsteres chamado Fora da lei. Nas autoestradas que cruzavam o país, ele montou cartazes que diziam em letras garrafais: SE VOCÊ DANÇAR NO DOMINGO, VOCÊ ESTÁ FORA DA LEI. Em outros cartazes, a palavra "dançar" era substituída por "jogar golfe" ou "jogar sinuca" e assim por diante. Num canto superior dos cartazes, havia um escudo com as iniciais "PD".

O público achou que isso queria dizer "police department [departamento de polícia]" (na verdade, eram as iniciais de Priscilla Dean, a atriz do filme) e que a polícia, com apoio de organizações religiosas, estava preparada para impor leis puritanas de décadas atrás proibindo atividades "pecaminosas" aos domingos. De repente, surgia a polêmica. Donos de teatros, associações de golfe e organizações de dança lideravam uma campanha contra as leis puritanas; erguiam os seus próprios cartazes exclamando que, se você fizesse essas coisas no domingo, não estava "FORA DA LEI" e convocando os americanos a colocarem um pouco de diversão em suas vidas. Durante semanas, as palavras "Fora da Lei" eram vistas por toda parte e na boca de todo mundo. No meio dessa confusão, o filme estreou – num domingo – em quatro cinemas de Nova York simultaneamente, coisa inédita. Ficou em exibição durante meses no país inteiro, aos domingos também. Foi um dos maiores sucessos do ano.

Interpretação. Harry Reichenbach, talvez o maior agente de imprensa da história do cinema, jamais esqueceu o que havia aprendido como anunciante nos parques de diversões. O parque de diversões é um lugar cheio de luzes fortes, cores, barulho e com uma multidão que está sempre indo e vindo. Esses ambientes têm um efeito intenso sobre as pessoas. Quem está lúcido provavelmente dirá que os espetáculos de mágica são ilusões, que os animais ferozes são treinados e as arriscadas acrobacias relativamente seguras. Mas as pessoas querem se distrair; é uma de suas maiores necessidades. Cercadas de cores e excitação, elas colocam de lado o ceticismo por alguns momentos e imaginam que a magia e o perigo são reais. Ficam fascinadas com o que parece ser, ao mesmo tempo, falso e real. Os malabarismos publicitários de Harry simplesmente recriavam o parque de diversões em escala maior. Ele atraía as pessoas com o fascínio das fantasias coloridas, uma grande história, um espetáculo irresistível. Ele prendia as suas atenções com mistérios, polêmicas, o que fosse preciso. Pegando uma espécie de febre, como acontecia nos parques de diversões, elas iam em bando, sem nem pensar, aos filmes que ele divulgava.

As fronteiras entre ficção e realidade, notícia e entretenimento são ainda mais tênues hoje do que na época de Harry Reichenbach. Quantas oportunidades existem aí para uma sedução sutil! A mídia está desesperada por eventos com valor de entretenimento, com um drama inerente. Alimente essa necessidade. O público tem um fraco por aquilo que parece ao mesmo tempo realístico e ligeiramente fantástico – por acontecimentos que tenham uma forte característica cinematográfica. Jogue com essa fraqueza. Encene eventos como fazia Bernays, eventos que a mídia pode captar como notícia. Mas aqui você não está iniciando uma tendência social, você está em busca de algo mais a curto prazo: chamar a atenção das pessoas, criar uma agitação momentânea, atraí-las para a sua tenda. Torne os seus eventos e acrobacias publicitárias plausíveis e um tanto realísticas, mas pinte-os com cores mais fortes do que o usual, faça os personagens maiores do que na vida real, mais intensa a dramaticidade. Proporcione uma margem de sexo e risco. Você estará criando uma confluência de vida real e ficção – a essência de qualquer sedução.

Não basta, entretanto, conquistar a atenção das pessoas: você precisa prendê-las o tempo suficiente para fisgá-las. Isso sempre é possível fazer disparando a centelha da polêmica, como Harry gostava ao provocar debates sobre moral. Enquanto a mídia discute o efeito que você está causando nos valores das pessoas, ela está divulgando o seu nome aos quatro ventos e, inadvertidamente, lhe concedendo a vantagem que o fará tão atraente para o público.

BIBLIOGRAFIA

Baudrillard, Jean. *Seduction.* Trad. para o inglês de Brian Singer. Nova York: St. Martin's Press, 1990.

Bourdon, David. *Warhol.* Nova York: Harry N. Abrams, Inc., 1989.

Capellanus, Andreas. *Andreas Capellanus on Love.* Trad. para o inglês de P. G. Walsh. Londres: Gerald Duckworth & Co. Ltd., 1982.

Casanova, Jacques. *The Memoirs of Jacques Casanova in eight volumes.* Trad. para o inglês de Arthur Machen. Edimburgo: Limited Editions Club, 1940.

Chalon, Jean. *Portrait of a Seductress: The World of Natalie Barney.* Trad. para o inglês de Carol Barko. Nova York: Crown Publishers, Inc., 1979.

Cole, Hubert. *First Gentleman of the Bedchamber: The Life of Louis-François Armand, Maréchal Duc de Richelieu.* Nova York: Viking, 1965.

de Troyes, Chrétien. *Arthurian Romances.* Trad. para o inglês de William W. Kibler. Londres: Penguin Books, 1991.

Feher, Michel, ed. *The Libertine Reader: Eroticism and Enlightenment in Eighteenth--Century France.* Nova York: Zone Books, 1997.

Flynn, Errol. *My Wicked, Wicked Ways.* Nova York: G. P. Putnam's Sons, 1959.

Freud, Sigmund. *Psychological Writings and Letters.* Ed. Sander L. Gilman. Nova York: The Continuum Publishing Company, 1995.

_____. *Sexuality and the Psychology of Love.* Ed. Philip Rieff. Nova York: Touchstone, 1963.

Fülöp-Miller, René. *Rasputin: The Holy Devil.* Nova York: Viking, 1962.

George, Don. *Sweet Man:* The Real Duke Ellington. Nova York: G. P. Putnam's Sons, 1981.

Gleichen-Russwurm, Alexander von. *The World's Lure: Fair Women, Their Loves, Their Power,* Their Fates. Trad. para o inglês de Hannah Waller. Nova York: Alfred A. Knopf, 1927.

Hahn, Emily. *Lorenzo: D. H. Lawrence and the Women Who Loved Him.* Philadelphia: J. B. Lippincott Company, 1975.

Hellmann, John. *The Kennedy Obsession: The American Myth of JFK.* Nova York: Columbia University Press, 1997.

Kaus, Gina. Catherine: *The Portrait of an Empress.* Trad. para o inglês de June Head. Nova York: Viking, 1935.

Kierkegaard, Sören. *The Seducer's Diary, in Either/Or, Part 1.* Trad. para o inglês de Howard V. Hong & Edna H. Hong. Princeton, NJ: Princeton University Press, 1987.

Lao, Meri. *Sirens: Symbols of Seduction.* Trad. para o inglês de John Oliphant of Rossie. Rochester, VT: Park Street Press, 1998.

Lindholm, Charles. *Charisma*. Cambridge, MA: Basil Blackwell, Ltd., 1990.

Ludwig, Emil. *Napoleon*. Trad. para o inglês de Eden & Cedar Paul. Garden City, NY: Garden City Publishing Co., 1926.

Mandel, Oscar, ed. *The Theatre of Don Juan: A Collection of Plays and Views, 1630-1963*. Lincoln, NE: University of Nebraska Press, 1963.

Maurois, André. *Byron*. Trad. para o inglês de Hamish Miles. Nova York: D. Appleton & Company, 1930.

_____. *Disraeli: A Picture of the Victorian Age*. Trad. para o inglês de Hamish Miles. Nova York: D. Appleton & Company, 1928.

Monroe, Marilyn. *My Story*. Nova York: Stein and Day, 1974.

Morin, Edgar. *The Stars*. Trad. para o inglês de Richard Howard. Nova York: Evergreen Profile Book, 1960.

Ortiz, Alicia Dujovne. *Eva Perón*. Trad. para o inglês de Shawn Fields. Nova York: St. Martin's Press, 1996.

Ovid. *The Erotic Poems*. Trad. para o inglês de Peter Green. Londres: Penguin Books, 1982.

_____. *Metamorphoses*. Trad. para o inglês de Mary M. Innes. Baltimore, MD: Penguin Books, 1955.

Peters, H. F. My Sister, My Spouse: *A Biography of Lou Andreas-Salomé*. Nova York: W. W. Norton, 1962.

Plato. *The Symposium*. Trad. para o inglês de Walter Hamilton. Londres: Penguin Books, 1951.

Reik, Theodor. *Of Love and Lust: On the Psychoanalysis of Romantic and Sexual Emotions*. Nova York: Farrar, Strauss and Cudahy, 1957.

Rose, Phyllis. *Jazz Cleopatra: Josephine Baker and Her Time*. Nova York: Vintage Books, 1991.

Sackville-West, Vita. *Saint Joan of Arc*. Londres: Michael Joseph Ltd., 1936.

Shikibu, Murasaki. *The Tale of Genji*. Trad. para o inglês de Edward G. Seidensticker. Nova York: Alfred A. Knopf, 1979.

Shu-Chiung. Yang Kuei-Fei: *The Most Famous Beauty of China*. Shanghai, China: Commercial Press, Ltd., 1923.

Smith, Sally Bedell. *Reflected Glory: The Life of Pamela Churchill Harriman*. Nova York: Touchstone, 1996.

Stendhal. *Love*. Trad. para o inglês de Gilbert and Suzanne Sale. Londres: Penguin Books, 1957.

Terrill, Ross. *Madame Mao: The White-Boned Demon*. Nova York: Touchstone, 1984.

Trouncer, Margaret. *Madame Récamier*. Londres: Macdonald & Co., 1949.

Wadler, Joyce. *Liaison*. Nova York: Bantam Books, 1993.

Weber, Max. *Essays in Sociology*. Ed. Hans Gerth & C. Wright Mills. Nova York: Oxford University Press, 1946.

Wertheimer, Oskar von. *Cleopatra: A Royal Voluptuary*. Trad. para o inglês de Huntley Patterson. Philadelphia: J. B. Lippincott Company, 1931.

CRÉDITOS

Agradecimentos pelas permissões de reproduzir os extratos de obras protegidas pela lei dos direitos autorais:

Falling in Love, de Francesco Alberoni, traduzido para o inglês por Lawrence Venuti. Reproduzido por permissão da Random House, Inc.

Seduction, de Jean Baudrillard, traduzido para o inglês por Brian Singer, St. Martin's Pres, 1990. Copyright © New World Perspectives, 1990. Reproduzido por permissão da Palgrave.

The Decameron, de Giovanni Boccaccio, traduzido para o inglês por G. H. McWilliam (Penguin Classics, 1972, 2ª edição, 1995). Copyright © G. H. William, 1972, 1995. Reproduzido por permissão da Penguin Books Ltd.

Warhol, de David Bourdon, publicado por Harry N. Abrams, Inc., Nova York. Todos os direitos reservados. Reproduzido por permissão.

Behind the Mask: On Sexual Demons, Sacred Mothers, Transvestites, Gangsters and Other Japanese Cultural Heroes, de Ian Buruma, Random House UK, 1984. Reproduzido com permissão.

Andreas Capellanus on Love, de Andreas Capellanus, traduzido para o inglês por P. G. Walsh. Reproduzido por permissão de Gerald Duckworth & Co. Ltd.

The Book of the Courtier, de Baldassare Castiglione, traduzido para o inglês por George Bull (Penguin Classics, 1967, edição revista, 1976). Copyright © George Bull, 1967, 1976. Reproduzido por permissão da Penguin Books Ltd.

Portrait of a Seductress: The World of Natalie Barney, de Jean Chalon, traduzido para o inglês por Carol Barko, Crown Publishers, Inc., 1979. Reproduzido por permissão.

Lenin: The Man Behind the Mask, de Ronald W. Clark, Faber & Faber Ltd., 1988. Reproduzido por permissão.

Pursuit of the Millennium, de Norman Cohn. Copyright © 1970 by Oxford University Press. Usado por permissão da Oxford University Press, Inc.

Tales from the Thousand and One Nights, traduzido para o inglês por N. J. Dawood (Penguin Classics, 1955, edição revista, 1973) Copyright da tradução © N. J. Dawood, 1954, 1973. Reproduzido por permissão da Penguin Books Ltd.

Emma, Lady Hamilton, de Flora Fraser, Alfred A. Knopf, 1987. Copyright © 1986 by Flora Fraser. Reproduzido por permissão.

Evita: The Real Life of Eva Perón, de Nicolas Fraser e Marysa Navarro, W. W. Norton & Company, Inc. 1996. Reproduzido por permissão.

The World's Lure: Fair Women, Their Loves, Their Power, Their Fates, de Alexander von Gleichen Russwurm, traduzido para o inglês por Hannah Waller, Alfred A. Knopf, 1927. Copyright © 1927 by Alfred A Knopf, Inc. Reproduzido por permissão.

The Greek Myths, de Robert Graves. Reproduzido por permissão da Carcanet Press Ltd.

The Kennedy Obsession: The American Myth of JFK, de John Hellman, Columbia University Press 1997. Reproduzido por permissão da Columbia University Press.

The Odyssey, de Homer, traduzido para o inglês por E. V. Rieu (Penguin Classics, 1946). Copyright © Espólio de E. V. Rieu, 1946. Reproduzido por permissão da Penguin Books Ltd.

The Life of an Amorous Woman and Other Writings, de Ihara Saikaku, traduzido para o inglês por Ivan Morris. Copyright © 1963 by New Directions Publishing Corp. Reproduzido por permissão da New Directions Publishing Corp.

"The Seducer's Diary" de *Either/Or*, parte 1, de Sören Kierkegaard, traduzido para o inglês por Howard V. Hong e Edna H. Hong. Copyright © 1987 by Princenton University Press. Reproduzido por permissão da Princeton University Press.

Sirens: Symbols of Seduction, de Meri Lao, traduzido para o inglês por John Oliphant of Rossie, Park Street Press, Rochester, Vermont, 1998. Reproduzido por permissão.

Lives of the Courtesans, de Lynne Lawner, Rizzoli, 1987. Reproduzido com permissão da autora.

The Theatre of Don Juan: A Collection of Plays and Views, 1630-1963, organizado e comentado por Oscar Mandel. Copyright © 1963 by University of Nebraska Press. Copyright renovado © 1991 by University of Nebraska Press. Reproduzido por permissão da University of Nebraska Press.

Don Juan and the Point of Horror, de James Mandrell. Reproduzido com permissão da Penn State University Press.

Bel-Ami, de Guy de Maupassant, traduzido para o inglês por Douglas Parmee (Penguin Classics, 1975). Copyright © Douglas Parmee, 1975. Reproduzido por permissão da Penguin Books Ltd.

The Arts and Secrets of Beauty, de Lola Montez, Chelsea House, 1969. Reproduzido com permissão.

The Age of the Crowd, de Serge Moscovici. Reproduzido por permissão da Cambridge University Press.

The Tale of Genji, de Murasaki Shikibu, traduzido para o inglês por Edward G. Seidensticker, Alfred A. Knopf, 1976. Copyright © 1976 by Edward G. Seidensticker. Reproduzido por permissão.

The Erotic Poems, de Ovídio, traduzido para o inglês por Peter Green (Penguin Classics, 1982). Copyright © Peter Green, 1982. Reproduzido por permissão da Penguin Books Ltd.

The Metamorphose, de Ovídio, traduzido para o inglês por Mary M. Innes (Penguin Classics, 1955). Copyright © Mary M. Innes, 1955. Reproduzido por permissão da Penguin Books Ltd.

My Sister, My Spouse: A Biography of Lou Andreas-Salomé, de H. F. Peters, W. W. Norton & Company, Inc. 1962. Reproduzido por permissão.

The Symposium, de Platão, traduzido para o inglês por Hamilton (Penguin Classics, 1951). Copyright © Walker Hamilton, 1951. Reproduzido por permissão da Penguin Books ltd.

The Rise and Fall of Athens: Nine Greek Lives, de Plutarco, traduzido para o inglês por Ian Scott-Kilvert (Penguin Classics, 1960). Copyright © Ian Scott-Kilvert, 1960. Reproduzido por permissão da Penguin Books, Ltd.

Love Declared, de Denis de Rougemont, traduzido para o inglês por Richard Howard. Reproduzido por permissão da Random House, Inc.

The Wisdom of Life and Counsels and Maxims, de Arthur Schopenhauer, traduzido para o inglês por T. Bailey Saunders (Amherst, NY: Prometheus Books, 1995). Reproduzido por permissão.

The Pillow Book of Sei Shonagon, de Sei Shonagon, tradução para o inglês e organização de Ivan Morris, Columbia University Press, 1991. Reproduzido por permissão da Columbia University Press.

Liaison, de Joyce Wadler, publicado pela Bantam Books, 1993. Reproduzido por permissão da autora.

Max Weber: Essays in Sociology, de Max Weber, organizado e traduzido para o inglês por H. H. Gerth e C. Wright Mills. Copyright © 1946, 1958 by H. H. Gerth e C. Wright Mills. Reproduzido por permissão da Oxford University Press, Inc.

The Game of Hearts: Harriette Wilson & Her Memoirs, organizado por Lesley Blanch. Copyright © 1955 by Lesley Blanch. Reproduzido por permissão da Simon & Schuster.

Formado em estudos clássicos, Robert Greene foi editor da *Esquire*, entre outras revistas, e é dramaturgo. Com *As 48 leis do poder,* conquistou milhões de leitores interessados em sabedoria antiga e filosofia por meio de textos essenciais para aqueles que buscam poder, influência e maestria. Sua especialidade é analisar as vidas e filosofias de figuras históricas como Sun Tzu e Napoleão. É também autor de *As leis da natureza humana*, *Maestria* e *A arte da sedução*. Mora em Los Angeles.

Joost Elffers é produtor gráfico de diversos livros e vive em Nova York.